el ABC del MÉDICO

el ABC del MÉDICO

Javier Vendrell Covisa

LIBSA

© 2012, Editorial LIBSA
C/ San Rafael, 4
28108. Alcobendas. Madrid
Tel. (34) 91 657 25 80
Fax (34) 91 657 25 83
e-mail: libsa@libsa.es
www.libsa.es

Textos: Javier Vendrell Covisa
Edición: Azucena Merino

ISBN: 978-84-662-2438-3

Contenido

PARTE I. ENFERMEDADES INFECCIOSAS

Infecciones respiratorias de las vías superiores.................... **22**
Rinitis aguda o catarro común • Faringoamigdalitis • Sinusitis • Otitis.

Infecciones respiratorias de las vías inferiores **29**
Laringitis • epiglotitis, traqueítis • bronquitis aguda • neumonía.

Infecciones urinarias **35**
¿Cuáles son los gérmenes más habituales que las producen? • ¿Quién padece con más frecuencia estas infecciones? • Clasificación • Tipos de infecciones urinarias • Diagnóstico.

Infecciones del sistema nervioso **43**
Meningitis • abceso cerebral.

Infecciones de la piel... **48**
Impétigo • Celulitis • Abscesos cutáneos • Mordeduras de animales • Úlceras por decúbito • Micosis cutáneas.

Enfermedades de transmisión sexual **53**
Uretritis • Vaginitis • Cervicitis • Sífilis • Condilomas acuminados • Herpes genital • Pediculosis • ¿Cómo prevenir y detectar estas enfermedades? • Síndrome de inmunodeficiencia adquirida o sida.

Infecciones por ciertos virus **61**
Sarampión • Rubéola • Varicela y herpes zoster • Parotiditis • Poliomielitis, • Rabia • Viruela

Gripe **68**
¿Qué es la gripe? • ¿Cómo se contagia la gripe? • ¿Por qué se produce? • ¿Cómo se manifiesta la gripe? • ¿Cómo se detecta la gripe? • ¿Cuál es el tratamiento de la gripe? • ¿En qué consiste la vacuna de la gripe? • ¿Cómo es la evolución de la gripe?

Infecciones por determinadas bacterias **73**
Escarlatina • Fiebre tifoidea • Brucelosis • Tos ferina • Carbunco o ántrax • Legionelosis • Tétanos • Botulismo • Lepra.

Enfermedades bucodentales. **81**
Caries • Gingivitis • Periodontitis o piorrea • Maloclusión.

PARTE II. ENFERMEDADES CARDIOVASCULARES

Hipertensión arterial **94**
¿Cómo se mide la presión arterial? • ¿Qué es la hipertensión arterial? • ¿A quién afecta la hipertensión arterial? • ¿Por qué se produce la hipertensión? • ¿Cuáles son los síntomas de la hipertensión?

• ¿Cuál es la repercusión de la hipertensión arterial? • Diagnóstico • Tratamiento • Pronóstico.

Infarto de miocardio. **102**
¿Por qué se alteran las arterias coronarias? • ¿Cuáles son las consecuencias de la alteración de las arterias coronarias? • ¿Cómo es el dolor del infarto? • ¿Cuáles son los factores de riesgo coronario? • Diágnóstico • Complicaciones.

Insuficiencia cardíaca. **109**
¿Qué es la insuficiencia cardíaca? • ¿A quién afecta la insuficiencia cardíaca? • ¿Por qué se produce la insuficiencia cardíaca? • ¿Cuáles son los síntomas y signos de la insuficiencia cardíaca? • Mecanismos de compensación • Clasificación • Diagnóstico • Pronóstico.

Valvulopatías cardíacas **116**
¿Qué son las valvulopatías? • Estenosis mitral • Insuficiencia mitral • Estenosis aórtica • Insuficiencia aórtica • Estenosis tricúspide • Insuficiencia tricúspide • ¿Cómo se diagnostican las valvulopatías?

Arritmias. **123**
¿Qué es una arritmia? • ¿Por qué se producen las arritmias? • Clasificación • Diagnóstico.

Enfermedades del pericardio. **128**
Pericarditis aguda • Derrame pericárdico • Taponamiento cardíaco • Pericarditis constrictiva.

Endocarditis infecciosa. **132**
Clasificación de la endocarditis • ¿Cuál es el origen de la endocarditis? • ¿Cómo se produce la endocarditis? • ¿Cuáles son los síntomas de esta enfermedad? • ¿Cómo se detecta la endocarditis?

Varices. **137**
¿Qué son las varices? • ¿Por qué se producen las varices? • ¿Cómo se manifiestan las varices? • ¿Cómo se diagnostican las varices? • ¿Cuál es el tratamiento de las varices?

PARTE III. ENFERMEDADES RESPIRATORIAS

Dificultad respiratoria **149**
¿Cómo actúa el tabaco en las vías respiratorias? • ¿Qué otros factores de riesgo favorecen la enfermedad? • ¿Cuáles son los síntomas de la EPOC? • Evolución • Tratamiento.

Tos aguda y crónica **155**
¿Por qué se produce la tos? • Clasificación • Diagnóstico • Tratamiento • Complicaciones.

Tuberculosis. **159**
¿Qué es la tubercolosis? • ¿Quién transmite la tubercolosis? • ¿Cómo se produce la tubercolosis? • ¿Cómo se manifiesta la enfermedad? • Diagnóstico • Prevención • Pronóstico.

Tromboembolismo pulmonar **164**
¿Qué es el tromboembolismo pulmonar? • ¿Por qué se produce esta
enfermedad? • ¿Cómo se manifiesta esta enfermedad? • ¿Cómo se
diagnostica esta enfermedad?

Asma bronquial. **168**
¿Qué es el asma bronquial? • ¿A quién afecta el asma?
• Clasificación, ¿Qué factores favorecen y desencadenan el asma?
• ¿Cómo se detecta el asma? • Tratamiento • ¿Cómo debe prevenir el
asmático su enfermedad? • ¿Cómo funciona el tratamiento
farmacológico del asma? • ¿Qué otras medidas ayudan al
tratamiento? • Evolución y pronóstico.

Tabaquismo **175**
¿Cuáles son los componentes del tabaco? • ¿Qué es el humo del
tabaco? • ¿Qué es la nicotina? • ¿Es posible intoxicarse por nicotina?
• ¿Cómo es el efecto perjudicial del tabaco? • ¿Tiene algún efecto
beneficioso el tabaco? • ¿Cómo afecta el tabaco al embarazo?, ¿Por
qué se empieza a fumar? • ¿Por qué se sigue fumando aunque se sepa
que es malo? • ¿Cómo se puede dejar de fumar? • ¿Cuáles son las
principales causas de la recaída? • ¿Qué tratamientos ayudan a dejar
el tabaco? • ¿Qué otras medidas ayudan a superar la abstinencia?
• ¿Es reversible el efecto del tabaco? • ¿Qué es el tabaquismo pasivo?

PARTE IV. ENFERMEDADES NEUROLÓGICAS
Epilepsia. **192**
Clasificación • ¿Cómo distinguir una crisis epiléptica? • Diagnóstico,
¿Qué debemos hacer ante una crisis epiléptica? • ¿Cómo va a afectar
en mi vida la epilepsia? • Situaciones especiales.

Alteraciones del nivel de conciencia **199**
Síncope • Confusión • Coma.

Temblores y enfermedad de Parkinson. **204**
Clasificación • Enfermedad de Parkinson • Temblor por alteraciones
del cerebro • Temblor esencial • Temblores por sustancias tóxicas.

Trastornos del sueño. **209**
¿Por qué necesitamos dormir? • Insomnio • Hipersomnia
• Parasomnia.

Demencias **216**
¿Por qué se presentan las demencias? • Clasificación • Diagnóstico.

Cansancio y miastenia **222**
¿Qué hacer ante el cansancio? • Miastenia gravis.

Cefaleas **226**
Clasificación • Cefalea de tensión o tensional • Migraña • Cefalea en
cúmulos o de Horton • Arteritis de la temporal • Cefalea por
hipertensión • Neuralgia del trigémino • Cefalea por abuso de

analgésicos • Cefaleas tras golpe en la cabeza • Cefaleas de origen benigno • Cefaleas de origen maligno • Pronóstico.

Vértigo y mareo... **235**
¿Qué es el vértigo? • ¿Qué es el mareo? • Clasificación • Tratamiento.

Accidentes cerebrovasculares **239**
Isquemia cerebral • Hemorragia cerebral.

Esclerosis múltiple **244**
¿Qué es la esclerosis múltiple? • ¿Por qué se produce esta enfermedad?, • ¿Cuáles son los síntomas de esta enfermedad? • ¿Cómo evoluciona la esclerosis? • ¿Cómo se diagnostica la enfermedad? • ¿Cómo se trata la esclerosis múltiple? • Pronóstico.

PARTE V. ENFERMEDADES DIGESTIVAS
Dolor abdominal... **255**
¿Por qué se produce el dolor abdominal? • ¿Dónde se puede localizar el dolor abdominal? • ¿Qué puede causar el dolor abdominal? • ¿Cómo se diagnostica el dolor abdominal? • ¿Cómo se trata el dolor abdominal?

Diarrea y estreñimiento **262**
Diarrea • ¿Cómo se diagnostican las diarreas? • ¿Cómo se trata la diarrea? • Estreñimiento • ¿Por qué se produce el estreñimiento? • ¿Cómo se trata el estreñimiento?

Enfermedad inflamatoria intestinal **268**
Enfermedad de Crohn • Colitis ulcerosa • Manifestaciones extraintestinales de la enfermedad inflamatoria intestinal.

Hernia de hiato **275**
¿Qué es la hernia de hiato? • ¿Cuáles son los síntomas de la hernia de hiato? • ¿Cómo se detecta la hernia de hiato?

Reflujo gastroesofágico...................................... **278**
Reflujo gastroesofágico • ¿Qué es el reflujo? • ¿Cuáles son los síntomas del reflujo? • ¿Cómo se detecta esta enfermedad? • ¿Cuál es el tratamiento del reflujo?

Úlcera gastroduodenal **282**
¿Qué es la úlcera péptica? • ¿Por qué se produce la úlcera? • ¿Cómo se detecta la úlcera? • ¿Cómo se trata la úlcera péptica? • ¿Cuál es la evolución de la úlcera?

Hemorragia digestiva **287**
Hemorragia digestiva alta • Hemorragia digestiva baja • ¿Cómo se diagnostican las hemorragias digestivas?

Litiasis biliar **292**
¿Qué es la litiasis biliar? • ¿Por qué se producen los cálculos biliares? • ¿Cómo se manifiesta clínicamente la litiasis biliar? • ¿Cómo se diagnostica la litiasis biliar?

Hepatitis. **297**
    ¿Qué es la hepatitis? • ¿Por qué se producen las hepatitis? • ¿Cuáles
    son los síntomas de la hepatitis? • Tratamiento • Pronóstico.

Pancreatitis **304**
    Pancreatitis aguda • Pancreatitis crónica.

Enfermedades del ano y del recto **309**
    Hemorroides • Fisura anal • Fístula anorrectal • Prurito anal.

PARTE VI. ENFERMEDADES NEFROUROLÓGICAS
Insuficiencia renal. **319**
    ¿Qué es la insuficiencia renal? • Clasificación • ¿Cuáles son los
    síntomas de la insuficiencia renal? • Diagnóstico • Pronóstico.

Enfermedades de la próstata **324**
    Hiperplasia benigna de próstata • Cáncer de próstata.

Cólico nefrítico **330**
    ¿Cuáles son los síntomas del cólico nefrítico? • Tratamiento.

Incontinencia urinaria **335**
    ¿Qué es la incontinencia urinaria? • ¿Por qué se produce la
    incontinencia? • ¿Cómo abordar la incontinencia urinaria? • ¿Cuál es
    el tratamiento de la incontinencia?

Trastornos de la sexualidad y esterilidad **339**
    Trastornos del deseo sexual • Trastorno de la excitación sexual
    • Trastornos del orgasmo • Eyaculación precoz • Dispareunia
    • Esterilidad.

PARTE VII. ENFERMEDADES HORMONALES Y METABÓLICAS
Diabetes mellitus. **353**
    ¿Qué es la diabetes? • Clasificación • ¿Cuáles son las principales
    complicaciones de la diabetes? • ¿Qué es la hipoglucemia?
    • Diagnóstico • Tratamiento • Pronóstico.

Obesidad **361**
    ¿Qué es la obesidad? • ¿Cuál es la causa de la obesidad? • ¿Cuáles
    son las consecuencias de la obesidad? • ¿Cómo se trata la obesidad?

Gota **370**
    ¿Qué es la gota? • ¿A quién afecta la gota? • ¿Por qué se produce la gota?
    • ¿Cómo se manifiesta la gota? • ¿Cuál es el tratamiento de la gota?

Enfermedades del tiroides **376**
    Clasificación.

Triglicéridos y colesterol **383**
    ¿Qué es el colesterol? • ¿Qué son los triglicéridos? • ¿Cómo circula el
    colesterol en nuestro organismo? • ¿Qué es la hiperlipemia?, ¿Por qué
    es dañino el exceso de estas sustancias? • Clasificación • Diagnóstico
    • Tratamiento • Pronóstico.

Glándulas suprarrenales **390**
Enfermedad de Addison • Síndrome de Cushing
• Feocromocitoma.

PARTE VIII. ENFERMEDADES REUMATOLÓGICAS Y TRAUMATOLÓGICAS
Osteoporosis **403**
Osteoporosis • ¿Por qué se produce la osteoporosis? • ¿Qué podemos
hacer frente a la osteoporosis?
Artritis reumatoide **409**
¿Qué es la artritis reumatoide? • ¿Por qué se produce la artritis
reumatoide? • ¿Cuáles son los síntomas de esta enfermedad?
• ¿Cómo se inicia esta enfermedad? • Tratamiento
• Pronóstico.
Artrosis **414**
¿Qué es la artrosis? • ¿Cómo se produce la artrosis? • ¿Por qué se
produce la artrosis? • ¿Qué factores influyen en el desarrollo y
evolución de la artrosis? • ¿Cuáles son los síntomas de la artrosis? •
¿Cuáles son las articulaciones más afectadas? • Tratamiento •
Pronóstico.
Lumbalgia y lumbociática **421**
Lumbalgia y lumbociática • Lumbociática.
Esguinces y fracturas **425**
Esguinces • Lesiones musculares • Luxaciones • Tendinitis • Lesiones
del menisco • Fracturas.

PARTE IX. ENFERMEDADES HEMATOLÓGICAS
Anemia **437**
Anemia • ¿Qué es la anemia? • ¿Cuáles son los síntomas de la
anemia? • Clasificación • Tratamiento
• Pronóstico.
Alteraciones de la coagulación. **446**
Púrpuras, Trombocitopenias, Hemofilia, Enfermedad de Von
Willebrand • Trombosis.
Leucemia **452**
¿Qué es la leucemia? • ¿Qué tipos de leucemias existen?
Enfermedad de Hodgkin **456**
¿Qué es la enfermedad de Hodgkin? • ¿Cómo se manifiesta la
enfermedad? • ¿Cómo se trata esta enfermedad?

PARTE X. ENFERMEDADES OCULARES
Glaucoma. **467**
¿Qué es el glaucoma? • ¿Por qué se produce el glaucoma?
• ¿Cuáles son los factores de riesgo para padecer glaucoma?

• ¿Cuáles son los síntomas del glaucoma? • ¿Cómo se detecta el glaucoma? • Pronóstico.

Conjuntivitis 473
¿Qué es la conjuntivivitis? • ¿Por qué se produce la conjuntivitis?
• Conjuntivitis infecciosas • Conjuntivitis alérgicas
• Conjuntivitis químicas y traumáticas • Otras causas
de ojo rojo.

Miopía, hipermetropía y astigmatismo 477
Miopía • ¿Cómo se trata la miopía? • Hipermetropía •
Astigmatismo.

Estrabismo 484
¿Qué es el estrabismo? • ¿Cuál es la causa del estrabismo?
• ¿Cómo se manifiesta el estrabismo?

Presbicia o vista cansada 488
¿Qué es la presbicia? • ¿Cómo se diagnostica la presbicia? • ¿Cómo
se trata la presbicia?

Cataratas 491
¿Qué es la catarata? • ¿Por qué se produce la catarata? • ¿Cómo se
detecta la catarata? • ¿Cuál es el tratamiento de la catarata? • ¿Cuándo
debe indicarse la cirugía? • ¿Qué técnicas quirúrgicas pueden
emplearse?

PARTE XI. ENFERMEDADES PSIQUIÁTRICAS
Trastornos de la alimentación 501
Anorexia nerviosa • Bulimia nerviosa.

Ansiedad 507
¿Qué es la ansiedad?, ¿Cuál es la causa de la ansiedad?
• Clasificación • Tratamiento.

Depresión 513
¿Qué es la depresión? • ¿Por qué se produce la depresión? •
Clasificación • Tratamiento • Complicaciones.

Esquizofrenia 520
¿Qué es la esquizofrenia? • ¿Por qué se produce la esquizofrenia?
• ¿Qué tipos de esquizofrenia existen? • ¿Cómo se diagnostica la
esquizofrenia? • ¿Cómo se trata la esquizofrenia? • ¿Cuál es el
pronóstico de la esquizofrenia?

Trastornos obsesivos-compulsivos 525
Definición • Formas de presentación.

Alcoholismo 529
¿Qué es el alcohol? • ¿Cómo se calcula el cosumo de alcohol?
• ¿Qué es el alcoholismo? • ¿A quién afecta el alcoholismo?
• ¿Cuáles son las consecuencias del alcoholismo? • ¿Cómo se detecta
el alcoholismo? • ¿Cómo se puede tratar el alcoholismo?

PARTE **XII.** ENFERMEDADES DERMATOLÓGICAS

Psoriasis 543
 ¿Qué es la psoriasis? • ¿A quién afecta la psoriasiss? • ¿Por qué se
 produce la psoriasis? • ¿Qué tipos de psoriasis existen? • ¿Cuáles son
 los signos de la psoriasis? • ¿Cuál es el tratamiento de la psoriasis?

Dermatitis seborreica 548
 ¿Por qué se produce la dermatitis seborreica? • ¿Cómo se detecta la
 dermatitis seborreica? • ¿Cómo se trata la dermatitis seborreica?

Alopecia 552
 ¿Cómo crece el pelo? • ¿Por qué se cae el pelo? • ¿Qué es la
 alopecia? • ¿Por qué se produce la alopecia? • Clasificación •
 Diagnóstico.

Acné 558
 ¿Cómo se forma el acné? • ¿Cómo se manifiesta el acné? • ¿Qué
 factores influyen en el desarrollo del acné? • ¿Cómo se trata el acné?

Melanoma 563
 ¿Por qué se produce el melanoma? • Clasificación • ¿Cómo se detecta
 el melanoma? • ¿Cuál es la evolución del melanoma? • ¿Cómo se
 trata el melanoma? • ¿Cuál es el pronóstico de la enfermedad?

PARTE **XIII** ENFERMEDADES GINECOLÓGICAS

Trastornos del ciclo menstrual 573
 Dismenorrea • Amenorrea • Sangrados irregulares o abundantes.

Síndrome premenstrual 577
 ¿Qué es el síndrome premenstrual? • ¿Por qué se produce este síndrome?

Hirsutismo 581
 ¿Qué es el hirsutismo? • Clasificación • ¿Cuáles son las
 manifestaciones del hirsutismo? • Tratamiento • Pronóstico.

Menopausia 585
 ¿Qué es la menopausia? • ¿Cuáles son los síntomas de la
 menopausia? • ¿Cuál es el tratamiento de la menopausia?

Embarazo 590
 ¿Cómo se produce el embarazo? • ¿Cómo se detecta el embarazo?
 • Etapas del embarazo • Patología del embarazo • Nutrición durante el
 embarazo • Fármacos en el embarazo • Diabetes • Hipertensión arterial
 o gestosis • Anemia • Alteraciones cardíacas • Estreñimiento • Rubéola
 • Toxoplasmosis • Alteraciones de la piel y sus anejos • Varices.

PARTE **XIV:** CÁNCER

Tumores cerebrales 605
 Gliobastoma multiforme • Astrocitoma • Meningioma
 • Oligodendroglioma • Ependimoma • Craneofaringioma
 • Meduloblastoma • Adenomas hipofisiarios • Metástasis cerebrales.

Cáncer de pulmón. **611**
  ¿Qué es un nódulo pulmonar solitario? • Carcinomas broncogénicos.
Tumores del tiroides **616**
  Carcinoma papilar de tiroides • Carcinoma folicular de tiroides
  • Carcinoma anaplástico o indiferenciado • Carcinoma medular de
  tiroides • Linfoma maligno de tiroides.
Cáncer del cuello de útero y endometrio **621**
  Cáncer de cuello uterino • Cáncer de endometrio.
Tumores de mama. **627**
  ¿Qué es el cáncer de mama? • ¿Cómo se presenta el cáncer de mama?
  • ¿Cómo se manifiesta el cáncer de mama? • ¿Cómo se detecta el
  cáncer de mama? • ¿Cuál es el pronóstico del cáncer de mama?
Cáncer de hígado y páncreas. **634**
  Carcinoma hepatocelular • Adenocarcinoma de páncreas.
Tumores de colon y recto **639**
  ¿Qué es el cáncer colorrectal? • ¿Cómo se manifiesta el cáncer
  colorrectal? • ¿Cómo se diagnostican estos tumores? • ¿Cuál es
  pronóstico del cáncer colorrectal? • ¿Cómo se previene el cáncer de
  colon?

PARTE XV: APÉNDICES
  Apéndice I: Intoxicaciones. **646**
    Intoxicación etílica • Intoxicación por psicofármacos • Intoxicación
    por analgésicos • Intoxicación por diferentes drogas • Intoxicaciones
    domésticas • Intoxicaciones industriales • Intoxicación por plantas •
    Intoxicación por setas.
  Apéndice II: Primeros auxilios **653**
    Actuación urgente • Maniobras ventilatorias y de resucitación •
    Lesiones accidentales.
  Apéndice III: Alergias **665**
    ¿Qué es la alergia • ¿Por qué se produce la alergia? • ¿Cómo se
    manifiesta la alergia? • ¿Qué es el shock anafiláctico? • Clasificación
    • Tratamiento.

  Diccionario. **673**

Enfermedades infecciosas

✓ Infecciones respiratorias de las vías superiores
Rinitis aguda o catarro común • Faringoamigdalitis
• Sinusitis • Otitis

✓ Infecciones respiratorias de las vías inferiores
Laringitis • Epiglotitis • Traqueítis • Bronquitis aguda
• Neumonía

✓ Infecciones urinarias
Cistitis • Prostatitis • Orquiepididimitis • Pielonefritis • Absceso renal

✓ Infecciones del sistema nervioso
Meningitis • Absceso cerebral

✓ Infecciones de la piel
Impétigo • Celulitis • Abscesos cutáneos • Mordeduras de animales
• Úlceras por decúbito • Micosis cutáneas

✓ Enfermedades de transmisión sexual
Uretritis • Vaginitis • Cervicitis • Sífilis • Condilomas acuminados • Herpes
genital • Pediculosis • Síndrome de inmunodeficiencia adquirida o sida

✓ Infecciones por ciertos virus
Sarampión • Rubéola • Varicela y herpes zoster • Parotiditis • Poliomielitis
• Rabia • Viruela

✓ Gripe

✓ Infecciones por determinadas bacterias
Escarlatina • Fiebre tifoidea • Brucelosis • Tos ferina • Carbunco o ántrax
• Legionelosis • Tétanos • Botulismo • Lepra

✓ Enfermedades bucodentales
Caries • Gingivitis • Periodontitis o piorrea • Maloclusión

■ Sistema respiratorio superior ■

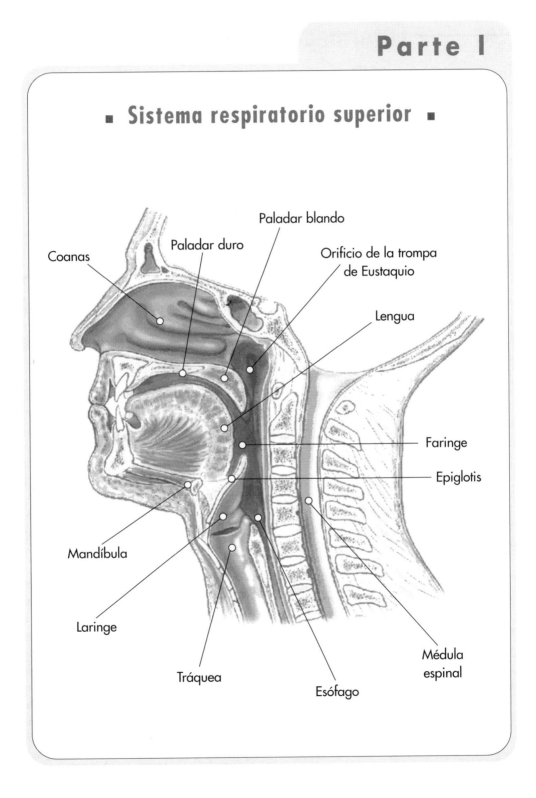

Coanas

Paladar duro

Paladar blando

Orificio de la trompa de Eustaquio

Lengua

Faringe

Epiglotis

Mandíbula

Laringe

Médula espinal

Tráquea

Esófago

Enfermedades infecciosas

Las enfermedades infecciosas son la causa más frecuente de enfermedad. El hombre está rodeado de microorganismos que en algunas ocasiones se asientan sobre formas de vida más complejas, como puede ser el cuerpo humano, de forma que obtienen de él los nutrientes y encuentran la manera de nacer y reproducirse, dando lugar a las infecciones.

El medio ambiente en el que vivimos es compartido por multitud de formas vivas, que al igual que el hombre han sufrido cambios adaptativos a lo largo de su existencia con el fin de sobrevivir dentro del mismo en las mejores condiciones posibles. Estas otras formas de vida no son sólo el resto de animales superiores o insectos que conocemos e incluso dominamos, sino que también lo son todos aquellos seres microscópicos que han permanecido miles de años en la tierra y que pueden ocasionalmente contactar con el ser humano, para mantener una relación de beneficio mutuo (microorganismos simbióticos) o para aprovecharse de él (microorganismos parásitos).

El ser humano por tanto se enfrenta de manera permanente a estas formas simples de vida por el mero hecho de respirar el aire en el que se encuentran, o de comer y beber las sustancias donde anidan, o simplemente pueden asentarse sobre las zonas de nuestro cuerpo que están expuestas al medio externo. En la mayoría de los casos, el contacto con estos gérmenes pasa inadvertido para el hombre puesto que las propias defensas naturales de su cuerpo impiden la colonización de los mis-

mos en nuestro interior. Sin embargo, en algunas ocasiones, los microorganismos alcanzan la posibilidad de asentarse sobre formas de vida compleja como el hombre y aprovecharse de éste para realizar sus funciones básicas de crecimiento y reproducción, produciéndose entonces lo que llamamos infección.

Las enfermedades infecciosas son las más frecuentes de todas las que pueden presentarse en el ser humano, pudiendo aparecer a cualquier edad y sobre cualquier individuo en un momento determinado de su vida. Las infecciones son por tanto el motivo más frecuente de consulta médica y posiblemente la causa última de muchas enfermedades cuyo origen aún no es completamente conocido.

Como ya hemos mencionado, los gérmenes que habitan a nuestro alrededor han sufrido modificaciones a lo largo de los años a medida que cambiaban las condiciones de vida sobre la tierra y también a medida que evolucionaban sus propios huéspedes habituales. Por sencillas que puedan parecer las estructuras de estos microorganismos, el afán de supervivencia que llevan codificado en sus genes les permite adaptarse a las situaciones climáticas extremas, a los sistemas defensivos del resto de seres vivos e incluso a las sustancias creadas artificialmente por el hombre para impedir su infección.

Existe por tanto una lucha permanente entre los gérmenes y el hombre (que cuenta hoy en día con la ayuda de los medicamentos) en el intento de colonizar las células del mismo, con desigual resultado según las diferentes circunstancias como son:

- La cantidad de gérmenes adquiridos y su patogeneicidad o capacidad intrínseca para producir una infección propiamente dicha.
- El estado físico previo de la persona que contrae dichos agentes infecciosos.
- Los avances sociosanitarios de la región donde se produce.

De forma general podemos dividir los agentes infecciosos en:

- *Bacterias:* organismos unicelulares que no necesitan de otras estructuras vivas para su crecimiento y reproducción, aunque estas funciones pueden verse favorecidas cuando se encuentran en un medio apropiado como puede ser un tejido humano. Estos microorganismos poseen en su interior todos los elementos habituales de cualquier célula, además del código genético que dirige su funcionamiento. Las bacterias forman un grupo muy heterogéneo ya que pueden tener formas y características muy distintas, pero siempre con el nexo común de su autosuficiencia vital.
- *Virus:* formas de vida muy simples y especialmente pequeñas, en cierto modo incompletas, que necesitan de otra célula, o más concretamente de su capacidad para fabricar proteínas y de su energía para reproducirse. No son por tanto más que

material genético (ADN o ARN) con una envoltura externa protectora que buscan introducirse en una célula para suplantar su código genético y producir copias de sí mismos.

- *Hongos:* son organismos unicelulares o pluricelulares que se reproducen por esporas y que pueden encontrarse de diferentes formas según la fase de su ciclo reproductivo en la que se encuentren. Se asientan sobre la piel del hombre o se introducen en su interior, reproduciéndose con facilidad cuando las condiciones son favorables y resultando bastante complicada su eliminación.
- *Protozoos:* son seres unicelulares grandes, generalmente móviles, que pueden actuar como parásitos del ser humano.
- *Helmintos o vermes:* son una especie de gusanos microscópicos de desarrollo complejo, que penetran en los seres superiores en forma de huevos o larvas para crecer y reproducirse en su interior.

Para que se produzca una infección es necesario que se forme una cadena de acontecimientos como la siguiente:

1. Debe existir un reservorio o fuente de la infección donde los gérmenes se encuentran poco activos y en cantidades más o menos constantes. Este reservorio pueden ser la tierra, el agua, los circuitos de aire, los animales (especialmente los insectos) o el propio ser humano.
2. Deben propagarse estos gérmenes por cualquier vía desde los reservorios hacia el hombre, bien por vía directa a través de la piel o de forma indirecta a través del aire, el agua, los alimentos o las secreciones corporales. En ocasiones algunos gérmenes habitan ya previamente en el

individuo y comienzan su acción patógena en un momento determinado.

3. Deben difundirse a través del cuerpo humano, aprovechando los defectos que el sistema defensivo pueda tener en cualquiera de sus puertas de entrada hacia el exterior.

4. Comienzan a reproducirse y a liberar toxinas en el cuerpo humano iniciando así el proceso de infección propiamente dicho.

Frente a esta concatenación infecciosa el hombre puede tomar medidas efectivas, de forma consciente o no, que permitan prevenir, atajar o curar los procesos infecciosos. Así, de forma paralela a los puntos antes mencionados, podemos dividir estas medidas en:

1. Eliminación racional de los reservorios naturales y artificiales de gérmenes mediante descontaminación de las aguas y las tierras, sacrificio de animales portadores de enfermedades, limpieza de conductos de aire artificiales, etc. Se denominan portadores sanos a aquellos individuos que poseen en su organismo algún tipo de germen en estado latente, tras haber sufrido su infección, y que son potenciales transmisores del mismo; son por tanto reservorios humanos que también deben ser tratados si es posible.

2. Protección frente a las vías de infección o puertas de entrada de las mismas, mediante el tratamiento de las aguas, el control sanitario de los alimentos, la asepsia en los establecimientos quirúrgicos, el uso de dispositivos protectores (guantes, mascarillas), el empleo de preservativos y el aislamiento en ocasiones de los enfermos contagiosos, entre otros métodos.

3. El propio sistema defensivo o inmune del cuerpo humano, que detecta al germen en su mismo punto de entrada, destruyéndolo en la mayoría de los casos e impidiendo así el progreso de la infección. El sistema inmune se divide en:

– Inmunidad humoral o producida por los anticuerpos, que son moléculas formadas por unas proteínas especiales llamadas inmunoglobulinas, que actúan contra los llamados antígenos o proteínas de la estructura del germen.

– Inmunidad celular o producida por las propias células defensivas de la sangre o leucocitos, especialmente por un subtipo de las mismas llamadas linfocitos.

Ambos tipos proporcionan lo que se denomina *inmunidad natural,* y su defecto es responsable de la aparición de infecciones con mayor facilidad. Cuando tras superar una enfermedad infecciosa, permanecen anticuerpos protectores frente a la misma durante un largo periodo de tiempo, hablamos de *inmunidad adquirida.* Finalmente se denomina inmunidad activa a la que se consigue mediante la vacunación.

4. Tratamiento de la infección con medidas artificiales que ayudan al sistema inmune a erradicar la misma. Se basa en el empleo de fármacos antiinfecciosos o antimicrobianos de los siguientes tipos:

• *Antibióticos:* son fármacos que actúan directamente sobre las bacterias, bien impidiendo su reproducción o bien destruyendo su pared protectora. Las bacterias son capaces con el tiempo de producir sustancias que inactivan los antibióticos, lo que se denomina creación de resistencias, por lo que el abuso de estos fármacos o su uso indiscriminado e inadecuado (como por ejemplo en la gripe) acaba siendo muy perjudicial.

- *Antivirales:* son fármacos empleados frente a los virus que bloquean la actividad de las enzimas de éstos impidiendo así su acción infectiva o su replicación. Se emplean selectivamente en ciertas infecciones graves y no frente a la mayoría de las viriasis, que suelen curar espontáneamente.

- *Antifúngicos:* sustancias empleadas frente a los hongos, que normalmente requieren de largos periodos de tratamiento con las mismas.

Infecciones respiratorias de las vías superiores

La infección del tracto respiratorio superior es la patología más frecuente en los seres humanos, y la mayoría de los mismos están familiarizados con los síntomas de este tipo de procesos que se repiten todos los años. Este tipo de infecciones, en general banales y de corta duración, son la causa mayor de absentismo laboral en la sociedad actual y además provocan el mayor abuso de antibióticos por el propio individuo.

Se incluyen en este apartado infecciones producidas por virus y bacterias que afectan a la parte más alta del tracto respiratorio, es decir, a las fosas nasales, los senos paranasales, la faringe y las amígdalas, junto con las infecciones de los oídos, aunque este órgano no pertenezca al sistema respiratorio.

RINITIS AGUDA O CATARRO COMÚN

Las fosas nasales son el primer punto de contacto del aire exterior con el cuerpo humano en la mayoría de las inspiraciones que realizamos. El paso del flujo aéreo a través de ellas reporta algunas ventajas frente a la utilización de la boca como órgano respiratorio. Así, el aire es mejor canalizado desde las mismas y con menos turbulencia, lo que permite que alcance bien toda la masa pulmonar y la inspiración sea más profunda; por otro lado la mucosa nasal que las tapiza en su interior es atravesada por gran cantidad de pequeños vasos sanguíneos o capilares que «calientan» el aire a su paso, protegiendo de esta manera del frío al resto del árbol respiratorio. Finalmente, las vellosidades y pequeños pelos que poseen sirven como filtro para algunas de las partículas que flotan en el aire, quedando retenidas en las mismas o en el moco nasal que también tiene una función defensiva.

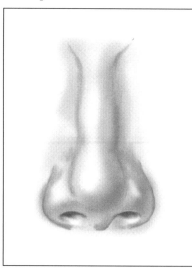

Las rinitis son las infecciones de las fosas nasales y están causadas por diversos tipos de virus, especialmente por un tipo denominado rinovirus. Se trata de una infección muy frecuente y que casi la totalidad de los individuos han sufrido en algún momento de su vida.

Se transmite de persona a persona por contacto estrecho, más o menos prolongado, y posiblemente a través de las manos por la tendencia a tocar con éstas las fosas nasales durante la infección. El periodo de incubación (desde que se contrae hasta que se manifiesta) es de tres o cuatro días.

■ Se denomina catarro común o resfriado a los síntomas de este tipo de infecciones, y se caracteriza por:

- Obstrucción nasal por el exceso de moco defensivo que las fosas producen para tratar de impedir la entrada de más agentes infecciosos.
- Expulsión de moco líquido por la nariz (rinorrea) y estornudos por la irritación de esta mucosidad sobre las terminaciones nerviosas de las paredes nasales.
- Malestar general y dolores musculares, muy típicos de todas las infecciones por virus, que puede acompañarse de algunas décimas de fiebre, pero que rara vez supera los 38 ºC.
- Cefalea leve y ligera somnolencia.
- Tos seca (sin expectoración) de intensidad media, que aparece normalmente al acostarnos, junto con un aumento de la obstrucción nasal.

La duración media de este proceso es de unos siete días, siendo el 2º y el 3º los más activos en cuanto a síntomas. En el caso de que se prolongue más allá de los 14 días es posible que sea debido a la presencia de otro virus más activo que los rinovirus o por algún tipo de bacteria que aprovecha la debilidad momentánea de la mucosa nasal para implantarse en ella. Las rinitis crónicas suelen tener un origen alérgico más que infeccioso.

El tratamiento se basa en medidas para paliar los síntomas de la infección, no para curarla, ya que en general los virus son eliminados por el propio organismo a través de sus defensas; por tanto, los antibióticos (que atacan a las bacterias) no son útiles en este caso salvo complicaciones. Se pueden utilizar analgésicos comunes tipo ácido acetil salicílico o paracetamol para las décimas de fiebre o los dolores musculares.

Para la obstrucción nasal es recomendable no «sonarse» la nariz, con el fin de proteger los oídos; es mejor tratar de eliminar la mucosidad con lavados de agua y sal (suero fisiológico) o con sprays nasales. Estos últimos deben usarse durante pocos días en el caso de que lleven corticoides en su composición. También pueden utilizarse fármacos para la tos, normalmente en forma de jarabes.

La vitamina C ha sido tradicionalmente recomendada como medida preventiva para este tipo de procesos y, aunque no dudemos de su efectividad, no existen aún pruebas concluyentes de sus beneficios en estos casos.

En algunos casos el catarro puede extenderse a otras zonas, sobre todo en los niños, y producir otitis y sinusitis.

FARINGOAMIGDALITIS

■ La faringe es la zona del tracto respiratorio situada en la parte posterior de la boca que se extiende hacia el cuello y que comúnmente denominamos garganta. Es un órgano fundamental para realizar las funciones de comer, respirar y hablar (no todo al mismo tiempo, claro) y para ello está dividido en tres partes:

- Nasofaringe o parte superior, que forma la parte posterior de las fosas nasales y donde desembocan las trompas de Eustaquio. Posee dos nódulos llamados adenoides que pertenecen al sistema inmune o defensivo y cuya afectación produce las llamadas «vegetaciones».
- Orofaringe o parte intermedia, situada detrás de la boca, coopera con la lengua y el paladar en la deglución de los alimentos e impide que se desvíen hacia la nariz. En esta zona se encuentran las amígdalas.

● Faringe inferior, situada detrás de la laringe, ya no es atravesada normalmente por aire, sino por el alimento deglutido. La epiglotis es la membrana que cubre la laringe (por donde sí pasa el aire) para que no penetre alimento en el sistema respiratorio.

Las amígdalas son cúmulos de tejido defensivo que el sistema inmune utiliza para detectar y neutralizar gérmenes que penetren por la boca, tanto por los alimentos como a través del aire. Estos órganos están especialmente desarrollados en la infancia y primera adolescencia, para posteriormente irse atrofiando hasta la edad adulta en la mayoría de los casos.

■ La faringitis es la inflamación e irritación de esta región concreta, y se denomina faringoamigdalitis cuando además se afectan las amígdalas. Según su origen y su duración se pueden distinguir dos tipos:

● **Faringitis crónica**: aunque no sea un término muy correcto podemos utilizarlo para referirnos al típico cuadro de irritación faríngea de larga duración que aparece sobre todo en fumadores y en bebedores habituales de alcohol o en individuos que por razones laborales estén expuestos a la inhalación de sustancias tóxicas. Se denomina faringitis seca a un tipo de faringitis crónica que se produce por el goteo permanente de moco nasal por la parte posterior de las fosas, a través de la rinofaringe, que irrita la faringe y produce tos.
● **Faringitis aguda**: producida normalmente por bacterias como los estreptococos sobre una faringe predispuesta por un catarro común o por otras circunstancias como el frío o ciertos irritantes. Tiene por tanto un origen infeccioso y se acompaña en la mayoría de los casos por la aparición de «placas» blanquecinas sobre las amígdalas, visibles desde el exterior, junto con una serie de síntomas:

– Enrojecimiento de la garganta, con picor de la misma incluido.
– Dolor y dificultad para tragar alimentos, incluso los líquidos, por la inflamación de la faringe. A veces se notan «pinchazos» al tragar saliva en los primeros momentos de la infección.
– Fiebre en muchos de los casos que puede llegar a ser superior a los 40 ºC, sobre todo en los niños.
– Tono de voz apagado o más grave pero sin ronquera.
– Aparición de «ganglios» o adenopatías en el cuello, a veces dolorosas; en muchos casos la campanilla o úvula se encuentra inflamada y de un color rojo muy intenso.

El tratamiento de las faringitis suele ser bastante efectivo en las formas agudas o infecciosas, y se basa en la toma de antibióticos pautados por nuestro médico, cuando se sospeche un origen bacteriano, junto con las lógicas medidas preventivas como evitar la exposición al frío, no fumar ni beber alcohol (que anula parcialmente el efecto del antibiótico) y antiinflamatorios para disminuir las molestias.

Los remedios caseros como la leche con miel y limón o las gárgaras con agua oxigenada al 50% también pueden mejorar los síntomas y acelerar el proceso curativo. En las formas crónicas, el lavado nasal con suero impide el goteo de moco a la faringe y mejora por tanto la tos secundaria al mismo. La amigdalectomía o extirpación de las amígdalas se utilizaba antaño de forma habitual en todos los niños con faringitis repetidas, pero hoy en día se reserva únicamente a casos especiales.

En algunas ocasiones esta infección puede complicarse con la formación de abscesos de pus alrededor de las amígdalas o por extensión a la epiglotis, que son en ambos casos cuadros graves que requieren actuación inmediata.

SINUSITIS

Los senos paranasales son pequeñas cavidades en los huesos de la cara, que están ocupadas por aire en su interior y que se conectan por conductos a través del hueso con las fosas nasales y la faringe. Su función es la de disminuir el peso de los huesos de la cara y el cráneo, ya que si los mismos fueran macizos, aumentaría considerablemente el peso total de la cabeza.

■ Se organizan alrededor de la nariz, de ahí su nombre, y son pares, aunque no perfectamente simétricos y no siempre desarrollados de la misma manera en un lado u otro o entre diferentes individuos; son:
- Senos frontales: situados en la frente a ambos lados de la línea imaginaria que la divide, justo por encima de la raíz del tabique nasal.
- Senos maxilares: son los más grandes y se encuentran por detrás de los pómulos de la cara.
- Senos etmoidales y esfenoidales: más pequeños e interiores, están situados en la parte posterior de las fosas nasales, en los huesos que forman la base del cráneo.

Al igual que las fosas nasales, los senos están recubiertos de células especiales que son capaces de producir mucosidad como respuesta a un agente infeccioso que penetre por la vía respiratoria.

La sinusitis se produce cuando se acumula esta mezcla de moco y material infeccioso en los senos, y éstos no son capaces de eli-minarla debido a que los pequeños conductos de drenaje hacia las fosas nasales se encuentran taponados por el moco y por la inflamación de los mismos; así se produce un aumento de la presión en los senos, y el aire se sustituye en parte por pus y bacterias.

La causa más frecuente de este tipo de infección es la extensión a los senos paranasales de una infección bacteriana (rara vez vírica) desde cualquier parte de la vía respiratoria alta; el seno maxilar es el que se afecta con más frecuencia. En otras ocasiones, la sinusitis puede provenir de infecciones dentales o en las que se producen tras una fractura facial o en una herida abierta en dicha zona.

■ Según su duración podemos distinguir entre:

- **Sinusitis aguda**, que es aquella que se presenta como un episodio aislado con una sintomatología muy fuerte.
- **Sinusitis crónica**, que es un proceso que puede permanecer durante semanas o meses, con síntomas más leves, que se favorece por determinadas circunstancias como las malformaciones congénitas de los senos paranasales, la desviación del tabique nasal y las infecciones repetidas de las amígdalas.

El tratamiento se basa en la administración de antibióticos y descongestionantes nasales; la utilización de aerosoles ha demostrado ser muy útil en la mejoría de los síntomas de la infección. En los casos más complicados puede ser necesario drenar el seno afectado a través de un pequeño orificio realizado en el interior de la nariz. Las formas de sinusitis crónica son más difíciles de tratar y, en ocasiones, requieren de cirugía, bien para eliminar pólipos nasales o bien para tratar de corregir el drenaje de los senos.

Evitar el humo del tabaco y los ambientes especialmente húmedos ayuda también a prevenir este cuadro.

OTITIS

■ El oído humano está formado por tres partes diferentes que se organizan entre sí para realizar la función de la audición:

- Oído externo: formado por el pabellón auricular (oreja) y el conducto auditivo externo, que va desde aquél hasta el tímpano.
- Oído medio: se encarga de recoger las vibraciones del tímpano y amplificarlas a través de la cadena de huesecillos (martillo, yunque, estribo, lenticular).
- Oído interno: recoge y transforma las vibraciones que el sonido provoca en impulsos eléctricos que envía al cerebro; además, aquí reside el órgano del equilibrio.

La otitis se define como la infección del oído en cualquiera de sus partes; se trata de una patología relativamente frecuente, especialmente durante los primeros años de vida,

disminuyendo su incidencia a partir de los diez años de edad.

Según la región afectada se distinguen diferentes tipos de otitis:

1. **Otitis externa**: es una infección superficial del conducto auditivo externo, normalmente por bacterias u hongos que aparece asociada con mucha frecuencia a ciertas condiciones como la presencia de humedad en el conducto o a la excesiva manipulación del mismo (bastoncillos u objetos punzantes) para limpiarlos de cerumen.
Produce dolor y picor desagradable en el oído junto con sensación de ocupación del mismo por líquido. Según la gravedad de la infección puede tratarse con antibióticos tópicos (gotas en el oído) o por vía oral, respondiendo bien al mismo en un periodo de siete a diez días. En sujetos predispuestos conviene prevenir este cuadro evitando la entrada de agua en el oído durante el baño o la ducha o, en caso de que se moje, moviendo la cabeza hasta expulsarla; a su vez conviene recordar que el oído es un órgano que se limpia

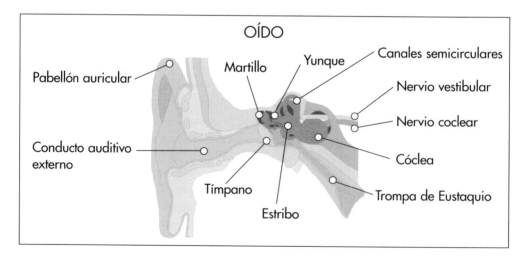

OÍDO

Pabellón auricular
Conducto auditivo externo
Martillo
Tímpano
Estribo
Yunque
Canales semicirculares
Nervio vestibular
Nervio coclear
Cóclea
Trompa de Eustaquio

solo, por lo que no es aconsejable utilizar ningún objeto con ese fin.

Existe una forma grave de otitis externa, llamada maligna, que produce una importante mortalidad por la extensión de la infección a los huesos vecinos al oído como el hueso temporal o la mandíbula. Se produce, sobre todo, en diabéticos adultos (sin que se sepa bien el porqué de esta predisposición) por una bacteria llamada *Pseudomona aeruginosa*.

2. **Otitis media**: es la infección aguda del oído medio, muy frecuente entre los niños, que se produce en la mayoría de los casos por extensión desde la garganta de bacterias y virus a través de la trompa de Eustaquio. El dolor es el signo más característico de esta infección, que se manifiesta en los niños como irritabilidad y continuos «toqueteos» en la oreja; también es frecuente que aparezca una pérdida de audición transitoria mientras dure la infección. Ambos síntomas, dolor y sordera, se producen por la acumulación de moco y pus en el oído medio, que normalmente sólo tiene aire. Este líquido algunas veces es capaz de perforar el tímpano y drenar espontáneamente hacia el exterior. El tratamiento es también antibiótico y antiinflamatorio, con indicación de cirugía en los casos graves o recurrentes.

3. **Otitis interna**: es la infección del oído interno que ocurre en muy raras ocasiones, fundamentalmente como consecuencia de la extensión de una otitis media no tratada. Los síntomas fundamentales son la sordera y el vértigo, pudiendo llegar a ser un cuadro muy grave si no se trata a tiempo, por el riesgo de sordera permanente o afectación del cerebro.

Infecciones respiratorias de las vías superiores

RINITIS AGUDA O CATARRO COMÚN

Infecciones de las fosas nasales por diversos virus que producen un cuadro muy característico de obstrucción nasal, malestar general, dolores musculares, tos sin expectoración, cefalea y ligera somnolencia.

El tratamiento se basa en medidas paliativas para los síntomas, puesto que al tratarse de un proceso viral, la curación se produce espontáneamente.

FARINGOAMIGDALITIS

Partes de la faringe: nasofaringe, orofaringe y faringe inferior. Función de las amígdalas: neutralizar los gérmenes que entran por la boca.

La faringitis es la inflamación e irritación de estas estructuras que se caracteriza por la aparición de dolor y dificultad para tragar, enrojecimiento de la garganta, fiebre y ganglios aumentados en la región cervical.

SINUSITIS

Los senos paranasales son pequeñas cavidades de los huesos que forman la cara y que pueden ser divididos en:

- Senos frontales.
- Senos maxilares.
- Senos etimoidales.
- Senos esfenoidales.

La sinusitis se produce cuando se acumula una mezcla de moco y material infeccioso en estos senos, tapando sus conductos de drenaje y favoreciendo la cronificación de la infección.

Los síntomas principales son el dolor en algunas regiones de la cara, el taponamiento nasal, la pérdida de olfato y gusto y la tos, junto con cefalea crónica.

OTITIS

El oído humano está formado por tres partes:

- Oído externo: pabellón auricular y conducto auditivo externo.
- Oído medio: tímpano y cadena de huesecillos.
- Oído interno: canales semicirculares.

Las otitis pueden ser clasificadas, por tanto, en:

- Otitis externas: generalmente por bacterias u hongos.
- Otitis medias: producen dolor de forma característica.
- Otitis internas: potencialmente graves, cursan con sordera y vértigo.

Infecciones respiratorias de las vías inferiores

Aunque menos frecuentes que las superiores, las infecciones que afectan a la porción inferior del árbol respiratorio tienen gran importancia por su gravedad y por representar en muchos casos la complicación final de una infección superior que comenzó siendo leve.

Esta porción inferior se extiende desde la laringe y la epiglotis hasta los pulmones, pasando por la tráquea, los bronquios y los bronquiolos. Vamos a comentar las principales afectaciones de esta región, especialmente la neumonía por su mayor incidencia y gravedad; a la tuberculosis se le dedica un capítulo aparte.

LARINGITIS

La laringe es un órgano situado entre la parte superior de la tráquea y la parte más inferior y posterior de lo que denominamos comúnmente la garganta. En su interior se encuentran las cuerdas vocales, que se dividen en superiores e inferiores, que son unas finas «lengüetas» alargadas dispuestas transversalmente en forma de cono. Con el paso del aire, estas cuerdas vibran y producen sonidos que el ser humano es capaz de modular gracias a una serie de cartílagos móviles que las albergan. Posteriormente la boca completa la fonación proporcionando a cada sonido sus características particulares.

La laringitis aguda es la inflamación de este órgano que se produce normalmente por una infección del mismo, aunque también puede deberse a otras causas, como a la in-

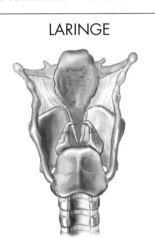

LARINGE

halación excesiva de tóxicos (fumadores) o al abuso de la voz. Los agentes infecciosos siempre son virus, que producen una irritación y enrojecimiento de la laringe que suele durar unos días.

Se caracteriza por producir la típica ronquera que puede desembocar en pérdida completa de la voz y dolor en la parte inferior de la garganta que se acentúa al tratar de hablar; rara vez aparece fiebre.

Cura espontáneamente sin necesidad de tratamiento especial salvo el reposo de la voz y la eliminación del tabaco (tanto activo como pasivo).

Existe un síndrome especial llamado **laringotraqueítis viral aguda** o CRUP muy típico en los recién nacidos y hasta los tres años de edad, también producido por virus, y que produce una tos seca característica, muy ronca, «perruna» o como en ladrido de foca, que se acompaña de dificultad respiratoria, con «pitidos» en algunos casos y que puede llegar a ser grave. Es importante en estos casos consultar pronto al pediatra para prevenir las complicaciones.

EPIGLOTITIS

La epiglotis es una lámina situada en la parte anterior de la garganta que tiene la función de cubrir la glotis u orificio de entrada de la tráquea, para evitar que entre comida en ésta durante la deglución de los alimentos. Se activa automáticamente cuando tragamos cualquier sustancia; si no se cierra correctamente, o lo hace tarde, se produce el típico atragantamiento por el estímulo en la tráquea de las sustancias que han penetrado (a veces la propia saliva) y aparece la tos para tratar de expulsarlas.

La epiglotitis es la inflamación aguda y severa de esta estructura causada en la mayoría de los casos por bacterias pertenecientes al género del *Haemophilus*. Estos gérmenes producen edema e inflamación de la epiglotis que hacen que se desplace hacia abajo y cierre el paso normal del aire.

Los síntomas aparecen de forma brusca con dolor en la garganta, fiebre y malestar general; como consecuencia de la inflamación existe dificultad respiratoria, dificultad para tragar y babeo. El individuo sólo tolera la posición de sentado, y así se sitúa, con la cabeza agachada y la boca abierta. En muchos casos se trata de una urgencia médica, sobre todo en los niños, que requiere traslado inmediato al hospital.

TRAQUEÍTIS

La tráquea es un tubo más o menos rígido, de forma más triangular que circular, que sirve de conducto al aire que respiramos desde la garganta hasta la carina, que es el punto en el que se divide en dos para formar los bronquios. Al igual que el resto del tracto respiratorio, la tráquea puede ser colonizada por diferentes gérmenes.

■ La traqueítis es la inflamación de este órgano y puede estar producida por:

- Virus: es lo más frecuente; se produce un cuadro leve de tos seca, dolor en el esternón al respirar, fiebre no muy alta y malestar general. No requiere ningún tratamiento especial, salvo para la tos, y en general mejora en una semana aunque algunas veces tiende a cronificarse.
- Bacterias: es una infección más grave, poco frecuente, que aparece a cualquier edad pero sobre todo en los niños que han tenido previamente una infección en las vías superiores. Produce fiebre alta y dificultad respiratoria, así como tos intensa con abundante expectoración. Requiere ingreso hospitalario para tratamiento con antibióticos intravenosos.

BRONQUITIS AGUDA

Los bronquios principales son los dos segmentos en los que se divide la tráquea al final de su trayecto, y que se dirigen oblicuamente a ambos lados del tórax para alcanzar los pulmones. Antes de ello, se van dividiendo progresivamente en bronquios secundarios y bronquiolos cada vez más finos hasta contactar con el verdadero órgano de la respiración que es el pulmón.

Se produce por determinados virus en más de la mitad de los casos, además de bacterias y unos microorganismos llamados micoplasmas.

La bronquitis aguda es un problema médico muy habitual que se caracteriza por tos aguda con abundantes flemas que son verdosas, poca elevación de la temperatura y dolor en el pecho con el esfuerzo de toser. Es frecuente que aparezca como complicación de una infección de la garganta que no ha sido bien curada, sobre todo entre los fumadores o individuos expuestos al frío ambiental.

NEUMONÍA

Los pulmones son, como dijimos unas líneas atrás, los auténticos órganos de la respiración, ya que es en ellos donde se produce el intercambio de gases de la sangre, tomando ésta el oxígeno del aire inspirado y soltando el dióxido de carbono para que sea espirado. Cada pulmón está formado por un tejido entrelazado de tubos microscópicos donde desembocan los bronquiolos más pequeños; a su vez cada túbulo lleva asociado

un capilar de sangre para realizar el intercambio gaseoso mencionado. Los puntos de contacto de estos túbulos, que llevan el aire con la sangre se denominan alvéolos. De esta manera, la respiración se realiza en todo el pulmón a través de los alvéolos, que son los puntos finales de contacto entre el sistema respiratorio y la sangre del sistema circulatorio.

La neumonía es la inflamación del tejido pulmonar, secundaria a la infección del mismo por determinados agentes, especialmente bacterias, aunque no es extraño que se pueda producir por virus o por hongos. Estos gérmenes llegan a los pulmones a través de la propia vía respiratoria por gérmenes que descienden desde infecciones superiores. Es en general una infección grave que es responsable del mayor número de muertes por infección de cualquier tipo, que hoy en día puede ser controlada con los antibió-

Tramiento de la bronquitis aguda

■ El tratamiento antibiótico no es necesario en muchas ocasiones, bien porque existe la seguridad de que es un virus el causante del cuadro o bien porque los síntomas son leves y ceden con otras medidas en pocos días. Estas medidas son principalmente:

• Buena hidratación: con el fin de lograr que las flemas sean lo más blandas y líquidas posible y se puedan eliminar con facilidad; es importante recordar que las flemas son mucosidad defensiva producida por nuestros bronquios que llevan en su interior adheridos gran cantidad de gérmenes, y para que no sean muy densas y no se peguen a las paredes del tubo respiratorio, conviene tomar un mínimo de 3 l diarios de

líquido en forma de agua o zumos. Existen fármacos expectorantes que ayudan en esta misión pero que en ningún caso sustituyen a la correcta hidratación.

• Abandono del tabaco: a poder ser de forma definitiva, y si no, al menos mientras dure el proceso.

• Protección frente al frío (o frente al aire acondicionado).

• El uso de ciertos medicamentos, como jarabes para la tos, no está muy indicado en la bronquitis aguda porque cortan la misma e impiden que se puedan expectorar las flemas cargadas de microorganismos, y prolongan así el tiempo de estancia de los mismos en los bronquios, retrasando el tiempo de curación.

ticos, pero que antiguamente producía una mortalidad devastadora.

■ De forma sencilla, podemos decir que se presenta de dos formas:

- **Bronconeumonía**: producida en la mayoría de los casos por una bacteria llamada Haemophilus influenzae; se caracteriza por afectar de forma difusa a los dos pulmones en la mayoría de los casos, aunque puede limitarse a sólo uno de ellos.
- **Neumonía lobar**: debida en muchas ocasiones a la infección por el neumococo (Sreptococcus pneumoniae) y que recibe ese nombre porque se afecta un lóbulo o porción en las que se encuentra dividido cada pulmón.

Este tipo de infecciones puede ser adquirida por contacto con otra persona infectada, por viajes a zonas del mundo endémicas para esta infección, por estancia prolongada en hospitales (donde habitan muchos gérmenes especialmente virulentos), por contacto estrecho con ciertos animales (como por ejemplo las palomas), por aspiración de pequeñas gotas de agua infectada (como la *Legionella*) y, en algunas ocasiones, por aspiración de objetos o sustancias (como la comida) por la vía respiratoria en vez de por la digestiva.

Existe un grupo de individuos con mayor predisposición a padecer este tipo de infecciones como son los alcohólicos, los pacientes con insuficiencia cardíaca y bronquitis crónica, los transplantados renales y aquellos a los que se les ha extirpado el bazo. Los enfermos que han sido intubados por problemas respiratorios graves también tienen más riesgo de infección pulmonar.

■ Aunque cada tipo de neumonía es diferente tanto por los gérmenes que la produ-

cen como por la distribución pulmonar de la afección, se pueden enumerar una serie de síntomas comunes a todas ellas:

- Tos: es el principal síntoma de la misma, y se acompaña de flemas oscuras o herrumbrosas, cuando es de origen bacteriano, o puede ser seca (sin producción de esputo) en las formas virales.
- Dolor torácico o costal: se suele corresponder con la zona pulmonar más afectada; este dolor aumenta con la inspiración profunda.
- Dificultad respiratoria: a veces es únicamente una sensación subjetiva como de no «llenar» bien los pulmones, pero en otras se acompaña realmente de una mala oxigenación de la sangre.
- Fiebre alta mayor de 38,5 °C, de comienzo brusco, con escalofríos y malestar general.

En los ancianos o enfermos crónicos puede presentarse como una descompensación o acentuación de ciertas enfermedades preexistentes como la diabetes o la insuficiencia cardíaca. Es frecuente que provoquen también en los mismos alteraciones del nivel de conciencia y deshidratación.

Las infecciones por virus suelen producir unos síntomas más leves, de comienzo más lento que incluso pueden pasar casi desapercibidos en personas jóvenes.

El diagnóstico de la neumonía se basa en la confirmación mediante la radiografía de tórax de la existencia de la lesión pulmonar que se sospecha por los síntomas antes mencionados. El análisis de sangre y la gasometría (análisis de la cantidad de oxígeno presente en la sangre arterial extraída de la muñeca), sirven para establecer la gravedad de la infección. Mediante cultivo del esputo se puede llegar a conocer el germen causante para instaurar así el tratamiento más apropiado.

■ El tratamiento se realiza con antibióticos de dos formas diferentes:

- En el domicilio del enfermo, cuando no reviste especial gravedad y el proceso puede curarse con los mismos por vía oral.
- En el hospital, en los casos más graves que requieren tratamiento intravenoso y vigilancia de la función respiratoria, que puede necesitar de la aplicación de oxígeno o incluso de intubación a la tráquea.

En ambos casos el tratamiento puede apoyarse con fármacos antitérmicos para la fiebre, inhaladores para dilatar los bronquios y expectorantes. Del mismo modo que en la bronquitis aguda, la hidratación del enfermo es básica para poder eliminar mediante el esputo la mayor cantidad posible de «masa» infectada. La fisioterapia respiratoria constituye una buena ayuda en estos casos ya que enseña a respirar correctamente y a expulsar las flemas producidas.

La evolución suele ser buena, con una mejoría de los síntomas tras la primera semana de tratamiento; las lesiones que aparecen en la radiografía suelen tardar un poco más en desaparecer.

Una de las complicaciones más frecuentes de la neumonía es la afectación de la pleura o membrana que recubre los pulmones, que puede infectarse y acumular pus en su interior o simplemente retener líquido en las zonas inferiores y producir lo que se denomina derrame pleural. En las neumo-

Prevención de la neumonía

Las medidas más útiles para prevenir la aparición de la neumonía son:

■ Consultar al médico ante cualquier proceso respiratorio que se prolongue más tiempo de lo normal o si se acompaña de fiebre y dolor en el pecho; especialmente los pacientes ancianos o con enfermedades crónicas. Es interesante en estos casos vacunarse de la gripe a tiempo, ya que a través de esta enfermedad pueden surgir complicaciones que desemboquen en neumonía.

■ Dejar de fumar, puesto que el humo del tabaco bloquea el sistema defensivo del conducto respiratorio. También hay que tener cuidado con las corrientes de aire frío y el aire acondicionado.

■ Utilizar mascarillas de protección si se tiene contacto con aves o se trabaja en palomares.

■ Comer y masticar despacio, con especial control en los niños y ancianos, para evitar que pueda introducirse comida en la vía respiratoria que desemboque en una neumonía por aspiración. Así mismo debe mantenerse una correcta higiene dental.

■ Evitar el abuso de antibióticos ante cualquier pequeño signo de infección sin consultar previamente. Las bacterias con el tiempo pueden llegar a hacerse resistentes a los mismos por un proceso simplemente de selección, lo que conlleva su pérdida de eficacia cuando realmente son necesarios.

■ No insistir en permanecer ingresado en un hospital, si no es estrictamente necesario, para impedir el contagio.

nías severas puede acumularse pus y material infeccioso directamente en el tejido pulmonar y producir abscesos de mal pronóstico.

El pronóstico de esta enfermedad depende de la edad y el estado general del paciente. En las neumonías contagiadas dentro del hospital (que se denominan nosocomiales)

el pronóstico empeora debido a que los gérmenes son más activos y difíciles de erradicar, y además suelen ser pacientes con alguna enfermedad grave (por eso están ingresados); en este tipo de neumonías intrahospitalarias la mortalidad oscila entre el 25-50% de los casos.

Infecciones respiratorias de las vías inferiores

ANATOMÍA DE LAS VÍAS RESPIRATORIAS INFERIORES

Laringe, epiglotis, pulmones, tráquea, bronquios y bronquíolos.

LARINGITIS

Inflamación de la laringe por la infección de ésta, como consecuencia de tóxicos o por forzar la voz. Produce ronquera, dolor en la garganta y, rara vez, fiebre.

Cura espontáneamente en la mayoría de los casos, aunque en los recién nacidos puede presentar complicaciones.

TRAQUEÍTIS

Inflamación de la tráquea secundaria por infecciones virales (más frecuente) o bacterianas (más grave).

EPIGLOTITIS

Inflamación aguda y severa de la epiglotis o membrana que separa la vía aérea de la digestiva. Se caracteriza por la aparición de forma brusca de dolor en la garganta, fiebre, dificultad respiratoria y malestar general.

BRONQUITIS AGUDA

Infecciones víricas o bacterianas del árbol bronquial, muy habituales, que provocan tos con expectoración, fiebre moderada y dolor en el tórax.

Su tratamiento consiste en medidas preventivas, buena hidratación y antibióticos en algunos casos.

NEUMONÍA

Inflamación del tejido pulmonar como consecuencia de la infección del mismo por determinados gérmenes, especialmente bacterias.

Los principales síntomas de esta infección son: tos con expectoración, dolor torácico, dificultad respiratoria y fiebre mayor de 38,5 oC.

El diagnóstico de la neumonía se confirma mediante radiografía de tórax, análisis de sangre y valoración de la función respiratoria.

El tratamiento puede realizarse a domicilio o necesitar ingreso hospitalario. Se basa en el reposo y la administración de antibióticos.

Infecciones urinarias

Se define la infección urinaria como la invasión microbiana del aparato urinario que sobrepasa la capacidad defensiva del paciente y que, por lo tanto, no es capaz de impedirla. Con frecuencia, el aparato urinario humano se encuentra colonizado por bacterias, pero en pequeñas cantidades, que están «controladas» por el sistema inmune o defensivo, para que no lleguen a extenderse ni a multiplicarse en exceso. Cuando por diferentes motivos, estas bacterias tienen libertad para reproducirse, la infección aparece y provoca síntomas en el paciente.

Son el segundo tipo de infecciones más frecuentes, detrás de las respiratorias, y suponen uno de los motivos de consulta más habituales al médico de cabecera. Sin embargo, en los hospitales son la causa más frecuente de infección. Potencialmente, todos los órganos y estructuras del sistema urinario pueden verse afectados, desde los riñones hasta el meato uretral u orificio de salida de la uretra al exterior.

¿CUÁLES SON LOS GÉRMENES MÁS HABITUALES QUE LAS PROVOCAN?

Normalmente son bacterias que pertenecen al grupo de los bacilos gramnegativos, sobre todo la *Escherichia coli* que es responsable de casi el 80% de todas las infecciones urinarias. Otras bacterias que pueden provocarlas son el *Proteus mirabilis* (en un 10% de los casos), *Klebsiella pneumoniae* (6-8%) y *Enterococcus faecalis* (3-4%). De forma ocasional, también se pueden producir infecciones de este tipo por diferentes virus.

Los hongos como la *Candida albicans* producen infecciones urinarias asociadas a infecciones genitales, con frecuencia de transmisión sexual, que se comentan en ese capítulo.

¿QUIÉN PADECE CON MÁS FRECUENCIA ESTAS INFECCIONES?

■ Existen una serie de factores que favorecen la aparición de este tipo de infecciones; sobre algunas de ellas es posible actuar y otras, sin embargo, no son modificables. Los principales factores de riesgo para padecer una infección urinaria son:

- Mujeres: las desarrollan con mayor facilidad por la forma de su uretra, que es más corta y que termina al mismo nivel que la piel y órganos genitales; esto favorece que puedan penetrar gérmenes con más facilidad y alcanzar la vejiga antes. Hasta un 30% de las mujeres sufren al menos una infección urinaria en su vida.
- Niños: de ambos sexos y con más frecuencia en edad preescolar, para ir luego disminuyendo la incidencia con la edad, al ir madurando el sistema urinario.
- Varones operados de fimosis o con circuncisión: parece que el prepucio protege a los varones de la entrada de bacterias a través de la uretra.
- Obstrucción al flujo de la orina: por diferentes causas que hacen que ésta se «remanse» y permanezca más tiempo del nor-

mal en las vías urinarias, lo cual favorece que se infecte. Puede producirse por malformaciones congénitas, cálculos, cistoceles o por problemas prostáticos en varones.

- Por manipulación de la vía urinaria: como sondas urinarias o tras determinados procedimientos diagnósticos o terapéuticos que exijan la manipulación de la vía urinaria.

- El nivel socioeconómico bajo y en general la falta de higiene predisponen a padecer este tipo de infecciones. Muchas de estas infecciones se producen por la cercanía de la salida del tubo digestivo (ano) a la de la uretra, por lo que es fácil el contagio si no hay una buena limpieza. Esto aún se favorece más en determinados grupos de población que poseen, de forma habitual en su intestino grueso, algu-

nos de los gérmenes que provocan infecciones urinarias con más frecuencia.

- La diabetes favorece también la aparición de las mismas al igual que la gota y la pérdida de potasio por la diarrea, al estar alterada tanto la composición normal de la orina como el ritmo y la cantidad de las micciones.

- Otras causas conocidas son el embarazo, la disminución de las defensas por determinados tratamientos (o en enfermos con SIDA) y en los pacientes con tumores de larga evolución. Los periodos prolongados de estancia en la cama (sobre todo en los hospitales) predisponen también a este tipo de infecciones.

- ¿Herencia?: se investiga la posibilidad de que determinados sujetos tengan una mayor facilidad, por causas genéticas,

Síntomas de las infecciones urinarias

Aunque cada tipo de infección urinaria tiene sus propias características, se pueden describir una serie de signos y síntomas comunes, más o menos presentes en todas ellas, que sirven como señal de alarma para detectarlas precozmente. Se agrupan en síndromes que incluyen a su vez diferentes aspectos. Estos son:

■ Síndrome miccional: que se compone de polaquiuria (orinar con mucha frecuencia porque se tienen muchas ganas, pero hacer poca cantidad), disuria (dificultad para orinar, con escozor o ardor, debilidad del chorro y goteo de orina después de terminar), tenesmo (deseo constante de orinar que se acompaña de pequeños calambres o sensación desagradable al hacerlo), y nicturia (orinar pequeñas cantidades muchas veces por la noche).

■ Síndrome doloroso: localizado en la región lumbar, en la zona popularmente denominada «los riñones», en la región abdominal por encima del pubis y, en ocasiones, en los genitales y periné (zona entre los genitales y el ano).

■ Síndrome febril: no siempre presente y que puede ser febrícula (inferior a 38 °C) o fiebre (superior a 38 °C).

■ Síndrome urinario: en las infecciones urinarias, la orina pierde su brillo característico y además puede volverse turbia. Si es de color más oscuro de lo normal puede deberse a la presencia de algo de sangre en la misma. También se puede detectar un fuerte olor fétido o amoniacal en la misma que llama la atención del individuo.

para que las bacterias se adhieran a las paredes de las vías urinarias, y producir infecciones repetidamente debido a ello.

CLASIFICACIÓN

Antes de hablar de forma separada de cada tipo de infección urinaria según su localización exacta, expondremos las diferentes formas de presentarse que tienen, según otros parámetros como la duración, los síntomas y las complicaciones.

Así, se habla de INFECCIÓN AGUDA, cuando aparece de forma más o menos rápida, con síntomas bien claros, y que evoluciona hacia la curación o se complica. La INFECCIÓN CRÓNICA es aquella que persiste más allá de lo razonable, con síntomas leves de forma intermitente, y en la que los análisis siempre indican infección. Por otra parte, se denomina INFECCIÓN RECURRENTE a una repetición regular en el tiempo de infecciones, con síntomas más o menos claros, que curan tras recibir tratamiento pero que vuelven a aparecer semanas o meses después.

Cuando las infecciones provocan la aparición de síntomas y signos fácilmente detectables por el paciente se denominan INFECCIONES SINTOMÁTICAS; en el caso de pasar desapercibidas para el mismo, pero que se detectan en el análisis, se llaman INFECCIONES ASINTOMÁTICAS.

Finalmente, las infecciones pueden aparecer en aparatos urinarios sin ninguna anormalidad subyacente, y son las INFECCIONES NO COMPLICADAS; si se producen sobre anormalidades de las vías urinarias, bien en su estructura o en su funcionamiento, se denominan INFECCIONES COMPLICADAS, independientemente de su mayor o menor gravedad. También se incluyen en este último grupo las infecciones urinarias en niños y lactantes.

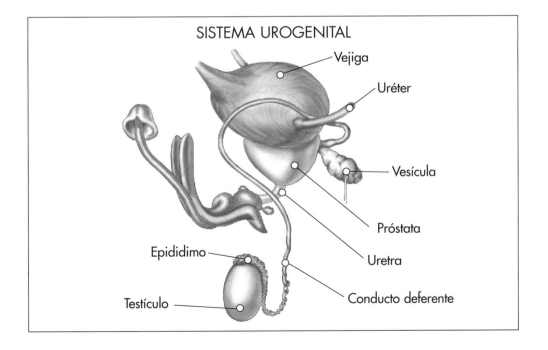

SISTEMA UROGENITAL

Vejiga
Uréter
Vesícula
Próstata
Uretra
Conducto deferente
Epidídimo
Testículo

TIPOS DE INFECCIONES URINARIAS

CISTITIS

Aunque con este término se define cualquier proceso inflamatorio que afecte a la vejiga urinaria, aquí lo emplearemos para referirnos únicamente a la infección de la misma. Es la infección urinaria más frecuente y afecta preferentemente al sexo femenino, especialmente entre los 20 y los 30 años. Se caracteriza por presentar disuria o escozor mientras se orina o nada más terminar, tenesmo y polaquiuria. Es frecuente que la orina se acompañe de unas gotas de sangre al acabar la micción; se denomina CISTITIS HEMORRÁGICA cuando la infección se acompaña de abundante sangrado.

En algunos casos puede aparecer dolor en la parte inferior del abdomen, por encima del pubis, o en la región lumbar que no aumenta al percutir sobre esa zona. No suele acompañarse de elevación de la temperatura corporal, y si se produce, rara vez supera los 38 ºC. Parece que la incidencia de esta infección es mayor a finales del verano y principios del otoño.

Evoluciona con el tratamiento hacia la curación sin secuelas; es típico en algunas mujeres que la infección sea recurrente o repetida lo que obliga a descartar otras alteraciones subyacentes que favorezcan la infección.

PROSTATITIS

Es la infección de la glándula prostática, que está situada debajo de la vejiga, y que rodea o envuelve un tramo de la uretra. Se la conoce algunas veces como la cistitis de los varones, ya que la sintomatología es muy similar a la de ésta, pudiéndose acompañar de otros síntomas como aumento de las ganas de orinar, dolor extendido al pene y otros propios del aumento del tamaño prostático, como la nicturia y la disminución de la fuerza del chorro.

Pueden ser agudas, que son las más frecuentes, afectando al 5% de los varones en algún momento de su vida, especialmente entre los 30-40 años. Pueden acompañarse de fiebre, escalofríos, palidez y malestar general.

En las formas crónicas, los síntomas son más leves pero más constantes, y se circunscriben localmente a la próstata sin dar fiebre ni malestar.

ORQUIEPIDIDIMITIS

Es la inflamación aguda o crónica de origen infeccioso del testículo y del epidídimo; ambas estructuras se infectan conjuntamente en la mayoría de los casos. Suele presentarse de forma unilateral (en un sólo lado o testículo), a cualquier edad, pero preferentemente entre los 18-40 años, y de forma aguda o crónica. En jóvenes menores de 20 años parece ser secundaria a la infección del virus de la parotiditis (paperas); por encima de esa edad empieza a ser cada vez más raro que aparezca la enfermedad, y si lo hace es por bacterias en la mayoría de los casos.

Además de las alteraciones típicas de las infecciones urinarias, se produce dolor a nivel testicular, intermitente, que aumenta con la palpación del mismo y del epidídimo.

PIELONEFRITIS

Es la inflamación de la estructura renal, que puede ser aguda o crónica, generalmente debida a infecciones bacterianas y, en algunos casos, a infecciones por hongos. Afecta casi de forma exclusiva al sexo femenino, sobre todo en las edades comprendidas entre los 25 y los 50 años. Los gérmenes llegan al riñón bien directamente a través de la sangre o bien a través de la vía urinaria, ascendiendo por los uréteres desde la vejiga.

Los síntomas típicos son el dolor en la región lumbar, fiebre mayor de 38 °C con escalofríos, palidez, vómitos y en algunas ocasiones diarrea; en general existe un malestar en todo el cuerpo con debilidad y postración del enfermo. También aparece dificultad para orinar, escozor y sensación de vaciado incompleto de la vejiga al terminar.

El cuadro puede progresar muy deprisa (en horas) o tener un inicio más lento e inespecífico (en días). Cuando se sospecha este tipo de infección es necesario acudir al hospital más cercano para realizar un estudio completo e ingresar si se confirma la enfermedad.

ABSCESO RENAL

Es el acúmulo de material infeccioso que se produce en el interior del riñón o en su pared externa, debido a una infección ya existente previamente en este órgano (como una pielonefritis) que se ha extendido o complicado, o que se produce por «contagio» a través de la sangre de gérmenes que provienen de otro foco infeccioso del organismo, que en muchos casos es una endocarditis o infección de la pared interna del corazón.

Los síntomas son similares a la pielonefritis, pero aparecen de forma insidiosa o vaga, y a veces son difíciles de reconocer.

Tratamiento

Los tres pilares fundamentales del mismo son:

■ Hidratación: la ingesta de abundantes líquidos se ha propuesto desde siempre como una medida indispensable para prevenir y tratar las infecciones de orina; especialmente en épocas de más calor (se pierde más agua por la piel) es necesario que el individuo beba al menos 3 l diarios de agua, zumos o leche para asegurar un volumen diario de orina lo suficientemente grande como para que los gérmenes sean arrastrados con la misma. Recordemos que la orina que se remansa o que permanece mucho tiempo parada se infecta con facilidad. Además esta medida reduce la intensidad de los síntomas como el ardor o escozor al orinar.

■ Higiene: es muy importante, sobre todo en mujeres propensas a este tipo de infecciones, una correcta limpieza de la región genital diaria y tras el acto sexual. Hay que tener cuidado con no arrastrar gérmenes desde la zona anal hacia la vagina y la salida de la uretra; para ello debe hacerse siempre desde fuera hacia dentro y con un cuidado especial.

■ Tratamiento antibiótico: que puede utilizarse cuando se confirma, a través de un análisis de orina, la presencia de la infección, o bien directamente sin esperar al mismo, cuando los síntomas son lo suficientemente manifiestos o existen ya antecedentes previos de infección. Cada antibiótico tiene su indicación según la edad y sexo del paciente, la localización de la infección, su gravedad y si es recurrente o no. Es frecuente que los pacientes que son portadores de una sonda urinaria permanente tomen antibióticos de forma continuada mientras ésta no se retire.

Debe sospecharse cuando la fiebre alta se prolonga más de tres días pese al tratamiento.

DIAGNÓSTICO

Se basa en la confirmación mediante pruebas analíticas de la presencia de la infección en la orina, que se sospecha por la aparición de alguno de los síntomas antes mencionados.

■ De forma breve, comentaremos los diferentes tipos de análisis:

- Análisis de orina común: que sirve para ver la densidad y el pH de la orina (que pueden alterarse en caso de infección), así como la presencia de ciertas sustancias como glucosa, urobilinógeno o nitritos; estos últimos están elevados si hay infección.

- Análisis del sedimento: se centrifuga la orina para observar al microscopio la parte de ésta que se precipita, buscando leucocitos y bacterias o cualquier otro signo de infección.

- Cultivo de orina: la orina debe ser habitualmente estéril lo que no ocurre durante las infecciones de la misma; con esta técnica se observa al microscopio una muestra de orina durante un tiempo determinado, para ver si crece alguna colonia de gérmenes.

En las infecciones complicadas o en aquellas que se repiten con excesiva frecuencia, algunas veces se puede ampliar el estudio con más pruebas como la ecografía y la urografía, con el fin de estudiar las vías urinarias y detectar patologías subyacentes que provocan la infección.

Infecciones urinarias

CLASIFICACIÓN

Infecciones urinarias inferiores: cistitis (vejiga), uretritis (uretra), prostatitis (próstata) y epididimitis (epidídimo).
Infecciones urinarias superiores: pielonefritis (riñón) y abscesos renales.

Infecciones urinarias recurrentes: se llaman así aquellas infecciones que se repiten de forma periódica por el mismo germen, que persiste en el tracto urinario pese al tratamiento.

CAUSAS

Casi la totalidad de las infecciones urinarias se producen por bacterias; en pacientes con sida u otras alteraciones de las defensas pueden aparecer infecciones por virus. Algunos hongos como la Candida pueden provocar infecciones en diabéticos, o tras tratamiento con antibióticos o por transmisión sexual en personas sanas.

Existe más riesgo de padecerlas por los ancianos o personas que acaban de someterse a un transplante, así como los portadores de sonda urinaria. También son más frecuentes en los casos de malformaciones congénitas de las vías urinarias.

Los gérmenes penetran desde el exterior a través de la uretra y ascienden por las vías urinarias hasta llegar en algunos casos al riñón.

SÍNTOMAS

Escozor y quemazón al orinar; ganas de orinar mucho y urgentemente pero luego se orina poco.

Picor vaginal o en el prepucio.

Sangrado mientras se orina, tanto al inicio como al final del acto, sobre todo en las infecciones inferiores. Fiebre sobre todo en las infecciones superiores.
Dolor en la región lumbar que se puede hacer más intenso según avanza la infección.

Cansancio, malestar general en infecciones de larga duración.

DIAGNÓSTICO

Cuando se presenten los síntomas antes mencionados se debe consultar al médico para realizar el estudio correspondiente que consistirá en:

- Análisis y cultivo de orina.
- Estudios de imagen para evaluar la extensión de la infección y las malformaciones; radiografía y ecografía de abdomen, escáner y urografía intravenosa.

TRATAMIENTO

Tratamiento preventivo: beber abundantes líquidos, evitar el abuso de antibióticos sin causa justificada, protección en las relaciones sexuales.

Tratamiento higiénico: sobre todo en infecciones repetidas y en mujeres, se debe realizar lavado exhaustivo de la zona especialmente tras la defecación.

Tratamiento antibiótico, según el germen causante y la gravedad de la infección.

Es siempre recomendable el control mediante cultivo de orina días después de acabar el tratamiento.

Infecciones del sistema nervioso

El sistema nervioso también puede verse afectado, al igual que el resto de sistemas, por la invasión y colonización de diferentes gérmenes que causan enfermedad en el mismo. Dado que se trata de la parte más importante del organismo y de que su funcionamiento correcto es imprescindible para la vida, las infecciones, aunque raras, son siempre potencialmente graves y requieren del máximo cuidado en su detección y tratamiento.

■ Este sistema se encuentra dividido en dos partes:

- Sistema nervioso central: o encéfalo, que se corresponde con las estructuras nerviosas encerradas en el interior del cráneo, es decir, con el cerebro (denominado por su importancia órgano noble del cuerpo humano), que ocupa la mayor parte del espacio, el cerebelo que está situado detrás y debajo del cerebro y el bulbo raquídeo, debajo del cerebelo a la altura de la nuca, desde donde parte la médula espinal.
- Sistema nervioso periférico: formado por la médula espinal, que discurre por el interior de la columna vertebral, y por todos los nervios que de ella parten para distribuirse por el organismo.

En ambos casos estas estructuras están formadas por el mismo tipo de tejido nervioso que consiste en neuronas que transmiten la señal eléctrica rodeadas de diferentes capas que les confieren protección y mecanismos defensivos.

Aunque son muchas las infecciones que pueden afectar a este sistema, vamos a referir-nos principalmente a la meningitis, por su mayor incidencia sobre todo en la población infantil, y al absceso cerebral por su gravedad.

MENINGITIS

Las meninges son tres finas capas que recubren el tejido nervioso desde el cerebro hasta el final de la médula espinal, que dejan un espacio entre sí para que circule el líquido cefalorraquídeo por todo el sistema nervioso. Este líquido tiene la función de proteger y nutrir al tejido nervioso y, en condiciones normales, es estéril, es decir, que no debe existir ningún germen en su interior (a diferencia de la piel o el intestino, por ejemplo, que pueden estar colonizados por microorganismos benignos).

¿QUÉ ES LA MENINGITIS?

La meningitis es la inflamación de las meninges, concretamente de dos de ellas, la piamadre y la aracnoides, denominadas meninges blandas y en cuyo interior circula el mencionado líquido; la duramadre es la tercera y se sitúa en la parte más externa.

Es una enfermedad temida (casi impronunciable para una madre), que diezmaba a la población infantil hasta no hace muchos años, y que desde el desarrollo de los antibióticos y la mejora de la alimentación y la higiene ha disminuido mucho tanto su incidencia como su mortalidad. Puede aparecer en adultos mayores de 25 años, aunque es 50 veces más frecuente entre los menores de esa edad; en cualquier caso hoy en día es una infección poco habitual, que se confirma en muy pocas ocasiones aunque se sospecha en muchas otras.

¿CÓMO SE PRODUCE LA MENINGITIS?

■ Se produce por la entrada en el líquido cefalorraquídeo de gérmenes que irritan e infectan a estas dos meninges que lo contienen. Estos gérmenes pueden llegar al líquido de maneras diferentes:

- A través de la sangre: aunque el sistema nervioso se encuentra protegido por la llamada barrera hemato-encefálica, algunos patógenos son capaces de atravesarla y alcanzar las meninges. Es la vía más frecuente.
- A través de una infección interna próxima al cerebro o a la médula, que no es tratada y que se extiende hasta ellos por contigüidad; en este grupo se incluyen algunas otitis, sinusitis complicadas y la rotura de abscesos cerebrales.
- A través del aire de forma directa al quedar las meninges expuestas tras una fractura craneal o nasal, una intervención quirúrgica, una punción lumbar o en niños con espina bífida.

CLASIFICACIÓN

■ Según el tipo de germen responsable podemos dividirla en:

- **Meningitis víricas**: son las más frecuentes (hasta el 80% de los casos) y están causadas por virus de la familia de los enterovirus, el virus de las paperas e incluso por el virus de la hepatitis y el herpes. Son benignas en la mayoría de los casos.
- **Meningitis bacterianas**: sobre todo por la Neisseria meningitidis, conocida como meningococo, responsable de dos tercios de las meningitis por bacterias. Esta bacteria se encuentra normalmente en la faringe de casi todos los individuos, pero sólo produce infección en determinados casos. Otra bacteria menos habitual es el neumococo. Dentro de las formas graves de meningitis, estas son las más frecuentes.
- **Meningitis tuberculosas**: por el propio bacilo de Koch que alcanza el cerebro diseminado por la sangre desde una caverna pulmonar. Hoy en día su aparición es excepcional salvo en ancianos con antecedentes de tuberculosis y muy bajas defensas o en enfermos de SIDA mal controlados. Puede ser muy grave.
- **Meningitis fúngicas**: es decir, que está producida por hongos, y que son extraordinariamente raras y casi exclusivas de enfermos con leucemia o linfomas. Pueden cronificarse durante años.

■ Según su forma de presentación pueden ser:

- **Meningitis aguda**: con inicio brusco y aparición de los síntomas en las primeras 24 horas. Es la forma más habitual de presentarse.
- **Meningitis subaguda**: más lenta, se instaura durante un período de cinco o siete días.

- **Meningitis crónica**: con una duración más allá de las cuatro semanas.

¿CÓMO SE MANIFIESTA LA MENINGITIS?

■ Aunque no todas las meningitis sean iguales ni se manifiesten de la misma manera, sobre todo si están causadas por diferentes microorganismos, existen una serie de características comunes en ellas que pueden hacer sospechar de su presencia:

- Malestar general, similar a un cuadro gripal, con cansancio (que en los niños se muestra como postración, pérdida de ganas de jugar, somnolencia e irritación), pérdida de apetito, mareo y dolor muscular generalizado.
- Cefalea grave que obliga al enfermo a acostarse y permanecer quieto puesto que el movimiento y la luz aumentan el dolor.
- Fiebre alta, que puede llegar a superar los 40 ºC, sobre todo en las meningitis víricas.
- Náuseas y vómitos que se denominan «en escopetazo» por la fuerza con la que se expulsa el contenido gástrico.
- Alteración del nivel de conciencia, con obnubilación de la misma, que puede llegar al estupor y al coma.
- Convulsiones, especialmente en los niños, causada por la fiebre alta prolongada durante mucho tiempo y por el aumento de la presión del líquido cefalorraquídeo en el interior del cráneo. En los adultos a veces la fiebre produce delirios o cuadros de confusión.

■ Además de todo esto, existen unos signos corporales que orientan definitivamente hacia esta patología, como son:

- Rigidez del cuello por la inflamación del tronco cerebral a nivel de la nuca; esto hace que el individuo no pueda flexionar la cabeza hacia delante, y que al encoger y estirar las piernas (y mover la médula por tanto) se produzca dolor en el cuello.
- Aparición de pequeñas lesiones en la piel, de color rojo, producidas por pequeñas hemorragias capilares, debido a que esta infección puede afectar a la coagulación sanguínea; este tipo de lesiones, llamadas petequias, no sólo aparecen en la meningitis, sino también tras grandes esfuerzos o tras varios episodios de vómitos.

En los bebés los principales síntomas son la fiebre, los vómitos, la falta de apetito y la inquietud.

DIAGNÓSTICO

■ La meningitis, sea cual fuere el germen que la produce, es siempre una emergencia médica que requiere de asistencia inmediata para descartar su existencia o para su ingreso si ésta se confirma. El diagnóstico definitivo se realiza mediante una serie de pruebas analíticas y de imagen:

- Punción lumbar: es la prueba clave y consiste en la extracción de líquido cefalorraquídeo mediante punción que atraviese la columna vertebral sin dañar la médula espinal. Posteriormente se analiza su composición y se detecta la presencia o no de patógenos en el mismo.
- Analítica de sangre: donde pueden encontrase alteraciones de la coagulación y presencia elevada de leucocitos como respuesta a la infección.
- Escáner: siempre que sea posible, para valorar la afectación cerebral una vez que la infección está confirmada o la sospecha es muy evidente.

El estudio de los antecedentes del enfermo puede ser de interés para clasificar la enfermedad así como para detectar focos infecciosos; es importante conocer la existencia previa de infecciones en las vías aéreas superiores o en los oídos, endocarditis, neumonías, traumatismos craneoencefálicos o contactos con personas infectadas o animales. Determinadas enfermedades pueden favorecer la meningitis, como la leucemia y linfomas ya mencionados, la diabetes, el alcoholismo y las drogas, y el empleo de ciertos fármacos. La existencia de episodios previos de meningitis debe ponernos en alerta, puesto que es un factor de riesgo para volver a padecerla.

TRATAMIENTO

El paciente requiere cuidados especiales en un centro hospitalario, con aislamiento y reposo absoluto, junto con medidas farmacológicas que alivien los síntomas como el dolor, la fiebre y las náuseas y vómitos.

El tratamiento antibiótico está indicado en las meningitis bacterianas, por vía intravenosa, una vez que se confirma la presencia de la bacteria en la punción lumbar; en los casos más graves de rápida evolución puede comenzarse éste sin esperar al resultado de los análisis.

Las medidas preventivas de la enfermedad consisten en evitar el contacto directo con el enfermo para impedir el contagio a través de las secreciones respiratorias, sobre todo en los niños. En caso de haber convivido estrechamente (domicilio, guarderías, cuarteles) con una persona que desarrolla una meningitis bacteriana, está indicado el tratamiento antibiótico en pautas cortas de dos o tres días.

Desde hace unos años, y coincidiendo con una mayor alarma social por el aumento aparente del número de casos, se comerciali-za una vacuna frente al meningococo que se está utilizando de manera masiva en algunas regiones y países. Esta vacunación, menos eficaz en los menores de cinco años, debe repetirse a lo largo del tiempo.

PRONÓSTICO

La meningitis vírica es un cuadro de evolución benigna, que cura espontáneamente en la mayoría de los casos y que sólo necesita de medidas para aliviar los síntomas.

Las formas bacterianas son más peligrosas y requieren de tratamiento antibiótico en todas los casos, ya que si se dejan a su libre desarrollo producen la muerte en un elevado porcentaje de los casos. Cuando se trata, la recuperación es buena con «sólo» un 5% de complicaciones graves y muerte; también en raras ocasiones pueden quedar secuelas neurológicas en los niños como sordera, deficiencia mental o epilepsia.

ABSCESO CEREBRAL

Es una colección de líquido purulento que se forma entre el cerebro y las meninges como consecuencia de una infección en un punto concreto del mismo que supura, es decir, que desprende material infeccioso mezclado con células defensivas. La infección, al igual que en la meningitis, viene directamente desde la sangre o de un punto infectado en otra zona de la cabeza, especialmente desde los senos paranasales, los oídos y la boca; rara vez es una complicación de la meningitis. Es una enfermedad en general poco frecuente, que puede aparecer a cualquier edad, aunque predomina en los adultos jóvenes y sobre todo en el sexo masculino.

La forma de presentarse normalmente es como un cuadro de cefalea, náuseas, vómitos y alteración del nivel de conciencia, en individuos que acaban de padecer una infección más o menos importante. Si no se detecta y se trata a tiempo puede conducir a la muerte en muchos casos; gracias al escáner, hoy en día cabe la posibilidad de hacer un diagnóstico rápido, pese a lo cual el riesgo de fallecimiento y de producirse secuelas neurológicas es bastante alto.

Infecciones del sistema nervioso

MENINGITIS

La meningitis es la inflamación de las meninges o capas finas que recubren el tejido nervioso desde el cerebro hasta el final de la médula espinal. Se produce por la entrada en el líquido cefalorraquídeo de gérmenes a través de la sangre, de una infección interna próxima al cerebro o directamente a través del aire.

Según el germen causante se pueden dividir las meningitis en:
- Meningitis víricas: son las más frecuentes y benignas en la mayoría de los casos.
- Meningitis bacterianas: generalmente por el meningococo, que produce formas más graves.
- Meningitis tuberculosas.
- Meningitis fúngicas o por hongos.

Los principales síntomas que producen este tipo de infecciones son:
- Malestar general y cansancio similar al de un cuadro gripal.
- Cefalea intensa y muy invalidante.
- Fiebre alta que puede superar los 40 ºC.
- Náuseas y vómitos especialmente fuertes.
- Alteración de la conciencia.

- Convulsiones.
- Signos objetivos como rigidez del cuello y aparición de pequeñas lesiones rojizas en la piel.

El diagnóstico de la meningitis, tras haberse producido la sospecha clínica, se confirma mediante analítica de sangre, punción lumbar y escáner.

El tratamiento requiere cuidados especiales en un centro hospitalario con antibioterapia, si procede, junto con medidas que mejoren los síntomas de la infección.

ESTRUCTURA DEL SISTEMA NERVIOSO

Sistema nervioso central o encéfalo (cerebro, cerebelo y bulbo raquídeo).

Sistema nervioso periférico o médula espinal.

ABSCESO CEREBRAL

Colección de líquido purulento entre el cerebro y las meninges como consecuencia de una infección del sistema nervioso, a veces procedente de otras zonas de la cabeza como los oídos, la boca y los senos paranasales.

Infecciones de la piel

La piel de los seres humanos está expuesta permanentemente al contacto directo con múltiples agentes patógenos que pueden incluso colonizarla de forma estable. Sus sistemas defensivos evitan la penetración de estos gérmenes hacia el interior del organismo, a través de las lesiones que puedan romper su continuidad. Su distribución en distintas capas, su protección grasa y las células del sistema inmune o defensivo evitan que cualquier sustancia extraña que contacte desde el exterior pueda colonizar y reproducirse a lo largo de su espesor.

Sin embargo, diversas circunstancias como las heridas, enfermedades generales, fármacos, carencias nutricionales, afecciones del folículo piloso, falta de higiene, trastornos circulatorios y alteraciones de la inmunidad pueden ser el origen de procesos infecciosos en la piel. Estos procesos, aunque limitados en un primer momento, pueden extenderse hacia las partes blandas del interior y desembocar en complicaciones graves e incluso mortales.

A continuación vamos a referirnos a alguno de los tipos más frecuentes de infecciones de la piel, producidas por diferentes agentes, a través de diversos mecanismos.

IMPÉTIGO

El impétigo es una infección de la piel superficial, caracterizada por la aparición de una o varias vesículas frágiles o pústulas sobre la misma, que tienden a confluir y producir erosiones en la piel. Estas vesículas pueden transformarse en úlceras profundas y recubrirse de una costra gruesa de color amarillento rodeada de un halo rojizo.

Se produce por la invasión cutánea de dos tipos de bacterias como son los estreptococos del grupo A y el *Staphylococcus aureus*, presentes estos últimos en la superficie externa de la piel de forma habitual en cualquier individuo. Esta infección aparece fundamentalmente en niños, sobre todo durante el periodo estival, extendiéndose desde las extremidades, donde suele comenzar, hasta el tronco y otras áreas corporales mediante el rascado de estas lesiones pruriginosas.

Se trata de un proceso muy contagioso que requiere de limpieza y cuidado de las vesículas, evitando su contacto hasta la desaparición de las costras. En algunos casos, tras la infección de la piel puede producirse otra más grave de tipo renal, especialmente en los menores de seis años, aunque no se trata de una complicación habitual.

El tratamiento se realiza mediante antibióticos activos frente a estos gérmenes, bien en una dosis única intramuscular o de forma oral continuada. El empleo de antibióticos tópicos o locales también puede ser útil.

CELULITIS

Lo que vulgarmente se conoce como celulitis es un problema estético de acumulación de grasa bajo la piel que poco o nada tiene que ver con el problema médico que vamos a definir.

■ Se trata de una inflamación localizada en un área de la piel superficial, que puede extenderse hacia las capas más profundas de la misma y que según el germen que la origine, puede presentarse de diferentes formas, lo que permite hablar de varios tipos de celulitis:

- **Erisipela**: se denomina así a la aparición de lesiones rojizas, brillantes, calientes y edematosas, bien definidas respecto al resto de la piel, que se extienden hacia las extremidades y que producen bastante dolor. Están producidas casi siempre por un tipo de estreptococo que consigue penetrar en la piel a través de una rotura invisible de la misma o una herida quirúrgica o accidental. Suele presentarse en las piernas o en la cara, sobre todo en la región malar o mejilla y puede evolucionar hacia vesículas supurativas que dejan la piel en carne viva.
- **Linfangitis**: se trata de un cuadro similar pero más avanzado, en el que se produce una inflamación aguda de los vasos linfáticos subcutáneos, apareciendo unas típicas lesiones estriadas de color rojizo que se irradian desde la lesión principal hacia el exterior.
- **Erisipeloide**: consiste en un tipo de celulitis producida por un bacilo llamado *Erysipelothrix*, con características similares a la erisipela, que aparece fundamentalmente en los dedos y las manos de las personas que manipulan ciertos alimentos como el pescado y el pollo.
- **Celulitis por otros gérmenes** como *Haemophylus*, *Pseudomonas*, *Klebsiella* y otros microorganismos que pueden producir cuadros de inflamación y enrojecimiento en determinadas áreas de la piel.

El tratamiento de la celulitis se basa en el empleo de antibióticos de forma precoz, generalmente penicilina y sus derivados, junto con un seguimiento continuado de las lesiones hasta su erradicación.

ABSCESOS CUTÁNEOS

Se denominan así a las colecciones purulentas que se forman entre la piel y los tejidos blandos internos como consecuencia de la infección por gran variedad de gérmenes. Pueden manifestarse como simples forúnculos originados por infecciones de los folículos pilosos o de sus glándulas sebáceas, que generalmente drenan y se curan espontáneamente, aunque cuando se sitúan en torno a la boca y la nariz (el popularmente llamado «triángulo de la muerte») son potencialmente muy peligrosos por el riesgo de extenderse la infección hasta el cerebro.

En ocasiones los abscesos pueden extenderse hacia el músculo o el hueso situado por debajo de la lesión o incluso, a través de la sangre, alcanzar ciertos órganos corporales como el endocardio o capa interna del corazón.

Ciertos individuos con enfermedades como diabetes o como consecuencia de la falta de higiene y el exceso de sudor, pueden presentar una tendencia a la reincidencia de forúnculos, especialmente en los pliegues de la piel.

El procedimiento a seguir ante un absceso consiste en la toma de antibióticos para eliminar la infección e impedir el avance del absceso y su extensión hacia los tejidos adyacentes. Es importante recordar la necesidad de prevenir esta situación antes de una manipulación dental, en la que con cierta facilidad se movilizan focos infecciosos, a veces casi inadvertidos, con el riesgo de producir flemones o infecciones más graves. La incisión y el drenaje pueden ser necesarios en aquellos abscesos de gran tamaño que no remiten con el tratamiento antibiótico, lo que ocurre en un gran porcentaje de los casos. No se deben manipular sin conocimiento estas lesiones, especialmente las situadas en la cara, ni forzar su drenaje.

MORDEDURAS DE ANIMALES

Se trata de lesiones frecuentes, generalmente originadas por animales domésticos, en forma de arañazos o mordeduras poco profundas, aunque más penetrantes de lo que se aprecia a simple vista.

Entre un 10 y un 20% de las mordeduras se infectan, pudiendo alcanzar el hueso subyacente y complicar el cuadro de forma grave. Las lesiones en las manos, las producidas por gatos y, sobre todo, las mordeduras humanas son especialmente peligrosas por la proximidad del hueso a la piel y la cantidad de gérmenes que pueden penetrar a través de la lesión.

Junto con la vacunación antitetánica necesaria al igual que en cualquier otro tipo de lesión, debe valorarse el riesgo de contagio de la rabia. Para ello debe observarse al animal causante de la mordedura durante un mínimo de diez días y proceder a la vacunación en caso de duda. Cualquier animal no doméstico debe ser considerado como potencialmente transmisor de la rabia.

La limpieza inmediata de la herida, preferiblemente con alcohol y el empleo de antibióticos profilácticos completan el tratamiento de estas lesiones, que en ocasiones pueden producir complicaciones graves si no se tratan y desembocar en la muerte por shock infeccioso.

ÚLCERAS POR DECÚBITO

La aparición de úlceras en la piel en los pacientes sometidos a inmovilización o encamados durante mucho tiempo son una patología muy frecuente en la actualidad. Se deben al trastorno circulatorio en la piel de determinadas áreas sometidas a una presión continua por apoyo o contacto indefinido. Los miembros inferiores, las nalgas y la espalda son las regiones que resultan afectadas con más frecuencia.

Si no se detecta su aparición o no se trata correctamente pueden surgir complicaciones graves como celulitis, osteomielitis en los huesos adyacentes, tromboflebitis, infecciones generalizadas y, en general, necrosis o muerte de los tejidos afectados. Habitualmente son una fuente de fiebre intermitente. La evolución de estas lesiones está directamente relacionada con los cuidados recibidos, la gravedad de la úlcera, el estado circulatorio del miembro afectado y la presencia de ciertas enfermedades como la diabetes.

El tratamiento consiste en la cura diaria de la úlcera que incluye la desinfección y el desbridamiento quirúrgico de la misma, es decir, la eliminación de tejidos muertos que impiden la correcta cicatrización y cierre de la herida. En ocasiones, es necesario el empleo de antibióticos, sobre todo si se demuestra mediante cultivo la presencia de gérmenes patógenos dentro de la úlcera. Las medidas preventivas consisten en la movilización activa o pasiva de los enfermos para evitar el apoyo continuado de la misma región corporal y la protección de las zonas de apoyo con vendajes especiales.

MICOSIS CUTÁNEAS

Son infecciones producidas por hongos que afectan a las capas superficiales de la piel, las uñas, el pelo y la mucosa de la boca y los genitales, generalmente de forma aguda. Aunque la distribución de estas infecciones es universal, pueden concentrarse los casos en forma de epidemias en comunidades cerradas.

■ Las formas más típicas de presentación son:

- **Tiñas o dermatofitosis**: se denominan así las enfermedades cutáneas producidas por ciertos hongos con una afinidad especial por la queratina de la piel. Pueden aparecer en el cuero cabelludo, en el tronco y extremidades, formando el llamado herpes circinado, en los pliegues inguinales y en los genitales. El llamado pie de atleta consiste en la aparición de lesiones descamativas y enrojecidas entre los dedos de los pies, muy dolorosas y con un olor desagradable característico. El tratamiento de las tiñas consiste en el empleo de antifúngicos específicos para cada caso, tanto por vía tópica como oral.
- **Onicomicosis**: consiste en la infección de las uñas por ciertos hongos oportunistas, generalmente en los pies de los adultos, sobre todo en el primer dedo. Las malformaciones de las uñas, la diabetes, la mala circulación sanguínea, el calzado estrecho y la falta de higiene pueden influir en su aparición. Su presentación varía desde simples manchas opacas o blanquecinas en el dorso de la uña hasta formas más avanzadas que terminan con la destrucción de la misma. El tratamiento consiste en la eliminación o raspado de las lesiones de forma previa al tratamiento tópico u oral con antifúngicos, generalmente durante meses o incluso años.

- **Pitiriasis versicolor**: es una infección crónica y limitada de la piel, que aparece normalmente en los jóvenes en forma de manchas blanquecinas, que se acentúan con la exposición solar al broncearse la piel de alrededor. El empleo de fármacos antifúngicos por vía tópica u oral puede mejorar las lesiones aunque éstas presentan una gran tendencia a reaparecer.
- **Candidiasis mucocutáneas**: incluyen un gran número de procesos de elevada incidencia, secundarios a la infección por hongos del género *Candida*, que es un tipo concreto de levadura. Se encuentra formando parte de la flora normal de la mucosa oral, vaginal y perianal, produciendo infecciones patentes bajo determinadas circunstancias como la toma de antibióticos, corticoides, anticonceptivos orales y, en general, cualquier proceso que conlleve la disminución de la capacidad defensiva del organismo.

Infecciones de la piel

La piel es un órgano expuesto permanentemente al contacto con múltiples agentes patógenos que pretenden colonizarla y atravesarla. La pérdida de su capacidad defensiva por heridas, déficits inmunológicos, falta de higiene, carencias nutricionales y otros trastornos pueden desembocar en la aparición de infecciones en su espesor.

IMPÉTIGO

Infección de la piel superficial, caracterizada por la aparición de vesículas o pústulas sobre la misma, de color amarillento, que pueden confluir y erosionar su estructura.

Se trata de un proceso muy contagioso que requiere una limpieza diaria y el empleo de antibióticos tanto por vía oral como tópica o local.

CELULITIS

Inflamación de la piel producida por un germen que puede penetrar hasta las capas más profundas de la misma. Puede presentarse de diversas formas: erisipela, linfangitis y erisipeloide.

El tratamiento se basa en el empleo de antibióticos y cura local de las lesiones.

ABSCESOS CUTÁNEOS

Colecciones purulentas que se forman entre la piel y los tejidos blandos de su interior, que pueden cursar como simples forúnculos o extenderse hacia el músculo y el hueso, formando grandes colecciones purulentas.

Su tratamiento consiste en el drenaje controlado de los mismos y la toma de antibióticos.

MORDEDURAS DE ANIMALES

Entre un 10 y un 20% de las mordeduras se infectan, especialmente las producidas por gatos o por el hombre. Junto con la vacunación antitetánica debe controlarse el riesgo de contagio de la rabia.

La limpieza de la herida con alcohol y el empleo de antibióticos son su tratamiento.

ÚLCERAS POR DECÚBITO

Se producen por el trastorno circulatorio de la piel en determinadas áreas sometidas a presión continua o apoyo, generalmente en pacientes inmovilizados o encamados.

Su tratamiento consiste en la cura de la herida, la eliminación de los tejidos muertos y la prevención antibiótica.

MICOSIS CUTÁNEAS

Son infecciones producidas por hongos en la piel, las uñas, el pelo y la mucosa de la boca y los genitales. Las formas más habituales son tiñas, onicomicosis, pitiriasis y candidiasis.

— Enfermedades de transmisión sexual —

Se denominan enfermedades de transmisión sexual o venéreas a un grupo de infecciones de origen y características muy diferentes, que tienen el nexo común de transmitirse a través del contacto sexual, aunque éste no sea necesariamente el único mecanismo a través del cual se adquieren. En la actualidad se reconoce el carácter de enfermedad sexual a las producidas por unos 30 microorganismos diferentes, tanto bacterias como virus y hongos.

La «puerta de entrada» de las infecciones en este caso es el contacto íntimo entre la mucosa de los órganos sexuales (capa externa de la vagina y el pene) entre sí o con otras mucosas del organismo como la mucosa oral y rectal.

Desde la década de los setenta se han identificado la mayoría de estos gérmenes y con ello, ha ido llegando de forma progresiva un mayor control de este tipo de enfermedades, junto con la pérdida del «estigma» social que poseían. Aún así, el número de consultas al médico por estas infecciones no se correlaciona hoy en día del todo con la incidencia real de las mismas, y en muchos casos, sigue siendo un problema «vergonzoso» que se mantiene oculto por el individuo. Pese a todos los avances en el conocimiento de estas enfermedades, todavía existe un pequeño número de casos en los que se desconoce el germen causante de la infección.

Las enfermedades de transmisión sexual están directamente relacionadas con el estilo de vida de cada persona, y en concreto, con sus costumbres en el ámbito del sexo. A mayor promiscuidad, es decir, a mayor número de compañeros sexuales de una persona o de su pareja, mayor es el riesgo de padecer una enfermedad de este tipo. En la mayoría de las ocasiones estas infecciones se solapan al mismo tiempo unas con otras; es decir, este tipo de pacientes normalmente es portador de diferentes gérmenes, aunque sólo uno de ellos produzca síntomas en un momento determinado, y el resto permanezca latente.

En general, la incidencia de estas enfermedades es mayor entre la población más deprimida socioculturalmente de las grandes ciudades, sobre todo en los jóvenes de entre 20 y 24 años y su distribución es más o menos similar en todos los países del mundo.

A continuación comentaremos algunas de las principales infecciones de este tipo; posteriormente explicaremos, de forma general, las formas de prevención y tratamiento de las mismas. Finalmente, dedicaremos un apartado especial al Síndrome de Inmunodeficiencia Adquirida (SIDA) que es, sin duda alguna, la más grave de todas las enfermedades de transmisión sexual.

URETRITIS

Se denomina así a la infección del conducto por el que se conduce la orina desde la vejiga al exterior o uretra. Se caracteriza por la aparición de escozor y quemazón al orinar junto con la expulsión de un líquido espeso formado por pus. Las mujeres, que son menos propensas a padecerla, pueden notar únicamente algo de escozor y dificultad para orinar. Los primeros síntomas aparecen aproximadamente a los cuatro o cinco días del contacto sexual, aunque no es raro que tarden en aparecer hasta dos semanas.

Se ha denominado a esta enfermedad vulgarmente «gonorrea» durante muchos años, debido al nombre de la bacteria que la produce con mayor frecuencia (*Neisseria gonorrhoeae*), aunque cada día es más frecuente su aparición por otros gérmenes. En un 25% de los casos no se llega a identificar el agente causal de la misma.

Suele ser una infección autolimitada, es decir, que desaparece con tratamiento antibiótico o incluso sin él. Sin embargo, en algunas ocasiones, la infección puede permanecer durante meses o años, y producir complicaciones si se extiende a otras zonas de la vía urinaria o a los genitales.

VAGINITIS

Es una infección común en las mujeres durante toda su vida, y que, en algunas ocasiones, se produce por transmisión sexual. La vagina, en condiciones normales, está colonizada por una serie de bacterias «benignas» que forman la flora vaginal; la alteración de esta flora por la llegada de gérmenes más agresivos provoca la aparición de la vaginitis.

Los síntomas principales son picor en la vulva vaginal, dolor y escozor con la orina, molestia durante el acto sexual por inflamación de la vagina y producción de un flujo blanquecino llamado leucorrea. Puede estar producida por bacterias (*Gardnerella vaginalis*), protozoos (*Trichomonas vaginalis*) y, con más frecuencia, hongos (*Candida albicans*).

La candidiasis vaginal es relativamente habitual entre las mujeres; un 75% padece al menos un episodio en su vida, aunque sólo en la mitad de los casos aparecen síntomas detectables de la misma. En algunos casos, la *Candida* forma parte de la flora vaginal de las mujeres, produciéndose infección de forma repetida a lo largo de la vida cuando se dan determinadas circunstancias (toma de antibióticos o disminución de defensas en general).

Estas infecciones responden bien al tratamiento antibiótico, que debe acompañarse siempre de medidas higiénicas exhaustivas.

CERVICITIS

Es la infección más frecuente de los genitales femeninos, y en un alto porcentaje se contagia a través de la vía sexual. Consiste en una infección del cuello del útero que, en la mayoría de los casos, no produce ningún síntoma, salvo molestias tras la menstruación o dolor durante el acto sexual. El diagnóstico se realiza mediante exploración ginecológica al observarse secreciones anormales en el fondo de la vagina junto con signos inflamatorios en el cuello uterino.

Habitualmente se produce por bacterias (*Chlamidya*) y por virus como el del herpes simple. Deben tratarse con antibióticos todos los casos que se detecten aunque no den síntomas; si no se hace así, pueden aparecer graves complicaciones por la extensión de la infección al útero y las trompas de Falopio.

Se ha demostrado que la cervicitis crónica, que no ha sido tratada y eliminada, predispone a la aparición de cáncer de cuello de útero.

SÍFILIS

Se trata de una enfermedad de contagio sexual, bien conocida a lo largo de la historia, cuya incidencia ha resurgido en los últimos años especialmente entre los drogodependientes. Se produce por el contagio de una bacteria llamada *Treponema pallidum*, a través de una herida o úlcera en los genitales del paciente sifilítico, que contacta con mucosa o piel de un individuo sano. Tras el contacto sexual con una persona infectada, existe un periodo de incubación de aproximadamente tres semanas de duración hasta que aparecen los primeros síntomas. El periodo de contagio a partir de este momento es de dos años.

Según avanza la enfermedad, las lesiones van apareciendo progresivamente hasta complicarse finalmente con lesiones en los huesos, parálisis y demencia si no se trata debidamente. La lesión más típica, y primera en aparecer, es el chancro sifilítico, que consiste en una úlcera normalmente indolora, de superficie lisa y ovalada, que aparece en los genitales (pene o vulva) y que alcanza hasta 1 cm de diámetro, para después cicatrizar aproximadamente un mes después. Pese a esto, la enfermedad no está curada y con el tiempo empezarán a aparecer nuevas manifestaciones de la misma.

El tratamiento específico para la sífilis, que se realiza con penicilina (antibiótico), es bien conocido y muy eficaz.

CONDILOMAS ACUMINADOS

Se denominan así a una especie de verrugas con forma de hongo, generalmente indoloras, que asientan en la zona genital y anal, y que aparecen tanto en varones, casi siempre por contagio anal, como en mujeres. Se produce por una familia de virus llamados papilomavirus que son muy contagiosos (75% de riesgo de adquirirlos con un único contacto sexual). El tratamiento es poco eficaz y se acompaña de cirugía y láser para tratar de eliminarlos.

HERPES GENITAL

Consiste en la aparición de unas lesiones en el pene o en la vulva, con forma de vesículas (pequeñas ampollas), en torno a una zona enrojecida; posteriormente se rompen y se transforman en úlceras dolorosas, que con el tiempo curan mediante la formación de costras. Todo este proceso dura unas tres semanas, con riesgo de contagio a otra persona durante las dos primeras.

En muchas ocasiones, un individuo puede estar infectado sin tener síntomas, y sin embargo contagiar a su pareja y que ésta desarrolle las lesiones infecciosas. Por lo tanto no es necesaria una relación fuera de la pareja habitual para contagiar la enfermedad.

Se produce por la transmisión del virus del herpes simple, y tras la fase de curación (con la toma de fármacos retrovirales o espontáneamente) pueden aparecer recurrencias, es decir, nuevos brotes de lesiones, hasta cuatro veces en el mismo año. Esto se debe a que los virus no se eliminan nunca del todo, y periódicamente se vuelven a reproducir en número suficiente como para volver a producir las vesículas.

PEDICULOSIS

Es la infección producida por el *Phthirus pubis* o ladilla, que se trata de un parásito de 1 mm de longitud que anida principalmente en el vello del pubis, por lo que se transmite con facilidad en el acto sexual aunque no sea su único modo de contagio.

Se produce un intenso picor en toda el área genital aproximadamente al mes del contagio y desaparece con tratamiento en forma de cremas o champú. Debe acompañarse de lavado de toda la ropa, sábanas y toallas.

¿CÓMO PREVENIR Y DETECTAR ESTAS ENFERMEDADES?

Existe, de forma permanente, un grupo de población llamado núcleo transmisor, que posee cualquiera de las infecciones antes mencionadas, y que la propaga a través de contactos sexuales a otros individuos. Este núcleo está formado en su gran mayoría por prostitutas y, sobre todo hasta hace pocos años, por varones homosexuales con gran promiscuidad. Por lo tanto, la actividad o presencia de cada una de estas enfermedades, en una sociedad determinada, depende del equilibrio que se establezca entre la actividad sexual de dicho núcleo transmisor y las medidas curativas y preventivas que se tomen. Dicho de otra manera, los individuos infectados pueden ser capaces de transmitir la enfermedad de manera más rápida de la que somos capaces de curarla, por lo que la prevención es el único medio eficaz para disminuir su incidencia.

Sin entrar en valoraciones éticas y respetando la libertad sexual de cada uno, resulta obvio decir, que la elección de pareja estable o las relaciones sexuales con personas de un entorno conocido, tendrán un riesgo menor de infecciones. Así mismo, el uso del preservativo previene, en casi la totalidad de los casos, del riesgo de contraer las mismas.

Siempre que exista el antecedente de una relación sexual de riesgo, debe consultarse al médico la aparición de cualquier lesión sospechosa en el área genital o anal, incluso meses después de dicho contacto. En caso de pareja estable, es necesario tomar medidas preventivas frente a ella, o en su caso iniciar también el tratamiento incluso antes de confirmar el contagio. El paciente diagnosticado de una enfermedad de transmisión sexual debe evitar propagar la

infección, con nuevos contactos sin protección, especialmente durante la fase más contagiosa, que es aquella en la que las lesiones genitales están más activas o virulentas.

La aparición de estas enfermedades suele ser notificada a las autoridades sanitarias para que se localice el núcleo transmisor y reciba tratamiento adecuado. Estos datos se envían de forma anónima y, en cualquier caso, siempre se protege la intimidad del paciente.

SÍNDROME DE INMUNODEFICIENCIA ADQUIRIDA

El tremendo impacto que ha producido esta enfermedad en la sociedad actual, desde su descubrimiento en el verano de 1981, convierte al sida en una de las enfermedades más divulgadas y más conocidas por la población general. En este breve apéndice hablaremos acerca de sus causas, su mecanismo de actuación y del porqué de sus devastadoras consecuencias.

¿CUÁL ES LA CAUSA DEL SIDA?

Se produce por la infección de un virus llamado VIH, o virus de la inmunodeficiencia humana, que pertenece al grupo de los llamados retrovirus.

¿CÓMO ACTÚA EL VIH?

Este virus, una vez que llega a la sangre, es atraído por un tipo de linfocitos, que son células defensivas de nuestro sistema inmunológico, que tratan de identificarlo y destruirlo al igual que lo hacen con cualquier germen que penetre en nuestro interior. Los virus son estructuras muy sencillas, tanto que ni siquiera pueden reproducirse por sí solas; el virus VIH, una vez que contacta con el linfocito que trata de destruirle, no sólo sobrevive al mismo, sino que es capaz de penetrar en su interior y **utilizar el propio ADN del linfocito para reproducirse**. Así, tiene a su disposición la maquinaria de una célula (en este caso un linfocito) para fabricar a sus anchas todo el material necesario para producir copias de sí mismo. Cuando el linfocito está repleto de virus en su interior, se rompe, y se liberan a la sangre decenas de nuevos virus a la caza de nuevos linfocitos. A veces los virus, tras penetrar en el linfocito, permanecen parados en su interior durante un tiempo de latencia, hasta que en un momento determinado y por causas desconocidas, empiezan a replicarse. Por esto, un individuo puede ser seropositivo (es decir, sus linfocitos han contactado con el virus del sida) pero no padecer aún ningún síntoma de la enfermedad.

¿POR QUÉ SE PRODUCE EL SIDA?

El virus VIH va destruyendo de forma progresiva los linfocitos que va utilizando para reproducirse y así el número de éstos disminuye notablemente. Pero los linfocitos son fundamentales para defender al organismo de otras infecciones, por lo que al ir desapareciendo, el individuo es más proclive a ser invadido por otros gérmenes, que «aprovechan» la oportunidad de la pérdida de defensas, y por eso son denominados gérmenes oportunistas. Por lo tanto, el sida es un conjunto de infecciones que aparecen de forma secundaria al daño del sistema inmune que produce la infección del VIH.

¿CUÁL ES EL ORIGEN DEL VIRUS DEL SIDA?

La hipótesis más aceptada hoy en día es que se trata de la variación de un virus que afectaba a determinados primates africanos y, que tras ingerir su carne por seres humanos, pasó a los mismos. Es probable que permaneciera aislado durante mucho tiempo en regiones interiores africanas, hasta que en los años setenta las migraciones o los viajes de investigación facilitaran su expansión.

¿CÓMO SE TRANSMITE EL VIRUS DEL SIDA?

Aunque se ha encontrado este virus en muchos líquidos del cuerpo humano como saliva, lágrimas, sudor y otros, se puede afirmar que las únicas vías de contagio son la sexual, las transfusiones sanguíneas o drogas en vena, y la de la madre que infecta a su hijo durante el embarazo. Por tanto, como han repetido las campañas publicitarias en muchas ocasiones, tocar, abrazar o besar a un enfermo de sida no supone riesgo de contagio. El hecho de que se puede estar infectado y no tener aún síntomas, favorece el contagio del virus a otras personas, al no ser consciente el individuo de su enfermedad.

¿A QUIÉN AFECTA PRINCIPALMENTE ESTA ENFERMEDAD?

La organización mundial de la salud calcula que el 75% de los contagios en todo el mundo se han producido por relaciones sexuales entre heterosexuales; ya no se trata entonces de una enfermedad con mayor incidencia entre homosexuales y drogodependientes, como ocurría en los primeros años de aparición de la epidemia. La incidencia es mayor entre los menores de 40 años, siendo excepcional entre los ancianos. En Occidente sigue siendo mayor el porcentaje de varones afectados frente a las mujeres. El tremendo avance de la enfermedad en los países subdesarrollados (especialmente en África) ha provocado que se dispare el número de casos entre mujeres jóvenes y, secundariamente, entre los hijos de éstas.

¿CUÁLES SON LOS PRIMEROS SÍNTOMAS DEL SIDA?

Tras el contacto con el VIH, en la mitad de los casos aparece un cuadro similar a una gripe de un par de semanas de duración, que desaparece sin dejar secuelas y sin llamar la atención del enfermo. Entre la 3ª y la 10ª semana posterior a la infección ya se pueden detectar en sangre los anticuerpos que nuestro organismo ha fabricado para luchar contra el virus (el individuo ya es seropositivo).

¿CÓMO PROGRESA LA ENFERMEDAD?

Después aparece un periodo de latencia de meses o incluso años, durante los cuales el individuo puede llevar una vida normal, hasta que la enfermedad despierta y comienzan a aparecer determinadas infecciones que no son frecuentes entre la población sana como la tuberculosis, neumonías por gérmenes poco frecuentes, herpes, infecciones por hongos como la *Candida* u otras. Es entonces cuando podemos decir que el seropositivo ya es un enfermo de sida.

Además de las infecciones, la pérdida de defensas favorece la aparición de determinados tipos de cáncer como linfomas (en la sangre) y sarcomas (en los músculos).

En las fases finales de la enfermedad, las infecciones se van haciendo cada vez más frecuentes y graves, junto con una pérdida de peso progresiva y una debilidad que deja postrado al enfermo. Finalmente, todas estas complicaciones desembocan en la muerte.

¿CÓMO SE TRATA EL SIDA?

Las medidas para prevenirlo son bien conocidas en los países desarrollados, gracias a las numerosas campañas realizadas; se basan en el uso del preservativo y no compartir jeringuillas. En los países más pobres, donde ni se conocen ni se practican estas medidas, la enfermedad se extiende vertiginosamente.

El tratamiento farmacológico actual, los antiretrovirales, bloquean la reproducción del virus y proporcionan hoy en día unos magníficos resultados entre los pacientes que cumplen correctamente el tratamiento y han abandonado las prácticas de riesgo.

Enfermedades de transmisión sexual

ENFERMEDADES DE TRANSMISIÓN SEXUAL

Grupo común de enfermedades de características muy diferentes que se transmiten todas ellas a través del contacto sexual de manera principal, aunque no necesariamente a través de esta vía.

CERVICITIS

Infección del cuello del útero por bacterias o virus del tipo herpes, que pueden pasar desapercibidas o producir molestias en la menstruación o durante el coito.

VAGINITIS

Picor, dolor y escozor vaginal que aparece en algunas mujeres, especialmente tras el acto sexual, como consecuencia de la infección bacteriana o por hongos de sus órganos genitales.

SÍFILIS

Infección producida por una bacteria llamada *Treponema pallidum,* que penetra en el organismo a través de una herida o lesión en la piel.

La sífilis evoluciona lentamente desde lesiones sólo a nivel genital hasta complicaciones óseas, parálisis y demencia si no se trata a tiempo.

URETRITIS

Infección de la uretra que se caracteriza por la aparición de dolor y escozor al orinar, y que es especialmente frecuente en las mujeres; tradicionalmente esta infección ha sido conocida como gonorrea.

CONDILOMAS ACUMINADOS

Infección por virus de la familia de los papilomavirus, muy contagiosos, que aparecen preferentemente por contacto anal. Son muy difíciles de curar.

HERPES GENITAL

Aparición de lesiones en el pene o en la vulva en forma de pequeñas ampollas en torno a una zona enrojecida, que se producen por el contagio local del virus del herpes simple.

PEDICULOSIS

Infección producida por el *Phthirus pubis* o ladilla.

SIDA

El virus de la inmunodeficiencia humana (VIH) destruye progresivamente los linfocitos dejando al organismo sin defensas. Sus únicas vías de contagio son la sexual y la sanguínea.

Síntomas: en un primer momento, cuadro similar a una gripe; después, un tiempo indefinido de latencia que desemboca en infecciones como tuberculosis, neumonía, etc. o cáncer. Pérdida de peso y debilidad.

Tratamiento: farmacológico con antirretrovirales. Tratamiento preventivo aconsejando el uso de preservativo y evitar compartir jeringuillas.

Infecciones por ciertos virus

Los virus constituyen un grupo especial dentro de los agentes infecciosos por diferentes motivos; lo primero es su reducido tamaño (entorno a 100.000 veces inferior a un milímetro), que les permite atravesar barreras que detienen a otros gérmenes. Lo segundo es su sencilla composición que consiste en una cadena de ADN o ARN rodeada de una envoltura proteica, que les permite reproducirse con facilidad. Un virus necesita siempre infectar una célula para poder sobrevivir y replicarse, ya que a diferencia de las bacterias, no posee las estructuras necesarias para fabricar proteínas ni para duplicar el ADN; esto hace que se les denomine parásitos intracelulares obligados.
Aunque ya hemos hablado de infecciones por virus en capítulos anteriores, vamos a referirnos ahora a ciertas enfermedades generales muy conocidas que tienen como responsables a estos microorganismos.

SARAMPIÓN

Es una enfermedad producida por un virus relativamente grande que pertenece a la familia de los *Paramixoviridae*. Aunque en los países desarrollados, gracias a la vacunación masiva de la población infantil, se encuentra prácticamente erradicada, en el tercer mundo sigue siendo una causa de gran mortalidad infantil.

El ser humano es el reservorio natural del virus y por tanto el que lo transmite por vía aérea a otros individuos, sin diferencia de sexos. Los meses de invierno y primavera tienen una mayor incidencia de esta infección.

■ El período de infección se divide en tres partes:

1. Periodo de incubación: que dura unos diez días aproximadamente y en el cual no aparece ningún síntoma sugestivo de la enfermedad.
2. Fase de inicio: se caracteriza por fiebre alta los dos primeros días, aparición de un ca-

tarro nasal con obstrucción de las fosas y por gran afectación de los ojos por una conjuntivitis muy intensa con lagrimeo, legañas y enrojecimiento de los mismos. Se acompaña de malestar general y de dos signos muy característicos de esta infección:

- Manchas rojas en la mucosa de la cavidad oral, separadas entre sí pero que tienden a unirse y que se denomina enantema.
- Pequeños granitos blanquecinos en el interior de los labios o a la altura de los molares que resaltan sobre el enantema.

Durante esta fase, que dura unos cuatro días aproximadamente, la contagiosidad de la enfermedad es máxima.

3. Fase de erupción: en la cual aparecen las lesiones de la piel que caracterizan a esta enfermedad junto con un repunte febril los

primeros días. Las lesiones son manchas de color rojo oscuro, que se elevan sobre el resto de la piel, y que aparecen en un primer momento en la cara (detrás de las orejas, en las alas de la nariz y alrededor de la boca). Al día siguiente se extienden al tronco y luego a las extremidades, respetando siempre las palmas y plantas de manos y pies. A los tres días de comenzar esta fase la fiebre remite, el estado general mejora y las manchas crecen y se unen entre sí; a partir de este momento comienza la curación, aclarándose las lesiones y descamándose la piel de las zonas afectadas.

Aunque la evolución de la enfermedad es benigna en la mayoría de los casos, algunas veces pueden surgir complicaciones en individuos no vacunados o con disminución de las defensas como la neumonía, la otitis y en el peor de los casos la encefalitis con síntomas neurológicos como somnolencia, alucinaciones y delirio.

El tratamiento del sarampión se basa en mejorar los síntomas que produce el virus, ya que éste es eliminado por el propio organismo en un par de semanas. Una vez pasado el sarampión queda inmunidad frente al mismo durante toda la vida.

RUBÉOLA

Está producida por un virus de la familia de los *Togaviridae*, más pequeño que el del sarampión, que afecta exclusivamente a los seres humanos, y que se transmite por vía aérea aunque no se contagia con facilidad.

Desde que se realiza la vacunación infantil frente a esta enfermedad ha disminuido mucho su incidencia, que es máxima en cualquier caso entre los tres y los diez años. Pese a que se trata de una infección benigna, el hecho de que pueda producir malformaciones congénitas cuando afecta a mujeres embarazadas hace que merezca especial atención.

■ Podemos dividir también en tres fases su forma de actuación:

1. Fase de incubación: no produce síntomas y dura unas dos o tres semanas.
2. Fase de inicio: que es muy breve (24-48 horas) y que produce un cuadro de fiebre no muy alta, ligero catarro con estornudos, conjuntivitis y algo de diarrea en ciertas ocasiones. A veces pueden aparecer manchas en el paladar, pequeñas y rojizas, que pueden confluir entre sí según progresa la enfermedad. Lo más característico de esta fase es la aparición de adenopatías (aumento del tamaño de los ganglios linfáticos) en el cuello, nuca y detrás de las orejas.
3. Fase de erupción: que comienza con aumento de la fiebre junto con la aparición de lesiones tenues en la cara que se extienden al resto del cuerpo y que producen picor en los adultos aunque rara vez en los niños. Tras dos o tres días comienzan a desaparecer las manchas y empieza la recuperación del estado general del enfermo.

Las posibles complicaciones de la infección, muy poco frecuentes, son la artritis (que produce dolor en las articulaciones de los dedos, muñecas y rodillas) y la encefalitis por el paso del virus al cerebro. Como ya hemos comentado, el virus puede provocar malformaciones en el embrión durante el primer trimestre de gestación, especialmente durante las cuatro primeras semanas; las alteraciones que provoca con más frecuencia son cataratas, sordera congénita y malformaciones cardíacas y cerebrales. Es vital por tanto que las mujeres sean vacunadas correctamente en su infancia.

El tratamiento consiste en medidas farmacológicas para disminuir la fiebre y mejorar los síntomas catarrales, junto con antihistamínicos si existe picor. Al igual que en el sarampión conviene hidratar bien la piel del enfermo.

VARICELA Y HERPES ZOSTER

■ Ambas entidades están causadas por el mismo virus, llamado virus de la varicela-zoster, que pertenece a la familia de los *Herperviridiae*. Se manifiesta de dos formas diferentes:

- Primero, en la infancia de forma benigna conocida como varicela (sólo en un 10% de los casos aparece en adultos).
- Segundo, en la madurez por el mismo virus que permanece «atrincherado» en el organismo durante años y que por determinadas causas reaparece y produce el herpes zoster.

La **varicela** es una enfermedad extremadamente contagiosa, tanto por vía aérea como por contacto de la piel sobre las lesiones del enfermo. Se manifiesta, tras un período de incubación de 15 días, en forma de cansancio, dolor generalizado y algo de fiebre que se completa con la aparición de una serie de erupciones en oleadas durante varios días, que consisten en manchas rojizas que se transforman en vesículas. Estas vesículas se distribuyen principalmente por el tronco y la cara, y a los pocos días se transforman en costras que después se desprenden. La intensidad de la erupción es variable en cada niño y se acompaña de prurito o picor en la zona donde se produce.

Las complicaciones de esta infección son hoy en día raras, y pueden aparecer sobre todo en adultos (sobre todo en los fumadores) en forma de neumonía varicelosa o de afectaciones del sistema nervioso.

El tratamiento en las formas benignas, que son la mayoría, consiste en antitérmicos, hidratación de la piel para evitar el picor y, si éste es muy intenso, antihistamínicos por vía oral. Conviene tener la precaución de no poner en contacto al enfermo con otros niños para evitar la propagación, especialmente hasta que todas las lesiones estén en fase de costra.

El **herpes zoster** consiste en la aparición de una serie de lesiones en la piel, normalmente dispuestas en línea recta, en personas que han tenido contacto con el virus en su infancia y desarrollaron la varicela. Este virus se reactiva a cierta edad y por causas desconocidas desde los ganglios nerviosos sensitivos donde ha permanecido en estado latente durante muchos años.

La primera manifestación es un dolor muy intenso en la zona que va a ser afectada posteriormente por la erupción; tras tres o cuatro días de molestias se forman las vesículas en la piel, similares a las varicelosas, que forman primero vesículas y después costras. Las lesiones se localizan en el 50% de los casos en el tronco, siguiendo el mismo trayecto que hace una costilla, es decir, desde la columna hacia el esternón. También es frecuente que aparezcan en la cara o en el oído; en ocasiones puede afectarse la córnea de ambos ojos.

El tratamiento consiste en la toma de antivirales por vía oral al inicio del cuadro infeccioso (si pasan más de 48 horas pierde efectividad) durante varios días. Se acompaña de analgésicos potentes para el dolor y de la aplicación de fomentos sobre las lesiones (por ejemplo de permanganato) para secarlas y favorecer la formación de costras.

PAROTIDITIS

La parotiditis o paperas es una enfermedad infecciosa aguda producida por un virus de la familia de los *Paramixoviridiae*, al igual que el del sarampión, que se transmite por vía aérea o por contacto salivar. Se presenta, sobre todo, en los niños y jóvenes y afecta a las glándulas parótidas y, en menor medida, a otras glándulas salivares.

Es una infección muy común, de distribución mundial y que, como la mayoría de los virus, aparece con mayor frecuencia en invierno y en primavera, y también es el ser humano la única fuente de contagio posible. Es más habitual entre los cinco y los diez años de edad, siendo su aparición excepcional en menores de dos años o en mayores de 20.

■ Podemos dividir su forma de presentación en tres fases:

1. Fase de incubación: se prolonga hasta los 20 días aproximadamente.
2. Fase de inicio: normalmente pasa desapercibida o, en todo caso, en forma de malestar general, cefalea y dolor de oídos con algo de fiebre; la duración de esta fase es de dos o tres días.
3. Fase inflamatoria: se caracteriza por la hinchazón de la glándula parotídea, que aparece de forma brusca, con dolor intenso que se extiende hasta el pabellón auricular, la órbita ocular y el cuello. Esta hinchazón puede llegar a ser hasta cuatro veces mayor del tamaño habitual de la glándula, y aunque suele empezar sólo en un lado, a los pocos días se extiende al contrario. Se acompaña de fiebre que oscila entorno a los 39 °C si bien no existe una gran afectación general. Tras una semana la inflamación desaparece casi por completo y se produce la curación.

En ocasiones las infecciones por este virus pueden complicarse al afectar a otras estructuras diferentes a las glándulas salivares, como por ejemplo a los testículos, pudiendo aparecer esterilidad por cierta atrofia de los mismos, cuando ambos son afectados.

Al igual que otras infecciones víricas, no existe un tratamiento específico para la parotiditis ni para sus complicaciones; los analgésicos y antiinflamatorios mejoran los síntomas en la fase aguda. La vacunación se ha mostrado muy eficaz en la prevención de la enfermedad, impidiendo el desarrollo de la misma hasta en un 95% de los casos.

POLIOMIELITIS

Es una enfermedad infecciosa de la infancia producida por un virus que se halla en el moco nasal y las heces de personas y animales enfermos. Aunque tradicionalmente afectaba a niños entre cuatro y nueve años, en la actualidad se ha incrementado el número de casos entre adultos, sobre todo en ciertas regiones de América Central y África. Aparece con preferencia en verano y otoño, y se contagia por contacto salivar o a través de aguas contaminadas por restos fecales.

■ Su forma de aparición es la siguiente:

1. Fase de incubación: de unos nueve días de duración.
2. Fase previa o inicial: no siempre presente o al menos detectable; consiste en un periodo catarral inespecífico, que puede acompañarse de gastroenteritis y que, normalmente, no produce fiebre.

En este momento la enfermedad puede curar espontáneamente y ser indistinguible de cualquier catarro viral, lo que ocurre en la gran mayoría de los casos, o progresar a la siguiente fase, que es en la que aparecen las complicaciones más graves.

3. Fase de parálisis: tras tres o cuatro días desde la aparición de la fiebre, aparece una parálisis y una pérdida de sensibilidad en las extremidades corporales, con la lógica atrofia progresiva de los músculos de las mismas. Tras unos meses de afectación, se puede empezar a recuperar la movilidad, aunque si el periodo de parálisis supera los diez o 12 meses ésta puede ser permanente durante el resto de la vida. En los casos más graves se afecta la musculatura respiratoria, poniendo en peligro la vida del paciente por el riesgo de asfixia; las formas de afectación cerebral son gravísimas y provocan la muerte en el 90% de los casos.

La poliomielitis es, por tanto, una enfermedad grave con un alto índice de secuelas que afortunadamente sólo se desarrolla completamente en un bajo porcentaje de los casos de infección. No existe tratamiento efectivo frente al virus, por lo que se limita a medidas que traten de prevenir la parálisis o de auxiliar respiratoriamente al enfermo.

El empleo extendido de la vacuna frente a la polio en los niños ha contribuido a la erradicación de la misma casi definitivamente en los países desarrollados.

RABIA

■ Es una enfermedad infecciosa del sistema nervioso, que puede afectar a todos los mamíferos, que se produce por un virus de la familia *Rhabdoviridiae* y que se propaga principalmente por la mordedura, dado que se halla en la saliva. Existen dos formas de rabia diferentes:

● Rabia urbana: transmitida por perros y gatos no vacunados.
● Rabia selvática: propagada por zorros, lobos y murciélagos principalmente.

■ Se presenta de la siguiente manera:

1. Fase de incubación: con una duración de uno a tres meses o incluso, en algunos casos, hasta un año.
2. Fase previa: consiste en un malestar general con cansancio, cefalea, vómitos y, sobre todo, alteraciones del carácter como mal humor, depresión o ansiedad, durante dos o tres días.
3. Fase de excitación: caracterizada por intensos espasmos de la musculatura de los brazos y las piernas, salivación espumosa y ataques de furor que se acompañan de angustia interna; bastan pequeños estímulos como contactos, ruidos o luces para desencadenar estos ataques, que se alternan con periodos de normalidad y lucidez completa cada vez más cortos según progresa la enfermedad.

Al final se llega, casi siempre, a un periodo paralítico que afecta a toda la musculatura hasta producir la muerte por asfixia. No tiene un tratamiento específico, y el pronóstico es pésimo ya que en la práctica es una infección mortal en el 100% de los casos. La vacunación tras la mordedura puede prevenir la aparición de la enfermedad.

Las medidas más eficaces para prevenir la rabia son la correcta vacunación animal y la limpieza exhaustiva de las mordeduras de los mismos.

VIRUELA

La viruela es una enfermedad infecciosa conocida desde la antigüedad y considerada como una plaga que se transmitía directamente entre las personas a través del contacto respiratorio. Es producida por un Poxvirus que sobrevive fácilmente fuera del organismo humano incluso a temperaturas extremas.

La viruela se manifestaba como un cuadro de fiebre, dolor articular y malestar general que precedía a la aparición de unas lesiones extendidas por toda la piel, que posteriormente evolucionaban hacia pústulas y después a costras que dejaban cicatrices al desaparecer. Su gravedad radicaba en la aparición de hemorragias alrededor de las lesiones de la piel, sobre todo cuando estas eran profundas y muy extensas, que podían provocar la muerte hasta en el 90% de los casos.

Las exhaustivas campañas de vacunación realizadas desde mediados del siglo XX consiguieron erradicar la enfermedad en los países africanos, asiáticos y sudamericanos donde aún persistía, hasta el punto de que en 1979, la Organización Mundial de la Salud declaró oficialmente la desaparición de la misma, tras dos años sin detectarse un solo caso. Se guardaron cepas del virus de la viruela en dos laboratorios diferentes, aunque la sospecha de que puedan existir más cepas, y que éstas puedan ser utilizadas en cualquier momento como arma biológica siempre ha estado presente desde ese mismo momento.

Infecciones por ciertos virus

CARACTERÍSTICAS INFECCIOSAS
DE LOS VIRUS

Pequeño tamaño que les permite acceder mejor al organismo, composición sencilla con facilidad para reproducirse. Son parásitos de las células.

RUBÉOLA

Infección producida por un virus de la familia de los *Togaviridiae* que afecta exclusivamente a los seres humanos y que se transmite por vía aérea, aunque no se contagia con facilidad. Se caracteriza por un cuadro de fiebre no muy alta, aumento de los ganglios y síntomas catarrales que preceden a la aparición de lesiones en la piel de la cara y el resto del cuerpo. Aunque no se trata de una infección peligrosa puede producir malformaciones fetales si se contrae durante el embarazo.

SARAMPIÓN

Enfermedad producida por un virus de la familia de los Paramixoviridae, prácticamente erradicada en los países desarrollados y cuyo reservorio natural es el propio hombre. Es más frecuente en los meses de invierno y primavera y se caracteriza por la aparición de un cuadro catarral que precede a las lesiones características de la piel. Cura espontáneamente.

VARICELA Y HERPES ZOSTER

Existen diferentes formas de producirse infección por el virus de la varicela-zoster, que pertenece a la familia de los Herperviridiae:

- Primero, en la infancia de forma benigna conocida como varicela, enfermedad benigna y extremadamente contagiosa, que produce unas típicas lesiones rojizas en la piel.
- Segundo, en la madurez en forma de Herpes zoster o lesiones vesiculosas muy dolorosas que aparecen generalmente en el tronco, en la cara o en los oídos.

PAROTIDITIS

La parotiditis o paperas es una enfermedad infecciosa aguda, muy común, producida por un virus de la familia de los Paramixoviridiae. En su fase inflamatoria, se caracteriza por la hinchazón de la glándula parótida salivar junto con fiebre y otros síntomas.

RABIA

Enfermedad infecciosa del sistema nervioso de un virus salivar transmitido generalmente por la mordedura y que puede llegar a producir la muerte por asfixia.

POLIOMIELITIS

Enfermedad infecciosa de la infancia, típica de verano y otoño, que se contagia por contacto salivar o la ingesta de aguas contaminadas. Su mayor daño se produce durante la fase de parálisis que puede dejar secuelas para toda la vida del individuo. Su vacunación masiva ha contribuido a la erradicación casi definitiva de la enfermedad en los países desarrollados.

VIRUELA

Plaga de la antigüedad, declarada erradicada por la OMS en 1979.

Gripe

La infección de la gripe es una de las causas más frecuente de absentismo laboral durante los meses que van de diciembre hasta abril. Su contagio resulta muy sencillo, de ahí su rápida difusión, siendo a través de la respiración la forma más habitual de contagio. Existe un grupo de la población con mayor riesgo de padecer la enfermedad, al encontrarse sus defensas más bajas. En este grupo de población es recomendable el uso de la vacuna antigripal todos los años.

¿QUÉ ES LA GRIPE?

La gripe es una enfermedad infecciosa producida por la estirpe A, B o C de la familia de virus *Orthomyxoviridae* o virus influenza. El tipo A es el más habitual en todo el mundo, que provoca además la forma más severa de la enfermedad; el tipo B y C son menos frecuentes y además se acompañan de una sintomatología más leve.

Tiene un poder enorme de difusión y es una de las causas más frecuentes de absentismo laboral y escolar; la infección por el virus de la gripe se produce en forma de epidemia, denominándose pandemia cuando afecta a un grupo de población muy amplio, lo que sólo ocurre excepcionalmente cada diez o 15 años. La epidemia en una comunidad determinada suele durar entre cinco y seis semanas y se asocia con un índice de afectación en la población general de hasta un 20% del total de la misma en algunas ocasiones. Estos brotes epidémicos se presentan con más frecuencia entre los meses que van desde diciembre hasta abril, pudiendo aparecer varios brotes en un mismo año.

¿CÓMO SE CONTAGIA LA GRIPE?

El virus de la gripe se contagia al hablar, toser o estornudar los pacientes infectados por el mismo, a través de pequeñas gotitas expulsadas por la boca, especialmente los primeros días de infección y cuando los síntomas son más acusados. No es necesario un contacto muy estrecho para que se produzca el contagio, aunque si este existe las posibilidades son máximas. Una vez que ha penetrado en el sistema respiratorio del nuevo huésped, comienza a reproducirse en las paredes de las vías respiratorias durante un periodo de incubación de uno o dos días, para comenzar a dar síntomas de forma brusca, hasta el punto de que algunas personas pueden recordar la hora exacta de comienzo del cuadro.

¿POR QUÉ SE PRODUCEN EPIDEMIAS DE GRIPE?

Como en otras muchas enfermedades infecciosas, el virus de la gripe produce una inmunidad permanente en el individuo, es decir, que una vez curada una gripe no se puede volver a repetir el cuadro por ese mismo tipo de virus mientras las defensas se mantengan fuertes. El problema reside en que el virus de la gripe se modifica ligeramente cada temporada, de tal manera que los anticuerpos desarrollados frente al virus en infecciones pasadas no son capaces de destruir esta nueva variedad y el individuo se puede contagiar de nuevo de forma sucesiva cada temporada.

¿QUIÉN TIENE MÁS RIESGO DE PADECER LA GRIPE?

■ Como se trata de una infección extremadamente contagiosa nadie está libre de padecerla, por lo que el azar influye decisivamente en el hecho de que se pueda entrar en contacto a nivel familiar o laboral con un paciente infectado. Es lógico pensar que un individuo sano y bien alimentado tiene más garantías de rechazar el virus que otro más débil y con las defensas más bajas, aunque el primero no esté libre de padecerla. Se denominan pacientes de riesgo a un grupo de personas que tienen más posibilidad de padecer la infección por diversas circunstancias o a aquellos en los que la gripe puede representar un mayor riesgo de lo habitual para su salud. Estos pacientes son:

- Ancianos residentes en asilos o que acudan con frecuencia a centros comunitarios. Hoy en día se considera en general paciente de riesgo a los mayores de 65 años.
- Pacientes diabéticos o con insuficiencia renal en tratamiento con diálisis.
- Pacientes con enfermedades cardiorespiratorias crónicas, especialmente el asma y la bronquitis crónica.
- Pacientes con descenso de las defensas (inmunodeprimidos) por trasplante re-

ciente, tumores, anemia crónica o infección del virus del SIDA.
- Personal sanitario.

En todos estos pacientes está indicada la utilización, todos los años, de la vacuna antigripal.

¿CÓMO SE MANIFIESTA LA GRIPE?

■ La gripe se caracteriza por la aparición brusca de una serie de síntomas y de signos generales, que comparte con otras infecciones por virus similares, y que se denomina síndrome gripal. Las principales características de este síndrome son:

- Fiebre: se produce un ascenso muy rápido de la temperatura corporal durante las primeras 12 horas desde el comienzo de los síntomas, alcanzando unas cifras máximas que oscilan entre 38 °C y 41 °C. Suele estar mantenida hasta el tercer día en el que comienza a descender paulatinamente; en ocasiones se presenta de forma irregular con ascensos y descensos por el uso de antitérmicos. En los niños la fiebre suele ser más elevada y en ocasiones es el único síntoma que se puede percibir.
- Cefalea: de tipo opresivo o sensación de «casco» en la cabeza, que normalmente es secundaria a la fiebre.
- Mialgias: dolores musculares inespecíficos que aparecen al moverse o al palpar la musculatura, especialmente la de las extremidades y los grandes músculos de la espalda. También se producen artralgias o dolor en las articulaciones: ambos síntomas dejan al paciente con una sensación de agotamiento y postración, o «de haber recibido una paliza».

- Anorexia o falta de apetito y malestar general.
- Síntomas respiratorios: tos, generalmente seca o no productiva, dolor en la garganta al tragar y sequedad en la misma, ronquera y obstrucción nasal con producción excesiva de moco muy líquido que cae constantemente por las fosas nasales (rinorrea). Se trata por tanto de un cuadro catarral muy agudo y molesto con sensación de congestión en toda la cara, pérdida del olfato y el gusto e incapacidad para la concentración.
- Síntomas oculares: principalmente lagrimeo y escozor en los ojos, dolor a la movilización de los mismos e intolerancia a la luz.

¿CÓMO SE DETECTA LA GRIPE?

El relato de los signos y síntomas al médico suele ser más que suficiente para su diagnóstico, especialmente en épocas de epidemia gripal y sobre todo si existen antecedentes de contacto con infectados. Además de por razones laborales, es importante consultar a nuestro médico para confirmar el cuadro, descartar complicaciones y notificar el caso a las autoridades sanitarias.

¿CUÁL ES EL TRATAMIENTO DE LA GRIPE?

En general no existe ningún tipo de tratamiento plenamente eficaz para los virus, salvo en contadas excepciones, lo que tampoco

Tratamiento de la gripe

En el caso de la gripe, el tratamiento va encaminado hacia los síntomas que produce y hacia la prevención de la misma en los pacientes que antes definimos como de riesgo por su mayor facilidad para contraerla o por su estado de salud más proclive a la aparición de complicaciones:

■ Tratamiento de los síntomas: el objetivo es eliminar la fiebre y las molestias que la acompañan pero no curar la infección; para ello se emplean fármacos analgésicos–antipiréticos del tipo paracetamol, ácido acetil salicílico o algunos antiinflamatorios. Deben emplearse durante al menos los primeros cinco días de la infección hasta que la temperatura corporal se estabiliza. El empleo de ácido acetil salicílico en los niños no es recomendable por su asociación con el síndrome de Reye. Las medidas caseras ayudan también a

mejorar los síntomas, sobre todo las molestias faríngeas.

■ Ciertos anticongestionantes, antihistamínicos, broncodilatadores y antitusígenos pueden ayudar también a desaparecer las molestias.

■ Determinadas sustancias como la amantidina y el más moderno zanamivir pueden ser empleadas para reducir el impacto del cuadro gripal y acortar la evolución de la enfermedad, aunque su uso queda limitado a pacientes con alto riesgo de complicaciones.

■ Es recomendable beber abundante líquido para compensar la sudoración que la fiebre produce.

■ Prevención de los contagios en la medida de lo posible; alimentación sana; la vitamina C no ha demostrado capacidad de prevenir la gripe y el catarro aunque se empleen habitualmente para estos procesos.

supone un gran problema pues la mayoría de las infecciones virales son autolimitadas y el propio sistema inmune humano acaba por eliminarlas.

Los antibióticos no están indicados para el tratamiento de la gripe puesto que están diseñados para atacar y destruir a las bacterias, no a los virus; su uso como prevención de complicaciones bacterianas tampoco ha demostrado efectividad.

¿EN QUÉ CONSISTE LA VACUNA DE LA GRIPE?

La administración de la vacuna antigripal ha demostrado ser una medida muy beneficiosa para la prevención de esta infección, reduciendo la incidencia de la misma hasta en un 70% de los casos y disminuyendo el porcentaje de complicaciones que requieren ingreso hospitalario. Está preparada con virus inactivados que no son capaces de producir infección pero que sí pueden ser reconocidos por el sistema defensivo, que crea anticuerpos frente a los mismos.

Es importante saber que la vacuna se realiza con los virus detectados en los últimos años en cada región geográfica, puesto que es imposible saber las características concretas del virus que vendrá este año, aunque probablemente será muy parecido. Esto hace que en ningún caso la vacuna de la gripe ofrezca una garantía del 100% de no padecer la misma, pero sí disminuye la incidencia de la enfermedad y atenúa los síntomas en caso de que finalmente se padezca.

La vacuna se administra por vía intramuscular en una única dosis y comienza su efecto protector aproximadamente a las dos semanas de su administración; el periodo de administración se realiza entre octubre y noviembre en los países europeos.

■ Los principales efectos secundarios de la vacuna antigripal son:

• Dolor en la zona de inyección, que puede tratarse con hielo y que suele ceder a los dos o tres días de la administración.
• Fiebre y dolores musculares junto con malestar general leve y de corta duración que suele ceder rápidamente; se trata de una pequeña gripe que aparece ocasionalmente en los individuos vacunados más jóvenes y que a veces quita las ganas de volverse a vacunar.
• Reacciones alérgicas graves en la piel o de tipo asmático que a veces requieren tratamiento hospitalario, aunque no son muy habituales.

Conviene recordar que, como ante cualquier vacunación, el individuo debe de estar libre de cualquier síntoma infeccioso en el momento en el que se efectúa ésta. Es decir, que no debe vacunarse nadie con fiebre, aunque sea leve, tos productiva, diarrea u otros signos hasta que desaparezcan por completo.

¿CÓMO ES LA EVOLUCIÓN DE LA GRIPE?

En condiciones normales el cuadro gripal se prolonga durante una semana aproximadamente, aunque los tres primeros días son realmente los más molestos e incapacitantes. La tos seca e incómoda puede permanecer durante semanas después de la gripe por la irritación de la faringe residual.

La complicación más típica de la gripe es la sobreinfección por bacterias, que aprovechan la irritación de la mucosa respiratoria para anidar en la misma y reproducirse; esto ocurre con más frecuencia en ancianos y enfermos respiratorios crónicos. El cuadro se presenta como tos con expectoración purulenta y fiebre tras unos días de aparente mejoría del cuadro gripal, y normalmente necesita de tratamiento antibiótico complementario.

La neumonía gripal es un cuadro infrecuente pero muy grave de infección pulmonar por el virus de la gripe, en pacientes muy débiles por otras enfermedades graves, y que requiere de ingreso hospitalario puesto que lleva asociada una gran mortalidad.

Gripe

ORIGEN Y MODO DE CONTAGIO DE LA GRIPE

La gripe es una enfermedad infecciosa producida por un virus de la familia *Orthomyxoviridae,* muy extendido por todo el mundo, que se contagia a través del aire por las pequeñas gotas expulsadas por la boca con la tos.

EPIDEMIAS DE GRIPE

Aunque una vez pasada la gripe, el individuo se inmuniza, el virus puede mutar ligeramente y producir epidemias.

INDIVIDUOS DE RIESGO

Ancianos, diabéticos, pacientes con asma, bronquitis o bajas defensas y personal sanitario.

MANIFESTACIONES DE LA GRIPE

- Fiebre: puede ser alta y extenderse durante los primeros tres días.
- Cefalea: de tipo opresivo.
- Mialgias: dolores musculares generalizados.
- Anorexia o falta de apetito.
- Síntomas respiratorios: tos seca, dolor en la garganta, ronquera, obstrucción nasal.
- Síntomas oculares.

TRATAMIENTO

Tratamiento de los síntomas: antitérmicos para la fiebre, anticongestionantes, broncodilatadores y otros.
Abundante hidratación.
Medidas preventivas: alimentación sana y vacunación.

PRONÓSTICO

Duración de una semana, excepto si surgen complicaciones como sobreinfecciones o neumonía gripal.

— Infecciones por determinadas bacterias —

Las bacterias constituyen un grupo especial de microorganismos, muy diferentes entre sí, pero con una serie de características comunes que permite clasificarlas como tales. Así, las bacterias son seres vivos completamente autosuficientes que, a diferencia de los virus, no necesitan infectar necesariamente otra célula para poder reproducirse, aunque en muchos casos sean parásitos de otras formas de vida.

El tamaño de las bacterias ronda entre la milésima y la centésima parte de un milímetro (entre cien y mil veces más grandes que los virus); son la forma más pequeña de vida propiamente dicha. Según su forma o configuración se pueden dividir las bacterias en cocos, bacilos, vibrios y espiroquetas.

Una gran parte de las bacterias que se encuentran a nuestro alrededor o incluso dentro del propio organismo son beneficiosas, o cuando menos no perjudiciales, para el ser humano. Sin embargo algunos de estos microorganismos son causa de enfermedades cuando utilizan a otros seres vivos como huésped donde alimentarse y reproducirse.

Aunque ya hemos comentado algunos tipos de infecciones por bacterias en otros capítulos, vamos a exponer brevemente algún ejemplo más de estas enfermedades.

ESCARLATINA

Se trata de una infección de predominio infantil, que generalmente se diagnostica entre los seis y los nueve años de edad aunque también puede aparecer en la edad adulta y que es producida por un estreptococo del grupo A. Esta infección, temida en la antigüedad por su alta mortalidad asociada, es hoy en día cada vez menos frecuente y más leve, pudiendo llegar a pasar casi inadvertida en muchos casos. Su forma de contagio habitual es a través de la faringe por el contacto directo con algún portador de la enfermedad.

■ Podemos dividir el periodo de infección en cuatro fases:

1. Periodo de incubación, que suele oscilar entre dos y cuatro días.
2. Fase inicial o periodo previo a la aparición de lesiones, que se caracteriza por la aparición súbita de fiebre, malestar general y vómitos. Posteriormente aparece un enrojecimiento de la garganta, con dolor en la misma al tragar y en la zona del cuello, como si de una simple faringitis se tratara.
3. Fase exantemática o de lesiones, que comienza 24 horas después, en forma de manchas rojizas difuminadas en la piel de la cara en un primer momento (respetando la región que rodea a la boca) para extenderse al tronco y a las extremidades después, siendo muy acentuadas en las axilas y en las ingles. En la lengua se

produce a partir del tercer día una inflamación de las papilas de la misma sobre un fondo blanquecino que da un aspecto típico de lengua «aframbuesada».

4. Fase de resolución en la que, si no existen complicaciones se resuelven las lesiones de la piel a los pocos días pudiéndose descamar ésta en algunos puntos.

Las posibles complicaciones se deben a la extensión de los gérmenes desde la garganta hacia los oídos o la nariz o en forma de afectación renal y fiebre reumática en raras ocasiones. El tratamiento antibiótico elimina la posibilidad de contagio en pocas horas y hace que remitan los síntomas de forma rápida.

FIEBRE TIFOIDEA

La fiebre tifoidea es una infección típica de los niños y los adultos jóvenes de los países en vías de desarrollo, producida por especies diferentes de *Salmonella*, llamadas *typhy* y *paratyphy*. Estos gérmenes se transmiten a través de la ingesta de agua o alimentos contaminados por las heces de una serie de individuos, llamados portadores crónicos, que los poseen en su interior (posiblemente en la vesícula biliar) y que los eliminan con la defecación.

La enfermedad se manifiesta, tras un periodo de incubación de diez días, como un cuadro de fiebre moderada pero mantenida junto con síntomas similares a los de un proceso gripal. Posteriormente la temperatura corporal aumenta hasta los 40 °C, empeora el estado general y aparece una típica mancha de color rosáceo en el abdomen y el tórax. Tras la tercera semana de infección, si el enfermo no es tratado, surgen graves complicaciones por el avance del germen en la pared intestinal en forma de diarreas incontrolables, pudiendo llegarse a un estado de coma y posteriormente a la muerte. Los portadores crónicos son individuos que probablemente han sufrido la enfermedad quedando esta bacteria en su interior, aunque una vez superada la fase aguda dejan de tener síntomas.

El tratamiento consiste en la toma de antibióticos tras haber procedido al aislamiento del enfermo y a la limpieza exhaustiva de sus ropas y enseres domiciliarios; las heces de estos enfermos deben ser desinfectadas antes de ser vertidas. Los portadores crónicos deben ser tratados para tratar de eliminar su reservorio interno y evitar así la propagación de la enfermedad. Existe una vacuna que es recomendable en las personas que han tenido un contacto íntimo con el enfermo y en los que vayan a visitar regiones subdesarrolladas.

BRUCELOSIS

La brucelosis o fiebre de Malta es una enfermedad infecciosa transmitida por el ganado ovino, porcino y caprino que tiene una especial incidencia en los países de la cuenca mediterránea, donde es endémica, principalmente entre los individuos que se dedican al cuidado de estos animales. Está producida por diferentes tipos de una bacteria llamada *Brucella*, que se contagia por el contacto directo de la piel y las mucosas con animales infectados o a través del consumo de productos lácteos no esterilizados.

■ La enfermedad puede cursar de dos maneras diferentes:

● **Brucelosis aguda**: se caracteriza por un cuadro de fiebre alta, cansancio, malestar general, dolores articulares y sudoración profusa maloliente que cede en pocos días con el tratamiento adecuado.

- **Brucelosis crónica**: se denomina así a la infección por este germen que se prolonga más allá de los seis meses o que tiene continuas recaídas tras un episodio agudo inicial. En estos individuos aparecen síntomas permanentes como afectación dolorosa de la columna vertebral, estreñimiento, afectación hepática y lesiones en la piel. En los casos más graves pueden aparecer complicaciones de tipo pulmonar, ocular, neurológico e incluso cardíaco que pueden ensombrecer el pronóstico de la misma.

El tratamiento se basa en el empleo de varias asociaciones de antibióticos durante cinco o seis semanas, mientras se guarda reposo en el domicilio salvo complicaciones que requieran ingreso hospitalario. Las medidas preventivas son fundamentales en esta enfermedad, y pasan por la eliminación del ganado infectado, la precaución en su manipulación y la toma sólo de alimentos que hayan superado un control sanitario.

TOS FERINA

La tos ferina es una infección aguda de las vías respiratorias que se produce sobre todo entre los niños y cuyo germen causante es la *Bordetella pertussis*, que se distribuye de forma generalizada por todo el planeta. Se contagia con mucha facilidad a través de las gotas de saliva que desprenden los pacientes infectados y que quedan diseminadas en el aire, hasta el punto de que el hecho de compartir domicilio asegura la extensión de la infección a los demás miembros de la familia en un 80% de los casos.

■ El periodo infectivo puede ser dividido en cuatro apartados:

- Fase de incubación: de unos ocho o diez días de duración.
- Período catarral inicial: de unas dos semanas de duración, similar a cualquier catarro con fiebre pero con una tos ronca que no se acompaña de expectoración.
- Período convulsivo: caracterizado por la aparición de accesos brutales de tos, con cinco o diez golpes consecutivos que no permiten inspirar aire, lo que se manifiesta en la aparición de un tono azulado en la piel durante los mismos junto con vómitos, para después normalizarse todo esto hasta el siguiente acceso. Este periodo, en el cual ya no existe fiebre, se extiende de tres a seis semanas aproximadamente.
- Período catarral final: durante el cual se produce la curación, con una disminución progresiva de los ataques de tos hasta la normalidad absoluta.

La tos ferina puede producir graves complicaciones que lleven a la muerte cuando no se recibe tratamiento o éste llega tarde, sobre todo en forma de bronconeumonía. Otras complicaciones son la extensión de la infección hacia los oídos o hacia el cerebro, donde pueden producirse hemorragias o cuadros de convulsiones. El tratamiento consiste en la toma de antibióticos a dosis altas, siendo imprescindible el ingreso hospitalario en caso de que se produzcan complicaciones.

La vacunación frente a la tos ferina ha permitido disminuir de forma drástica la incidencia de esta enfermedad en las últimas décadas, aunque su empleo fue puesto en entredicho durante los años 70 por el riesgo de complicaciones neurológicas graves que se asociaban a su uso. Se sabe hoy en día que la vacuna no es plenamente eficaz en todos los casos y que su efecto desaparece con el paso de los años; aún así es el único método eficaz de prevenir esta enfermedad.

CARBUNCO O ÁNTRAX

El carbunco es una enfermedad infecciosa que afecta principalmente al ganado ovino y bovino, desde donde es transmitida al hombre directamente o a través de sus productos. Está producida por el *Bacillus anthracis*, que al igual que otras bacterias, tiene la capacidad de transformarse en esporas resistentes cuando el medio ambiente le es desfavorable. Los profesionales en contacto con este tipo de ganado o los manipuladores de sus derivados (incluyendo las pieles) tienen un mayor riesgo de contraer la enfermedad, por otro lado muy poco frecuente.

■ Puede manifestarse de tres formas diferentes:

- **Carbunco cutáneo**, que es la forma más frecuente de contraerlo (95% de los casos). Se produce por el contacto directo con esporas del bacilo o por la inoculación del mismo de forma accidental, generalmente en zonas expuestas como las manos o la cara. Tras un periodo de picor y aparición de vesículas en la zona de contacto a los pocos días de producirse éste, comienza la formación de una especie de escara o úlcera negra de unos 3 cm de diámetro, de forma irregular e indolora, que puede acompañarse de edema maligno en la región adyacente o incluso complicarse a escala general y producir shock e incluso la muerte si no se trata a tiempo.
- **Carbunco pulmonar**, producido por la inhalación directa de las esporas que pasan a la vía respiratoria y provocan en un primer momento un cuadro catarral inespecífico. A los tres o cuatro días empieza de forma brusca una fiebre alta con dificultad respiratoria, sudoración y tos con esputos sanguinolentos; la enfermedad puede avanzar hacia infección generalizada o hacia meningitis y producir la muerte en pocos días.
- **Carbunco gastrointestinal**, por ingestión de carne contaminada, es excepcional aunque con una mortalidad asociada muy elevada.

Por su alto grado de virulencia y su baja tasa de vacunación entre la población general, las esporas de carbunco o ántrax fueron utilizadas desgraciadamente como armas biológicas tras los atentados del 11 de septiembre de 2001 contra las torres gemelas de Nueva York. El tratamiento hospitalario precoz, con antibióticos y corticoides, obtiene un buen resultado en la mayoría de los casos salvo que la cantidad de germen adquirida sea muy grande o el individuo presente enfermedades previas importantes.

LEGIONELOSIS

La legionelosis o enfermedad del legionario es una infección producida por una bacteria llamada *Legionella pneumophila* y que fue descrita por primera vez en 1976 al investigar la causa que provocó un brote epidémico de neumonía entre los asistentes a una reunión de la Legión americana en la ciudad de Filadelfia. Se trata de un germen que vive en terrenos húmedos como el barro y sobre todo en el agua, donde permanece intacta aunque ésta sea clorada. Se transmite al hombre por vía respiratoria a través de gotas de agua pulverizadas por un aerosol, un aspersor de riego y sobre todo, mediante los circuitos cerrados de aire acondicionado o de ventilación.

Los individuos mayores de 60 años, los alcohólicos y en general todas aquellas personas con una depresión del sistema defensivo tienen una mayor probabilidad de desarrollar la enfermedad, especialmente si la cantidad de gérmenes aspirados es cuantitativamente importante.

Tras un periodo de incubación de pocos días, comienzan los primeros síntomas de tipo gripal, con dolores musculares y malestar general pero sin congestión ni dolor de garganta; posteriormente aparece fiebre elevada y cefalea intensa. En este punto la enfermedad puede curar espontáneamente o, con más frecuencia, evolucionar hacia una neumonía que puede ser mortal hasta en un 20% de los casos, dependiendo directamente del estado físico previo del enfermo.

El tratamiento antibiótico de esta enfermedad se realiza siempre en el ámbito hospitalario aunque lo ideal sería la prevención de la misma mediante el control de las torres de refrigeración, la hipercloración de las aguas y la elevación de la temperatura de las mismas.

TÉTANOS

El tétanos es una enfermedad aguda y grave producida por la infección por *Clostridium tetani* y más concretamente por una toxina elaborada por éste cuando penetra en el organismo humano. Los casos de tétanos han disminuido considerablemente en los países desarrollados gracias a las campañas de vacunación, siendo éste aún un tema pendiente en el resto de países, donde se cobra cientos de miles de muertes cada año.

El *Clostridium tetani* está presente en el entorno natural en su forma de esporas y aprovecha cualquier herida de la piel para anidar en su superficie y comenzar a produ-

cir su toxina, incluso meses después de haberse producido dicha herida. Esta toxina actúa directamente sobre las neuronas de la médula espinal produciendo un espasmo muscular muy doloroso en la zona de la herida primero, y en el resto de la musculatura después, lo que se manifiesta de forma típica como trismo o dificultad para abrir la boca y para tragar. En las formas más graves, que suelen corresponder con los enfermos de mayor edad, los espasmos pueden llegar a comprometer la deglución y la respiración y provocar la muerte en un importante número de casos.

La vacunación frente al tétanos es una medida sencilla y eficaz para prevenir esta enfermedad, especialmente entre los profesionales de más riesgo, aunque la tendencia actual es la de recomendar a toda la población que se vacune para estar protegida frente a una infección eventual que pueda acontecer. Una vacunación bien completada mantiene al individuo protegido durante un periodo de diez años.

BOTULISMO

El botulismo es una infección grave producida por la toxina del *Clostridium botulinum*, un bacilo que se contrae habitualmente a través del consumo de alimentos contaminados por este tipo de bacteria. Este germen tiene la peculiaridad de que sólo se reproduce en medios pobres o carentes de oxígeno, por lo que su resistencia al medio ambiente es muy baja y tiende a formar esporas que son capaces de resistir cualquier situación ambiental durante cientos de años. Cuando las condiciones ambientales mejoran, es decir, cuando la concentración de oxígeno es baja, estas esporas se transforman de nuevo en bacilos y comienzan a reproducirse a enorme velocidad.

Los alimentos enlatados mal esterilizados (hay que sospechar si la lata está abombada), envasados al vacío o en general los embutidos (en latín, *botulus*) y vegetales de lata son los medios utilizados generalmente por este germen para llegar al cuerpo humano, sobre todo si hace más de una semana que el producto fue envasado o si no se ha cocinado previamente.

La toxina botulínica, una vez ingerida, desarrolla de forma rápida un proceso de afectación neurológica que provoca mareo, vértigo, náuseas, somnolencia y una progresiva parálisis de la musculatura que lleva a la muerte por parada respiratoria. En cualquier caso la gravedad del cuadro dependerá de la cantidad de toxina consumida y de la rapidez de la instauración del tratamiento. Este debe ser siempre hospitalario y consiste en lavado gástrico (generalmente suele llegar tarde), aplicación de antídotos específicos y control de la función cardiorrespiratoria.

LEPRA

La lepra o enfermedad de Hansen es una infección crónica producida por el *Mycobacterium leprae*, que es conocida y descrita desde la más remota antigüedad. Se calcula que existen entre cinco y 15 millones de enfermos de lepra en el mundo, con unos 20.000 casos nuevos cada año concentrados básicamente en las regiones asiáticas, africanas y sudamericanas más desfavorecidas.

La fuente de contagio siempre es un individuo infectado que, a través de las pequeñas gotitas de agua que expulsa con la respiración, crea un entorno favorable para que otros miembros del mismo se contagien por la vía respiratoria. Aunque el bacilo de la lepra es altamente contagioso, sólo ciertos individuos con predisposición genética y que comparten un entorno de pobreza y malas condiciones higiénicas y nutricionales desarrollan la enfermedad.

La lepra se manifiesta de diferentes formas en el ser humano, desde formas autolimitadas en las que únicamente se producen unas pocas lesiones localizadas en la piel, hasta procesos más graves con destrucción importante de ésta, grandes deformidades y complicaciones pulmonares y neurológicas.

El tratamiento, basado en sulfonas, es barato y eficaz, consiguiendo la curación en la mayoría de los casos no muy avanzados, cuando se mantiene de forma estricta durante meses e incluso años.

Infecciones por determinadas bacterias

CARACTERÍSTICAS INFECCIOSAS DE LAS BACTERIAS

Las bacterias son seres independientes que no necesitan de una célula para sobrevivir. Se dividen en cocos, bacilos, vibrios y espiroquetas.

ESCARLATINA

Infección de predominio infantil producida por un estreptococo del grupo A que se contagia de forma habitual a través del contacto directo con un portador de la enfermedad.

Tras un periodo similar a un proceso catarral, aparecen unas manchas rojizas en la piel y una lengua de aspecto aframbuesada.

FIEBRE TIFOIDEA

Infección típica de los niños y adultos jóvenes producida por especies diferentes de *Salmonella,* que se transmite a través de la ingesta de agua y alimentos contaminados.

La enfermedad se manifiesta con un cuadro de fiebre moderada y mantenida que puede desembocar, si no se trata a tiempo, en diarreas incontrolables.

BRUCELOSIS

Enfermedad infecciosa producida por una bacteria llamada *Brucella*, transmitida por el ganado, especialmente en determinadas regiones geográficas.

Puede cursar de forma aguda, con fiebre alta, cansancio y malestar o de forma crónica durante más de seis meses, con complicaciones graves.

TOS FERINA

Infección aguda de las vías respiratorias por la *Bordetella pertussis,* más frecuente en los niños, entre los que se contagia con gran facilidad.

Tras un periodo catarral inicial, aparecen episodios convulsivos de tos que dificultan la respiración del individuo. En ocasiones pueden surgir complicaciones en forma de bronconeumonías.

CARBUNCO O ÁNTRAX

Enfermedad infecciosa producida por el *Bacillus anthracis* que se contagia en el hombre desde el ganado ovino y bovino, especialmente en los individuos que trabajan habitualmente con el mismo.
Puede manifestarse como carbunco cutáneo, pulmonar o gastrointestinal.

LEGIONELOSIS

Esta enfermedad es producida por una bacteria llamada *Legionella pneumophila,* que produce un cuadro de tipo gripal, cefalea y fiebre elevada, que puede curar espontáneamente o evolucionar hacia una neumonía muy grave.

TÉTANOS

Infección grave producida por la toxina del *Clostridium* tetan cuando penetra en el organismo humano. Puede provocar la muerte por parálisis respiratoria.

BOTULISMO

Producido por la toxina del *Clostridium botulinum,* presente en algunos alimentos enlatados o embutidos. Provoca mareo, náuseas, parálisis de la musculatura e incluso parada respiratoria.

LEPRA

El *Mycobacterium leprae* está presente en zonas de África, Asia y Sudamérica con malas condiciones higiénico nutricionales. El tratamiento con sulfonas es muy eficaz.

Enfermedades bucodentales

La boca o cavidad oral constituye una puerta de entrada común para el aparato respiratorio y digestivo. Limitada por los labios y por la faringe en cada uno de sus extremos, cumple con diversas funciones entre las que destacan el habla, la respiración y sobre todo la preparación de los alimentos para su digestión.

El interior de la cavidad oral está recubierto por un tejido mucoso, llamado lógicamente mucosa oral, que produce un líquido de aspecto claro que mantiene húmedas las paredes de la boca. El paladar, situado en el techo de la cavidad, es más duro en su parte externa para favorecer la acción de la lengua sobre los alimentos, mientras que su parte interior, más blanda, se eleva para permitir el paso de los mismos e impedir su entrada en las fosas nasales. La dentadura realiza la masticación, dirigida por los movimientos de la lengua, que se encarga de distribuir la comida de un lado a otro para lograr una perfecta trituración. Las glándulas salivares producen un líquido especial de naturaleza alcalina llamado saliva, que además de favorecer la deglución del alimento contiene enzimas que inician la fragmentación del mismo; existen tres tipos de glándulas salivares:

- Glándulas parótidas: situadas en el ángulo posterior de la mandíbula.
- Glándulas sublinguales: situadas en el suelo de la boca, bajo la lengua, en su parte más externa.
- Glándulas submaxilares: en la parte interna o posterior del suelo de la boca.

Los tres pares de glándulas salivares drenan su producción a través de sus respectivos conductos salivares de forma continua, aunque determinados estímulos sensoriales (olor, visión, gusto) aumentan su producción.

La deglución es el paso final por el que los alimentos, masticados y salivados, son impulsados por la base de la lengua hacia la faringe. Este proceso comporta una serie de movimientos automáticos que incluyen el cierre de las fosas nasales por el paladar blando y de la vía aérea por la epiglotis, encaminándose así el bolo alimenticio hacia el esófago.

A continuación nos referiremos a algunas de las enfermedades que pueden afectar a las estructuras que forman la boca.

CARIES

■ Es una enfermedad destructiva de los tejidos dentarios producida por la acción de determinadas bacterias (fundamentalmente el *Streptococcus mutans*) sobre los azúcares de la dieta que se depositan en los dientes, especialmente en individuos susceptibles o genéticamente predispuestos. La acción de estos gérmenes al cabo del tiempo produce una desmineralización de la pieza dentaria, su cavitación o ahuecamiento e incluso su fractura. Existen determinados factores que inciden en la aparición de la caries:

- Factores hereditarios, especialmente de la madre.
- Higiene bucal.
- Producción de saliva; a menor salivación más caries.
- Dietas con excesivos azúcares.
- Malformaciones dentales.
- Enfermedades generales como la diabetes, hipertiroidismo, carencias nutricionales, infecciones y anemias entre otras.
- Embarazo.

El flúor aumenta de forma considerable la dureza del esmalte dentario al mismo tiempo que impide la formación de la placa bacteriana; la carencia de este mineral en las aguas, así como posiblemente la de calcio en la dieta, influyen de forma decisiva en la formación de caries.

■ La caries comienza a manifestarse en torno a los seis años de edad, aumentando su incidencia durante toda la vida. A los 12 años afecta a dos de cada tres niños aproximadamente, mientras que a partir de los 35 el 99% de la población padece esta enfermedad. Podemos clasificar la caries desde dos puntos de vista:

- Según su localización: caries coronal, que afecta a la porción externa del diente en

Tratamiento de la caries

El tratamiento de la caries incluye los siguientes apartados:

■ Prevención: es recomendable una dieta equilibrada con reducción de los alimentos dulces, especialmente entre las comidas. El cepillado correcto y habitual de los dientes después de las comidas es fundamental para la eliminación de los restos alimenticios susceptibles de ser fermentados por la placa bacteriana. Algunos estudios parecen demostrar que la caries puede ser contagiada a través de cubiertos y cepillos de dientes.
■ La consulta periódica al odontólogo es fundamental para prevenir este proceso o cuando menos para controlarlo y evitar su progresión.
■ Fluoración: el flúor puede ser administrado a través de las aguas de consumo, las pastas dentríficas, los colutorios o directamente en los niños como suplemento.

■ Tratamiento del dolor: se emplean generalmente analgésicos, que se pueden asociar a antiinflamatorios o antibióticos cuando sea necesario.
■ Empastes: consiste en la eliminación de la dentina reblandecida junto con restos de alimentos y gérmenes para sustituirlos por un material de relleno (amalgamas o composites).
■ Endodoncia: es la eliminación del nervio dental infectado e inflamado por una caries extensa. Su objeto es el de eliminar el dolor que se produce por una pieza dentaria «desvitalizándola», aunque esto conlleve que se haga más frágil en el futuro.
■ Vacuna frente a la caries: existen estudios avanzados sobre el desarrollo de una vacuna específica contra las bacterias que colonizan los dientes durante la edad infantil y que podría reducir la incidencia de la enfermedad. A día de hoy todavía no se ha comercializado su uso.

cualquiera de sus caras, hoyos o fisuras y caries radicular que penetra hasta la raíz.

- Según su grado de progresión: caries del esmalte, caries de la dentina y caries que afecta ya a la pulpa interna del diente.

En su inicio la caries se manifiesta como un cambio de color en el esmalte del diente que después se pierde de forma progresiva; posteriormente aparece pérdida de sustancia y la enfermedad avanzará hacia el interior del diente. Cuando se afecta la pulpa del diente, que es la parte «viva» del mismo con abundante irrigación sanguínea e inervación, aparece el dolor. Al principio las molestias aparecen de forma ocasional asociadas al frío o calor, aunque con el tiempo se hacen continuas y más intensas, convirtiéndose en un dolor pulsátil (de latido) de predominio nocturno. Si no se trata, la caries puede desembocar en complicaciones como abscesos alrededor de la raíz dental, flemones y en general infecciones graves. La principal consecuencia de la caries es la pérdida de piezas dentales, especialmente de los molares y premolares, que tienen mayor facilidad de desarrollarla por la rugosidad de su superficie.

GINGIVITIS

Se denomina así al proceso inflamatorio de la mucosa de las encías, reversible y no contagioso, que aparece como consecuencia del cepillado incorrecto que no elimina la placa bacteriana de los dientes. Comienza como una ligera inflamación de las encías, que se hacen dolorosas, se hinchan y sangran con facilidad; a medida que el proceso avanza los sangrados pueden ser espontáneos sin necesidad de manipulación de la cavidad oral.

■ Constituye la forma más común de patología periodontal y posee una serie de factores de riesgo para su desarrollo, recordando

siempre que la falta de higiene es la causa fundamental de la enfermedad:

- Estados carenciales: parece demostrado que el déficit de vitamina C y niacina pueden estar relacionados con el desarrollo de esta enfermedad.
- Fármacos: algunos antiepilépticos y quimioterápicos pueden favorecer el crecimiento de las encías sobre la placa bacteriana y dificultar su eliminación.
- Neoplasias: especialmente las leucemias se manifiestan con enrojecimiento e inflamación de las encías como consecuencia de la dificultad del sistema inmune para luchar contra la infección de la placa bacteriana.
- Prótesis dentales: cuando éstas están mal adaptadas a la cavidad oral favorecen la gingivitis y, en general, la inflamación de las encías.
- Embarazo: como consecuencia de los cambios hormonales puede agravarse una gingivitis leve y una mayor facilidad para el sangrado.
- Infecciones: generalmente por virus como el del herpes, que favorece la inflamación de la mucosa bucal.
- Otros factores: el tabaco, la disminución de la saliva, la maloclusión, el estrés y ciertos trastornos endocrinos como la diabetes y el hipotiroidismo han sido relacionados con esta enfermedad.

Existen formas de gingivitis que no están relacionadas directamente con la placa bacteriana sino que son de naturaleza alérgica o asociadas a determinadas enfermedades cutáneas.

La gingivitis simple puede prevenirse con una buena higiene diaria bucodental, acompañada de una limpieza profunda realizada periódicamente por el odontólogo. Durante el proceso agudo pueden emplearse antiinflamatorios y antibióticos para aliviar los síntomas y disminuir el sangrado. La prevención y el tratamiento de los factores de riesgo antes mencionados, incluyendo una dieta equilibrada, mejoran el pronóstico de la gingivitis. En ocasiones esta enfermedad progresa afectando a las capas más internas de la encía y al propio hueso de soporte dental produciendo una periodontitis o piorrea.

PERIODONTITIS O PIORREA

Es un proceso crónico e inflamatorio de la encía y de los tejidos profundos que sostienen las piezas dentales. Se caracteriza por la destrucción del hueso alveolar de la mandíbula sobre el que asientan las raíces de los dientes, así como de las estructuras de soporte. Los dientes van quedando poco a poco descarnados hasta que finalmente se mueven y se caen. Es la enfermedad más corriente de la boca y la mayor causa de pérdida de piezas dentales en los adultos.

Los factores de riesgo que inician y perpetúan esta enfermedad son los mismos de la gingivitis, es decir, la mala higiene bucal sobre una serie de factores predisponentes. Aunque puede avanzar de forma rápida, habitualmente sus efectos comienzan a manifestarse en edades avanzadas; así, aunque el proceso empieza en la adolescencia, las manifestaciones se hacen más patentes a partir de los 40 años. Existe una cierta predisposición hereditaria hacia este tipo de enfermedad.

Junto con la fragilidad de las piezas dentarias aparece una separación característica de las mismas, dolor con la masticación, sangrado de las encías y halitosis o mal aliento.

La curación de la piorrea consiste en la eliminación de la placa infecciosa adherida a la superficie de la raíz dental, lo que se hace cada vez más complicado con el paso de los años y

el avance de la enfermedad. Lógicamente una buena higiene dental es la mejor manera de prevenir el desarrollo de la enfermedad.

MALOCLUSIÓN

■ Se denomina así al defecto en el contacto entre sí de las arcadas dentarias, necesario para que las funciones masticatoria, fonatoria y respiratoria se realicen de manera correcta. Las causas de maloclusión pueden ser:

• Malformaciones congénitas de la mandíbula o de las piezas dentarias.
• Enfermedades carenciales como el raquitismo por déficit de vitamina D.
• Trastornos hormonales como el hipotiroidismo y la acromegalia.
• Pérdidas dentales prematuras o caries extensas.
• Alteraciones de la lengua o de las amígdalas.

Esta patología puede ser leve y afectar únicamente a unos pocos dientes que están rotados o inclinados, o ser más grave e impedir el cierre de la boca anteponiéndose una de las arcadas dentarias de forma exagerada sobre la otra. Las maloclusiones son factores de riesgo para el desarrollo de gingivitis, periodontitis, caries y patología de la articulación temporomandibular.

El tratamiento de esta patología consiste en la eliminación de determinados hábitos en la infancia que pueden favorecer el desarrollo de la misma, como el uso prolongado del chupete y la succión del dedo. Poner ortodoncia puede solucionar el problema si está causado por una incorrecta posición de los dientes. La respiración a través de la boca en vez de las fosas nasales también parece estar implicada en el origen de la maloclusión.

Enfermedades bucodentales

ENFERMEDADES BUCODENTALES

La boca o cavidad oral es la puerta de entrada común para el aparato respiratorio y digestivo, lo que comporta una enorme facilidad para la aparición de procesos infecciosos en su interior, dado su contacto permanente con el medio externo.

CARIES

Enfermedad destructiva de los tejidos dentarios, producida por la acción de ciertas bacterias sobre los azúcares de la dieta que se depositan en los dientes, especialmente en ciertos individuos genéticamente más susceptibles.

La higiene bucal, la producción de saliva, las malformaciones dentales, el embarazo, la dieta y ciertas enfermedades generales como la diabetes y el hipertiroidismo pueden favorecer su aparición.

El avance de la caries se manifiesta como dolor asociado a frío y calor, pulsátil y de predominio nocturno. Cuando la infección avanza pueden aparecer infecciones graves y, finalmente, la pérdida de piezas dentales.

El tratamiento incluye la prevención, la administración de flúor, los empastes, las endodoncias y, en general, la revisión periódica por el especialista.

GINGIVITIS

Proceso inflamatorio de la mucosa de las encías, no contagioso, que aparece como consecuencia del avance de la placa bacteriana que provoca su afectación.

Se ve favorecida por ciertas carencias vitamínicas, fármacos, tumores como las leucemias, prótesis dentales, embarazos, maloclusión y tabaquismo.

Puede prevenirse con una buena higiene diaria bucodental. Durante el proceso agudo pueden emplearse antibióticos y antiinflamatorios.

PERIODONTITIS O PIORREA

Proceso inflamatorio crónico de la encía y de los tejidos profundos que sostienen las piezas dentales. Se manifiesta como una retracción de la encía que deja al descubierto la raíz de los dientes, delimitándola y provocando su caída.

Aunque el proceso comienza durante la adolescencia, especialmente en individuos con mala higiene bucal, las manifestaciones se hacen más patentes a partir de los 40 años de edad.
Junto con la fragilidad de los dientes aparecen otros signos como dolor al masticar, sangrado de las encías y halitosis o mal aliento.

MALOCLUSIÓN

Defecto en el contacto entre sí de las arcadas dentarias como consecuencia de malformaciones congénitas, enfermedades carenciales, trastornos hormonales, pérdidas dentales prematuras o alteraciones de la lengua.

Supone un factor de riesgo para el desarrollo de gingivitis, periodontitis, caries y patología de la articulación temporomandibular. La eliminación de determinados hábitos en la infancia puede prevenir su aparición.

Enfermedades cardiovasculares

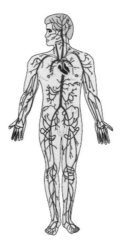

✓ Hipertensión arterial

✓ Infarto de miocardio

✓ Insuficiencia cardíaca

✓ **Valvulopatías cardíacas**
Estenosis mitral • Insuficiencia mitral
• Estenosis aórtica • Insuficiencia aórtica
• Estenosis tricúspide • Insuficiencia tricúspide

✓ **Arritmias**
Arritmias activas o taquiarritmias
• Arritmias pasivas o bradiarritmias.

✓ **Enfermedades del pericardio**
Pericarditis aguda • Derrame pericárdico
• Taponamiento cardíaco • Pericarditis constrictiva

✓ **Endocarditis infecciosa**
Varices

■ Circulación sanguínea ■

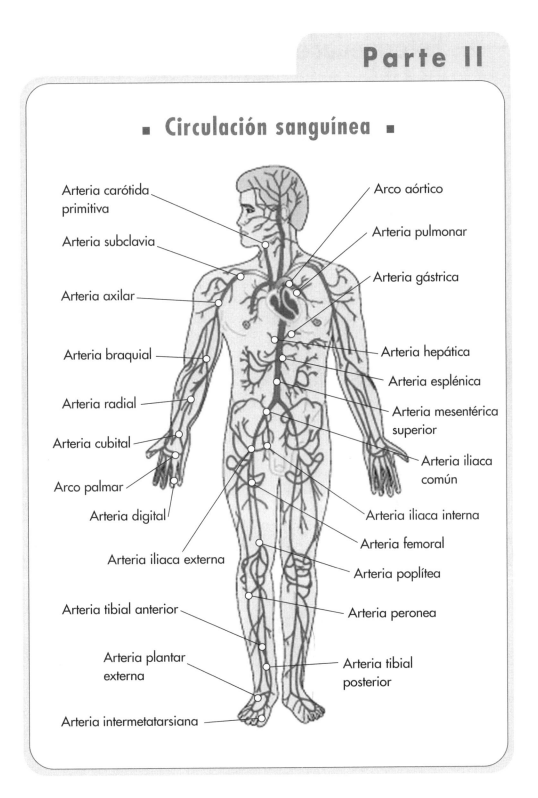

Arteria carótida primitiva

Arteria subclavia

Arteria axilar

Arteria braquial

Arteria radial

Arteria cubital

Arco palmar

Arteria digital

Arteria iliaca externa

Arteria tibial anterior

Arteria plantar externa

Arteria intermetatarsiana

Arco aórtico

Arteria pulmonar

Arteria gástrica

Arteria hepática

Arteria esplénica

Arteria mesentérica superior

Arteria iliaca común

Arteria iliaca interna

Arteria femoral

Arteria poplítea

Arteria peronea

Arteria tibial posterior

Enfermedades cardiovasculares

A medida que los organismos con vida aumentan el número de células que los componen, y por tanto su tamaño, aparece la necesidad de un sistema que sea capaz de distribuir sustancias vitales a través de toda su estructura. Se garantiza así el desarrollo de cada una de las partes del ser vivo, además de su mantenimiento y su interrelación con el resto de estructuras que lo forman. Estos sistemas de distribución se hacen cada vez más complejos cuanto más avanzado se encuentre el organismo dentro de la escala evolutiva.

■ El sistema circulatorio humano es un circuito cerrado formado por venas y arterias que distribuyen la sangre a través de todo el organismo. Existen dos tipos de circulación en el organismo humano:

● Circulación pulmonar: encargada de oxigenar la sangre y eliminar el anhídrido carbónico, recogiendo y enviando ésta hacia los pulmones por las cavidades derechas del corazón.
● Circulación sistémica: recoge la sangre oxigenada de los pulmones y la envía al resto del organismo a través de las cavidades izquierdas del corazón.

Ambas circulaciones están acopladas entre sí y forman un sistema conjunto que se mueve de forma acompasada con cada contracción del músculo cardíaco.

■ Las distintas partes que forman el sistema circulatorio son:

● Corazón o músculo cardíaco, formado por un tipo especial de fibras musculares que se contraen de forma rítmica por el estímulo eléctrico apropiado de sus nódulos de excitación. La velocidad a la que se contrae el corazón, o lo que es lo mismo, la frecuencia a la que se descar-

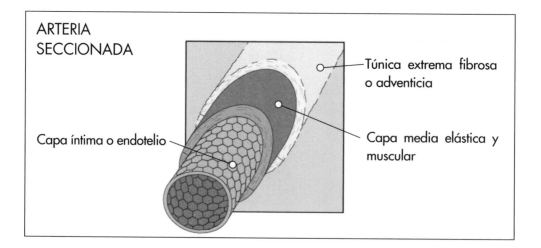

ARTERIA SECCIONADA

Túnica extrema fibrosa o adventicia

Capa íntima o endotelio

Capa media elástica y muscular

gan los nódulos que activan la conducción eléctrica del mismo es proporcional a las necesidades específicas del organismo en cada momento. El corazón late por término medio unas 100.000 veces al día, sumando más de 4.000 millones de latidos aproximadamente a lo largo de una vida de unos 80 años. La velocidad de la sangre a su salida del corazón es de 33 cm/s o lo que es lo mismo 1,2 km/h

- Arterias o conductos de salida de la sangre desde el corazón hacia los pulmones (circulación pulmonar) a través de la arteria pulmonar o hacia todo el organismo (circulación sistémica) a través de la arteria aorta. Estos grandes vasos de salida se dividen a medida que avanzan en arterias de menor calibre que se dirigen específicamente hacia una región determinada del cuerpo; finalmente forman arteriolas pequeñas que desembocan en la red capilar. La sangre de las arterias tiene un color rojo más vivo por su mayor oxigenación y se mueve a través de ella

gracias a los impulsos repetidos de la bomba cardíaca; como excepción, la arteria pulmonar no lleva sangre oxigenada, ya que es la encargada de transportarla hacia los pulmones.

- Capilares o redes finas de contacto del sistema circulatorio con los tejidos corporales, donde llega la sangre procedente de las pequeñas arteriolas, formando capilares arteriales, que aportan oxígeno y nutrientes. Esta sangre, desprovista ya del oxígeno y cargada de anhídrido carbónico y productos de desecho es recogida por el sistema capilar venoso desde donde llega a las venas de retorno.

- Venas o conductos de retorno de la sangre hacia el corazón en forma de ramas confluentes que forman vasos cada vez más grandes. Las venas cavas superior e inferior introducen en el corazón la sangre del organismo que ha sido utilizada para las funciones vitales (circulación sistémica) y que transporta el anhídrido carbónico, lo que le proporciona un tono

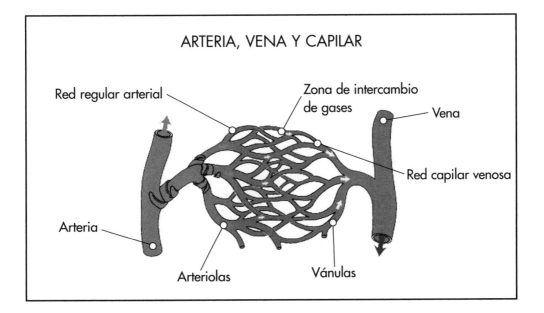

ARTERIA, VENA Y CAPILAR

Red regular arterial

Zona de intercambio de gases

Vena

Arteria

Red capilar venosa

Arteriolas

Vánulas

azulado o más oscuro. Por el contrario, la vena pulmonar (circulación pulmonar) lleva al corazón sangre recién oxigenada para que sea distribuida por todo el organismo, lo que la convierte en la única vena que transporta sangre oxigenada. Dado que el impulso del músculo cardíaco apenas si llega a este nivel, la sangre venosa retorna al corazón por un mecanismo pasivo apoyado por las características de las propias venas (válvulas de retorno) y por la contracción de los músculos que las rodean. La velocidad de la sangre cuando llega de nuevo al corazón es de 20 cm/s o 0,7 km/h.

- Sistema linfático o conjunto de vasos jalonados de ganglios que transportan la linfa, encargada de recoger los desechos de los tejidos y transportarlos de nuevo hacia el corazón, donde se reincorporan a la circulación general.

La cantidad de sangre que fluye en cada órgano en un momento determinado depende de las necesidades concretas del mismo. Así por ejemplo durante el ejercicio físico se desvía una mayor parte del volumen sanguíneo hacia la musculatura, el corazón y la circulación pulmonar, mientras que por ejemplo durante la digestión el intestino y el hígado acaparan un mayor porcentaje del mismo. El cerebro y en general el sistema nervioso, como órganos nobles que son, y también los riñones, tienen garantizado un flujo sanguíneo más o menos constante aún a costa de restringir la irrigación del resto del organismo.

El control preciso de la cantidad de sangre que puede llegar a un órgano se produce mediante la dilatación o constricción de las arterias que llegan al mismo, gracias a la actuación del sistema nervioso autónomo que es capaz de modificar su calibre a través de la relajación o estimulación de la capa muscular que poseen estos vasos. El calor provoca, por ejemplo, la vasodilatación para tratar de enfriar la sangre a su paso por la piel, lo que la enrojece de manera típica, mientras que el frío provoca vasoconstricción para evitar el efecto contrario y se produce palidez.

■ Las principales enfermedades que pueden afectar al aparato circulatorio son:

- Pérdida aguda de volumen sanguíneo, que se manifieste en forma de colapso circulatorio con disfunción de los principales órganos del cuerpo.
- Infecciones del corazón o de la membrana que lo recubre, así como de los vasos sanguíneos, que pueden inflamarse a consecuencia de ello.
- Aumento de la presión sanguínea como consecuencia de un exceso de volumen o por enfermedades renales entre otras causas.
- Enfermedades degenerativas de los vasos sanguíneos como consecuencia de enfermedades crónicas (hipertensión, exceso de colesterol, diabetes) que pongan en riesgo la correcta irrigación de órganos vitales.
- Ensanchamiento y dilatación de las arterias en forma de saco por defectos en la pared de las mismas, que originan aneurismas que pueden romperse.
- Oclusión de la circulación normal por espasmos de las arterias o por el enclavamiento de trombos en la luz de las mismas.
- Fatiga o malfuncionamiento cardíaco como efecto secundario de infartos o hipertensión descontrolada que desembocan en insuficiencia de este órgano; alteraciones del funcionamiento de las válvulas que separan las cavidades cardíacas.

- Trastornos de la conducción eléctrica del corazón que rompen con su ritmo de contracción normal.
- Enfermedades venosas que dificulten el retorno de la sangre hacia el corazón y acumulen líquido en las partes más distales al mismo.

■ Las principales pruebas diagnósticas que complementan el estudio del aparato circulatorio son:

- Medición de la presión arterial: mediante esfingomanómetros calibrados que permiten conocer la presión aproximada que tiene la sangre a su salida del corazón. Monitorización ambulatoria de la presión arterial o Holter.
- Analítica de las células sanguíneas y de determinados parámetros relacionados con el funcionamiento cardiovascular, junto con los llamados factores de riesgo.
- Radiografía de tórax: permite observar el tamaño y la silueta del corazón, así como los principales vasos que le rodean.
- Electrocardiograma: registro de la actividad eléctrica del corazón que detecta las alteraciones de su ritmo o los fallos en la conducción de las señales que determinan su contracción y su relajación.
- Pruebas de esfuerzo: análisis de la actividad eléctrica y del dolor torácico durante un esfuerzo establecido.
- Ecocardiograma: estudio mediante ultrasonidos de la anatomía y el funcionamiento de las diferentes cavidades cardíacas, midiendo flujos y valorando la eficacia de las válvulas que las separan.
- Eco-doppler: estudio del flujo sanguíneo a través de los vasos.
- Técnicas de imagen avanzadas como el escáner (TAC) o la resonancia magnética.
- Cateterismo cardíaco: introducción de un catéter a través de la vía femoral que, tras la introducción de contraste radiológico, permite visualizar la circulación coronaria.

Hipertensión arterial

Como cualquier líquido que fluye en el interior de un conducto, la sangre ejerce una presión contra las paredes de las arterias que la transportan fruto de la acción motora de las cavidades cardíacas. Esta presión arterial es máxima a la salida de los ventrículos y poco a poco va disminuyendo a medida que la sangre se aleja de los mismos, siendo mínima en los capilares finales. El retorno sanguíneo se realiza a través de las venas con muy baja presión, gracias a una serie de mecanismos de las mismas y de forma indirecta por la musculatura que las rodea.

■ La presión arterial depende de diferentes variables fisiológicas como son la fuerza de expulsión del corazón, el volumen de sangre circulante y la resistencia de los vasos sanguíneos al paso de la misma. Por tanto son muchas y diferentes las causas que pueden provocar el ascenso o el descenso de esta presión:

• Fuerza de la contracción del músculo cardíaco y grado de estimulación del mismo.
• Frecuencia cardíaca o número de latidos por minuto.
• Cantidad de líquido en el organismo que, por ejemplo, puede disminuir tras una hemorragia aguda o aumentar por exceso de sal.
• Calibre o diámetro de los vasos arteriales y elasticidad de los mismos.

La presión arterial presenta variaciones extraordinarias a lo largo del día aunque dentro de unos niveles más o menos constantes en el individuo sano. Aquellas situaciones que exijan un gasto energético mayor, como el ejercicio físico, se acompañan de un aumento de dicha presión, que volverá a sus niveles normales con el reposo. También de forma normal la presión arterial es mayor por las tardes que por la mañana y disminuye levemente al pasar de estar tumbados o sentados a ponerse de pie.

La presión arterial debe mantenerse a un nivel que permita el buen riego cerebral y del resto de órganos vitales; un aumento o descenso importante de la misma puede poner en peligro su funcionamiento y, en el fondo, a la vida misma.

¿CÓMO SE MIDE LA PRESIÓN ARTERIAL?

■ Se distinguen dos tipos de presión arterial:

• Presión arterial sistólica o mayor que se correspondería con la presión durante la sístole o contracción ventricular.
• Presión arterial diastólica o menor que se correspondería con la presión de la diástole o relajación cardíaca.

Para medirlas se utiliza normalmente un dispositivo llamado esfingomanómetro que consiste en un brazalete que comprime la circulación arterial en el brazo, para ir posteriormente aflojándose mientras se escuchan por auscultación una serie de tonos.

Para obtener una medida correcta son necesarias una serie de precauciones (que casi nunca se toman) como la de utilizar un brazalete de tamaño adecuado, evitar el ejercicio y no comer ni fumar desde 30 minutos antes de la toma.

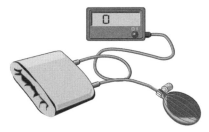

¿QUÉ ES LA HIPERTENSIÓN ARTERIAL?

■ Es la elevación crónica de la presión arterial por encima de unos niveles que se establecen por convenio y que son:

- Presión arterial sistólica o mayor que sea superior a 140 mm/Hg.
- Presión arterial diastólica o menor que sea superior a 90 mm/Hg.

Estas cifras son válidas para medidas de la presión arterial realizadas en condiciones óptimas y en personas mayores de 18 años que no estén tomando medicación antihipertensiva.

Sin embargo la hipertensión arterial no es simplemente unas cifras de tensión elevadas, sino una situación patológica que actúa como factor de riesgo para padecer múltiples enfermedades.

¿A QUIÉN AFECTA LA HIPERTENSIÓN ARTERIAL?

■ Aproximadamente una cuarta parte de los individuos que viven en los países desarrollados tienen cifras de tensión por encima del límite recomendado, aunque esto no signifique que su hipertensión haya sido detectada y tratada. Existen una serie de factores determinantes de la prevalencia de la hipertensión arterial:

- Sexo: hasta la llegada de la menopausia las mujeres son menos propensas que los varones; a partir de ésta se iguala la incidencia entre ambos sexos.
- Edad: los estudios demuestran que la tensión arterial aumenta progresivamente hasta los 80 años, sobre todo la sistólica más que la diastólica.
- Raza: la incidencia y la gravedad de la hipertensión es mayor entre los individuos de raza negra comparativamente con el resto de grupos étnicos.
- Obesidad: está demostrada la asociación entre obesidad e hipertensión, estando esta última presente hasta en un 50% de los casos de las grandes obesidades o mórbidas.
- Desarrollo: las clases bajas de los países más desarrollados se ven afectadas con más frecuencia que las altas; curiosamente en los países en vías de desarrollo ocurre lo contrario.
- Herencia: la presión arterial entre los familiares de primer grado se correlaciona de forma significativa, siendo superior la prevalencia de hipertensión entre los familiares de hipertensos, lo que se denomina «agrupación familiar de la hipertensión». Un gran número de genes han sido involucrados en la misma.
- Dieta: se ha propuesto que la proporción en la dieta de las diferentes sales minerales que poseen sodio, potasio,

calcio y magnesio influyen en el volumen sanguíneo final y por tanto en la presión arterial.

- Personalidad: aunque de forma ambigua algunos estudios parecen demostrar que las personas agresivas o ansiosas podrían ser más propensas a la hipertensión que el resto de la población, así como aquellas que están sometidas a una fuerte presión laboral o sufren estrés. Algunos factores ambientales como la polución atmosférica y acústica han sido descritos también en este mismo sentido.
- Factores gestacionales: la malnutrición durante el embarazo y el bajo peso al nacer podría condicionar la aparición de hipertensión en el individuo al alcanzar la madurez.
- Alcoholismo: el consumo diario de alcohol por encima de 30 g (muy habitual en nuestra sociedad) se ha mostrado como un factor coadyuvante del incremento de la presión arterial y como la causa final de la misma hasta en un 30% de los casos.
- Sedentarismo: la falta de ejercicio físico regular se asocia con un incremento de la tensión arterial aunque el individuo no esté obeso.

¿POR QUÉ SE PRODUCE LA HIPERTENSIÓN?

Se produce en la mayoría de los casos por una causa desconocida o no identificable y es lo que se denomina hipertensión arterial primaria o esencial, que supone hasta el 90% del total de diagnósticos. Se trataría por tanto de una hipertensión que aparece por el estímulo de algunos de los factores antes mencionados sobre una predisposición genética heredada.

■ El 10% restante pertenece al grupo de la llamada hipertensión secundaria en la cual sí que existe una causa final identificable que provoca la aparición de la misma. Entre dichas causas se pueden destacar:

- Fármacos: sobre todo los anticonceptivos hormonales y otros como los corticoides, los antiinflamatorios, el bicarbonato sódico y el ginseng.
- Enfermedades renales: quistes, pielonefritis crónica, nefropatía obstructiva, etc.
- Enfermedades hormonales: enfermedad de Cushing, hiperaldosteronismo, feocromocitoma, alteraciones del tiroides y otras.
- Tumores o infecciones cerebrales.

El embarazo puede acompañarse en ocasiones de elevación de la tensión arterial o empeoramiento de una hipertensión que ya era conocida previamente a éste. En la mayor parte de las ocasiones no supone un problema ni para la madre ni para el feto aunque se debe seguir un cierto control. La preenclampsia es un cuadro potencialmente grave de descontrol tensional y afectación de algunos órganos vitales que requiere un control exhaustivo hasta el momento del parto.

¿CUÁLES SON LOS SÍNTOMAS DE LA HIPERTENSIÓN?

La hipertensión arterial no produce ningún síntoma en el sentido estricto de la palabra, ya que como hemos explicado no se trata realmente de una enfermedad, sino de un factor de riesgo para padecer ciertas enfermedades que sí que producirán síntomas. Se descubre, por tanto, como un hallazgo casual en un examen médico rutinario.

En algunos casos, la hipertensión puede manifestarse en sus inicios de forma insidiosa como cefalea matutina en la región occipital que cede espontáneamente, mareo (que también aparece con la tensión arterial baja), visión borrosa y palpitaciones. Pueden también aparecer signos como la epístaxis (sangrado espontáneo por la nariz) y derrame corneal indoloro que cede solo a los pocos días.

Otros síntomas que puedan aparecer son debidos bien a las consecuencias de la hipertensión o a las causas de la misma.

¿CUÁL ES LA REPERCUSIÓN DE LA HIPERTENSIÓN ARTERIAL?

Como anteriormente hemos comentado, la hipertensión arterial es el principal factor de riesgo para padecer enfermedades cardiovasculares, que incluyen accidentes vasculares cerebrales, cardiopatía coronaria, afectación ocular, insuficiencia cardíaca y afectación renal. El mecanismo por el cual esto se produce es la afectación que sobre las arterias produce este exceso de presión de forma crónica y su contribución al desarrollo de placas de ateroma y trombosis sobre las mismas.

Está demostrado que el riesgo aumenta o disminuye proporcionalmente a las cifras de tensión, es decir, que cuanto menores sean éstas menos probabilidad hay de padecer alguna de las enfermedades antes mencionadas, independientemente de que se sea hipertenso o no (es mucho mejor tener 90/50 mm/Hg que 135/80 mm/Hg, aunque ninguna de las dos sea hipertensión).

Se sospecha que una buena proporción de enfermedades cardiovasculares se produce por acción de la tensión arterial en individuos que normalmente han sido considerados normotensos, es decir, que para que ésta lesione las arterias no es siempre necesario que esté muy elevada, aunque lógicamente a mayor hipertensión más daño.

DIAGNÓSTICO

La tensión arterial varía en todas las personas según el momento del día en que se tome así como con las actividades que se hayan realizado previamente. Una toma única de tensión arterial no puede ser utilizada para diagnosticar la hipertensión, debido a que ésta puede ser transitoria y no responder a una situación constante a lo largo de todo el día. Por tanto se recomienda que al menos se realicen tres tomas, separadas entre sí una semana como mínimo, con el mismo aparato (preferentemente de mercurio) y en condiciones similares. Es recomendable utilizar ambos brazos, siempre a la altura del corazón, con un manguito de diámetro apropiado para los mismos.

Existen muchos factores que pueden provocar errores en la medida de la presión arterial, bien relacionados con el paciente como la ansiedad, el frío, el consumo de excitantes o las ganas imperiosas de orinar, o bien relacionados con el tomador, como el redondeo de cifras y el empleo de una mala técnica por desconocimiento o falta de tiempo.

La hipertensión de bata blanca se produce cuando, durante meses o años, aparecen cifras elevadas de tensión arterial sólo cuando son tomadas por un profesional sanitario en la consulta, siendo éstas normales fuera de la misma; se produce por un reflejo condicionado del individuo ante la presencia de dicho profesional y su incidencia puede llegar a ser muy alta.

■ Hoy en día existen dos métodos diferentes para el diagnóstico de la hipertensión, basados en la toma de las cifras de presión arterial a lo largo de todo el día:

- **MAPA** o monitorización ambulatoria de la presión arterial: consiste en la colocación de un dispositivo fijo en el brazo, que toma muestras de la tensión cada ciertos intervalo de tiempo a lo largo de 24 horas, y que posteriormente es analizado por un sistema informático. Es especialmente útil para el diagnóstico de la hipertensión de bata blanca y para aquellas tensiones límite en las que se duda clasificarlas como hipertensión.

- **AMPA** o automedida de la presión arterial: se trata de la utilización por parte del propio individuo de dispositivos semiautomáticos para obtener las cifras de su tensión a lo largo del día. Tiene una utilidad similar al método anterior, aunque las tomas no son automáticas y no se realizan por la noche.

■ Una vez confirmado el diagnóstico de hipertensión comienza una evaluación completa del paciente con los siguientes objetivos:

- Descartar que se trate de una hipertensión secundaria a una enfermedad subyacente.
- Establecer el riesgo cardiovascular total investigando la presencia o no del resto de factores como el tabaquismo, la obesidad, la diabetes o el colesterol entre otros.

Clasificación

Según el grado de severidad del aumento de la presión arterial podemos dividir a ésta en los siguientes tipos:

■ NORMOTENSIÓN o tensión arterial por debajo de los límites 140/90; a su vez podemos dividirla en:

- Tensión óptima o deseable: inferior a 120/80.
- Tensión normal: inferior a 130/85.
- Tensión normal límite: entre 130-139 de tensión sistólica y 85-89 de diastólica; este término se refiere a unas cifras de tensión arterial que aún siendo normales se encuentran demasiado cerca de la hipertensión y merecen un control más preciso.

■ HIPERTENSIÓN o tensión arterial por encima de los límites comentados, que puede ser:

- Ligera o grado 1: con cifras tensionales entre 140-159 y 90-99.

- Moderada o grado 2: entre 160-179 y 100-109.
- Grave o grado 3: con tensiones superiores a 180/110.

■ EMERGENCIA HIPERTENSIVA: es la elevación de las cifras de tensión arterial que se acompaña de síntomas por la afectación de determinados órganos vitales. Se establece, por tanto, por la repercusión que pueda tener un aumento de la tensión independientemente de lo elevadas que puedan ser estas cifras. Es una urgencia hipertensiva verdadera, que requiere de tratamiento inmediato para descender dichas cifras hasta la normalidad en un plazo de pocas horas. Según los órganos afectados es posible que aparezcan síntomas como cefalea opresiva o dolor en el pecho, aunque a veces el daño de la emergencia hipertensiva puede pasar inadvertida en los primeros momentos.

- Investigar la existencia de daño en algún órgano por la propia hipertensión. Para analizar esto con frecuencia se recurre a determinadas pruebas como la analítica de sangre y orina, el electrocardiograma y la radiografía de tórax.

TRATAMIENTO

Como ya sabemos, la hipertensión arterial es el producto de la actuación de diversos factores desencadenantes sobre una predisposición genética; dado que no podemos actuar sobre esta última, los esfuerzos deben dirigirse hacia la modificación del estilo de vida por parte del individuo. Sólo en aquellos casos en los que estas medidas se muestren insuficientes y, tras un cierto tiempo de aplicación correcta de las mismas, se plantea el tratamiento farmacológico.

■ Estilo de vida: el cambio de ciertas costumbres puede lograr descensos tensionales de hasta 10-15 mm/Hg y ser suficiente para corregir la hipertensión. Desgraciadamente se ha comprobado que son pocos los pacientes que asumen tales cambios y los mantienen a largo plazo. Los principales son:

- Restricción del consumo de sal: eliminar de la dieta los alimentos ricos en la misma y cocinar sin ella, hasta el punto de ingerir menos de 5 g al día. Esta medida es suficiente para controlar hasta un 20% de los hipertensos.
- Reducción de peso: los obesos desarrollan hipertensión con una frecuencia diez veces mayor que el resto de individuos, además de tener más probabilidad de poseer otros factores de riesgo como la diabetes y el colesterol. Simplemente un adelgazamiento de 5 kg puede producir un descenso de 10 mm/Hg en la tensión arterial.

- Ejercicio físico: el deporte, siempre adaptado a la capacidad física del individuo, ayuda a reducir la tensión arterial hasta 15 mm/Hg; la recomendación concreta es la de como mínimo andar 30 o 40 minutos a paso normal tres veces por semana.
- Restricción del consumo de alcohol: ya que reduce la efectividad del tratamiento farmacológico cuando su consumo diario supera unos mínimos; es recomendable que no supere al contenido de alcohol de un vaso de vino o cerveza.
- Otras medidas que pueden ser útiles son la ingesta moderada de café y el abandono del tabaco, no tanto porque produzca hipertensión sino por ser un factor de riesgo añadido a la misma. No existe aún evidencia científica de que ciertos minerales o ácidos grasos sean beneficiosos para la misma, al igual que el consumo de ciertos tubérculos como el ajo y la cebolla.

■ Tratamiento farmacológico: se basa en el empleo de diferentes principios activos pertenecientes a grupos terapéuticos muy diferentes. Al iniciar el tratamiento lo más habitual es que se empleen dosis bajas del mismo, para posteriormente subirlas y ajustarlas según la necesidad de cada paciente. Con frecuencia se combinan fármacos antihipertensivos de diferentes grupos, a dosis bajas, para potenciar su acción entre sí e impedir la aparición de efectos secundarios; el mecanismo de acción de éstos es muy variado:

- Pueden aumentar el volumen de orina (diuréticos).
- Pueden reducir la frecuencia cardíaca y la resistencia de las arterias (bloqueantes).
- Pueden inhibir la acción y la formación de determinadas sustancias, como la angiotensina, responsables del aumento de la tensión (inhibidores).

Se denomina hipertensión resistente o refractaria a aquella que no mejora pese a un correcto cumplimiento terapéutico con varios fármacos durante cierto tiempo.

■ Crisis hipertensiva: ante una elevación de la presión arterial, sea el sujeto hipertenso o no, debe procederse con calma por muy altas que las cifras parezcan. Con frecuencia, y sobre todo entre pacientes ya diagnosticados de hipertensión, se pueden producir elevaciones normales por diversas circunstancias que no necesariamente son un signo de gravedad. Es necesario repetir la toma tras un cierto tiempo de reposo y tomar la medicación si no se ha hecho; si tras ello la tensión sigue siendo alta se debe acudir al centro de salud más próximo para su control. Sólo las tensiones exageradamente altas (por encima de 200/120) o las que se acompañan de opresión torácica o cefalea intensa deben ser motivo de alarma.

PRONÓSTICO

La hipertensión arterial es para toda la vida, independientemente de que se pueda llegar a controlar sin medicación; no obstante hoy en día existe suficiente conocimiento de la misma como para detectarla de forma precoz y evitar el daño que pueda producir a largo plazo. Es necesario por tanto que el enfermo se conciencie sobre la necesidad de respetar el estilo de vida impuesto y la toma estricta de la medicación, lo que no ocurre en todos los casos; cerca de un 50% de los hipertensos son malos cumplidores del tratamiento farmacológico o no observan las medidas recomendadas.

Dado que la hipertensión avanza con la edad y es modificable por otras enfermedades, y dado también que deben vigilarse ciertos órganos vitales y los efectos secundarios de la medicación, es necesario acudir de forma periódica al médico para controlar su evolución.

El pronóstico de la hipertensión depende en gran medida del estado del resto de factores de riesgo cardiovascular y del grado de control de la misma. En los últimos años se ha producido un descenso del número de muertes por estas enfermedades debido a un mayor conocimiento y prevención de dichos factores, especialmente de la hipertensión.

Hipertensión arterial

CONCEPTO Y MEDICIÓN DE LA PRESIÓN ARTERIAL

La presión que ejerce la sangre contra la pared de las arterias se denomina presión arterial. Su elevación crónica por encima de unos niveles establecidos por convenio es la hipertensión.

Para prevenirla, debe medirse periódicamente con un esfingomanómetro.

SÍNTOMAS Y REPERCUSIONES

Síntomas leves como cefalea, mareo y visión borrosa. Repercute en los accidentes vasculares e insuficiencias cardíacas.

CLASIFICACIÓN

- Normotensión: tensión arterial por debajo de los límites 140/90.
- Hipertensión: tensión arterial por encima de estos límites.

- Emergencia hipertensiva: resultan afectados diversos órganos.

DIAGNÓSTICO

- Toma de tensión normal; condiciones ideales.
- Monitorización ambulatoria.
- Automedida de la presión arterial.

TRATAMIENTO

- Estilo de vida: bajo consumo de sal, vigilar el peso, hacer ejercicio y suprimir la ingesta de alcohol y café, además de abandonar el tabaco.
- Tratamiento farmacológico.
- Crisis hipertensiva: cómo actuar.

PRONÓSTICO

Bueno si se cumple el tratamiento y se controla durante toda la vida.

Infarto de miocardio

El aparato cardiovascular es el encargado de asegurar el riego sanguíneo a todos los órganos que forman el cuerpo humano. Está formado por el corazón, que actúa como bomba que impulsa la sangre a través de una extensa red de arterias y venas. El corazón es un músculo controlado por el sistema nervioso, capaz de latir con una frecuencia diferente según las necesidades que en cada momento nuestro cerebro reconozca. En cada latido, el músculo cardíaco se contrae, expulsando de sus cavidades interiores la sangre hacia los pulmones y hacia el resto de los órganos.

Como cualquier otra estructura de nuestro organismo, el corazón necesita el oxígeno y los nutrientes que circulan por el torrente sanguíneo para mantenerse vivo y poder realizar su función. Para ello, cuenta con un complejo sistema de arterias, llamadas coronarias, que le irrigan de forma completa. Se denomina miocardio a la capa muscular del corazón, que es la más importante, ya que de su función contráctil depende el funcionamiento de todo el aparato cardiovascular. Por lo tanto, unas arterias coronarias bien conservadas garantizan una buena función cardíaca y, por extensión, un aporte sanguíneo adecuado a todos los órganos de nuestro cuerpo.

¿POR QUÉ SE ALTERAN LAS ARTERIAS CORONARIAS?

Las arterias coronarias no son tubos rígidos o simples «cañerías», sino que son, al igual que el resto de arterias, vasos flexibles que pueden variar su diámetro en función de las circunstancias. En ocasiones, se forman en su interior pequeñas placas fibrosas, que quedan adheridas a las mismas, y que van creciendo por el depósito de diferentes sustancias que circulan por la sangre. Estas placas disminuyen la luz de las arterias hasta provocar su oclusión, lo que se denomina ateromatosis. La circulación coronaria también puede verse afectada por la existencia de trombos (cúmulos de plaquetas) que se mueven por estas arterias y que pueden llegar a taponarlas; hablamos entonces de

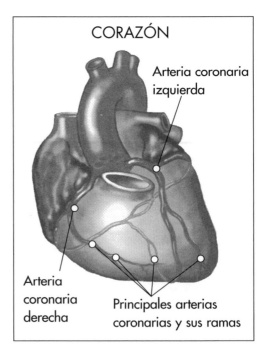

CORAZÓN

Arteria coronaria izquierda

Arteria coronaria derecha

Principales arterias coronarias y sus ramas

trombosis coronaria. Finalmente, en algunos sujetos con arterias coronarias perfectamente normales aparecen espasmos coronarios, generalmente transitorios, que obstruyen el flujo sanguíneo a través de ellas.

¿CUÁLES SON LAS CONSECUENCIAS DE LA ALTERACIÓN DE LAS ARTERIAS CORONARIAS?

Paradójicamente, un órgano como el corazón, por el que pasan millones de litros de sangre a lo largo de la vida, puede verse privado de la misma, de forma parcial o total, y provocar un deterioro de su funcionamiento. Se denomina isquemia al proceso que comienza en cualquier tejido vivo cuando se le priva de riego sanguíneo; la isquemia coronaria o cardíaca es por tanto un déficit en el suministro de este líquido vital en el tejido muscular del corazón producido por una alteración de la circulación coronaria.

Según el tiempo que dure la privación de sangre, la isquemia coronaria provoca un daño mayor o menor en el corazón; la cardio-

---

Clasificación de la cardiopatía isquémica

■ **ANGINA DE PECHO:** se produce cuando una o varias arterias coronarias suspenden de forma momentánea, por algunas de las causas anteriormente mencionadas, el riego de una zona del músculo cardíaco. Esto se manifiesta en el individuo como un dolor de tipo opresivo (como un peso) o constrictivo (como una garra) en la región precordial (zona del tórax por delante del corazón). Este dolor tiene una duración de entre cinco y diez minutos y, a veces, puede extenderse hacia el hombro y el brazo izquierdos. La angina de pecho, al ser de corta duración, no produce destrucción (necrosis) de las fibras musculares del corazón. Según su forma de presentación se distinguen dos tipos de angina:

• ANGINA ESTABLE: es un dolor como el que acabamos de describir que aparece, generalmente, con el esfuerzo. Se produce porque el ejercicio físico requiere de mayor actividad cardíaca y, por lo tanto, de mayor consumo de oxígeno sanguíneo, que unas arterias coronarias afectadas no pueden proporcionar.

• ANGINA INESTABLE: se produce cuando este dolor aparece incluso en reposo o con mínimos esfuerzos. Se debe a fluctuaciones en el calibre de las arterias coronarias por un trombo o una placa de ateroma que abren y cierran el flujo sanguíneo de forma intermitente.

Una angina estable puede con el tiempo transformarse en inestable y ésta, a su vez, ser el paso previo de un infarto.

■ **INFARTO DE MIOCARDIO:** se produce por el mismo mecanismo que la angina de pecho, pero con una obstrucción irreversible del flujo sanguíneo que desemboca en la destrucción y muerte de las regiones cardíacas afectadas. Según la extensión de la zona infartada y de su importancia en la contracción del músculo cardíaco, el infarto será de mayor o menor gravedad. Desgraciadamente, un 60% de los individuos con enfermedad coronaria desconocen su dolencia hasta que aparece el infarto; es decir, que pueden no tener ningún síntoma sugestivo de esta enfermedad y sufrir, de repente, este cuadro de isquemia (falta de sangre) aguda que provoca la muerte entre un 30-50% de los casos.

patía isquémica es por tanto, una enfermedad producida por defectos en la función de las arterias coronarias que provoca sufrimiento en el músculo cardíaco y cuya expresión final más grave es el infarto. Dicho de otro modo, la afectación de las arterias del corazón (enfermedad coronaria) desemboca en afectación del propio corazón (cardiopatía isquémica).

La cardiopatía isquémica es una de las principales causas de muerte en los países desarrollados, con aproximadamente un 10% del total de defunciones. Durante los últimos años, se ha identificado un número considerable de hábitos socioculturales y características biológicas que predisponen a padecer de enfermedad coronaria (y por tanto, cardiopatía isquémica), que han sido denominados factores de riesgo coronario, y que posteriormente describiremos.

¿CÓMO ES EL DOLOR DEL INFARTO?

Se trata de un dolor similar al de la angina de pecho pero, habitualmente, más intenso y con una duración de entre 30 minutos y dos horas. No guarda relación con el esfuerzo y, de hecho, en más de la mitad de los casos aparece en pacientes en reposo.

Aunque la forma más frecuente de presentarse es como dolor precordial opresivo, no es extraño que, a veces, exista únicamente dolor en un brazo, en un hombro, en la espalda o en el estómago. Es más habitual durante la noche y, sobre todo, de madrugada así como en los meses más fríos del año, por ser, en ambos casos, periodos con tendencia a una tensión arterial más elevada.

Este dolor se acompaña de sudoración fría, náuseas, angustia e, incluso, de sensación de muerte inminente. No varía con la respiración ni mejora con ninguna postura. Si empeora presionando la zona dolorida, no se trata de un dolor cardiaco.

Hasta en un 25% de los infartos no se produce ningún dolor y el diagnóstico se realiza a posteriori al examinar un electrocardiograma, donde se pueden detectar las secuelas que ha dejado.

¿CUÁLES SON LOS FACTORES DE RIESGO CORONARIO?

- Edad: a partir de los 35 años la incidencia de la enfermedad se duplica cada cinco años llegando a su máximo a los 65; es decir, un individuo de 50 años tiene un riesgo dos veces mayor de padecer un infarto que uno de 45 años (lógicamente sin contar otros factores de riesgo).
- Sexo: la enfermedad coronaria es preponderante entre los varones frente a las mujeres, aunque según va avanzando la edad, la tendencia es a igualarse entre ambos sexos. Las hormonas sexuales de las mujeres parecen proteger a éstas de manera eficaz hasta la menopausia.
- Geografía: la región mediterránea posee una tasa de enfermedad coronaria inferior a la del norte de Europa y Estados Unidos. Esto es debido a razones climatológicas y, sobre todo, a los hábitos alimenticios.
- Historia familiar: existe una predisposición genética a padecer esta dolencia o algunos de los factores de riesgo que la favorecen como la hipertensión, diabetes, etc.
- Hipertensión arterial: al elevarse las cifras de presión arterial también se eleva la presión sanguínea que las arterias coronarias tienen que soportar. Esto supone la aparición de lesiones en su interior y la formación de placas de ateroma sobre las mismas.
- Colesterol: está demostrado que las cifras altas de colesterol LDL (vulgarmente lla-

mado colesterol «malo») favorecen la obstrucción de las arterias al depositarse éste con facilidad en las mismas; los triglicéridos (grasa circulante en la sangre) actúan de igual forma.

- Tabaco: el monóxido de carbono proveniente del humo del cigarrillo también favorece la aparición de lesiones en el interior de las arterias coronarias.
- Obesidad: el sobrepeso, y sobre todo, las alteraciones en el metabolismo de la grasa que le acompañan, son también factores de riesgo coronario.
- Sedentarismo: parece evidente que el ejercicio físico moderado ejerce un efecto protector sobre el corazón en general y sobre el flujo sanguíneo coronario en particular.
- Diabetes: esta enfermedad puede provocar el aumento de las grasas que circulan por la sangre; a mayor cantidad de grasa, mayor crecimiento de la placa de ateroma.
- Conducta: en los últimos años se ha especulado sobre la posibilidad de que aquellas personas con un carácter más violento o agresivo, tengan mayor predisposición a sufrir un infarto de miocardio.
- Otros: el alcohol, el café, el estrés y las cifras elevadas de ácido úrico podrían ser también factores de riesgo para esta enfermedad.

A medida que un individuo acumula factores de riesgo a lo largo de su vida, se multiplica la posibilidad de que aparezca un evento cardíaco por isquemia (por ejemplo, una angina o un infarto). La probabilidad de padecer un episodio de este tipo en un determinado periodo de tiempo se denomina riesgo coronario.

Hoy en día se evalúa el riesgo coronario de cada persona, en función de su edad y del resto de factores de riesgo que hemos comentado, a través de unas tablas que indican la probabilidad que tiene de sufrir un infarto.

DIAGNÓSTICO

La detección precoz de los síntomas asociados a la angina de pecho y al infarto es fundamental para una buena evolución de estas enfermedades. Ahora que conocemos las características del dolor coronario, podemos reconocerlo con el margen de tiempo suficiente para reclamar ayuda médica.

En el caso de la angina, es decir, dolor no prolongado asociado casi siempre a esfuerzo, debemos acudir a nuestro médico de cabecera y cardiólogo, para que mediante las oportunas pruebas confirmen el diagnóstico. En el infarto, es necesario el traslado inmediato al hospital con el fin de comenzar el tratamiento lo antes posible.

Una vez que se confirme que el dolor que el paciente presenta es de características cardíacas, se realiza una serie de pruebas como el electrocardiograma, que permiten localizar la zona del corazón afectada y su gravedad.

COMPLICACIONES

■ Las consecuencias más o menos reversibles de un infarto de miocardio pueden ser:

- Arritmias: alteraciones de la conducción eléctrica del corazón.
- Insuficiencia cardíaca: pérdida de fuerza del corazón al quedar inerte una parte de su capa muscular.
- Aneurisma: dilatación en forma de bolsa alrededor de la zona muerta.
- Rotura cardíaca: complicación muy grave que requiere de cirugía inmediata para reparar y suturar la herida

Tratamiento de la cardiopatía isquémica

Dividiremos el tratamiento general de la cardiopatía isquémica en tres apartados:

■ Corrección de los factores de riesgo coronario: una parte de estos factores requiere de la actuación del médico para su corrección, mientras que otra depende únicamente de la voluntad del individuo para lograrlo:

• **Tabaco:** el riesgo de padecer enfermedad coronaria se reduce a la mitad a los 12 meses de abandonar el hábito. A los diez años de haber dejado de fumar, este riesgo se iguala al de los individuos que no han fumado nunca. Es, por tanto, el factor más fácil de suprimir, y el primero sobre el que tiene que actuar un paciente diagnosticado de esta enfermedad.

• **Ejercicio físico:** es muy importante adquirir la costumbre de la práctica diaria de ejercicio moderado desde la juventud. A medida que transcurren los años, este ejercicio debe adecuarse a las posibilidades físicas de cada uno. Puede ser peligroso realizar ejercicio moderado o intenso a partir de determinada edad, si no se ha hecho anteriormente de forma habitual. Las actividades más recomendables son la natación, bicicleta y pasear.

• **Alimentación:** hay que tratar de seguir una dieta equilibrada, pobre en grasas (menos del 30% del total de las calorías) que prevenga el aumento de colesterol y la obesidad. En muchos casos es necesario disminuir las cifras de colesterol LDL (no el colesterol total) por debajo de 100 mg/dl mediante tratamiento farmacológico. Restringir el uso de café y té.

• **Hipertensión arterial:** la meta debe ser conseguir unas cifras de tensión arterial por debajo de 14 (alta) y 9 (baja). Para ello, además de los fármacos oportunos, se debe seguir una dieta pobre en sal, y evitar el consumo de alcohol.

• **Adopción de un modo de vida sano,** sin estrés, con el descanso adecuado, con un cierto orden en el horario de las comidas, evitando cambios de peso bruscos y con la práctica de actividades relajantes o hobbies.

■ **Tratamiento de la angina de pecho:**
Los pacientes diagnosticados de enfermedad coronaria deben llevar siempre consigo un tipo de fármacos llamados nitratos en forma de pastilla o spray. La función de los nitratos es la de dilatar las arterias coronarias y restablecer así el aporte de sangre al músculo cardíaco. En caso de aparecer un dolor de tipo anginoso, es muy importante colocarse, inmediatamente, debajo de la lengua este fármaco; si el dolor no cede a los cinco minutos, se repite la operación y si aún así no hay mejoría, se debe tomar una tercera pastilla y acudir a un centro hospitalario. Los principales efectos secundarios de los nitratos son la cefalea, náuseas y bajada de la tensión arterial.

■ **Tratamiento del infarto de miocardio:**

Se basa en el traslado inmediato del paciente al centro hospitalario. Hasta transcurridas seis horas desde el comienzo del cuadro existe la posibilidad, mediante el tratamiento adecuado, de impedir la muerte o necrosis de la zona afectada. Para ello, se emplean hoy en día dos técnicas diferentes:

• **Fibrinolisis:** consiste en la destrucción del trombo que ocluye la arteria coronaria mediante determinados fármacos.

• **Angioplastia:** es la destrucción del obstáculo que impide el flujo, directamente mediante un catéter.

En muchos casos los infartos aparecen en enfermos con antecedentes de angina de pecho, por lo que éstos al presentar el dolor pueden pensar que se trata de una angina. En este caso, además de ser un dolor más intenso, no cederá apenas con la toma de nitratos sublinguales.

Infarto de miocardio

CARACTERÍSTICAS DEL APARATO CARDIOVASCULAR

Asegura el riego sanguíneo y consta de: corazón, arterias y venas.

ESTRUCTURA Y FUNCIÓN DEL MÚSCULO CARDÍACO

Sistema de arterias coronarias y miocardio o capa muscular.

ALTERACIÓN DE LAS ARTERIAS CORONARIAS

Ateromatosis y trombosis coronarias. Espasmos coronarios.

CONCEPTO DE CARDIOPATÍA ISQUÉMICA

Déficit del suministro sanguíneo en el tejido muscular del corazón que provoca sufrimiento del mismo y muerte de las células que lo forman.

FORMAS DE CARDIOPATÍA ISQUÉMICA

- Angina de pecho: suspensión transitoria del riego coronario que se manifiesta como un dolor de corta duración, opresivo o constrictivo, en el pecho que no se acompaña de lesión definitiva.

- Infarto de miocardio: obstrucción irreversible del flujo sanguíneo cardíaco que desemboca en la destrucción de parte de su estructura.

Síntomas del infarto de miocardio: dolor en brazo, hombro, espalda o estómago; sudoración fría, náuseas y angustia.

FACTORES DE RIESGO CORONARIO

- Mayor edad y sexo masculino.
- Historia familiar o predisposición genética.
- Hipertensión arterial.
- Colesterol.
- Tabaco.
- Obesidad y sedentarismo.
- Diabetes.
- Otros: consumo de café, vida estresante, etc.

DIAGNÓSTICO

A través de un electrocardiograma.

TRATAMIENTO

- Corrección de factores de riesgo: supresión del tabaco, seguir una dieta sana, etc.
- Tratamiento de la angina de pecho con nitratos.
- Tratamiento del infarto agudo de miocardio en un hospital con fibrinolisis o angioplastia.

COMPLICACIONES

Arritmias, insuficiencia cardíaca, aneurisma y rotura cardíaca.

Insuficiencia cardíaca

El corazón es un órgano muscular situado en la caja torácica por detrás del esternón, y hacia el lado izquierdo de éste, que pesa aproximadamente entre 300 y 350 g.
El corazón es capaz de aumentar o disminuir el volumen de sangre que expulsa en cada latido, o de latir con mayor o menor frecuencia en respuesta a las necesidades del organismo en cada momento.

La función del corazón es la de impulsar la sangre a través de dos sistemas circulatorios o circuitos diferentes:

1. Circulación pulmonar o corazón derecho: recoge la sangre que proviene de todo el organismo a través de la aurícula derecha, pasa después al ventrículo derecho desde donde es bombeada hacia los pulmones para ser oxigenada, por medio de la arteria pulmonar.
2. Circulación sistémica o corazón izquierdo: recoge la sangre ya oxigenada que proviene de los pulmones en la aurícula izquierda, pasa al ventrículo izquierdo desde donde se envía al resto del organismo (sistemas), a través de la arteria aorta.

Ambas aurículas, aunque pertenezcan a circulaciones diferentes, se contraen al mismo tiempo para introducir la sangre en los ventrículos; esto se denomina sístole auricular. Igualmente, los ventrículos también se contraen posteriormente al unísono durante el llamado sístole ventricular. Después de ambas contracciones seguidas en el tiempo, llega un periodo de relajación de la musculatura cardíaca, llamado diástole, durante el cual las aurículas se llenan de sangre nuevamente.

La separación entre aurículas y ventrículos, y entre éstos y las arterias que parten de los mismos (pulmonar y aorta) se realiza mediante válvulas, que se abren o cierran acompasadamente en cada momento para permitir o impedir el paso de la sangre. El doble sonido característico del latido cardíaco se produce primero, por la apertura de las válvulas que separan las aurículas y los ventrículos entre sí (válvulas mitral y tricúspide), y segundo, por la apertura de las válvulas de salida de los ventrículos (válvulas aórtica y pulmonar).

El retorno de la sangre hacia el corazón se efectúa por medio de dos grandes vasos llamados cava superior e inferior, que recogen la sangre de todo el territorio corporal y la depositan en la aurícula derecha. A su vez, la vena pulmonar transporta la sangre oxigenada desde los pulmones hasta la aurícula izquierda.

El corazón es capaz de aumentar o disminuir el volumen de sangre que expulsa en cada latido, o de latir con mayor o menor frecuencia en respuesta a las necesidades del organismo en cada momento.

¿QUÉ ES LA INSUFICIENCIA CARDÍACA?

La insuficiencia cardíaca es un trastorno del sistema circulatorio que se produce cuando el corazón no es capaz de satisfacer los requerimientos de sangre del organismo. Es una situación común final a la que se llega por diferentes caminos que provocan un mal funcionamiento de los ventrículos cardíacos, responsables en último caso de enviar la sangre en cantidad suficiente a todo el cuerpo. Como consecuencia, aparece una serie de síntomas secundarios a la mala irrigación de los órganos y los músculos.

¿A QUIÉN AFECTA LA INSUFICIENCIA CARDÍACA?

Aproximadamente entre el 0,5-1% de la población sufre esta enfermedad; estas cifras están en aumento debido a la prolongación de la esperanza de vida en los países desarrollados, y a los avances de la medicina que permiten vivir más años a enfermos con infarto de miocardio, pero que sufren, con el tiempo, esta enfermedad.

¿POR QUÉ SE PRODUCE LA INSUFICIENCIA CARDÍACA?

■ Existen numerosas enfermedades que desembocan en la afectación del corazón como bomba sanguínea; unas causas predominan sobre otras en cada país y en cada cultura diferente. Las principales son:

• Enfermedad coronaria: los infartos pueden dejar amplias zonas del músculo cardíaco sin riego sanguíneo durante el tiempo sufi-

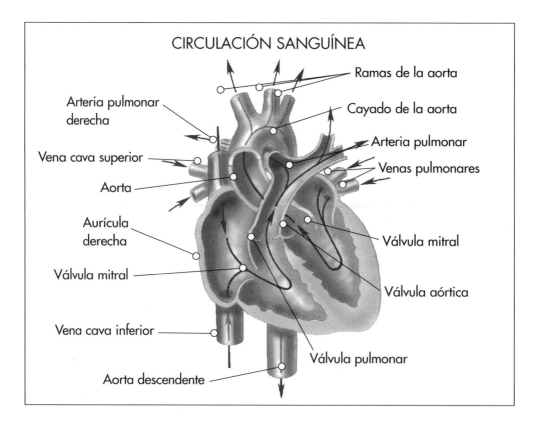

CIRCULACIÓN SANGUÍNEA

Ramas de la aorta

Arteria pulmonar derecha

Cayado de la aorta

Vena cava superior

Arteria pulmonar

Venas pulmonares

Aorta

Aurícula derecha

Válvula mitral

Válvula mitral

Válvula aórtica

Vena cava inferior

Válvula pulmonar

Aorta descendente

ciente como para que se destruyan y pierdan su función; así disminuye parte de la capacidad del corazón para contraerse o, lo que es lo mismo, la potencia para expulsar la sangre. Es la causa más frecuente de insuficiencia cardíaca.

- Hipertensión arterial: que dificulta el vaciado del ventrículo, al tener que «luchar» éste frente a una mayor presión sanguínea en contra, en las arterias del organismo.
- Enfermedades de las válvulas cardíacas: que impiden una distribución correcta de la sangre dentro del corazón u obstruyen la salida de la misma.
- Arritmias: las alteraciones del ritmo cardíaco pueden provocar un mal funcionamiento de la circulación, bien por exceso de latidos poco efectivos (taquicardia), o bien por disminución de la frecuencia cardíaca (bradicardia). La fibrilación auricular es responsable de un amplio porcentaje de insuficiencias cardíacas (véase el capítulo de arritmias).
- Alcohol: se produce dilatación del músculo cardíaco y, por tanto, pérdida de efectividad del mismo, con el abuso de esta sustancia al cabo de los años.
- Anemias o hemorragias: cuando es moderada o grave provoca la aceleración del ritmo cardíaco para tratar de compensar la «pobreza» de la sangre falta de hemoglobina; este mecanismo de compensación es ineficaz a la larga cuando no hay suficiente volumen sanguíneo para bombear.

■ Sea cual fuere la causa de esta enfermedad, se produce con el tiempo una progresión en la misma que se puede resumir de la siguiente manera:

1. El ventrículo izquierdo no tiene suficiente fuerza para eyectar toda la sangre que le llega.

2. La aurícula izquierda no es capaz de verter toda su sangre en el ventrículo, ya que a éste ya le sobra.

3. La vena pulmonar tiene dificultad para vaciarse en la aurícula izquierda, por lo que se acumula líquido en los pulmones.

4. El ventrículo derecho no puede vaciarse correctamente porque los pulmones empiezan a estar congestionados (con exceso de líquido) y porque, a su vez, también ha perdido fuerza por la enfermedad.

5. La aurícula derecha, como consecuencia de esto, tampoco es capaz de vaciarse por completo en el ventrículo.

6. La sangre que retorna por las venas cavas encuentra resistencia para entrar en la aurícula derecha.

7. Parte del agua de la sangre se sale de los vasos y se queda en los diferentes tejidos.

Cuando la enfermedad se va agravando, se avanza en esta cascada de acontecimientos, y van apareciendo más síntomas y signos de la misma.

¿CUÁLES SON LOS SÍNTOMAS Y SIGNOS DE LA INSUFICIENCIA CARDÍACA?

La disnea de esfuerzo o fatiga es el síntoma cardinal de esta enfermedad; se define como el ahogo o falta de aire que el sujeto percibe cuando realiza un ejercicio físico. Según la gravedad de la enfermedad, esta disnea aparecerá tras esfuerzos moderados o leves, y en los casos más avanzados, incluso en reposo. La ortopnea es un tipo de disnea que se desencadena al adoptar el individuo la posición de decúbito (tumbado), y que mejora al incorporarse. Esto provoca que, para conciliar el sueño, utilice varias almohadas, o eleve la cama desde el cabecero. La disnea paroxística nocturna consiste en ataques de asfixia súbitos durante el sueño, que despiertan al paciente con gran ansiedad. Cuando se asocia con tos y sibilancias (pitidos al respirar) se denominan a estos ataques asma cardíaca.

La causa de estos síntomas es el acúmulo de líquido en el sistema pulmonar por fallo en el corazón izquierdo.

El edema es el signo principal de la insuficiencia cardíaca; consiste en el acúmulo de líquido en el espacio existente entre los vasos sanguíneos y las células. Se manifiesta como una hinchazón o aumento, generalmente de ambos miembros inferiores, que deja fóvea (huella profunda y momentánea en la piel) al presionarlos. Cuando el líquido se acumula en la cavidad abdominal, aumentando incluso su perímetro, se denomina ascitis. En fases más avanzadas el edema se generaliza a todo el cuerpo, lo que recibe el nombre de anasarca.

La causa de estos procesos es la dificultad del corazón para admitir, a través de la aurícula derecha, la sangre que proviene de todo el cuerpo, por lo que parte de ésta se sale de los vasos y se acumula; es decir, se produce por un fallo del corazón derecho.

MECANISMOS DE COMPENSACIÓN

■ Cuando el corazón no puede mantener una función adecuada a las necesidades del organismo, se ponen en marcha, de forma automática, un conjunto de mecanismos compensadores, cuya finalidad es la de restaurar y preservar el flujo sanguíneo adecuado hacia los órganos vitales. De forma resumida son:

- Aumento de la masa muscular cardíaca o hipertrofia ventricular, que permite al corazón seguir latiendo con la fuerza necesaria.

- Aumento de la frecuencia cardíaca con el fin de incrementar el volumen de sangre bombeado desde el corazón por minuto.

- Redistribución del flujo sanguíneo con el fin de mantener bien irrigados el cerebro, el corazón, y otros órganos vitales, a cambio de disminuir el volumen de sangre en otras zonas menos vitales como la piel y la musculatura.

La capacidad de estos mecanismos es, en cualquier caso, limitada; de tal manera que mejoran los síntomas inicialmente, pero no son capaces de frenar la evolución de la enfermedad, que tarde o temprano se manifestará en el individuo.

CLASIFICACIÓN

Atendiendo a la forma de presentarse en el tiempo esta enfermedad podemos clasificarla en dos tipos; cuando los síntomas se instauran de forma lenta pero progresiva, con brotes leves o empeoramientos ocasionales, se denomina INSUFICIENCIA CARDÍACA CRÓNICA. Por el contrario, la INSUFICIENCIA CARDÍACA AGUDA se presenta de forma brusca sin dar tiempo a que actúen los mecanismos de compensación; esto es más frecuente cuando la enfermedad aparece tras un infarto de miocardio.

Según el ventrículo afectado puede aparecer INSUFICIENCIA CARDÍACA IZQUIERDA, que es la más frecuente y que afecta a la circulación pulmonar, o INSUFICIENCIA CARDÍACA DERECHA, que suele ser secundaria a la anterior y que afecta a la circulación sistémica. Cuando coexisten ambos tipos de insuficiencia se denomina INSUFICIENCIA CARDÍACA CONGESTIVA.

Una vez que la enfermedad se ha instaurado, el tratamiento permite al enfermo llevar una vida más o menos normal durante largos periodos de tiempo; de vez en cuando aparecen brotes de la enfermedad llamados DESCOMPENSACIONES DE LA INSUFICIENCIA CARDÍACA, producidos por determinados desencadenantes como infecciones, mal cumplimiento terapéutico o aparición de otras enfermedades simultáneamente.

DIAGNÓSTICO

La insuficiencia cardíaca debe sospecharse siempre en pacientes con antecedentes de isquemia coronaria, enfermedad valvular, hipertensión arterial de larga evolución y en ancianos con enfermedades terminales.

Los pacientes deben controlar los aumentos bruscos de peso, que pueden ser indicati-

---

Tratamiento

Como en otras ocasiones se divide en dos aspectos diferentes:

- ■ Consideraciones generales:
- • Reducción del consumo de sal por debajo de los 5 g diarios e incluso de 1 g en los casos más graves. Esto normalmente se consigue con no añadir sal al cocinar y evitando alimentos ricos en ella; la razón de esto es evitar la retención de agua que la sal provoca, disminuyendo así los edemas y la congestión pulmonar.
- • Eliminación del sobrepeso mediante una dieta baja en calorías para así disminuir el «trabajo» del corazón.
- • Ejercicio físico regular adaptado siempre a la capacidad de cada enfermo; durante las descompensaciones se debe guardar reposo, ya que favorece la eliminación de los líquidos sobrantes por la orina.
- • Vacunación frente a la gripe todos los otoños dado que esta infección es causa frecuente de descompensaciones. También puede utilizarse la vacuna antineumococo.
- • Supresión del tabaco en todos los casos; también es recomendable evitar el

consumo de alcohol o mantenerlo por debajo de 30 g al día.
- • No realizar viajes largos que obliguen a pasar muchas horas sentados por el riesgo que tienen de aumentar los edemas o de provocar trombosis venosas en los miembros inferiores.
- • Tratar de mantener, en la medida de lo posible, la actividad socio-laboral habitual del individuo, adaptándola si es preciso a su capacidad física.

- ■ Tratamiento farmacológico:
- • Diuréticos: son fármacos que, al aumentar el volumen de orina, permiten eliminar una mayor cantidad del líquido que retienen este tipo de enfermos.
- • Vasodilatadores: mejoran, de forma ostensible, los síntomas de la enfermedad y la capacidad funcional del paciente, al disminuir la resistencia de los vasos sanguíneos y facilitar así la expulsión de la sangre por el corazón.
- • Digitálicos: como la digoxina, que aumenta la capacidad de contracción del músculo cardíaco, junto con su efecto antiarrítmico más conocido.

vos de retención de líquido y, por tanto, de progresión de la enfermedad. Del mismo modo, la aparición de fatiga o ahogo al dormir deben ser siempre consultados al médico.

La detección de la enfermedad se basa en la confirmación, mediante diversas pruebas, de la sospecha de la misma tras la aparición de los diferentes síntomas y signos antes mencionados. Las principales son el electrocardiograma, la radiografía de tórax, la analítica de sangre y orina y el ecocardiograma. Esta última prueba consiste en un tipo especial de ecografía en la que se puede ver el trayecto que sigue la sangre dentro del corazón, la contractibilidad del músculo cardíaco y los volúmenes de sangre expulsados por los ventrículos; cuando estos volúmenes son inferiores a la mitad de lo normal, se dice que la enfermedad se ha confirmado por ecocardiograma.

PRONÓSTICO

A pesar de los avances en el tratamiento de la enfermedad, los pacientes con insuficiencia cardíaca tienen un mal pronóstico en general, de tal forma que a los cinco años del diagnóstico de la misma la tasa media de supervivencia es del 50%. Como es lógico, esta supervivencia será mayor o menor según la gravedad de la enfermedad, así como del cuidado del enfermo y del cumplimiento del tratamiento que realice.

El pronóstico empeora si la insuficiencia cardíaca apareció tras un infarto de miocardio, o si durante su evolución aparecen arritmias o descensos importantes de tensión arterial.

Aproximadamente la mitad de las defunciones por esta enfermedad se producen de forma súbita a consecuencia de arritmias graves de evolución fatal; el resto se debe a fallo cardíaco por agotamiento del mismo o a insuficiencia respiratoria aguda.

El **edema agudo de pulmón** es una insuficiencia respiratoria que constituye una urgencia vital, y que requiere tratamiento hospitalario inmediato. Es la forma más grave de presentarse la insuficiencia cardíaca, y suele aparecer en pacientes con larga evolución de la enfermedad o en fase terminal. Se caracteriza por la aparición brusca de disnea o fatiga intensa, tos con expectoración a veces sanguinolenta, sudoración abundante, jadeo y gran ansiedad en el enfermo. Las infecciones respiratorias favorecen la aparición de este tipo de descompensación, que produce la muerte en un elevado porcentaje de los casos.

Insuficiencia cardíaca

CIRCULACIÓN SISTÉMICA Y PULMONAR

La circulación sistémica corresponde al corazón izquierdo y la pulmonar al derecho, cada uno de ellos con sus funciones.

CONCEPTO DE INSUFICIENCIA CARDÍACA

Trastorno del sistema circulatorio producido cuando el corazón es incapaz de mantener el rendimiento adecuado que satisfaga las necesidades sanguíneas del organismo.

MECANISMO DE FORMACIÓN DE LA INSUFICIENCIA CARDÍACA

Pasos de la sangre por los ventrículos y aurículas y sus dificultades de paso.

CAUSAS DE INSUFICIENCIA CARDÍACA

Las principales causas de insuficiencia cardíaca son:
• Enfermedad coronaria.
• Hipertensión arterial.
• Valvulopatías.
• Arritmias.
• Alcoholismo.
• Anemias o hemorragias graves.

SÍNTOMAS

• Disnea o dificultad respiratoria, tras esfuerzo físico o al estar tumbado.

• Formación de edemas por acumulación de líquido en la cavidad abdominal o en los miembros inferiores.

MECANISMOS DE COMPENSACIÓN

• Aumento de la masa muscular cardíaca o hipertrofia ventricular.
• Aumento de la frecuencia cardíaca.
• Redistribución del flujo sanguíneo.

CLASIFICACIÓN

Insuficiencia crónica y aguda, tanto derecha como izquierda; insuficiencia congestiva y descompensaciones de la insuficiencia cardíaca.

DIAGNÓSTICO

A través de electrocardiograma, radiografías, analíticas y ecocardiograma.

TRATAMIENTO

Medidas generales: bajo consumo de sal, hacer ejercicio, suprimir tabaco y sobrepeso, etc.

Tratamiento farmacológico: diuréticos, vasodilatadores y digitálicos.

PRONÓSTICO

Malo en general y empeora mucho con el edema agudo de pulmón.

Valvulopatías cardíacas

El corazón, como cualquier otro mecanismo de bombeo, necesita para su funcionamiento la presencia de válvulas o puntos de control para el paso o el cierre del flujo sanguíneo en cada momento. Los movimientos que hacen posible este mecanismo de bombeo son los movimientos de sístole y diástole, es decir, apertura y cierre de las válvulas. El mal funcionamiento de estas válvulas da origen a una enfermedad denominada valvulopatía.

Estos mecanismos de bombeo que son las válvulas se abren y se cierran rítmicamente para permitir la circulación ordenada de la sangre en el interior de las cavidades cardíacas y conducir a la misma en una única dirección hacia el exterior.

■ Estas válvulas son cuatro:

- Válvula mitral: situada entre la aurícula izquierda y el ventrículo izquierdo.
- Válvula tricúspide: entre la aurícula derecha y el ventrículo derecho.

Estas válvulas se abren con la contracción de las aurículas (sístole auricular) para permitir el paso de sangre a los ventrículos y se cierran fuertemente durante la contracción de estos últimos (sístole ventricular) para que la sangre sea expulsada al exterior por las arterias y no retorne a las aurículas.

- Válvula aórtica: situada entre el ventrículo izquierdo y el nacimiento de la arteria aorta.
- Válvula pulmonar: entre el ventrículo derecho y el nacimiento de la arteria pulmonar.

Por el contrario, estas válvulas se abren durante la contracción de los ventrículos (sístole ventricular) para permitir el paso de la sangre hacia las arterias y se cierran durante la relajación del corazón (diástole) para impedir que la sangre de las arterias pueda regresar al interior cardíaco.

La apertura de las válvulas es brusca y potente, lo que produce un chasquido que retumba en el interior de las cavidades cardíacas y que puede ser oído desde el exterior como un doble sonido grave acompasado; el primer sonido corresponde a la apertura de las válvulas auriculoventriculares y el segundo a las ventriculoarteriales.

Cada válvula está formada por tres valvas o telillas de forma más o menos triangular, que partiendo desde un anillo fibroso circular se juntan en el centro de dicho anillo y cierran firmemente el paso de sangre a través de él; la válvula mitral sólo posee dos valvas. Estas valvas están sujetas por una serie de cuerdas tendinosas que son tensadas por unos músculos del interior del corazón, llamados papilares, que permiten que se mantengan fuertemente cerradas pese a la presión que trata de abrirlas; cuando estos músculos se relajan, la válvula no ofrece resistencia al paso de la sangre y se abren.

¿QUÉ SON LAS VALVULOPATÍAS?

■ Los dos principales problemas que pueden aparecer en el funcionamiento de las válvulas son:

- Que se reduzca el orificio de paso de la sangre cuando las válvulas están abiertas, lo que se denomina estenosis valvular.
- Que la válvula no sea lo suficientemente competente como para no permitir el retorno de sangre a través de ella, es decir, que no cierre bien, lo que se llama insuficiencia valvular.

Por tanto las valvulopatías son un conjunto de enfermedades que afectan a la estructura y el funcionamiento de las válvulas cardíacas y que se manifiestan por alguna de las dos situaciones que acabamos de comentar (estenosis o insuficiencia) o por ambas. Cada valvulopatía tiene sus causas, consecuencias y pronóstico particular que veremos por separado, aunque todas provocan un juego de compensaciones y descompensaciones similares que las asemejan entre sí y a cualquier otro sistema de circulación de líquido. Finalmente hablaremos sobre las técnicas de diagnóstico y tratamiento de las valvulopatías de forma común.

ESTENOSIS MITRAL

Se produce cuando las valvas que forman la válvula mitral cicatrizan y se distorsionan como consecuencia de una afectación de la misma por una enfermedad de origen reumático en la mayoría de los casos (fiebre reu-

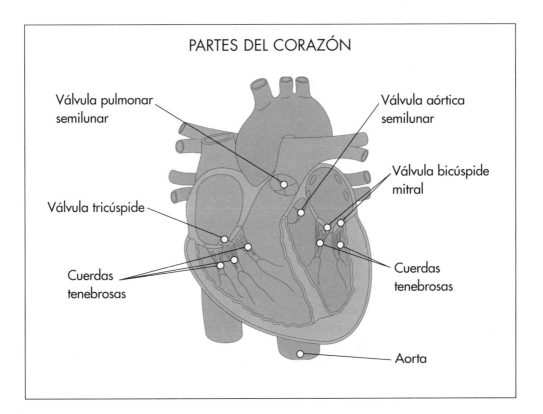

PARTES DEL CORAZÓN

Válvula pulmonar semilunar

Válvula aórtica semilunar

Válvula bicúspide mitral

Válvula tricúspide

Cuerdas tenebrosas

Cuerdas tenebrosas

Aorta

mática). Con frecuencia se forman también depósitos de calcio que hacen que las valvas sean más rígidas y tengan tendencia a quedarse muy próximas entre sí durante la apertura valvular, lo que disminuye el diámetro del orificio de paso sanguíneo. Es más frecuente en las mujeres.

■ A medida que la enfermedad avanza se va reduciendo dicho diámetro y comienzan a aparecer los síntomas; en un primer momento pasa desapercibida por los mecanismos compensadores del corazón (hasta incluso durante 20 años). La presión en la aurícula izquierda comienza a elevarse dado que no puede expulsar toda la sangre en el ventrículo, y a su vez, la arteria pulmonar encuentra dificultad para vaciarse en la aurícula así que también se congestiona. La cosa se complica aún más cuando el ventrículo derecho no puede enviar la sangre correctamente a los pulmones por la congestión de éstos y comienza a regurgitar sangre hacia su propia aurícula. En resumen, el estrechamiento del orificio valvular mitral por la estenosis provoca una serie de alteraciones retrógradas que se manifiestan con los siguientes síntomas:

- Disnea o dificultad respiratoria por congestión pulmonar, que al principio sólo se manifiesta durante el ejercicio, pero que según avanza la oclusión puede llegar a aparecer incluso en reposo.
- Ortopnea o asfixia al tumbarse, producida por la redistribución del derrame pulmonar en esta posición que impide el intercambio de gases en el mismo.
- Edema agudo de pulmón, cuando fracasan todos los mecanismos compensadores y el derrame pulmonar es extenso y grave.
- Hemoptisis o expulsión de sangre por la vía respiratoria como consecuencia de la rotura de vasos pulmonares sometidos a una gran presión.

- Mayor facilidad para adquirir infecciones pulmonares.
- Aparición de fibrilación auricular, que es un tipo de arritmia que consiste en el latido rápido e ineficaz de la aurícula como consecuencia de su cansancio ante el esfuerzo de muchos años de dificultad para su vaciado en el ventrículo. La fibrilación ventricular produce trombos con facilidad.
- Trombosis o embolias, que desgraciadamente son a veces la primera manifestación de la enfermedad, ya que ni la estenosis ni la fibrilación habían sido detectadas, y que afectan con más frecuencia al cerebro y a las extremidades inferiores.

Una vez que la enfermedad deja de ser asintomática o desapercibida comienza a evolucionar rápidamente hasta producir la muerte en un periodo aproximado de cinco años en la mayoría de los casos, salvo que se proceda a la sustitución quirúrgica de la válvula.

INSUFICIENCIA MITRAL

Consiste en la retracción de las valvas por afectación de las cuerdas tendinosas y los músculos que debían mantenerlas firmes y bien juntas durante el cierre valvular. Esta afectación se produce en la mitad de los casos por enfermedades reumáticas, aunque puede ser también secundaria a otras circunstancias como el infarto de miocardio (que puede romper los músculos papilares), las infecciones internas cardíacas o endocarditis y la dilatación del corazón por diversas enfermedades. Es más frecuente entre los varones.

■ Como consecuencia del cierre defectuoso valvular, parte de la sangre vuelve de nuevo a la aurícula izquierda, que comienza a tener más trabajo porque se le junta la sangre que viene de los pulmones y la que retorna del ventrículo. Esto provoca que la aurícula aumente de tamaño para almacenar más sangre, se fatigue pronto y comience a fibrilar (al igual que en la estenosis). Por otro lado, disminuye la cantidad de sangre expulsada por el ventrículo izquierdo a través de la aorta, lo que se denomina descenso del gasto cardíaco. Todo esto se traduce en la aparición de una serie de síntomas:

- Disnea o dificultad respiratoria, aunque menor que en la estenosis mitral, porque la aurícula soporta mucho tiempo la presión sin congestionar a los pulmones. El edema agudo de pulmón sólo se produce en raras ocasiones.
- Cansancio por descenso de la cantidad de sangre enviada al organismo y la musculatura.
- Embolias como consecuencia de la fibrilación auricular, aunque es mucho menos habitual que en la estenosis mitral.

En un buen número de casos la insuficiencia mitral se estabiliza gracias a diferentes mecanismos compensadores y el paciente apenas tiene síntomas, lo que permite realizar un tratamiento conservador que prolongue la vida del paciente bastantes años. Cuando aparecen los síntomas de forma más tangible, por el progreso de la enfermedad, el pronóstico empeora con un riesgo del 50% de fallecimientos en cinco años si no se realiza una corrección quirúrgica.

ESTENOSIS AÓRTICA

Se produce de una forma similar a la estenosis mitral, y de hecho, ambos procesos se presentan asociados en ambos casos. La causa de la estenosis aórtica puede ser congénita, especialmente lo que se denomina válvula bicúspide (sólo dos valvas), que provoca el estrechamiento del orificio aórtico desde el nacimiento o en las primeras décadas de la vida; otras causas son la fiebre reumática y la calcificación valvular.

■ Como en todas las estenosis valvulares, la disminución del diámetro aórtico desemboca en un mayor esfuerzo por parte del ventrículo izquierdo para expulsar toda la sangre, lo que produce un aumento de la presión de ésta a su salida. El ventrículo por tanto crece (hipertrofia) para compensar este aumento de presión y puede mantener un gasto cardíaco aceptable durante mucho tiempo; la aurícula izquierda tiene también más dificultad para vaciar la sangre en el ventrículo, que soporta altas presiones, y también se dilata y, cómo no, puede empezar a fibrilar. Los síntomas más habituales que pueden presentarse en este proceso son:

- Síncope, o pérdida transitoria del conocimiento por el agotamiento de los mecanismos de compensación que tratan de mantener el riego apropiado de todo el organismo incluido el cerebro.
- Angina o dolor en el pecho asociado con el esfuerzo, que obliga a descartar la presencia concomitante de alteraciones coronarias.
- Fatiga y debilidad sobre todo en las fases terminales de la enfermedad.

La estenosis aórtica puede ser asintomática durante muchos años merced a la hipertrofia o crecimiento del ventrículo y así, no es frecuente la aparición de complicaciones antes de los 60 años de edad. Cuando comienzan a florecer los síntomas, y sobre todo si se asocian a disnea o angina de pecho, el pronóstico empeora notablemente con un alto riesgo de muerte si no se produce reemplazo valvular.

INSUFICIENCIA AÓRTICA

Se trata del fracaso de la válvula aórtica en su intento de cerrar la salida de sangre durante el llenado ventricular, por lo que parte de ésta retorna y sobrecarga al ventrículo de volumen para expulsar. La causa más frecuente es la afectación reumática de la válvula, junto con infecciones y roturas traumáticas de la misma. En ocasiones puede producirse por la dilatación de la raíz de la aorta, que conlleva el ensanchamiento del anillo fibroso sobre el que se asienta la válvula y desemboca en la imposibilidad de las valvas de cerrar el orificio de manera completa.

■ La regurgitación de la sangre hacia el ventrículo izquierdo provoca la dilatación de éste, que trata de adquirir la suficiente fuerza para expulsar un volumen de sangre mayor. Como en otras valvulopatías, la cadena de presión se transmite hacia atrás con el paso del tiempo y afecta a la aurícula izquierda y finalmente a los pulmones. Los síntomas más característicos son:

- Palpitaciones o sensación de latido fuerte que algunos enfermos pueden advertir, sobre todo estando tumbados o tras el ejercicio y las emociones.
- Disnea o dificultad respiratoria que puede variar de leve hasta moderada o grave y desembocar en edema agudo de pulmón.
- Dolor torácico prolongado que aparece tanto en reposo como con el ejercicio.

Tratamiento

Las medidas que se pueden tomar para prevenir y tratar estas enfermedades son:

■ Prevención de la infección por ciertas bacterias en individuos jóvenes que aunque no padecen todavía síntomas pueden sufrir daño valvular por esta fiebre reumática. Es muy importante tomar antibióticos cuando se va a realizar una extracción dentaria por el riesgo de movilizar focos infecciosos que puedan afectar al corazón.
■ Controlar la hipertensión para impedir el empeoramiento de la enfermedad; reducir el consumo de sal.
■ Moderar el ejercicio físico y adecuarlo a las capacidades de cada individuo; no realizar grandes esfuerzos.

■ Empleo de anticoagulantes para prevenir la formación de trombos por la fibrilación auricular o por las propias prótesis valvulares.
■ Administración de fármacos como los diuréticos y la digital para mejorar las condiciones del trabajo cardíaco.
■ Tratamiento quirúrgico: consiste en el reemplazo de las válvulas afectadas por prótesis artificiales que suelen producir una mejoría espectacular tras superar los riesgos que esta cirugía implica. En otras ocasiones se realiza una comisurotomía, que consiste en la apertura del orificio valvular en caso de estenosis mediante un corte en las valvas, aunque implica el riesgo de producir una insuficiencia valvular de forma secundaria.

- Fatiga y cansancio en las fases finales del proceso cuando el ventrículo ya no es capaz de mantener un bombeo aceptable.

El tratamiento médico conservador puede proporcionar una esperanza de vida alta en estos enfermos, aunque cuando los síntomas empeoran y aparece insuficiencia cardíaca está indicada la utilización de la cirugía.

ESTENOSIS TRICÚSPIDE

■ Es una valvulopatía poco frecuente, asociada a la estenosis mitral que tiene un origen reumático en la mayoría de los casos. En este caso la sobrecarga de presión se produce en la aurícula derecha, donde desembocan las venas cavas que traen la sangre de todo el organismo, y que pueden también congestionarse. La dificultad del retorno venoso al corazón condiciona la aparición de los síntomas:

- Ingurgitación yugular o engrosamiento venoso del cuello.
- Ascitis y edemas por extravasación de líquido desde las venas por el aumento de la presión en las mismas.

La evolución va un poco supeditada a la de la estenosis mitral a la que acompaña; cuando es grave está indicada la cirugía.

INSUFICIENCIA TRICÚSPIDE

Se produce en la mayoría de los casos como consecuencia de una dilatación del ventrículo derecho por diferentes causas como una estenosis mitral avanzada, la hipertensión arterial o un infarto de miocardio. Otras causas son ciertas enfermedades congénitas y la ya familiar fiebre reumática.

Al ser incompetente la válvula, la sangre retorna a la aurícula derecha y la sobrecarga de volumen, con la aparición de unos síntomas similares a la estenosis tricúspide (ingurgitación, edemas).

¿CÓMO SE DIAGNOSTICAN LAS VALVULOPATÍAS?

■ El empleo de determinadas técnicas sirve para confirmar la sospecha de estenosis o insuficiencia valvular que se produce cuando se detectan ciertos síntomas como fatiga, dificultad respiratoria y dolor en el pecho, que se acompañan de signos que nuestro médico puede observar en la exploración física como los soplos cardíacos y otros ruidos cardíacos. Estas técnicas son:

- Radiografía de tórax: sirve para descubrir el aumento de tamaño de las cavidades cardíacas y el grado de congestión pulmonar.
- Electrocardiograma: las valvulopatías se acompañan de alteraciones en la conducción eléctrica del corazón como la fibrilación auricular y otras.
- Ecocardiograma: es el mejor método diagnóstico, que permite determinar el diámetro de la válvula en la estenosis y el grado de regurgitación en la insuficiencia.
- Cateterismo: es una técnica que consiste en la introducción de un catéter en el interior de las cavidades cardíacas para medir diferencias de presión entre las mismas o para introducir un contraste que permita realizar una angiografía.

Valvulopatías cardíacas

ESTRUCTURA DEL CORAZÓN

Válvulas: mitral, tricúspide, aórticas y pulmonar.

FUNCIONAMIENTO DE LOS COMPARTIMENTOS CARDÍACOS

Movimientos de sístole y diástole, apertura y cierre de las válvulas.

ESTENOSIS MITRAL

Produce dificultad respiratoria, edema agudo de pulmón, hemoptisis o sangrado respiratorio y riesgo de trombosis entre otros síntomas.

DEFINICIÓN DE VALVULOPATÍA

Enfermedad de alguna de las válvulas cardíacas que produce bien la disminución del orificio valvular por el que pasa la sangre (estenosis) o bien la incapacidad de sellar los ventrículos para impedir el retorno de la sangre (insuficiencia).

INSUFICIENCIA MITRAL

Los principales síntomas que puede producir son dificultad respiratoria, cansancio y mayor riesgo de embolias.

ESTENOSIS TRICÚSPIDE

Es característica de esta valvulopatía la ingurgitación yugular o engrosamiento venoso del cuello, junto con ascitis y edemas por acúmulo de líquido en determinadas regiones.

ESTENOSIS AÓRTICA

Se caracteriza por la producción de síncopes o pérdidas transitorias del conocimiento, angina o dolor torácico con el esfuerzo y fatiga.

INSUFICIENCIA AÓRTICA

Produce palpitaciones, dificultad respiratoria, dolor torácico tanto en reposo como tras el ejercicio y cansancio anormal en las fases finales de la enfermedad.

INSUFICIENCIA TRICÚSPIDE

Signos similares a la estenosis de esta válvula.

DIAGNÓSTICO DE LAS VALVULOPATÍAS

Radiografía de tórax, electrocardiograma, ecocardiograma y cateterismos.

TRATAMIENTO DE LAS VALVULOPATÍAS

Prevención de las infecciones, control de la hipertensión y el ejercicio, fármacos y cirugía.

Arritmias

Existen dos tipos fundamentales de musculatura en el cuerpo humano: una llamada musculatura estriada que tiene unas condiciones morfológicas especiales y que se caracteriza por ser voluntaria, es decir, que la contracción de sus fibras responde directamente de una orden cerebral y que produce en general cualquier movimiento o desplazamiento del cuerpo; otra es la musculatura lisa, que además de tener también su estructura propia, es involuntaria y su control no depende de una orden del individuo sino que es automático a través del sistema nervioso autónomo, lo que se entiende fácilmente al saber que esta musculatura es la responsable de movilizar estructuras internas del organismo, para realizar diversas funciones como la digestión y el ritmo intestinal, la expulsión del contenido de las glándulas y, en general, todas las funciones vitales que realiza nuestro cuerpo sin tener que ser recordada u ordenada desde el cerebro.

El corazón posee un tipo especial de musculatura intermedio de ambas, con unas fibras de aspecto estriado pero que sin embargo son estimuladas automáticamente por un tipo de fibras nerviosas propias del corazón, sobre las que ejerce un cierto control el sistema nervioso autónomo. Esto se produce porque necesita un tipo de musculatura más fuerte y resistente como la estriada pero no puede permitirse el lujo de dejar su control en la voluntad humana.

■ Para garantizar la contracción y relajación de todas las fibras cardíacas, existe una compleja red de nervios alrededor de las mismas, a través de la cual se transmite el impulso eléctrico que mantenga un ritmo cardíaco adecuado. De modo sencillo, la forma de esta red sería:

- Nódulo sinusal: es donde se origina el impulso eléctrico espontáneamente de forma rítmica y sin descanso. Está situado en la parte superior del corazón, y desde aquí, la señal eléctrica se envía hacia las aurículas para que se contraigan y hacia el siguiente nódulo.
- Fascículos internodales: conectan entre sí ambos nódulos.
- Nódulo auriculoventricular: situado en la parte central cardíaca, recoge la señal del nódulo sinusal y la distribuye por los ventrículos para que ahora se contraigan estos. Actúa también como productor de señal eléctrica «de reserva» por si el nódulo sinusal fallara.

Esta distribución permite que con un único impulso eléctrico se produzca de forma secuenciada la contracción auricular primero (sístole auricular), la ventricular después (sístole ventricular) y la relajación de ambos finamente (diástole). El corazón late con una frecuencia entre 60 y 100 latidos por minuto, pudiendo variar de forma natural dentro de estos límites según las necesidades del cuerpo en cada momento gracias al sistema nervioso autónomo que es capaz de estimular o ralentizar la frecuencia de emisiones de señales por el nódulo sinusal.

¿QUÉ ES UNA ARRITMIA?

Se considera arritmia a cualquier tipo de ritmo cardíaco que no es el ritmo sinusal, que es, como hemos explicado, el ritmo normal que debe tener el corazón. Por tanto, arritmia no quiere decir necesariamente irregularidad, ya que hay arritmias regulares, sino que no se está produciendo la cadena eléctrica de forma correcta en las fibras nerviosas del corazón.

■ Arritmia tampoco es necesariamente sinónimo de enfermedad; existen algunos tipos de arritmia que pasan inadvertidos para el individuo y no tienen consecuencias negativas para el individuo. No obstante, en la mayoría de los casos, las arritmias sí pueden acarrear consecuencias negativas de dos tipos:

● Alteraciones hemodinámicas o trastornos de la contracción cardíaca y por ende, de la circulación sanguínea en todo el cuerpo, cuando se altera la funcionalidad normal de las cavidades cardíacas al no ser estimuladas eléctricamente éstas de la forma correcta.

● Muerte súbita por fracaso del estímulo nervioso que no es capaz de seguir provocando la contracción del músculo cardíaco.

¿POR QUÉ SE PRODUCEN LAS ARRITMIAS?

■ Las arritmias son trastornos de la formación del impulso eléctrico o de su conducción a través del corazón. Pueden ser debidas a:

● Aparición de nódulos productores de impulsos, diferentes de los normales, que los bloquean e imponen un ritmo inadecuado.
● Alteraciones de la conducción, por fascículos internodales mal formados o ruptura de los mismos.

Entre las principales circunstancias que pueden desembocar en la producción de arritmias cabe destacar:

■ Alteraciones estructurales del músculo cardíaco:

● Infarto de miocardio: destruye el sistema de transmisión del impulso eléctrico.

¿Cómo se manifiestan las arritmias?

En ocasiones, una arritmia es un hallazgo fortuito en un paciente asintomático, aunque con frecuencia suele manifestarse de diferentes maneras en el individuo:

■ Palpitaciones: se define como la sensación desagradable del latido cardíaco que puede percibirse en el pecho o incluso en el cuello y estómago.
■ Síncope: pérdida brusca de la conciencia, que cuando tiene un origen cardíaco no va precedida de ningún síntoma, no se asocia a ninguna posición corporal y puede presentarse varias veces al día.
■ Dolor torácico o anginoso en individuos con antecedentes de cardiopatía isquémica y, excepcionalmente, en individuos sanos.
■ Signos de insuficiencia cardíaca por mal funcionamiento global del corazón, que no es capaz de bombear la sangre de forma correcta.

- Miocardiopatías: el crecimiento o dilatación de la morfología cardíaca puede afectar también a la conducción eléctrica.
- Valvulopatías: el fallo reiterado del funcionamiento de las válvulas cardíacas puede desembocar en arritmias.

■ Alteraciones orgánicas y metabólicas:

- Hipertiroidismo: por estímulo del sistema nervioso autónomo.
- Hipopotasemia: descenso de los niveles de potasio en sangre.
- Sustancias estimulantes: como el café, el alcohol y el tabaco.
- Fármacos: especialmente la digital o digoxina y, paradójicamente, otras medicaciones antiarrítmicas.

CLASIFICACIÓN

■ De acuerdo con la frecuencia cardíaca producida podemos dividir las arritmias en dos tipos:

■ ARRITMIAS ACTIVAS O TAQUIARRITMIAS: son las originadas por un ritmo más rápido que el ritmo sinusal normal. Dentro de éstas se distinguen:

- **Taquicardia sinusal**: es un ritmo sinusal, es decir, de características normales pero con una frecuencia superior a 100 latidos por minuto, que puede ser secundario en circunstancias fisiológicas normales como el ejercicio físico intenso, la fiebre o la ansiedad, o a enfermedades como la anemia, el hipertiroidismo o la insuficiencia cardíaca.
- **Extrasístoles**: se trata de latidos prematuros provocados por algún nódulo eléctrico diferente a los habituales y que son

favorecidos por algunos tóxicos como el café y el tabaco, la ansiedad y la aerofagia. No representan un riesgo cardiovascular y no suelen requerir tratamiento salvo que provoquen molestias muy intensas.

- **Fibrilación auricular**: es la arritmia más frecuente y consiste en la aparición de un ritmo de contracción auricular irregular, muy rápido y desincronizado con el ritmo de contracción ventricular. Entre sus principales causas destacan la hipertensión arterial y la estenosis de la válvula mitral. Este tipo de arritmia favorece la formación de trombos en las cavidades cardíacas que pueden salir de las mismas y producir embolias cerebrales o en los miembros inferiores; por ello requiere tratamiento específico que disminuya la velocidad de contracción de las aurículas junto con la anticoagulación para prevenir la formación de trombos.
- **Flúter auricular**: es también un ritmo auricular acelerado pero regular de hasta 300 contracciones por minuto, que produce una especie de «aleteo» de las aurículas, que es ineficaz. La tendencia a la producción de embolias es menor que en la fibrilación y puede tratarse mediante la ablación con radiofrecuencia del circuito eléctrico por donde circula la onda productora del flúter.
- **Fibrilación ventricular**: es una forma de parada cardíaca en la que los ventrículos se contraen de forma espasmódica e ineficaz (no impulsan apenas la sangre) que provoca la muerte si no se revierte en el plazo de tres o cuatro minutos. Se produce habitualmente como consecuencia de un infarto agudo de miocardio y su único tratamiento eficaz es la desfibrilación eléctrica.

■ ARRITMIAS PASIVAS O BRADIA-
RRITMIAS: son aquellas que provocan la
aparición de un ritmo cardíaco más bajo del
habitual:

- **Bradicardia sinusal**: se trata de un ritmo
  sinusal inferior a 60 latidos por minuto,
  que puede aparecer en atletas muy entrena-
  dos o secundariamente a diversas patologías como el hipotiroidismo, la fiebre tifoidea o la amiloidosis. Puede producir
  manifestaciones clínicas como cansancio,
  malestar general, mareos o síncopes de repetición, aunque el pronóstico generalmente es bueno y mejora con el tratamiento de la causa que la produce.
- **Bloqueos auriculoventriculares**: consiste en el retraso o bloqueo de la señal eléctrica que se transmite desde el nódulo sinusal al auriculoventricular para que la
  señal llegue hasta los ventrículos cardía-

cos y éstos se contraigan. Puede ser de
origen congénito y acompañar a diferentes malformaciones como la comunicación interauricular y la transposición de
los grandes vasos; otras causas son el infarto de miocardio inferior, la fiebre reumática y algunos fármacos como los antiarrítmicos y los betabloqueantes. Con
frecuencia son detectados de forma casual
en un electrocardiograma de control, dado
que no suelen dar gran sintomatología o
ésta es leve en forma de mareos o dolor
torácico; cuando el bloqueo es grave se
instaura de forma brusca con síncope y
parada cardíaca transitoria que necesita de
tratamiento específico.

DIAGNÓSTICO

Como hemos visto al hablar separadamente
de cada una de las arritmias, los síntomas de

Tratamiento de las arritmias

El tratamiento de las arritmias se basa en tres
aspectos diferentes:

■ **Fármacos antiarrítmicos:** son muy diferentes
entre sí aunque todos tienen el objetivo común de
bloquear el mecanismo inductor de la arritmia, y la
elección entre uno u otro depende, en gran parte,
de las características personales de cada individuo
y del tipo de alteración eléctrica que presenta.

■ **Marcapasos artificiales:** son aparatos capaces de generar impulsos eléctricos de forma
arrítmica y a la frecuencia deseada; pueden ser
transitorios o definitivos. Están indicados en bloqueos auriculoventriculares graves o que producen síncopes muy frecuentemente así como en
taquiarritmias que no responden a tratamiento
farmacológico.

■ **Cardioversión eléctrica:** consiste en un estímulo eléctrico breve de alta energía, aplicado
sobre el corazón para interrumpir momentáneamente su actividad eléctrica y permitir que
«arranque» en ritmo sinusal. Su uso está indicado únicamente en taquiarritmias graves
que suponen un compromiso vital para el paciente.

■ **Desfibrilador:** es un acumulador eléctrico
que libera, en forma de pulso único, una corriente continua de hasta 400 Julios a través de
unos electrodos en forma de palas que se sitúan en el vértice cardíaco y en el segundo espacio intercostal derecho. Se utiliza sobre todo
en la fibrilación ventricular y su uso es prácticamente la única opción que puede evitar la
muerte por la misma.

éstas son en la mayoría de los casos lo suficientemente inespecíficos o vagos como para ser ignorados o confundidos con otras patologías. Por tanto, para el diagnóstico de las mismas es fundamental el control médico rutinario, especialmente en la infancia y en la senectud, puesto que su conocimiento y tratamiento si procede puede prevenir la aparición de complicaciones.

El electrocardiograma es la técnica por excelencia que permite observar la actividad eléctrica del corazón y su utilización de forma periódica y ante los síntomas de sospecha permite la detección de la mayoría de las arritmias. La electrocardiografía dinámica o Holter es el registro de la actividad eléctrica cardíaca durante 24 horas con el fin de detectar arritmias intermitentes u ocasionales que pueden no aparecer en un electrocardiograma convencional. La introducción de electrocatéteres en las cavidades cardíacas puede ser útil para el diagnóstico de arritmias más complejas.

Arritmias

TIPOS DE MUSCULATURA

Estriada o voluntaria y lisa o involuntaria.

CARACTERÍSTICAS ESTRUCTURALES DEL CORAZÓN

Fibras nerviosas. Nódulo sinusal, fascículo internodales y nódulo auricoventricular.

DEFINICIÓN Y CAUSAS DE LAS ARRITMIAS

Cualquier ritmo cardíaco diferente del normal, que puede pasar desapercibido o causar consecuencias negativas en el organismo.
Pueden deberse a alteraciones estructurales del músculo cardíaco o a trastornos metabólicos generales.

SÍNTOMAS

- Palpitaciones: sensación de latido cardíaco sobre el pecho.
- Síncope: pérdida brusca de conocimiento.

- Dolor torácico: en individuos con antecedentes de cardiopatía isquémica.
- Signos de insuficiencia cardíaca.

CLASIFICACIÓN

Arritmias activas o taquiarritmias:
- Taquicardia sinusal.
- Extrasístoles.
- Fibrilación auricular.
- Flúter auricular.
- Fibrilación ventricular.

Arritmias pasivas o bradiarritmias:
- Bradicardia sinusal.
- Bloqueos auriculoventriculares.

DIAGNÓSTICO

Electrocardiograma y Holter.

TRATAMIENTO

Fármacos antiarrítmicos.
Marcapasos artificiales.
Cardioversión eléctrica y desfibriladores.

Enfermedades del pericardio

La capa muscular cardíaca o miocardio, encargada de la función contráctil de este órgano, se encuentra rodeada de una membrana protectora llamada pericardio, que se extiende también sobre las porciones iniciales de los grandes vasos. Esta membrana, susceptible de diversas patologías, está formada por dos capas diferentes:

• Una capa externa o parietal, de carácter fibroso, que relaciona el corazón con las estructuras adyacentes y le sirve de sostén.

• Una capa interna o visceral, serosa, que se repliega sobre su propia base y forma dos láminas. Una de estas láminas se pega a la pared cardíaca mientras que la otra tapiza la parte interna de la capa fibrosa de sostén. Queda por tanto un espacio intermedio entre ambas relleno de un líquido llamado pericárdico que facilita el deslizamiento de ambas láminas entre sí durante los movimientos del corazón.

Aunque se le han atribuido diferentes papeles biológicos, la verdad es que la función exacta del pericardio es desconocida. Contribuye en parte a mantener fijo el corazón pese a los movimientos corporales y a impedir su desplazamiento por las contracciones. Además, actúa como barrera defensiva frente a infecciones y tumores procedentes de las estructuras vecinas.

El pericardio puede alterarse como consecuencia de infecciones y procesos inflamatorios que alteren su funcionamiento, así como aumentar su grosor debido a derrames en su interior por trastornos del miocardio al que recubre o por agresiones externas. Describiremos a continuación las principales afecciones de esta membrana.

PERICARDITIS AGUDA

Se denomina así al proceso inflamatorio agudo del pericardio, responsable de un cuadro clínico muy característico y potencialmente grave por la presencia de complicaciones como derrame pericárdico y taponamiento cardíaco.

En la mayor parte de los casos no se llega a reconocer la causa concreta del cuadro y recibe el nombre de pericarditis idiopática. Cuando se identifica el agente causal, suele tratarse de una infección vírica de esta membrana secundaria a otros procesos como tumores y tuberculosis. Las lesiones producidas por un infarto de miocardio o por la manipulación quirúrgica del pericardio pueden ser también responsables de esta patología.

■ El diagnóstico se realiza por la conjunción de tres signos y síntomas muy típicos como son:

● Dolor torácico: suele ser punzante y muy intenso, que aumenta con la inspiración, el movimiento y la tos y que mejora cuando el individuo se sienta y se deja caer hacia delante. En ocasiones el dolor puede extenderse hacia el cuello y los hombros. El dolor puede mantenerse de forma continua durante horas o días.

- Roce pericárdico: se denomina así a una especie de soplo que puede auscultarse en el corazón de estos enfermos por el contacto del miocardio con un pericardio inflamado.
- Fiebre: generalmente no muy alta y no siempre presente, aunque sí muy común.

El electrocardiograma, el ecocardiograma y el análisis de sangre confirman en la mayoría de las ocasiones el diagnóstico del cuadro.

El tratamiento debe ser realizado en el ámbito hospitalario y por lo general es conservador tratando de mejorar los síntomas hasta su curación espontánea, lo que ocurre en la mayoría de los casos. Se debe mantener reposo absoluto junto con antiinflamatorios o corticoides hasta la desaparición completa del cuadro. En un 20% de las pericarditis agudas puede repetirse un nuevo episodio a lo largo de los años.

DERRAME PERICÁRDICO

Se define por la presencia de líquido en la cavidad formada por las láminas internas del pericardio en cantidades superiores a las normales, es decir, por encima de unos 50 ml aproximadamente. En muchas ocasiones (el 30% de los casos) se acompaña de una pericarditis subyacente que puede no haber provocado síntoma alguno. Otras causas pueden ser la insuficiencia cardíaca, el hipotiroidismo, los traumatismos torácicos o la invasión de esta estructura por tumores de la vecindad.

Cuando se acumula una gran cantidad de líquido o el derrame se produce muy deprisa, pueden aparecer síntomas en relación con la constricción de estructuras vecinas como tos, dificultad para tragar o para hablar. En la mayoría de los casos sin embargo, el acúmulo de líquido suele ser asintomático y se detecta casualmente durante una ecocardiografía. El mayor riesgo de esta entidad es la posibilidad de desarrollar un taponamiento cardíaco, lo que ocurre en un tercio de todos los casos.

El tratamiento se basa en la curación de la enfermedad de base que es la causante del derrame y la observación periódica de su evolución. La evacuación del líquido sobrante (pericardiocentesis) o la intervención quirúrgica sobre el pericardio se reserva únicamente para los casos de mayor gravedad o recurrentes.

TAPONAMIENTO CARDÍACO

Consiste en la compresión del corazón como consecuencia de un derrame pericárdico muy importante que impide el llenado de las cavidades cardíacas durante la fase de relajación del músculo. Puede deberse a pericarditis agudas u otros procesos que han ido provocando la aparición de un derrame de forma progresiva o como consecuencia de roturas en la pared del miocardio por infartos, aneurismas o traumatismos penetrantes como heridas por arma blanca.

Aparecen signos en el aparato circulatorio como caída de la tensión arterial y aumento de la presión venosa por la dificultad de la sangre para retornar a un corazón que no es capaz de llenarse por la presión externa que recibe. A medida que el cuadro se agrava puede aparecer dificultad respiratoria y estado de shock que puede provocar la muerte.

Este cuadro requiere de atención hospitalaria urgente, bien para reposo y control de las constantes vitales o bien para la extracción mediante pericardiocentesis del líquido almacenado. En ocasiones es necesaria la intervención quirúrgica urgente cuando la extracción del derrame no ha sido efectiva o no mejoran los síntomas pese a la misma. En cualquier caso las formas más graves de taponamiento cardíaco llevan asociada una mortalidad importante.

PERICARDITIS CONSTRICTIVA

Se trata de una enfermedad poco frecuente del pericardio que se produce por un engrosamiento de la capa fibrosa del mismo por causas desconocidas, aunque en algunos casos puede relacionarse con pericarditis de origen tuberculoso, traumáticas o asociadas a artritis reumatoide.

Clínicamente se manifiesta como un cuadro de insuficiencia cardíaca con tendencia hacia el acúmulo de líquido en el abdomen y a la congestión de la circulación hepática, además de fatiga respiratoria y cansancio. Todo ello en relación con la restricción del corazón para moverse y expandirse dentro de una bolsa pericárdica que se ha tornado muy rígida.

El tratamiento definitivo es la intervención quirúrgica que consigue abrir el pericardio y liberar así el espacio suficiente para los movimientos del músculo cardíaco.

Enfermedades del pericardio

ENFERMEDADES DEL PERICARDIO

El pericardio es la capa más externa del corazón, que cumple la función de fijar el corazón en su sitio y actuar como barrera defensiva frente a las agresiones externas. Esta capa, formada por una doble membrana, puede alterarse como consecuencia de infecciones y procesos inflamatorios, que desemboquen en alteraciones del funcionamiento cardíaco.

PERICARDITIS AGUDA

Proceso inflamatorio agudo del pericardio, que produce un cuadro clínico muy característico y potencialmente grave, caracterizado por: dolor torácico, roce pericárdico y fiebre.

El tratamiento, siempre hospitalario, consiste en reposo absoluto junto con antiinflamatorios y corticoides hasta la inflamación del cuadro.

DERRAME PERICÁRDICO

Presencia de líquido en el interior de las membranas del pericardio, en cantidades superiores a lo normal, producida como complicación de una pericarditis, un cuadro de insuficiencia cardíaca, un traumatismo torácico o la invasión de un tumor de la vecindad.

El mayor riesgo de la enfermedad consiste en la posibilidad de desarrollar un taponamiento cardíaco. El tratamiento se basa en la curación de la enfermedad causante y la evacuación del líquido sobrante en los casos más graves.

TAPONAMIENTO CARDÍACO

Consiste en la compresión del corazón como consecuencia de un derrame pericárdico muy importante que impide la expansión del músculo cardíaco para llenar de sangre sus cavidades.

Puede producirse como consecuencia de un derrame evolucionado o secundariamente a la rotura de la pared del miocardio debido a infartos, traumatismos punzantes o rotura de aneurismas.

Requiere actuación hospitalaria urgente, incluso intervención quirúrgica para evitar la muerte.

PERICARDITIS CONSTRICTIVA

Consiste en el engrosamiento de la capa fibrosa del pericardio por causas desconocidas, aunque en posible relación con procesos tuberculosos, artritis reumatoide o traumatismos.

Se manifiesta como un cuadro de insuficiencia cardíaca por la restricción que el pericardio ofrece al correcto funcionamiento del músculo cardíaco.

El tratamiento definitivo es quirúrgico.

Endocarditis infecciosa

El endocardio es la membrana interna del corazón que lo tapiza interiormente, incluyendo las paredes de sus cavidades y las válvulas que las separan entre sí. Entra en contacto, por tanto, directamente con la sangre que circula a través de este órgano.

Se denomina endocarditis infecciosa a la colonización por determinados gérmenes de esta membrana interna del corazón, ya sea por bacterias de forma más frecuente o por algunos tipos de hongos. Es una enfermedad muy poco frecuente, aunque la adicción a drogas por vía parenteral (inyectadas en vena) y el auge de los cateterismos y otras pruebas de exploración intravascular han aumentado la incidencia de la misma.

CLASIFICACIÓN DE LA ENDOCARDITIS

■ Según la localización del proceso infeccioso y la causa del mismo, podemos clasificar la endocarditis en dos formas diferentes:

- Endocarditis sobre válvula cardíaca normal: consiste en la infección por bacterias del tipo estreptococos o estafilococos sobre una válvula nativa del corazón, es decir, que no ha sido reemplazada quirúrgicamente. En la mayoría de los casos se producen en enfermos que ya tienen una lesión cardíaca predisponente, bien sea congénita, degenerativa (calcificación) o reumática.
- Endocarditis sobre válvula protésica: consiste en la infección de una válvula artificial implantada quirúrgicamente para sustituir una válvula nativa malfuncionante. Este proceso, que se presenta en el 1-2% de las cirugías de este tipo durante el primer año, puede ser debido a diferentes causas como la infección de la prótesis antes de la implantación, contaminación de la misma durante la intervención quirúrgica o la implantación de la prótesis sobre un tejido ya infectado.

¿CUÁL ES EL ORIGEN DE LA ENDOCARDITIS?

Cualquier microorganismo puede causar esta enfermedad, aunque los estreptococos y los estafilococos son los responsables de más del 80% de todos los casos. Para que se produzca la infección del endocardio es necesario que se presente lo que se denomina bacteriemia o paso a la sangre de un número importante de bacterias procedentes de un foco infeccioso situado en cualquier punto del organismo.

■ Cuando existe bacteriemia, los gérmenes pueden anidar sobre las válvulas cardíacas o en general sobre el endocardio, sobre todo si el individuo sufre alguno de los siguientes procesos cardiológicos:

- Defectos en los tabiques que separan las cavidades cardíacas.
- Coartación aórtica.
- Miocardiopatía hipertrófica obstructiva.
- Prolapso mitral.

La historia previa de episodios de endocarditis y, como ya hemos visto, las prótesis valvulares sustitutivas son también un factor de riesgo para el desarrollo de esta enfermedad. La fiebre reumática era una infección muy común a principios del siglo XX que ha ido desapareciendo en los países desarrollados y que se produce por un tipo de estreptococos que se diseminan a partir de una faringitis en la infancia o adolescencia. Determinados individuos parecen tener una predisposición genética hacia este tipo de procesos.

■ Hay una serie de circunstancias y de pruebas invasivas que pueden favorecer la aparición de bacteriemia, independientemente de que esto se traduzca en la aparición de endocarditis o no, al movilizar un foco infeccioso localizado que se mantenía aislado de la circulación general sanguínea o al introducir nuevos gérmenes desde el exterior. Algunas de éstas son:

• Manipulación dentaria, que incluye no sólo las cirugías de la cavidad oral y la extracción de piezas dentarias, sino incluso el simple cepillado de dientes o la masticación de chicle.
• Manipulación de la vía aérea, con pruebas como la broncoscopia, tras periodos de intubación o aspiración de secreciones bronquiales o como consecuencia de la amigdalectomía, más conocida como intervención de anginas.
• Pruebas gastrointestinales como la endoscopia, el enema de bario y la biopsia hepática entre otros.
• Pruebas urológicas como los cateterismos uretrales, la cistoscopia y la resección transuretral de la próstata.
• Manipulaciones ginecológicas, especialmente la inserción o extracción de dispositivos intrauterinos, biopsias del cuello uterino y tras el parto vaginal.

• En general cateterismos y toma de vías sanguíneas de forma prolongada para la nutrición o la introducción de fármacos.
• Adicción a drogas por vía sanguínea, sobre todo cuando no se extreman las medidas higiénicas, lo que ocurre en la mayoría de los casos.

¿CÓMO SE PRODUCE LA ENDOCARDITIS?

La lesión típica que se produce como consecuencia de la endocarditis infecciosa es la formación de un agregado de plaquetas y otras sustancias de la coagulación, en forma de vegetación, sobre la que se depositan y se reproducen los gérmenes junto con las células defensivas del sistema inmune. Los microorganismos tienden a invadir y destruir la válvula cardíaca, así como las cuerdas tendinosas que las sostienen y los músculos papilares que las movilizan.

Estas vegetaciones pueden fragmentarse parcialmente o incluso desprenderse y originar embolias en otras zonas del organismo. En otros casos, la extensión de los gérmenes puede ocasionar abscesos que afecten a toda la pared cardíaca e incluso provocar aneurismas.

Un foco de endocarditis puede a su vez originar metástasis sépticas (extensión de la infección a otras localizaciones) sobre todo en el bazo, los riñones, el sistema nervioso y los huesos y articulaciones.

¿CUÁLES SON LOS SÍNTOMAS DE ESTA ENFERMEDAD?

■ Según el germen responsable, la presencia previa de enfermedades cardíacas, la afectación de una válvula nativa o protésica y las complicaciones del proceso, pueden manifestarse diferentes síntomas:

- Fiebre: es el síntoma más frecuente, estando presente hasta en el 90% de los casos, aunque suele remitir de forma rápida con el tratamiento antibiótico. Puede ser intermitente, con escalofríos y tiritona o sólo de predominio vespertino en algunos casos.
- Dolores musculares y articulares: similares a los de cualquier enfermedad reumatológica, que afectan a una o varias articulaciones.
- Manifestaciones neurológicas: formación de aneurismas cerebrales, abscesos o incluso meningitis secundarias.
- Fenómenos embólicos en arterias cerebrales y renales, así como en la arteria central de la retina o en la arteria esplénica que llega al bazo.
- Lesiones dérmicas: hemorragias debajo de las uñas y aparición de pequeños puntos rojizos en la mucosa oral y conjuntival llamados petequias.

- Esplenomegalia o aumento del tamaño del bazo.
- Tos, dolor costal y esputos sanguinolentos.

Como ya hemos comentado anteriormente, estos síntomas pueden aparecer o no según la forma de infección, así como según la válvula concreta que se vea afectada. El periodo de incubación de la mayoría de las endocarditis es corto, comenzando la sintomatología a las dos semanas del inicio de la infección, aunque existen formas de evolución más lenta.

¿CÓMO SE DETECTA LA ENDOCARDITIS?

■ Junto con el estudio de los síntomas y signos que acompañan a la enfermedad y la exploración física del enfermo, pueden emplearse diversas pruebas complementarias:

Tratamiento de endocarditis

El tratamiento precoz de la endocarditis es fundamental para asegurar el mejor pronóstico de la misma; su objetivo principal es la esterilización de las vegetaciones y la reparación de las válvulas afectadas si fuera necesario. Todas estas medidas pueden ser clasificadas en:

■ Tratamiento antibiótico: suele ser una combinación de diferentes fármacos antimicrobianos empleados durante tiempo prolongado en el ámbito hospitalario, ya que la vía ideal es la intravenosa.
■ Tratamiento quirúrgico: consiste en el reemplazo valvular más o menos urgente según la localización de la válvula afectada; en ocasiones es necesario volver a cambiar válvulas protésicas infectadas.
■ Tratamiento anticoagulante: indicado en ocasiones para prevenir la aparición de embolias como consecuencia del desprendimiento de la lesión valvular.
La instauración de tratamiento antibiótico de forma previa a determinados procedimientos exploratorios como los ya comentados y, sobre todo, ante manipulaciones dentarias, previene casi de forma absoluta la aparición de esta enfermedad.

- Hemocultivo: prueba fundamental para el diagnóstico de la endocarditis, que consiste en el estudio microbiológico de la sangre para detectar la presencia de gérmenes en la misma.
- Pruebas de laboratorio: algunas formas de anemia y el aumento de los leucoci- tos y de la velocidad de la sangre pueden acompañar a este proceso.
- Ecocardiograma: prueba de gran utilidad que permite visualizar de forma precoz la afectación infecciosa de una válvula así como el tamaño exacto de la vegeta- ción infecciosa.

Endocarditis infecciosa

DEFINICIÓN

Enfermedad de la membrana interna que tapiza las cavidades cardíacas y sus válvulas, producida por la extensión de un foco infeccioso, generalmente bacteriano, hacia esta localización.

Este proceso tiene características diferentes según la válvula afectada, la naturaleza de la misma (natural o protésica) y la existencia previa de enfermedades cardíacas.

Existen una serie de circunstancias que pueden favorecer la movilización de infecciones localizadas que desemboque en la aparición de endocarditis; estas circunstancias son las manipulaciones dentarias y las pruebas diagnósticas de la vía respiratoria, digestiva, urológica y ginecológica. Los adictos a drogas inyectadas en vena tienen también un riesgo elevado de padecerla.

MECANISMO DE PRODUCCIÓN

Consiste en la formación de una vegetación o acúmulo de gérmenes y material de coagulación sobre un punto del endocardio. Esta lesión puede crecer y destruir el tejido cardíaco circundante, además de producir émbolos en la circulación general y de extender la infección a otras estructuras.

SÍNTOMAS

Aunque según el germen responsable, la región concreta afectada y las características previas de cada enfermo pueden variar los rasgos clínicos de esta enfermedad, es habitual detectar la presencia de fiebre, dolores musculares, manifestaciones neurológicas, lesiones cutáneomucosas y otros signos secundarios a la formación de embolias.

El periodo de incubación de estos procesos suele ser bastante rápido, inferior a veces a las dos semanas.

DIAGNÓSTICO

Además de la investigación de estos síntomas y la exploración física correspondiente, se completa el estudio con determinadas pruebas:

- Hemocultivo: estudio microbiológico de la sangre.
- Pruebas de laboratorio: detección de anemia, elevación de leucocitos y otros parámetros.
- Ecocardiograma: visualización de las cavidades cardíacas y del funcionamiento valvular.

TRATAMIENTO

- Antibióticos.
- Cirugía.
- Anticoagulante.
- Medidas preventivas.

Varices

A diferencia de la circulación arterial, que se ve favorecida por el impulso del corazón y por la propia fuerza de la gravedad en la mayoría del territorio corporal, la circulación venosa tiene mayores dificultades para conseguir retornar con éxito la sangre hacia las cavidades cardíacas, especialmente cuando ésta proviene de los miembros inferiores.

El hecho de que la circulación venosa tenga mayores dificultades para conseguir retornar con éxito la sangre hacia las cavidades cardiacas cuando ésta proviene de los miembros inferiores se debe principalmente a que la fuerza de la contracción cardíaca es muy débil a esta distancia, a lo que hay que sumar el hecho de que la sangre debe remontar una gran distancia en sentido contrario a la fuerza de la gravedad.

Para superar estos inconvenientes, las venas poseen tres recursos que les permiten mantener un flujo de sangre continuo hacia el corazón:

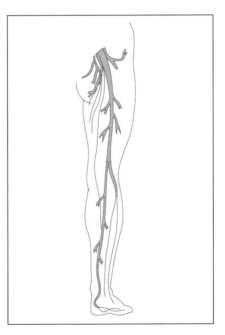

1. La propia inercia de la sangre arterial es transmitida en parte al sistema venoso tras el paso por el sistema capilar, donde se intercambia el oxígeno y el dióxido de carbono en los tejidos vivos. Además, existe un cierto efecto succionador del propio corazón durante la diástole del mismo.

2. Las venas poseen un sistema de válvulas, que se intercalan en su trayecto de forma espaciada con regularidad, que favorecen el retorno de la sangre al actuar como puntos de paso unidireccional, es decir, que permiten que la sangre circule hacia el corazón al tiempo que impiden que se vuelva hacia atrás.

3. La musculatura de los miembros inferiores rodea a las venas que discurren por estos y cuando se contrae, durante cualquier ejercicio físi-

co, comprime a éstas favoreciendo su vaciamiento hacia regiones superiores.

■ El sistema venoso de los miembros inferiores se organiza en:

• Sistema venoso profundo: responsable de la mayoría del retorno sanguíneo de las piernas hacia el corazón.
• Sistema venoso superficial: auxiliar del anterior, discurre por debajo de la piel y tiene dos grandes venas principales que son la safena externa e interna.

¿QUÉ SON LAS VARICES?

Se denominan varices o varicosidades a la dilatación o ensanchamiento de las venas del sistema venoso superficial que hace que adquieran un aspecto sinuoso y prominente visible desde el exterior. Un 20% de la población adulta tiene varices en mayor o menor grado, aumentando esta cifra a medida que avanzan los años de los individuos. Las mujeres son más propensas a padecerlas sin ninguna causa clara que lo justifique.

■ Las varices pueden ser clasificadas en:

• Primarias o esenciales: son las debidas a cualquier fallo de los mecanismos de retorno sanguíneo del sistema venoso que antes explicamos, o en general, producidas por cualquier circunstancia natural. Es la forma más frecuente de presentarse esta patología.
• Secundarias: producidas por una trombosis del sistema venoso o como consecuencia de una compresión del mismo por encima de los miembros inferiores (por ejemplo durante el embarazo o por tumores de la cavidad abdominal) que dificulta el retorno de la sangre en éstos.

¿POR QUÉ SE PRODUCEN LAS VARICES?

■ Parece demostrado que existe una tendencia en determinadas familias hacia esta enfermedad; en más de un 50% de los casos existen antecedentes familiares de varices. Sobre esta predisposición genética actúan una serie de agravantes o desencadenantes que provocan la aparición de las mismas:

• Obesidad: el sobrepeso en general aumenta la presión abdominal al tiempo que disminuye la elasticidad de las venas; ambas situaciones desembocan en un mal retorno sanguíneo y un acúmulo o éxtasis en las mismas.
• Embarazo: en el 50% de las gestaciones se producen varices en mayor o menor grado debido a dos causas fundamentales. La primera sería el aumento progresivo del tamaño del útero que comprime las venas sobre la pelvis dificultando el retorno de los miembros inferiores; la segunda se debe a las hormonas que se producen durante el mismo, que pueden afectar la elasticidad del sistema venoso.
• Bipedestación prolongada: aquellas circunstancias de tipo laboral que obligan al individuo a permanecer de pie y prácticamente inmóvil durante largos periodos de tiempo favorecen el desarrollo de las varices, tanto por la tensión acumulada en las venas de las piernas como por la falta de ejercicio muscular (que, como ya hemos mencionado, es fundamental para el retorno venoso).
– Traumatismos: en ocasiones puede aparecer una vena varicosa en una zona determinada que ha sufrido un golpe directo o que se ha visto sometida a un sobreesfuerzo muy importante.

Todo esto se traduce en lo que se denomina insuficiencia venosa crónica.

¿CÓMO SE MANIFIESTAN LAS VARICES?

■ La principal causa por la que el individuo con varices consulta al médico es estética, dado que inicialmente no suelen producir ninguna sintomatología apreciable. No obstante, a medida que la insuficiencia venosa avanza pueden surgir complicaciones como las siguientes:

- Sensación de pesadez o cansancio en las piernas, especialmente en ambientes calurosos y a última hora del día.
- Calambres nocturnos, que en ocasiones llegan a ser muy intensos hasta el punto de despertar al sujeto.
- Prurito o picor en las piernas, sobre todo en la parte inferior de la pantorrilla y en los pies.
- Alteraciones en la piel, en forma de atrofia de la misma, aumento de su pigmentación y su dureza o diversas formas de dermatitis. En ocasiones se producen úlceras en estas regiones.
- Acumulación de líquido en los tobillos tras el ejercicio físico o en general tras las actividades normales diarias, que se manifiesta en forma de edemas.

■ Con el paso del tiempo esta situación se agrava hasta producirse alguna de las complicaciones más peligrosas de esta enfermedad, que son:

- Hemorragia varicosa: producida por la rotura de la vena afectada secundariamente a un traumatismo que no tiene que ser necesariamente fuerte; esto se debe a que las venas varicosas son especialmente delgadas y débiles.

- Tromboflebitis: en algunos casos puede interrumpirse el flujo sanguíneo a través de las varices, lo que desemboca en la inflamación de las mismas (flebitis), que se manifiesta como un enrojecimiento de la zona y un dolor intenso a la palpación de la misma.

¿CÓMO SE DIAGNOSTICAN LAS VARICES?

En la mayoría de los casos el diagnóstico de esta patología es obvio por la presencia evidente de las lesiones descritas, ya que al ser el sistema venoso superficial el que se ha afectado, éstas son claramente visibles debajo de la piel. Sin embargo, en algunas ocasiones puede ser necesaria la confirmación del diagnóstico mediante determinadas técnicas como la flebografía (radiografía del sistema venoso tras la introducción de contraste) o la ecografía Doppler (permite observar y cuantificar el flujo sanguíneo en el interior de las venas); estas técnicas también son empleadas para descartar complicaciones graves o como valoración previa a la cirugía.

¿CUÁL ES EL TRATAMIENTO DE LAS VARICES?

Podemos dividir la actuación frente a las varices en varios apartados:

■ Medidas preventivas: consisten en una serie de cuidados y hábitos que pueden ayudar a impedir el desarrollo de esta enfermedad, o cuando menos a evitar su progresión:

- Realizar ejercicio de forma regular, sobre todo caminar durante al menos una hora cada día.
- Evitar la obesidad o perder peso en caso de que ésta exista.

- No utilizar prendas de vestir que puedan comprimir el abdomen y que en general dificulten el retorno venoso.
- Prescindir del calzado con excesivo tacón o absolutamente plano.
- Alternar los espacios de tiempo en los que se está de pie con periodos de descanso con las piernas levantadas, especialmente tras un tiempo prolongado de deambulación o de permanecer de pie.
- Cuidado e higiene de la piel, hidratación y aplicación de pomadas o cremas con corticoides durante cortos periodos de tiempo en caso de aparición de dermatitis asociadas a las varices.

■ Medidas terapéuticas:

- Medias elásticas de compresión: es la única medida eficaz en el tratamiento y la prevención de las varices antes de la cirugía. Su uso continuado favorece su evolución hasta el punto de llegar en muchos casos a evitar las complicaciones de esta enfermedad. Existen diferentes tipos de medias en cuanto a la fuerza de la compresión que realicen; en ocasiones, como por ejemplo en el verano, resulta molesta su utilización, pese a lo cual deben emplearse aunque sólo sea mientras se está de pie o caminando.
- Fármacos: se han empleado diversos tónicos vasculares derivados de algunas plantas con unos resultados muy pobres que hace que en ningún caso sustituyan al empleo de las medias de compresión.
- La escleroterapia: consiste en la inyección de sustancias sobre la vena que la esclerosan o cierran de forma definitiva tras un periodo de compresión de la zona tratada; esta técnica se acompaña en ocasiones de complicaciones a nivel local.
- La cirugía es el método curativo de esta patología, que se reserva para aquellos casos en los que las varices alcanzan un tamaño considerable y producen sintomatología importante. Consiste en la extracción de la porción venosa afectada, tras haberse asegurado de que el sistema venoso profundo funciona con normalidad.

■ Tratamiento de las complicaciones:

- Úlceras: reposo en cama, limpieza diaria de las mismas y tratamiento antibiótico si se sospecha infección de las mismas.
- Hemorragias: compresión sobre el punto sangrante o vendaje del mismo junto con reposo con las piernas levantadas durante unos días.
- Tromboflebitis: si se sospecha este cuadro por la aparición de signos inflamatorios sobre una región varicosa, como por ejemplo enrojecimiento, calor o dolor en la misma, debe consultarse al médico para realizar el tratamiento oportuno lo antes posible.

Varices

DEFINICIÓN

La circulación venosa aprovecha el impulso cardíaco para retornar la sangre hacia el mismo en contra de la gravedad; este proceso se favorece por las válvulas venosas y por el efecto compresor de la musculatura.

El sistema venoso se organiza en:
- Sistema venoso profundo.
- Sistema venoso superficial.

Se denominan a veces varices a la dilatación o ensanchamiento de las venas del sistema venoso superficial, que aparecen en el 20% de la población adulta.

Existe una predisposición familiar hacia esta patología, que puede verse favorecida además por otras circunstancias, como:

- Obesidad.
- Embarazo.
- Traumatismos.
- Bipedestación prolongada.

SÍNTOMAS

Los principales síntomas que acompañan a la formación de varices son sensación de pesadez o cansancio en las piernas, calambres nocturnos, prurito o picor, acumulación de líquido en los tobillos y alteraciones en la piel. Con el paso del tiempo pueden producirse complicaciones como tromboflebitis y hemorragias varicosas.

El diagnóstico de las varices se confirma mediante determinadas pruebas como la flebografía y la ecografía de Doppler.

Las principales medidas preventivas para evitar la aparición de varices son:

- El ejercicio físico.
- La pérdida de peso.
- El calzado y la ropa adecuada.
- El cuidado e higiene de la piel.

TRATAMIENTO

Las medidas terapéuticas más empleadas son:

- Medias elásticas de complexión.
- Tónicos vasculares.
- Escleroterapia.
- Cirugía.

Enfermedades respiratorias

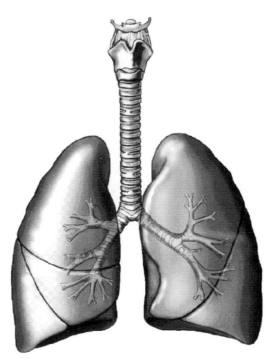

✓ Dificultad respiratoria

✓ Tos aguda y crónica

✓ Tuberculosis

✓ Tromboembolismo pulmonar

✓ Asma bronquial

✓ Tabaquismo

Sistema respiratorio

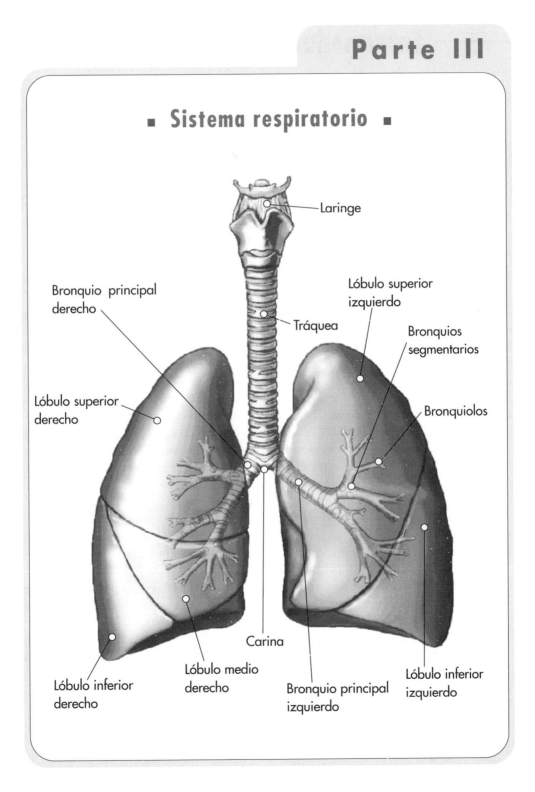

Laringe

Bronquio principal
derecho

Tráquea

Lóbulo superior
izquierdo

Bronquios
segmentarios

Lóbulo superior
derecho

Bronquiolos

Carina

Lóbulo inferior
derecho

Lóbulo medio
derecho

Bronquio principal
izquierdo

Lóbulo inferior
izquierdo

Enfermedades respiratorias

El oxígeno es un gas necesario para el metabolismo de las células y más concretamente para las reacciones químicas de las mismas, especialmente la combustión de glucosa para obtener energía. El oxígeno se transporta en la sangre disuelto en el plasma (1% del total) o unido de forma reversible a la hemoglobina. El anhídrido carbónico es un gas venenoso producido como desecho de dicha combustión que debe ser eliminado por el organismo.

La función primordial del aparato respiratorio es la de proporcionar oxígeno del medio ambiente a la sangre arterial y eliminar anhídrido carbónico de la sangre venosa. Para ello se establece un mecanismo sencillo que incluye las siguientes fases:

1. Inspiración del aire exterior que, en condiciones normales, posee un 21% de oxígeno aproximadamente. Este aire penetra en el interior del organismo a través de las fosas nasales o de la boca gracias a la presión negativa creada por el diafragma y los músculos costales cuando expanden la cavidad torácica.

2. Intercambio gaseoso en los alveolos o pequeños sacos situados al final de los bronquios más pequeños, dentro de la propia estructura pulmonar. En este punto la sangre entra en contacto directo con el aire respirado e intercambia el anhídrido carbónico por oxígeno a través de una proteína que transporta llamada hemoglobina.

3. Espiración del aire hacia el exterior de nuevo de forma secundaria a la contracción de la cavidad torácica por la relajación de la misma musculatura y la tendencia de los pulmones a recuperar su forma normal.

El volumen de aire que entra en los pulmones en cada inspiración normal es de unos 500 ml aproximadamente, dependiendo siempre de la edad, la talla, el peso, el sexo y el estado físico del individuo. La necesidad de oxígeno del organismo varía constantemente, pudiendo llegar a ser hasta diez veces mayor de lo normal durante el ejercicio físico intenso. Para controlar estas necesidades, el aparato respiratorio tiene una serie de mecanismos de adaptación que permiten regular la frecuencia ventilatoria, su ritmo y su profundidad.

■ El aparato respiratorio está formado por las siguientes estructuras:

● Fosas nasales: son los puntos de entrada del aire exterior, donde éste es conducido de forma directa hacia el interior del cuerpo, además de calentado y filtrado por las vellosidades de la mucosa que la tapizan interiormente.

● Árbol traqueobronquial: sistema de tubos de diámetro progresivamente decreciente que se ramifica a medida que desciende hacia los pulmones hasta alcanzar los sacos alveolares donde se produce el intercambio de gases. Este árbol está formado por la tráquea, los dos bronquios principales (derecho e izquierdo), los cinco bronquios lobulares y los cientos de bronquios segmentarios y terminales. En ningún caso estas estructuras intervienen en la respiración propiamente dicha, sino que sirven únicamente de transporte al aire inspirado o espirado. Desde la tráquea hasta el alveolo final se producen unas 23 divisiones de estos conductos.

- Pulmones: son unos órganos formados por un enrejado de pequeños tubos respiratorios suspendido en un esqueleto de filamentos elásticos y fibras. Cada pulmón se divide en lóbulos pulmonares, concretamente tres en el pulmón derecho y dos en el izquierdo (que es más pequeño pues alberga en su seno al corazón). Cada lóbulo pulmonar recibe un bronquio ramificado y están separados entre sí por unas cisuras estriadas. Los pulmones están envueltos por una membrana doble llamada pleura y vascularizados por una extensa red de venas y arterias.

- Laringe: es un órgano situado en la parte superior de la tráquea que protege la entrada de alimentos hacia la misma y que posee en su interior las cuerdas vocales. Durante la espiración la vibración de estas cuerdas produce sonidos que pueden ser modulados a voluntad del hombre.

■ Las enfermedades respiratorias son las más comunes tras las infecciosas, a las que engloba en parte. Podemos enumerar de forma general los tipos de afecciones que pueden desembocar en estas enfermedades:

- Infecciones de las vías aéreas, desde las fosas nasales hasta la propia estructura pulmonar, con la inflamación de las mismas que aparece de forma secundaria.

- Atrapamiento del aire en el interior de los pulmones o entre éstos y la pleura que los recubre, lo que se traduce en una pérdida de la capacidad ventilatoria total.

- Inflamación crónica de los bronquios de naturaleza intrínseca o como consecuencia de la exposición continuada a factores irritativos.

- Afectación del paquete vascular que atraviesa los pulmones, especialmente las trombosis de alguno de los vasos principales.

- Formación de tumores en cualquiera de las partes del aparato respiratorio, especialmente en la laringe, los bronquios y los pulmones.

■ Los principales síntomas que pueden asociar las enfermedades respiratorias son:

- Tos: es el síntoma más frecuente en estas patologías y puede deberse a una gran variedad de causas. En ocasiones se acompaña de expectoración debida a un aumento patológico de la secreción bronquial por encima de los 100 ml/24 h. La expectoración puede ser mucosa o de tono amarillento, purulenta o verdosa o, en ocasiones sanguinolenta, lo que se denomina hemoptisis.

- Disnea: también llamada fatiga, es la sensación subjetiva de falta de aire por parte del individuo y que se clasifica en varios grados según su gravedad, en relación directa con la intensidad del esfuerzo que es necesario para su aparición. Así hablamos de disnea de grandes esfuerzos (normal en cualquier individuo), de moderados y de mínimos; la disnea de reposo sería la forma más grave de presentarse.

- Dolor torácico: aunque menos frecuente, es un síntoma bastante alarmante entre la población y la determinación de su causa final suele ser compleja o incluso imposible en un buen número de casos. Puede corresponder a un dolor pleural en estrecha relación con los movimientos respiratorios y la tos, siendo entonces indicativo de patología a nivel pulmonar. Puede ser traqueal o bronquial, típico de las infecciones agudas de estas estructuras. Finalmente, el dolor torácico puede ser de origen osteomuscular o mecánico por afectación de la parrilla costal o de los músculos situados en la misma.
- Cianosis: consiste en la coloración azulada de la piel y de las mucosas que aparece generalmente como consecuencia de la inadecuada oxigenación de la sangre y el exceso de anhídrido carbónico en la misma.

■ Además de los síntomas enumerados, el estudio del sistema respiratorio se complementa con la inspección física del enfermo (palpación, percusión y auscultación) y la realización de una serie de pruebas como:

- Gasometría arterial: medición del pH y la presión parcial de oxígeno y anhídrido carbónico en la sangre que constituye una técnica esencial para el diagnóstico y el control de la insuficiencia respiratoria.
- Técnicas de imagen: radiografía simple de tórax, tomografía axial computerizada (TAC), resonancia magnética y estudios angiográficos pulmonares.
- Espirometría: valoración de los volúmenes pulmonares mediante la espiración forzada a través de un mecanismo.
- Broncoscopia: exploración mediante un dispositivo con cámara de la vía respiratoria.

Dificultad respiratoria

Existe un tipo de enfermedades que se caracterizan por crear una dificultad a las vías respiratorias en su propósito de establecer una corriente o flujo de aire constante, desde el medio exterior hacia los pulmones y viceversa. Se agrupan bajo el nombre de ENFERMEDAD PULMONAR OBSTRUCTIVA CRÓNICA o sus siglas EPOC.

■ Este tipo de enfermedades pulmonares obstructivas crónicas son alteraciones crónicas que provocan una disminución de la capacidad pulmonar y una ralentización del vaciado del aire por los pulmones. Las enfermedades principales que forman este grupo son:

- **Bronquitis crónica**: se define como la presencia de tos con expectoración durante tres meses al año, por lo menos durante dos años consecutivos sin que se pueda atribuir a otras causas.
- **Enfisema**: es el atrapamiento de aire en el interior de los pulmones que se produce por la rotura de la pared de los alvéolos, que son los puntos finales de los bronquios, donde la sangre intercambia el dióxido de carbono por oxígeno.
- **Bronquiectasia**: es una dilatación permanente y anormal de los bronquios que provoca un aumento de la secreción en los mismos.

Pueden presentarse de forma separada, aunque lo más común es que vayan asociadas entre sí, y sus síntomas se solapen unos a otros, de tal manera que resulte a veces difícil distinguir cuándo predomina una sobre otra. Están en clara relación con el consumo de tabaco, influyendo de manera determinante la edad de inicio, el número de cigarrillos al día durante esos años y el hábito actual; aproximadamente un 15% de los fumadores desarrollarán esta enfermedad.

¿CÓMO ACTÚA EL TABACO EN LAS VÍAS RESPIRATORIAS?

La combustión del tabaco produce, por sus elevadas temperaturas, múltiples agentes residuales (más de 5.000 diferentes) que son capaces de oxidar las células de la vía respiratoria. Además, favorece la aparición de infecciones en las mismas, al bloquear los mecanismos defensivos frente a los gérmenes. Todo esto desemboca en la producción excesiva de secreciones por parte de los bronquios que provocan la característica tos del fumador.

A partir de los 20 años de consumo se produce un declive progresivo de la capacidad pulmonar del fumador, por lo que los primeros síntomas suelen aparecer entre los 45-50 años. El abandono del tabaco detiene este declive, aunque la porción de capacidad respiratoria que se haya perdido ya no se recupera nunca.

¿QUÉ OTROS FACTORES DE RIESGO FAVORECEN LA ENFERMEDAD?

■ Existe una serie de factores de riesgo, además del tabaquismo, para padecer este grupo de enfermedades:

- Polución atmosférica: lo que justificaría la mayor incidencia de la enfermedad en el medio urbano frente al rural.
- Infecciones respiratorias: que favorecen la irritación de los bronquios, facilitando así la aparición de estas alteraciones.
- Factores ocupacionales: son aquellos agentes que se inhalan en el medio laboral y que producen a medio o largo plazo un efecto similar al del tabaco.
- Edad y sexo: parece que hay una mayor predisposición entre los varones mayores de 50 años.
- Estado socioeconómico: las clases sociales más bajas son más propensas a padecer esta enfermedad por diversas causas como la menor protección frente al frío en invierno, peor alimentación, alcoholismo y mayor incidencia de infecciones.
- Tabaquismo pasivo: que es especialmente perjudicial en los niños y en los enfermos ancianos que ya tengan diagnosticada esta patología.
- Factores personales: especialmente el déficit congénito de una enzima llamada alfa-1-antitripsina, que previene la aparición de obstrucción pulmonar.

El estereotipo del enfermo de EPOC sería un varón, jubilado, exfumador importante, bebedor moderado de alcohol, que ha trabajado la mayor parte de su vida expuesto al frío ambiental (construcción) en grandes ciudades y que tiene una predisposición genética para la enfermedad.

¿CUÁLES SON LOS SÍNTOMAS DE LA EPOC?

Lo primero que el paciente detecta es la aparición de una tos matutina, que se presenta todos los días y que se agrava cuando además existen infecciones respiratorias. Posteriormente, surge de forma progresiva disnea o fatiga al respirar, que se manifiesta cuando se trata de realizar un ejercicio físico más intenso de lo habitual; esta fatiga se acompaña, con frecuencia, de opresión torácica, que se produce por sobrecarga de los músculos respiratorios.

A medida que avanza la enfermedad pueden ir apareciendo otros signos como dolor torácico, sangre en los esputos e incluso síncopes producidos tras ataques de tos. En el paciente con EPOC comienzan a notarse otros signos que denotan el aumento del «trabajo» respiratorio como el aumento de la frecuencia respiratoria y la utilización de la musculatura respiratoria accesoria (formada por una serie de músculos que normalmente no se emplean para respirar, como los del cuello u hombros, pero que el enfermo utiliza de forma inconsciente para poder llenar los pulmones de aire).

Cuando la insuficiencia respiratoria avanza, aparece la poliglobulia o producción excesiva de glóbulos rojos a partir de la médula ósea, que espesa la sangre. Esto es un mecanismo de compensación de nuestro organismo, que trata de fabricar más hemoglobina para que la sangre transporte a su vez más oxígeno y se aproveche al máximo el poco que entra por los pulmones. Los fumadores habituales y los individuos que viven a gran altitud (menor presión de oxígeno ambiental) también desarrollan esta poliglobulia de forma benigna.

EVOLUCIÓN

Dentro de la progresión de esta enfermedad es frecuente que aparezcan brotes más severos de la misma debidos, fundamentalmente, a bronquitis agudas y neumonías; los individuos que sufran además insuficiencia cardíaca, asocian las descompensaciones de ésta con dichos brotes, que se denominan reagudizaciones.

Los signos de alarma de éstas son el cambio de las características de la expectoración (que se hace más amarillenta o verdosa), la disminución de la capacidad para efectuar una tos eficaz, el aumento de la fatiga, la cianosis (aparición de color azulado en la piel), y, en último extremo, la disminución o pérdida de conciencia. Son motivo de traslado a centro hospitalario, ya que necesitan de actuación urgente.

Otra causa muy frecuente de reagudizaciones es el incumplimiento del tratamiento por parte del enfermo; se sospecha que podría suponer hasta el 50% de las mismas.

TRATAMIENTO

Las bases del tratamiento de esta enfermedad se pueden resumir en los siguientes apartados:

■ Prevención de la enfermedad:

● Abandono del tabaco: es la principal y única medida que ha demostrado hasta ahora ser plenamente eficaz para detener el avance de esta dolencia. La dificultad reside en que el individuo no se plantea dejar el hábito mientras mantiene una función pulmonar aceptable, ya que puede realizar una vida más o menos normal; cuando decide hacerlo, o no le queda más remedio, suele ser demasiado tarde. En los apéndices finales de este libro nos referimos a las diferentes técnicas existentes hoy en día para dejar de fumar.

● Prevención en el medio laboral: es importante seguir las medidas de higiene laboral recomendadas (como el uso de mascarillas) para evitar la inhalación de productos tóxicos de forma prolongada que inician o empeoran la enfermedad; hay que protegerse además de las condiciones climáticas adversas como el frío

Diagnóstico

En cualquier persona mayor de 40 años, fumadora desde la adolescencia, con episodios de tos casi diarios y expectoración frecuente, debe sospecharse la presencia de esta enfermedad. Los tres métodos diagnósticos principales utilizados para confirmar la misma son:

■ **Radiografía de tórax:** donde se pueden apreciar engrosamientos de la pared de los bronquios y aumento de las marcas pulmonares o tórax «sucio».

■ **Gasometría:** consiste en el análisis de la sangre arterial (los análisis normales se realizan con sangre venosa) para cuantificar la cantidad de oxígeno que transporta.

■ **Espirometría:** permite conocer el volumen de aire que entra y sale de los pulmones y la capacidad total de éstos.

intenso y el viento. En muchos casos es necesario el cambio de puesto de trabajo.

- Prevención de las infecciones respiratorias: que se realiza en parte con el cumplimiento de los dos puntos anteriores más la vacunación antigripal que debe ser obligatoria cada año. Además el enfermo debe estar alertado frente a los primeros síntomas de catarro para que sean tratados antes de complicarse.

■ Ejercicio físico: es necesario que el individuo mantenga su actividad física pese al avance de la enfermedad; esto se consigue básicamente mediante el paseo, que es el único ejercicio que en muchos casos se puede realizar.

■ Tratamiento dietético: es recomendable una nutrición equilibrada con aportes suplementarios de vitaminas y aminoácidos para lograr que el enfermo mantenga el peso recomendado. Esta enfermedad se acompaña de mayor consumo de calorías por el esfuerzo respiratorio «extra» que tienen que realizar los que la padecen. Un adelgazamiento excesivo es un signo de mal pronóstico y se asocia con alta mortalidad. La ingesta moderada de alcohol no está contraindicada, pero debe estar vigilada sobre todo en bebedores de larga evolución. Se deben evitar los alimentos que provoquen flatulencia.

■ Hidratación: un individuo mal hidratado fabrica flemas densas y espesas que se adhieren a las paredes de los bronquios, y que provocan tos y dificultad respiratoria constantemente. El agua es el mejor expectorante que existe, y el enfermo debe obligarse a ingerirla diariamente en suficientes cantidades como si de un fármaco se tratara.

■ Fisioterapia respiratoria: aunque no esté plenamente demostrado, parece que es útil

para estos enfermos el aprendizaje de una serie de ejercicios torácicos y abdominales, encaminados a mejorar la capacidad respiratoria. Existen programas de rehabilitación para los casos más graves (el enfermo casi no es capaz de moverse sin fatigarse), sobre todo si son menores de 60 años, y que mejoran algo la calidad de vida de los mismos.

■ Tratamiento farmacológico: que es el único que produce alivio de los síntomas cuando la enfermedad ya se ha instaurado, pero no curan la enfermedad. Su objetivo, al igual que en el asma, es reducir la inflamación de los bronquios, aumentar su calibre y favorecer la expectoración. Normalmente se introducen de forma escalonada según la gravedad de cada caso; hay tres grupos terapéuticos:

1. Broncodilatadores: útiles para tratar la fatiga o disnea, especialmente durante las reagudizaciones; se suelen pautar en forma de aerosoles y es muy importante que se aprenda el mecanismo de utilización (no es fácil), para que el mayor porcentaje de medicación posible llegue a los pulmones.

2. Antiinflamatorios: básicamente los corticoides, que producen menos efecto positivo que en el asma y se emplean tanto por vía oral, sobre todo durante las crisis respiratorias, como por inhaladores de forma crónica.

3. Expectorantes o mucolíticos: en la actualidad no existe ningún estudio que avale que este tipo de fármacos, que actúan sobre las flemas ablandándolas, mejore realmente la calidad respiratoria; por lo menos tampoco parece que la empeore.

■ Oxígeno: es una medida extraordinariamente eficaz para prolongar la supervivencia de estos pacientes; está indicada en casos avanzados cuando el resto de medidas no es capaz de mantener una oxigenación de la sangre adecuada. La forma más habitual de administrarlo es mediante «gafas» nasales conectadas a una bombona fija en el domicilio del paciente.

■ Cirugía: empleada en el enfisema para tratar de eliminar las bullas o áreas pulmonares donde ha quedado aire atrapado; en algunos casos se han realizado trasplantes pulmonares, con éxito relativo, y que, en cualquier caso, no es una medida muy extendida.

Dificultad respiratoria

ENFERMEDAD PULMONAR OBSTRUCTIVA CRÓNICA

Las enfermedades que forman este grupo son:

- Bronquitis crónica: presencia de tos con expectoración durante tres meses al año, durante dos años consecutivos.
- Enfisema: atrapamiento de aire en el interior de los pulmones.
- Bronquiectasia: dilatación permanente y anormal de los bronquios.

FACTORES DE RIESGO PARA LA ENFERMEDAD PULMONAR

Tabaco.
Polución atmosférica.
Infecciones respiratorias.
Factores laborales por inhalación de agentes tóxicos.
Edad superior a 50 años y sexo masculino

DIAGNÓSTICO

- Radiografía de tórax.
- Gasometría.
- Espirometría.

TRATAMIENTO

- Prevención de la enfermedad: abandono del tabaco, prevención de infecciones y riesgos laborales.
- Ejercicio físico.
- Dieta e hidratación.
- Fisioterapia respiratoria.
- Tratamiento farmacológico: broncodilatadores, antiinflamatorios, mucolíticos.
- Oxígeno.
- Cirugía.

Tos aguda y crónica

A través del sistema respiratorio humano circulan miles de litros de aire cada día. Este aire contiene, en mayor o menor grado, impurezas en su interior que penetran en nuestro cuerpo arrastradas por él. La vía respiratoria, por tanto, trata de defenderse de esas partículas extrañas, habitualmente microscópicas, que flotan en la atmósfera que nos rodea; para ello, se encuentra «tapizada» en su interior por una capa de minúsculos pelos, llamados cilios, que atrapan y retienen la mayoría de estas moléculas. Además, y también como mecanismo defensivo, los bronquios producen mucosidad con el fin de favorecer que se peguen a la misma y no penetren sustancias nocivas en los pulmones. Estos cilios se encuentran en permanente movimiento acompasado, tratando de expulsar hacia el exterior, poco a poco, a dichas moléculas junto con el moco o flemas donde se han quedado pegadas.

¿POR QUÉ SE PRODUCE LA TOS?

La tos es un mecanismo elaborado y complejo que se produce como consecuencia de la estimulación de unos pequeños nervios situados en las paredes de la vía respiratoria. Así, cuando se acumula mucosidad en algún punto de la misma, o se inhala alguna sustancia agresiva, éstos envían una señal al sistema nervioso para que se produzca el reflejo de la tos. Su propósito es defensivo, ya que trata de expulsar definitivamente de nuestro cuerpo las secreciones de los bronquios que están llenas de partículas o microorganismos.

Habitualmente viene precedida de una inspiración profunda, que va seguida de una espiración forzada y brusca, que «choca» contra la glotis, hasta que ésta se abre de repente y deja salir el aire, junto con lo que pueda arrastrar.

La tos es uno de los motivos de consulta al médico más frecuente en los países desarrollados, sobre todo en los niños.

CLASIFICACIÓN

Según su duración, podemos clasificarla en **tos aguda**, que es aquella que se presenta de forma continua durante al menos tres semanas, y que habitualmente está causada por infecciones de la vía respiratoria, y la **tos crónica o de larga evolución,** que es la que se prolonga por encima de dicho tiempo y que suele ser secundaria a enfermedades también crónicas.

Se habla de **tos productiva o blanda** cuando se acompaña de eliminación de flemas, y de **tos seca** en el resto de los casos. La **tos irritativa** es aquella tos seca que se produce tan repetidamente, que acaba dañando la faringe produciendo dolor y más tos, cerrando así un círculo vicioso. También existe la llamada **tos psicógena** que es aquella tos seca, que tiene un origen nervioso (como si fuera un tic), y que normalmente desaparece con la relajación y durante el sueño.

DIAGNÓSTICO

En algunos casos, la tos crónica puede llegar a ser tan invalidante, que el individuo consulta a su médico. Es importante que sepamos referirle las características de la misma, como son el tiempo que lleva presente, las horas del día en las que se manifiesta con más virulencia y si se acompaña o no de expectoración (y el color y textura de ésta).

TRATAMIENTO

■ Al comenzar este capítulo definimos la tos como un mecanismo defensivo de nuestro cuerpo; por tanto, en algunas ocasiones, el objetivo del tratamiento no debe ser hacerla desaparecer, sino conseguir que sea más eficaz o más productiva en su función de expulsar los agentes nocivos de la vía respiratoria. Esto se consigue con las siguientes medidas:

- Hidratación: es fundamental una ingesta de líquidos suficiente para que las secreciones bronquiales no sean excesivamente espesas, y puedan ser expulsadas fácilmente con la tos.
- Abandono del tabaco: el humo del mismo impide que los cilios arrastren la mucosidad hacia la parte más alta de la vía respiratoria, donde la tos ya es capaz de expulsarlas al exterior.
- Fármacos expectorantes: consiguen eliminar parte de la viscosidad de las flemas por lo que facilitan su eliminación.
- Fisioterapia respiratoria: no todo el mundo sabe o puede expectorar (escupir las flemas) correctamente; hacerlo, de forma higiénica y respetuosa, ayuda a eliminar miles de gérmenes que circulan por los bronquios. En los ancianos con dificultad para ello, sirve de gran ayuda dar pequeños golpes en la espalda, con la mano hueca.

En otros casos, la tos no tiene un valor defensivo, sino que es consecuencia de una enfermedad subyacente; por lo tanto sí que debemos hacerla desaparecer, y para ello el tratamiento irá encaminado en dos vías:

■ Eliminar la causa que la produce:

- Lavados nasales con suero fisiológico (agua con sal) para eliminar el goteo nasal posterior y humidificar las fosas nasales.
- Antibióticos en caso de infecciones por bacterias.
- Antiácidos o fármacos contra el reflujo gástrico.
- Evitar los agentes externos irritativos o prevenirse frente a ellos.

■ Actuar directamente sobre el mecanismo de la tos:

- Fármacos antitusígenos: actúan bloqueando el mecanismo de la tos bien anestesiando las terminaciones nerviosas de los bronquios o actuando directamente en el centro de la tos situado en el bulbo raquídeo (entre el cerebro y la médula espinal). Se presentan normalmente en forma de jarabe.
- Medidas «caseras» como la leche caliente con miel pueden ayudar a calmar la tos de tipo irritativo.

COMPLICACIONES

La tos, especialmente en su forma crónica, puede llegar a ser lo suficientemente molesta como para interferir en la vida diaria del individuo. Además no es raro observar la aparición de otros síntomas, consecuencia de la misma, como cefalea, náuseas y vómitos, ronquera y dificultad respiratoria. También se acompaña en algunas ocasiones de insomnio y agotamiento del sujeto. En pacientes asmáticos puede desencadenar la aparición de una crisis.

El «abuso» de la musculatura respiratoria por el continuo reflejo de la tos, produce dolor torácico y contracturas en la misma. El esfuerzo producido al toser facilita, en algunos casos, la formación de hernias abdominales o en la columna vertebral.

En los casos más graves, puede llegar incluso a provocar pérdida de conocimiento, rotura de un bronquio y hasta fracturas costales.

Principales causas de la tos aguda y crónica

■ Infecciones respiratorias: catarro común, faringitis, sinusitis, bronquitis aguda o crónica y neumonía. Se produce por la presencia de la abundante mucosidad que los bronquios producen para defenderse de los gérmenes. Cuando la infección desaparece, o el individuo es capaz de expectorar adecuadamente, la tos va cediendo. La tuberculosis produce también tos, generalmente acompañada de expectoración, a través de la cual se contagia la enfermedad con relativa facilidad.

■ Asma: la tos aparece como consecuencia de la estimulación de los nervios de la pared bronquial, debido a la inflamación que esta enfermedad produce. En algunos casos se observa cuando el enfermo mejora tras una crisis, ya que en ese momento, se desprenden de los bronquios las secreciones acumuladas que empiezan a irritar otros puntos de la pared bronquial.

■ Tabaco: por una parte es un agente irritativo de la garganta que provoca tos seca de forma crónica en los fumadores activos y pasivos; por otra se sabe que su consumo favorece la prolongación de las infecciones respiratorias y la producción de flemas durante las mismas, ya que bloquea el movimiento de los cilios que tratan de «limpiar» los bronquios.

■ Goteo nasal posterior: es la causa más frecuente de tos, tanto aguda como crónica, y consiste en la caída de secreciones nasales acuosas desde la parte interna de la nariz hacia la faringe. Esto hace que continuamente se esté estimulando a los nervios de esa zona y por tanto aparece la tos. Este síndrome se asocia en muchas ocasiones a rinitis alérgica, pólipos nasales y sinusitis crónica.

■ Reflujo gástrico: el retorno de los alimentos desde el estómago hacia el esófago es una causa muy frecuente de tos aguda (tras vómito), o crónica por irritación. Curiosamente en la mayoría de estos enfermos no existe ningún síntoma (como ardor o dolor de estómago) que haga sospechar la enfermedad salvo la tos.

■ Fármacos: algunos de los utilizados para la hipertensión provocan una tos seca e irritativa, junto con gran picor en la garganta, que sólo cede cuando se retiran los mismos.

■ Insuficiencia cardíaca: este síndrome puede provocar la acumulación de líquido en los pulmones y producir tos seca en el enfermo sobre todo cuando éste se encuentra en posición horizontal.

■ Cáncer de pulmón: la tos es un síntoma que está presente en la mayoría de estos enfermos por la irritación que el tumor produce sobre la pared bronquial.

■ Inhalación de sustancias irritantes: de forma aguda (accidental) o crónica (laboral), la exposición a este tipo de agentes, normalmente de uso industrial, es responsable también de la aparición de este síntoma.

Tos aguda y crónica

CARACTERÍSTICAS DE LA VÍA RESPIRATORIA

Cilios y mucosidades que tapizan el sistema respiratorio para impedir las infecciones.

MECANISMO DE LA TOS

Reflejo defensivo producido por la estimulación en el sistema nervioso central del centro de la tos, con el fin de expulsar cualquier partícula o secreción que se encuentre en el interior de la vía respiratoria.

COMPLICACIONES

Cefalea, náuseas, vómito, ronquera, contracturas torácicas, fracturas y hernias.

CLASIFICACIÓN

- Tos aguda: de forma continua durante al menos tres semanas.
- Tos crónica o de larga evolución: por encima de tres semanas.
- Tos productiva o blanda: cuando se acompaña de eliminación de flemas.
- Tos seca: sin producción de flemas.
- Tos irritativa: que se produce con tanta frecuencia que acaba dañando la faringe, lo que provoca a su vez más tos.
- Tos psicógena: de origen nervioso.

CAUSAS DE LA TOS

- Infecciones respiratorias.
- Asma.
- Tabaquismo.
- Goteo nasal posterior.
- Reflujo gastroesofágico.
- Fármacos.
- Otros: sustancias irritantes, cáncer, etc.

TRATAMIENTO

- Hidratación.
- Abandono del tabaco.
- Fármacos expectorantes y antitusígenos.
- Fisioterapia respiratoria.

Tuberculosis

El Mycobacterium tuberculosis, o bacilo de Koch, es un tipo de bacteria que posee características comunes con los hongos, que se reproduce lentamente y que puede permanecer en estado latente durante años en el interior del organismo humano, hasta comenzar a multiplicarse y diseminarse. El Mycobacterium bovis es un germen similar al anterior que infecta principalmente al ganado, pero que en ocasiones puede transmitirse también al hombre. En ambos casos producen un cuadro infeccioso de afectación básicamente pulmonar, llamado tuberculosis, aunque también pueden verse implicados otros órganos.

¿QUÉ ES LA TUBERCULOSIS?

Es la infección por el bacilo de Koch en los seres humanos, transmitida entre sí a través de pequeñas gotitas expulsadas con la tos, que asienta en los pulmones, donde comienza a replicarse y diseminarse. Es conocida desde la antigüedad por su gran virulencia y contagiosidad, y tras un periodo a mediados del siglo XX de disminución en su incidencia, ha vuelto a resurgir desde mediados de los años 80 debido fundamentalmente a la aparición del sida.

¿QUIÉN TRANSMITE LA TUBERCULOSIS?

El propio ser humano es la principal fuente de almacenamiento y contagio de bacilos; se calcula que aproximadamente un tercio de la población mundial posee dichos bacilos en su interior, aunque sólo unos 30 millones de personas desarrollan la enfermedad como tal. Al tratarse de una infección crónica, aunque el individuo supere la fase aguda de la misma, los gérmenes permanecen en su interior de por vida y pueden reactivarse de nuevo

cuando las defensas del organismo disminuyan, como sucede en la senectud o en el mencionado sida. Para la Organización Mundial de la Salud es la infección más importante de nuestros tiempos.

El hacinamiento y la falta de ventilación favorecen el contagio, que es más frecuente entre personas que comparten domicilio habitualmente; es raro el contagio por contactos puntuales con individuos infectados. El mayor riesgo corresponde a los varones y a los menores de 15 años, y de forma especial, a los adictos a drogas inyectadas.

¿CÓMO SE PRODUCE LA TUBERCULOSIS?

■ Una vez que la bacteria llega al tejido pulmonar se dispersa a través de la sangre y el sistema linfático por todo el organismo. En ese momento el sistema inmune o defensivo reacciona frente a ella con dos posibles resultados:

● Éxito inicial que impide que la bacteria se reproduzca, no apareciendo así ningún síntoma de la enfermedad en un primer momento, o pasando prácticamente desapercibida. Esto se denomina tuberculosis primaria en la que todavía no existe enfermedad pulmonar.

- Fracaso en su intento de detenerla, lo que conlleva la aparición de la infección aguda tras el primer contacto y el desarrollo de la afectación pulmonar; es decir, que en estos individuos, por el mal estado de su sistema inmune, la propia tuberculosis primaria es capaz de producir la enfermedad desde el primer momento.

La posibilidad de que ocurra una cosa u otra depende del estado nutricional e higiénico del individuo, así como de la cepa del bacilo que concretamente se haya contagiado y de la cantidad del mismo. En ambos casos, independientemente de que el contagio haya causado el cuadro agudo o no, el bacilo de Koch permanecerá acantonado o adormecido en el interior del organismo esperando su oportunidad para reactivarse en el futuro cuando las defensas bajen, lo que se denomina tuberculosis posprimaria.

La tuberculosis primaria provoca un área de inflamación alrededor del punto donde anida la bacteria; con el tiempo se destruye parte del tejido pulmonar circundante formándose una caverna tuberculosa que se puede calcificar posteriormente. La tuberculosis posprimaria (es decir, la que aparece con los años) es la reactivación del contenido bacteriano de dichas cavernas, que pueden extenderse a todo el pulmón e incluso destruir los vasos sanguíneos y provocar la muerte.

¿CÓMO SE MANIFIESTA LA ENFERMEDAD?

El primer contacto con la infección, o infección primaria, produce una serie de síntomas generales en su inicio que pueden pasar inadvertidos por su forma lenta e insidiosa de presentarse; así normalmente el individuo refiere astenia o cansancio, falta de apetito y pequeña pérdida de peso acompañados de sudoración nocturna y décimas de fiebre por la mañana, que duran un par de semanas y después desaparecen.

En el momento en el que la enfermedad como tal se desarrolla, que recordemos una vez más que puede ser tras el primer contacto o muchos años después en la forma posprimaria, se producen los síntomas anteriores pero con mayor fuerza y durante más tiempo, junto con otros nuevos.

La tos es el síntoma respiratorio más frecuente, que persiste durante semanas y que suele acompañarse de expectoración masiva, a veces de aspecto sanguinolento. También es frecuente encontrar dolor torácico intenso que aumenta con dicha tos y con la inspiración profunda. Posteriormente el cuadro se puede agudizar aumentando la fiebre y produciendo un deterioro importante del estado general del enfermo.

En un 10% de los casos la infección se extiende más allá de los pulmones pudiendo afectar a otros órganos como el sistema nervioso central (meningitis tuberculosa), el corazón (pericarditis tuberculosa), los huesos (osteomielitis tuberculosa) y el renal; esto es más frecuente en los países africanos y asiáticos, donde en general la enfermedad es más grave y más mortífera.

DIAGNÓSTICO

La prueba de la tuberculina o Mantoux constituye el método universalmente aceptado para el diagnóstico de la infección tuberculosa; consiste en la inyección superficial de un antígeno tuberculínico. Si el individuo ha tenido contacto previo con la enfermedad habrá desarrollado anticuerpos frente a la misma, por lo que al inyectarle dicho antígeno (que es como si se introdujera de nuevo el bacilo, aunque en una pequeña proporción) reaccionará el organismo y se producirá un endurecimiento de la piel alrededor del punto de inyección mayor de medio centímetro de diámetro. En los enfermos con una gran afectación del sistema defensivo puede no aparecer este endurecimiento aunque se tenga la enfermedad, debido a la disminución de la capacidad de fabricar anticuerpos frente a cualquier microorganismo.

■ Esta prueba no permite diferenciar si el individuo simplemente ha estado en contacto con los bacilos o si, además, está desarrollando una tuberculosis pulmonar. Para comprobar esto último son necesarias otras pruebas:

Tratamiento de la tuberculosis

■ Hasta hace no muchos años la curación de la tuberculosis se basaba en medidas de dudosa efectividad como el reposo en residencias especiales situadas en las regiones de más altitud, y el refuerzo exagerado de la nutrición. Además, se empleaban ciertas técnicas quirúrgicas (neumotórax artificiales) para comprimir los pulmones y eliminar así las cavernas tuberculosas formadas.

■ Desde el comienzo de la era de los antibióticos la tuberculosis ha pasado a ser una enfermedad curable hasta en un 95% de los casos, aunque el estado de portador de bacilos permanezca durante toda la vida. El tratamiento actual incluye una combinación de diferentes fármacos que son capaces de detener la replicación bacteriana a los siete días de comenzar el mismo, aunque la curación real se produce tras varios meses de antibióticos. Aproximadamente al mes del inicio del tratamiento los enfermos dejan de expulsar bacilos por la vía respiratoria y no necesitan aislamiento. Los fármacos deben administrarse en dosis única por la mañana en ayunas, y del estricto cumplimiento de estas pautas dependerá el éxito del tratamiento.

■ Los fármacos que habitualmente se combinan son la Isoniacida, la Rifampicina (que tiñe la orina de color rojo), el Etambutol y la Piracinamida; según la edad y la presencia o no de otras enfermedades, estos fármacos se combinan, normalmente de tres en tres, a diferentes dosis en cada caso. Es importante hacer un seguimiento analítico del individuo mientras dura este tratamiento, sobre todo de la función del hígado y de sus transaminasas.

■ Aproximadamente un 80% de los pacientes es ingresado en un hospital por esta infección, aunque si se realiza un correcto aislamiento domiciliario podría reservarse aquél únicamente para los casos más graves. El reposo está indicado sólo en estos últimos casos, ya que en el resto se recomienda la incorporación a la vida normal a partir de los dos meses de tratamiento.

■ Se considera que existe fracaso terapéutico cuando tras al menos cuatro meses de tratamiento los bacilos siguen presentes en el esputo del enfermo, aunque es hoy en día excepcional; si esto ocurre durante más de dos años consecutivos se habla entonces de tuberculosis crónica.

- Radiografía de tórax: donde se pueden observar las áreas pulmonares infiltradas por la infección.
- Estudio del esputo: fundamental para el diagnóstico definitivo de la enfermedad cuando se detecta la bacteria en el mismo.

PREVENCIÓN

Al igual que en el caso de la meningitis, es importante prevenir la extensión de la infección en aquellos individuos que han tenido contacto con enfermos de tuberculosis, así como en los infectados que aún no han desarrollado la enfermedad. Para ello se utiliza hoy en día un fármaco llamado Isoniacida a dosis única diaria durante seis meses como mínimo. El uso de este fármaco lleva asociada una afectación hepática por su elevada toxicidad, más frecuente entre los mayores de 40 años.

La vacunación frente a la tuberculosis es un tema de controversia en la actualidad, estando su uso desaconsejado en los países desarrollados. Aunque tradicionalmente se pensaba que tenía una eficacia entorno al 50% en la prevención de la aparición de casos nuevos, hoy en día los estudios la sitúan en un 10% solamente, lo que confirma su escasa utilidad en los programas de prevención de esta enfermedad. Además, su uso hace que la prueba de la tuberculina sea positiva, lo que provoca que con el tiempo sea difícil distinguir si el individuo ha tenido contacto con la enfermedad. Puede utilizarse, en todo caso, en niños y jóvenes que tienen un contacto prolongado con pacientes afectados.

Finalmente las medidas preventivas frente a la tuberculosis se completan con las medidas higiénicas apropiadas y la detección precoz de los casos de infección para evitar el contagio indiscriminado. Mientras los esputos sigan teniendo bacilos, lo que ocurre en las primeras semanas de la infección, el aislamiento del enfermo es una medida imprescindible.

PRONÓSTICO

Gracias a las pautas de tratamiento prolongado que se emplean hoy en día, la mortalidad de esta enfermedad es inferior al 1%; ésta se reduce prácticamente a cero cuando el individuo no padece otras enfermedades graves y realiza un estricto cumplimiento de las pautas que le han sido indicadas.

Tuberculosis

CARACTERÍSTICAS DEL BACILO DE KOCH

El Mycobacterium tuberculosis, parecido a un hongo, puede estar latente mucho tiempo y desarrollarse tarde la infección pulmonar.

DEFINICIÓN DE LA TUBERCULOSIS

Infección por el bacilo de Koch en los seres humanos, transmitida a través de la vía respiratoria y que asienta en los pulmones.

El ser humano es la fuente de almacenamiento y contagio principal de la enfermedad, considerada como la más importante de nuestros tiempos.

FORMA DE INFECCIÓN

Por el aire, más fácil en zonas desfavorecidas y entre varones adolescentes y drogadictos.

SÍNTOMAS DE LA TUBERCULOSIS

Síntomas generales como falta de apetito, cansancio, pérdida de peso.

Tos durante semanas, expectoración a veces sanguinolenta. Fiebre moderada o alta.

Extensión fuera de los pulmones hacia el sistema nervioso, el corazón, los huesos y el riñón.

DIAGNÓSTICO

- Prueba de la tuberculina o Mantoux.
- Radiografía de tórax.
- Estudio del esputo.

TRATAMIENTO

- Técnicas quirúrgicas.
- Tratamiento farmacológico: antituberculosos.

PREVENCIÓN

Tratamiento de los que hayan estado en contacto con enfermos y medidas higiénicas generales de la población. El pronóstico hoy día es muy bueno.

Tromboembolismo pulmonar

El conjunto de vasos sanguíneos que, partiendo desde el ventrículo cardíaco derecho, llegan a los pulmones para oxigenar la sangre y retornan posteriormente a la aurícula izquierda, se denomina circulación pulmonar o menor. Esta circulación actúa de forma acoplada con la sistémica o mayor, con un recorrido diferente aunque controlado al fin y al cabo por un mismo motor que es el músculo cardíaco. Los vasos pulmonares poseen una capacidad elástica mayor que el resto, lo que se manifiesta como una menor resistencia al paso de la sangre; además, en caso de sobrecarga por aumento del volumen sanguíneo circulante, existen una serie de vasos pulmonares que se encuentran normalmente cerrados y que se abren puntualmente para distribuir la sangre de forma más compartida.

Estas circunstancias se traducen en un sistema circulatorio más adaptable a los cambios y más constante en cuanto a las presiones que soporta en su interior, lo que asegura un flujo bastante estable hacia el sistema respiratorio.

¿QUÉ ES EL TROMBOEMBOLISMO PULMONAR?

Se denomina así al enclavamiento en las arterias pulmonares de un trombo que se ha desprendido en algún punto de la circulación venosa general. Aunque dicho trombo puede provenir de cualquier punto del organismo, en la mayoría de los casos el origen se encuentra en una trombosis venosa profunda de los miembros inferiores que puede pasar inadvertida en muchas ocasiones.

La incidencia del tromboembolismo pulmonar es mayor de la que se observa simplemente mediante la exploración y el estudio del enfermo en vida, lo que se demuestra por la alta tasa de diagnóstico de esta patología que se produce mediante autopsia, especialmente en los casos de muerte súbita.

¿POR QUÉ SE PRODUCE ESTA ENFERMEDAD?

Un trombo se origina por un acúmulo de plaquetas y fibrina en la pared de una vena, generalmente alrededor de una válvula de la misma. Durante los primeros días de formación de un trombo en el sistema venoso y hasta que los mecanismos defensivos del organismo son capaces de disolverlo, existe un riesgo latente de que pueda desprenderse y circular libremente por el aparato circulatorio. Cuando este trombo o émbolo llega a la circulación pulmonar provoca diferentes reacciones sobre la pared de las arterias, como la constricción de las mismas, lo que unido al hecho de la propia obliteración que provoca el trombo se traduce en un fallo general en la oxigenación sanguínea y un eventual fracaso del corazón.

■ Cualquier individuo es susceptible de padecer un tromboembolismo pulmonar si se dan las circunstancias oportunas, sobre todo si se añaden algunos factores de riesgo como los siguientes:

● Inmovilización prolongada del individuo, generalmente en cama y cuando se extiende más allá de los cinco días.
● Insuficiencia cardíaca. Mal funcionamiento del sistema valvular venoso que ayuda al retorno de la sangre hacia el corazón.
● Alteraciones de la estructura venosa por traumatismos o algunas cirugías, especialmente la ortopédica o traumatológica, sobre todo en la rodilla y la cadera.
● Obesidad y senectud. Sexo masculino.
● Deshidratación, quemaduras y alteración de la coagulación hereditarias o no.
● Toma de determinados fármacos, como los estrógenos y en general los anticonceptivos orales. El riesgo en los tratamientos sustitutivos de la menopausia es mucho menor.
● Embarazo y periodo posterior al mismo o puerperio.

Cuando hablamos de factores de riesgo para desarrollar un tromboembolismo pulmonar hablamos realmente de aquellas circunstancias que pueden favorecer la aparición de una trombosis venosa profunda, que como ya hemos dicho anteriormente es la causa más habitual del proceso.

¿CÓMO SE MANIFIESTA ESTA ENFERMEDAD?

■ Los síntomas del tromboembolismo pulmonar son absolutamente inespecíficos y dado que su intensidad puede ser leve en algunos casos o el individuo afecto puede tolerarlos de forma casi imperceptible en otros, no es extraño que pase inadvertida en

Tratamiento del tromboembolismo

■ El tratamiento puede ser dividido en dos partes:

1. Tratamiento preventivo: la profilaxis adecuada de la trombosis venosa profunda evita más de la mitad de los casos de tromboembolismo pulmonar, especialmente en los pacientes de más riesgo. Se basa en la toma de medidas de carácter general como la movilización precoz de los enfermos tras una intervención quirúrgica, la realización de pequeños ejercicios con las piernas y evitar posturas de flexión prolongada de los mismos. Las medias elásticas de compresión son un excelente método para favorecer la circulación a través de los miembros inferiores.

2. Tratamiento farmacológico: consiste en el empleo de sustancias anticoagulantes como la heparina, de forma preventiva para evitar la formación del trombo en los miembros inferiores alterando el proceso fisiológico de la coagulación, o de agentes fibrinolíticos como la estreptoquinasa y la uroquinasa que tratan de disolver el trombo ya formado.

En general el pronóstico de esta enfermedad es bueno si se diagnostica con tiempo suficiente y se implantan las medidas terapéuticas oportunas. Aún así, no es desdeñable el porcentaje de casos en los que surgen complicaciones que pueden llegar a ser fatales.

un buen número de ocasiones. Los síntomas y signos más frecuentes son:

- Disnea o fatiga respiratoria, que suele aparecer de forma súbita.
- Dolor torácico que aumenta con la respiración.
- Tos, acompañada en ocasiones de esputos sanguinolentos.
- Fiebre, que a veces puede desorientar en cuanto al origen del proceso.
- Taquicardia y taquipnea o aumento del número de respiraciones por minuto.

Ante la sospecha de un cuadro de este tipo siempre hay que valorar la presencia de una trombosis venosa en los miembros inferiores que origine el cuadro pulmonar. Estas trombosis se manifiestan tradicionalmente en forma de edema, enrojecimiento, calor y dolor en un punto concreto de los miembros inferiores, cuya presencia debe ser tomada siempre como un factor de riesgo a vigilar.

¿CÓMO SE DIAGNOSTICA ESTA ENFERMEDAD?

■ Existen una serie de pruebas complementarias esenciales para el diagnóstico tanto de esta enfermedad como de la trombosis venosa con la que suele ir indefectiblemente unida. Estas pruebas son:

- Estudio de determinados parámetros sanguíneos, en general bastante inespecíficos como el aumento de leucocitos y de la velocidad de la sangre, así como de diversas enzimas producidas por los tejidos.
- Ecografía Doppler de los miembros inferiores para observar oclusiones en las venas de las mismas que puedan ser una fuente potencial de trombos pulmonares.
- Flebografía de contraste, que muestra la morfología del sistema venoso de los miembros inferiores y localiza el posible trombo.
- Radiografía de tórax, donde pueden observarse ciertos signos como derrames, pérdidas de volumen, infiltrados y otros, que puedan sugerir la llegada de un trombo a la circulación pulmonar.
- Gammagrafía pulmonar o estudio de la circulación en dicha región tras la administración de isótopos que actúan como marcadores especiales.
- Arteriografía pulmonar o visualización radiológica de la circulación pulmonar tras la inyección de un contraste introducido con un catéter por la vía femoral.

Tromboembolismo pulmonar

DEFINICIÓN

Enclavamiento en la circulación pulmonar de un trombo o émbolo desprendido desde algún punto de la circulación general, habitualmente de las venas de los miembros inferiores.

Puede pasar en muchos casos prácticamente inadvertida, aunque en general se trata de una enfermedad grave que requiere tratamiento hospitalario.

Existen una serie de factores predisponentes para la instauración de esta patología como por ejemplo la inmovilización prolongada, las cirugías recientes, el uso de anticonceptivos orales, el embarazo, la deshidratación y la obesidad entre otros.

SÍNTOMAS

De forma más o menos intensa se pueden observar los siguientes signos y síntomas:
- Disnea o dificultad respiratoria.
- Dolor torácico.
- Tos, que en ocasiones puede ser sanguinolenta.
- Fiebre.

La trombosis venosa profunda de los miembros inferiores, que precede en muchas ocasiones a este cuadro y es el origen del émbolo pulmonar, se manifiesta en forma de enrojecimiento, calor y dolor del miembro afecto.

DIAGNÓSTICO

Junto con el relato de los signos y síntomas típicos de la enfermedad, existen una serie de pruebas que orientan de forma precisa hacia esta enfermedad, como la ecografía Doppler, el estudio de ciertos parámetros sanguíneos, la radiografía de tórax y los estudios de la circulación venosa de los miembros inferiores.

TRATAMIENTO

Medidas preventivas encaminadas a evitar la formación de trombos, especialmente en los ancianos, en los individuos que han sido operados recientemente y, en general, en los inmovilizados durante cierto tiempo. Estas medidas incluyen la movilización precoz de estos individuos y el empleo de sustancias anticoagulantes como la heparina

Medidas curativas, que actúan sobre un trombo ya formado tratando de disolverlo; son los llamados agentes fibrinolíticos.

PRONÓSTICO

La detección precoz de esta patología, así como el tratamiento adecuado de la misma, aseguran una buena evolución de la misma, que por otro lado puede ser mortal si progresa el tiempo suficiente.

Asma bronquial

Cada vez que respiramos, introducimos un cierto volumen de aire en los pulmones, con el fin de proporcionar oxígeno a las células de la sangre encargadas de transportarlo (glóbulos rojos), y desde éstas, al resto del organismo. Ese mismo aire, una vez que ha atravesado los pulmones y perdido parte de su oxígeno, es expulsado al exterior junto con el dióxido de carbono que produce nuestro metabolismo.

Durante la respiración, el aire recorre un camino que va desde la boca o fosas nasales, pasando por la faringe, laringe, tráquea y finalmente los bronquios, que se van dividiendo al mismo tiempo que disminuyen de grosor, hasta que desembocan en los pulmones.

Aunque todas las partes de este trayecto son imprescindibles, los bronquios son sin duda la parte más importante del mismo, ya que por su forma especial y por su capacidad elástica, permiten controlar el flujo de aire que reciben los pulmones. Por tanto, no son meros conductos o tuberías de ventilación, sino estructuras vivas que pueden acomodar su grosor según sea necesario en cada situación.

¿QUÉ ES EL ASMA BRONQUIAL?

El asma es una enfermedad respiratoria crónica, que afecta a la vía aérea, concretamente a los bronquios principales y a sus ramas. Se produce por la inflamación de estos bronquios como respuesta a diferentes estímulos tanto físicos, como químicos y biológicos. Junto a esta inflamación, aparecen de forma esporádica espasmos de los bronquios que disminuyen la cantidad de aire que pasa por ellos. Como consecuencia de todo esto, la vía aérea se estrecha y disminuye la cantidad de aire que entra y sale de los pulmones, lo que desemboca en dificultad respiratoria para el enfermo.

¿A QUIÉN AFECTA EL ASMA?

El asma es una de las enfermedades crónicas más frecuentes tanto en niños como en adultos. En los países mediterráneos la incidencia es más baja (entre un 5-8% de la población) respecto a los países centroeuropeos. Parece que estas cifras tienden a igualarse hoy en día por el importante aumento del número de casos en los países con industrialización tardía o en vías de desarrollo.

La población infantil sufre esta enfermedad con más frecuencia que la adulta, por lo que se deduce que en muchos casos los síntomas del asma desaparecen con la edad. En los primeros años de vida, la enfermedad es más habitual entre los varones; al llegar la adolescencia se iguala en ambos sexos y en la edad adulta predomina ligeramente en las mujeres. Entre los adultos con asma, el 50% sufre la enfermedad desde antes de los diez años, y a otro 30% se les diagnostica después de los 40 años. Se ha observado últimamente un mayor aumento de la incidencia del asma entre los individuos de raza blanca.

CLASIFICACIÓN

La gran mayoría de los casos de asma se deben a una reacción del sistema inmune (de-fensivo) de tipo alérgico, frente a una sustancia (alérgeno) que proviene del exterior. Estas sustancias están presentes de forma habitual en el medio ambiente y son toleradas por los no alérgicos; sin embargo, el sistema inmune de los asmáticos reacciona de forma exagerada al contactar con ellas, iniciándose una serie de reacciones en el organismo que finalizan con la inflamación crónica antes mencionada y, en los casos agudos graves, con el espasmo o cierre brusco de los bronquios. Este tipo de asma se denomina **asma extrínseca** y es más frecuente entre los niños y adultos jóvenes.

Síntomas del asma

■ Los síntomas de esta enfermedad son en general bien conocidos por la población dada la alta incidencia de la misma. En cada paciente unos predominarán sobre otros, aunque a lo largo del curso de la enfermedad, lo más normal es que todos aparezcan tarde o temprano.

■ Dificultad respiratoria o disnea: se define como la fatiga para respirar y no es exclusiva del asma. Tiene un componente psicológico subjetivo muy importante, lo que impide considerarla como un signo de empeoramiento o gravedad; es decir, en muchas ocasiones el enfermo dice que «le cuesta respirar» y sin embargo las pruebas que se le realizan indican una función respiratoria normal, o al contrario, el enfermo puede tolerar bien una agudización con deterioro importante de la ventilación pulmonar. Obviamente, durante las crisis asmáticas, esta dificultad respiratoria es manifiesta para todos los pacientes, siendo a su vez, la complicación más grave de las mismas.

■ Sibilancias: son los silbidos o «pitos» que se pueden escuchar (incluso a simple oído) durante los momentos de dificultad respiratoria del enfermo. Se producen cuando el aire que respiramos se ve obligado a atravesar unos bronquios que han reducido su calibre como consecuencia de la inflamación y el espasmo bronquial. A mayor intensidad de estas sibilancias, mayor gravedad de la obstrucción, especialmente si aparecen durante la espiración (al expulsar el aire de los pulmones).

■ Tos: que suele ser seca, irritativa, con expectoración (flemas) escasa y blanquecina, que suele aparecer en los momentos iniciales de las crisis y especialmente durante la noche.

■ Opresión torácica: es la sensación de sentirse incapaz de realizar una inspiración completa, aunque el aire penetra correctamente en los pulmones. Algunas veces se manifiesta como una tirantez al respirar. Al igual que la disnea, tiene también un claro componente psicológico del paciente, que puede incluso llegar a considerar esta opresión como de origen cardíaco. Es el síntoma que se presenta con más frecuencia.

Las primeras veces que se contacta con esa sustancia extraña, el paciente asmático no experimenta ningún síntoma. A esto se denomina período de sensibilización. Con el tiempo, el sistema inmune fabrica anticuerpos, que son moléculas defensivas que permanecen mucho tiempo en la sangre, preparadas para interceptar a la sustancia extraña; la actuación de éstos, desata todo el mecanismo del asma. Es decir, que paradójicamente un intento de defendernos ante una sustancia extraña provoca una reacción desproporcionada de nuestro organismo.

En otros casos y con menor frecuencia, no es posible identificar un factor específico que origine la enfermedad, y puede desencadenarse en diferentes situaciones como el ejercicio físico o tras un resfriado común, por ejemplo. Parece por tanto, que este tipo de asma, llamada **asma intrínseca** no necesita de un estímulo externo para desencadenar la crisis asmática, que por lo demás, es similar a la del asma extrínseca, sólo que normalmente más grave y con aparición en edades más avanzadas.

Por tanto, la enfermedad está siempre presente en mayor o menor medida en todos los asmáticos. Durante la mayor parte del tiempo, los bronquios, aunque estén levemente inflamados, permiten un flujo de aire suficiente como para no dar síntomas y permitir al individuo hacer una vida normal, pero en un momento determinado y por alguna causa externa o interna, se puede desencadenar el espasmo bronquial de forma aguda. A estos episodios agudos se les denominan **crisis asmáticas**.

En resumen, el asma es una enfermedad para toda la vida, de causas conocidas o no, que alterna largos periodos de normalidad (aunque la inflamación bronquial sigue presente, pero está controlada) con episodios bruscos de crisis respiratorias.

¿QUÉ FACTORES FAVORECEN Y DESENCADENAN EL ASMA?

■ Existen una serie de circunstancias o agentes que predisponen al desarrollo de asma bronquial; los principales son:

- Atopia: se denomina así a la predisposición hereditaria (genética) a sufrir reacciones alérgicas; se encuentra en el 25% de la población. Entre otros riesgos, los individuos atópicos tienen muchas más posibilidades de padecer asma que el resto de la población.

- Alérgenos: son moléculas de origen biológico, que son transportados a través del aire o se encuentran cercanos al hombre y cuyo contacto favorece la aparición de asma. Para ello, es necesario que se produzcan previamente contactos con dicho alérgeno y que no pase nada, ya que el sistema inmunológico humano todavía no ha tenido tiempo de fabricar anticuerpos frente a él. Por tanto, la reacción alérgica o asmática, no aparece con el primer contacto, sino en posteriores. Los principales alérgenos son:

  – Ácaros: muy habituales en áreas litorales, con humedad alta y temperaturas entre los 20-25 °C. Asientan en colchones, mantas, moquetas y en general en cualquier lugar donde abunden escamas de la piel humana, que es su fuente de alimentación. También se encuentran con frecuencia en almacenes de harina o de semillas. En el tubo digestivo de estos parásitos microscópicos existen unas proteínas que sensibilizan a los humanos y provocan reacciones asmáticas.
  – Pólenes: son pequeñas estructuras que transportan en su interior células

sexuales masculinas de las plantas, que a través del aire o de insectos, tratan de alcanzar otra flor diferente para fecundarla. Los pólenes que afectan al hombre son los que circulan por el aire, especialmente los de las gramíneas, parietaria, plantago, y algunos árboles como olivo, fresno y pino. En zonas con masa vegetal abundante la concentración de polen es mayor en determinadas épocas del año (no siempre primavera) y los individuos sensibilizados tienen mayor riesgo.

– Alérgenos animales: provenientes del pelo y la piel de los mismos, sobre todo del gato, perro, pájaros y granjas de vacas y ovejas.

– Hongos: que llegan en forma de esporas a través del aire o se encuentran en lugares de la casa húmedos y mal ventilados. El más habitual es la Alternaria.

■ Fármacos: especialmente el ácido acetil salicílico (aspirina) y en general la mayoría de los antiinflamatorios, son responsables de crisis asmáticas entre pacientes diagnosticados de esta enfermedad, que han desarrollado, tras varias tomas, sensibilidad a algunos de sus componentes. Con menos frecuencia, es posible también encontrar este tipo de cuadros con antibióticos como la penicilina y derivados, y algunas formas de hierro por vía venosa.

■ Condiciones laborales: existen más de 200 sustancias o agentes presentes en el medio laboral que son responsables hasta de un 10% de las crisis asmáticas. Esto se denomina asma ocupacional. Aparece sobre todo en manipuladores alimentarios de marisco, harinas y pan, café y té, en trabajadores de laboratorio con insectos y aves, y en manufactureros de goma, plásticos, resinas, maderas y peletería, entre otros.

■ Infecciones víricas: la presencia de estas infecciones en niños y adultos puede agravar un cuadro de asma preexistente o incluso desembocar en una crisis asmática.

■ Contaminantes ambientales: aunque aún no está plenamente demostrado, parece que tanto el humo del tabaco, como determinados productos de la contaminación ambiental (ozono, dióxido de azufre y dióxido de nitrógeno), empeoran los síntomas de los pacientes asmáticos potenciando la inflamación de los bronquios e incluso, aumentando el número de crisis que sufren los mismos. Un efecto similar tienen los olores provenientes de ciertos perfumes, barnices, insecticidas o el amoníaco y la lejía.

■ Factores emocionales: el estrés secundario a sobrecarga laboral o conflictos emocionales puede desencadenar la aparición de una crisis o el empeoramiento de la misma por mecanismos aún desconocidos.

■ Aditivos alimentarios, en general picantes, o los utilizados en comida china como el glutamato, parece que pueden actuar también en este sentido.

■ Reflujo gástrico: en algunos casos, el retorno del contenido estomacal hacia la boca, especialmente por las noches, puede irritar la garganta e incluso penetrar en los bronquios y originar una crisis asmática.

■ Ejercicio físico: especialmente en el asma intrínseca o de origen desconocido y con más frecuencia en niños y adolescentes, puede actuar como desencadenante a los pocos minutos de su inicio, sobre todo si el ambiente es frío y seco.

¿CÓMO SE DETECTA EL ASMA?

La sospecha del asma suele aparecer con los primeros episodios de ahogo y silbidos torácicos que se intercalan con periodos de normalidad. En este momento es necesaria ya la consulta a nuestro médico o pediatra, para que mediante pruebas como la radiografía y la espirometría (soplar a través de un aparato que mide el volumen de aire en los pulmones), confirme el diagnóstico. Además, se completa el estudio normalmente con pruebas de alergia.

TRATAMIENTO

El objetivo del tratamiento del asma es revertir la obstrucción al paso de aire que tienen estos enfermos de forma permanente, además de disminuir la frecuencia y la gravedad de las crisis. Esto se trata de conseguir con el menor número de fármacos posibles y con la colaboración del enfermo en todos los casos mediante una correcta educación sanitaria.

¿CÓMO DEBE PREVENIR EL ASMÁTICO SU ENFERMEDAD?

■ No sólo es importante saber el origen y las causas del asma, sino que el conocimiento de sus medidas preventivas y el correcto uso de los fármacos son vitales para este tipo de enfermos. En la mayoría de los casos, la calidad de vida de los asmáticos depende de la firmeza y el interés que tomen frente a la prevención y el tratamiento de la enfermedad. Las principales medidas que se deben tomar siempre son:

- Autoestudio: el enfermo debe recordar y anotar las actividades que ha realizado y los lugares donde ha estado antes de una crisis o un empeoramiento; sólo así se puede llegar a identificar el agente externo que causa la enfermedad. Además debe esforzarse por anotar estas circunstancias, junto con la respuesta que tiene al tratamiento farmacológico y los efectos secundarios de éste.

- Evitar en la medida de lo posible el contacto con los agentes desencadenantes en cada caso: dejar de fumar, evitar los vapores de los productos de limpieza, abstenerse de acudir al campo en periodos de máxima polinización (habitualmente primavera) y mantener las ventanas cerradas durante los mismos, no tocar el pelo o las plumas de animales, etc.

- Impedir la acumulación de polvo: y para ello se recomienda no utilizar en la decoración superficies que retengan polvo y ácaros con facilidad, como moquetas, edredones, alfombras, etc. y sustituirlos por acrílicos. Una medida eficaz, aunque sólo temporal, es la de meter en el congelador durante unos días los peluches o jerséis de estas características; hoy en día existen sprays especiales para estos objetos, así como aspiradores de agua muy útiles para esta función.

- En los casos de asma profesional se deben utilizar los guantes y mascarillas apropiadas y, en último extremo, optar por cambiar de trabajo.

- Evitar la corriente de aire, sobre todo frío, y en verano utilizar el aire acondicionado de forma suave y con los filtros antipolen limpios. Eliminar las humedades, ya que favorecen el crecimiento de los hongos y los ácaros.

- Practicar algún deporte, especialmente la natación, con calentamiento previo y llevando siempre consigo la medicación (inhalador) por si fuera necesaria. Se puede realizar cualquier deporte salvo los que se desarrollan en medio ambiente frío o al aire libre en épocas de floración.

¿CÓMO FUNCIONA EL TRATAMIENTO FARMACOLÓGICO DEL ASMA?

Los fármacos contra el asma se presentan generalmente en forma de inhaladores, que son unos dispositivos que dosifican y expelen la medicación cada vez que se pulsan; por lo tanto, penetran directamente por la vía respiratoria y se absorben con rapidez.

■ En líneas generales, podemos decir que existen dos tipos de fármacos frente al asma:

- Antiinflamatorios: que tratan de disminuir la inflamación de los bronquios; los más utilizados habitualmente son los corticoides. Su efecto beneficioso es a medio/largo plazo.
- Broncodilatadores: que «luchan» contra el espasmo o estrechamiento de los bronquios y que son especialmente útiles durante las crisis, ya que algunos de ellos actúan eficazmente en sólo unos minutos.

Habitualmente se combinan ambos tipos de fármacos en todos los tratamientos, tanto en forma de inhaladores como comprimidos. Es importante que el enfermo aprenda a distinguir entre los inhaladores de acción rápida y los de prevención a largo plazo, ya que los primeros deben llevarse siempre encima para tratar una crisis aguda. Por obvio que resulte, no está de más reincidir en la importancia que tiene un buen cumplimiento de este trata-miento, no sólo en cuanto a dosis y horarios, sino también en el adiestramiento del paciente para el correcto uso de los inhaladores.

¿QUÉ OTRAS MEDIDAS AYUDAN AL TRATAMIENTO?

Además de una buena forma física, la fisioterapia puede ayudar a mejorar la función de la musculatura respiratoria del individuo y corregir defectos en la postura del mismo, con la idea de mejorar la función respiratoria en general. El fisioterapeuta puede enseñar también cómo ejecutar diferentes ejercicios para poder respirar normalmente durante cualquier tipo de esfuerzo que se realice.

También es necesaria la vacunación anual contra la gripe para prevenir la infección por el virus de la misma, que como anteriormente dijimos, puede favorecer la aparición de complicaciones.

EVOLUCIÓN Y PRONÓSTICO

La complicación más grave del asma es la asfixia durante una crisis, que puede llevar a la muerte en algunos casos. Durante la misma, si no se controla inmediatamente con los broncodilatadores de acción rápida (llamados también de rescate), es necesario trasladar al enfermo a un centro médico.

Un tratamiento preventivo y farmacológico adecuado, junto con los cuidados físicos mencionados, permite tener a estos individuos una esperanza de vida similar a la del resto de la población.

Asma bronquial

ANATOMÍA DE LAS VÍAS RESPIRATORIAS

Boca y fosas nasales, faringe, laringe, tráquea, bronquios y pulmones.

DEFINICIÓN DEL ASMA BRONQUIAL

Enfermedad respiratoria crónica que afecta a los bronquios principales y a sus ramas y que se produce por la inflamación de éstos como respuesta a diferentes estímulos tanto físicos, como químicos y biológicos.

CLASIFICACIÓN

Asma extrínseca: reacción del sistema inmune frente a una sustancia externa.

Asma intrínseca: reacción bronquial frente a una circunstancia determinada o un factor desconocido.

Crisis asmática: episodios agudos de inflamación y espasmo bronquial.

SÍNTOMAS

- Dificultad respiratoria.
- Sibilancias.
- Tos.
- Opresión torácica.

FACTORES PREDISPONENTES AL ASMA

- Atopia: predisposición hereditaria a sufrir reacciones alérgicas.
- Alérgenos: ácaros, pólenes, alergia a los animales, hongos.
- Fármacos: ácido acetil salicílico.
- Condiciones laborales y contaminantes ambientales.
- Infecciones víricas.
- Factores emocionales, como el estrés.

DIAGNÓSTICO

Radiografía y espirometría. Pruebas de alergia.

TRATAMIENTO

- Medidas preventivas de autoestudio para evitar posibles causas.
- Tratamiento farmacológico con antiinflamatorios y broncodilatadores.
- Otras medidas: forma física y fisioterapia

EVOLUCIÓN Y PRONÓSTICO

Bueno, excepto en los casos de complicaciones por asfixia respiratoria. Vacuna gripal.

Tabaquismo

A mediados del siglo XVI se introdujo en toda Europa, y desde aquí al resto del mundo, la hoja de tabaco procedente de las colonias del Nuevo Mundo, donde se utilizaba comúnmente tanto para mascarla como para fumarla. La buena aceptación de este producto en las metrópolis provocó el nacimiento de un comercio fluido del mismo en todo el mundo; durante la revolución industrial se idearon métodos rápidos y cómodos de manufacturación en serie del tabaco, lo que lo popularizó definitivamente entre todas las clases sociales. Durante el siglo XX, especialmente durante las guerras mundiales, creció su consumo de forma progresiva hasta que en los años 70 se frenó cuando surgieron los primeros estudios que demostraban su perjuicio.

La forma más común hoy en día de consumir el tabaco son los cigarrillos, que son consumidos por un tercio de los individuos en las sociedades occidentales. En algunos países asiáticos como China, donde la industria del tabaco se instauró más tarde, el porcentaje de consumo se ha disparado en las últimas décadas llegando a cifras de hasta el 50% de la población. El tabaco en pipa o los cigarros puros sólo representan un pequeño porcentaje (inferior al 5%) del total consumido.

¿CUÁLES SON LOS COMPONENTES DEL TABACO?

■ En los cigarrillos las hojas de las plantas del tabaco (*Nicotiana tabacum*) se corta y se trata específicamente, tras haberse dejado secar durante un tiempo, para ser envuelta posteriormente en un cilindro de papel. Cuando se enciende un cigarrillo se produce una combustión incompleta de las hojas de tabaco que produce dos residuos:

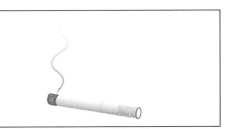

- Ceniza o restos de las hojas del tabaco consumidas
- Humo del tabaco o especie de aerosol producido por la combustión de estas hojas, que está formado por gases que arrastran partículas hacia el interior de la vía respiratoria o hacia el medio ambiente.

■ El humo del tabaco puede ser clasificado en:

● Humo de tabaco directo: es el inhalado directamente por el fumador en cada calada; representa un 15% del humo producido por la combustión total del cigarrillo y es el que tiene una temperatura más elevada cuando llega a los pulmones, por la cercanía de la brasa a los mismos. Podríamos decir que es el responsable del tabaquismo activo.

- Humo de tabaco indirecto: es el humo ambiental no inhalado directamente por el fumador que se propaga rápidamente por el entorno físico del mismo (aunque se haga invisible a los pocos segundos en espacios abiertos, puede detectarse a distancia mediante el olfato). Es el 85% aproximadamente del humo producido y origina el llamado tabaquismo pasivo.

¿QUÉ ES EL HUMO DEL TABACO?

El humo del tabaco es un compuesto formado por gases, líquidos y sólidos en forma de partículas, con un número aproximado de 5.000 componentes diferentes que incluyen los procedentes de la hoja del tabaco, del papel y de los aditivos que las compañías tabacaleras le añaden para potenciar su sabor.

La fase gaseosa del humo del tabaco está formada por monóxido de carbono, que tiene una capacidad 240 veces mayor de unirse a la hemoglobina de la sangre, desplazando por tanto parcialmente al oxígeno durante la inhalación. El monóxido de carbono, a diferencia del propio oxígeno o del dióxido de carbono, queda unido de forma permanente a la hemoglobina de tal modo que la inutiliza para el transporte de estos gases; los fumadores habituales tienen que producir por tanto mayor cantidad de glóbulos rojos para compensar la hemoglobina bloqueada por el humo del tabaco, lo que se denomina poliglobulia del fumador. Otros gases que se inhalan son los denominados radicales libres que actúan directamente sobre el sistema respiratorio y el circulatorio, así como en el desarrollo de cáncer. Finalmente, los hidrocarburos aromáticos policí-

clicos, especialmente el benzopireno, las aminas aromáticas y las nitrosaminas son también liberadas con el humo y representan el mayor potencial cancerígeno del tabaco.

La fase sólida del humo del tabaco o partículas arrastradas por el mismo está formada por el alquitrán, que es un residuo de hidrocarburos aromáticos tan cancerígeno como los gases que acabamos de mencionar, el agua y la nicotina.

¿QUÉ ES LA NICOTINA?

La nicotina es un alcaloide liberado de la hoja del tabaco que tiene una estructura similar a la de un neurotransmisor cerebral llamado acetilcolina y que desempeña el papel fundamental de la dependencia del tabaco. El fumador absorbe prácticamente la totalidad de la nicotina que se inhala, y tras atravesar vertiginosamente la barrera pulmonar llega al cerebro a los pocos segundos de ser inhalada a través de la sangre arterial. Estimula ciertos núcleos cerebrales que producen una sensación de placer y bienestar, pero al mismo tiempo se crea una necesidad casi permanente de esta sustancia con su propio síndrome de abstinencia cuando no se consume, como cualquier otro tipo de droga. La nicotina se metaboliza muy rápido, con una vida media en la sangre de unos 30 minutos.

El efecto de la nicotina es contradictorio, puesto que actúa en ocasiones como estimulante de la actividad física e intelectual mientras que en otros casos produce relajación e incluso sedación. La nicotina estimula la producción de adrenalina y noradrenalina, que son unos neurotransmisores que producen entre otros efectos el aumento del ritmo cardíaco y de la tensión arterial; además se favorece la contracción de la pared de las arterias y el acúmulo de grasa en las mismas, lo que acelera la formación de placas ateromatosas en las arterias coronarias. Aunque este efecto es perjudicial a medio y largo plazo, se ha demostrado que de forma aguda un cigarrillo puede provocar el desprendimiento de un trombo y desencadenar una angina de pecho o un infarto, especialmente en sujetos con antecedentes de enfermedad cardiovascular.

Otro efecto a largo plazo de la nicotina es el de favorecer la aparición de úlcera duodenal al interferir con la secreción del páncreas cuando se consume de forma habitual, así como un efecto general sobre el ardor de estómago y la digestión.

¿ES POSIBLE INTOXICARSE POR NICOTINA?

La nicotina es un tóxico muy potente que podría resultar letal si se administran ciertas cantidades en un corto espacio de tiempo; unos pocos cigarrillos poseen la cantidad de nicotina suficiente para producir la muerte de una persona si se le inyectara por vía venosa. Dado que el fumador introduce la nicotina en su sangre de forma lenta e intermitente, el organismo tiene el suficiente margen para eliminarla antes de que se acumule en exceso y evitar así la intoxicación aguda.

No obstante, un consumo excesivo de tabaco en un corto periodo de tiempo puede provocar ciertos efectos secundarios como taquicardia y palpitaciones, cefalea (resaca al día siguiente), diarrea, disminución de la producción de orina, mareo y, en casos más graves, síncopes, convulsiones y alteraciones de la visión y la audición.

Al inicio del hábito tabáquico se producen una serie de síntomas típicos como el mareo, las náuseas o la tos por la irritación que produce; posteriormente desaparecen hasta el punto de tolerar grandes cantidades de nicotina diariamente durante muchos años.

¿Qué es el tabaquismo?

■ El tabaquismo es la dependencia tanto física como psicológica del consumo de tabaco, independientemente de la cantidad de cigarrillos que se consuma diariamente o de la concentración de nicotina de éstos.

■ Aproximadamente un 25% de las muertes que se producen cada año en los países desarrollados está en relación directa con el tabaco, siendo la primera causa de muerte prematura evitable. Las estadísticas indican que uno de cada dos fumadores morirá antes de lo normal (unos 20 años de media) por enfermedades causadas por el tabaco, sobre todo en el intervalo de 40 a 60 años de edad.

■ Mientras que en los varones se ha reflejado un descenso en los últimos años del consumo de cigarrillos, las cifras globales se mantienen estables por el aumento de mujeres fumadoras, especialmente jóvenes y con un nivel medio/alto de educación.

■ Las profesiones liberales, especialmente las de tipo técnico, los empleados de la construcción, los maestros y los médicos cuentan con un mayor porcentaje de fumadores respecto a las demás; el número de exfumadores aumenta con la edad. El prototipo del fumador actual podría ser el de una mujer joven con estudios superiores, empleada y con un buen nivel económico que comenzó a fumar en torno a los 16 años.

¿CÓMO ES EL EFECTO PERJUDICIAL DEL TABACO?

■ Tras el final de la Segunda Guerra Mundial se realizaron una serie de estudios en Gran Bretaña que demostraron por primera vez la relación directa entre el tabaco y el cáncer de pulmón. A partir de ese momento, numerosos estudios han confirmado esa relación con el cáncer, no sólo de pulmón, y con otras enfermedades:

- Cáncer de pulmón: hasta el 90% de las muertes producidas por este tipo de tumores está en relación con el tabaco, debido a los compuestos cancerígenos que arrastra; el tiempo que dura el hábito, la edad de comienzo, el número de cigarrillos, la coexistencia de otras enfermedades y la predisposición genética de cada individuo a padecer este tipo de cáncer condicionan en cada caso el mayor o menor riesgo para padecerlo.

- Enfermedad pulmonar crónica: el tabaco se presenta como un factor predisponente para el desarrollo de este tipo de enfermedades que obstruyen el flujo de aire a través de las vías respiratorias como la bronquitis crónica y el enfisema; esto se produce por el impedimento crónico que el humo del tabaco supone para la ventilación y oxigenación correcta. Aproximadamente nueve de cada diez enfermos con dificultad respiratoria crónica han sido o son fumadores importantes. Cuando el tabaco se asocia a otros factores como el nivel socioeconómico bajo o la exposición continua al frío, las probabilidades se multiplican. Hasta que la enfermedad se manifiesta plenamente, el fumador presenta de forma habitual alteraciones respiratorias con más frecuencia que el resto de la población como catarros más prolongados, mayor riesgo de neumonía o tos crónica matutina con expectoración sucia.

- Enfermedades cardiovasculares: el tabaco es el factor de riesgo más importante para padecer enfermedades en las arterias coronarias, así como para padecer trastornos circulatorios cerebrales. La muerte súbita, a veces sin signos previos de enfermedad, es más frecuente entre los fumadores, sobre todo si asocian otros factores de riesgo. Fumar sube la tensión arterial y el pulso, favorece la formación de trombos y su desprendimiento, así como el endurecimiento de las arterias. La circulación de los miembros también es perjudicada, llegando en ocasiones a ser necesarias las amputaciones de parte de los mismos.

- Enfermedad ulcerosa: en los fumadores aparece con más frecuencia la úlcera gastroduodenal, especialmente entre los varones, que además tiene un peor pronóstico de lo normal; fumar en ayunas es especialmente dañino en este sentido.

- Otros tumores: está demostrada la relación directa del tabaco con los tumores de esófago, laringe, faringe, boca y estómago, todos ellos muy agresivos, así como un efecto favorecedor en la formación de tumores de vejiga urinaria, páncreas y cuello uterino.

- Otras enfermedades: el tabaco se asocia a múltiples patologías leves no como causante pero sí como causa de empeoramiento de las mismas. Además produce mal aliento, pérdida del sentido del gusto y el olfato, amarillea los dientes y los dedos e irrita los labios y los ojos.

Los estudios estadísticos que demuestran el perjuicio del tabaco se han completado con la demostración científica del mecanismo exacto que produce cada una de las enfermedades que asocia, lo que no ha dejado ningún resquicio de duda ni para los más escépticos sobre el tema que aún dudaban sobre esta relación, ni siquiera para las compañías tabacaleras, que desde no hace mucho reconocen todas las enfermedades que provoca el consumo de tabaco.

¿TIENE ALGÚN EFECTO BENEFICIOSO EL TABACO?

Por cuestión de principios parece que en ningún caso se puede afirmar esto, puesto que a pesar de que algunos estudios indican que podría ejercer un efecto protector frente a la enfermedad de Parkinson, la enfermedad de Alzheimer o la colitis ulcerosa, los efectos secundarios son abrumadamente más perjudiciales que los posibles beneficios obtenidos. La heroína corta la diarrea, pero sería poco ético recomendar su empleo como antidiarreico.

¿CÓMO AFECTA EL TABACO AL EMBARAZO?

En primer lugar impidiéndolo, ya que es un factor que unido a otros puede retrasar la posibilidad de lograr la concepción, afectando igualmente a ambos sexos. Además se aumenta el riesgo de aborto espontáneo, prematuridad, bajo peso al nacer y en general cualquier tipo de complicaciones durante el embarazo y el parto que aumentan la mortalidad del feto o del recién nacido.

Es importante recordar que cuando se fuma una cantidad apreciable de monóxido de carbono pasa a la sangre del individuo, y en este caso también a la del feto, con lo que se dificulta su oxigenación.

¿POR QUÉ SE EMPIEZA A FUMAR?

Se empieza a fumar por influencia social, generalmente en la adolescencia, cuando el individuo es fácilmente impresionable y manipulable por el entorno que le rodea. Cualquier modelo social puede ser el espejo en el que el adolescente desea reflejarse y comenzar a fumar por imitación al mismo, bien sean los padres, famosos o los propios amigos. El tabaco proporciona una sensación de madurez o rebeldía, una especie de aventura prohibida que hace que los demás te miren con respeto o admiración. No existe una razón biológica para explicar que se empiece a fumar, pero sí para el hecho de que el individuo se «enganche» al consumo de tabaco una vez iniciado el hábito.

El tabaco es un producto barato y fácilmente adquirible que es anunciado publicitariamente de forma directa e indirecta y que representa en muchos jóvenes un mito que deben probar.

¿POR QUÉ SE SIGUE FUMANDO AUNQUE SE SEPA QUE ES MALO?

Un 50% de los individuos que prueban el tabaco de forma continuada durante su juventud desarrollan el hábito tabáquico hasta la edad adulta. Hoy en día nadie tiene la excusa de no conocer los efectos perjudiciales del tabaco (lo indican las propias cajetillas), aunque sí es cierto que muchos no lo conocían cuando comenzaron a fumar. El hecho de que las complicaciones de este hábito sean a largo plazo hace que el fumador ignore las mismas o al menos parezca que lo hace, y se haga impermeable a las recomendaciones sanitarias; el tabaco mata, pero mata lento y todos los fumadores consideran que pueden dejarlo cuando quieran. Además se trata de un hábito comúnmente aceptado por la sociedad, que a diferencia del consumo de otras drogas no está aún estigmatizado de forma generalizada y que es razonablemente tolerado y comprendido.

■ Las principales razones que favorecen el desarrollo del hábito tabáquico son:

● Dependencia física: que explicamos antes al hablar de la nicotina y que se justifica por la actividad de esta sustancia a nivel cerebral que produce relajación y sensación placentera en el individuo. Es por tanto un círculo vicioso en el que la falta de nicotina crea una ansiedad debida en el fondo a la adicción continua a la misma. Parece comprobado que cada individuo posee un nivel de nicotina necesario, y que si por ejemplo le dan un cigarro más suave fumará con inspiraciones más profundas y repetidas para «saciar» esa necesidad. También es destacable que el tabaco se emplea como método de control del apetito.

● Asociaciones de conducta: en algunas ocasiones es difícil para el fumador desligar ciertas actividades al tabaco, como por ejemplo leer el periódico por la mañana, tomarse un café, sentarse después de las comidas, descansar en medio del trabajo, salir del cine, tomarse una copa, etc. Otras veces existe una especie de manierismo que obliga a tener siempre algo en las manos o en la boca para sentirse tranquilo. Todo el proceso que envuelve al acto de fumar produce sensaciones igualmente placenteras; el fumador ansioso por no poder fumar durante un cierto periodo de tiempo se tranquiliza con el mero hecho de ir a encender ya el cigarrillo, aunque la nicotina aún no haya llegado al cerebro.

● Dependencia emocional: el tabaco proporciona una falsa sensación de seguridad para soportar la presión o para afrontar una tarea. Algunos fumadores piensan que el tabaco les «entona» o les despabila para rendir adecuadamente, además de calmar los nervios en ciertos momentos. En ocasiones el tabaco proporciona «compañía» en situaciones de espera, mientras se habla por teléfono o en momentos de dolor. Algunos fumadores no son capaces de ver su vida futura sin el placer que el tabaco les proporciona.

¿CÓMO SE PUEDE DEJAR DE FUMAR?

De forma sencilla podemos exponer algunas de las causas más frecuentes del fracaso del abandono del tabaco así como los principales tratamientos empleados. Dejar de fumar puede ser más complicado de lo que parece y existe mucha literatura acerca del tema. En cualquier caso la ayuda especializada es absolutamente necesaria en aquellos casos en los que la dependencia es muy grande.

Cualquier fumador, salvo raras excepciones, es capaz de tolerar un espacio de tiempo más o menos largo sin fumar dependiendo del grado de adicción que posea. Cuando este tiempo empieza a ser ya excesivo, el individuo comienza a replantearse sus propósitos acerca de si merece la pena tanto esfuerzo y busca cualquier excusa que justifique ante los demás la recaída en el hábito (incluso se arrepiente de haber anunciado tanto que dejaba de fumar).

■ Podemos dividir el proceso del abandono del tabaco en tres fases:

1. Mentalización previa: el fumador se fija una fecha clave en el calendario como

día de comienzo de la abstinencia de tabaco o, al contrario, lo decide de forma casi visceral en un momento de furia. Cuando el propósito no es de un abandono radical sino de falsas ilusiones como fumar menos o quitarse de este o aquel cigarro el fracaso está casi asegurado. La disminución paulatina del número de cigarrillos fumados al día o el cambio a marcas más suaves puede ayudar a tolerar el abandono. Sin voluntad firme de dejar de fumar para obtener un beneficio que debe estar claro, es inútil intentarlo.

2. Fase de abandono o mantenimiento: comienza cuando se deja de fumar por completo y dura hasta que se superan todas las dependencias o se recae de nuevo. La dependencia física está más presente en los momentos iniciales (primeras semanas), para después hacerse más patente la psicológica (primeros meses). Al cabo del tiempo el mayor riesgo de recaída se encuentra en la dependencia social del tabaquismo (celebraciones, acontecimientos desgraciados, etc.). La recaída puede producirse en cualquier momento, aunque se suelen tolerar las primeras semanas hasta que cede la fuerza de voluntad; en ocasiones se comienza con un único cigarrillo esporádico o unas caladas de vez en cuando, mientras que otras veces se retoma el hábito al mismo ritmo que se abandonó o incluso se pasa a fumar más.

3. Éxito o recaída: si pasado un tiempo prudencial el individuo es capaz de desprenderse de todas las dependencias, especialmente la social, que rodean al tabaquismo puede decirse que ha obtenido éxito en su intento. En ocasiones aunque se mantenga un periodo largo de abstinencia (incluso de años), el riesgo de volver sigue latente si el individuo aún siente ocasionalmente deseo de fumar.

¿CUÁLES SON LAS PRINCIPALES CAUSAS DE LA RECAÍDA?

La incapacidad para reconocer las ventajas de no fumar (sanitarias, económicas y sociales), así como la sobrevaloración de los inconvenientes que produce en cuanto a presencia de ansiedad, trastornos del sueño y aumento del apetito son las causas más habituales que desaniman al fumador y minan su fuerza de voluntad.

Las recaídas son habituales y la mayoría de fumadores que consiguen abandonar por completo el hábito requieren de varios intentos previos; por tanto no hay que desanimarse tras un primer fracaso, sino que deben analizarse las causas del mismo y no tirar la toalla.

¿QUÉ TRATAMIENTOS AYUDAN A DEJAR EL TABACO?

Existen muchas terapias de todo tipo ideadas para deshabituar a los fumadores, que incluyen desde la toma de alimentos y fármacos a técnicas psicológicas y acupuntura. El éxito de cada una de ellas, independientemente de que posean una base científica o no, está en proporción directa con el grado de adicción del fumador, de la firmeza de su decisión y de la confianza depositada en la técnica.

■ Los fármacos empleados en la actualidad son:

● Sustitutivos de nicotina: consiste en el uso de chicles, parches o sprays nasales de nicotina que comienzan a utilizarse desde el mismo momento en el que se deja de fumar:

- Chicles: en fumadores de menos de 20 cigarrillos/día con una dependencia moderada a la nicotina. El tratamiento debe extenderse a unos tres meses sin superar las 24 piezas al día.
- Parches: para fumadores de más de 20 cigarrillos/día con una dependencia alta y con firme voluntad de abandono del vicio. Es importante recordar que no se debe fumar con el parche colocado.
- Spray nasal: recomendado en fumadores con una dependencia severa. Tiene un efecto tan rápido como el del cigarrillo pero sin el perjuicio del humo de éste.
- Bupropion: se trata de un tipo de antidepresivo de reciente introducción, que está siendo empleado de forma generalizada en algunos países para el tratamiento de deshabituación nicotínica. Actúa sobre ciertos neurotransmisores cerebrales produciendo un rechazo del tabaco por parte del fumador tras un cierto tiempo de tratamiento, es decir, el individuo sigue fumando mientras toma las pastillas hasta que voluntariamente y sin esfuerzo, abandona el tabaco. No existe aún suficiente experiencia en su uso, aunque los resultados son prometedores; las terapias combinadas de bupropion más parches de nicotina parecen alcanzar resultados espectaculares. Los principales efectos secundarios que produce son el insomnio y la sequedad de boca; está contraindicado en el embarazo y la lactancia, los trastornos epilépticos o en aquellos individuos que toman medicación psiquiátrica.
- Ansiolíticos: puede ser de utilidad tomar algún tipo de relajantes o sedantes de forma aislada para combatir la ansiedad que provoca la abstinencia de nicotina. Esto debe hacerse siempre bajo supervisión médica.

¿QUÉ OTRAS MEDIDAS AYUDAN A SUPERAR LA ABSTINENCIA?

■ Existe una serie de pautas de comportamiento que pueden apoyar el tratamiento para dejar de fumar, si es que se está empleando alguno, o ser simplemente suficientes en casos de baja dependencia nicotínica. Las principales medidas son:

- Hacer respiraciones lentas y profundas en los momentos de mayor ansiedad.
- Beber agua o zumos en gran cantidad.
- Incrementar el ejercicio físico diario.
- Tratar de evadirse en los momentos de mayor irritabilidad y pensar en situaciones placenteras.
- Utilizar sustitutivos como los caramelos, el regaliz o cualquier objeto que mantenga las manos y la boca ocupadas.
- Tomar una dieta equilibrada que prevenga el estreñimiento.
- Intentar dormir las horas necesarias.

¿ES REVERSIBLE EL EFECTO DEL TABACO?

En la mayoría de los estudios a largo plazo realizados se evidencia que, tras un periodo prolongado de abstinencia, los individuos exfumadores se igualan al resto de la población en cuanto al riesgo de padecer ciertas enfermedades típicas de los fumadores. Este espacio de tiempo debe ser como mínimo de unos 15 años, aunque desde los primeros ya se observa una disminución del riesgo.

El consumo de tabaco aunque sea leve y se empleen los llamados cigarrillos *light* sigue siendo un factor de riesgo cardiovascular, aunque lógicamente menor que en los grandes fumadores. Aún así, fumar un único cigarrillo al día aumenta el riesgo de padecer este tipo de enfermedades sólo la mitad de lo que lo aumenta fumar 20.

¿QUÉ ES EL TABAQUISMO PASIVO?

Aproximadamente 1 millón de toneladas de humo son producidas cada año por los fumadores, bien por la exhalación del humo consumido o bien por el producido por el propio cigarrillo al consumirse solo. Este último es más perjudicial para el ambiente puesto que es más rico en carcinógenos que el primero, que depositó parte de éstos en los pulmones del fumador. Este humo es el contaminante ambiental más nocivo producido por el hombre.

Diversos estudios han concluido que los individuos que respiran de forma habitual este humo contaminado, o fumadores pasivos, absorben el equivalente a un cigarrillo por día de exposición. Además está demostrado que el tabaquismo de los padres incrementa la aparición de enfermedades respiratorias en los hijos.

El tabaco

CARACTERÍSTICAS DEL TABACO Y SU CONSUMO

Descubierto en Europa en el siglo xvi, hoy se consume en cigarrillos por un 50% de la población.

COMPONENTES DEL TABACO

Residuos de ceniza y humo de la planta Nicotiana tabacum.

HUMO DEL TABACO

El humo del tabaco está formado por más de 5.000 componentes diferentes entre gases, líquidos y sólidos en forma de partículas.

NICOTINA

Alcaloide liberado de la hoja del tabaco con forma similar a ciertos neurotransmisores cerebrales y que es la responsable de la dependencia al tabaco.

TABAQUISMO

Tabaquismo es la dependencia tanto física como psicológica del consumo del tabaco, independientemente de la cantidad de nicotina que se consuma diariamente.

CARACTERÍSTICAS DEL INDIVIDUO FUMADOR

Cómo se empieza a fumar, por qué no se abandona el hábito, la dependencia, etc.

EFECTOS PERJUDICIALES DEL TABACO

- Cáncer de pulmón.
- Enfermedad pulmonar crónica.
- Enfermedades cardiovasculares.
- Enfermedad ulcerosa.
- Otras: pérdida del gusto y olfato, irritación en los ojos, etc.

CONCEPTO DE TABAQUISMO PASIVO

Incremento de enfermedades pulmonares en fumadores pasivos.

TRATAMIENTO PARA EL ABANDONO DEL TABACO

Mentalización previa.
Fase de abandono.
Éxito o recaída.

Tratamiento farmacológico:
- Sustitutivos de nicotina: chicles, parches, spray nasal.
- Bupropion.
- Ansiolíticos.

Enfermedades neurológicas

✓ Epilepsia

✓ Alteraciones del nivel de conciencia
Síncope • Confusión • Coma

✓ Temblores y enfermedad de parkinson
Parkinson • Temblor por alteraciones del cerebelo
• Temblor esencial • Temblores por sustancias tóxicas

✓ Trastornos del sueño
Insomnio • Hipersomnia • Parasomnia

✓ Demencias
Alzheimer • Demencia multiinfarto • Enfermedad de Binswanger
• Hidrocefalia normotensiva • Enfermedad de Creutzfeldt-Jacob • Kuru y
enfermedad de Gerstmann-Sträussler

✓ Cansancio y miastenia
Miastenia gravis

✓ Cefaleas
Cefalea de tensión o tensional • Migraña • Cefalea en cúmulos o de
Horton • Arteritis de la temporal • Cefalea por hipertensión • Neuralgia
del trigémino • Cefalea por abuso de analgésicos • Cefaleas tras golpe en
la cabeza • Cefaleas de origen benigno • Cefaleas de origen maligno

✓ Vértigo y mareo
Vértigo posicional benigno • Neuronitis vestibular • Enfermedad de
Ménière • Vértigo por tóxicos • Vértigo de origen tumoral • Vértigo
traumático • Vértigo por infección del oído • Vértigo de origen cervical
• Isquemia vertebrobasilar • Vértigo visual • Vértigo psíquico

✓ Accidentes cerebrovasculares
Isquemia cerebral • Hemorragia cerebral

✓ Esclerosis múltiple

▪ Cerebro ▪

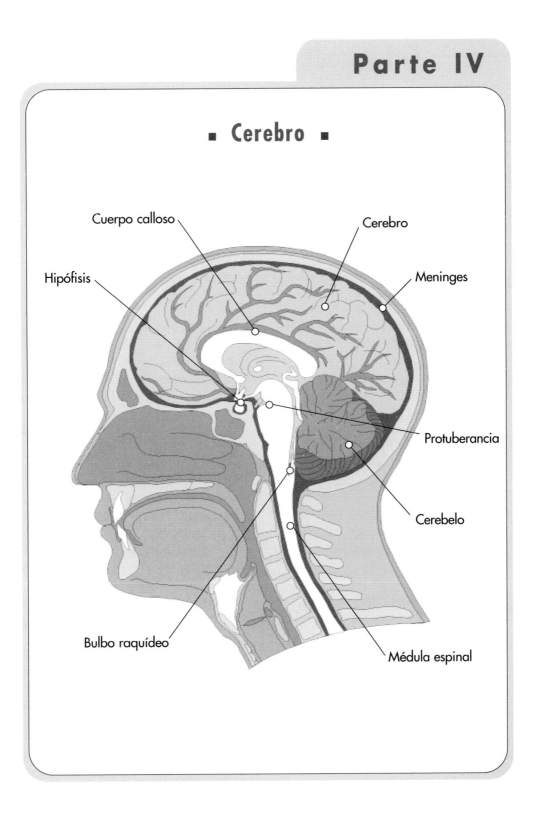

Cuerpo calloso

Cerebro

Hipófisis

Meninges

Protuberancia

Cerebelo

Bulbo raquídeo

Médula espinal

Enfermedades neurológicas

El sistema nervioso permite a los seres vivos controlar las diversas funciones de su organismo y establecer una relación directa con el medio ambiente que les rodea. Si bien todos los aparatos son imprescindibles para el objetivo común de la vida, el sistema nervioso es especialmente apreciado por su importancia y su fragilidad. Por ello, los seres vivos han desarrollado este sistema de manera paralela a su grado de evolución, siendo el hombre el máximo exponente de dicho desarrollo. No obstante, los seres vivos han ido conservando parte de su cerebro primitivo, donde residen los instintos más primarios, para construir alrededor del mismo capa a capa una corteza cerebral más evolucionada que les ha permitido alcanzar un mayor nivel de inteligencia.

■ Desde el punto de vista de su funcionamiento, podemos dividir el sistema nervioso en tres partes:

- Sistema nervioso central: responsable de las funciones intelectuales o superiores del ser humano como el pensamiento, la memoria y los sentimientos, así como de la coordinación de los movimientos y la percepción del entorno a través de los sentidos.
- Sistema nervioso periférico: formado por el conjunto de nervios que parten de la médula espinal hacia todos los territorios corporales.
- Sistema nervioso autónomo o vegetativo: que controla de forma automática el funcionamiento ordenado del resto de órganos y sistemas del cuerpo, modificando su ritmo o su producción concreta siempre de acuerdo con las necesidades de cada momento. Se divide en sistema nervioso simpático y parasimpático.

■ Los órganos que forman el sistema nervioso son:

- **Cerebro:** es un órgano intracraneal o encefálico, de unos 1.500 g de peso y forma ovoide, dividido en dos hemisferios conectados entre sí por diversos cuerpos o comisuras. Contiene la llamada sustancia gris en su corteza exterior, responsable de las funciones nobles o intelectuales y la sustancia blanca que actúa como fibra de asociación y conexión. El cerebro presenta pliegues o circunvoluciones que le permiten poseer un mayor número de neuronas en menor espacio que si su superficie fuera lisa, mientras que en su interior posee una serie de cavidades bañadas por el líquido cefalorraquídeo.
- **Cerebelo:** es un pequeño órgano encefálico situado debajo y detrás del cerebro, a la altura de la nuca y protegido por el hueso occipital. El cerebelo regula y traduce las órdenes cerebrales en cuanto al movimiento y la postura, coordinando la contracción y la relajación de todos los grupos musculares. Además regula el sentido del equilibrio en estrecha relación con el oído interno.
- **Tronco cerebral:** es la parte del encéfalo que conecta el cerebro con la médula es-

pinal y donde se entrecruzan las fibras provenientes de ambos hemisferios. Posee en su interior diversas estructuras dependientes del sistema nervioso autónomo como las encargadas del control respiratorio, la frecuencia cardíaca, la deglución y otros centros como el del mecanismo de la tos, el vómito y otros. El tronco cerebral a su vez está formado por el bulbo raquídeo, la protuberancia y la sustancia reticular.

- **Médula espinal:** es el cordón nervioso que se extiende desde el bulbo raquídeo del tronco cerebral a lo largo de toda la columna vertebral, que le sirve de protección. Está formada por haces de fibras nerviosas que transmiten las sensaciones corporales hacia el cerebro y las órdenes de éste hacia el exterior. De la médula espinal surgen 31 pares de nervios (llamados espinales) que se dirigen hacia todos los puntos del organismo.
- **Nervios:** conjunto de fibras nerviosas en forma de fascículos compactos rodeados de un tejido protector, que transmiten los impulsos procedentes de los órganos nerviosos o transportan señales hacia los mismos. Poseen ganglios o puntos de control durante su trayecto.

■ El organismo humano protege de manera especial a los órganos nerviosos desde varios puntos de vista:

- Estructuralmente, dotándole de una protección física ósea muy fuerte como el cráneo o la columna vertebral, que evita el daño fatal que produciría un traumatismo pequeño o moderado sobre este sistema tan delicado. Las meninges son unas membranas que separan el hueso del tejido nervioso, sirviendo de aislamiento a este último.
- Nutricionalmente, formando una vasta red de vasos sanguíneos a su alrededor que le proporcionan una irrigación suficiente e incluso redundante. Además, al tratarse de órganos muy delicados que no soportan el déficit de oxígeno o nutrientes más allá de un

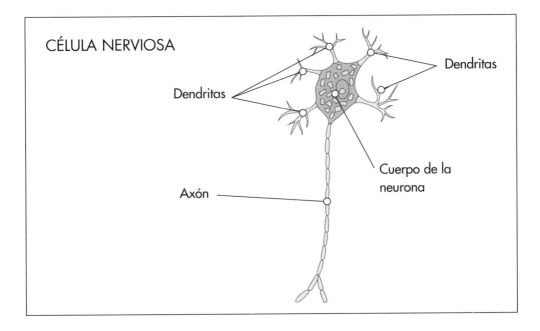

CÉLULA NERVIOSA

Dendritas

Dendritas

Cuerpo de la neurona

Axón

corto periodo de tiempo, el aporte sanguíneo de los mismos es siempre preferente, por encima del resto de órganos corporales en caso de compromiso circulatorio.

• Microbiológicamente, mediante la creación de barreras protectoras que impiden teóricamente el paso de gérmenes desde la sangre hacia los tejidos nerviosos o el líquido cefalorraquídeo que los rodea, así como de tejidos defensivos especiales que los rodean.

Los tejidos nerviosos están formados por neuronas, que son células especialmente adaptadas para la transmisión de corrientes eléctricas, para lo cual desarrollan una estructura especial muy simplificada que elimina la presencia de núcleo celular, lo que se traduce en la imposibilidad de reproducirse una vez formadas.

Las neuronas se comunican entre sí a través de la sinapsis, que consiste en el paso de unas pequeñas moléculas llamadas neurotransmisores a través de una pequeña hendidura que las separa. Un conjunto de sinapsis a través de una cadena o un árbol de neuronas se traduce en el impulso eléctrico que crea un pensamiento, memoriza una idea u ordena un movimiento entre otros ejemplos. Ninguna máquina creada por el hombre hoy en día es capaz de realizar este conjunto de interconexiones de manera automática ni de abstraer pensamientos a través de la información que posee, aunque ésta sea enorme y la pueda manejar a gran velocidad.

El ser humano posee casi un centenar de mi-les de millones de estas células, que se ordenan e interconexionan entre sí de una manera admirablemente incomprensible a medida que se desarrollan las funciones intelectuales. Las neuronas mueren diariamente a un ritmo lo suficientemente pausado como

para que apenas se note un deterioro progresivo de la capacidad mental a lo largo de los años; sin embargo, la falta de oxigenación cerebral o ciertas enfermedades degenerativas pueden acelerar bruscamente este proceso.

■ Las principales situaciones que pueden desembocar en algún tipo de patología del sistema nervioso son:

• Los procesos inflamatorios, normalmente secundarios a traumatismos o infecciones del tejido nervioso.
• El déficit de oxígeno o nutrientes por alteraciones vasculares generales o por hemorragias y trombosis en la circulación propia.
• Los trastornos de la conducción eléctrica, que se manifiestan como pérdida de la conciencia, crisis convulsivas u otras formas.
• Los procesos degenerativos que destruyen las neuronas y sus conexiones entre sí, afectando a las funciones intelectuales y al movimiento.
• La alteración de los neurotransmisores cerebrales que puede desorganizar el pensamiento, alterar la personalidad y afectar el estado de ánimo, como ocurre en las enfermedades psiquiátricas.
• El crecimiento de tumores, que desplaza la posición normal de los tejidos nerviosos o los destruye.

■ Las principales pruebas utilizadas en la exploración del sistema nervioso, además de la exploración médica de los reflejos, la coordinación, el tono muscular, la sensibilidad y la función mental son:

• Examen del líquido cefalorraquídeo, extraído mediante punción lumbar para el estudio de su presión y de sus componentes.

- Técnicas de imagen como la radiografía de cráneo y columna vertebral, la tomografía axial computerizada (TAC), la resonancia magnética y la arteriografía cerebral y medular con contraste.

- Electroencefalograma o registro de la actividad bioeléctrica de las células cerebrales e indirectamente de los trastornos metabólicos de las mismas.

- Electromiograma o estudio eléctrico del funcionamiento muscular y de los nervios encargados de su contracción y relajación.

Epilepsia

El cerebro humano, al igual que el del resto de los seres vivos, está formado por un tipo de células especializadas llamadas neuronas. Estas células, durante la formación de nuestro organismo, han ido adquiriendo una estructura característica que les permite realizar su función principal, la transmisión de señales eléctricas. Así, el sistema nervioso en general, y el cerebro en particular, no son más que miles de millones de conexiones de células entre sí, que se organizan durante nuestro desarrollo para controlar el funcionamiento de nuestro cuerpo y para formarnos como seres inteligentes.

Las células que forman el cerebro humano se denominan neuronas. La estructura de estas células es tal que permite la transmisión de señales eléctricas a una velocidad y según un diseño tan complejo que ningún ordenador de la generación más avanzada es capaz de superar.

Por lo tanto, el funcionamiento del sistema nervioso se basa en la transmisión de pequeñas corrientes eléctricas, de neurona a neurona, como una computadora, pero con un grado de eficacia y complejidad inigualable por cualquier tecnología hoy en día.

En determinadas ocasiones se puede producir una alteración de la conducción eléctrica en nuestro cerebro y desencadenarse lo que se denominan **crisis epilépticas.** Estas crisis pueden aparecer de forma aislada u ocasional, producidas por múltiples causas como después veremos, y no volver a aparecer nunca; hablamos de epilepsia cuando se repiten en el tiempo, de manera que se las puede considerar como parte de una enfermedad propiamente dicha. Aproximadamente una de cada 20 personas va a sufrir algún tipo de crisis epiléptica en su vida, pero sólo una de cada 200 va a padecer epilepsia. Dicho de otro modo, la predisposición de padecer una crisis epiléptica puede aparecer en un momento determinado de nuestra vida de forma aislada, o puede ser permanente por un mal funcionamiento cerebral, de origen posiblemente genético, y provocar crisis repetidas o epilepsia.

Cuando se habla de crisis epilépticas, normalmente pensamos en el típico episodio de convulsiones (movimientos bruscos descontrolados, espuma por la boca, mordedura de la lengua) que hemos podido ver alguna vez o del que hemos oído hablar. Pero estas **crisis convulsivas** no sólo aparecen en epilépticos, sino que como comentamos antes, todos estamos expuestos a padecerlas ocasionalmente sin ser por ello epilépticos. Además muchas personas con epilepsia padecen crisis que no son convulsivas (de hecho, puede que nunca hayan convulsionado) sino otro tipo de crisis de características diferentes como veremos a continuación. Por tanto esta enfermedad se presenta de maneras muy diversas y cada persona la sufre de modo diferente.

CLASIFICACIÓN

Es necesario clasificar las crisis epilépticas desde dos puntos de vista:

1. Según la causa de la crisis:
- Desconocida: es decir, no se encuentra ninguna enfermedad subyacente que justifique la aparición de la crisis, por lo que el trastorno se produce de forma repetida a lo largo de la vida y el paciente es diagnosticado de epilepsia primaria (de causa desconocida).
- Conocida: se incluyen aquí algunas de las situaciones que pueden provocar la aparición en el cerebro de «focos» que originen alteraciones eléctricas y por lo tanto crisis epilépticas. En este caso, y si las crisis se repiten, el diagnóstico será de epilepsia secundaria (a diferentes causas, según cada caso). Las principales que aparecen son:

  – Por malformaciones congénitas.
  – Por falta de oxígeno del feto antes o durante el parto.
  – Convulsiones febriles: en niños predispuestos, las temperaturas corporales superiores a 40 ºC pueden provocar la aparición de convulsiones benignas que ceden al desaparecer la fiebre.
  – Por traumatismos en la cabeza, en cualquier edad, que provoquen irritación de la corteza cerebral.
  – Por infecciones: meningitis u otras.
  – Por intoxicaciones: alcohol, cocaína, anfetaminas.
  – Por malnutrición.
  – Por tumores cerebrales o metástasis (invasión a distancia) de otros tumores.

2. Según la forma de la crisis:
- Crisis parciales: aquellas que se producen a partir de un punto concreto de la corteza cerebral (foco) que actúa como «mecha» que enciende la crisis. A su vez pueden ser:

  – Simples: sin alteración de la conciencia, con sintomatología diferente según dónde se localice el foco de origen. Por ejemplo aparecen contracciones o espasmos en un lado del cuerpo o adormecimiento de una extremidad mientras el paciente es consciente de lo que le sucede y conserva sus funciones intelectuales intactas.
  – Complejas: más frecuentes, cursan con alteración del nivel de conciencia mientras se producen, es decir, el individuo mientras sufre una crisis, además de un espasmo muscular o una falta de sensibilidad puede quedarse como aletargado o adoptar una conducta extravagante repetitiva llamada automatismo (abrir y cerrar una puerta, frotarse las manos, subir y bajar una escalera) que aparenta un trastorno psiquiátrico. Tras la crisis el paciente no recuerda lo sucedido.

Todas las crisis parciales, sean simples o complejas, pueden desembocar en crisis generalizadas.

- Crisis generalizadas: no se producen por un foco o punto concreto de la corteza cerebral, sino que son el resultado de una descarga eléctrica simultánea de muchas neuronas distribuidas por todo el cerebro. Se pueden presentar de diferentes formas:

  – Crisis de ausencia o de pequeño mal: breves pérdidas de conocimiento de varios segundos de duración que se pueden acompañar de pérdida de tono muscular (flacidez) o de movimientos rápidos de los párpados. Son típicas en los niños y se pueden repetir muchas veces a lo largo del día.

- Crisis tónico-clónicas o de gran mal: comienzan con pérdida de conocimiento, caída y convulsiones de todo el cuerpo, con una duración aproximada de dos a cinco minutos tras la que el paciente permanece somnoliento durante varias horas. Es el tipo de crisis que antes definimos como el más conocido por todo el mundo.
- Crisis mioclónicas: son sacudidas musculares bruscas de corta duración que aparecen sobre todo en la infancia y adolescencia. Es muy típico que se produzcan por estímulos visuales muy prolongados como la televisión o el monitor del ordenador.
- Crisis atónicas: pérdida de fuerza en niños, de aparición brusca y corta duración, que puede ser síntoma de formas epilépticas más graves.

¿CÓMO DISTINGUIR UNA CRISIS EPILÉPTICA?

Antes de avanzar más en este capítulo, conviene que tengamos muy claro la forma de presentación de este tipo de crisis ya que puede ser muy importante para el diagnóstico adecuado de la enfermedad. Dado que en muchas ocasiones el paciente no recuerda lo sucedido, la correcta descripción de algún testigo de lo sucedido es fundamental para clasificar la enfermedad. De forma general, vamos a dividir la crisis convulsiva en tres fases:

■ 1ª FASE: Síntomas previos. Pueden predecir la aparición de una crisis y son muy sutiles. Tanto la persona que los padece, como sus familiares, aprenden a reconocerlos con el tiempo. Normalmente se presentan horas, hasta incluso días, antes de la crisis. Los más frecuentes son:

- Cambio de humor, irritabilidad, alteración del sueño, pérdida de apetito.
- Incapacidad para concentrarse, ansiedad.
- Contracciones bruscas de las extremidades que duran unos minutos y que aparecen sobre todo al despertarse.
- Sensaciones visuales, auditivas u olfatorias que a veces son placenteras y otras desagradables.

En algunos casos los enfermos conocen tan bien los síntomas previos, que son capaces incluso de frenar la aparición de la crisis mediante concentración y tranquilidad, o con un estímulo doloroso autoprovocado. En mujeres epilépticas es muy frecuente que la aparición de las crisis coincida con la menstruación.

■ 2ª FASE: La crisis propiamente dicha. Distintos síntomas según cada tipo:

CRISIS PARCIALES

Como dijimos al clasificarlas anteriormente, los síntomas de las crisis parciales dependen de la zona del cerebro donde asienta el foco que las produce:

- Área frontal: desviación de los ojos, pérdida del control de la orina.
- Área occipital: alucinaciones visuales elementales (chispas, luces), o distorsiones visuales.
- Área temporal: alucinaciones auditivas, vértigo, detención de la mirada, experiencias psicosensoriales.
- Área motora: espasmos musculares, pérdida del habla.
- Área sensitiva: dolor no localizado, adormecimiento de extremidades, alucinaciones visuales muy elaboradas.

En general, e independientemente de la zona de origen, pueden aparecer otros síntomas en estos pacientes como agresividad, risa incontrolable, exhibicionismo sexual, angustia de muerte inminente o pensamiento repetitivo.

CRISIS GENERALIZADAS

- Caída al suelo con golpe generalmente en la cabeza y grito agudo del enfermo.
- Sacudidas musculares breves, con flexión de las cuatro extremidades de forma sincronizada, que se van haciendo más largas y más bruscas según avanza la crisis.
- Interrupción de la respiración durante unos segundos, pudiendo aparecer color de piel azulado; luego la respiración se hace jadeante.
- Con cierta frecuencia aparece relajación de esfínteres y sangrado de la boca por mordedura de la lengua, así como gran sudoración.

■ 3ª FASE: Después de la crisis. También llamado periodo poscrítico que aparece tras una crisis del tipo generalizada:

- Somnolencia y estupor de varias horas de duración.
- Luxaciones, sobre todo en los hombros y con menos frecuencia fracturas de vértebras y costillas. Dolor muscular generalizado.
- Cefalea.
- Amnesia de lo ocurrido.

DIAGNÓSTICO

La aparición de una crisis epiléptica, sobre todo si ésta es del tipo convulsivo, provoca en la mayoría de los casos que se traslade al enfermo al servicio de urgencias más cercano. Esto es lógico, puesto que se trata de un cuadro muy impactante y en el que siempre se teme por la vida de la persona. En pacientes con historia de varias crisis repetidas, los familiares pueden aprender a tratarlos adecuadamente durante una crisis, y no se produce el traslado a un centro si no se presentan complicaciones. En cualquier caso, se debe consultar siempre al médico cuando aparezcan los síntomas que antes hemos enumerado, y no sólo nos referimos a las llamativas crisis convulsivas generalizadas, sino también al resto de crisis epilépticas parciales.

Tanto la forma de las crisis, como la edad de aparición de éstas, son datos muy importantes para diagnosticar correctamente la enfermedad. En niños la epilepsia suele estar asociada a problemas perinatales (antes, durante y después del parto), malformaciones congénitas o infecciones. En adolescentes es más frecuente que aparezca la epilepsia primaria o de causa desconocida. En adultos debe sospecharse un proceso tumoral, así como descartar alcoholismo u otros tóxicos. En ancianos las causas más frecuentes suelen ser procesos degenerativos (envejecimiento cerebral), trombosis e infartos cerebrales.

Una vez que nuestro médico (en este caso el neurólogo) conozca el relato más aproximado de estos episodios y la edad del paciente, es posible que nos someta a una serie de pruebas para confirmar y clasificar las crisis que padecemos. Estas pruebas suelen ser análisis de sangre y orina, electroencefalograma y escáner cerebral.

¿QUÉ DEBEMOS HACER ANTE UNA CRISIS EPILÉPTICA?

El objetivo del tratamiento es conseguir el control absoluto de las crisis con el mínimo de efectos secundarios y la mayor calidad de vida para el paciente. La epilepsia es una enfermedad que requiere del paciente la máxima colaboración e interés, puesto que el descuido del tratamiento conlleva, en la mayoría de los casos, a nuevas recaídas.

■ Prevención: en los pacientes que ya hayan sufrido crisis o en individuos sanos con predisposición hereditaria a padecer epilepsia, se debe siempre evitar el alcohol y cualquier otro tipo de droga; el estrés y la falta de sueño regular son a menudo desencadenantes de crisis. También los largos periodos de concentración o estudio, así como una prolongada exposición a monitores o a la televisión, se encuentran dentro de este grupo. En general, podemos decir que la vida «sana», sin excesos, con una práctica deportiva moderada y con una supervisión médica periódica, colaboran junto con otras medidas en un buen control de la enfermedad. No es necesario seguir un régimen dietético especial. Los pacientes diagnosticados de epilepsia deben tomar conciencia de la misma, conocerla, y llevar siempre un documento o placa que les identifique como epilépticos, reseñando además la medicación que toman.

■ Tratamiento farmacológico: como norma general, no se suele comenzar la toma de fármacos hasta el segundo episodio de crisis epiléptica. Una vez estudiado el paciente, se instaurará de forma progresiva la medicación más adecuada, con el fin de prevenir la aparición de crisis, o en su defecto, disminuir la severidad de las mismas. Habitualmente se busca el tratamiento con un único fármaco, ajustando las dosis del mismo poco a poco hasta conseguir la dosis ideal. En algunas ocasiones, tras periodos sin crisis de cinco años o más, se puede proceder a la retirada paulatina de la medicación, o incluso antes en pacientes con formas benignas de epilepsia. Independientemente del medicamento que se

Cómo reaccionar ante una crisis epiléptica

■ Lo primero y más importante es mantener la calma; la actuación que podemos tener frente a esta situación, hasta la llegada de los servicios médicos, es vital para evitar daños mayores en el enfermo. Debemos observar las siguientes circunstancias:

• Evitar, si nos es posible, que el enfermo se dañe en la caída.
• Retirar los objetos cercanos a él mientras convulsiona; poner un objeto blando debajo de la cabeza. No tratar de sujetarlo firmemente (probablemente no podamos), sino permanecer a su lado e intentar tranquilizarle poco a poco.

• Colocar un trozo de tela en la boca para evitar la mordedura de la lengua; este trozo debe ser grande para evitar que pudiera tragarlo. Si es posible retirar prótesis dentales o cualquier objeto que se encuentre en la boca para evitar asfixia.
• Observar, en la medida de lo posible, la forma de la crisis y si es necesario, anotarlo para ayudar en el diagnóstico.
• Algunas veces, el paciente se encuentra solo en el momento de la crisis; es posible, por tanto, encontrarlo en el llamado «estado poscrítico» (somnoliento o dormido) con restos de sangre o magulladuras. En estos casos, es igualmente necesaria la atención médica, pese a que la crisis haya finalizado.

tome, el paciente debe ser cauto a la hora de utilizar cualquier otro fármaco sin consultar previamente a su médico; además se le debe informar siempre de cualquier efecto secundario que se perciba. Los efectos más frecuentes de la medicación antiepiléptica son la somnolencia y las molestias estomacales.

■ Cirugía de la epilepsia: ha demostrado su utilidad en algunos pacientes que no obtienen mejoría con la prevención y el tratamiento farmacológico. Si se realiza con éxito, lo que ocurre aproximadamente en el 75% de los casos, es el único tratamiento curativo definitivo.

¿CÓMO VA A AFECTAR EN MI VIDA LA EPILEPSIA?

Es muy importante la detección precoz de cualquier tipo de crisis epiléptica con el fin de diagnosticar y tratar la enfermedad lo antes posible. Hoy en día, con un tratamiento preventivo y farmacológico apropiado, hasta un 80% de los pacientes consiguen evitar la aparición de nuevas crisis, sobre todo las que son del tipo generalizadas o convulsivas. Aún así, parece demostrada la existencia de una leve mayor mortalidad entre la población epiléptica frente al resto de la población; esto se debe a las complicaciones que pueden surgir durante una crisis (traumatismos, asfixia) y a los efectos secundarios de la medicación. No obstante, se debe destacar que la mayoría de las muertes súbitas en pacientes epilépticos se producen por mal seguimiento del tratamiento y por abuso del alcohol.

La integración de estos enfermos a la vida laboral debe estar libre de cualquier tipo de discriminación. La legislación actual permite conducir vehículos a enfermos epilépticos siempre que lleven más de dos años libres de crisis.

SITUACIONES ESPECIALES

■ **Status epiléptico:** se denominan así a aquellas crisis, convulsivas o no, cuya duración supera los 30 minutos, o bien cuando se suceden varios episodios encadenados, sin tiempo de recuperación entre los mismos. Cualquier tipo de crisis puede desembocar en esta situación. Pueden provocar daños cerebrales irreparables y requieren de actuación y estudio urgente.

■ **Concepción y embarazo:** los fármacos para la epilepsia pueden disminuir la eficacia de los anticonceptivos orales (píldora). Durante el embarazo, la paciente sigue tomando el mismo tratamiento en la mayoría de los casos aunque de manera fraccionada a lo largo del día. Existe un riesgo dos o tres veces mayor de malformaciones en el feto, que en general son poco importantes.

■ **Crisis convulsivas febriles:** se presentan en niños (preferentemente varones) entre los seis meses y los seis años de edad y suelen ser crisis generalizadas. Puede afectar hasta un 3% de la población infantil y parece haber mayor tendencia en hijos de pacientes epilépticos. Aparecen durante procesos infecciosos (aunque sean banales) en los cuales la temperatura corporal asciende por encima de 39 ° C. El tratamiento se basa en la educación de los padres respecto a las medidas que se deben tomar para bajar la fiebre, tanto físicas (desnudar al niño, aplicar paños fríos) como farmacológicas (paracetamol, ibuprofeno). Cuando se repiten en poco tiempo, o existen antecedentes familiares de epilepsia, deben ser objeto de estudio. La mayoría de las veces son únicamente transitorias y desaparecen con la edad.

■ **Epilepsia y otras enfermedades:** las alteraciones hepáticas o renales, así como enfermedades que afecten al tracto gastrointestinal, pueden interferir en la correcta absorción y circulación sanguínea de los fármacos utilizados para esta enfermedad.

Epilepsia

CONCEPTO DE CRISIS EPILÉPTICAS O CONVULSIVAS

Alteraciones bruscas de la conducción eléctrica cerebral que puede pasar desapercibida o, por el contrario, provocar cuadros de agitación y convulsiones. Se denomina epilepsia a la enfermedad que asocia una mayor facilidad para sufrir dichas crisis.

CARACTERÍSTICAS DE LAS CRISIS EPILÉPTICAS

- Síntomas previos.
- Periodo de crisis.
- Periodo poscrítico.

DIAGNÓSTICO

Tras una crisis, recopilación de datos y pruebas como la analítica, el electroencefalograma y el escáner cerebral.

CLASIFICACIÓN

Según la causa de la crisis:
- Desconocida o epilepsia primaria.
- Conocida o epilepsia secundaria: puede deberse a malformaciones congénitas, anoxia perinatal, traumatismos, infecciones, intoxicaciones y otras.

Según la forma de la crisis:
- Crisis parciales: simples o complejas.
- Crisis generalizadas: crisis de ausencia, crisis tónico-clónicas, crisis mioclónicas, crisis atónicas.

TRATAMIENTO

Medidas a tomar ante una crisis epiléptica.
Prevención.
Tratamiento farmacológico.
Cirugía de la epilepsia.

PRONÓSTICO

Si se sigue el tratamiento, en un 80% de los casos remiten las crisis.

SITUACIONES ESPECIALES

Status epiléptico o crisis de más de 20 minutos de duración.
Concepción y embarazo: riesgo de malformaciones en el feto.
Crisis convulsivas febriles.

— Alteraciones del nivel de conciencia —

El cerebro recibe impulsos eléctricos a partir de diferentes vías nerviosas que le informan sobre circunstancias del mundo exterior y sobre el funcionamiento del propio organismo. Sería por tanto como el «hermano mayor» de cada parte del cuerpo, al que se le informa de todo lo que pasa a través de los sentidos, de las agresiones que sufrimos (en forma de dolor) y del funcionamiento de las vísceras en cada momento. La conciencia sería por tanto el resultado de la actividad normal de la corteza cerebral que permite al sujeto «enterarse» de lo que pasa a su alrededor.

El tronco cerebral es una estructura del sistema nervioso, situada en la base del cráneo y en su zona posterior, junto al cerebelo; esta región nerviosa posee en su interior una sustancia llamada reticular que registra la actividad cerebral en cada momento y es un punto de paso de los impulsos que los nervios de la periferia envían al sistema nervioso central. La sustancia reticular es por tanto un distribuidor de las señales eléctricas nerviosas que llegan al cerebro, derivándolas hacia las áreas cerebrales que deben interpretarlas y almacenarlas.

Todos los días y de forma más o menos regular, el flujo de señales se ralentiza progresivamente hasta que el cerebro se desconecta del mundo exterior y el individuo pierde la consciencia; esto es lo que se denomina dormir. Mientras dormimos, es el propio tronco cerebral el que mantiene automáticamente las funciones vitales cardíacas y respiratorias. Además la sustancia reticular ejerce de vigilante que nos avisa si se recibe un estímulo lo suficientemente fuerte como para que sea necesario «despertar» al cerebro.

En este capítulo veremos alteraciones del nivel de conciencia que no son normales como el sueño, sino que responden a diferentes patologías del sistema nervioso o de otros sistemas relacionados con él.

SÍNCOPE

Es la pérdida transitoria del conocimiento, de breve duración, que se recupera espontáneamente sin necesidad de tratamiento. Se acompaña de la pérdida del tono muscular que mantiene la postura por lo que provoca la caída si el individuo está de pie.

■ Se le conoce también con el nombre de lipotimia y es un cuadro relativamente frecuente que supone hasta el 5% de las urgencias atendidas en los hospitales. El ser humano no es capaz de permanecer consciente más allá de cuatro o cinco segundos tras un corte moderado o total del riego sanguíneo; si éste se produce, el síncope aparece como una reacción defensiva del sistema nervioso que trata de preservar la sangre para uso exclusivo de las funciones cerebrales vitales, restringiéndose la circulación al resto de órganos (incluida la piel, de ahí la palidez del individuo). Los principales tipos de síncope según la causa que los produce son:

- Vasovagales: es el tipo más frecuente, que consiste en una especie de desmayo producido en determinadas circunstancias en personas sanas, como el miedo o las impresiones fuertes, el estrés, el dolor intenso, el calor y la deshidratación o el ejercicio excesivo. Es muy típico de los individuos obligados a permanecer de pie mucho tiempo en condiciones climáticas desfavorables. Algunas situaciones como el hambre, la tos y la micción favorecen su aparición. Las situaciones desagradables, como ver sangre o simplemente entrar en un hospital pueden provocar esta situación en algunos individuos.
- Hipotensión: bajada más o menos brusca de la tensión arterial que dificulta el riego sanguíneo cerebral, como sucede tras una hemorragia o con la toma de ciertos fármacos. También puede producirse dicho descenso tras una comida abundante o al incorporarse de pie después de un tiempo sentado o acostado.
- Nutricional: debido a un déficit de hemoglobina en la sangre (anemia) por diferentes causas o a una bajada de azúcar prolongada.
- Cardíaco: cuando se produce como consecuencia de alteraciones del ritmo cardíaco (arritmias) o bloqueos del mismo. Algunas enfermedades cardíacas graves pueden producir también síncope como los problemas valvulares y el infarto.
- Hiperventilación: el jadeo excesivo o respiración rápida provoca la retención de dióxido de carbono, que es tóxico para el cerebro, y como consecuencia de ello el desvanecimiento momentáneo.
- Neurológico: por descenso del riego sanguíneo de un punto cerebral concre-

to tras una hemorragia cerebral o una trombosis.

Como primera medida se debe tumbar al enfermo y levantarle las piernas para aumentar la cantidad de sangre que llega al cerebro; además hay que ventilar la estancia e incluso aplicar paños fríos en la frente. Lo normal es que se recupere la consciencia antes de cinco minutos.

Después de un síncope es necesaria siempre la valoración médica del sujeto, y si no pudieran descartarse las formas malignas o graves del mismo será necesario el estudio en el ámbito hospitalario, con observación al menos durante 24 horas.

El presíncope es la sensación de caída inminente o inestabilidad que aparece en determinadas situaciones junto con angustia y visión borrosa que no llega a producir pérdida de conocimiento.

El shock es un estado de urgencia vital producido por hemorragias intensas o infecciones extendidas, que produce una pérdida de conciencia similar a la del síncope, pero muy grave puesto que se pone en riesgo el funcionamiento de todos los órganos corporales.

CONFUSIÓN

■ Es el estado en el cual hay un defecto de la atención que impide pensar con coherencia y claridad, produce desorientación y no permite interpretar correctamente las percepciones de los sentidos. No se trata de una pérdida de la conciencia, sino de una alteración aguda de la función intelectual que produce un cuadro complejo de síntomas que se denomina síndrome confusional agudo y que tiene las siguientes características:

- Alteración de la conciencia, con gran excitabilidad que se alterna con somnolencia disminuyendo en ambos casos la capacidad de concentración y de razonamiento.

- Disminución de la actividad motora con repetición constante de movimientos monótonos, lenguaje pobre, respuestas apáticas; existe una incapacidad para improvisar acciones o palabras.
- Pensamiento lento y desintegrado, que no permite asociar las experiencias pasadas con el presente ni programar el futuro.
- Desorientación temporal y espacial; el sujeto desconoce con precisión dónde se encuentra y en qué fecha vive.
- Cambios emocionales bruscos, con depresión dominante que alterna momentos de euforia o irritabilidad.
- Delirio, que puede aparecer en algunas ocasiones, junto con alucinaciones sobre todo visuales.

■ El síndrome confusional es por tanto el resultado final de una enfermedad subyacente o una agresión externa que pueden ser:

- Neurológica: traumatismo craneoencefálico, infarto o hemorragia cerebral, embolias cerebrales, infecciones intracraneales, tumores del sistema nervioso o tras un ataque epiléptico.
- Déficit de glucosa en sangre o deshidratación extrema.
- Insuficiencia renal o hepática, descompensación diabética o pérdida excesiva de sales minerales.
- Golpe de calor o por el contrario principio de congelación.
- Intoxicación por fármacos, alcohol y sobre todo por determinadas drogas, así como la abstinencia de los mismos.

Este cuadro requiere en todos los casos de evaluación médica para preservar las funciones vitales del individuo e investigar sus causas. Aunque este síndrome suele presentarse aislado y desaparece cuando mejora la enfermedad de fondo, a veces es un paso previo a una obnubilación más profunda o un estado de coma.

COMA

■ A diferencia del síncope, que suele ser brusco y de corta duración, existen una serie de alteraciones de la conciencia de instauración lenta y progresiva que van aislando al individuo de la realidad que le rodea:

- Obnubilación: es la reducción leve o moderada del estado de atención del sujeto, que se encuentra ligeramente postrado o abotargado, sin interés por nada, con somnolencia, pero que puede ser fácilmente estimulado para lograr una respuesta o algo de atención.
- Estupor: es el paso siguiente en el que el individuo parece dormido y es muy difícil despertarle, incluso con estímulos dolorosos intensos. Responde de forma vaga a las órdenes y no es capaz de responder verbalmente a las preguntas.
- Coma: es la falta total de respuesta a estímulos externos o a necesidades internas del individuo, que no es capaz de despertar ni reaccionar ante nada.

■ Al contrario que en el sueño, la actividad cerebral total durante el coma está muy disminuida y los reflejos (como el de la tos o el corneal) están ausentes. En el llamado coma profundo la desconexión es total y el individuo permanece con los ojos cerrados e inmóvil. Las principales situaciones que pueden desembocar en un estado de coma son:

- Lesiones neurológicas: principalmente hemorragia y hematoma cerebral, infarto cerebral extenso, tumores, absceso cerebral y meningitis.

- Alteraciones metabólicas: hipoglucemia, hiperglucemia (que puede provocar la llamada cetoacidosis y desembocar en un coma diabético), falta grave de potasio o calcio, deshidratación intensa y en general, enfermedades hepáticas y renales que impiden la correcta eliminación de los productos de desecho del metabolismo corporal.
- Alteraciones tóxicas: por inhalación prolongada de monóxido de carbono, fármacos del tipo barbitúricos u opiáceos, drogas y alcohol (el conocido coma etílico).
- Déficit de oxigenación cerebral: por ejemplo en anemias graves, insuficiencia cardíaca o respiratoria, tras ahogamientos y en las crisis hipertensivas; en general cualquier situación que provoque la falta de riego cerebral más tiempo del debido.
- Causas físicas: golpe de calor o hipotermia (congelación).

Como es lógico, el estado de coma necesita de un estudio y cuidado específico en el ámbito hospitalario; ante una situación de este tipo, y mientras llega la asistencia especializada podemos colaborar vigilando la función cardiorespiratoria del individuo (y reanimándole si es necesario) e investigando las posibles causas del coma como el consumo de fármacos o alcohol, si es o no diabético, la forma de comienzo del cuadro y otras circunstancias que puedan ayudar a su tratamiento.

■ El pronóstico del coma depende en cada caso de su desencadenante y de la posibilidad de tratarlo;

- Las formas tóxicas y las metabólicas se corrigen en breve tiempo con el tratamiento adecuado con bajo riesgo de secuelas.
- Las producidas por hipoxia (falta de oxígeno en el cerebro) responden peor cuanto mayor sea el tiempo que ésta haya durado; el riesgo de secuelas también es proporcional a dicho tiempo.
- El coma secundario a lesiones neurológicas suele tener mal pronóstico.

Alteraciones del nivel de conciencia

ESTADO DE CONCIENCIA

Recepción de las señales eléctricas nerviosas.

CLASIFICACIÓN

Síncope: pérdida transitoria del conocimiento, muy común, que puede responder a bajadas de tensión arterial, impresiones fuertes, carencias nutricionales, etc.

- Tratamiento del síncope: levantar las piernas al enfermo, ventilación y valoración médica del suceso.
- Confusión: defecto de la atención por alteración aguda de la función intelectual que puede ser resultado de una enfermedad subyacente o una agresión externa.
- Obnubilación: reducción leve o moderada de la capacidad de atención del individuo, que se encuentra somnoliento o abotargado.

- Estupor: estado de desconexión casi total con el exterior del que es difícil extraer al individuo.
- Coma: ausencia total de la capacidad de responder a los estímulos externos con pérdida progresiva del nivel de conciencia y con lentitud de las funciones cerebrales y abolición de los reflejos.

  - Causas del coma: lesiones neurológicas (hemorragia o infarto cerebral), cambios metabólicos (diabetes), intoxicaciones (monóxido de carbono, drogas, alcohol), falta de oxígeno (asfixia, ahogamiento, anemias graves), agresiones externas (congelación, golpe de calor).
  - Tratamiento hospitalario.
  - Pronóstico: según la causa del proceso, el tiempo transcurrido hasta la instauración del tratamiento y el estado físico previo del individuo.

— Temblores y enfermedad de Parkinson —

El cerebro es el encargado de ordenar a cada músculo que se contraiga o se relaje. De esta forma, los temblores se pueden considerar producto de una contracción involuntaria y repetitiva de un grupo muscular. Cuando existe una disfunción en las estructuras cerebrales encargadas del control muscular hablamos de enfermedad muscular.

La capacidad para moverse dentro del medio que les rodea es una de las principales funciones que poseen los seres vivos. Desde los microorganismos hasta los hombres, todos necesitan desplazarse de alguna manera a su alrededor, para poder alimentarse y reproducirse. En los seres humanos, el conjunto de músculos o musculatura es la encargada de realizar los movimientos de todo el cuerpo, de forma coordinada, y apoyándose en los huesos del esqueleto. Cada movimiento que somos capaces de realizar, por simple que parezca, es producto del trabajo combinado entre diferentes músculos controlados por el cerebro; cuando éste no es capaz de enviar los impulsos eléctricos de forma adecuada, aparecen diferentes alteraciones del movimiento.

El temblor es, por tanto, producto de la contracción involuntaria y repetitiva de un grupo muscular, que provoca un movimiento oscilatorio de una parte del cuerpo, o de todo el mismo, y que puede aparecer tanto en reposo como en movimiento. Como hemos dicho anteriormente, es el cerebro el responsable de ordenar a cada músculo que se contraiga o se relaje; por tanto, los temblores son consecuencia de fallos a nivel del sistema nervioso, no fallos de la musculatura.

En muchas ocasiones, el temblor no es consecuencia de ninguna enfermedad en concreto, sino que aparece de forma normal durante un corto periodo de tiempo, afectando a todo el cuerpo, y en determinadas situaciones como frío y miedo; a esto se denomina temblor fisiológico. Sin embargo, en otras ocasiones, el temblor es producido por algún tipo de enfermedad que afecta a las estructuras cerebrales encargadas del control muscular; hablamos entonces de temblor patológico, y no se afecta todo el cuerpo, sino sólo una parte del mismo que normalmente es la cabeza y los brazos.

CLASIFICACIÓN

■ Una forma sencilla de ordenar los distintos tipos de temblores es según la actitud que presenta el individuo en el momento en el que aparecen. Así, se pueden dividir en:

● Temblores de reposo: son los que aparecen sólo cuando el músculo o grupo muscular afectado está en reposo voluntario, es decir, que desaparecen cuando el individuo utiliza dicho grupo para realizar cualquier acción. Por ejemplo, es el temblor que tiene un individuo en las piernas cuando está sentado y que desaparece cuando comienza a andar. A este grupo de temblores pertenece la enfermedad de Parkinson.

- Temblores de intención o acción: al contrario que los anteriores, son los que aparecen cuando el enfermo trata de realizar un movimiento determinado, hasta el punto de que éste puede resultar imposible si requiere un cierto grado de precisión. Es típico de ciertas enfermedades como la esclerosis múltiple y en general todas aquellas que afecten al cerebelo.

- Temblores de postura: son aquellos que aparecen al adoptar el sujeto una determinada postura de su cuerpo, que exija mantener tensos ciertos músculos aunque se esté parado, como por ejemplo, tener las piernas cruzadas al sentarse o mantener los brazos extendidos al frente. Pertenece a este grupo el llamado temblor esencial.

ENFERMEDAD DE PARKINSON

Se denomina así a la enfermedad producida por la degeneración o destrucción de ciertas áreas de nuestro cerebro, responsables de la coordinación y control de los movimientos del cuerpo. En concreto se afecta la llamada sustancia negra, responsable de la producción de la dopamina, que es un neurotransmisor (molécula encargada de conectar las neuronas entre sí) fundamental para que el sistema nervioso pueda realizar la función mencionada.

Síntomas de la enfermedad de Parkinson

Las formas de presentarse son variadas y diferentes en cada individuo, aunque existen una serie de signos que se comparten en casi todos los casos:

■ Temblor: que es de reposo como antes explicamos, y que suele comenzar en una mano para luego extenderse al resto de extremidades, al cuello y a la cabeza. El temblor aumenta con el nerviosismo o la ansiedad, y cesa con el sueño.

■ Bradicinesia: que quiere decir lentitud progresiva de los movimientos en general. Así, los enfermos de Parkinson se mueven más despacio, sin el balanceo típico de los brazos al andar, con habla más lenta y con un tono más bajo y, de forma habitual, tienen un retardo perceptible en la masticación y deglución de los alimentos. Según transcurre la enfermedad, el paciente adquiere un rostro inexpresivo, sin apenas parpadeo, y sin capacidad de dar afectividad a sus palabras mediante gestos faciales.

■ Rigidez muscular: que se manifiesta como la dificultad que ofrecen las articulaciones del enfermo a ser movilizadas por otra persona, aunque aquel no haga fuerza para impedirlo; esto se llama resistencia al movimiento pasivo.

■ Otros síntomas que suelen aparecer son estreñimiento, incontinencia urinaria, excesiva salivación, sudoración abundante y, hasta en un 40% de los casos, depresión.

La enfermedad se diagnostica por la presencia de estos síntomas que hemos descrito, por lo que, como en otras muchas enfermedades, el despunte inicial de uno de ellos debe llevar al enfermo o a sus familiares a la consulta del médico.

¿POR QUÉ SE PRODUCE ESTA ALTERACIÓN?

Pues no se sabe en concreto, aunque se han elaborado diferentes teorías para tratar de explicar el origen de esta enfermedad. Parece que determinados individuos tienen una cierta predisposición a padecerla, y el envejecimiento de las neuronas que aparece de forma normal con los años acaba por desencadenarla. Se investiga hoy en día si determinadas infecciones o tóxicos medioambientales son los responsables de dicha predisposición. Curiosamente, la enfermedad es más frecuente entre los **no fumadores** por razones aún desconocidas; esto no quiere decir que sea recomendable fumar para prevenirla, puesto que es mayor el perjuicio en general del tabaco, que este posible beneficio.

¿A QUIÉN AFECTA ESTA ENFERMEDAD?

Afecta por igual a ambos sexos y sin diferencia de razas; se inicia, en la mayoría de las ocasiones, entre los 40 y los 65 años de edad, siendo rara su aparición antes de los 20 años. Cada año aparecen cerca de 200 nuevos casos por cada millón de habitantes.

¿CÓMO SE TRATA ESTA ENFERMEDAD?

■ La enfermedad de Parkinson es una enfermedad crónica y progresiva, ya que la degeneración cerebral que la causa no se detiene espontáneamente, ni existen aún fármacos u otras terapias que lo consigan. Sin embargo es posible «frenar» la velocidad de avance de la enfermedad y proporcionar a los enfermos más años de vida y con mayor calidad de la misma. Esto se hace de tres maneras diferentes:

- Mediante fármacos: principalmente la levodopa, que se transforma en el cerebro en dopamina y que, como ya explicamos, es necesaria para el control de la función muscular. Tanto este fármaco como el resto de los que se emplean, pierden efectividad con el paso de los años, por lo que sus pautas de empleo se modifican y combinan a lo largo del curso de la enfermedad.
- Mediante fisioterapia y ejercicio: es importante mentalizar al enfermo de que la práctica diaria de ejercicio físico previene la aparición de la rigidez muscular y de las contracturas que esta provoca. Se recomienda caminar todo lo que se pueda (con un objeto en cada mano para favorecer el braceo), con la espalda estirada y los pies separados dando pasos largos. Si es posible, es muy recomendable la natación y la realización de una tabla de gimnasia todos los días. En casos más avanzados, el fisioterapeuta puede realizar diferentes tratamientos encaminados a mejorar la rigidez.
- Mediante cuidados personales proporcionados por el entorno familiar del enfermo, encaminados a mejorar su alimentación (alimentos «blandos» que pueda tragar con facilidad y ricos en fibra para prevenir el estreñimiento), su descanso (camas duras y con barras de ayuda para levantarse) y su ocio (actividades de entretenimiento alrededor de la familia y fomento de las relaciones sociales).

¿QUÉ PRONÓSTICO TIENEN ESTOS ENFERMOS?

Con el tiempo, y pese al tratamiento, los síntomas tienen tendencia a ir empeorando, especialmente la lentitud y la rigidez; las contracturas musculares pueden llegar a ser tan intensas que dejen completamente inmovilizado al paciente. La dificultad para comer provoca en muchos casos importantes pérdidas de peso, que requieren de formas alternativas de nutrición. Con las medidas antes mencionadas, se pueden prolongar los años de vida de estos pacientes hasta casi los que normalmente vivirían sin la enfermedad. Sin tratamiento, la vida media de estos pacientes sería de unos diez años desde el momento del diagnóstico; con tratamiento se prolonga en la mayoría de los casos hasta 25 o 30 años. Es interesante contactar con alguna de las asociaciones de enfermos y familiares de enfermos que existen en casi todas las ciudades.

TEMBLOR POR ALTERACIONES DEL CEREBELO

El cerebelo es un órgano del sistema nervioso que se encuentra situado en la parte posterior del cráneo, detrás y debajo del cerebro. Entre otras funciones, es el encargado de mantener el equilibrio durante la marcha, además de coordinar la realización de movimientos «finos» o de gran precisión. La lesión cerebelosa puede provocar la aparición de temblor de acción, sobre todo cuando el enfermo pretende realizar un movimiento que requiere cierta coordinación, como por ejemplo, llevarse el dedo a la punta de la nariz.

Es un síntoma frecuente en enfermedades que afecten al cerebelo o alguna de sus conexiones como la esclerosis múltiple, tumores del cerebelo o metástasis de otros tumores sobre el mismo.

TEMBLOR ESENCIAL

Se denomina así a un tipo de temblor de postura o actitud que aparece habitualmente entre personas completamente sanas. Aunque es el doble de frecuente que el Parkinson, se diferencia de éste en que es un temblor benigno, que no se acompaña de otros síntomas y que en muy pocos casos llega a ser tan intenso como para impedir a los pacientes realizar sus actividades cotidianas.

Afecta por igual a ambos sexos y su edad de aparición se sitúa entre los 40 y los 60 años; cuando aparece en mayores de 65 años se denomina **temblor senil**. En más de la mitad de los casos hay antecedentes en la familia de haberlo padecido. Es posible que la enfermedad sea más frecuente de lo que se cree, debido a que en muchas ocasiones no se consulta al médico, ya que este temblor se tolera bien y el enfermo aprende a convivir con él.

Se localiza sobre todo en los brazos, las manos y la cabeza; por ejemplo, lo observamos al pedirle al enfermo que sujete un vaso de agua lleno; no está en movimiento pero tampoco en reposo, está manteniendo una postura, y esto hace que aparezca el temblor que derrame el agua. También son típicos los movimientos de afirmación o negación con la cabeza mientras mantienen una conversación o ven la televisión.

Empeora con el nerviosismo, la fatiga y el intento del paciente de controlarlo; por el contrario, mejora tras el descanso y la tranquilidad. El alcohol también mejora los síntomas, lo que explica una mayor incidencia del alcoholismo entre estos individuos.

En los casos más graves es necesario emplear fármacos para su tratamiento, especialmente cuando afectan a las habilidades indispensables del enfermo.

TEMBLORES POR SUSTANCIAS TÓXICAS

Algunos fármacos tienen como efecto secundario la producción de temblores entre los pacientes que los consumen; es importante consultar siempre al médico si aparecen.

Las drogas también son capaces de provocar temblores de cualquier tipo, tanto por su consumo, como por su abstinencia. Este cuadro debe sospecharse cuando aparecen temblores de forma reiterada en personas sanas.

Temblores y enfermedad de Parkinson

DIFERENCIA ENTRE TEMBLOR FISIOLÓGICO Y TEMBLOR PATOLÓGICO

El temblor patológico se produce por alguna enfermedad que afecta al control muscular del cerebro.

CLASIFICACIÓN DE LOS TEMBLORES

- Temblores de reposo: son los que se producen cuando el grupo muscular afectado está parado.
- Temblores de intención o acción: aparecen cuando se trata de realizar un movimiento determinado.
- Temblores de postura: se producen al adoptar el individuo una determinada postura.

TEMBLOR POR ALTERACIONES DEL CEREBELO

Afecta al movimiento cuando se desea hacer una actividad que requiere coordinación y precisión.

ENFERMEDAD DE PARKINSON

Enfermedad producida por la degeneración o destrucción de ciertas áreas cerebrales, responsables de la coordinación y control de los movimientos del cuerpo.

Aunque su origen es aún desconocido, parece que determinados individuos tienen cierta predisposición a padecerla; se investiga hoy en día si determinadas infecciones o tóxicos pueden actuar sobre dicha predisposición.

Los síntomas de esta enfermedad son:

- Temblor de reposo.
- Bradicinesia.
- Rigidez muscular.
- Otros síntomas.

El tratamiento de la enfermedad de Parkinson se basa en el empleo de fármacos, la fisioterapia y el ejercicio físico y el aprendizaje por el enfermo y su familia de los cuidados personales adecuados.

El pronóstico de la enfermedad suele ser la tendencia a la inmovilización paulatina del paciente.

TEMBLOR ESENCIAL

Es un temblor benigno, como el temblor senil.

TEMBLOR POR SUSTANCIAS TÓXICAS

Como efecto secundario por la ingesta de fármacos o drogas.

Trastornos del sueño

El sueño es una de las necesidades fisiológicas de nuestro organismo sin la que no sería posible tener una calidad de vida adecuada. El número de horas que necesita cada persona para poder desarrollar una actividad normal depende de muchos factores: el metabolismo, la constitución de cada uno, el clima, las costumbres, la educación...

Dormir y soñar, y hacerlo además bien, puede ser considerado como uno de los pilares sobre el que se asienta el concepto de «calidad de vida», que definimos al iniciar este libro. Aproximadamente pasamos una tercera parte de nuestra vida durmiendo, lo que supone que dormir es la actividad a la que más tiempo dedicamos. Pero el sueño no es una opción para el hombre ni para el resto de seres vivos superiores, sino que es una necesidad que acompaña al hecho de poseer cerebro. Solamente la persona que, por diferentes circunstancias, padece problemas de sueño, comprende lo importante que éste resulta para llevar una vida normal. El sueño, por tanto, nos viene impuesto de forma cíclica y regular por nuestro sistema nervioso, y aunque tenemos la capacidad para controlarlo dentro de unos márgenes, en ningún caso podemos prescindir de él más allá de tres o cuatro días. Cada ser humano organiza sus periodos de sueño de una forma diferente, de tal manera, que el número de horas que cada persona necesita dormir cada día varía de unos a otros; esto se produce por las diferentes características de cada organismo y por razones culturales y climatológicas de las diferentes sociedades.

Los trastornos del sueño se presentan en el 25% de la población, con una mayor incidencia en el medio urbano frente al medio rural. Es bien sabido que un modo de vida más relajado y un trabajo con menos responsabilidad permite en general un mejor descanso. Las personas con un nivel socioeconómico más bajo también experimentan con más frecuencia este tipo de problemas. Pero no sólo los factores ambientales o externos son los responsables de la cantidad de horas que dormimos cada día, ya que por ejemplo, los enfermos crónicos en general y los psiquiátricos en particular son tambien más propensos a sufrir irregularidades a la hora de dormir.

¿POR QUÉ NECESITAMOS DORMIR?

El sueño es un proceso fisiológico que realiza nuestro cerebro de forma más o menos regular durante toda la vida. Mientras se duerme, sabemos que el cerebro sigue en funcionamiento, aunque con una actividad eléctrica menor, mientras que continúa controlando las funciones vitales del cuerpo y posiblemente reorganizando en nuestra memoria las experiencias vividas. Además disminuye la temperatura corporal y la frecuencia de latido del corazón. Se permanece entonces en una especie de estado de «letargia» en el que se ralentizan la mayoría de los procesos del organismo. Aún así, el cerebro y los órganos de los sentidos permanecen en alerta para interrumpir el sueño si fuera necesario. Posiblemente se realicen otras actividades que aún desconocemos, pero que deben de ser esenciales para que al des-

pertarnos tengamos la sensación de haber descansado.

El sueño está estructurado en diferentes fases, que van fluyendo de forma consecutiva para formar un ciclo de sueño, que a su vez se repite mientras estamos durmiendo. En la primera fase, el individuo entra poco a poco en un estado de sopor, que es intermedio entre la vigilia (estar despierto) y el sueño. Posteriormente, llega una segunda fase de corta duración que podríamos denominar de sueño lento o ligero que va seguida finalmente de una tercera, más larga, o

¿Por qué se produce el insomnio?

■ En algunas ocasiones no existe una causa que podamos reconocer como la responsable de la falta de sueño; hablamos en este caso del INSOMNIO PRIMARIO que sufren determinadas personas de forma permanente en su vida, a veces de forma hereditaria.

■ Las principales causas de INSOMNIO SECUNDARIO (es decir de causa conocida) son:

• Dolor o malestar por diferentes enfermedades especialmente las respiratorias (insomnio de mantenimiento).
• Enfermedades psiquiátricas como la depresión (despertar precoz) y la ansiedad (insomnio de conciliación), u otras que cursen con alteración de la personalidad.
• Consumo de determinados fármacos como los utilizados para la hipertensión arterial, Parkinson y los corticoides.
• Abuso de sustancias psicoestimulantes como el café y la cafeína, tabaco y drogas (insomnio de conciliación).

• Ingesta excesiva o habitual de alcohol (insomnio de mantenimiento y despertar precoz).
• Descontrol del ritmo vigilia-sueño, normalmente por razones laborales o desfases horarios.
• Empleo crónico de pastillas para dormir.
• Estrés o, en general, modos de vida acelerados (insomnio de conciliación).
• Intervenciones quirúrgicas recientes (insomnio transitorio).

■ Como dijimos al comenzar el capítulo, la falta de sueño afecta de forma considerable a la calidad de vida del paciente, por lo que éste consulta a su médico desde los primeros momentos en que aparece el trastorno. El diagnóstico por tanto resulta sencillo y se basa en calcular las horas de sueño diario y en valorar el cansancio del paciente mientras está despierto. Conviene recordar que a medida que envejecemos la cantidad de horas que necesitamos para dormir es menor.

sueño profundo. Cuando termina el primer ciclo (una o dos horas), la segunda y tercera fase empiezan a repetirse hasta cuatro o cinco veces (ciclos), con una duración cada vez mayor, hasta completar las siete u ocho horas de sueño que normalmente disfrutamos de media. Durante la tercera fase (fase REM) es cuando se produce lo que comúnmente denominamos soñar; los sueños son percepciones que crea nuestro cerebro a su libre albedrío, utilizando la reserva de nuestra memoria y que, curiosamente, son imprescindibles para el descanso. Por ejemplo, si impidiéramos a una persona llegar a la tercera fase del sueño, despertándola continuamente cada 30 minutos, no conseguiría descansar en absoluto aunque sumase en total ocho horas dormida. Si al despertar recordamos el sueño que teníamos en ese momento es porque el ciclo se encontraba en la fase REM. A veces se alcanza rápidamente esta fase y se puede soñar incluso durmiendo pocos minutos.

Expondremos a continuación los principales trastornos que afectan a la duración y a la forma del sueño:

INSOMNIO

El insomnio se define como la incapacidad de la persona para dormir el tiempo necesario que le permita mantener un buen estado general, y una actividad diaria satisfactoria. Esto quiere decir que el insomnio no es dormir pocas horas, sino no dormir las horas suficientes que garanticen el descanso y que en cada individuo puede ser un número diferente. Aún así, de forma general, se dice que hay insomnio cuando se duerme menos de seis horas de cada 24, y al menos tres días a la semana. Es el trastorno del sueño más frecuente en toda la población.

■ Podemos clasificar el insomnio según diferentes variables como la duración, la intensidad o la naturaleza del mismo:

● Se denomina **insomnio transitorio** a aquel que aparece sólo durante cortos periodos de tiempo; si el trastorno se prolonga más allá de seis meses se trata entonces de **insomnio crónico**.
● Según el déficit de horas de sueño y la repercusión en la vida cotidiana del individuo, el insomnio puede ser **leve, moderado** o **grave**.
● Según la forma de presentación, podemos distinguir entre:

– **Insomnio de conciliación**: es el más frecuente y se define como la dificultad para poder quedarse dormido. En estados de ansiedad o excitación es normal que se produzca y la persona lo recupera durmiendo hasta más tarde; este insomnio es patológico cuando el individuo se sigue despertando a la misma hora, y por tanto, disminuye el tiempo total de sueño.
– **Insomnio de mantenimiento**: consiste en la dificultad para dormir de forma ininterrumpida durante la noche. Es típico de este grupo el llamado despertar precoz, que ocurre de madrugada y que impide volver a conciliar el sueño.

¿CÓMO PODEMOS COMBATIR EL INSOMNIO?

■ El tratamiento del insomnio debe ir encaminado en dos direcciones:

1. Higiene del sueño: con este término nos referimos a una serie de normas fundamentales, que debemos respetar en la

medida de lo posible, para conseguir que nuestro ritmo de vida y nuestras costumbres se aproximen a las ideales para un dormir satisfactorio. Las principales son:

- Tratar de acomodarse a horarios regulares todos los días, evitar siestas muy prolongadas, y no abusar durante el fin de semana de excesivas horas de sueño.
- Mejorar al máximo las condiciones en que dormimos; buscar el mayor confort del dormitorio y prevenir la luz y los ruidos excesivos.
- Practicar deporte de forma habitual, aunque no inmediatamente antes de acostarse.
- Rehuir, desde al menos tres horas antes, del consumo de excitantes como café, té, tabaco y chocolate. No acostarse hasta al menos una hora después de haber comido ni tampoco con hambre.
- No leer o ver la televisión en la cama salvo en aquellos casos donde esté demostrado que ayuda a conciliar el sueño.
- No irse a dormir sin sueño; salvo que tengamos sueño «atrasado», es difícil conseguir dormir antes de la hora habitual y además puede ocurrir que nos despertemos a las pocas horas y nos cuesta volver a conciliarlo.
- Evitar, una vez en la cama, rememorar lo sucedido durante el día o lo que nos espera mañana; es aconsejable pensar en paisajes y situaciones placenteras o en cosas tremendamente aburridas (¿contar ovejitas?).
- Aprender ejercicios de relajación y utilizarlos antes de dormir (se enseñan en cualquier centro de salud). Levantarse rápidamente tras despertarse.

- Poner el despertador siempre a la misma hora independientemente de lo que se haya dormido y no volver a acostarse hasta por lo menos seis horas después.

Si transcurridos 30 minutos no es capaz de dormir, lo mejor es levantarse y realizar cualquier actividad como leer o pasear. La obsesión por no dormir (dar vueltas en la cama, desesperarse) produce más cansancio que estar simplemente despierto.

2. Tratamiento farmacológico: se basa en el empleo de los llamados hipnóticos y su eficacia, en cualquier caso, siempre estará supeditada a que se respeten las normas antes descritas como higiene del sueño. Hoy en día se emplean como hipnóticos, casi de forma mayoritaria, un grupo de fármacos llamados benzodiacepinas y que sólo pueden ser prescritos por el médico. Actúan sobre el cerebro, alargando la duración total del sueño y disminuyendo el número de despertares nocturnos. Existen también compuestos naturales extraídos de plantas que han demostrado eficacia en bastantes casos.

Por tanto, el uso de fármacos hipnóticos debe ser pautado y controlado por el médico. Este tipo de fármacos deben utilizarse únicamente de forma transitoria y en ningún caso de forma crónica, ya que con el tiempo lo único que conseguiremos es seguir durmiendo igual de mal y depender de los mismos. Los hipnóticos, tomados de forma abusiva o prolongada, crean un hábito en la persona del cual es muy difícil «desengancharse». Además son compuestos potencialmente peligrosos en caso de sobredosis.

Los antidepresivos y los antihistamínicos son también empleados como alternativas para el tratamiento del insomnio.

HIPERSOMNIA

Se define como un tipo de sueño prolongado, con dificultad incluso para despertar y que no se acompaña de un mayor descanso. Pueden aparecer de forma transitoria durante unos pocos días o semanas y desaparecer, o ser crónicos como consecuencia de alguna alteración del sistema nervioso. La forma más típica de presentarse es como la llamada «borrachera de sueño», que aparece sobre todo en varones menores de 30 años, y que se manifiesta como una incapacidad para despertarse, junto con confusión y desorientación. Con frecuencia hay algún familiar que ha sufrido un cuadro similar en algún momento de su vida; esta alteración suele desaparecer de forma espontánea al poco tiempo y se asocia en muchos casos a depresión.

■ Existen otras formas de hipersomnia que se caracterizan por ataques irresistibles de sueño a lo largo del día, pese a que se haya dormido un suficiente número de horas. Las dos formas de presentación más frecuentes son:

- **Narcolepsia**: enfermedad de origen genético (hereditaria) que consiste en la aparición de sueño, de forma súbita e incontrolable, durante unos minutos y en cualquier momento del día. Hay además una pérdida del tono muscular con desplome del individuo. A veces se acompaña también de alucinaciones visuales y parálisis del sueño (el individuo permanece en un estado cataléptico, en el que oye lo que pasa a su alrededor pero no puede moverse).
- **Síndrome de apnea del sueño**: una apnea del sueño es una parada temporal de la respiración, de más de diez segundos de duración, y que aparece durante el sueño. Todos los individuos tienen apneas mientras duermen, pero sólo se consideran patológicas cuando se repiten excesivas veces a lo largo del sueño o cuando la ausencia de respiración es muy prolongada. Como explicamos al hablar de la estructura del sueño, es necesario que cada uno de los ciclos que se repiten mientras dormimos alcance la fase de sueño REM, para que este sea adecuado y reparador. Los enfermos de apnea del sueño sufren durante esta fase pequeñas paradas respiratorias de forma continua, y que aunque no llegan a despertarles, sí que desestructuran el sueño lo suficiente para impedir su normal desarrollo. La consecuencia de esto es que el individuo se suele levantar por la mañana sin sensación de descanso, tiene tendencia a lo largo del día a quedarse dormido en cualquier parte (con frecuencia mientras conduce) y no se encuentra lo suficientemente despejado para tener un rendimiento mental aceptable. La causa de la apnea puede ser:

- Central: por enfermedades cerebrales o del sistema nervioso
- Obstructiva de las vías respiratorias: es más frecuente y aparece sobre todo en personas obesas, muy roncadoras y a veces hipertensas. Es muy característico que tras ronquidos muy intensos, el individuo pare la respiración durante muchos segundos (con susto incluido para el que duerme al lado), de repente emite un ronquido corto muy fuerte y comienza de nuevo la respiración.

Es obvio resaltar la importancia que supone detectar a tiempo esta enfermedad, por el riesgo que tiene para el paciente un estado de somnolencia diurno mientras realiza actividades que pueden requerir toda su atención. El tratamiento más habitual suele ser el empleo de unos dispositivos que aplican aire a presión por vía nasal durante toda la noche y la cirugía.

PARASOMNIA

■ Incluimos aquí a diferentes alteraciones de la forma del sueño, generalmente de poca gravedad y muy habituales en la población general:

– **Sonambulismo**: pequeños «paseos» nocturnos muy frecuentes en los niños y que desaparecen con la edad. En adultos pueden aparecer como consecuencia de alteraciones psiquiátricas. Mientras se produce, conviene acompañar al paciente para evitar que se haga daño y suavemente llevarle de nuevo hasta la cama. En caso de ser excesivamente habituales, se debe consultar al médico.

– **Terrores nocturnos**: episodios de miedo y terror que despiertan generalmente al individuo (casi siempre niños) con un grito, pero que no se producen durante un sueño, por lo que el sujeto no recuerda nada. Son más frecuentes entre los cuatro y los siete años y cuando son muy intensos o repetitivos requieren tratamiento.

– **Pesadillas**: sueños de contenido desagradable o aterrador muy frecuentes entre los niños de siete a diez años, que hace que se despierten sobresaltados. Pueden aparecer también en adultos, sobre todo tras ingesta de alcohol o determinados alimentos.

Trastornos del sueño

ETAPAS DEL SUEÑO

Primera fase: sopor.
Segunda fase: sueño ligero.
Tercera fase: sueño profundo o fase REM, momento en que se producen los sueños.

HIPERSOMNIA

Exceso de sueño o sueño prolongado que no se acompaña de un mayor descanso.
Narcolepsia.
Síndrome de apnea del sueño.

PARASOMNIAS

Sonambulismo.
Terrores nocturnos.
Pesadillas.

INSOMNIO

Incapacidad para dormir el tiempo suficiente como para obtener el descanso necesario para mantener una actividad física e intelectual adecuada.

Puede ser clasificado en:

- Insomnio transitorio: durante cortos periodos de tiempo.
- Insomnio crónico: de larga duración.
- Insomnio leve, moderado o grave.
- Insomnio de conciliación: dificultad para quedarse dormido.
- Insomnio de mantenimiento: dificultad para seguir durmiendo tras un despertar precoz.

Las principales causas del insomnio son:

- Enfermedades psiquiátricas: depresión, ansiedad.
- Enfermedades respiratorias.
- Consumo de fármacos.
- Abuso del alcohol o abstinencia del mismo.
- Estrés.
- Ingesta de sustancias psicoestimulantes: café, cafeína, tabaco.
- Otros.

El tratamiento del insomnio se basa en:
Medidas preventivas y consejos: horarios regulares, práctica deportiva, otras medidas.
Tratamiento farmacológico.

Demencias

La demencia es un síndrome neurológico caracterizado por un deterioro progresivo y global de las facultades intelectuales que incapacita para la actividad social y laboral, y que persiste durante más de tres meses para diferenciarlo del síndrome confusional agudo. La demencia cursa también con pérdida de memoria asociada a trastornos de la personalidad y del lenguaje; la conciencia siempre se mantiene. No deben confundirse los términos demenciado (que es el paciente que sufre esta enfermedad) con demente (que se utiliza como sinónimo de loco). Como se trata de una enfermedad que aumenta su incidencia con el paso de los años, el aumento de las expectativas de vida en la actualidad ha incrementado el número de casos detectados de esta enfermedad. Se calcula que aproximadamente un 10% de la población mayor de 65 años sufre algún tipo de demencia, y esta cifra aumenta según avanza la edad; ambos sexos se afectan de la misma manera.

¿CÓMO SE PRESENTAN LAS DEMENCIAS?

■ Aunque los signos y síntomas de los diferentes tipos de demencias pueden ser similares en muchos casos, el origen de cada una de ellas es muy diferente. La causa de la demencia siempre es una enfermedad cerebral o metabólica subyacente, a veces curable, que se expresa de la siguiente manera en orden cronológico:

1. Los primeros síntomas son generalmente muy sutiles y difíciles de identificar; pueden consistir en una ligera pérdida de memoria, una tendencia al aburrimiento y una fatiga mayor de lo normal tras realizar un esfuerzo intelectual.

2. En el ámbito laboral, los compañeros del enfermo suelen ser los primeros en detectar el trastorno al observar el deterioro del rendimiento y el mayor número de errores en su puesto de trabajo. En el hogar se puede comprobar una cierta indiferencia hacia actividades que antes resultaban placenteras, olvido de conversaciones recientes y cierto aislamiento.

3. Posteriormente, el paciente empieza a tener dificultad para mantener su capacidad laboral y sus relaciones sociales, olvida el nombre de las cosas y de las personas, repite constantemente la misma pregunta y no es capaz de retener ningún nuevo conocimiento. Las situaciones banales crean en estos individuos verdaderos rompecabezas que no son capaces de resolver.

4. La desorientación avanza (se pierde con facilidad en recorridos cortos y habituales), no puede mantener apenas conversaciones, tiene cambios bruscos del humor y adopta actitudes extravagantes que no respetan las costumbres sociales.

5. En la fase final comienza una destrucción total de la capacidad intelectual del individuo, que no reconoce a ningún familiar y que depende absolutamente de los demás para cualquier actividad; el aislamiento es total.

El curso de esta progresión suele durar unos diez años, aunque según la causa de la demencia y el tratamiento recibido puede ser más rápido o más lento; así, por ejemplo, se puede avanzar rápidamente hacia las fases finales y luego permanecer varios años en ese estado o, por el contrario, tener un comienzo muy lento que se agrave por otras enfermedades y producir la muerte en poco tiempo.

CLASIFICACIÓN

Según su origen podemos dividir los tipos de demencia en:

■ **Demencias degenerativas**: se caracterizan por ser enfermedades en su mayor parte de origen genético que destruyen las neuronas del sistema nervioso de forma progresiva. Son las causas más frecuentes de demencia.

ENFERMEDAD DE ALZHEIMER

Es un trastorno degenerativo del sistema nervioso, de causa desconocida pero ligada a una alteración genética sobre la cual podrían actuar ciertos precipitantes infecciosos o tóxicos aún en estudio. Hasta este momento se han detectado cuatro genes diferentes que pueden estar relacionados con esta enfermedad, lo cual demuestra que existe un factor hereditario de la misma.

La enfermedad de Alzheimer es responsable de entre un 50% y un 75% de todos los casos de demencia, que aparece a partir de la edad media de la vida con mayor frecuencia entre las mujeres. En esta enfermedad existe una lesión cerebral generalizada con destrucción neuronal progresiva y atrofia que introduce al enfermo en una pérdida inexorable de su capacidad intelectual.

Se caracteriza por un inicio lento aunque invariablemente progresivo, con todas las fases antes descritas, que desemboca finalmente en una especie de estado vegetativo que favorece la aparición de infecciones que acaban por ser mortales. A los cinco años del diagnóstico de la enfermedad, la mayoría de los enfermos han necesitado ya de algún ingreso hospitalario o requieren ayuda constante para su alimentación e higiene.

Es importante reconocer a tiempo los primeros síntomas de la enfermedad de Alzheimer, no porque sea posible variar el curso de la enfermedad, sino porque deben descartarse lo antes posible otras causas de demencia que quizá sí sean curables. Además, el conocimiento precoz de la misma puede ayudar al enfermo y a su familia a prepararse frente a ella. Existen muchas asociaciones de enfermos y familiares que proporcionan un apoyo psicológico muy gratificante y que enseñan a convivir con este mal. El diagnóstico debe ser realizado por el médico mediante una exploración extensa de la función intelectual junto con técnicas complementarias como el escáner.

La supervivencia media de esta enfermedad oscila entre los cinco y los 20 años desde sus primeras manifestaciones, aunque en algunos casos ha llegado a ser mayor.

OTRAS DEMENCIAS DEGENERATIVAS

Se producen por mecanismos parecidos a la enfermedad de Alzheimer aunque son mucho menos frecuentes; las principales son:

• **Enfermedad de Pick**: comienza con trastornos psiquiátricos muy marcados, de tipo depresivo sobre todo, para continuarse después con un deterioro lento y menos agresivo que en el Alzheimer.

- **Demencia del lóbulo frontal**: cuadro similar al anterior pero que se acompaña de un comportamiento especialmente extraño, sobre todo en el área sexual, con desinhibición e incluso exhibicionismo.
- **Demencia por cuerpos de Lewy**: es un tipo especial de demencia intermitente que aparece sobre todo en varones y que se acompaña de alucinaciones visuales muy impactantes para el individuo. Con frecuencia desembocan también en cuadro similar al Parkinson.

■ **Demencias vasculares**: son las segundas en frecuencia tras las degenerativas y se producen por diferentes afectaciones de la circulación sanguínea en el cerebro. Las zonas afectadas no se recuperan; son por tanto irreversibles pero se pueden prevenir.

DEMENCIA MULTIINFARTO

Parece ser producida por múltiples infartos cerebrales secundarios a trombosis de los vasos que penetran en el cráneo, especialmente en pacientes que sufren de hipertensión intracraneal (excesiva presión en el interior del cerebro). Estos infartos producen áreas de muerte cerebral, lo que se manifiesta como pérdida brusca de funciones intelectuales, déficit de memoria, alteraciones del lenguaje y aparición de un síndrome depresivo con gran labilidad o fragilidad emocional.

ENFERMEDAD DE BINSWANGER

Se trata de una afectación cerebral producida por la ateromatosis de ciertas arterias que penetran en el cerebro, concretamente en una región específica llamada sustancia blanca, que provoca un cuadro de demencia que sólo se puede diagnosticar mediante escáner o resonancia magnética.

DEMENCIA POR HIDROCEFALIA

La hidrocefalia es un trastorno de la circulación del líquido cefalorraquídeo que provoca su acumulación en el cerebro; cuando el cráneo está completamente formado y es rígido, este líquido comprime la masa cerebral y provoca lesiones. Pueden ser reversibles.

- **Hidrocefalia normotensiva**: También denominada enfermedad de Hakim Adams es el prototipo de demencia reversible, que se produce por un defecto en la absorción del líquido cefálico, que se acumula y dilata ciertas estructuras craneales. Produce un cuadro típico de demencia de comienzo lento que puede llegar a ser completa, junto con otras alteraciones como incontinencia urinaria y trastornos de la marcha o la deambulación. La cirugía puede revertir completamente el cuadro, mediante la colocación de una válvula que permita el drenaje del líquido.

■ **Demencias infecciosas**: ciertas infecciones pueden ser responsables de la aparición de demencia; entre ellas se incluyen fases avanzadas de la sífilis, encefalitis por herpes, alteraciones finales del SIDA y algunos tipos de meningitis. Un apartado especial merecen las enfermedades producidas por priones:

ENFERMEDAD DE CREUTZFELDT-JACOB

Los priones son pequeñas proteínas cerebrales modificadas para ser muy infecciosas, que provocan enfermedades del sistema nervioso central; la más conocida es la encefalopatía espongiforme o enfermedad de las vacas locas, presuntamente relacionada con la forma bovina de encefalopatía espongiforme.

Esta infección, que en cualquier caso es muy infrecuente, produce una demencia rápidamente progresiva que se acompaña de alteraciones en el cerebelo y entrada en estado de coma con resultados fatales en menos de un año en la mayoría de los casos.

El **Kuru** y la **Enfermedad de Gerstmann-Sträussler** son otras infecciones priónicas que producen cuadros demenciales similares.

■ **Demencias tumorales**: son responsables del 5% de todos los casos de demencia, sobre todo los que afectan a los lóbulos frontal y temporal; las metástasis de otros tumores sobre el cerebro producen un efecto similar. Junto con la demencia se producen otros síntomas como la cefalea, convulsiones y otros signos neurológicos.

■ **Demencias metabólicas**: son las producidas por enfermedades generales como la afectación del tiroides (especialmente el hipotiroidismo en los ancianos) o por carencia de determinadas vitaminas como la B6, el

¿Cómo tratar las demencias?

Las posibilidades terapéuticas que se conocen hoy en día permiten tratar a un buen número de enfermos, mejorar sus síntomas e incluso curarlos en un buen número de casos. Este tratamiento va encaminado en tres vías:

■ Eliminar la causa de la misma si esto es posible: intervenir quirúrgicamente la hidrocefalia o tumores benignos y malignos, tratar adecuadamente las infecciones y suplir los déficits vitamínicos y nutricionales que se detecten; las demencias por alcoholismo requieren un tratamiento especial de soporte.

■ Preservar en la medida de lo posible las funciones intelectuales de estas personas y colaborar con el mantenimiento de la mejor calidad de vida posible; esto se puede conseguir mediante diferentes conductas:

■ Estimular el intelecto del paciente hablando con él, tratando de que lea y que atienda a los medios de comunicación.

■ Conservar y respetar su entorno, no hacer cambios bruscos en el mismo, darle sensación de seguridad y protección. Ayudarle a orientarse con rótulos y calendarios.

■ Evitar actividades de riesgo como conducir, no dejarle a solas demasiado tiempo y retirar de su alcance la medicación.

■ Intentar que realice, mientras se pueda, su propia higiene diaria y que coma sin ayuda.

■ Prevenir la aparición de la enfermedad con medidas como el control de la hipertensión arterial y del resto de factores de riesgo cardiovasculares. Al mismo tiempo los traumatismos y las infecciones cerebrales deben ser seguidas para evitar estas complicaciones.

■ Las demencias degenerativas no pueden recibir un tratamiento curativo desgraciadamente, pero puede prepararse al individuo y a la familia como comentamos al hablar del Alzheimer, sobre todo si existen antecedentes familiares de estas enfermedades. El objetivo final será siempre el mantenimiento de la dignidad de estas personas junto con el cariño y apoyo de los que les rodean.

ácido fólico y el ácido nicotínico. El alcoholismo y el abuso de drogas, así como la intoxicación crónica por ciertos metales (plomo, mercurio, manganeso) también pueden desencadenar esta enfermedad.

■ **Demencias postraumáticas**: los hematomas producidos entre el tejido cerebral y las meninges, después de un golpe fuerte en la cabeza, pueden permanecer mucho tiempo y empezar a causar una afectación intelectual similar a la demencia.

DIAGNÓSTICO

El primer objetivo es el de investigar si se trata realmente de una afectación global de la función intelectual, lo que se correspondería con una demencia, o si se trata de una alteración parcial y momentánea que tenga una causa diferente. Aunque sea el médico el que realiza el diagnóstico definitivo, la detección precoz de los síntomas y el relato de los mismos corresponde a la familia. Dada la gran variedad de procesos que pueden desembocar en la aparición de esta enfermedad es necesario recurrir a todas las pruebas diagnósticas al alcance para clasificarla.

Mediante la realización de unos sencillos test se puede valorar el estado intelectual del individuo y comprobar la progresión de la enfermedad una vez que ha sido diagnosticada.

Demencias

CLASIFICACIÓN DE LAS DEMENCIAS

Demencias degenerativas:

- Enfermedad de Alzheimer: trastorno degenerativo del sistema nervioso, de causa desconocida aunque con una predisposición genética demostrada. Esta enfermedad es la responsable de la mayoría de los casos de demencia.
- Enfermedad de Pick.
- Demencia de lóbulo frontal.
- Demencias por cuerpos de Lewy.

Demencias vasculares:

- Demencia multiinfarto.
- Enfermedad de Binswanger.

Demencia por hidrocefalia

- Hidrocefalia normotensiva.

Demencias infecciosas

- Enfermedad de Creutzfeldt-Jacob.

Demencias tumorales.
Demencias metabólicas.
Demencias postraumáticas.

CONCEPTO DE DEMENCIA

La demencia es un síndrome neurológico caracterizado por un deterioro progresivo y global de las facultades intelectuales. Su incidencia es mayor con el paso de los años.

FORMA DE PRESENTACIÓN

Los síntomas de la demencia pueden ser ordenados de forma cronológica de la siguiente manera:

- Ligera pérdida de memoria, tendencia al aburrimiento y dificultad para la concentración.
- Deterioro del rendimiento laboral.
- Deterioro de las relaciones sociales y el entorno familiar.
- Desorientación, actitudes extravagantes e incapacidad para mantener una conversación.
- Destrucción total de la capacidad intelectual.

DIAGNÓSTICO

Mediante test más escáner o cualquier prueba diagnóstica relacionada con su origen concreto.

TRATAMIENTO

Intervenciones quirúrgicas si la causa son tumores o hidrocefalia.
Estimulación del intelecto.
Respeto al entorno del paciente.
Evitar actividades de riesgo.
Prevención y apoyo familiar.

Cansancio y miastenia

Es importante diferenciar entre un tipo de cansancio normal, cuando es producto de un exceso de trabajo, ejercicio físico, falta de sueño o una convalecencia, y el cansancio psicológico, que tiene un origen muy distinto, siempre basado en algún tipo de enfermedad o disfunción corporal.

Cada ser humano posee su propio límite para la actividad física e intelectual; este límite viene impuesto por múltiples circunstancias como el grado de preparación o entrenamiento, las condiciones en las que se realiza el esfuerzo, la nutrición del individuo y la presencia de enfermedades, entre otras.

El cansancio es por tanto una sensación de agotamiento físico e intelectual acompañada de un conjunto de síntomas que se manifiestan de forma esperable tras un esfuerzo realizado de manera más o menos prolongada. Su aparición es una experiencia que conocemos desde la infancia y se presenta a menudo en cualquier momento de la jornada, especialmente al finalizar la misma. El descanso permite al individuo recuperar su estado normal tanto desde el punto de vista físico, con el reposo, como desde el punto de vista intelectual con el ocio y el sueño.

■ Es fácil por tanto enumerar las principales CAUSAS DEL CANSANCIO normal:

- Tras un día de trabajo.
- Después de un ejercicio físico intenso.
- Después de un largo periodo de concentración intelectual.
- Por un descanso insuficiente o inapropiado; falta de horas de sueño.
- Tras una intervención quirúrgica o cualquier circunstancia que obligue a permanecer en la cama cierto tiempo.

En muchas ocasiones se consulta al médico por cansancio excesivo o mayor de lo habitual, y aunque puede ser el síntoma de una enfermedad aún desconocida, en muchos casos no responde a ninguna situación patológica concreta. Así, es frecuente observar que personas jóvenes se encuentren cansadas durante largos periodos de tiempo sin una clara explicación, hasta el punto de solicitar analíticas de sangre y otras pruebas en busca de anemias o supuestos déficits vitamínicos. En estos casos rara vez se encuentra un dato analítico que justifique el cuadro y la falta de vitaminas es excepcional hoy en día en una persona que se alimente medianamente bien; la causa de este cuadro suele ser la mala forma física por falta de ejercicio o deporte que provoca un decaimiento general, sobre todo en determinadas estaciones del año como la primavera y el verano, y en periodos de más estrés laboral. Un cuadro similar puede ocurrir en la senectud y aunque es cierto que el paso de los años deteriora la capacidad física, un cansancio excesivo también puede responder a un entrenamiento inadecuado.

■ Por el contrario, el cansancio sí que puede ser un síntoma de alarma en otras ocasiones como hemos comentado y que no responda explícitamente a un sobreesfuerzo sino a una alteración subyacente; a este tipo de cansancio se le denomina astenia y de forma resumida sus principales causas son:

- Infecciones de todo tipo, especialmente las producidas por virus, que algunas veces pasarían inadvertidas si no fuera por el cansancio o sensación de «haber recibido una paliza» que producen. Los focos infecciosos dentarios, la garganta y la sinusitis pueden manifestarse únicamente de esta manera.
- La anemia o descenso de las cifras de hemoglobina produce una falta de vigor proporcional a la intensidad de la misma, siendo a veces la forma de detectar precozmente su presencia.
- El hipotiroidismo o falta de hormona tiroidea produce también astenia, al igual que la diabetes mal controlada.
- La obesidad o en general el sobrepeso supone una sobrecarga de trabajo para el aparato locomotor, lo que desemboca en la aparición de fatiga antes de lo normal.
- Determinadas causas psíquicas como la ansiedad mantenida pueden agotar la iniciativa del individuo no sólo intelectual sino físicamente.

Una mención aparte merece el caso del cáncer en cualquiera de sus formas, ya que se presenta en muchas ocasiones en forma de un síndrome llamado constitucional que asocia falta de apetito y pérdida de peso con astenia o cansancio.

¿QUÉ HACER ANTE EL CANSANCIO?

El primer paso como es lógico es descartar la presencia de enfermedades causantes del mismo a través de nuestro médico con la oportuna exploración física y pruebas analíticas si procede. Si se detecta un posible origen del mismo en alguna patología, el tratamiento de ésta será también el que haga desaparecer el cansancio.

■ En aquellos casos en los que no se evidencie un motivo claro para la fatiga el tratamiento debe ir encaminado hacia una serie de medidas en el estilo de vida que corrijan este estado:

- Replantearse las condiciones laborales si es posible.
- Alimentarse de forma correcta, dedicando tiempo suficiente a las comidas y procurando que sean equilibradas.
- Realizar ejercicio físico adicional a la actividad laboral.
- Aprovechar el tiempo vacacional y los fines de semana para descansar realmente (y no para no parar de un sitio a otro).

Las bebidas estimulantes y los compuestos vitamínicos ofrecen una ayuda temporal, en muchos casos más psicológica que real, agotando inconscientemente las pocas fuerzas restantes y sin solucionar el problema a medio o largo plazo, si no se corrigen las verdaderas causas del cansancio. Además, puede caerse en una dependencia tanto física como psíquica hacia ellos con un efecto rebote si se dejan de tomar. Ni que decir tiene que el empleo de algunas drogas como la cocaína por su efecto vigorizante transitorio es aún mucho peor.

MIASTENIA GRAVIS

La miastenia o cansancio muscular es una enfermedad que se produce por la falta del estímulo nervioso apropiado que los músculos necesitan para contraerse. Cuando el sistema nervioso central desea realizar un movimiento, envía un impulso a través de un nervio que se dirige hacia el músculo o grupo muscular que tiene que ser movilizado; la forma de transformar ese impulso eléctrico nervioso en una orden de contracción muscular es a través de la liberación de un neurotransmisor llamado acetilcolina, que cruza la brecha existente entre el final del nervio y el propio músculo y se une a receptores específicos del mismo, lo que provoca la acción muscular.

¿POR QUÉ SE PRODUCE LA MIASTENIA?

La miastenia se produce por una disminución de estos receptores de acetilcolina en el músculo, lo que provoca una baja respuesta muscular a los estímulos cerebrales. La causa de este descenso de receptores es autoinmune, es decir, provocada por los propios anticuerpos del organismo que bloquean y destruyen a aquellos al identificarlos como una estructura extraña al organismo. El timo, que es una glándula del sistema defensivo situada en el cuello, tiene una relación directa con la producción de dichos anticuerpos. En cualquier caso parece que existe una alteración genética responsable de esta alteración de la inmunidad.

¿CUÁNDO Y CÓMO AFECTA LA MIASTENIA?

La edad de comienzo suele situarse entre la segunda y tercera década de la vida, afec-tando en mayor proporción a las mujeres, sobre todo cuando aparece antes de los 40 años y siendo igual para ambos sexos a partir de los 60. Es una enfermedad extraordinariamente infrecuente, con sólo cuatro o cinco casos nuevos cada año por cada millón de habitantes.

El síntoma más característico de esta enfermedad es la debilidad muscular, generalizada o de una región corporal concreta, que empeora notablemente con el esfuerzo del músculo. Puede afectar exclusivamente a la musculatura ocular (produce caída de los párpados) y no progresar o puede extenderse al resto del aparato locomotor de forma progresiva hasta incluso afectar a los músculos respiratorios y producir la muerte.

La forma habitual de evolucionar la enfermedad es como periodos de mejoría amplios que se alternan con recaídas agudas; cuando éstas son muy graves y necesitan asistencia respiratoria se denominan crisis miasténicas.

El diagnóstico no es sencillo dado que al tratarse de una dolencia poco habitual se puede correr el riesgo de atribuir el cansancio o la impotencia muscular a otras causas mucho más frecuentes y retrasar su detección. El aumento de la debilidad muscular con el uso repetido del mismo y la mejoría tras el descanso son signos de sospecha de esta enfermedad, que se confirmará con diversas pruebas como el electromiograma o si se observa mejoría con la administración de ciertas sustancias.

El tratamiento se basa en una serie de medidas de soporte vital del enfermo como son la asistencia alimenticia y respiratoria en las formas más graves (las miastenias generalizadas) que requieran hospitalización, junto con reposo. Los fármacos empleados son los anticolinesterásicos y los corticoides. La extirpación del timo está indicada precozmente en todos los pacientes jóvenes y produce una mejoría apreciable en la mayoría de los casos.

El pronóstico de la miastenia gravis es bueno cuando la enfermedad comienza en la juventud y se detecta pronto; la ausencia de crisis miasténicas también es un buen signo de evolución. El uso correcto de la medicación permite a los enfermos una rápida recuperación tras la primera crisis y una incorporación a su vida normal en pocos meses. Las formas graves, que requieren hospitalizaciones frecuentes e incluso intubación respiratoria, tienen un peor pronóstico.

Cansancio y miastenia

DIFERENCIA ENTRE CANSANCIO NORMAL Y CANSANCIO PATOLÓGICO

Cansancio patológico cuando no lo causa el trabajo, el estudio, el ejercicio físico, la falta de sueño o la convalecencia.

CAUSAS DE CANSANCIO

- Cualquier tipo de infección.
- Anemia.
- Hipotiroidismo.
- Obesidad.
- Ansiedad y otras enfermedades psiquiátricas.
- Cáncer.

ESTUDIO DE LAS CAUSAS DEL CANSANCIO

Condiciones laborales, alimentación, ejercicio físico y descanso.

MIASTENIA GRAVIS

- Enfermedad producida por la falta del estímulo nervioso apropiado para que los músculos puedan contraerse de forma normal. Se produce por una disminución de los receptores de acetilcolina, neurotransmisor necesario para la función muscular.
- La edad de comienzo suele situarse entre la segunda y tercera década de la vida, aunque se trata de una enfermedad extraordinariamente infrecuente.
- El síntoma más característico es la debilidad muscular generalizada o de una región concreta, que empeora notablemente con el esfuerzo muscular. Cursa en forma de brotes o periodos agudos que alternan con amplios periodos de mejoría.
- El diagnóstico se realiza mediante historia clínica y exploración física, tras lo cual se confirma mediante pruebas como el electromiograma.
- El tratamiento se basa en medidas de soporte vital del enfermo y la administración de fármacos como anticolinesterásicos y corticoides.
- El pronóstico de la miastenia gravis es más favorable cuando la enfermedad comienza en la juventud y se diagnostica pronto. Las formas graves, que requieren hospitalizaciones frecuentes, tienen un peor pronóstico.

Cefaleas

La cefalea o dolor de cabeza puede tener un origen muy diverso, por eso es muy importante encontrar la causa para poder atajar el problema de raíz y evitar un tratamiento paliativo largo, y mejorar la calidad de vida de los pacientes.

El dolor de cabeza o cefalea se define como la sensación dolorosa que aparece en la bóveda craneal, desde los ojos por un lado, hasta la región cervical por el otro.

Es, sin ninguna duda, una de las afecciones más habituales que padecemos y por la que consultamos al médico. Aproximadamente un 85% de la población ha sufrido, en al menos una ocasión, un cuadro de dolor de cabeza en cualquiera de sus formas de presentación. En la mayoría de los casos aparece de forma leve o moderada y se resuelve espontáneamente o mediante fármacos bien conocidos, lo que hace de la cefalea la enfermedad más tratada por los propios pacientes sin recurrir a su médico. Pero, otras veces, puede representar una señal de alarma sobre un proceso más grave cuya primera manifestación sea el dolor de cabeza.

Para explicar de forma sencilla por qué se produce la cefalea, diremos que es el resultado de la inflamación, la compresión o la dilatación de algunas de las estructuras que se encuentran en la cabeza, desde la piel y los músculos que la rodean hasta las arterias que se encuentran en su interior, pasando por los huesos que forman el cráneo y los nervios que nacen del cerebro. Según la causa que la provoque, nos encontramos con diferentes tipos de cefalea y por lo tanto con diferentes tipos de dolor.

La cefalea se puede presentar como enfermedad con entidad propia, normalmente crónica, y otras como un síntoma de una enfermedad subyacente. Por lo tanto es muy importante llegar a clasificarla de forma correcta para así aplicar el tratamiento y la prevención adecuada.

CLASIFICACIÓN

La cefalea aparece en cada persona de forma diferente y por diferentes causas; así, no existen dos dolores de cabeza iguales, ni tampoco se producen en todas las personas, aunque estén expuestas al mismo factor provocador. Dicho de otro modo, cada uno de nosotros posee su propia «lista negra» de situaciones, alimentos, hábitos, etc., que nos provocan el dolor. Esta lista podemos compartirla en gran parte con nuestros familiares más cercanos, dada la transmisión hereditaria de algunos tipos de cefalea.

Lo primero que tenemos que conseguir es conocer nuestro dolor, y para ello debemos responder a una serie de preguntas que nos permitirán encuadrarla en un tipo u otro.

Así, una vez que sabemos muchas cosas sobre nuestro dolor, podemos intentar clasificarlo dentro de uno de los siguientes tipos:

CEFALEA DE TENSIÓN O TENSIONAL

Es el tipo de cefalea más frecuente. Puede aparecer a cualquier edad y predomina en mujeres; suele haber antecedentes familiares de dolor similar. Podría decirse que es la cefalea del modo de vida actual.

Se produce por una contracción o agarrotamiento de los músculos que rodean la cabeza, que aparece sobre todo en personas con dificultades para la relajación o con hábitos de vida estresantes. También puede aparecer con más facilidad en personas con molestias en las vértebras cervicales, bien por golpes en esa zona o por artrosis.

El dolor se caracteriza por ser como una opresión en toda la cabeza (en casco) o una banda en la frente, que no impide realizar las tareas de la vida cotidiana, pero que dificulta las mismas, y que puede presentarse casi a

---

¿Cómo reconocemos el tipo de cefalea?

- **¿Cuándo comenzó el dolor?:** una cefalea de más de tres meses de duración se considera crónica.

- **¿Cuándo se presenta el dolor?:** si es a diario y se tolera bien, o aparece en ciclos de dos o tres días con dolor muy intenso, o de forma esporádica tras situaciones especiales.

- **¿Dónde se localiza el dolor?:** en toda la cabeza como si nos oprimiera un casco, sólo en un lado de la misma, detrás de los ojos o en las sienes, o empieza en el cuello y se extiende hacia el cráneo.

- **¿Cómo es el dolor?:** como una banda en toda la frente, como si «latiera» una zona de la cabeza, como «pinchazos» o descargas, o como sensación de tirantez de la piel de la cabeza.

- **¿A qué hora empieza?:** si se levanta con él, aparece a lo largo del día, siempre por la tarde o a todas horas.

- **¿Y qué pasa si se acuesta?:** si se levanta peor, desaparece o disminuye, no varía o no le deja dormir.

- **¿Se acompaña de otros síntomas?:** náuseas y vómitos, lagrimeo, molestias de la luz, no tener apetito, depresión...

- **¿Hay casos similares en su familia?:** hasta en un 65% de los casos puede ser hereditaria.

- **¿Qué hizo el día anterior?:** ciertas comidas o bebidas, alcohol, tabaco, ejercicio intenso, falta de sueño o sueño excesivo, medicación.

- **¿Es el peor dolor de cabeza que nunca ha tenido?:** puede deberse a un proceso grave, sobre todo si habitualmente no se tienen cefaleas

- Todas estas preguntas nos permiten organizar y diferenciar nuestra cefalea. Podemos por tanto referirnos a ella como algo más que un dolor y resultará más sencillo tratar de identificarla tanto en los apartados de este capítulo, como cuando consultemos a nuestro médico.

diario durante toda la vida. El dolor aparece por la mañana al levantarse y aumenta a lo largo del día de forma oscilante. A veces se acompaña de mareo o «sensación de borrachera» junto con falta de apetito y dolor en la musculatura del cuello.

Mejora con la relajación y con fármacos del tipo analgésicos (paracetamol), relajantes musculares y antiinflamatorios que se deben tomar en los primeros momentos del dolor y nunca de forma prolongada sin consultar a su médico.

Cuando este tipo de cefalea se presenta de forma diaria, se tiende hoy en día a clasificarla como un grupo nuevo llamado **cefalea crónica diaria** y que afecta sobre todo a mujeres con alto grado de ansiedad o depresión, y con antecedentes de abuso de analgésicos. En este caso se puede valorar el uso de antidepresivos como tratamiento.

MIGRAÑA

La migraña es el segundo tipo de cefalea más frecuente, con una incidencia entre el 5 y el 15% de la población. Se caracteriza por ser una enfermedad con implantación familiar, es decir hereditaria, hasta en un 70% de los casos, y en la mayoría de éstos afecta a varios miembros de la familia. Es más frecuente en mujeres y suele iniciarse entre los diez y 30 años aunque no es raro que pueda aparecer más tarde.

Se produce por la dilatación de ciertas arterias cerebrales junto con la inflamación de las zonas próximas a ellas.

■ La migraña, para ser clasificada como tal, debe cumplir una serie de condiciones en cuanto a las características del dolor y síntomas que la acompañan, que la convierten en un tipo de cefalea muy específico en cuanto a su tratamiento y prevención. Debe evitarse por tanto llamar migraña a una cefalea común por muy dolorosa o prolongada que sea ésta, si no se presentan las siguientes características:

- Dolor hemicraneal, es decir, en un lado de la cabeza y que se percibe generalmente como un latido constante (pulsátil).
- Se acompaña de fotofobia, o lo que es lo mismo, no se tolera la luz aunque no sea muy intensa y el paciente busca instintivamente espacios a oscuras y sin ruido.
- Empeora con el ejercicio físico, incluso a veces solo con el movimiento de la cabeza.
- Además del dolor, se puede presentar un cuadro de malestar general, náuseas o vómitos, o en general lo que comúnmente se define como angustia. El estado de ánimo de la persona se encuentra muy bajo cuando aparece.
- Se presenta en forma de crisis que suelen durar entre cuatro y 24 horas con un límite de 72 horas. El número de crisis al mes varía en cada persona desde una hasta incluso ocho. Durante los días restantes se pueden presentar síntomas de cefalea tensional; esto es lo que se denomina **cefalea mixta**.

Algunas veces, la aparición de las crisis viene precedida de lo que se denomina aura migrañosa. El aura consiste en una serie de síntomas neurológicos como molestias visuales (pequeños chispazos o centelleos, zonas oscuras de la visión), adormecimiento de brazos y piernas o dificultades para hablar; el aura es por tanto un aviso que puede aparecer aproximadamente una hora antes de una crisis y que el paciente migrañoso aprende a identificar con el tiempo. No todas las crisis de migraña se preceden de aura.

Cuando una crisis se extiende más allá de 72 horas puede hablarse de estatus migrañoso y debe ser estudiado para descartar formas de migrañas complicadas.

■ Como otras muchas enfermedades existen una serie de factores desencadenantes o precipitantes que provocan la aparición de una crisis migrañosa; estos factores actúan como la chispa que enciende todo el mecanismo que provoca la migraña. Los podemos clasificar en:

- Factores alimenticios: chocolate, conservas, embutidos, frutos secos, quesos muy curados, comidas grasas, naranjas, tomates, cebollas y un ayuno muy prolongado.
- Factores tóxicos: alcohol, tabaco y café.
- Factores ambientales: humedad y frío. Cambios bruscos de climatología.
- Factores hormonales en las mujeres: menstruación, embarazo y anticonceptivos.
- Otros factores: viajes, insomnio, excesos sexuales, fatiga.

No siempre estos factores afectan por igual a todos los migrañosos; en algunos casos se puede ser sensible sólo a unos cuantos o incluso a ninguno. Se pueden padecer crisis sin que sea necesario un predisponente previo.

A diferencia de otras cefaleas, las crisis de migraña sí producen un deterioro de la capacidad de concentración y de atención, con un descenso del rendimiento laboral de hasta el 50% y una disminución apreciable de la calidad de vida del individuo.

■ El tratamiento de la migraña debe ir encaminado en cuatro direcciones:

1. Debemos comprender las características de esta enfermedad y del papel tan importante que representa llegar a identificar los factores desencadenantes antes mencionados, con el fin de prevenirlos cuando sea posible. La desaparición de estos factores, bien por actuaciones del propio paciente (por ejemplo dejar de fumar), o bien por causas ajenas a su voluntad (edad, menopausia) puede ser suficiente para una mejoría del dolor.

2. El tratamiento farmacológico de ataque debe ser lo más precoz posible, puesto que es más sencillo atajar la aparición del dolor cuando éste comienza, que tratar de hacerlo desaparecer una vez instaurado. No deben nunca mezclarse los medicamentos de un grupo con los de otro hasta pasar más de 24 horas y deben ser tomados de forma previamente pautada por su médico. Los grupos farmacológicos ordenados de menor a mayor potencia son:

- Antiinflamatorios: actúan sobre el componente inflamatorio de la migraña, y tomados al inicio de la crisis, frenan la progresión de ésta y disminuyen la intensidad del dolor. Contraindicados si hay antecedentes de hemorragia digestiva o úlcera gastroduodenal.
- Ergotamínicos: útiles cuando la crisis no cede con los antiinflamatorios; contrarrestan la dilatación de las arterias que provoca la migraña. Contraindicados en personas con enfermedades del corazón o tensión alta. Su abuso puede crear dependencia (es decir, dificultad para dejar de tomarlos).
- Triptanes: fármacos de última generación que actúan directamente sobre la actividad de los neurotransmisores (moléculas que permiten la comunicación entre las neuronas del cerebro). Uso reservado para aquellas personas que no mejoran con los tratamientos anteriores;

contraindicados en enfermos del corazón, tensión alta y ancianos.

3. Tratamiento de los síntomas que acompañan al dolor, principalmente las náuseas y vómitos.
4. Tratamiento preventivo: indicado cuando las crisis son muy frecuentes (más de dos al mes) o de una intensidad insoportable. Normalmente su uso hace disminuir el número de crisis en más de un 50%.

CEFALEA EN CÚMULOS O DE HORTON

■ Se trata del tercer tipo de cefalea en cuanto a frecuencia de presentación y es la única que afecta más a los varones que a las mujeres; es habitual que comience en torno a los 30-40 años. Al igual que la migraña, posee una serie de características en la forma del dolor que la hacen fácilmente reconocible:

- Dolor localizado en torno a uno de los ojos, muy intenso (como una taladradora), que aparece casi de repente, que dura entre treinta minutos y tres horas y que se puede repetir varias veces a lo largo del día.
- Cuando se repiten durante varios días, suele empezar aproximadamente a la misma hora y sobre todo de noche (típicamente despierta al paciente a las dos horas de haberse acostado). Pueden aparecer todos los días durante una semana o incluso durante meses.
- A diferencia de la cefalea normal o la migraña, provoca inquietud en el paciente, que no deja de moverse buscando desesperadamente una posición de menos dolor.
- Junto con el dolor aparece lagrimeo y enrojecimiento de los ojos, taponamiento nasal, expulsión de moco líquido por la nariz e incluso vómitos.

- Las crisis desaparecen espontáneamente, dejando al paciente libre de dolor durante meses o años hasta un nuevo episodio.

Parece demostrado que el alcohol, el estrés, la nitroglicerina (usada como dilatador de las arterias del corazón en forma de parches) y el exceso de sueño pueden provocar la aparición de este tipo de cefalea.

Para su tratamiento se suele observar una gran mejoría con oxígeno en mascarilla al 100% junto con los analgésicos y antiinflamatorios que se emplean en cualquier cefalea. Al igual que la migraña, cuando los episodios se repiten con mucha frecuencia, se puede realizar un tratamiento preventivo controlado por su médico.

Existe un tipo especial de cefalea en cúmulos llamada **hemicránea paroxística crónica** más frecuente en mujeres, con síntomas casi similares a los descritos y que mejora de forma espectacular con el uso de determinados antiinflamatorios (indometacina).

ARTERITIS DE LA TEMPORAL

■ Aunque no se trata realmente de un tipo de cefalea, dado que éste es su principal síntoma podemos englobarla dentro de este capítulo. Se trata de una vasculitis (inflamación) de las arterias temporales que discurren desde las sienes hacia las zonas laterales del cráneo. Aparece en mayores de 50 años y con más frecuencia en mujeres. Las características principales son:

- Dolor intenso desde la frente hasta los lados de la cabeza, que puede extenderse a la mandíbula e incluso impedir masticar. Todo el cuero cabelludo está muy sensibilizado y no se soporta ni el más mínimo roce.

- Endurecimiento y engrosamiento de las arterias temporales (en las sienes) junto con disminución o ausencia de pulso en las mismas.
- Se acompaña muchas veces de fiebre y malestar general. Puede complicarse incluso con pérdida de visión y afectación de otras grandes arterias del organismo.

Por tanto, tratándose de una enfermedad que puede agravarse con facilidad, y dado que para su diagnóstico es imprescindible una exploración médica y analítica, se debe acudir al hospital de referencia para estudio (que incluirá biopsia de la arteria temporal).

El tratamiento se basa en corticoides a dosis medias/altas y debe comenzar lo más pronto que sea posible.

CEFALEA POR HIPERTENSIÓN

Como describimos en el capítulo dedicado a la hipertensión, uno de los síntomas que aparece dentro de lo que se conoce como crisis hipertensiva (tensión arterial por encima de 240/140) es la cefalea. El tratamiento, que debe ser hospitalario, irá encaminado no tanto al dolor sino a la disminución de las cifras de tensión arterial.

NEURALGIA DEL TRIGÉMINO

Se denomina así al dolor que se produce por la afectación de todas o alguna de las ramas del nervio trigémino que se sitúan en ambos lados de la cara. Es más frecuente en mujeres, sobre todo por encima de los 40 años. Se caracteriza por un dolor en la zona de la mejilla y mandíbula, que normalmente sólo afecta a uno de los dos lados de la cara y que consiste en «pinchazos» muy intensos, de una duración breve y que provoca un espasmo o tic en esa zona. Puede aparecer espontáneamente o desencadenarse tras un roce de la cara (lavarse la cara, afeitarse, comer e incluso hablar o reírse).

Debe consultarse al médico para descartar que la neuralgia se acompañe de otras afectaciones del nervio, que puedan hacer sospechar de procesos más graves ocultos.

El tratamiento clásico se realiza con carbamacepina.

CEFALEA POR ABUSO DE ANALGÉSICOS

El uso extendido, sobre todo en los países industrializados, de analgésicos de forma habitual y descontrolada, para el tratamiento de la cefalea, produce que muchas veces aparezcan casos de dependencia a los mismos, siendo difícil distinguir la verdadera causa del dolor. Se crea un círculo vicioso que comienza cuando se empiezan a tomar pastillas para el dolor de cabeza, unas veces por recomendación de un conocido, otras porque las toma otro familiar, sin ninguna pauta concreta, mezclándolas y llegando a un abuso de las mismas. Así, una cefalea que no fue diagnosticada en sus comienzos, no desaparece nunca y cada vez necesita más pastillas, pues si no se toman reaparece el dolor, cerrándose así el círculo. Es por tanto una cefalea «de rebote» que aparece por adicción a analgésicos que aparentemente no tienen muchos efectos secundarios.

■ Se debe sospechar en pacientes que presentan dolor de cabeza diariamente y de forma continua y que ingieren este tipo de medicamentos hasta cuatro y cinco veces al día, incluso dos pastillas cada vez. Los analgésicos que causan con más frecuencia este cuadro son:

- Paracetamol, especialmente si va asociado a codeína
- Ácido acetil salicílico o aspirina

- Ergotamina
- Cafeína

El tratamiento en estos casos consiste en la supresión paulatina de la medicación (desenganchar al paciente), para realizar un estudio de la cefalea real por parte del especialista y la instauración de un tratamiento apropiado y controlado.

CEFALEAS TRAS GOLPE EN LA CABEZA

También llamadas cefaleas postraumáticas, son aquellas que aparecen antes de los 14 días posteriores al golpe y su duración no supera las ocho semanas. Normalmente cede al cabo de unas horas, sobre todo con los analgésicos o antiinflamatorios de uso común en las cefaleas. Si la duración de la misma es excesiva, o la intensidad va en aumento, o si se acompaña de otros signos como vómitos, adormecimiento de las extremidades, pérdida de conciencia o alteraciones visuales, debe consultarse para descartar complicaciones cerebrales.

CEFALEAS DE ORIGEN BENIGNO

Una gran mayoría de individuos ha tenido dolores de cabeza sólo de forma excepcional en su vida y por lo tanto, no es para ellos una causa de mala calidad de vida. En este grupo se encuadran buena parte de esas cefaleas «vulgares».

Se incluyen aquí cefaleas leves/moderadas, normalmente de corta duración, y que se producen como consecuencia de procesos banales. Esto no indica siempre que no puedan llegar a complicarse o esconder un proceso maligno, aunque sea excepcionalmente, y por tanto deben ser vigiladas por el propio individuo y por su médico si la duración o la intensidad son mayores de lo normal.

- Cefalea por ejercicio físico: dolor en ambos lados de la cabeza, a veces en forma de latido que aparece tras esfuerzos intensos, especialmente en ambientes calurosos. Su duración no excede de 24 horas.
- Cefalea asociada a la actividad sexual o cefalea coital: aparece de dos formas:

  – Inicio explosivo: dolor intenso que aparece al iniciarse el orgasmo y puede durar horas. Debe consultarse para descartar hemorragia cerebral.
  – Progresiva: dolor menos intenso que va aumentando durante el acto sexual hasta ser máximo en el orgasmo. El dolor se localiza en la parte posterior del cráneo y en el cuello.

- Cefalea de la tos: dolor de aparición repentina tras un acceso de tos, que afecta a toda la cabeza, con una duración de un par de minutos y que se repite en más de una ocasión. Se debe consultar para descartar malformaciones cerebrales.
- Cefalea por estímulos fríos: dolor en la zona de la frente, de pocos minutos de duración, que aparece después de exposición a ambientes fríos, aire frío en la cara o tras la toma de helados. A mayor exposición al frío, más duración e intensidad del dolor.
- Cefalea asociada a ingesta de sustancias:

  – Nitritos o nitratos: utilizados normalmente para prevenir la angina de pecho y el infarto.
  – Glutamato monosódico: empleado en la comida china.
  – Alcohol: resaca.

- Cefalea asociada a la abstinencia alcohólica.
- Cefalea aguda por afectación de los ojos, nariz u oídos: infecciones como la sinusi-

tis o la otitis o problemas visuales, aunque sólo ocasionalmente pueden ser responsables de cuadros de cefalea. Si existe esta sospecha, debe ser el especialista el que realice el estudio correspondiente.

● Cefalea por compresión externa: se produce por llevar puesto en la cabeza o el cuello durante un tiempo prolongado algún objeto opresivo.

Este grupo de cefaleas responde bien al tratamiento con analgésicos menores (tipo paracetamol) y con antiinflamatorios.

CEFALEAS DE ORIGEN MALIGNO

■ Haremos referencia en este apartado a una serie de procesos graves de distinto origen, que tienen como punto común la aparición de dolor de cabeza en sus inicios y que puede servir como señal de alarma para un diagnóstico precoz de los mismos. El tratamiento curativo en estos casos será el tratamiento de la enfermedad que la provoca y hasta que eso suceda, se intentará paliar el dolor con los fármacos normalmente empleados para el resto de cefaleas. Siempre son motivo de ingreso hospitalario.

● Cefalea por hemorragia cerebral: dolor de inicio súbito, muy intenso, a veces tras esfuerzo físico, que empeora progresivamente y que se acompaña de náuseas, vómitos y disminución del nivel de conciencia (abotargamiento).

● Cefalea por infección intracraneal: dolor de cualquier intensidad junto con fiebre alta sin ninguna infección que la justifique y que se acompaña de signos neurológicos diversos como rigidez del cuello, alteraciones visuales, obnubilación o pérdida de fuerza.

● Cefalea por tumor intracraneal: aparece hasta en un 60% de los casos, pero nunca como síntoma aislado. El dolor es generalizado, de intensidad moderada, asociado a vómitos y que empeora con el ejercicio. Como se puede observar, no se diferencia prácticamente de la cefalea vulgar por lo que no siempre sirve como señal de alarma para el diagnóstico del tumor; éste se realiza normalmente cuando otros síntomas resultan evidentes.

PRONÓSTICO

En cada apartado anterior hemos ido viendo el tratamiento concreto de cada tipo de cefalea y su manera de prevenirlo. De forma general podemos decir que el conocimiento de nuestro dolor y el uso adecuado de los fármacos que disponemos hoy en día, hacen de la cefalea una enfermedad curable en la mayor parte de los casos. Por lo tanto, no debemos conformarnos con mejorías parciales o transitorias, mediante tratamientos de oídas o a la desesperada, sino buscar el nombre y apellidos de nuestro dolor para aprender a prevenirlo y tratarlo.

Cefalea

CLASIFICACIÓN

- Cefalea tensional: cefalea crónica diaria.
- Migraña: sin aura (común) o con aura.
- Cefalea mixta.
- Cefalea en cúmulos: hemicránea paroxística crónica.
- Cefalea asociada a procesos vasculares: arteritis de la temporal, cefalea por hipertensión.
- Neuralgias craneales: neuralgia del trigémino.
- Cefaleas toxicomedicamentosas: cefalea por abuso de medicamentos.
- Cefalea postraumática.
- Cefalea por procesos de origen benignos.
- Cefalea por procesos de origen maligno o intracerebrales: hemorragia, infección, tumor.

SÍNTOMAS

- Dolor: leve, moderado o fuerte; localizado o generalizado; continuo o episódico; opresivo.
- Síntomas acompañantes; náuseas y vómitos; alteraciones visuales; pérdida de apetito; mareo; fiebre; cansancio.

DIAGNÓSTICO

Cuando aparecen de forma repetida dolores de cabeza, junto con alguno de los síntomas antes mencionado, debemos consultar a nuestro médico para recibir tratamiento y, si fuera necesario, solicitar pruebas para clasificar la cefalea. Estas pruebas son: radiografía de cráneo, electroencefalograma, análisis de sangre y de líquido encefalorraquídeo y escáner.

TRATAMIENTO

Prevención de los factores que favorecen la aparición de cefalea; alimentos, medicamentos, tabaco, alcohol, hábitos de vida, climatología.

Fármacos:
- Analgésicos menores; paracetamol, aspirina, metamizol, codeína, propifenazona.
- Antiinflamatorios; diclofenaco, ibuprofeno, naproxeno, ketorolaco.
- Ergotamínicos; dihidroergotamina, tartrato de ergotamina.
- Sumatriptán y derivados.
- Ansiolíticos o relajantes musculares; diacepam, tetracepam.
- Antidepresivos; amitriptilina.

PRONÓSTICO

El correcto diagnóstico, prevención y tratamiento de las cefaleas benignas consigue mejorar la calidad de vida de los pacientes hoy en día.

El pronóstico de las cefaleas que aparecen como consecuencia de enfermedades más graves, lógicamente dependerá de la evolución de éstas.

Vértigo y mareo

El sentido del equilibrio se encuentra situado en la parte más interna del oído de los seres humanos, en una zona llamada laberinto posterior. Se trata de un sistema muy complejo y preciso que desempeña la función de mantener al individuo en posición recta, así como la de coordinar a la perfección todos los movimientos del cuerpo.

Por un lado, este sistema detecta la posición que tiene la cabeza en cada momento, mediante unas cavidades cubiertas en su interior por vellosidades que al rozar contra unos pequeños gránulos óseos (llamados otolitos) emiten señales eléctricas al cerebro (o más concretamente al cerebelo), que las interpreta y traduce. Por otro lado, existen unos pequeños canales semicirculares rellenos de un líquido llamado endolinfa, que se mueve conjuntamente con la cabeza, estimulando unos receptores que, a su vez, informan al cerebelo sobre dicho movimiento.

El cerebelo utiliza también el órgano de la visión y el movimiento ocular como complemento para mantener el equilibrio.

¿QUÉ ES EL VÉRTIGO?

El vértigo consiste en una ilusión de movimiento, en la que el individuo siente como si rotara sobre sí mismo, o se desplazara involuntariamente dentro de su entorno. Se produce por una alteración del sistema del equilibrio situado en el oído interno o por una afectación de las zonas del cerebelo responsables de interpretar las señales de aquel.

En muchas ocasiones el vértigo aparece tras un movimiento intenso y duradero, ya que una vez finalizado el mismo, los ojos y otros sensores de posición, indican al cerebelo que se está en reposo, mientras que el líquido que contiene el oído interno sigue estimulando las vellosidades durante un cierto tiempo, como si aún hubiera movimiento. Esta descoordinación, que todo in-dividuo ha experimentado alguna vez, es una forma benigna de vértigo. En otras ocasiones, el vértigo aparece estando en reposo, durante mucho tiempo (incluso muchos días) por diferentes causas o enfermedades subyacentes. Es decir, el vértigo es un síntoma y no una enfermedad como tal.

¿QUÉ ES EL MAREO?

Con este término se define, de forma imprecisa, a una sensación de inestabilidad, aturdimiento o «flotación», acompañada normalmente de náuseas, visión borrosa o «angustia», que no se origina por alteraciones del equilibrio, sino por alteraciones del riego sanguíneo cerebral en determinadas circunstancias. Entre éstas cabe destacar el descenso brusco de la tensión arterial, la pérdida moderada de sangre, los cuadros de anemia, la hipoglucemia por ayuno prolongado, o algunos tipos de arritmias cardíacas que provocan una circulación sanguínea deficiente.

A diferencia del vértigo, el mareo suele ser transitorio, y mejora con el reposo hasta que la circulación sanguínea cerebral se restablece; si el mareo se prolonga o la disminución del riego es muy intensa, se puede producir un desvanecimiento o pérdida de consciencia. Como curiosidad indicar que tras un corte brusco de dicho riego se pierde el conocimiento a los cinco segundos desde su inicio aproximadamente.

CLASIFICACIÓN

■ Según el origen del vértigo, se pueden distinguir dos tipos diferentes:

● Vértigos periféricos: son un tipo de vértigos más intensos en sus síntomas pero, generalmente, de duración más corta. Se producen por una alteración en el órgano del equilibrio del oído interno.
● Vértigos centrales: son más leves aunque se prolongan más en el tiempo y, comúnmente, se acompañan de otros síntomas neurológicos diferentes. Son secundarios a diversas alteraciones en el sistema cerebeloso encargado de interpretar las señales que provienen de los receptores periféricos.

■ En un buen número de casos, los diferentes tipos de vértigo tienen características tanto centrales como periféricas, por lo que se denominan vértigos mixtos. Las principales alteraciones que producen este tipo de cuadros son:

Vértigo posicional benigno: es la causa más frecuente de vértigo; se presenta a partir de los 50 años en forma de episodios de po-

cos segundos de duración y que aparecen tras un movimiento más o menos brusco de la cabeza.

Neuronitis vestibular: se trata de un tipo de vértigo, típico de personas jóvenes, que se inicia de forma brusca y que es muy intenso. Su duración es de cuatro o seis días, durante los cuales el individuo se ve obligado a estar permanentemente quieto, normalmente en la cama, evitando cualquier movimiento de la cabeza. Se sospecha que se produce por una infección de tipo vírico del oído interno. Como secuela, en algunos casos, puede quedar un vértigo posicional durante semanas o meses.

Enfermedad de Ménière: consiste en la aparición de episodios repetitivos de vértigo muy intenso, que duran horas o incluso días, y que se acompañan de acúfenos (ruidos o pitidos), distorsión de los sonidos y pérdida de audición. Se produce por una inflamación del oído interno, y por tanto, del órgano del equilibrio, y puede desembocar en sordera.

Vértigo por tóxicos: es aquel que se produce como consecuencia de la toma de determinados medicamentos, especialmente un tipo de antibióticos llamados aminoglucósidos, y ciertos diuréticos como la furosemida.

Vértigo de origen tumoral: que aparece tardíamente tras la afectación del nervio acústico, normalmente por un tumor benigno del mismo, llamado neurinoma. Se manifiesta como episodios ligeros de sensación de inestabilidad que van empeorando con el crecimiento del tumor.

Vértigo traumático: es el que aparece tras un traumatismo craneal directo o por intervenciones quirúrgicas en el oído, que provocan heridas en el órgano del equilibrio. Es muy típica la sensación vertiginosa que permanece durante unos días tras un accidente de tráfico en el que se produce un «latigazo» del cuello, sobre todo por un impacto posterior.

Vértigo por infección del oído: se produce por la infección bacteriana o vírica del oído medio, con perforación del tímpano.

Vértigo de origen cervical: es un tipo de vértigo que aparece en personas con artrosis de las vértebras cervicales o tras un golpe fuerte en las mismas y que se desencadena con los movimientos bruscos de cabeza y cuello.

Isquemia vertebrobasilar: nos referimos al vértigo que precede o aparece con el infarto o hemorragia de la arteria vertebrobasilar que riega el cerebelo.

Vértigo visual: que es el que se produce por alteraciones oculares (visión doble, gafas mal graduadas) y que cede al cerrar los ojos.

Vértigo psíquico: que generalmente forma parte de una crisis de ansiedad, que cursa con hiperventilación (jadear) y palpitaciones. En otras ocasiones constituye un verdadero cuadro de fobia o pánico a las alturas.

TRATAMIENTO

■ El objetivo del mismo es el de curar la enfermedad causante del vértigo. Este trata-miento puede estar enfocado a diferentes aspectos:

● Ejercicios posturales: especialmente indicados para el vértigo posicional benigno:

– Permanecer sentado en la cama con los ojos cerrados.
– Inclinarse lentamente hacia un lado hasta que la cabeza toque la cama, y permanecer así unos segundos.
– Volver a la posición inicial, descansar un minuto y realizar el ejercicio hacia el lado contrario.
– Repetir el ejercicio durante cinco minutos, y al menos una vez al día.

● Tratamiento farmacológico: se utilizan tres tipos diferentes de medicamentos:

– Sedantes: con el fin de relajar la musculatura cervical o tranquilizar al individuo en los casos de vértigo por ansiedad.
– Antivertiginosos: que actúan directamente sobre el órgano del equilibrio.
– Vasodilatadores cerebrales: de eficacia controvertida, que tratan de mejorar el riego cerebral y del oído interno.

Diagnóstico del vértigo

Ante la sospecha de un cuadro de vértigo es importante que sepamos reconocer las principales características del mismo para que nuestro médico pueda clasificarlo y tratarlo correctamente. Debemos hacer las siguientes distinciones:

■ Ver si es como un giro de objetos o rotación del entorno, o si es como una sensación de pérdida inminente de la consciencia o como si nos fuéramos a caer al suelo.

■ Observar si las crisis de vértigo son ocasionales o episódicas o, por el contrario, existe una sensación de mareo constante.

■ Percibir si los movimientos de la cabeza modifican o desencadenan la aparición del vértigo, o si éste aparece incluso en reposo.

■ Comprobar si la aparición del mismo se acompaña de otros síntomas como visión doble o borrosa, adormecimiento de extremidades o cefalea.

- Tratamiento psiquiátrico: indicado en aquellos casos de fobia o miedo a las alturas.
- Tratamiento quirúrgico: sobre todo en los casos de fracturas en las vértebras cervicales o craneales, y en la enfermedad de Ménière.

- Consejos prácticos: evitar subirse a escaleras o sillas, o hacerlo con los pies separados para aumentar la superficie de apoyo; utilizar calzado cómodo y que sujete bien el pie.

Vértigo y mareo

CARACTERÍSTICAS DEL ÓRGANO DEL EQUILIBRIO

El equilibrio se encuentra en el laberinto posterior del oído interno y es el encargado de mantenernos de pie y de coordinar nuestros movimientos.

DEFINICIÓN DE VÉRTIGO

Alteración del sistema del equilibrio que se manifiesta como una ilusión de movimiento o de desplazamiento alrededor del entorno.

DEFINICIÓN DE MAREO

Sensación de inestabilidad y aturdimiento, que se acompaña normalmente de otros síntomas como malestar general, y que se produce de forma secundaria a diversas circunstancias patológicas pero no a una alteración del órgano del equilibrio.

CLASIFICACIÓN

- Vértigo central (neurológico) y periférico (órgano del equilibrio del oído interno).

- Vértigo posicional benigno.
- Neuronitis vestibular.
- Enfermedad de Ménière.
- Vértigo por tóxicos.
- Vértigo de origen tumoral.
- Vértigo traumático.
- Vértigo por infección de oído.
- Vértigo de origen cervical.
- Isquemia vertebrobasilar.
- Vértigo visual.
- Vértigo psíquico.

DIAGNÓSTICO

Comprobación del tipo de vértigo que se sufre según sean los síntomas.

TRATAMIENTO

- Ejercicios posturales.
- Tratamiento farmacológico.
- Tratamiento quirúrgico.
- Tratamiento psiquiátrico.
- Consejos prácticos.

Accidentes cerebrovasculares

Los accidentes cerebrovasculares son un grupo de enfermedades que afectan a la circulación sanguínea cerebral de forma reversible o permanente. Su origen se puede deber a una isquemia cerebral, oclusión o disminución del calibre de las arterias cerebrales como consecuencia de trombos o émbolos en las mismas, o a una hemorragia cerebral, que son sangrados en diferentes puntos del cerebro y entre éste y las meninges que le rodean.

■ Se denomina así a una serie de enfermedades, generalmente de carácter agudo y grave, que afectan a la circulación sanguínea cerebral. Con frecuencia se emplean términos como apoplejía o ictus para referirse a cuadros similares en los que se produce una alteración en el riego sanguíneo de los tejidos nerviosos que puede afectar a la vida de las neuronas y producir secuelas neurológicas. Como sabemos, las células nerviosas cerebrales dependen del suministro constante de oxígeno y glucosa para su funcionamiento; el cerebro necesita aproximadamente el 20% de la circulación sanguínea en cada momento, lo que consigue a través de dos vías principales llamadas arterias carótidas. Estas alteraciones de la circulación pueden deberse fundamentalmente a dos causas:

- Cuadros de isquemia cerebral, es decir, oclusión temporal o permanente de alguna de las arterias cerebrales que provoca muerte de las células por falta de oxigenación, lo que se denomina isquemia. Dependiendo de la intensidad de la oclusión (parcial o total), de su localización (arterias principales o secundarias) y del tiempo de duración de la falta de riego sanguíneo, el cuadro se considerará más o menos grave. Es la causa más frecuente de accidentes cerebrovasculares, en torno al 80% del total.

- Hemorragias cerebrales, especialmente las producidas en el interior del órgano como consecuencia de la rotura de arterias de pequeño calibre provocadas por un aumento de la hipertensión arterial. Ciertos tipos de tumores vasculares y algunas malformaciones congénitas pueden ser también los responsables de la aparición de estas hemorragias, que en general son causa de accidentes cerebrovasculares menos frecuente que la anterior (20%).

Independientemente del origen concreto de la alteración circulatoria cerebral, los ictus pueden ser transitorios o reversibles, establecidos o completos o encontrarse en fase de evolución en el momento en el que se detectan. En los países desarrollados constituyen la tercera causa de muerte, así como una de las principales responsables de incapacidad y secuelas permanentes tanto físicas como psíquicas. Aproximadamente un 5% de los individuos mayores de 65 años han sufrido algún accidente cerebrovascular en cualquiera de sus formas, aunque las cifras tienden a disminuir hoy en día en los países desarrollados gracias al control de los factores de riesgo de esta enfermedad. El riesgo de padecer estos procesos se duplica cada diez años a partir de los 35 años de edad. Esta enfermedad es algo más frecuente entre los varones y en determinadas etnias.

ISQUEMIA CEREBRAL

■ Como anteriormente hemos mencionado es la causa más frecuente de accidentes cerebrovasculares o ictus y puede deberse a tres causas fundamentales:

- Oclusión de una arteria o trombosis de la misma como consecuencia del desprendimiento de una placa de ateroma (similar a la que provoca el infarto de miocardio) formada a lo largo de los años por un proceso de arterioesclerosis.
- Estenosis o disminución del calibre de las arterias cerebrales de forma secundaria a diversas enfermedades infecciosas e inflamatorias, en ocasiones de naturaleza hereditaria o relacionadas con la toma de diversas drogas y fármacos.
- Embolismos cardíacos originados en este músculo en ciertas arritmias y enfermedades de las válvulas, que desprenden a la circulación sanguínea una especie de coágulos o émbolos que llegan a las arterias cerebrales y las taponan.

En general, existen una serie de factores coadyuvantes en la formación de estos procesos obstructivos o ictus isquémicos, que van desde las alteraciones de la coagulación sanguínea y su viscosidad, el exceso de pla-

quetas o trombocitosis, la presencia de cierta predisposición genética, el abuso de cocaína o anfetaminas, la toma de estrógenos (anticonceptivos orales), el tabaquismo, el exceso de colesterol y el periodo de tiempo que sigue al parto.

La aparición de síntomas como consecuencia de una isquemia cerebral depende de la localización y duración de la misma, así como de la capacidad que tiene la circulación sanguínea en el cerebro para compensar la falta de riego a través del resto de arterias. El llamado polígono de Willis consiste en la unión de una serie de vasos cerebrales de gran calibre, incluyendo ambas arterias carótidas, que garantiza parcialmente el aporte sanguíneo al tejido nervioso aunque se produzca un fallo en un punto concreto. Esta circulación colateral actúa como sistema de seguridad frente a alteraciones puntuales del riego cerebral aunque no siempre puede evitar la aparición de isquemia.

■ Aunque las neuronas no toleran la falta de nutrientes y oxígeno más allá de unos segundos, los cuadros de isquemia deben prolongarse varias horas para que se produzcan lesiones definitivas y secuelas. Dada la complejidad del sistema nervioso, las manifestaciones de la isquemia cerebral pueden ser múltiples, aunque los síntomas más frecuentes son:

- Parálisis de ciertas zonas del cuerpo, generalmente en un lado del mismo que es el contrario al hemisferio cerebral afectado.
- Pérdida de conocimiento.
- Pérdida de la sensibilidad en determinadas regiones (sensación de «acorchamiento»).
- Dolor de cabeza, confusión o aturdimiento.
- Pérdida del control de los esfínteres y de la capacidad de deglución.

- Alteraciones visuales.
- Pérdida de la capacidad del habla.
- Alteraciones emocionales e incluso aparición de cuadros de demencia.

■ El escáner y, sobre todo, la resonancia magnética nuclear son los métodos diagnósticos ideales para la detección de estos procesos. El tratamiento de la isquemia cerebral incluye tres apartados:

- Prevención de los factores de riesgo para esta enfermedad o control de los mismos, principalmente la hipertensión arterial, las arritmias cardíacas, la diabetes mellitus, el tabaquismo, la obesidad, el alcoholismo, el aumento de colesterol y el estrés. Las mujeres en tratamiento con anticonceptivos orales deben realizar con cierta periodicidad revisiones analíticas. El ejercicio físico se ha demostrado como un excelente método preventivo para este tipo de enfermedades. Se calcula que casi un 50% de los accidentes cerebrovasculares podrían ser prevenidos con la práctica de una vida sana.
- Tratamiento farmacológico que incluye antiagregantes plaquetarios y anticoagulantes de forma preventiva en individuos con alto riesgo de padecer esta enfermedad o con antecedentes de la misma. El empleo de fármacos vasodilatadores o aquellos que pretenden destruir el trombo causante del cuadro pueden emplearse en ocasiones durante la instauración del mismo, aunque sus resultados son muy decepcionantes en comparación con el utilizado para las trombosis de las arterias coronarias cardíacas. En los casos más graves es necesario el traslado al medio hospitalario para el control de las constantes vitales.

- Rehabilitación física y psíquica de las secuelas originadas por la isquemia cerebral. El principal factor predictor de la recuperación funcional de dichas secuelas es la severidad del déficit inicial así como la evolución en las primeras horas y días que siguen al proceso agudo. Aproximadamente un tercio de los individuos que sobreviven a una isquemia cerebral repiten un cuadro similar antes de los cinco años, aunque la recuperación de las secuelas suele ser buena con un tratamiento adecuado.

HEMORRAGIA CEREBRAL

■ La hemorragia cerebral o ictus hemorrágico es también causa de accidentes cerebrovasculares aunque con menor frecuencia. Aunque nos referiremos a las hemorragias cerebrales en conjunto, éstas según su localización pueden dividirse en:

- Hemorragias intraparenquimatosas o producidas en el espesor interno del cerebro.
- Hemorragias subaracnoideas o producidas entre la aracnoides (una de las meninges) y la masa cerebral.
- Hemorragias intraventriculares en las que la sangre se acumula en los llamados ventrículos cerebrales del interior del órgano.
- Hemorragias subdurales o colecciones sanguíneas entre las meninges.

La mayoría de las hemorragias son primarias o espontáneas y se producen como consecuencia de la rotura de las pequeñas arterias cerebrales en ciertas regiones dilatadas que forman pequeños microaneurismas. El aumento de la presión arterial o hipertensión es el principal factor predisponente hacia este tipo de hemorragias.

■ Sin embargo, existe un pequeño porcentaje de hemorragias secundarias a diferentes circunstancias como:

- Traumatismo craneoencefálico, con hemorragias que pueden aparecer horas o días después del mismo.
- Tumores cerebrales o metástasis desde otros tumores en este órgano.
- Alteraciones de la coagulación, especialmente como efecto secundario indeseable de tratamientos anticoagulantes farmacológicos.
- Anomalías congénitas de la vascularización cerebral como aneurismas y angiomas que pueden romperse en cualquier momento de la vida.
- Enfermedades arteriales que facilitan la hemorragia por el aumento de la fragilidad de la pared de las mismas.
- Abuso de drogas y alcohol.

En casi la mitad de los casos de hemorragia cerebral no se llega a establecer la causa concreta de la misma, aunque en general se sospecha que los cuadros de hipertensión aguda secundarios a múltiples circunstancias o enfermedades son los responsables, independientemente de que el individuo sea hipertenso conocido o no.

La mayoría de las hemorragias se producen en los hemisferios cerebrales y, en menor medida, en el tronco cerebral y en el cerebelo. La sintomatología del ictus hemorrágico es indiferenciable a la del ictus isquémico, es decir, que cursa con los mismos déficits neurológicos mencionados en éste. No obstante, la cefalea, los vómitos y la alteración del nivel de conciencia (incluso el coma) son característicos de la hemorragia cerebral. Los aneurismas cerebrales no producen sintomatología alguna antes de su ruptura, mientras

que las malformaciones vasculares pueden acompañarse de epilepsia y cefalea antes de la producción de la hemorragia.

El empleo de escáner cerebral, especialmente con contraste, permite el diagnóstico de prácticamente la totalidad de las hemorragias cerebrales, así como la orientación hacia su origen concreto. La resonancia magnética nuclear obtiene también buenos resultados.

El tratamiento de las hemorragias cerebrales depende en gran medida de su origen concreto, del grado de afectación neurológica y del estado previo del individuo. En las hemorragias cerebrales primarias no se ha demostrado que la intervención quirúrgica con evacuación del hematoma mejore el pronóstico de las mismas, aunque en algunos casos puede estar indicada. En aquellos casos en los que se detecten aneurismas y malformaciones vasculares se puede intervenir como medida preventiva antes del sangrado o para evitar la reaparición del mismo.

El tratamiento farmacológico y de mantenimiento de las constantes vitales es necesario también en este caso, siempre en el ámbito hospitalario.

El pronóstico de la hemorragia cerebral es mucho más sombrío que el de la isquemia, con una mortalidad asociada cercana al 40% de los casos. Los grandes hematomas y la presencia de coma empeora aún más este pronóstico. En el caso de los aneurismas cerebrales es frecuente que se reproduzcan los episodios de sangrado en las primeras semanas que siguen a la rotura del mismo.

La introducción del escáner ha permitido la detección precoz de todos estos procesos y ha mejorado en general el pronóstico de los mismos al reducir el tiempo de espera hasta la actuación terapéutica.

Accidentes cerebrovasculares

ACCIDENTES CEREBROVASCULARES

Grupo de enfermedades agudas que afectan a la circulación sanguínea cerebral de forma reversible o permanente. Constituyen la tercera causa de muerte en los países desarrollados.

El riesgo de padecer estos procesos se duplica cada 10 años a partir de los 35 años, siendo algo más frecuente entre los varones y en determinadas etnias.

Estas alteraciones pueden deberse a dos causas: isquemia cerebral y hemorragia cerebral.

HEMORRAGIA CEREBRAL

Donde se incluyen sangrados en diferentes puntos del cerebro y entre el mismo y las meninges que le rodean. Se trata de hemorragias espontáneas en la mayoría de los casos, como consecuencia de la rotura de pequeños aneurismas, aunque pueden estar en relación con otras circunstancias como:

• Traumatismos craneoencefálicos.
• Tumores cerebrales.
• Alteraciones de la coagulación; como efecto secundario de los fármacos anticoagulantes.
• Anomalías congénitas de la circulación cerebral.
• Abuso de drogas y alcohol.

La cefalea, los vómitos y la alteración del nivel de conciencia son característicos de la hemorragia cerebral, cuyo pronóstico es mortal en casi la mitad de los casos.

ISQUEMIA CEREBRAL

Es la causa más frecuente de accidentes cerebrovasculares y se debe a la oclusión o disminución del calibre de las arterias cerebrales como consecuencia de trombos o émbolos en las mismas.

Algunos de los factores coadyuvantes en la formación de este proceso son las alteraciones de la coagulación, el tabaquismo, el exceso de colesterol, la toma de anticonceptivos y el abuso de ciertas drogas.

La falta de oxígeno y nutrientes en el cerebro se manifiesta como:

• Parálisis en ciertas regiones del cuerpo y pérdida de sensibilidad.
• Pérdida de conocimiento.
• Dolor de cabeza y aturdimiento.
• Alteraciones visuales.
• Pérdida del habla.
• Alteraciones emocionales.

El tratamiento incluye la prevención de esta enfermedad evitando sus factores de riesgo, especialmente la hipertensión arterial. Una vez instaurado el cuadro, existen terapias farmacológicas para tratar de minimizar los daños. Finalmente puede ser necesaria una rehabilitación física y psíquica.

Esclerosis múltiple

El sistema nervioso de los seres humanos está formado por dos sustancias diferentes: la sustancia gris, que forma los centros cerebrales más importantes del pensamiento y la memoria, entre otras funciones, y la sustancia blanca, que es la encargada de transmitir mensajes al cerebro y desde éste hacia los músculos del organismo, por lo que es en parte responsable de las sensaciones y de los movimientos; cada estructura nerviosa posee una parte de ambas sustancias.

Las fibras nerviosas están rodeadas por una vaina especial formada por mielina que las aísla y las protege de las agresiones externas. La mielina se compone de lípidos en sus dos terceras partes y de proteínas en el resto. Se denominan enfermedades desmielinizantes a aquellas en las que se produce una inflamación o destrucción de esta vaina de mielina que provoca daño a la estructura nerviosa, preferentemente a la sustancia blanca de la misma. Cuando estas lesiones cicatrizan, producen retracciones en la vaina nerviosa que dificultan aún más la conducción del impulso eléctrico a través de los nervios.

¿QUÉ ES LA ESCLEROSIS MÚLTIPLE?

La esclerosis múltiple o esclerosis en placas es una enfermedad desmielinizante del sistema nervioso central que afecta a la sustancia blanca de éste y que pese a que aún existe incertidumbre acerca de su origen, se cree que podría ser provocada por el propio sistema inmune. Las lesiones de la mielina se distribuyen en placas por todo el encéfalo y la médula espinal, afectando a las estructuras nerviosas de diferente manera según la región concreta dañada.

Es una enfermedad que aparece generalmente entre los adultos jóvenes, aunque no es raro que se pueda diagnosticar en adolescentes; no es habitual que se diagnostique antes de los diez años o por encima de los 50 años. Se produce entre las mujeres con una frecuencia dos veces mayor que entre los hombres, mientras que los sujetos de raza blanca se ven más afectados por esta enfermedad que los de raza negra o asiáticos; en

los africanos la enfermedad es prácticamente inexistente. Su incidencia en la actualidad varía mucho por tanto según el área geográfica estudiada; se podría decir que su prevalencia en los países occidentales es de 30-40 habitantes por cada 100.000.

¿POR QUÉ SE PRODUCE ESTA ENFERMEDAD?

La teoría más aceptada hoy en día acerca del origen de esta enfermedad es la que habla de una predisposición genética o hereditaria a padecerla sobre la que actuarían una serie de factores ambientales, como ciertas infecciones (¿virus?), que desencadenarían su aparición.

La predisposición parece demostrada por el hecho de que es frecuente encontrar antecedentes familiares de la enfermedad y además se han descubierto genes que son compartidos por la mayoría de estos enfermos. Los factores ambientales son en gran parte aún desconocidos, aunque se sospecha que algunos anticuerpos creados por el sistema inmune frente a ciertos agentes infecciosos podrían ser los responsables del ataque a la vaina de mielina.

¿CUÁLES SON LOS SÍNTOMAS DE ESTA ENFERMEDAD?

■ La esclerosis se manifiesta clínicamente por la afectación de la sustancia blanca nerviosa, mientras que la sustancia gris se mantiene intacta en la mayoría de los casos; esto hace que las funciones cerebrales superiores (en general, la capacidad intelectual) se mantengan incólumes y sin embargo se afecten las funciones sensitivas y la capacidad motora; así podemos encontrar los siguientes síntomas:

- Neuritis óptica: es la inflamación del nervio óptico de uno de los ojos que produce una pérdida grave de la agudeza visual del mismo que se recupera en semanas, aunque en algunos casos persiste un déficit visual permanente. Un 25% de los pacientes que sufren esclerosis múltiple han tenido esta afectación ocular en algún momento de su vida; por el contrario, el hecho de tener una neuritis no significa que se vaya a desarrollar la esclerosis, aunque en un buen porcentaje de casos así ocurre.

- Afectación muscular: son los síntomas más frecuentes en el comienzo de la enfermedad; el paciente refiere que arrastra levemente una pierna al caminar, que no es capaz de mover las manos con precisión o que ha perdido fuerza en las mismas o que se tropieza y se le caen cosas con frecuencia. Los movimientos en general se hacen más torpes y descoordinados.

- Trastornos sensitivos: consisten en hormigueos y adormecimiento frecuente en las extremidades, calambres en la región de la nuca o entumecimiento en forma de bandas que rodean al tronco.

- Alteraciones esfinterianas: tanto del esfínter rectal (heces) como del vesical (orina); producen «urgencias» defecatorias y miccionales y, con el paso del tiempo, incontinencia.

- Diplopia o visión doble: por afectación de algún nervio encargado de la movilidad ocular.

- Vértigo: aparece en un 5% de los casos de esclerosis.

- Síntomas mentales: es frecuente observar periodos de euforia inapropiada que se alternan con otros de normalidad o de depresión. En casos avanzados puede llegar a afectarse la sustancia gris y producir fallos en la memoria, dificultad en el habla o incluso demencia, aunque suele ser poco habitual.

Existe una cierta actitud histérica, no en sentido peyorativo, de exagerar los síntomas en estos pacientes, lo que dificulta en ocasiones la distinción de los verdaderos brotes de la enfermedad; esto puede resultar comprensible por el miedo que la enfermedad plantea y el futuro incierto que lleva asociado.

¿CÓMO EVOLUCIONA LA ESCLEROSIS?

La forma característica de esta enfermedad es la aparición de brotes o episodios agudos con algunos de los síntomas antes mencionados, combinados entre sí o de forma aislada. Estos brotes comienzan en un punto concreto muscular o sensitivo y progresan rápidamente en horas o pocos días, para luego permanecer los síntomas durante semanas, meses o años, según cada individuo. Cuando el brote remite, el enfermo puede permanecer libre de síntomas durante años o incluso décadas hasta el siguiente episodio. Cuando los brotes comienzan a repetirse, cada vez son más agresivos y dejan más secuelas neurológicas, al mismo tiempo que los periodos de remisión son cada vez más cortos. Se discute si los traumatismos o ciertas infecciones víricas favorecen la aparición de un nuevo brote; tras el parto pueden producirse con más frecuencia.

En otros casos la esclerosis evoluciona de una forma crónica lenta y progresiva sin episodios agudos ni exacerbaciones de la sintomatología pero sí con un deterioro cada vez mayor; es frecuente que enfermos que padecían brotes al inicio de la enfermedad pasen con los años a esta otra forma de evolución.

Un 20% de los enfermos diagnosticados de esclerosis tienen un curso benigno de la enfermedad, con algunos brotes leves iniciales seguidos de una remisión total y prácticamente sin ninguna secuela. Por el contrario, un 5% de estos enfermos entra en un proceso acelerado de empeoramiento progresivo de consecuencias fatales.

¿CÓMO SE DIAGNOSTICA LA ENFERMEDAD?

El diagnóstico de la esclerosis múltiple se basa en la detección de los síntomas que asocia junto con la cuantificación de los brotes que presenta el individuo, ya que no existe ningún otro método específico que permita realizarlo con total seguridad. Se considera diagnosticada la enfermedad cuando aparecen al menos dos brotes de más de 24 horas de duración, separados entre sí al menos un mes, junto con la evidencia de lesiones neurológicas en localizaciones distintas.

La resonancia magnética, el estudio del líquido cefalorraquídeo y otras pruebas son utilizadas como técnicas de apoyo al diagnóstico de la enfermedad.

¿CÓMO SE TRATA LA ESCLEROSIS MÚLTIPLE?

■ Hasta hace pocos años el tratamiento de esta patología se basaba en la toma de fármacos de manera paliativa que trataban de mejorar los síntomas; estos fármacos son:

- Corticoides: sobre todo en los brotes agudos.
- Analgésicos: para mejorar el dolor de las secuelas.
- Relajantes musculares: con el fin de disminuir la espasticidad o rigidez de la musculatura.
- Anticolinérgicos: para evitar la incontinencia urinaria.
- Antidepresivos y ansiolíticos: controlan los síntomas psiquiátricos que pueden aparecer en el curso de la enfermedad.

Aunque estos grupos terapéuticos siguen siendo utilizados hoy en día y tienen su importancia en el tratamiento, no pueden modificar el curso de la enfermedad ni mucho menos curarla; recientemente se están empleando con éxito unas sustancias llamadas interferones que parece que sí que modifican la evolución de la esclerosis y mejoran su pronóstico, aunque su uso está restringido a formas activas de la enfermedad con evolución desfavorable.

Otras técnicas empleadas como el oxígeno hiperbárico o dietas especiales como las ricas en aceite de girasol o sin gluten no han demostrado eficacia. Las medicinas alternativas ofrecen terapias para la esclerosis que han proporcionado mejoría en muchos casos.

Es muy importante recordar el apoyo moral al enfermo de esclerosis, tanto por el personal sanitario como por la propia familia, para lograr la adaptación a las nuevas circunstancias y disfrutar de la mejor calidad de vida posible.

PRONÓSTICO

Debido a las diferentes maneras que tiene la enfermedad de expresarse y de evolucionar no resulta sencillo establecer un pronóstico único para la misma, sino que debe individualizarse en cada caso. El enfermo debe saber que además de existir formas benignas de esclerosis múltiple, que permiten llevar una vida prácticamente normal, el resto de formas no tienen por qué desembocar en la invalidez necesariamente.

La esclerosis no suele acortar la esperanza de vida respecto a la población general, si bien en más de la mitad de los casos será necesaria una ayuda para andar con el paso de los años.

Cuando transcurridos unos pocos años desde el diagnóstico de la enfermedad no se han producido secuelas y se mantiene una capacidad motora normal es probable que la evolución sea muy lenta y por tanto el pronóstico muy favorable.

Esclerosis múltiple

ESTRUCTURA DEL SISTEMA NERVIOSO

Sustancia gris y sustancia blanca.

DEFINICIÓN Y CAUSAS DE LA ESCLEROSIS MÚLTIPLE

Enfermedad degenerativa del sistema nervioso central y que podría estar provocada por el propio sistema inmune. La teoría más aceptada hoy en día acerca del origen de esta enfermedad es la que habla de una cierta predisposición genética hacia la misma sobre la que actúan factores ambientales como desencadenantes.

PRONÓSTICO

Individual para cada caso. Existen formas benignas y malignas.

SÍNTOMAS

- Neuritis óptica.
- Afectación muscular.
- Trastornos sensitivos.
- Alteraciones esfinterianas.
- Diplopia o visión doble.
- Vértigo.

EVOLUCIÓN DE LA ESCLEROSIS

La esclerosis puede evolucionar acortando el espacio de tiempo entre una crisis y otra, y haciéndolas cada vez más violentas; pero también puede ser una evolución lenta y más benigna.

TRATAMIENTO

Corticoides.
Analgésicos.
Relajantes musculares.
Anticolinérgicos.

DIAGNÓSTICO

Historia clínica.
Resonancia magnética.
Estudio del líquido cefalorraquídeo.

Enfermedades digestivas

✓ Dolor abdominal

✓ Diarrea y estreñimiento

✓ Enfermedad inflamatoria intestinal
Enfermedad de Crohn • Colitis ulcerosa

✓ Hernia de hiato

✓ Reflujo gastroesofágico

✓ Úlcera gastroduodenal

✓ Hemorragia digestiva
Hemorragia digestiva alta • Hemorragia
digestiva baja

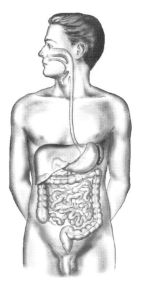

✓ Litiasis biliar
Dispepsia • Cólico biliar • Colecistitis aguda • Colangitis • Pancreatitis
biliar aguda

✓ Hepatitis (A, B, C, D y E)

✓ Pancreatitis
Aguda y crónica

✓ Enfermedades del ano y del recto
Hemorroides • Fisura anal • Fístula anorectal • Prurito anal

■ Sistema digestivo ■

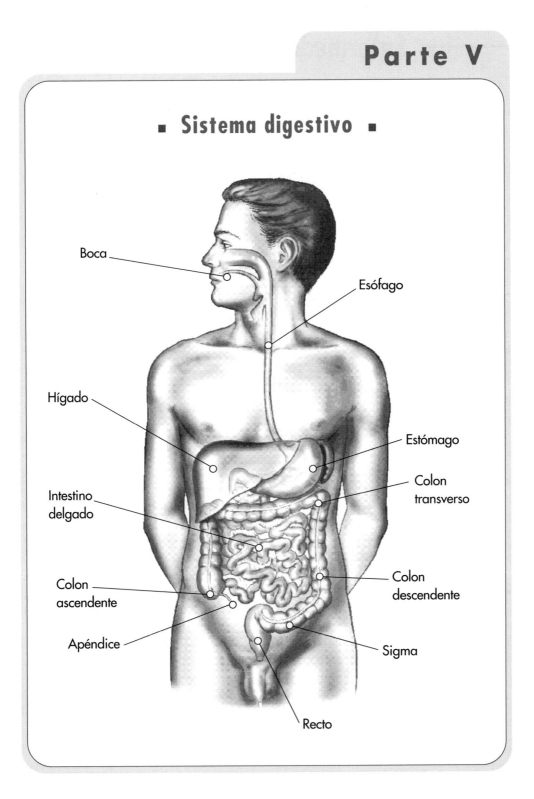

Boca

Esófago

Hígado

Estómago

Intestino
delgado

Colon
transverso

Colon
ascendente

Colon
descendente

Apéndice

Sigma

Recto

Enfermedades digestivas

Las células son las estructuras vivas más sencillas en las que pueden dividirse los organismos superiores. Para el mantenimiento de su estructura y para la realización de sus funciones propias necesitan una fuente energética permanente que les proporcione combustible y los principios inmediatos necesarios para elaborar sustancias más complejas.
El aparato digestivo es el encargado de ingerir, conducir y asimilar estas sustancias hasta conseguir que circulen por la sangre en un estado básico que permita a las células de todo el organismo utilizarlas en su provecho.

El hombre es un animal omnívoro, lo que significa que su sistema digestivo debe estar preparado para el tratamiento de todo tipo de alimentos que deben ser aprovechados de manera efectiva.

■ Las diferentes partes que forman este sistema son:

- **Boca** o punto de entrada natural de los alimentos en el ser humano, donde éstos son desmenuzados mediante la acción de los dientes y la lengua. Esta acción se completa con la saliva, producida en glándulas especiales situadas alrededor de la boca, que contiene enzimas que ayudan en este mismo sentido.
- **Esófago** o conducto de transporte del bolo alimenticio deglutido hasta el estómago. Esta estructura, de unos 25 cm de longitud y unos 2,5 cm de diámetro, es un tubo elástico de forma aplanada cuando no transporta ningún alimento. Posee un movimiento propio y automático, llamado peristaltismo, que empuja hacia abajo cualquier sustancia que se introduzca en él. Casi a su llegada al estómago, el esófago posee un anillo muscular o esfínter que se cierra fuertemente durante la digestión para impedir el retorno de los alimentos.
- **Estómago** o reservorio natural del cuerpo que recibe los alimentos ingeridos en forma de bolo heterogéneo y los prepara para ser absorbidos en el intestino. El estómago es un órgano con forma de saco alargado que posee una fuerte capa muscular que comprime el contenido del mismo durante el proceso de la digestión. Además, la mucosa que lo tapiza internamente produce una serie de enzimas y ácidos que reducen los alimentos a sus componentes más esenciales. El estómago posee dos válvulas de cierre, una a su entrada llamada cardias, y otra a su salida llamada píloro.
- **Intestino delgado**, que se extiende desde la salida del estómago hasta la válvula ileocecal que le separa del intestino grueso, sumando entre ambos una longitud aproximada de 7-8 m. Esta porción del intestino se divide a su vez en duodeno, yeyuno e íleon, que son las regiones del aparato digestivo donde los alimentos son absorbidos tras un tratamiento enzimático especial y pasan al torrente circulatorio. Esta absorción se realiza a través de las llamadas vellosidades intestinales, que son pequeñas

prolongaciones de la mucosa del intestino donde la distancia de ésta y los capilares sanguíneos se estrecha notablemente.

- **Hígado** o laboratorio especializado del aparato digestivo donde llegan en primer lugar los vasos sanguíneos que acaban de recoger el alimento en el intestino delgado. Este órgano, de unos 1.500 g de peso aproximado, es capaz de neutralizar la mayoría de los tóxicos ingeridos al tiempo que prepara las grasas, las proteínas y los azúcares para su utilización o su almacenamiento. Además, produce y vierte en el intestino la bilis, necesaria para la descomposición y posterior absorción de las grasas.

- **Páncreas**, que además de su función como órgano endocrino productor de insulina, actúa como colaborador en el proceso de la digestión mediante la secreción de enzimas necesarias para la escisión de los principios inmediatos; además produce sustancias básicas que neutralizan el contenido fuertemente ácido del bolo alimenticio a su salida del estómago. Este órgano, que se sitúa en la parte superior y central del abdomen, tiene una forma alargada y se divide en cabeza, cuerpo y cola.

- **Intestino grueso** o conducto de eliminación de los alimentos no absorbidos y que deben ser expulsados fuera del organismo. Se divide en ciego, colon ascendente, colon transverso, colon descendente, recto y ano. Corresponde a este órgano la formación de las heces con su contenido apropiado de agua que permita su correcta circulación y eliminación.

■ Las principales patologías que pueden afectar a este sistema son:

- Infecciones en cualquiera de sus partes, que pueden ser desde leves, como por ejemplo la aparición de hongos en la boca, hasta muy graves, como infecciones intestinales que pueden provocar la muerte por deshidratación.

- Procesos inflamatorios de las estructuras digestivas, secundarios a infecciones o consecuencia de enfermedades congénitas.

- Trastornos del peristaltismo o movimiento natural del tubo digestivo, que impida la correcta circulación del bolo alimenticio a lo largo del mismo.

- Alteración en la capacidad intestinal de formación de las heces, de forma secundaria a múltiples patologías, que se traduce en diarrea o estreñimiento.

- Disfunción hepática o pancreática que provoque trastornos en la digestión de los alimentos por una deficiente secreción enzimática. Formación de cálculos en la vesícula biliar o en su conducto de salida hacia el intestino.

- Aparición de lesiones en la mucosa que tapiza todo el aparato digestivo, desde la boca hasta el ano, siendo de especial importancia las úlceras en el estómago y en las primeras porciones del intestino.

- Alteraciones anatómicas del esófago y el estómago, como la hernia de hiato, que dificulten el correcto funcionamiento de éstos y, en general, la circulación del alimento en su interior.

- Sangrado de cualquiera de los vasos cercanos al tubo digestivo, generalmente secundarios a la propia acción corrosiva de sus jugos, que puede desembocar en hemorragias silentes crónicas o de forma aguda y más grave.

- Formación de tumores a cualquier nivel de este aparato, incluyendo sus órganos anejos.

■ Los principales métodos de estudio del aparato digestivo que se emplean en la actualidad son:

- Analítica de sangre: permite de forma precisa valorar multitud de parámetros bioquímicos relacionados con el funcionamiento de los órganos digestivos, así como la detección de procesos inflamatorios, infecciosos y hemorragias. Ciertos marcadores tumorales pueden ser también detectados mediante el estudio de la bioquímica sanguínea.
- Análisis de las heces: estudio de las características de la masa fecal, su composición y la presencia de gérmenes patógenos en la misma.
- Radiografía simple de abdomen: permite la visualización del intestino, la presencia de heces y la distribución del aire en su interior. El empleo de ciertos contrastes puede ser útil para valorar la motilidad del aparato digestivo y la presencia de alteraciones anatómicas.
- Endoscopia: método directo de observación del tubo digestivo mediante un catéter dotado de una microcámara que recorre casi todas las porciones de éste, bien a través de la boca o bien a través del ano. Permite la toma de tejidos sospechosos de malignidad para su posterior análisis.
- Estudios de las presiones a diferentes niveles del tubo digestivo, para descartar disfunciones del mismo que desemboquen en reflujo o trastornos de la digestión.
- Técnicas de imagen avanzadas: como el escáner (TAC) o la resonancia magnética.
- Laparoscopia exploradora: investigación directa mediante cirugía de la cavidad abdominal.

Dolor abdominal

El dolor abdominal, producto de la estimulación de las estructuras nerviosas de la cavidad abdominal, puede cursarse a través de tres formas diferentes: se puede tratar de un dolor visceral (como consecuencia de la afectación de un órgano intrabdominal), un dolor somático (originado en la pared abdominal o en el peritoneo) o un dolor referido (que se percibe en el abdomen aunque se origina fuera de éste).

¿POR QUÉ SE PRODUCE EL DOLOR ABDOMINAL?

El dolor abdominal es el resultado de la estimulación de las estructuras nerviosas de dicha región por diferentes causas como la compresión mecánica de sus estructuras, la inflamación de las mismas, la falta de riego sanguíneo o el crecimiento de tumores en su interior.

Se denomina dolor visceral a aquel que se produce como consecuencia de la afectación de una de las vísceras u órganos abdominales o torácicos; se trata de un dolor «sordo» o mal localizado, que se acompaña de sensación de plenitud abdominal junto con malestar general, náuseas y vómitos, palidez e inquietud. Se localiza habitualmente en la línea media y es referido por el enfermo como un dolor interno constante o intermitente.

El dolor somático o parietal es el que se origina en la pared abdominal o en el peritoneo, que es una membrana delgada que recubre la cavidad abdominal y los órganos contenidos en su interior y puede ser el inicio de un dolor visceral o fruto de su evolución. Se trata de un dolor agudo e intenso que el individuo sabe localizar bien y que se agrava con la palpación, el movimiento y la tos; se acompaña de contractura de la musculatura de esta zona, lo que provoca que la pared abdominal pueda llegar a ponerse fuertemente rígida.

El dolor referido es aquel que se percibe en algún punto de la cavidad abdominal aunque su auténtico origen se encuentra fuera de la misma. Es un dolor intenso y localizado que el enfermo percibe en la piel o inmediatamente debajo de ella y que se produce en áreas abdominales por donde discurre el nervio que llega al órgano realmente afectado.

No siempre es clara la distinción entre estos tres tipos de dolor, ya que a menudo coexisten o se superponen entre sí; en algunas ocasiones el mecanismo del dolor es absolutamente desconocido.

¿DÓNDE SE PUEDE LOCALIZAR EL DOLOR ABDOMINAL?

■ Aunque, como ya hemos comentado, el dolor abdominal puede ser sordo o generalizado, en muchas ocasiones es posible identificar un área concreta donde es más intenso, lo que puede ser útil para reconocer su origen:

- Epigastrio: es la región superior y media del abdomen, inmediatamente por debajo del esternón que se denomina vulgarmente como la boca del estómago. Se corresponde habitualmente con un proceso ulceroso gástrico o duodenal o secundario a cualquier patología del tercio inferior del esófago; en este caso se trata de un dolor agudo, que empeora o mejora con las comidas (según el tipo de úlcera) y que suele repetirse de forma crónica en este tipo de enfermos. En ocasiones, una afectación pancreática o incluso un infarto de miocardio pueden manifestarse con dolor en esta región.

- Cuadrante superior derecho: el dolor en esta zona suele ser secundario en general a cualquier proceso que afecte al hígado y a las vías biliares, como la hepatitis aguda, la colecistitis o inflamación de la vesícula, los cálculos biliares y la pancreatitis aguda. A veces una neumonía inferior puede producir también un dolor similar; no es tampoco infrecuente que el acúmulo de gases intestinales provoque un dolor agudo o crónico en esta zona.

- Cuadrante superior izquierdo: generalmente el dolor es debido a cualquier afectación del bazo (esplénica), así como a alteraciones en el colon (divertículos, perforación) y enfermedades renales.

- Región umbilical o mesogastrio: es la zona central del abdomen, alrededor del ombligo, y cuyo dolor puede responder a patologías de todo el abdomen por su proximidad a todas las vísceras del mismo. Entres las causas más frecuentes destacan la obstrucción intestinal, la hernia umbilical, la úlcera duodenal y las enfermedades de la arteria aorta.

- Cuadrante inferior derecho: por encima de la pelvis derecha, donde aparece de forma típica el dolor de la apendicitis; también pueden manifestarse en esta región hernias inguinales, cálculos renales, afectaciones testiculares y, en general, cualquier patología que afecte a los ovarios.

- Cuadrante inferior izquierdo: encima de la pelvis izquierda y con las mismas causas de dolor que en el lado derecho, menos la apendicitis (salvo que el individuo tenga el apéndice en este lado). La diverticulitis afecta especialmente a esta región.

- Hipogastrio: zona inferior del abdomen situada alrededor de la línea media y por encima del pubis, que puede estar dolorida por procesos ginecológicos, intestinales o que afecten a la vejiga urinaria o a la próstata.

¿QUÉ PUEDE CAUSAR EL DOLOR ABDOMINAL?

ENFERMEDADES DIGESTIVAS

■ Es la causa más habitual de dolor abdominal y tiene sus propias características según el tipo de afectación:

- Gastroenteritis aguda: dolor difuso, en forma de cólico, que precede normalmente en forma de espasmos a una deposición diarreica; suele afectar a la parte inferior del abdomen y puede acompañarse de náuseas, vómitos y deshidratación si no se controla.

- Apendicitis aguda: dolor fuerte, alrededor del ombligo en un primer momento, que se desplaza posteriormente al cuadrante inferior derecho, normalmente precedido de náuseas y vómitos, falta de apetito y acompañándose de unas décimas de fiebre; este dolor aumenta con la palpación profunda de dicha zona.

- Colecistitis aguda: inflamación de la vesícula biliar que produce un dolor continuo e intenso en epigastrio y cuadrante superior derecho, que aumenta a la palpación y que también se acompaña de fiebre leve o moderada. Puede sospecharse en individuos con historia previa de cálculos biliares o dificultad para la digestión.
- Cólico biliar: dolor continuo en cuadrante superior derecho, muy agudo, producido por la obstrucción de la vía biliar debido a la presencia de piedras o cálculos en su interior; suele acompañarse de vómitos y dificultad para digerir los alimentos grasos.
- Pancreatitis aguda: producida habitualmente como consecuencia de los cálculos de las vías biliares o por el alcoholismo crónico, se caracteriza por un dolor epigástrico irradiado hacia la espalda con malestar general y vómitos.
- Obstrucción intestinal: dolor intermitente o continuo que aparece de forma difusa en todo el abdomen, como consecuencia de la oclusión de la luz intestinal por una hernia, o de forma secundaria a una cirugía abdominal o a tumores del aparato digestivo.
- Úlcera gastroduodenal: dolor epigástrico o en el cuadrante superior derecho, muy agudo, como un ardor o quemazón intenso, que puede ser precedido de vómitos, y que normalmente se alivia con la ingesta de alimentos o antiácidos. Está producido por el contacto del ácido estomacal con la superficie de la úlcera y aparece con más frecuencia en determinadas estaciones del año.
- Gases: la acumulación de gas en el intestino, especialmente en las personas con tendencia al estreñimiento, es causa habitual de dolor abdominal que se puede localizar en cualquier zona y que simula por su intensidad a otros procesos más graves. El gas tiende a dilatarse y comprime las paredes intestinales, produciendo un dolor agudo que cede cuando se moviliza a otra región.

ENFERMEDADES TORÁCICAS

Algunas enfermedades de la cavidad torácica pueden irradiar una sensación de dolor hacia la abdominal por la cercanía a la misma, a través de nervios que discurren por ambas cavidades.

Las más frecuentes son las neumonías (sobre todo cuando afectan a los lóbulos inferiores del pulmón), el infarto de miocardio (que a veces se manifiesta casi exclusivamente como un dolor abdominal), el tromboembolismo pulmonar o las enfermedades del esófago.

ENFERMEDADES GINECOLÓGICAS

■ Producen de forma general un dolor no bien localizado y continuo en la región inferior del abdomen, que se irradia a espalda y muslo y que puede acompañarse de múltiples síntomas ginecológicos y que, con frecuencia, son malinterpretados como dolores de origen digestivo. Las patologías que cursan con dolor abdominal habitualmente son:

- Embarazo ectópico: es el embarazo producido por la anidación del óvulo fecundado en un lugar diferente al útero.
- Patología ovárica: anexitis o inflamación de los ovarios, torsión de los mismos o rotura de quistes de su interior.
- Patología uterina: distensión del útero y endometriosis.
- Enfermedad pélvica inflamatoria.

ENFERMEDADES URINARIAS

■ El aparato urinario se encuentra situado en la cavidad abdominal y por tanto, su patología también puede verse reflejada como dolor en la misma:

- Cólico renoureteral: por obstrucción de la vía urinaria debido a cálculos o piedras enclavadas en el mismo; se trata de un dolor muy agudo e inquietante que puede acompañarse de vómitos y retención urinaria cuando es bilateral.
- Pielonefritis o infección de la estructura renal.
- Orquitis o inflamación testicular: puede provocar un dolor irradiado hacia las ingles y el hipogastrio.

OTRAS ENFERMEDADES

- Enfermedades vasculares como el lupus, la panarteritis nodosa o el infarto renal o esplénico (del bazo).
- Enfermedades metabólicas como el hipertiroidismo, la hemocromatosis, la insuficiencia suprarrenal aguda o las descompensaciones diabéticas.
- Enfermedades neurológicas, por ejemplo el tabes o el herpes zoster.
- Infecciones del tipo de la fiebre tifoidea, la brucelosis o la mononucleosis.
- Por fármacos como los anticoagulantes, los anticonceptivos orales y cualquiera que sea especialmente agresivo para el estómago.
- Dolor abdominal psicógeno o de origen psicológico, que se diagnostica cuando se presenta un dolor continuo y mal localizado que no responde a ninguna patología concreta, y que aparece en individuos con una personalidad predisponente.

¿CÓMO SE DIAGNOSTICA EL DOLOR ABDOMINAL?

Aunque en la mayoría de los casos el dolor abdominal responde a un proceso poco importante y transitorio, es fundamental que el individuo aprenda a reconocer las características del mismo, así como las circunstancias en las que se produce, con el fin de ayudar al diagnóstico. Este se basa por tanto en la sospecha de un cuadro patológico según las características del dolor y los antecedentes personales, que es confirmado mediante la exploración física y la realización de determinadas pruebas complementarias.

ANTECEDENTES PERSONALES

Es importante conocer la existencia de datos referentes a enfermedades generales, intervenciones quirúrgicas previas, traumatismos abdominales, hábitos tóxicos y toma habitual de fármacos, así como las comidas realizadas en las últimas horas y días. En las mujeres son de interés los antecedentes ginecológicos como el número de partos, el tipo de reglas y su duración, el empleo de anticonceptivos, etc.

CARACTERÍSTICAS DEL DOLOR

■ Intensidad: está escasamente relacionada con la gravedad de la lesión que produce el dolor; así algunos procesos graves pueden comenzar como un dolor leve y continuo que no se agrava hasta la fase final, cuando a lo mejor ya es necesaria la intervención quirúrgica de urgencia; por el contrario, procesos leves como la dilatación de gases o el fecaloma (obstrucción del recto por heces duras), pueden producir un dolor intenso hasta su resolución. El dolor más intenso corresponde a la perforación intestinal, la pancreatitis y la rotura o disección aórtica.

■ Cronología: es muy importante relacionar el dolor con determinadas circunstancias y el tiempo transcurrido desde las mismas; según éste podemos dividir los tipos de dolor en:

- Brusco: de instauración súbita, puede acompañarse de síncope y es típico de la perforación intestinal, la rotura de abscesos viscerales o embarazos ectópicos, infarto de miocardio o pulmonar o rotura esofágica.
- Rápido: se desarrolla en unas pocas horas y suele corresponder a procesos inflamatorios como la apendicitis, la colecistitis o la diverticulitis, así como el cólico renal y la úlcera complicada.
- Lento o gradual: tarda en aparecer hasta 24 horas desde el comienzo del proceso y es típico de las hernias complicadas, la obstrucción intestinal, la amenaza de aborto y en algunos casos de apendicitis.

■ Factores modificantes: es importante detallar el comportamiento del dolor con el movimiento y la posición, la respiración profunda y la tos, la palpación, la ingesta, la micción y la defecación.

■ Síntomas acompañantes: contribuyen a la identificación del origen del dolor:

- Vómitos: cuando aparecen tras el dolor suelen ser indicativos de una causa quirúrgica del mismo; a veces mejoran el dolor, o incluso desaparece tras el mismo, lo que sugiere patología del estómago. Debe observarse sus características (biliar o verdoso-amarillento, sanguinolento o con aspecto de heces).
- Ritmo intestinal: los procesos infecciosos o el colon irritable suelen acompañarse de diarrea, mientras que el estreñimiento puede ser secundario a una obstrucción postquirúrgica o tumoral.

- Otros signos que deben valorarse en el dolor abdominal son la fiebre, la ictericia o tinte amarillento de la piel, el sangrado rectal y las melenas (heces negras y malolientes por presencia de sangre).

PRUEBAS COMPLEMENTARIAS

- Analítica de sangre: se pueden observar diferentes alteraciones que orienten hacia una patología concreta como por ejemplo el aumento de los leucocitos (infección) o descenso brusco de los hematíes (sangrado). El estudio sanguíneo se completa con la detección de diversas sustancias en la sangre como la urea, la creatinina, las transaminasas y la amilasa pancreática, así como el estudio de la coagulación.
- Analítica de orina: con el fin de tratar de descartar enfermedades renales de tipo infeccioso u obstructivo; test de embarazo en mujeres.
- Radiografía de abdomen: especialmente útil cuando se sospecha obstrucción intestinal, perforación, cálculos biliares o renales o tras un traumatismo abdominal.
- Ecografía abdominal: es un método eficaz, fácil de utilizar e inocuo para el paciente; permite estudiar el hígado y las vías biliares, detecta la presencia de abscesos abdominales, quistes y tumores con una gran fiabilidad, que sólo puede estar limitada por el exceso de gas intestinal.
- Endoscopia: permite la valoración directa de múltiples cuadros que cursan con dolor abdominal como los procesos ulcerosos, enfermedad inflamatoria intestinal, tumores y otras. Contraindicada en caso de perforación.
- Electrocardiograma: importante sobre todo en los dolores de la parte superior del abdomen si existen antecedentes de patología cardíaca.

¿CÓMO SE TRATA EL DOLOR ABDOMINAL?

Lo más importante ante un dolor de este tipo es recibir cuanto antes asistencia médica para tratar de conocer el origen del mismo y su gravedad. Como es lógico, no existe un único tratamiento curativo para el dolor abdominal dada la diversidad de patologías que lo causan; en cada caso, el dolor desaparecerá cuando se traten las causas que lo producen.

Cuando el dolor es agudo, es importante no utilizar ningún analgésico para no enmascarar el cuadro, es decir, no conviene hacer desaparecer el dolor ya que es el único signo de alarma que tenemos para comprobar la evolución del cuadro. En muchas ocasiones requiere de valoración en urgencias hospitalarias, sobre todo cuando se sospecha que pueda necesitar de intervención quirúrgica.

■ Si el dolor es crónico, lo normal es que ya esté diagnosticado su origen, por lo que el individuo está acostumbrado a manejar diferentes fármacos para el mismo:

- Antiácidos o antiulcerosos en general.
- Espasmolíticos o fármacos que eliminan los «retortijones» abdominales.
- Antiinflamatorios específicos para la enfermedad inflamatoria intestinal.

Dolor abdominal

DEFINICIÓN Y TIPOS

El dolor abdominal es el resultado de la estimulación de las estructuras nerviosas que transmiten la sensibilidad de la cavidad abdominal; dicha estimulación puede deberse a la compresión mecánica de sus estructuras, su inflamación, la falta de riego o el crecimiento tumoral.

- Dolor visceral: como consecuencia de la afectación de un órgano intraabdominal.
- Dolor somático o parietal: originado en la pared abdominal o en el peritoneo.
- Dolor referido: que se percibe en el abdomen aunque se origina fuera de éste.

ORIGEN DEL DOLOR ABDOMINAL SEGÚN SU LOCALIZACIÓN

Epigastrio, cuadrante superior derecho, cuadrante superior izquierdo, mesogastrio, cuadrantes inferiores izquierdo y derecho e hipogastrio.

CAUSAS DEL DOLOR ABDOMINAL

- Enfermedades digestivas: gastroenteritis, apendicitis, colecistitis y cólico biliar, úlcera gastroduodenal, flatulencia y otros.
- Enfermedades torácicas: neumonías, infarto de miocardio.
- Enfermedades ginecológicas: embarazo ectópico, patología ovárica y uterina.
- Otras enfermedades vasculares, metabólicas, etc.

DIAGNÓSTICO

- Antecedentes personales.
- Características del dolor: intensidad, localización, cronología, síntomas acompañantes.
- Pruebas complementarias: analítica, radiografía, ecografía, etc.

TRATAMIENTO

Valoración médica. Si es crónico, antiácidos, espasmolíticos y antiinflamatorios.

Diarrea y estreñimiento

El intestino grueso recoge el excedente alimenticio que no ha sido absorbido, es decir, aprovechado para la nutrición y lo conduce hacia el exterior para ser expulsado a través del ano. Durante este trayecto se moldea la forma definitiva de las heces en lo que a su consistencia se refiere, de tal manera que el contenido líquido de éstas sea el apropiado para que puedan ser expulsadas con normalidad al mismo tiempo que se recupera agua desde las mismas. Las alteraciones del ritmo intestinal tanto por exceso como por defecto son patologías muy frecuentes, generalmente banales, que se producen como consecuencia de un fallo durante el proceso de formación de las heces.

DIARREA

■ Se define la diarrea como el aumento de la frecuencia, el volumen y la fluidez de las defecaciones:

- El aumento de la frecuencia está en relación con el ritmo habitual de cada individuo, aunque de forma general se puede definir como más de tres deposiciones diarias.
- El aumento del volumen debe ser superior a 200 g por día.
- El aumento excesivo de la fluidez se define como el hecho de que más del 70% de las heces sea agua.

Se denomina diarrea aguda a aquella que tiene una duración igual o inferior a tres semanas consecutivas, mientras que cuando se supera este periodo de tiempo se empieza a hablar de diarrea crónica.

¿CÓMO SE DIAGNOSTICAN LAS DIARREAS?

La mayoría de los casos de diarrea son procesos leves de corta duración que tienden a limitarse espontáneamente sin requerir un estudio específico acerca de sus causas concretas. En aquellos casos en los que se prolongue una diarrea más allá de un límite razonable (como por ejemplo siete días) o se acompañe de otros síntomas como fiebre, dolor abdominal agudo, signos de deshidratación o aparición de sangre o pus en las heces, debe consultarse al médico para valorar la posibilidad de realizar un estudio.

Las pruebas que normalmente se solicitan son la analítica convencional de sangre y orina, el coprocultivo o cultivo de las heces para tratar de encontrar un germen, el estudio de posibles parásitos intestinales y, finalmente, la colonoscopia o endoscopia del tracto digestivo inferior.

¿CÓMO SE TRATA LA DIARREA?

■ La diarrea como proceso agudo requiere un tratamiento diferente según la gravedad y el tiempo de duración del cuadro:

- Las diarreas leves habituales suelen corresponder a una infección vírica o a un tratamiento farmacológico y se tratan con dieta absoluta durante 24 horas desde la última deposición diarreica, tomando únicamente sueroral hiposódico de forma continua en pequeñas cantidades, que puede ser sustituido por el agua de limón casera o bebidas isotónicas. Cuando las heces adquieren algo más de consistencia se debe comenzar con una dieta sólida en pequeñas cantidades a base de arroz, zanahoria, pescados blancos hervidos, pollo, pavo, tortilla, pan tostado, manzana, albaricoque, membrillo y plátano, al tiempo que se sigue sustituyendo el agua por el suero o sus equivalentes. Se debe evitar la leche, las grasas, los picantes, los fritos, los dulces y las bebidas frías; el yogur natural y los quesos frescos colaboran en el restablecimiento de la flora bacteriana normal en el intestino.

- Las diarreas más graves asocian un mayor riesgo de deshidratación especialmente en los ancianos. Ante una diarrea prolongada debe investigarse la presencia de signos como sequedad de la piel, pliegues persistentes en la misma tras pellizcarla, ausencia de lágrima o aspecto de ojos «hundidos». En estos casos es necesario el tratamiento hospitalario para proceder a rehidratar al individuo por vía intravenosa.

Los fármacos antidiarreicos como la loperamida y el difenoxilato están en general contraindicados, puesto que cortan la diarrea de forma drástica permitiendo que, en el caso de diarreas infecciosas, los gérmenes se acumulen en el intestino y puedan invadir la pared de éste e, incluso, sobrepasarla. En caso de diarrea leve, sin fiebre y sin productos patológicos como sangre o pus en las heces, pueden indicarse a bajas dosis durante cortos periodos de tiempo.

¿Por qué se produce la diarrea?

■ Existen cuatro mecanismos productores de diarrea, que intervienen de forma separada o asociada entre sí en la aparición de este cuadro:

• Por acumulación en el intestino de sustancias que provocan la salida de agua hacia el mismo para tratar de neutralizarlas e igualar presiones a ambos lados de la membrana intestinal.
• Por aumento de la secreción de líquidos y sales minerales por parte de las células intestinales o por dificultad de éstas para reabsorber el agua del contenido fecal.
• Por alteración de la motilidad del intestino, tanto por lentitud de la misma (que favorece el crecimiento de bacterias patógenas) como por su activación excesiva.

• Por inflamación de la mucosa intestinal secundariamente a diversas enfermedades.

■ Cualquiera de estos mecanismos puede ser activado ante cualquier situación que desemboque en diarrea, como por ejemplo:

• Infecciones bacterianas (Salmonella, Shigella y otras), víricas (Rotavirus, Adenovirus y otros) o por protozoos.
• Fármacos como por ejemplo laxantes, antibióticos, antiácidos, diuréticos y algunos antigotosos.
• Consumo excesivo de alcohol y alergias alimentarias.
• Enfermedades como la diabetes, el hipertiroidismo y algunos tipos de cáncer.

Los antibióticos sólo están indicados en aquellos casos en los que se evidencia la presencia de un germen como causante de la diarrea y el individuo presenta un deterioro grave de su estado de salud o presenta síntomas prolongados e intensos.

Como medida preventiva frente a la diarrea se puede recomendar el uso adecuado de los laxantes, ya que su empleo indiscriminado generalmente de forma crónica desemboca en diarrea permanente. Los viajeros, sobre todo los que se dirigen a países tropicales, deben tomar medidas precautorias como la de beber sólo agua embotellada (cuidado con los cubitos de hielo), elegir alimentos cocinados y lavarse las manos con frecuencia.

ESTREÑIMIENTO

Se define como la dificultad para mantener un ritmo de defecaciones adecuado y con un volumen de heces suficiente como para que no se acumulen éstas en el interior del intestino. Aunque cada persona tiene sus propias necesidades corporales, se considera de forma objetiva que menos de tres deposiciones a la semana es un signo de estreñimiento; sin embargo, se puede mantener un ritmo aparentemente normal, o incluso ir todos los días al servicio, y ser estreñido al mismo tiempo, ya que en cada defecación no se expulsa el 100% de las heces necesario.

Es un problema muy extendido en las sociedades modernas, más frecuente entre las mujeres y que no distingue edad ni condiciones socioeconómicas.

¿POR QUÉ SE PRODUCE EL ESTREÑIMIENTO?

Las causas del estreñimiento son muy variadas, aunque en la mayoría de los casos éste no se debe a una enfermedad concreta sino más bien a la modificación de nuestros hábitos alimenticios y culturales, que provocan la aparición de un estreñimiento crónico, más o menos aceptado por el individuo a fuerza de la costumbre y que rara vez llega a complicarse. Este estreñimiento sería el resultado de una falta de volumen en las heces por una dieta inadecuada y una escasa práctica de ejercicio, que se traducen en una disminución de los movimientos intestinales normales y un retardo en la eliminación fecal.

■ En otras ocasiones, sin embargo, existe una patología de fondo o cualquier otra circunstancia que puede ser responsable de este cuadro; las principales serían:

- Lesiones intestinales: adherencias al cabo de los años de una cirugía abdominal, lesiones inflamatorias (diverticulitis), enfermedad de Crohn y tumores de colon.
- Lesiones anales: abscesos, fisuras y hemorroides complicadas.
- Enfermedades neurológicas: esclerosis múltiple, enfermedad de Parkinson y traumatismos de la médula espinal.
- Enfermedades metabólicas: diabetes, hipotiroidismo, hipercalcemia y otras.
- Abuso continuo de laxantes artificiales.
- Ciertas situaciones como la inmovilidad en cama y el embarazo.
- Dietas excesivas y prolongadas; anorexia nerviosa.
- Tratamientos farmacológicos: hierro, calcio, antiácidos, antidepresivos, antiepilépticos, derivados de la morfina (codeína) y otros.
- Causas psicológicas: miedo a defecar por dolor en el ano durante el acto, ignorar con frecuencia las ganas de hacerlo por circunstancias sociales, no dedicar al acto el tiempo suficiente, etc.

¿CÓMO SE TRATA EL ESTREÑIMIENTO?

El tratamiento de esta disfunción intestinal debe ser siempre consultado al médico para que esté adaptado a las circunstancias de cada persona teniendo en cuenta el origen más probable del cuadro, la edad, la intensidad y la repercusión sobre el estado general.

■ Podemos dividir el tratamiento en tres apartados fundamentales:

1. Hábitos dietéticos: básicamente se debe recomendar el consumo de alimentos ricos en fibra, que aumentan el volumen de las heces al no ser casi digeridos en el intestino delgado y favorecen la velocidad del tránsito intestinal, aumentando el número de deposiciones. Algunos ejemplos de este tipo de alimentos serían las frutas como la ciruela, la naranja, la pera y la piña, así como los zumos de las mismas, las verduras (preferentemente crudas), las hortalizas, los cereales (fibra de trigo), las patatas y el pan integral. Se debe evitar el consumo de ciertos alimentos que endurecen las heces como el arroz, el pan blanco, los quesos curados, el cacao y sus derivados y, en general, los dulces. Se recomienda un consumo diario de al menos 2 l de agua, distribuidos tanto durante las comidas como en ayunas nada más levantarse.

2. Estilo de vida:
   - Comer despacio, masticando bien los alimentos y con horarios lo más regulares posibles.
   - Tratar de acudir al servicio siempre a la misma hora, preferentemente después de una comida para aprovechar el llamado efecto gastrocólico o estimulación general de todo el aparato digestivo tras la llegada de alimentos al estómago.
   - No reprimir el deseo de defecar; dedicar el tiempo necesario a la evacuación de las heces sin hacer un esfuerzo excesivo durante la misma.

Síntomas del estreñimiento

■ Además de la dificultad para expulsar las heces y la disminución de la frecuencia de las mismas, pueden aparecer otros síntomas como molestias abdominales (generalmente debidas a la acumulación de gases entre las heces endurecidas), la halitosis o mal olor del aliento, la cefalea y la lengua saburral o «sucia».

■ El estreñimiento es especialmente preocupante cuando se acompaña de pérdida de peso en los últimos meses o sangrados a través del ano (que equivocadamente se pueden atribuir a hemorroides), ya que pueden indicar la presencia de un proceso tumoral en el colon, especialmente en individuos mayores de 60 años que alternan periodos de estreñimiento con otros de diarrea más o menos intensa. En cualquier caso esta patología es un factor de riesgo para el desarrollo de tumores intestinales inferiores.

■ Se denomina fecaloma a la formación de una masa compacta de heces muy duras, que han perdido su contenido líquido y que se hacen muy difíciles de expulsar. El fecaloma es muy habitual en enfermos crónicos o ancianos, en general con poca movilidad, manifestándose en ocasiones con fiebre y otros síntomas generales que dificultan su diagnóstico.

- Practicar ejercicio físico moderado de forma diaria ya que la motilidad intestinal está en relación directa con éste.

3. Tratamiento farmacológico: los fármacos laxantes actúan de diferentes forma:

- Aumentando el volumen de las heces: generalmente son derivados de la celulosa que no se digieren y se mezclan con el resto de remanentes de la digestión para aumentar su tamaño y favorecer así el tránsito intestinal. Son los más utilizados habitualmente y requieren para su mayor efecto de una importante toma de líquido.
- Ablandando las heces: como los aceites minerales, que actúan como emolientes que disminuyen la dificultad para defecar.
- Evacuantes salinos: empleados generalmente para la limpieza del intestino antes de una cirugía o una prueba diagnóstica como la colonoscopia o el enema opaco. Pueden producir una deshidratación intensa o incluso un estado de shock leve.

Se debe evitar el consumo de laxantes enérgicos por iniciativa propia, ya que pueden suponer un riesgo para la salud que pase desapercibido en un primer momento además de crear hábito y empeorar el estreñimiento a largo plazo.

En caso de estreñimiento prolongado que no cede con los laxantes habituales y que empieza a producir síntomas a nivel abdominal o general, está indicado el empleo de enemas por vía rectal o de supositorios de glicerina, con el fin de reblandecer la masa de heces impactada en el recto.

El fecaloma debe ser resuelto con prontitud siendo habitualmente necesario el traslado al medio hospitalario para su diagnóstico y eliminación.

Diarrea y estreñimiento

INTESTINO GRUESO Y RITMO INTESTINAL

Trayecto de las heces y diversas patologías.

DIARREA

Aumento de la frecuencia, el volumen y la fluidez de las defecaciones.

Existen 4 mecanismos productores de la diarrea:

- Acumulación en el intestino de sustancias que provocan la salida de agua hacia el mismo.
- Aumento de secreción y líquidos y sales minerales por parte de las células intestinales.
- Por alteración de la motilidad del intestino.
- Por inflamación de la mucosa intestinal.

Cualquiera de estos mecanismos puede ser activado por infecciones bacterianas o víricas, fármacos, consumo excesivo de alcohol, alimentos y en ciertas enfermedades.

El diagnóstico de la diarrea se realiza mediante analítica de sangre y orina, cultivo de las heces y colonoscopia.

En el tratamiento específico de cada tipo de diarrea puede ser necesaria la dieta absoluta, la rehidratación, los antibióticos o los fármacos antidiarreicos.

ESTREÑIMIENTO

Dificultad para mantener un ritmo intestinal adecuado y con un volumen de heces suficiente como para que no se acumulen éstas.

Las principales causas de estreñimiento son:

- Lesiones intestinales.
- Lesiones anales.
- Enfermedades neurológicas.
- Enfermedades metabólicas.
- Abuso de laxantes.
- Tratamientos farmacológicos.
- Otras causas sociales y psicológicas.

El tratamiento del estreñimiento puede dividirse en 3 apartados fundamentales:

- Hábitos dietéticos: consumo de alimentos ricos en fibra.
- Estilo de vida: comer despacio, mantener costumbres y horarios, etc.
- Tratamiento farmacológico: tipos de laxantes.

Enfermedad inflamatoria intestinal

Existe un grupo de enfermedades provocadas por factores genéticos, infecciosos e inmunológicos que provocan la inflamación en determinados tramos del intestino que cursan como brotes agudos que se reproducen a lo largo del tiempo. Dentro de estas enfermedades, las más conocidas son la enfermedad de Crohn, que consiste en úlceras en determinados tramos de la pared intestinal, y la colitis ulcerosa, que consiste en un proceso inflamatorio superficial que afecta a la mucosa que tapiza interiormente el tubo digestivo.

Existe un grupo de enfermedades crónicas del intestino que tienen como punto en común la aparición de procesos inflamatorios en determinados tramos del mismo, generalmente de forma recurrente a modo de brotes. Estos cuadros inflamatorios pueden afectar únicamente a las capas más internas del tubo digestivo (mucosa intestinal) o extenderse a todo su espesor, incluso afectar a otras porciones del tracto digestivo como el estómago y el esófago.

■ El concepto de enfermedad inflamatoria intestinal engloba por tanto a tres patologías diferentes que son:

- Enfermedad de Crohn.
- Colitis ulcerosa.
- Colitis indeterminada, que tiene características comunes de las dos anteriores, pero no es posible clasificarla como una u otra.

En cualquier caso se trata de patologías de origen desconocido en la actualidad aunque se han propuesto diferentes teorías de tipo genético, infeccioso e inmunológico para explicar su aparición. El curso de la enfermedad inflamatoria intestinal es inter-mitente, con tendencia natural a la remisión y a la recidiva o reaparición de los síntomas; sin embargo el curso clínico no siempre se ajusta a este patrón y no resulta fácil en ocasiones distinguir los periodos activos inflamatorios de los periodos de mejoría.

En los últimos años se ha producido un notable aumento en la incidencia de este tipo de enfermedades, sobre todo de la enfermedad de Crohn, especialmente en los países más industrializados. Este incremento podría justificar la existencia de factores medioambientales implicados en el desarrollo de estos procesos inflamatorios. La población adulta joven (entre 15-25 años) y los adultos avanzados (entre 60-80 años) son los grupos etarios con mayor incidencia de esta enfermedad, sobre todo en los individuos de raza blanca.

Las manifestaciones clínicas y el tratamiento de la enfermedad de Crohn y de la colitis ulcerosa tienen sus propias características, lo que obliga a mencionarlas de forma separada aunque formen parte del mismo síndrome intestinal. La llamada colitis indeterminada no es sino un «cajón de sastre» en el que se sitúan aquellos cuadros inclasificables o de presentación extraña respecto a las dos formas principales. Posteriormente nos referiremos al diagnóstico común de ambas enfermedades y a sus manifestaciones extraintestinales.

ENFERMEDAD DE CROHN

Se caracteriza por la aparición de úlceras en la pared intestinal que ocupan todo el espesor de ésta, llegando incluso a perforarla, junto con la inflamación de la zona perjudicada. Puede afectar a cualquier tramo del tubo digestivo aunque se localiza principalmente en la porción final del intestino delgado (íleon terminal), intestino grueso y en la región perianal. La afectación suele ser segmentaria, es decir, se alternan regiones intestinales afectas con otras sanas.

■ La enfermedad de Crohn puede manifestarse de las siguientes maneras:

• Forma diarreica o clásica: es la forma más frecuente de presentarse esta enfermedad y se caracteriza por la presencia de cuatro o seis deposiciones pastosas o acuosas al día, que se acompañan de sangre y pus en ocasiones. Suele aparecer dolor abdominal agudo, sobre todo en el lado derecho, junto con fiebre poco elevada. Estos episodios son autolimitados pero tienden a reaparecer con el paso de los años cada vez con mayor frecuencia e intensidad.

• Forma aguda oclusiva: en ocasiones se diagnostica la enfermedad al observarse un cuadro obstructivo intestinal secundario a la inflamación crónica que produce esta patología. Se acompaña de dolor abdominal inespecífico, náuseas, vómitos y dificultad para la emisión de heces y gases.

• Forma aguda apendicular: se trata de una forma de presentación que simula un cuadro de apendicitis aguda que, en la mayoría de los casos, obliga a la intervención

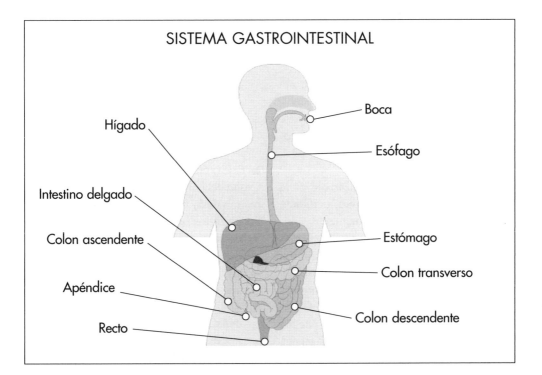

SISTEMA GASTROINTESTINAL

Hígado
Intestino delgado
Colon ascendente
Apéndice
Recto
Boca
Esófago
Estómago
Colon transverso
Colon descendente

quirúrgica. Los síntomas son similares a ésta, es decir, dolor en la fosa ilíaca derecha, fiebre, náuseas y anorexia.

- Otras formas de presentación: con menos frecuencia la enfermedad puede ser detectada de manera casual al percibir una masa alargada dolorosa en el abdomen junto con síntomas inespecíficos o, en otras ocasiones, a través de las complicaciones típicas de la enfermedad (abscesos o fístulas) que veremos a continuación.

Algunos de los síntomas acompañantes a esta enfermedad, cualquiera que sea su forma de presentación, son la anemia, tanto por la pérdida de sangre a través de las heces como por la dificultad para la absorción de vitamina B12 y ácido fólico, y la pérdida de peso, sobre todo en las fases avanzadas de la enfermedad, secundaria a la mala absorción de proteínas en el intestino. Otras complicaciones pueden ser el retraso del crecimiento y la maduración sexual en los niños, el mayor riesgo de infecciones y la aparición de enfermedad tromboembólica.

■ A nivel local, la enfermedad de Crohn puede acompañarse de complicaciones debidas al carácter agresivo de la misma sobre toda la pared intestinal y no sólo de la mucosa interna. Las principales son:

- Patología perianal: la fisura anal es la complicación más frecuente, pudiendo ser única o múltiple aunque menos dolorosa que las fisuras normales. Las fístulas del ano suelen ser profundas y múltiples, con salida hacia la región del periné. Estas manifestaciones, así como la presencia de úlceras anales, son a veces el primer síntoma de la enfermedad y pueden preceder a otros síntomas de la misma con muchos años de antelación.

- Estenosis intestinales: consiste en la oclusión parcial o total del tracto intestinal, bien de forma aguda y como forma de presentación o bien de forma crónica y lenta. Obliga en la mayoría de los casos a diferenciarla de procesos tumorales oclusivos.

- Fístulas internas y abscesos: la formación de conductos internos o fístulas entre las asas intestinales son propias y características de esta enfermedad. Se manifiestan en forma de dolor abdominal, malestar general y aparición de abscesos en la periferia de las mismas. En ocasiones pueden formarse fístulas hacia la piel abdominal, la vagina y la vejiga urinaria.

- Perforación aguda: la rotura de la pared intestinal puede provocar un cuadro agudo y grave por salida del contenido hacia el peritoneo que envuelve el tracto digestivo; es más frecuente en las formas agudas apendiculares.

- Cáncer de colon: los individuos con esta enfermedad tienen un riesgo de tres a cinco veces superior al de la población general de padecer este tipo de tumores, especialmente en las formas que cursan con oclusión intestinal, las de larga evolución y las de inicio en la infancia o adolescencia.

■ El tratamiento de la enfermedad de Crohn debe ir encaminado a conseguir la remisión de la respuesta inflamatoria que caracteriza los brotes de esta enfermedad y a evitar la reaparición de los mismos. Para ello se puede actuar de tres maneras diferentes:

- Tratamiento farmacológico: en la actualidad se dispone de un buen número de fármacos eficaces como los glucocorticoides, algunos antibióticos, la sulfasalacina y los inmunosupresores entre otros. Según la gravedad del brote se asocian entre sí unos u otros fármacos de estos grupos terapéuticos.

- Medidas de apoyo: aunque el tratamiento dietético no modifica el curso de la enfermedad, el control en la alimentación puede preservar un buen estado nutricional y evitar la aparición de diarrea. En general se recomienda la dieta exenta de residuos y de lácteos, por la mayor incidencia de intolerancia a los mismos en este grupo de población. En los brotes graves es necesario el reposo intestinal absoluto, es decir, la dieta absoluta y la alimentación por vía intravenosa. Los enfermos de Crohn deben ser cautos con el empleo de ciertos fármacos que puedan ser agresivos con la mucosa intestinal o puedan provocar diarrea; en general es preferible evitar cualquier medicamento que no sea estrictamente necesario. El tabaco es reconocido como un factor de riesgo independiente para padecer esta enfermedad y para aumentar la frecuencia de los brotes.

- Tratamiento quirúrgico: la cirugía nunca es curativa en la enfermedad de Crohn, puesto que aproximadamente en la mitad de los casos la enfermedad reaparece con el tiempo en otro segmento del tracto digestivo. Aún así puede ser necesaria la resección o eliminación de los tramos intestinales afectados en ciertos casos como por ejemplo tras una perforación, una hemorragia masiva, un absceso intraabdominal, una fístula complicada y, en general, ante el fracaso del tratamiento farmacológico habitual.

COLITIS ULCEROSA

La colitis ulcerosa es un proceso inflamatorio superficial que afecta casi de forma exclusiva a la mucosa que tapiza interiormente el tubo digestivo. Esta enfermedad, que se limita al colon y al recto, se presenta como una lesión de aspecto congestivo, con erosiones o

Diagnóstico de la enfermedad inflamatoria intestinal

■ Se basa en la conjunción de una serie de datos clínicos y de pruebas complementarias de interés para la detección de esta enfermedad:

• Historia clínica: debe investigarse la presencia de antecedentes familiares de esta enfermedad así como las características de algunos síntomas como la diarrea, el dolor abdominal, los sangrados rectales, la fiebre y la pérdida de peso.
• Radiología: el empleo de la radiografía simple de abdomen o los estudios radiológicos con contraste de bario (siempre que no se esté en el brote agudo de la en-

fermedad) son útiles para detectar las lesiones de la mucosa intestinal y la presencia de complicaciones como la obstrucción, la perforación y el megacolon tóxico.
• Endoscopia: la colonoscopia supone un gran avance en el diagnóstico de estas enfermedades, ya que permite visualizar de forma directa el estado del tubo digestivo así como tomar muestras del mismo.
• Otras técnicas de imagen: la ecografía abdominal, el escáner y la gammagrafía son también muy útiles para valorar el estado de la enfermedad, sus complicaciones y su extensión extraintestinal.

úlceras en la mucosa y formación de pólipos en las fases avanzadas.

■ Esta enfermedad puede manifestarse de las siguientes maneras:

- Forma remitente-recidivante: es la forma más frecuente que se caracteriza por periodos de actividad o brotes que se alternan con periodos de remisión. Es de pronóstico benigno por su buena respuesta al tratamiento aunque puede evolucionar hacia formas crónicas o más graves.
- Forma crónica: se define así al brote que persiste más de seis meses a pesar del tratamiento médico, con mayor posibilidad de desarrollar complicaciones a nivel local.
- Forma aguda fulminante: se trata de la forma más grave de presentarse la enfermedad aunque la menos común de todas (5-8% de los casos). Consiste en la aparición de diarrea y rectorragia (hemorragia en las heces) de forma brusca con riesgo de complicaciones como la perforación.

La diarrea, acompañada generalmente de sangrado, es la característica más común de este cuadro. Generalmente se trata de heces poco voluminosas precedidas de un dolor agudo en el lado izquierdo e inferior del abdomen (al contrario que en la enfermedad de Crohn). Es frecuente que los individuos afectados realicen las deposiciones con imperiosa necesidad o urgencia por la dificultad de retener las heces cuando comienzan los «retortijones». En casos graves puede aparecer fiebre o anemia.

■ Las complicaciones locales más frecuentes de esta enfermedad son:

- Megacolon tóxico: consiste en una dilatación extrema de un segmento del colon o de su totalidad que se acompaña de fiebre alta, dolor, deshidratación, taquicardia y, en general, agravamiento del estado del enfermo. Es una complicación temible, también presente en la enfermedad de Crohn, que se acompaña de una mortalidad en el 20% de los casos, incluso llegando a ser mayor si se acompaña de perforación. El empleo de antidiarreicos por parte de estos enfermos puede ser un desencadenante de esta complicación.
- Hemorragia masiva: se presenta en un 5% de los casos de brotes graves en formas ulcerosas de la enfermedad y puede requerir una intervención quirúrgica de urgencia.
- Cáncer de colon y recto: en relación con la duración del proceso inflamatorio y con la extensión del mismo; en las formas localizadas sólo en el recto es excepcional la aparición de tumores.

■ El tratamiento de la colitis ulcerosa puede también enfocarse desde tres puntos:

- Tratamiento farmacológico: según la gravedad y la localización del brote se emplean, al igual que en la enfermedad de Crohn, glucocorticoides, sulfasalacina e inmunosupresores.
- Medidas de apoyo: se recomienda también la dieta pobre en lácteos y residuos así como cualquier alimento fuerte (muy graso o picante), el alcohol y las comidas abundantes. Con el tiempo el individuo aprende a reconocer los alimentos que empeoran su situación o provocan la aparición de un brote de la enfermedad. Curiosamente los exfumadores tienen un riesgo más elevado de

padecer la enfermedad que los fumadores activos o los que nunca han fumado; esto no quiere decir que el exfumador deba volver a fumar de nuevo, ya que los efectos nocivos del tabaco son más perjudiciales a largo plazo, en general, que el posible efecto preventivo sobre los brotes de colitis ulcerosa.

- Tratamiento quirúrgico: la cirugía sí puede resolver de forma definitiva la colitis ulcerosa; sin embargo comporta una resección intestinal muy importante como es la extirpación del recto y, en ocasiones, de buena parte del colon. La indicación quirúrgica se reserva para los casos de perforación, hemorragia masiva, obstrucción y megacolon tóxico que no responde al tratamiento médico.

MANIFESTACIONES EXTRAINTESTINALES DE LA ENFERMEDAD INFLAMATORIA INTESTINAL

■ Esta enfermedad se acompaña con mucha frecuencia de síntomas generales fuera del territorio digestivo; los principales son:

- Síntomas articulares, generalmente artritis en las articulaciones de los miembros inferiores así como de la columna vertebral.
- Manifestaciones cutáneas como el eritema nodoso y el pioderma gangrenoso.
- Manifestaciones oculares como la uveítis, la epiescleritis y la conjuntivitis.
- Afectación hepática en forma de esteatosis hepática o hígado graso, cirrosis y mayor riesgo de desarrollo de tumores en el hígado.

Enfermedad inflamatoria intestinal

DEFINICIÓN

Existe un grupo de enfermedades crónicas que cursan con la aparición de procesos inflamatorios en determinados tramos del intestino, generalmente en forma de brotes agudos que se repiten con el paso del tiempo.

En el origen de estas enfermedades se han implicado factores genéticos, infecciosos e inmunológicos, aunque el notable aumento de la incidencia de estas enfermedades en los países occidentales o industrializados parece indicar la presencia de factores medioambientales como precipitantes de las mismas.

ENFERMEDAD DE CROHN

Consiste en la aparición de úlceras en determinados tramos de la pared intestinal que pueden abarcar todo el grosor de la misma y que se acompañan de inflamación alrededor de las lesiones.

Puede manifestarse en forma de brotes de diarrea con sangre y pus, dolor abdominal (generalmente en el lado derecho) y fiebre. En ocasiones produce oclusión intestinal (estreñimiento) o cuadros similares a apendicitis aguda.

Sus principales complicaciones son la formación de fístulas y abscesos, así como la perforación de la pared intestinal. Es frecuente la patología alrededor del ano.

El tratamiento consiste en el empleo de corticoides y otras sustancias que pueden reducir la severidad del brote o prevenir la aparición del mismo. Además de ciertas medidas de apoyo, que implican principalmente a la dieta, puede ser necesario el tratamiento quirúrgico, que en ningún caso es curativo en esta enfermedad.

COLITIS ULCEROSA

Proceso inflamatorio superficial que afecta de manera casi exclusiva a la mucosa que tapiza interiormente el tubo digestivo, concretamente al colon y al recto.

Se presenta habitualmente en forma de periodos de actividad o brotes que alternan con otros de remisión o libres de síntomas; en ocasiones puede presentarse de forma aguda grave o hacerse crónica.

La diarrea con sangrado o rectorragia es el síntoma más típico de esta enfermedad, junto con el dolor abdominal en el lado izquierdo.

Sus principales complicaciones son el megacolon tóxico o dilatación extrema de un segmento del colon que puede llegar a ser muy grave, las hemorragias masivas y el mayor riesgo de padecer cáncer de colon y recto.

El tratamiento farmacológico y de apoyo es similar al de la enfermedad de Crohn, teniendo la cirugía mejores perspectivas curativas una vez eliminada la región intestinal afectada.

Hernia de hiato

El diafragma es un músculo situado en el tronco de los seres humanos que interviene fundamentalmente en la función respiratoria, ensanchando o contrayendo la caja torácica, para permitir la entrada de aire en los pulmones o favoreciendo su salida. Este músculo tiene la forma de una lámina transversal que separa el tórax del abdomen, que es perforada en determinados puntos por las estructuras que tienen que atravesarlo para alcanzar la cavidad abdominal o incluso por debajo de ella, como por ejemplo grandes vasos sanguíneos y estructuras nerviosas. El esófago es un tubo de paredes blandas que comunica la cavidad oral y la faringe con el estómago y que también se ve obligado a atravesar el diafragma para llegar a este último. Lo hace a través de un orificio o hiato esofágico especial para él, justo un poco antes de su llegada a la cavidad gástrica.

¿QUÉ ES LA HERNIA DE HIATO?

■ La hernia de hiato es el desplazamiento de estructuras que normalmente se encuentran en la cavidad abdominal, es decir por debajo del diafragma, hacia la cavidad torácica a través del hiato u orificio que permite el paso del esófago. Se pueden distinguir tres tipos de hernias:

● Hernia por deslizamiento, que es la más frecuente, que se produce cuando la unión entre esófago y estómago se desplaza hacia arriba y queda incluida en el tórax, al tiempo que el estómago se aprieta contra el borde inferior del diafragma e incluso una pequeña parte de él, llamada fundus gástrico, también se introduce parcialmente. Hasta un 60% de los individuos mayores de 50 años pue-

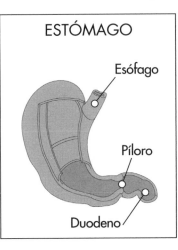

ESTÓMAGO

Esófago

Píloro

Duodeno

den tener una hernia por deslizamiento, aunque no todos van a tener síntomas que permitan identificarla.

● Hernia paraesofágica, menos frecuente y más grave, ya que en ella la unión gastroesofágica se mantiene en su sitio pero una buena parte del estómago se introduce a través del hiato hacia la cavidad torácica. Esta hernia si es lo suficientemente voluminosa puede llegar incluso a comprimir el esófago o estrangularse.

● Hernia mixta o con ambos componentes, desplazamiento y deslizamiento.

¿CUÁLES SON LOS SÍNTOMAS DE LA HERNIA DE HIATO?

En la hernia por deslizamiento el típico síntoma que se observa es el reflujo gastroesofágico, aunque como ya hemos mencionado el individuo puede permanecer mucho tiempo sin referir ninguna molestia o incluso pasar siempre inadvertida si el deslizamiento es pequeño. Las hernias paraesofágicas o mixtas se manifiestan como una sensación de pesadez estomacal tras las comidas, náuseas y dificultad para tragar que se agravan a medida que progresan con el tiempo y se hernia mayor cantidad de estómago; en ocasiones puede llegar incluso a dificultarse la respiración.

¿CÓMO SE DETECTA LA HERNIA DE HIATO?

■ Cuando se presentan de forma habitual alguno de los síntomas anteriormente referidos es conveniente consultar a nuestro médico para descartar la presencia de esta enfermedad. Los métodos que se emplean normalmente para confirmar este diagnóstico son:

- Radiografía de tórax: mediante la cual se puede observar una especie de burbuja de aire en la línea media del mismo o junto al esófago.
- Estudio esofágico y gastroduodenal mediante contraste: consiste en la toma de una papilla de bario que resalta especialmente cuando se toman posteriormente una serie de radiografías de su trayecto a través del esófago, estómago y primeras porciones del duodeno. Es el método ideal de diagnóstico.
- Endoscopia: utilizada cuando aún persisten dudas diagnósticas o cuando se sospecha que la porción gástrica herniada puede tener lesiones sangrantes.

¿Cómo se trata la hernia de hiato?

■ Cuando la única sintomatología que se produce es el reflujo, como suele ocurrir en las hernias por deslizamiento, se procederá a tratar éste y a vigilar periódicamente la evolución de la hernia. En el caso de las hernias paraesofágicas y mixtas, sobre todo cuando adquieren un gran tamaño, suele ser necesaria la intervención quirúrgica para reparar el hiato diafragmático, devolver la porción herniada a su posición natural y evitar así que pueda estrangularse o romperse.

Hernia de hiato

ANATOMÍA DEL DIAFRAGMA Y EL ESTÓMAGO

El diafragma es el músculo encargado de la función respiratoria. Su situación está entre el tórax y el abdomen. Esófago, faringe, hiato esofágico.

HERNIA DE HIATO

Desplazamiento hacia la cavidad torácica de parte de las estructuras digestivas a través del orificio diafragmático. Pueden ser de diferentes tipos según su mecanismo de formación:

- Hernias por deslizamiento.
- Hernias paraesofágicas.
- Hernias mixtas.

Los principales síntomas de la hernia de hiato son:

- Reflujo gastroesofágico.
- Dificultad para tragar y náuseas.
- Pesadez estomacal tras las comidas.

El diagnóstico de la hernia de hiato se realiza mediante radiografía de tórax, tránsito gastroduodenal y endoscopia.

Reflujo gastroesofágico

El estómago contiene una serie de sustancias de diferente naturaleza cuyo único objetivo es digerir o descomponer los alimentos en pequeñas porciones que puedan ser asimiladas y absorbidas posteriormente en el intestino delgado. Estas sustancias son enzimas que, unidas a las producidas por el hígado y el páncreas, actúan sobre las grasas, las proteínas y los hidratos de carbono para que puedan ser asimilados. Además, ciertas células de la pared interna del estómago están especializadas en producir ácido clorhídrico, que es especialmente fuerte y que colabora decisivamente en este proceso de degradación.

REFLUJO GASTROESOFÁGICO

La mucosa que tapiza el interior del estómago está preparada para resistir el ambiente ácido que se crea en el mismo cuando se realiza la digestión. Para que el contenido ácido no se extienda fuera de la cavidad gástrica mientras ésta se contrae, existe un anillo muscular en la parte inferior del esófago, llamado esfínter esofágico inferior, que cierra fuertemente la luz del mismo durante este proceso. Este esfínter impide que la mezcla de alimentos, enzimas y ácido retorne hacia porciones superiores, es decir que refluya, tanto para asegurar una buena digestión como para impedir que se dañe la mucosa que reviste el esófago, que a diferencia de la del estómago, no está preparada para tolerar estas sustancias.

¿QUÉ ES EL REFLUJO?

El reflujo es el resultado del fracaso del sistema digestivo para mantener el contenido gástrico en su sitio debido a múltiples causas. La enfermedad por reflujo gastroesofágico (ERGE) se define como cualquier sintomatología o lesión producida en el aparato digestivo como consecuencia de la aparición de episodios de reflujo.

El reflujo no es siempre patológico y hoy en día se sabe que incluso en individuos sanos es normal que una pequeña parte del contenido del estómago retorne hacia el esófago. Cuando esta cantidad es mayor de lo normal se produce la enfermedad, que será más o menos intensa dependiendo de la composición del material refluído, del tiempo de permanencia de la misma en el esófago, de la resistencia del mismo y del tiempo que lleve produciéndose este fenómeno.

¿CUÁLES SON LOS SÍNTOMAS DEL REFLUJO?

■ Como hemos mencionado anteriormente el reflujo puede pasar desapercibido en un buen número de casos, haciéndose evidente sólo cuando se produce alguna lesión en el esófago. En cualquier caso, el grado de reflujo o de lesión esofágica no es proporcional a la intensidad de los síntomas, hasta el punto de que pequeños reflujos pueden resultar muy molestos mientras que grandes lesiones algunas veces apenas producen signos. Los principales síntomas asociados al reflujo gastroesofágico son:

- Pirosis: es la sensación de ardor detrás del esternón (justo por encima de la boca del estómago) que suele aparecer tras las comidas o durante el reposo nocturno; con frecuencia despierta al individuo a las dos o tres horas de acostarse.
- Regurgitación: es una especie de «rumiación» de los alimentos hacia la boca que se produce de forma súbita, a veces tras un esfuerzo nada más acabar de comer, y que se manifiesta como quemazón en el esófago y una sensación de acidez en la boca. Puede ser peligroso si se introduce el contenido ácido por la vía respiratoria y en ocasiones es responsable de la aparición de tos nocturna crónica o algunos tipos de crisis asmáticas.
- Dolor torácico: algunas veces es similar al producido por las afecciones cardíacas y producido por el daño sobre el esófago.

¿Por qué se produce el reflujo?

Las causas del reflujo son muy variadas y en la mayoría de los casos se superponen unas a otras, de tal modo que su origen es multifactorial, aunque siempre tienen un punto en común, y es que todas afectan en mayor o menor medida al funcionamiento del esfínter esofágico inferior:

■ La hernia de hiato está presente en el 90% de los casos de enfermedad por reflujo, si bien por el contrario, el hecho de padecerla no indica que se vaya a desarrollar esta enfermedad necesariamente. El hecho de que parte de la cavidad gástrica esté introducida en el tórax por encima de la desembocadura del esófago dificulta el correcto vaciamiento de éste por simples causas físicas, ya que se forma un asa donde se acumula y retorna el contenido del estómago en tales cantidades y con una presión que el esfínter es incapaz de contenerlo.

■ Alteración del aclaramiento esofágico o capacidad de este órgano para vaciarse por completo en el estómago o de devolver al mismo las sustancias normalmente refluídas. Este aclaramiento se produce por la propia acción de la gravedad (por eso se produce reflujo con más facilidad estando tumbados), la adecuada presencia de saliva en la boca y la propia acción motora del esófago; una alteración en cualquiera de ellas puede desembocar en reflujo.

■ El aumento de la presión intraabdominal debido a la obesidad, el embarazo o la ropa excesivamente ajustada durante largos periodos impiden el correcto vaciamiento del esófago.

■ La alteración del vaciado gástrico o exceso de secreción ácida en el mismo también favorecen que se produzca reflujo al aumentar el tiempo total que dura la digestión y aumentar el volumen de su contenido.

■ La esclerodermia produce relajación del esfínter esofágico y favorece el reflujo, así como cualquier traumatismo o secuela quirúrgica sobre el mismo.

■ La dieta también parece influir sobre esta enfermedad puesto que determinados alimentos como el chocolate, la menta, el zumo de naranja y en general las comidas grasas disminuyen la presión del esfínter. El tabaco, el café y el alcohol tienen un efecto similar.

- Disfagia y odinofagia: son la dificultad para tragar o el dolor cuando se hace; no son síntomas frecuentes y su presencia constante obliga a descartar procesos malignos oclusivos.
- Hemorragias: debidas a ulceraciones de la mucosa del esófago por la continua irritación del ácido refluido.

Las principales complicaciones del reflujo gastroesofágico son la estenosis esofágica (disminución parcial o total del calibre del tubo), la úlcera péptica y el esófago de Barret, que consiste en la sustitución de la mucosa normal de la parte inferior del esófago por otra diferente y que asocia un cierto riesgo de terminar en cáncer.

¿CÓMO SE DETECTA ESTA ENFERMEDAD?

Cuando la presencia de síntomas o signos sugerentes de esta enfermedad aparecen es aconsejable confirmar su presencia mediante la endoscopia, que es la técnica de elección en este caso, ya que permite valorar el grado y la extensión de las lesiones de la mucosa esofágica, así como tomar biopsias de las mismas para descartar complicaciones o procesos malignos. Otras pruebas como la manometría y la pH-metría sirven para evidenciar el tono muscular que mantiene el esfínter y la acidez presente en el esófago.

¿CUÁL ES EL TRATAMIENTO DEL REFLUJO?

■ Podemos dividir el tratamiento en tres aspectos diferentes:

1. Medidas preventivas:

- Cambios en las costumbres dietéticas, eliminando los alimentos que favorecen el reflujo como los antes mencionados. Además es aconsejable no tumbarse tras las comidas. No fumar ni beber en exceso.
- Corregir el sobrepeso y evitar las prendas que opriman la cavidad abdominal; es muy aconsejable elevar la cabecera de la cama unos 20 cm sobre los pies para favorecer el tránsito normal del alimento.
- Tratar de impedir el estreñimiento.

2. Medidas farmacológicas:

- Antiácidos, similares a los empleados frente a la úlcera péptica.
- Procinéticos o fármacos que ayudan al tránsito del alimento durante el proceso de la digestión.

3. Medidas quirúrgicas:

La cirugía antireflujo queda reservada para aquellos casos en los que la respuesta al resto de tratamientos no sea satisfactoria o bien el individuo sea muy joven como para tener que tomar tratamiento de por vida. Mediante laparoscopia se reduce la hernia de hiato y se coloca el fundus gástrico enrollado alrededor de la unión esofagicogástrica, en lo que se denomina funduplicatura.

Reflujo gastroesofágico

Fracaso del sistema digestivo para mantener recluido el contenido gástrico por diferentes causas como son:

- La presencia de una hernia de hiato.
- La alteración del aclaramiento esofágico.
- El aumento de la presión abdominal.
- La alteración del vaciado gástrico.
- La dieta.

Los principales síntomas del reflujo son:

- Pirosis o sensación de ardor detrás del esternón.
- Regurgitación o retorno de los alimentos a través del esófago.
- Dolor torácico.
- Dificultad o dolor al tragar.
- Hemorragias.

El tratamiento se basa en medidas preventivas, fármacos y cirugía.

Úlcera gastroduodenal

Durante el proceso de la digestión, los alimentos ingeridos son desmenuzados en pequeñas porciones en el estómago, gracias en parte al movimiento compresivo de éste y gracias también a los ácidos presentes en su interior. La pared del estómago y el intestino está preparada para resistir la potencia del ácido liberado gracias a una capa mucosa que la recubre en su interior y que evita que éste las destruya.

¿QUÉ ES LA ÚLCERA PÉPTICA?

Con este nombre se denomina a la aparición de una lesión en la mucosa que recubre a la porción del sistema digestivo que está en contacto con el ácido clorhídrico producido por el estómago; la úlcera péptica por tanto engloba a la úlcera gástrica y la duodenal, así como las úlceras del tercio inferior del esófago y de zonas intestinales más lejanas del duodeno.

La ruptura de la continuidad protectora de esta mucosa permite que el ácido penetre y destruya progresivamente los tejidos subyacentes a la misma, hasta lograr perforar completamente su estructura.

Se trata de una enfermedad muy frecuente que ocasiona un enorme número de consultas médicas, así como un porcentaje muy elevado de recursos económicos para su tratamiento. En los países occidentales hasta un 10% de la población sufre un episodio ulceroso en algún momento de su vida; la localización más frecuente es en el duodeno (hasta tres veces más que en el estómago) y es algo más habitual entre los varones jóvenes. La úlcera gástrica afecta por igual a ambos sexos y aparece normalmente en edades más tardías, entre los 40 y 70 años.

¿POR QUÉ SE PRODUCE LA ÚLCERA?

Se produce por un desequilibrio entre los factores protectores de la mucosa, que son la mucosidad gástrica y determinadas sustancias fabricadas por el organismo como el bicarbonato y las prostaglandinas, y los agresores, principalmente el ácido clorhídrico y la pepsina. Cuando este equilibrio se rompe, comienza un proceso de erosión que puede pasar inadvertido durante mucho tiempo hasta que las estructuras nerviosas de la pared digestiva comienzan a ser dañadas por el ácido.

■ Aunque el mecanismo de producción de la úlcera péptica aún es en parte desconocido, existen una serie de factores predisponentes que podrían favorecer su desarrollo; los principales son:

- Infección por *Helicobacter pylori*: se trata de una bacteria que habita en el tubo digestivo de casi la mitad de la población hoy en día y que favorece la formación ulcerosa como lo demuestra el hecho de que es detectada mediante endoscopia en el 95% de los casos de úlcera péptica y en un porcentaje algo menor en la gástrica. Esta bacteria parece ser que se adquiere en edades tempranas de la vida a través de aguas contaminadas y asienta perfectamente en el estómago pese al ambiente ácido hostil de éste.

- Factores genéticos: existe una facilidad hereditaria para padecer esta enfermedad en determinadas familias; durante mucho tiempo se ha investigado la relación de ciertos grupos sanguíneos (especialmente el 0) con una mayor predisposición.
- Tabaquismo: el tabaco favorece la formación de úlceras y dificulta su curación, aunque nunca es la causa única de la misma.
- Dieta: se desconoce si determinados alimentos podrían resultar más lesivos que otros en la mucosa gástrica; lo que sí parece claro es que una vez formada la úlcera, los picantes y los alimentos o bebidas de contenido ácido empeoran o prolongan su evolución.
- Fármacos: determinadas sustancias utilizadas como medicamentos tienen una gran capacidad de desequilibrar los mecanismos defensivos de la mucosa y favorecer la formación de úlceras, así como de empeorar las ya existentes e incluso favorecer su sangrado. Estos fármacos, llamados gastroerosivos, pertenecen a muchas clases terapéuticas, aunque en general por su mayor utilización los antiinflamatorios y los corticoides son los más conocidos.
- Modo de vida: el estrés y determinados tipos de personalidad parecen ser un factor precipitante en esta patología sobre todo a nivel duodenal; en los últimos tiempos la úlcera duodenal es cada vez más frecuente que la gástrica (a principios del siglo XX su incidencia era similar), lo que parece indicar que el modo de vida actual favorece su desarrollo.
- Otros factores: la cirrosis hepática, la hipertensión arterial, la insuficiencia renal crónica, la insuficiencia respiratoria y el hiperparatiroidismo pueden estar relacionados con esta enfermedad.

Síntomas de la úlcera

■ El síntoma fundamental es el dolor en la parte superior del abdomen; en la úlcera duodenal se localiza claramente en el epigastrio o boca del estómago, mientras que en la gástrica es más difícil de situar en una zona concreta. Se trata en cualquier caso de un dolor sordo y constante que puede exacerbarse a ratos y que, aunque no impide normalmente seguir con la actividad cotidiana, sí que puede llegar a ser muy molesto.

■ En la forma duodenal, la ingesta de alimentos sólidos suele calmar la sintomatología, en tanto que es típico que el dolor aparezca un tiempo después de las comidas, llegando incluso a despertar al individuo por la noche o durante la siesta. La úlcera duodenal evoluciona habitualmente en brotes de varios días de duración que se alternan con largos periodos sin molestias.

■ En la forma gástrica el dolor no mejora de forma tan rápida con los alimentos ni tampoco empeora especialmente tras la ingesta; es habitual que pueda pasar inadvertida durante largo tiempo.

■ Entre los síntomas asociados al dolor destacan las náuseas y vómitos, la pérdida discreta o moderada de peso y el mareo o debilidad. No es extraño que la primera manifestación de una úlcera péptica sea la hemorragia digestiva o la perforación de la pared gastrointestinal.

¿CÓMO SE DETECTA LA ÚLCERA?

■ El diagnóstico de la úlcera se basa como siempre en la confirmación mediante diferentes pruebas de los síntomas anteriormente mencionados. La exploración física puede indicar únicamente un dolor aumentado al palpar el epigastrio, aunque en la mayoría de los casos suele ser bastante anodina salvo que presente complicaciones. Las dos principales técnicas diagnósticas son:

- Endoscopia alta: consiste en la introducción a través de la boca de un tubo flexible con una cámara en el extremo, que es guiado hasta el estómago y primeras porciones del intestino, con el fin de visualizar la mucosa digestiva y tomar muestras de las lesiones o formaciones que resulten de interés. Es el método ideal para detectar la úlcera gastroduodenal, así como para tomar muestras de la misma y observar la presencia o no de sangrado. Su utilización sólo queda limitada a aquellos casos en los que se sospeche posible perforación o en los que el paciente no colabore con la técnica o padezca enfermedades cardiorespiratorias graves.
- Tránsito gastroduodenal: consiste en el estudio radiológico del aparato digestivo superior tras la toma de una «papilla» de bario que permite comprobar el funcionamiento del mismo y sospechar la presencia de lesiones.

¿CÓMO SE TRATA LA ÚLCERA PÉPTICA?

En los últimos años se ha producido un avance significativo en la terapia antiulcerosa con el desarrollo de nuevos grupos farmacológicos que mejoran y cicatrizan las lesiones de la mucosa digestiva. Antes de comentar estos grupos farmacológicos conviene recordar algunas medidas generales que pueden ayudar al control de esta patología.

■ Medidas preventivas: es importante que en la dieta estén ausentes ciertas sustancias favorecedoras del proceso como las grasas, el picante, los fritos y las bebidas estimulantes como el café, el té o las que poseen cafeína; en cualquier caso es el propio individuo el que debe aprender a identificar y suprimir estas sustancias. Asimismo, la abstinencia alcohólica y el abandono del tabaco mejoran en muchos casos la sintomatología. Es importante evitar largos periodos de ayuno en los que el contenido ácido estomacal se centra en erosionar aún más la lesión al no tener alimento que disolver; es recomendable hacer varias comidas al día con un contenido razonable.

Todo individuo propenso a los procesos ulcerosos debe consultar previamente antes de la toma de cualquier tipo de fármaco que pueda empeorar su sintomatología.

■ Tratamiento farmacológico: se basa en el empleo de varios grupos de fármacos que tienen un mecanismo de actuación diferente:

- Antiácidos: son sustancias como el almagato, el magaldrato y ciertos hidróxidos que neutralizan el pH del estómago al combinarse con el ácido de su interior; deben emplearse tras las comidas abundantes (a la media hora aproximadamente). Su uso hoy en día suele completar al de otros fármacos antiulcerosos más potentes, aunque puede ser útil para el mantenimiento en enfermos que no padecen un brote ulceroso en ese momento.
- Antisecretores: son los fármacos más utilizados en la actualidad; su forma de actuar es inhibiendo la secreción gástrica, evitando así el exceso de ácido en esta

cavidad. Pertenecen a este grupo la ranitidina, el omeprazol y similares, que poseen una extraordinaria eficacia antisecretora, especialmente los últimos derivados de éstos.

- Protectores: son compuestos que forman al llegar al estómago una fina película sobre la superficie ulcerada que la protege de los efectos lesivos del contenido del mismo, que recordemos son el ácido clorhídrico y la pepsina. Pueden producir estreñimiento como efecto secundario junto con heces oscuras en algunos casos.

La infección por *Helicobacter pylori* debe ser tratada mediante la combinación de antibióticos y antisecretores durante una semana aproximadamente; en breve se cree que estará disponible una vacuna frente a este germen.

■ Tratamiento quirúrgico: queda reservado para aquellos casos en los que se presenten complicaciones importantes como sangrado que no pueda ser detenido mediante endoscopia o perforación.

¿CUÁL ES LA EVOLUCIÓN DE LA ÚLCERA?

El prototipo del paciente ulceroso es el de un varón joven, fumador y bebedor ocasional, con un modo de vida estresante y con unos hábitos alimenticios inapropiados, basados en comidas copiosas que se alternan con largos periodos de ayuno (normalmente no desayuna).

La úlcera gastroduodenal o péptica es una patología curable hoy en día, en la mayoría de los casos, con el tratamiento y los hábitos de vida apropiados. La erradicación del *Helicobacter pylori* mejora el pronóstico de forma importante.

Cuando sea necesario el empleo de fármacos agresivos para la mucosa gástrica es importante que estén asociados a protectores de la misma para evitar complicaciones.

Úlcera gastroduodenal

CARACTERÍSTICAS DEL ESTÓMAGO

Movimiento compresivo y ácidos presentes en el proceso digestivo.

DEFINICIÓN Y CAUSAS DE LA ÚLCERA

Formación de una lesión en la mucosa que recubre internamente al estómago y a las primeras porciones del intestino. Se produce por un desequilibrio entre los factores protectores de la mucosa y los agresores de la misma, principalmente el ácido clorhídrico y la pepsina.

DIAGNÓSTICO DE LA ÚLCERA

Características de la endoscopia alta. Tránsito gastroduodenal.

FACTORES PREDISPONENTES

- Infección por Helicobacter Pylori.
- Factores genéticos.
- Tabaquismo.

- Dieta.
- Fármacos.
- Otros: cirrosis hepática, hipertensión, etcétera.

SÍNTOMAS DE LA ÚLCERA

- Dolor.
- Náuseas y vómitos.
- Cansancio y debilidad.
- Mareo.
- Pérdida discreta o moderada de peso.

TRATAMIENTO

Medidas preventivas: control de la dieta, abstinencia alcohólica, abandono del tabaco.
Tratamiento farmacológico: antiácidos, antisecretores, protectores gástricos.
Tratamiento quirúrgico.

PRONÓSTICO DE LA ÚLCERA

Bueno, si se sigue el tratamiento y se llevan hábitos de vida saludables.

Hemorragia digestiva

La hemorragia digestiva es un sangrado producido en el interior del tubo digestivo, ya sea en su parte alta (esófago, estómago y primeras porciones del duodeno) o en su parte baja (partes finales del intestino delgado y del intestino grueso). Las principales causas de la hemorragia digestiva son: úlceras gastroduodenales, varices esofágicas, erosiones de la mucosa digestiva, alteraciones vasculares y tumores digestivos.

El tubo digestivo, que se extiende desde la boca hasta el ano, está revestido en todo su trayecto por una capa mucosa con diferentes características en cada punto del mismo. Esta capa mucosa recubre y protege los vasos sanguíneos que llegan hasta ella, impidiendo que las sustancias potencialmente agresivas que circulan por el aparato digestivo puedan dañarlos.

■ Se denomina hemorragia digestiva a la pérdida de sangre procedente de un punto o una región de este sistema y constituye una de las urgencias médicas más frecuentes. La exteriorización de la sangre procedente del tubo digestivo puede manifestarse de cuatro maneras diferentes:

- Hematemesis: consiste en el vómito de sangre o coágulos de la misma; esta sangre puede ser fresca (rojo brillante), oscura o «en posos de café» o puntos de color oscuro entre un líquido más claro.
- Melenas: expulsión por el ano de heces de consistencia pastosa y color negro muy brillante (similar al carbón) junto con un olor especialmente intenso y desagradable.

- Rectorragia: expulsión de sangre fresca aislada o mezclada con las heces.
- Hematoquecia: heces de color oscuro o rojizo con características en general intermedias entre las normales y las hemorrágicas.

En ocasiones, pueden producirse pérdidas sanguíneas ocultas por el tubo digestivo que pasan desapercibidas hasta la progresión de la enfermedad digestiva causante o hasta que la anemia secundaria a dicho sangrado se hace patente.

La mortalidad asociada a la hemorragia digestiva varía entre el 5 y el 20% de todos los casos, dependiendo ésta directamente de la cuantía del sangrado, de su origen, de la edad del paciente y de la existencia de otras enfermedades importantes concurrentes.

Según el punto de origen del sangrado podemos dividir la hemorragia digestiva en dos tipos: hemorragia digestiva alta o producida por encima del llamado ángulo de Treitz (a la altura de la unión del duodeno con el yeyuno) y hemorragia digestiva baja u originada en un punto inferior a dicho ángulo del intestino delgado.

HEMORRAGIA DIGESTIVA ALTA

■ Se manifiesta en forma de hematemesis o vómitos sanguinolentos y melenas que se producen, bien por la expulsión directa de la sangre por la boca, o como resultado del tránsito prolongado de la sangre por todo el intestino hasta su defecación. Las principales causas de hemorragia digestiva alta son:

- Úlcera péptica: es la responsable de casi la mitad de los casos de este tipo de hemorragias, tanto la úlcera gástrica como la duodenal. En la mayoría de los casos se autolimitan de forma espontánea y tienden hacia la curación, mientras que en ocasiones pueden persistir durante mucho tiempo y provocar graves complicaciones si no son tratadas.
- Varices esofágicas: producidas como consecuencia de una afectación hepática crónica o cirrótica que incrementa la presión en los vasos que irrigan el esófago hasta hacerlos estallar.
- Síndrome de Mallory-Weiss: o lesión de la mucosa en el punto de unión del esófago con el estómago, que provoca sangrados intermitentes especialmente tras el abuso de alcohol.
- Erosiones gástricas difusas: se denominan así a pequeñas lesiones de la mucosa gástrica producidas como consecuencia de la ingesta de ciertos medicamentos como el ácido acetilsalicílico, los antiinflamatorios y los glucocorticoides. El alcohol, los alimentos ácidos, el estrés y algunas enfermedades agudas (grandes quemaduras, infecciones graves, postoperatorios complicados) pueden también provocar este tipo de lesiones.
- Hernia de hiato: cuando adquieren un tamaño considerable, este tipo de hernias pueden acompañarse de lesiones traumáticas en la porción de estómago que se ha introducido a través del diafragma en la cavidad torácica.
- Esofagitis: consiste en la inflamación de parte de la mucosa del esófago como consecuencia del reflujo ácido del contenido estomacal hacia el mismo y puede provocar pequeñas hemorragias constantes y desapercibidas.
- Otras causas: tumores del tracto digestivo superior, fístulas y malformaciones vasculares son responsables también de hemorragias digestivas altas aunque en proporción menor.

HEMORRAGIA DIGESTIVA BAJA

■ Se manifiesta normalmente en forma de rectorragia o hematoquecia, aunque en ocasiones puede presentarse también en forma de melenas, si el punto sangrante está lo suficientemente alejado del ano o el tránsito intestinal es lento. Las principales causas de hemorragia digestiva baja son:

- Hemorroides: son la causa más frecuente de hemorragia digestiva baja o concretamente de rectorragia. Su fácil accesibilidad y por tanto su fácil diagnóstico permiten identificarlas de manera sencilla. En raras ocasiones suelen complicarse hasta el punto de producir anemia.
- Enfermedad diverticular del colon o diverticulosis: la formación de estas estructuras en forma de saco sobre la pared de la mucosa del colon puede acompañarse de sangrado intermitente por la erosión de un vaso en el fondo del divertículo.
- Alteraciones vasculares del intestino: consisten en malformaciones de la mucosa intestinal, congénitas o adquiridas, que se manifiestan como pequeños sangrados intermitentes.

- Tumores: la rectorragia es un síntoma asociado al desarrollo de tumores, tanto benignos como malignos, generalmente a nivel del colon. Se trata de hemorragias crónicas y leves que rara vez producen pérdidas sanguíneas masivas.

¿CÓMO SE DIAGNOSTICAN LAS HEMORRAGIAS DIGESTIVAS?

■ El diagnóstico de este tipo de hemorragias se basa en tres aspectos fundamentales:

1. Historia clínica del individuo: edad, antecedentes de hemorragias digestivas previas, síntomas acompañantes (dolor abdominal, diarrea, cambios del ritmo intestinal), aspecto de las heces, ingesta de fármacos gastroerosivos y presencia de enfermedades asociadas como las hepatopatías crónicas, la insuficiencia renal o las alteraciones de la coagulación.

2. Exploración física: especialmente el tacto rectal para descartar hemorroides, fisuras y masas tumorales a nivel rectal, al tiempo que se observan las características de las heces almacenadas.

3. Pruebas complementarias:

- Análisis de sangre: permite valorar la presencia de anemia por un sangrado crónico, defectos de la coagulación y presencia de enfermedades asociadas. Algunos parámetros como la urea pue-

Síntomas de la úlcera

■ Como ocurre en otras muchas patologías, el tratamiento de la hemorragia digestiva está en relación con el origen concreto de la misma. No obstante, se pueden enunciar las principales medidas terapéuticas:

• **Tratamiento farmacológico:** la administración de alcalinos por vía oral o la perfusión intravenosa de ciertos ácidos tienen una utilidad bien comprobada en la prevención del sangrado en enfermos ulcerosos y para promover la cicatrización de la úlcera; también se emplean con éxito determinadas sustancias vasoconstrictoras. Ante la sospecha de un sangrado digestivo está indicado el reposo intestinal mediante dieta absoluta. El uso habitual de protectores gástricos puede prevenir la aparición de sangrados a este nivel, especialmente en individuos con antecedentes en este sentido o que utilizan fármacos erosivos para la mucosa gastrointestinal.

• **Tratamiento endoscópico:** consiste en la inyección de sustancias esclerosantes que cierran el punto sangrante activo con una eficacia muy alta; en ocasiones puede emplearse la electrocoagulación con los mismos fines. Muchas veces es necesaria la embolización de divertículos sangrantes que no ceden espontáneamente.

• **Tratamiento quirúrgico:** se considera indicada la cirugía en aquellas hemorragias graves con altas necesidades transfusionales o en las que reincide el sangrado tras el tratamiento endoscópico. Su objetivo es la eliminación o sutura de la región sangrante. El tratamiento de la enfermedad diverticular y en general el de los tumores digestivos es también quirúrgico.

den elevarse perceptiblemente durante el sangrado digestivo agudo.

- Gastroscopia o endoscopia digestiva alta: es el mejor método diagnóstico ya que permite identificar y visualizar el origen del sangrado, valorar su pronóstico e incluso tratar el punto sangrante en ocasiones. Su indicación puede ser urgente cuando se sospecha un sangrado activo importante.

- Rectosigmoidoscopia o endoscopia digestiva baja: consiste en la visualización de la mucosa de la porción inferior del colon en busca de puntos de sangrado, tumores u otras alteraciones. En ocasiones es necesaria la exploración completa del colon o colonoscopia.

- Otras pruebas: la arteriografía y la gammagrafía pueden localizar el punto de sangrado cuando éste se escapa a las posibilidades de la endoscopia. La radiografía tras ingesta de bario (papilla) y el enema opaco pueden ser útiles para el diagnóstico en los periodos sin sangrado.

Hemorragia digestiva

DEFINICIÓN Y TIPOS

Se denomina hemorragia digestiva a cualquier sangrado producido en el interior del tubo digestivo, ya sea de forma aguda o crónica. Es una de las urgencias médicas más habituales. Según su localización podemos dividirla en:

- Hemorragia digestiva alta o procedente del esófago, estómago y primeras porciones del duodeno, y que se manifiesta normalmente en forma de hematemesis o vómito sanguinolento y melenas.
- Hemorragia digestiva baja o procedente de las porciones finales del intestino delgado y del intestino grueso y que produce rectorragias y hematoquecia.

CAUSAS

Las principales causas de hemorragia digestiva son:

- Úlceras gastroduodenales sangrantes.
- Varices esofágicas.
- Erosiones de la mucosa digestiva.
- Alteraciones vasculares.
- Tumores digestivos.

DIAGNÓSTICO

Se basa en la observación de las características concretas de la hemorragia, los síntomas acompañantes, la exploración física y el estudio de las enfermedades asociadas y los antecedentes personales del individuo.

Esto se completa con una serie de pruebas como la analítica de sangre y la endoscopia alta o baja que permite la visualización directa del interior del tubo digestivo y de sus posibles lesiones.

TRATAMIENTO

Puede ser urgente si las características del sangrado y el estado del enfermo así lo requieren. Consiste en el empleo de antiácidos (sobre todo de forma preventiva), de técnicas esclerosantes o coagulantes a través de la endoscopia o de cirugía cuando fallan las medidas anteriores.

PRONÓSTICO

La mortalidad asociada a la hemorragia digestiva varía entre el 5 y el 20% de los casos, dependiendo del punto de origen del sangrado, la edad y antecedentes del individuo y el tiempo transcurrido hasta su diagnóstico y tratamiento.

Litiasis biliar

La litiasis biliar consiste en la formación de cálculos o piedras que se acumulan en la vía biliar, pudiendo llegar a obstruir parcial o totalmente a ésta. La formación de los cálculos biliares puede deberse a un exceso de colesterol en la bilis, un exceso de bilirrubina o alteraciones en la estructura de la vesícula.

La bilis es un líquido espeso, amarillo verdoso y amargo, producido por el hígado y almacenado en la vesícula biliar. Está formado básicamente por agua (95%) a la que se añaden diversos compuestos químicos como sales, pigmentos y colesterol. Su función es la de colaborar en la digestión de los alimentos, especialmente las grasas, para que puedan ser absorbidas correctamente en el intestino.

Las células del hígado producen esta sustancia de forma continua y la vierten a unos pequeños canalículos existentes entre ellas; estos canalículos confluyen a su vez en canales cada vez mayores hasta desembocar todos en el conducto hepático común o vía única de salida de la bilis del hígado. Este conducto hepático común pasa a denominarse colédoco cuando se le une lateralmente el conducto cístico, que es por el que discurre la bilis que se almacena o se expulsa de la vesícula biliar. El colédoco sigue su trayectoria descendente hacia el duodeno y poco antes de su desembocadura en el mismo recibe lateralmente al conducto de Wirsung o conducto de salida del páncreas.

El ritmo de producción de bilis es de un litro diario aproximadamente y gran parte de las sales biliares que se vierten son recuperadas por el propio hígado para comenzar de nuevo su producción.

La vesícula biliar es un depósito situado por debajo del hígado que acumula la bilis y la reserva para cuando sea necesaria durante la digestión (las propias grasas estimulan su vaciamiento), aunque ésta fluye también directamente desde el hígado a través del colédoco hacia el duodeno o primera porción intestinal, sin necesidad de pasar por la vesícula. Se la podría considerar como un vestigio del cuerpo humano, útil en una época previa a la civilización en la que los hombres comían grandes cantidades de alimento en pocas horas (cuando cazaban) y luego pasaban largos periodos de ayuno.

¿QUÉ ES LA LITIASIS BILIAR?

■ Consiste en la formación de cálculos o «piedras» que se acumulan en la vía biliar pudiendo llegar a obstruir parcial o totalmente ésta y producir distintas patologías según su localización. Estos cálculos pueden ser de diferente naturaleza:

• Cálculos de colesterol puro: formados exclusivamente por esta sustancia y que suelen ser únicos y de tamaño grande.

- Cálculos mixtos: formados por colesterol, bilirrubina y calcio, más pequeños y generalmente múltiples y agrupados en una región concreta de la vía biliar. Son los más frecuentes.
- Cálculos pigmentarios: formados principalmente por bilirrubina.

La litiasis biliar es una enfermedad muy frecuente en la actualidad, que puede llegar a afectar incluso a un 20% de la población aunque en muchos de los casos curse de manera inadvertida por el individuo; en los adultos mayores y en los ancianos estas cifras son aún más elevadas. Existe una mayor incidencia de esta enfermedad en las mujeres frente a los hombres.

¿POR QUÉ SE PRODUCEN LOS CÁLCULOS BILIARES?

■ Aunque no sea un proceso plenamente conocido, se sabe que la formación de cálculos biliares responde a la acumulación de una serie de desencadenantes que actúan en este sentido con una mayor o menor influencia:

- El exceso de colesterol en la bilis, que no se produce paralelamente al aumento de colesterol en sangre sino más bien al de los triglicéridos, favorece la formación de este tipo concreto de cálculos, así como la obesidad, la pérdida rápida de peso y ciertos tratamientos farmacológicos (por ejemplo, los estrógenos empleados durante la menopausia).
- La alteración en la composición de la bilis en cuanto a las sales biliares, especialmente su menor concentración porcentual en el total de la misma, favorecen también la aparición de esta enfermedad.

- El exceso de bilirrubina por un defecto de su metabolismo (a veces secundario a cirrosis o infecciones hepáticas) también puede desembocar en la producción de cálculos de tipo pigmentario.
- De forma general las alteraciones de la vesícula, tanto en su forma como en su funcionamiento, predisponen a la aparición de esta enfermedad.

Se podría resumir por tanto que la litiasis biliar es un proceso lento que ocurre de forma secundaria a diversos trastornos de la composición de la bilis sobre una vesícula predispuesta por su mal funcionamiento.

¿CÓMO SE MANIFIESTA CLÍNICAMENTE LA LITIASIS BILIAR?

■ Más de la mitad de los cálculos que se detectan mediante diferentes técnicas diagnósticas no se acompañan de sintomatología alguna y pasan inadvertidos para el individuo. En otros casos sin embargo, la litiasis biliar es responsable de ciertos cuadros como los siguientes:

DISPEPSIA

Consiste en la aparición de molestias y sensación de pesadez tras las comidas, especialmente si éstas son muy grasas, que se debe en muchos casos, aunque no siempre, a una mala circulación de la bilis por la presencia de cálculos en las vías que la transportan al intestino.

CÓLICO BILIAR

Es la forma más habitual que tiene la litiasis biliar de presentar complicaciones y consiste en la dilatación o distensión de la vesícula biliar o de la vía biliar como consecuencia de una obstrucción transitoria de la misma por el encla-vamiento de un cálculo. Se produce un dolor intenso localizado en la porción superior dere-cha del abdomen que puede extenderse hacia el resto del mismo o hacia la espalda y que aparece o se agrava de forma típica durante el periodo nocturno. Este dolor se acompaña de una sensación de malestar general con náuseas y vómitos, y con frecuencia el individuo se ve obligado a acudir a un servicio de urgencias, sobre todo si es el primer episodio.

Se trata de un cuadro autolimitado que cede espontáneamente a las pocas horas, cuando cesa la obstrucción bien porque se destruye el cálculo o bien porque éste avan-za hacia una región de la vía biliar más ancha o es expulsado. Ciertos analgésicos y antiin-flamatorios pueden ser útiles para calmar las molestias aunque, como en todo dolor abdo-minal, deben ser empleados con prudencia para no enmascarar o disimular el agrava-miento del cuadro o la presencia de otras pa-tologías no detectadas en un primer momen-to. Si el dolor no cede en un tiempo razona-ble de diez o 12 horas debe investigarse la aparición de complicaciones o de otros cua-dros asociados.

COLECISTITIS AGUDA

Consiste en un cuadro de tipo inflamatorio de la vesícula y de la vía biliar cercana a la misma debido, en la mayoría de los casos, a la obstrucción persistente de esta última por un cálculo en el conducto cístico. Esta obs-trucción favorece la infección aguda por de-terminadas bacterias, lo que se traduce en la aparición de fiebre y aumento de los leucoci-tos en la sangre, además de los síntomas ha-bituales del cólico biliar como dolor, náuse-as y vómitos; en ocasiones se acompaña de ictericia o tinte amarillento de piel. En cierto modo podría considerarse como una apendi-citis pero en la vía biliar.

Tratamiento de la litiasis

El tratamiento de la litiasis puede dividirse en tres apartados:

■ Tratamiento conservador o disolutivo: consiste en la toma de determinados fár-macos como el ácido ursodesoxicólico du-rante largos períodos de tiempo, mientras por otro lado se trata de evitar la obesidad y el exceso de triglicéridos en la sangre. Está indicado en aquellos individuos que no han tenido síntomas en relación a su li-tiasis y cuyos cálculos son pequeños. Es efectivo en aproximadamente la mitad de los casos

■ Litotricia extracorpórea: es la fragmenta-ción de los cálculos biliares mediante ondas de choque dirigidas contra ellos. Sólo está indicada su utilización sobre cálculos de co-lesterol y de tamaño medio. Se utiliza habi-tualmente en combinación con el tratamien-to farmacológico.

■ Cirugía: la extirpación de la vesícula y su conducto (cístico) o colecistectomía se re-serva hoy en día para aquellos casos en los que el tamaño de los cálculos es muy gran-de, hay signos de calcificación importante en la vesícula o bien han fracasado otras medidas terapéuticas y el individuo tiene cólicos biliares de repetición o cuadros de pancreatitis. Se realiza normalmente me-diante laparoscopia, es decir, a través de microcámaras que no requieren la apertura tradicional de la cavidad abdominal.

Este cuadro puede pasar inadvertido en ocasiones, producir simplemente molestias en otras o ser una auténtica urgencia quirúrgica en muchos casos. Si no se instaura el tratamiento adecuado (es decir si no se opera), el proceso inflamatorio avanza rápidamente hacia la formación de abscesos purulentos que pueden romperse y perforar la vía biliar o formar fístulas, con la situación de gravedad que esto supondría.

COLANGITIS

El paso de cálculos desde la vesícula hacia el colédoco puede provocar un taponamiento de éste, con el riesgo aumentado de que aparezca una infección a este nivel, de igual manera que se producía un proceso infeccioso a nivel del cístico en la colecistitis, que acabamos de explicar. Por tanto, la colangitis es la infección bacteriana de este conducto llamado colédoco que transporta la bilis desde el hígado hasta el duodeno. Se caracteriza por producir un dolor abdominal difuso, más orientado hacia el lado derecho, con ictericia y fiebre que suele acompañarse de escalofríos.

El tratamiento consiste en el empleo de antibióticos en el ámbito hospitalario hasta superar el proceso agudo para programar después la intervención quirúrgica que elimine la litiasis. Si esta infección es grave o prolongada pueden originarse complicaciones como la formación de abscesos en el hígado.

PANCREATITIS BILIAR AGUDA

Nos referimos aquí a la pancreatitis que se produce como consecuencia del enclavamiento de un cálculo en el colédoco a la altura de la desembocadura del conducto de drenaje pancreático, lo que se traduce en la incapacidad de este órgano para secretar correctamente sus enzimas digestivas.

Se produce dolor abdominal en la boca del estómago y en la región superior izquierda del abdomen, junto con náuseas y vómitos; en ocasiones aparecen también unos nódulos característicos en la piel.

Requiere tratamiento y observación hospitalaria en cualquier caso, con dieta absoluta y analgésicos hasta que la pancreatitis cede en unos días y se puede valorar la intervención quirúrgica que elimine la obstrucción.

¿CÓMO SE DIAGNOSTICA LA LITIASIS BILIAR?

La ecografía abdominal es el método más efectivo y fiable para detectar la presencia de cálculos en la vía biliar, superando notablemente a la radiografía convencional, que no permite identificar incluso a un 75% de éstos. Esta técnica es capaz de apreciar cálculos de hasta 3 mm de diámetro, aunque el exceso de grasa en la pared abdominal o la presencia de gases pueden dificultar su realización.

El escáner abdominal (TAC) puede ser de ayuda en aquellos casos en los que la ecografía no es capaz de detectar la litiasis, sobre todo cuando ésta se produce en la parte inferior del colédoco.

La colangiopancreatografia retrógrada endoscópica (CPRE) consiste en la introducción de un catéter por la boca que es dirigido hacia la vía biliar, donde libera un contraste que es detectado mediante radiografía, obteniéndose así una imagen de la misma donde se comprueban sus posibles obstrucciones. Esta técnica permite también extraer los cálculos o abrir la papila donde desemboca en colédoco para que éstos salgan de la vía biliar espontáneamente.

Litiasis biliar

FUNCIÓN Y PRODUCCIÓN DE LA BILIS

La bilis es un líquido producido por el hígado para colaborar en la digestión absorbiendo grasas.

ANATOMÍA DE LAS VÍAS BILIARES

Colédoco, conducto císdico y conducto de Wirgung.

DEFINICIÓN DE LITIASIS BILIAR

Es la formación de cálculos o piedras que se acumulan en la vía biliar, pudiendo llegar a obstruir parcial o totalmente a ésta. Los cálculos pueden estar formados por diferentes sustancias como colesterol, bilirrubina y calcio.

CAUSAS DE LOS CÁLCULOS BILIARES

- Exceso de colesterol en la bilis.
- Alteración en la composición de la bilis.
- Exceso de bilirrubina.
- Alteraciones de la estructura y función de la vesícula.

SÍNTOMAS

- Dispepsia: aparición de molestias y sensación de pesadez tras las comidas.

- Cólico biliar: dilatación o distensión de la vía biliar como consecuencia de una obstrucción transitoria de la misma por un cálculo.
- Colecistitis aguda: cuadro inflamatorio de la vesícula biliar, generalmente secundario a la obstrucción de su conducto de salida.
- Colangitis: infección bacteriana del colédoco que transporta la bilis desde el hígado hasta el duodeno.
- Pancreatitis biliar aguda: inflamación de la glándula pancreática como consecuencia de la obstrucción de su conducto de drenaje.

DIAGNÓSTICO

- Ecografía abdominal.
- Escáner abdominal.
- Colangiopancreatografía retrógrada endoscópica.

TRATAMIENTO

- Conservador o disolutivo.
- Litotricia extracorpórea.
- Cirugía.

Hepatitis

La hepatitis es una enfermedad inflamatoria del hígado que puede ser precedida por muchas causas, aunque la más común es la acción de ciertos virus que actúan de forma directa sobre este órgano. Dado que su curación requiere un periodo largo de tiempo es conveniente evitar contraerla a través de la prevención, con la vacunación de las hepatitis A y B.

■ El hígado es el órgano más grande del cuerpo humano y tiene un peso aproximado de 1,5 kg; está situado en la parte superior derecha de la cavidad abdominal y protegido, en su mayor parte, por las costillas inferiores de dicho lado. Está profundamente irrigado por numerosos vasos sanguíneos y consta de dos lóbulos, el derecho que es más grande y el izquierdo. Sus funciones son diversas:

- Colabora en la digestión mediante la producción de enzimas y otras sustancias que llegan al intestino para descomponerlos y absorberlos.
- Produce o sintetiza nuevos elementos químicos en forma de proteínas necesarias para multitud de procesos internos.

- Neutraliza y elimina una buena parte de los desechos provenientes del metabolismo.

Se podría decir que el hígado es como la gran fábrica del organismo, donde son creadas, modificadas y destruidas la mayoría de las sustancias que intervienen en el metabolismo humano, y desde donde se ejerce un control del procesamiento de los alimentos para su utilización y su almacenamiento. El hígado posee una gran capacidad de regeneración, lo que le convierte en un órgano muy resistente y capaz de soportar agresiones de todo tipo durante largos periodos de tiempo antes de afectarse su labor. Aunque son muchas las circunstancias que pueden desembocar en una enfermedad

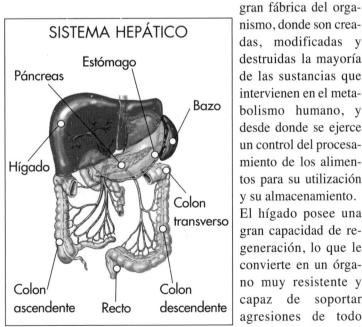

SISTEMA HEPÁTICO

Estómago
Páncreas
Bazo
Hígado
Colon transverso
Colon ascendente
Recto
Colon descendente

del hígado, las hepatitis, por su mayor frecuencia entre la población, pueden ser consideradas como la causa más importante de afectación hepática.

¿QUÉ ES LA HEPATITIS?

La hepatitis es la inflamación del hígado por diversas causas que provoca la alteración y la destrucción de las células que lo forman y que pueden afectar a su funcionamiento.

¿POR QUÉ SE PRODUCEN LAS HEPATITIS?

En la mayoría de los casos se deben a la infección por determinados virus que tienen una especial predilección por el hígado, llamados virus de la hepatitis, aunque también existen otros virus como el citomegalovirus o el virus de Epstein-Barr que pueden afectarle aunque de forma menos directa. Las hepatitis también pueden ser secundarias a la intoxicación por ciertas sustancias como el alcohol, drogas o algunos fármacos o como resultado de graves alteraciones metabólicas que afecten a todo el organismo. En este capítulo hablaremos de las hepatitis víricas, que son las más frecuentes; la cirrosis es el resultado final de muchas enfermedades hepáticas, incluidas las hepatitis, aunque habitualmente es el estadio final del alcoholismo y será mencionada en dicho capítulo.

Según el tipo específico de virus que la produzca podemos hablar de diferentes hepatitis, aunque los síntomas sean más o menos comunes a todas ellas.

HEPATITIS A

Es producida por el virus A de forma esporádica (casos aislados), a través del contacto con individuos infectados, o de forma epidémica (casos agrupados) por el consumo de aguas o alimentos contaminados por el virus; en cualquier caso, el virus siempre proviene de una persona infectada de forma aguda en ese momento, bien por contagio directo o bien por la contaminación del entorno a través de sus heces.

Aunque antiguamente se trataba de una infección casi exclusiva de la infancia y la adolescencia, hoy en día cada vez son más los casos detectados entre los adultos y los ancianos. En los países desarrollados, donde las medidas higiénicas son mayores, la infección es cada vez menos frecuente, lo que contrasta con el aumento de la incidencia en los que están en vías de desarrollo.

El periodo de incubación es de aproximadamente un mes, tras el cual pueden aparecer los primeros síntomas de la infección, aunque en un alto porcentaje de casos puede pasar desapercibida para el individuo, o manifestarse únicamente como cierto cansancio o malestar. En general se trata de una enfermedad benigna aguda que no requiere de un tratamiento especial y que cura espontáneamente en un periodo relativamente corto.

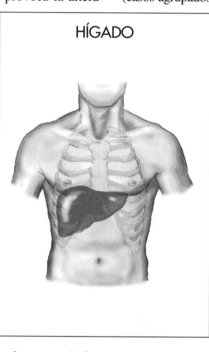

HÍGADO

HEPATITIS B

■ Está producida por el virus B, que se encuentra en la sangre, la saliva, el esperma y en el flujo vaginal, siendo todas éstas vías de contagio del mismo. A diferencia del tipo A, este virus permanece largo tiempo en los individuos infectados independientemente de que desarrollen la enfermedad o no, y pueden transmitir la infección de diferentes maneras:

- Mediante las relaciones sexuales, especialmente en los individuos más promiscuos.
- A través de transfusiones, aunque en los países desarrollados esto ya no ocurre por el estricto control de la sangre donada.
- Por la inoculación accidental del virus en trabajadores que manejan habitualmente material infectado.

- En los adictos a drogas inyectadas en vena, cuando comparten jeringuillas contaminadas.
- En los recién nacidos a partir de las madres infectadas, sobre todo si éstas se encuentran en la fase aguda de la enfermedad.
- A través de la hemodiálisis, por la contaminación del material empleado para la realización de la misma o del propio aparato dializador.

Su periodo de incubación varía de uno a seis meses y cuando la infección comienza a producir síntomas lo hace de forma aguda. En muchos casos la enfermedad sigue un curso benigno y se produce la curación de esta fase aguda sin ninguna secuela; en otros, sin embargo, puede producir complicaciones más duraderas o incluso cronificarse dependiendo del estado general del individuo.

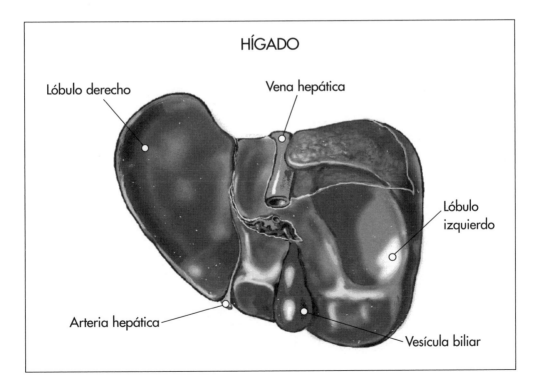

HÍGADO

Lóbulo derecho

Vena hepática

Lóbulo izquierdo

Arteria hepática

Vesícula biliar

HEPATITIS C

Es una infección producida por el virus tipo C, descubierto a finales de los años 80, y que supone hoy en día la causa más habitual de hepatitis en los países occidentales, donde afecta al 0,5% de la población general. Su vía fundamental de contagio es a través de la sangre, sobre todo entre personas que recibieron transfusiones antes de que fuera descubierto o posiblemente por inyecciones intramusculares con jeringuillas de cristal que simplemente eran esterilizadas con calor (el virus resiste altas temperaturas). Aunque son poco habituales, otras vías de contagio son la sexual (menos frecuente que la B) y en raras ocasiones de madre a hijo.

La hepatitis C tiene un periodo de incubación muy variable en cada individuo, pudiendo ser sólo de 20 días o prolongarse hasta cinco meses. No se produce infección aguda o pasa desapercibida pero sin embargo tiende a producir una afectación crónica del hígado sin síntomas, que con el paso de los años puede desembocar en una cirrosis o en un cáncer hepático.

HEPATITIS D

El virus del tipo D parece estar asociado al tipo B, hasta el punto de que requiere la infección previa por este último para que se produzca su transmisión. Sus mecanismos de contagio son los mismos que para la hepatitis B, al igual que el periodo de incubación, y cuando se produce, agrava el cuadro clínico de ésta, al mismo tiempo que favorece su cronicidad. Aparece con mayor frecuencia entre drogadictos y homosexuales varones que ya poseen, como hemos dicho, la hepatitis B, y sobre todo en ciertas áreas geográficas donde existen un gran número de portadores crónicos de la enfermedad.

Diagnóstico de la hepatitis

La ictericia es el signo clave para la detección de la enfermedad, puesto que los síntomas que aparecen en la fase previa son muy inespecíficos y pueden corresponderse con otros muchos procesos. El resto de métodos diagnósticos sirve para confirmar la presencia de la infección, clasificarla según el tipo de virus concreto y desestimar otras enfermedades que también pueden producir ictericia. Los métodos de diagnóstico más comunes son los que enumeramos a continuación:

■ Analítica: las alteraciones más constantes son la elevación de la bilirrubina (responsable de la ictericia) y de las transaminasas, que pueden alcanzar valores 30 veces superiores a los normales.

■ Marcadores de la infección: consiste en la detección en la sangre del propio virus responsable, así como de los anticuerpos creados frente a él por el sistema inmune o defensivo.

■ Ecografía abdominal: sirve para apreciar el aumento de tamaño del hígado y para descartar otros procesos hepáticos o de las vías biliares que puedan presentarse de forma similar.

■ Biopsia hepática: extracción de tejido hepático para su análisis y estudio, que no es necesaria en la mayoría de los casos para el diagnóstico de hepatitis.

HEPATITIS E

El virus del tipo E se localiza casi exclusivamente en zonas en vía de desarrollo, como ciertas regiones de Centroamérica, África y Asia central, donde produce epidemias a través de la contaminación de las aguas por un mecanismo similar al de la hepatitis A. En los países desarrollados sólo se han descrito casos en personas procedentes de dichas áreas, generalmente adultos jóvenes.

Su periodo de incubación es de unas seis semanas tras el cual se desarrolla la enfermedad, que tiene una evolución benigna y en raras ocasiones se hace crónica; puede resultar especialmente grave en mujeres embarazadas.

¿CUÁLES SON LOS SÍNTOMAS DE LA HEPATITIS?

La forma de expresarse la hepatitis es muy variada, sin que se puedan observar grandes diferencias entre los distintos tipos de virus que pueden producirla. Una vez superado el periodo de incubación, podemos dividir el cuadro en tres fases:

■ Fase previa: donde se incluyen todos los síntomas que pueden aparecer antes de la llegada de la ictericia, y que suele durar entre tres y cinco días, aunque en ocasiones puede estar ausente o durar varias semanas.

● Cansancio generalizado, inapetencia y malestar general.
● Cefalea, náuseas y vómitos; intolerancia a las comidas grasas e inapetencia del tabaco entre los fumadores.
● Dolor abdominal, generalmente en el lado derecho, acompañado en algunas ocasiones de diarrea.

■ Fiebre de hasta 39 °C de corta duración, dolores articulares y picor en todo el cuerpo con erupción en algunos casos.

■ Fase de estado: que se inicia con la aparición de la ictericia o tinte amarillento de la piel producido por el aumento de las cifras de bilirrubina en la sangre y que se acompaña de otros síntomas y signos:

● Coluria o coloración oscura de la orina; acolia o heces blanquecinas.
● Pérdida de peso.

La ictericia puede ser leve o casi inapreciable (y sólo percibirse en la esclerótica de los ojos) o por el contrario tener un aspecto amarillo verdoso de toda la piel muy intenso. Los síntomas que aparecían en la fase previa mejoran espectacularmente con la llegada de la ictericia salvo el cansancio que permanece durante casi todo el proceso.

La duración de esta fase puede ser de entre dos y seis semanas, con una mejoría progresiva a medida que desaparece la ictericia.

■ Fase de convalecencia: se inicia con la desaparición de la ictericia y se extiende durante un periodo de tiempo muy variable según la intensidad de la infección. El individuo permanece aún bajo de fuerzas y experimenta cansancio al poco tiempo de iniciar cualquier actividad física moderada.

TRATAMIENTO

No existe un tratamiento curativo específico de la enfermedad, aunque en los últimos años han surgido nuevas perspectivas terapéuticas cuyos resultados aún se encuentran en proceso de valoración.

Las medidas preventivas de la infección dependen en gran medida del nivel de desarrollo higiénico de cada área geográfica así como del entorno particular de cada individuo. El aislamiento de los enfermos no es una medida efectiva puesto que el periodo de máxima contagiosidad acaba casi al mismo tiempo que cuando se diagnostica la enfermedad. La dieta debe ser equilibrada, con restricción de las grasas de origen animal y la abstinencia de alcohol debe extenderse hasta los seis meses posteriores a la curación. Es recomendable no compartir útiles de aseo o ropa con los enfermos durante la fase aguda así como no utilizar jamás una jeringuilla que haya sido previamente usada.

Debe consultarse siempre el empleo de cualquier medicamento durante la enfermedad por el riesgo que pueda tener de toxicidad hepática; en algunas ocasiones están indicados ciertos fármacos para mejorar ciertos síntomas como los vómitos, el estreñimiento y el picor.

En estos momentos es posible vacunar de forma eficaz frente a la hepatitis A y B, aunque no así para el resto. El interferón, la gammaglobulina anti-B y el trasplante hepático pueden ser opciones de tratamiento en determinadas circunstancias.

PRONÓSTICO

La mayoría de las hepatitis agudas evolucionan favorablemente en la mayoría de los casos, con una curación definitiva. El periodo de convalecencia oscila entre uno y seis meses, aunque en un 10% de los casos es más largo. El criterio de curación es la normalización de las cifras de transaminasas, que si no se ha producido en un tiempo razonable puede ser indicativo de evolución hacia una hepatitis crónica, lo que ocurre en un 10% de los casos de hepatitis B y hasta en un 40% de las hepatitis C (nunca en las hepatitis A o E).

La hospitalización rara vez es necesaria en la hepatitis vírica aguda de curso normal, y el reposo puede realizarse en el domicilio del enfermo sin necesitar de medidas de vigilancia excepcionales.

Hepatitis

ESTRUCTURA Y FUNCIÓN DEL HÍGADO

Órgano que colabora produciendo enzimas para la digestión, produce elementos químicos para otros procesos y neutraliza los desechos.

SÍNTOMAS DE LA HEPATITIS

- Fase previa: cansancio, inapetencia, malestar, cefalea, dolor abdominal, fiebre.
- Fase de estado: ictericia, coluria, pérdida de peso.
- Fase de convalecencia: recuperación con debilidad.

DIAGNÓSTICO

- Analítica de sangre.
- Marcadores de la infección.
- Ecografía abdominal.
- Biopsia hepática.

CONCEPTO DE HEPATITIS

Enfermedad inflamatoria del hígado producida por muchas causas, entre ellas de forma más habitual, las infecciones por ciertos virus que actúan específicamente sobre este órgano.

Hepatitis A
Infección esporádica o epidémica por el virus tipo A, a través de agua y alimentos contaminados que causan un cuadro generalmente benigno.

Hepatitis B
Infección por el virus tipo B que se adquiere a través de la saliva, la sangre, el esperma y el flujo vaginal que puede producir complicaciones en algunos casos.

Hepatitis C
Causa más frecuente de hepatitis en los países occidentales que es transmitida por el virus tipo C a través de transfusiones, inyecciones y relaciones sexuales.

Hepatitis D y E
Formas menos habituales. La D se relaciona con la B y la E se da en epidemias de zonas en vías de desarrollo.

TRATAMIENTO

No existe uno específico, pero sí hay medidas preventivas. Vacunación de las hepatitis tipo A y B. Transplante hepático.

PRONÓSTICO

Suele curarse en un periodo largo (de hasta seis meses) con reposo.

Pancreatitis

La pancreatitis consiste en una inflamación súbita del páncreas, que puede complicarse con hemorragias y destrucción de la estructura interna de la glándula. Su forma de manifestarse es a través de una dolor sordo y constante en el abdomen junto con náuseas, vómitos, fiebre o coloración amarillenta de la piel.

■ El páncreas es una glándula del organismo humano situada transversalmente en la cavidad abdominal, entre el estómago y la columna vertebral y rodeado en gran parte por el duodeno. Tiene una forma alargada y lisa, con una longitud de unos 16-20 cm de derecha a izquierda y se divide en tres partes:

- Cabeza del páncreas: situada más o menos en el centro del abdomen, por debajo del hígado y cubierto por el duodeno.
- Cuerpo del páncreas: extendido hacia la izquierda y más fino, por debajo del estómago.
- Cola del páncreas: porción terminal del mismo que se alarga y estrecha hacia el borde superior izquierdo del abdomen.

■ Esta glándula desempeña un papel fundamental tanto para el sistema endocrino como para el digestivo, lo que se refleja en su estructura interna:

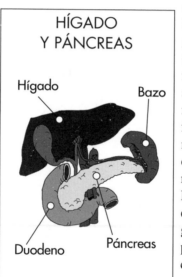

HÍGADO Y PÁNCREAS

Hígado

Bazo

Duodeno

Páncreas

- Se denomina páncreas exocrino a la parte de esta glándula encargada de producir una serie de enzimas imprescindibles para la digestión de los alimentos (especialmente las proteínas), así como una serie de sustancias alcalinas que neutralizan el contenido fuertemente ácido del estómago cuando éstos pasan del estómago a las primeras porciones del intestino. Para realizar esta función, existen en el espesor de la glándula unos acúmulos piramidales de células secretoras llamados acini que poseen un conducto común que vierte las enzimas hasta el conducto pancreático mayor. Por este conducto el páncreas secreta sus enzimas hacia el duodeno, a través del colédoco que proviene del hígado.

- Se denomina páncreas endocrino a la parte de esta glándula que produce una serie de hormonas fundamentales para el metabolismo de los hidratos de carbono o azúcares como son la insulina y el glucagón. Además produce otra serie de sustancias que intervienen en el control del contenido ácido del estómago como la gastrina y la somatostatina. Esta producción hormonal se realiza en unas estructuras llamadas islotes de Langerhans que se disponen entre los acini del páncreas exocrino y que vierten su producción directamente hacia la sangre cuando los mecanismos de control del metabolismo así lo requieren.

Esta doble función convierte al páncreas en una glándula imprescindible para la vida. Se denomina pancreatitis a la inflamación de este órgano tanto de forma aguda como crónica, lo que permite separar dos procesos diferentes.

PANCREATITIS AGUDA

Consiste en la inflamación súbita del páncreas, previamente sano, que produce un cuadro agudo y grave que no deja secuelas si se produce la curación. Puede ser leve y limitada a la formación de un edema en el interior de la glándula que respeta las células pancreáticas o complicarse a formas más graves con hemorragia y destrucción de la estructura interna de la misma.

■ Es una causa relativamente frecuente de consulta hospitalaria por dolor abdominal agudo, especialmente en algunos grupos de riesgo. Los principales predisponentes para el desarrollo de esta enfermedad son:

- Litiasis biliar: es la causa más frecuente de episodios de pancreatitis aguda debido al enclavamiento de piedras o cálculos biliares en la papila de Vater o punto de salida del conducto pancreático hacia el colédoco (que transporta la bilis) justo al lado ya del duodeno. Este taponamiento retiene las enzimas en el interior del órgano y provoca su inflamación.

- Alcohol: es la segunda causa más frecuente de este cuadro, con mayor incidencia entre los varones donde el consumo de esta sustancia suele ser más habitual. Se produce por una afectación directa de la glándula por reabsorción de las enzimas producidas, generalmente en bebedores crónicos, aunque una única ingesta lo suficientemente intensa puede provocar una pancreatitis aguda en personas que habitualmente no consumen alcohol.

- Medicamentos: algunos fármacos como los estrógenos, las tetraciclinas, ciertos diuréticos, las sulfamidas y los empleados en quimioterapia han demostrado ser un factor predisponente para esta enfermedad, aunque se sospecha de muchos otros esta misma relación.

- Infecciones: los virus de la hepatitis A y B, parotiditis (paperas) y de la mononucleosis infecciosa, así como la Salmonella, la Candida y algunos parásitos han sido también implicados.

- Traumatismos: tanto externos como secundarios a cirugía abdominal o ciertas pruebas exploratorias endoscópicas.

- Malformaciones congénitas del duodeno y la vía biliar y pancreática.

- Formas hereditarias.

El cuadro clínico de la pancreatitis aguda se caracteriza por un dolor sordo y constante en la región superior del abdomen, que aumenta de forma progresiva durante la primera hora desde el inicio del proceso inflamatorio. Este dolor, que empeora estando de pie, suele relacionarse con una ingesta previa de alcohol o una comida abundante y puede irradiarse hacia la espalda en muchos casos. Junto con el dolor aparecen náuseas y vómitos en la mayoría de los casos, tanto de contenido alimenticio como de aspecto amarillento o bilioso. Otros síntomas pueden ser la distensión abdominal, la falta de emisión de heces y gases, la fiebre y la ictericia o coloración amarillenta de la piel. En ocasiones puede incluso afectarse la función endocrina del páncreas y aparecer una diabetes transitoria.

La mayoría de los episodios tienen un curso benigno, generalmente sin complicaciones, con desaparición de los síntomas a los pocos días una vez instaurado el tratamiento adecuado. Sin embargo pueden surgir complicaciones en ciertos casos como hemorragias digestivas o abscesos pancreáticos que afecten de forma seria al estado general del individuo e incluso provoquen la muerte, lo que ocurre en el 5% de todos los casos de pancreatitis aguda, especialmente entre la población de edad avanzada.

Ante un conjunto de síntomas sugerente, el diagnóstico se complementa con una serie de datos de laboratorio que incluyen la medición de ciertas enzimas así como los leucocitos y las transaminasas. Las técnicas de imagen como la radiografía o el escáner, así como la ecografía pueden confirmar definitivamente el cuadro y valorar sus posibles complicaciones.

El tratamiento, que debe realizarse en el ámbito hospitalario en un primer momento, se basa en medidas como el control del dolor y del volumen sanguíneo, la reposición de sales minerales y la dieta absoluta hasta la recuperación de la motilidad intestinal. La nutrición parenteral (por vena), los antibióticos o incluso la cirugía pueden ser necesarios en las formas más graves o en caso de aparición de complicaciones.

PANCREATITIS CRÓNICA

Se denomina así al proceso inflamatorio crónico de la glándula pancreática que deteriora de forma progresiva tanto su estructura como su funcionamiento y que persiste aún cuando se ha eliminado el factor causante del cuadro. La pancreatitis crónica por tanto debe diferenciarse de otras alteraciones pancreáticas que aunque alteran el funcionamiento de la glándula no cursan con inflamación de la misma. Igualmente, tampoco debe confundirse con el hecho de padecer múltiples episodios repetitivos de pancreatitis agudas, sobre todo si son originadas por la presencia de cálculos en la vía biliar.

■ Los principales factores que se han implicado en el desarrollo de la pancreatitis crónica son:

- Alcoholismo crónico: responsable del 90% de los casos por la acción tóxica que ejerce el alcohol sobre las células pancreáticas, favoreciendo además el depósito de grasa entre las mismas.
- Hiperlipemia y exceso de grasa en la dieta; sin embargo las dietas pobres en grasas y proteínas también pueden ser causantes de la enfermedad.
- Tumores pancreáticos y de la vía biliar.
- Malformaciones congénitas del conducto pancreático.
- Predisposición hereditaria.

Se trata de una enfermedad poco frecuente que suele afectar al sexo masculino sobre todo a los adultos jóvenes. Según progresa la enfermedad, la glándula pancreática se atrofia o, por el contrario, aumenta su tamaño, aunque en ambos casos se desorganiza su estructura interna.

Casi la mitad de las pancreatitis crónicas se presentan la primera vez como un episodio de pancreatitis aguda que permite diagnosticar el cuadro. En general, el principal síntoma es el dolor abdominal, que suele aparecer a las horas de una importante ingesta alcohólica o alimenticia. Este dolor es más frecuente en los primeros años de la enfermedad y suele remitir espontáneamente en un buen número de casos.

El deterioro progresivo de la glándula provoca que las grasas de la dieta apenas puedan ser digeridas, lo que se traduce en esteatorrea o presencia de las mismas en las heces, que adquieren un aspecto aceitoso o espumoso y que flotan en el agua. Asimismo, también se deteriora la función endocrina pancreática con la progresión de la enfermedad, apareciendo diabetes y todas sus complicaciones en los cuadros más avanzados. La pérdida de peso, los vómitos y la ictericia pueden aparecer también junto con el dolor.

■ Si no se recibe tratamiento o se continúa con la ingesta alcohólica, la pancreatitis crónica puede degenerar en complicaciones graves como:

- Trombosis venosas.
- Obstrucción de las vías biliares.
- Ascitis o acumulación de líquido entre el peritoneo abdominal.
- Úlcera péptica.

El diagnóstico puede ser evidente en ocasiones, sobre todo en los individuos alcohólicos con antecedentes de episodios de pancreatitis aguda. La aparición de diabetes en estos enfermos también puede orientar hacia la destrucción de la glándula pancreática. Las calcificaciones pancreáticas, presentes hasta en el 50% de los enfermos, son altamente sugestivas de esta enfermedad. Otras técnicas de imagen como la ecografía y el escáner así como la medición en laboratorio de las enzimas pancreáticas y hepáticas sirven para confirmar el diagnóstico.

El tratamiento se basa en la eliminación del dolor mediante distintos analgésicos y el manejo de la mala absorción de grasas por el organismo, bien aportando las enzimas pancreáticas necesarias de forma artificial o bien reduciendo el aporte de grasa de la dieta. En caso de diabetes puede ser necesario el empleo de fármacos antidiabéticos e incluso de insulina. Cuando fallan estas medidas puede estar indicada la cirugía del páncreas, con el fin de restablecer la circulación pancreática o eliminar las regiones afectadas.

La mortalidad en los enfermos de pancreatitis crónica es superior a la del resto de la población, no tanto por la enfermedad en sí sino por los efectos nocivos del alcohol, que recordemos, suelen ser la causa de la mayoría de los casos de esta enfermedad. Estos efectos nocivos se manifiestan a largo plazo en forma de cirrosis hepática y cáncer de hígado y páncreas. El abandono del consumo de alcohol en estos individuos mejora el pronóstico aunque parece que no impide la progresión del deterioro de la glándula pancreática.

Pancreatitis

PANCREATITIS

Órgano glandular de la cavidad abdominal, de forma lisa y alargada, que desempeña un doble papel en el organismo:

- Función exocrina o encargada de la producción de enzimas imprescindibles para la digestión de los alimentos, especialmente de las proteínas.
- Función endocrina o productora de hormonas fundamentales para el metabolismo de los hidratos de carbono.

La patología de este órgano puede presentarse de dos formas diferentes:

- Pancreatitis aguda.
- Pancreatitis crónica.

PANCREATITIS CRÓNICA

Proceso inflamatorio crónico del páncreas, secundario principalmente al consumo habitual de alcohol, así como otros factores como el exceso de grasa en la dieta y los tumores pancreáticos o de la vía biliar.

Se trata de una enfermedad poco frecuente que se manifiesta en forma de dolor abdominal, tras una importante ingesta alcohólica o alimenticia. Pueden aparecer también vómitos y pérdida de peso importante.

Si no se recibe tratamiento o no cesa la ingesta alcohólica pueden presentarse complicaciones como:

- Trombosis venosas
- Obstrucción de las vías biliares
- Ascitis o acumulación de líquido en el abdomen
- Úlcera péptica.

PANCREATITIS AGUDA

Inflamación súbita del páncreas con distintos grados de gravedad, que puede complicarse en forma de hemorragias y destrucción de la estructura interna de la glándula. Entre los principales predisponentes para esta enfermedad son:

- Litiasis biliar o enclavamiento de cálculos cerca de la salida del conducto pancreático.
- Alcoholismo.
- Fármacos como los estrógenos, algunos diuréticos y ciertos antibióticos.
- Infecciones como las hepatitis A y B, la parotiditis o la mononucleosis infecciosa.
- Traumatismos o secuelas quirúrgicas.
- Malformaciones congénitas abdominales.

Se caracteriza por la aparición de un dolor sordo y constante en el abdomen junto con náuseas, vómitos, fiebre o coloración amarillenta de la piel. La mayoría de los episodios tienen un curso benigno sin complicaciones, aunque en edades avanzadas puede producir la muerte.

—— Enfermedades del ano y del recto ——

> Las hemorroides son dilataciones varicosas de las venas que forman los plexos hemorroidales en el canal anal. Se pueden diferenciar dos clases de hemorroides: las internas, producidas normalmente por un esfuerzo en la defecación, y las externas, como consecuencia de la inflamación de las venas situadas debajo de la piel que rodea el orificio anal y también producidas como consecuencia de un esfuerzo defecatorio.

HEMORROIDES

El canal anal consiste en una estructura de forma cilíndrica de unos 4 cm de largo que conecta el recto o porción final del intestino grueso con el exterior. Este canal está rodeado por un anillo muscular, llamado esfínter anal, que controla el paso de las heces mediante su contracción o relajación.

Existen unas venas llamadas hemorroidales que recogen la sangre de esta zona, y que se distribuyen en forma de redes o plexos en la parte superior o interna del canal anal y en la parte inferior o externa del mismo, formando respectivamente el plexo hemorroidal superior e inferior.

¿QUÉ SON LAS HEMORROIDES?

■ Son dilataciones varicosas de las venas que forman los plexos hemorroidales en el canal anal que se traducen como una afectación de la mucosa que lo tapiza interiormente. Son un problema frecuente de salud, pudiendo observarse su presencia en el 50% de los adultos. Las hemorroides, según el plexo que se afecte, pueden ser:

- Internas: más frecuentes, producidas normalmente por el esfuerzo habitual de la defecación a lo largo de los años o por ejemplo tras el parto. Además de la dilatación venosa, se produce un tejido esponjoso en forma de colgajo que se proyecta hacia el canal anal, y que en ocasiones puede llegar a protuir y salir al exterior con la defecación. Dado que las hemorroides internas se sitúan en una región prácticamente insensible es muy habitual que no produzcan dolor, salvo que alcancen un tamaño considerable y se estrangulen o no puedan ser devueltas a su posición tras haberse salido. El signo que suele acompañar a las hemorroides internas es el sangrado, de tipo rojo intenso, que no se mezcla con las heces sino que se nota al finalizar el paso de éstas o al limpiarse. Este sangrado se hace crónico y en ocasiones, cuando es superior a lo normal, puede desembocar en la aparición de anemia por pérdida de hierro.

- Externas: menos frecuentes, se producen por la inflamación de las venas que están situadas debajo de la piel que rodea al orificio anal y también en relación con un excesivo esfuerzo defecatorio por un estreñimiento prolongado. Estas hemorroides suelen ser dolorosas, tanto durante la defecación como después de la misma, y también se acompañan de sangrado que se interrumpe espontáneamente. Una complicación típica de este tipo de hemorroides es que se trombosen, es decir, que se abulten de forma súbita dando un aspecto inflamatorio azulado, visible desde el exterior, que no cede espontáneamente y que complica de sobremanera la defecación por el intenso dolor que se produce.

¿CUÁL ES EL TRATAMIENTO DE LAS HEMORROIDES?

En primer lugar es fundamental prevenir el estreñimiento mediante una dieta rica en fibra o mediante el uso de laxantes si fuera necesario; en cualquier caso es importante evitar el sobreesfuerzo durante la defecación; también es aconsejable evitar las deposiciones diarreicas. En caso de prolapso o salida de una hemorroide interna y en general en cualquier tipo de hemorroide es recomendable la toma de baños de asiento con agua templada (nunca caliente), así como una intensa higiene de toda la región anal con jabones neutros después de cada defecación. Hasta que una hemorroide trombosada pueda ser valorada o intervenida por el cirujano puede ser útil el empleo de hielo sobre la misma para frenar y revertir su inflamación.

La dieta, además de evitar el estreñimiento debe evitar el alcohol, las bebidas carbónicas, el vinagre, los cítricos, los picantes, el chocolate, los frutos secos y los salazones.

Las pomadas antihemorroidales se basan en el empleo de corticoides que disminuyen la inflamación y calman las molestias o en anestésicos tópicos. Su uso indiscriminado por el individuo, sin ser explorado por un médico, en ocasiones es contraproducente, puesto que se puede enmascarar una fisura anal o cualquier otra patología anorrectal diferente. La forma correcta de aplicar la pomada es mediante la cánula que se acompaña a este tipo de productos, tanto antes (para lubrificar) como después de la defecación. Los tónicos vasculares y en general cualquier compuesto a veces empleado para mejorar la circulación en los plexos hemorroidales son de dudosa efectividad.

La cirugía es el tratamiento definitivo para este tipo de problemas y en general se recurre a ella cuando fracasan las medidas preventivas y conservadoras, o bien cuando se produce un prolapso irreductible de una hemorroide interna o la trombosis de una externa.

Finalmente es importante señalar que algunos procesos tumorales del intestino grueso se presentan en ocasiones con sangrado rectal como único síntoma, por lo que siempre se deben consultar al médico si se presentan, especialmente si la sangre es de aspecto oscuro, se ha perdido peso de manera importante en los últimos meses o ha cambiado el ritmo intestinal de forma reciente (por ejemplo, se ha empezado a ser algo estreñido cuando antes no se era).

FISURA ANAL

La fisura anal es un desgarro en la zona de unión del recto con el canal anal, que se extiende a lo largo de todo éste, generalmente en su parte posterior, hasta alcanzar el orificio anal externo. Al igual que las hemorroides, su origen está en el esfuerzo defecatorio provocado por el estreñimiento y por el impacto en esta zona de las heces más consistentes.

Se manifiesta como un intenso dolor durante la defecación e incluso después de ella, que provoca auténtico pánico en el sujeto a la hora de la misma; es la causa más frecuente de dolor anal. En ocasiones puede acompañarse de una pequeña hemorragia en forma de unas pocas gotas de sangre de color rojo muy intenso.

La mayoría de las fisuras curan con un tratamiento a base de baños de asiento o lubrificantes que ayuden a expulsar las heces. En caso de que una fisura se haga crónica es necesaria la intervención quirúrgica para su corrección.

FÍSTULA ANORRECTAL

Consiste en la formación de un conducto anormal entre el canal anal y un punto de la piel cercano al orificio del ano, que se produce habitualmente como consecuencia de una infección de la pared de dicho canal y la posterior formación de un absceso en el espesor de la misma. A través de esta fístula se eliminan secreciones como pus, sangre y mucosidad de aspecto fluido, generalmente de forma indolora salvo que se cierre de forma brusca y se acumule contenido infeccioso en su interior.

El tratamiento es quirúrgico, aunque previamente es conveniente estudiar el aspecto de la fístula y su trayecto, así como descartar las posibles conexiones con otras estructuras cercanas como la uretra o la vagina. Así mismo, es conveniente estudiar la presencia de enfermedades con tendencia a producir fístulas como la enfermedad de Crohn.

PRURITO ANAL

El prurito o picor anal es un síntoma de múltiples enfermedades que se deben investigar si se quiere descubrir su origen. Se trata de una sensación de picor muy molesto, irrefrenable, que se acompaña a veces de sensación de quemazón.

Todos los diferentes tipos de patologías anorrectales expuestas en este capítulo pueden ser responsables en mayor o menor medida de un cuadro de picor, especialmente las fisuras y fístulas. Las infecciones por determinados parásitos intestinales y la diabetes también son responsables de este tipo de molestias. La psoriasis y la dermatitis seborreica se han asociado a la aparición de picor anal en las fases de mayor virulencia de estas enfermedades o brotes. Ciertas comidas picantes o excesivamente dulces favorecen también esta sensación.

El tratamiento consiste en reforzar las medidas higiénicas y aplicar si es necesario cremas suaves o con corticoides a bajas concentraciones, además de lógicamente tratar de solucionar la patología causante del cuadro si se llega a identificar.

Enfermedades del ano y del recto

HEMORROIDES

Dilataciones varicosas de las venas que forman los plexos hemorroidales en el canal anal, que se traducen como una afectación de la mucosa que lo tapiza interiormente.

Las hemorroides pueden ser de dos tipos:

- Internas, más frecuentes, producidas normalmente por el esfuerzo habitual de la defecación a lo largo de los años.

- Externas, menos frecuentes, producidas por la inflamación de las venas situadas debajo de la piel que rodea el orificio anal y también en relación con un excesivo esfuerzo defecatorio.

Los síntomas más habituales de las hemorroides son el dolor intenso durante la defecación, el sangrado que acompaña a las heces y el posible riesgo de complicaciones en forma de trombosis de las venas hemorroidales.

El tratamiento de las hemorroides se basa en:

- Prevenir el estreñimiento.
- Baños de asiento e higiene de la región anal.
- Dieta.
- Pomadas antihemorroidales.
- Cirugía.

FISURA ANAL

Desgarro en la zona de unión del recto con el canal anal, que al igual que las hemorroides se origina por el esfuerzo defecatorio prolongado y por el impacto en esta zona de las heces más consistentes.

Se manifiesta como un intenso dolor durante y después de la defecación con una pequeña hemorragia asociada en ocasiones.

El tratamiento puede ser conservador o ser necesaria la cirugía.

FÍSTULA ANORRECTAL

Formación de un conducto anormal entre el canal anal y un punto de la piel cercano al orificio del ano, producido habitualmente como consecuencia de una infección importante.

PRURITO ANAL

El prurito o picor anal es un síntoma de múltiples enfermedades que se deben investigar para descubrir su origen; entre éstas destacan la diabetes, las infecciones por ciertos parásitos, la psoriasis o la dermatitis seborreica.

Enfermedades nefrourológicas

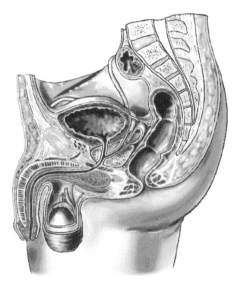

✓ **Insuficiencia renal**
Insuficiencia renal aguda • Insuficiencia renal crónica

✓ **Enfermedades de la próstata**
Hiperplasia benigna de próstata • Cáncer de próstata

✓ **Cólico nefrítico**
Fase aguda • Fase crónica o litiasis renal

✓ **Incontinencia urinaria**

✓ **Trastornos de la sexualidad y esterilidad**
Trastornos del deseo sexual • Trastorno de la excitación sexual • Trastornos del orgasmo • Eyaculación precoz • Dispareunia • Esterilidad

▪ Genitales masculinos ▪

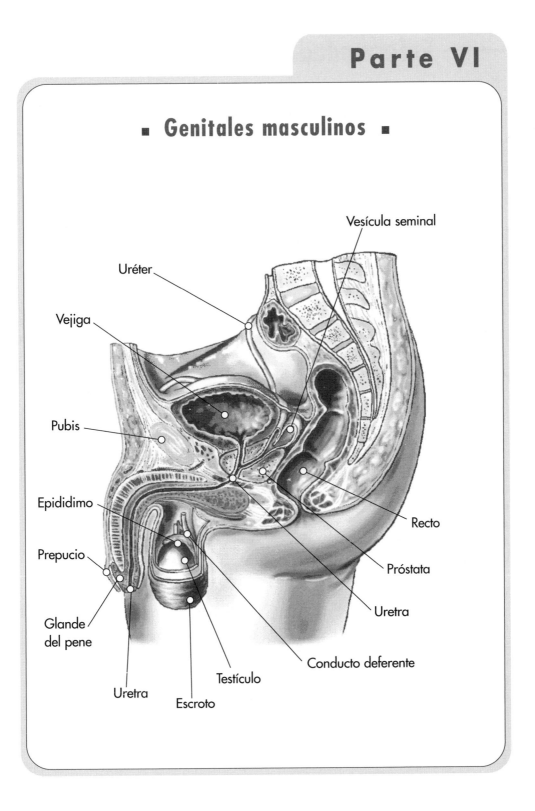

Vesícula seminal

Uréter

Vejiga

Pubis

Epididimo

Prepucio

Glande del pene

Uretra

Escroto

Testículo

Conducto deferente

Uretra

Próstata

Recto

Enfermedades nefrourológicas

Las células de los seres vivos realizan una serie de funciones específicas según su localización concreta dentro del organismo. El conjunto de reacciones químicas que implica el desarrollo de estas funciones se denomina metabolismo, que se divide a su vez en anabolismo o parte constructiva del metabolismo y catabolismo o parte destructiva. El catabolismo, por tanto, comprende toda una serie de procesos celulares en los que se eliminan todas aquellas sustancias residuales o de desecho que surgen como producto de las reacciones químicas que mantienen a los organismos vivos.

El sistema nefrourológico o urinario es el encargado de eliminar fuera del organismo gran parte de estas sustancias, que se eliminan también en menor medida a través de otros sistemas como el digestivo, el respiratorio y a través de la sudoración.

El mecanismo empleado por el aparato urinario es el de la filtración de la sangre que llega a los riñones a través de unas estructuras especiales llamadas nefronas. Las nefronas están formadas por un glomérulo de pequeños capilares sanguíneos donde los productos de desecho metabólico que transporta la sangre son filtrados y recogidos en un túbulo, tras haber traspasado la fina membrana de dichos capilares. La unión de estos túbulos desemboca en conductos cada vez mayores

que transportan el material filtrado, es decir, la orina, hacia el exterior, para ser almacenada primero y después expulsada. La red de nefronas en los riñones es tan extensa (más de un millón de nefronas por riñón) que llega a filtrar más de 100 ml de sangre por minuto. Por otro lado, los riñones controlan el volumen de agua corporal y de sales minerales a través de este sistema, ya que la acción de diferentes hormonas en este punto es fundamental para definir en cada situación las características de la filtración sanguínea adecuada y el volumen de agua que se quiere recuperar.

La sangre se libera así de muchas sustancias nocivas como los derivados del nitrógeno (amoníaco) y de otras sustancias como pig-

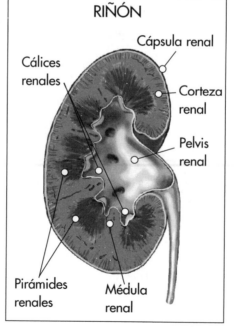

RIÑÓN

Cápsula renal

Cálices renales

Corteza renal

Pelvis renal

Pirámides renales

Médula renal

mentos, fármacos, etc. Se denomina uremia al resultado de una disfunción renal que provoca la acumulación de estas sustancias en la sangre.

Como ya hemos mencionado, el control de este sistema excretor recae fundamentalmente en la acción de diversas hormonas que regulan el volumen y la concentración final de la orina expulsada, actuando directamente sobre la permeabilidad de los túbulos que recogen el material filtrado y sobre el intercambio de sales minerales.

Las nefronas no son capaces de regenerarse y a medida que pasan los años se van destruyendo lentamente, aunque su número es tan grande que en condiciones normales no debe verse afectada la función renal; de hecho, en cada momento sólo un cierto porcentaje de éstas está en funcionamiento.

■ Las diferentes partes que componen este sistema son:

- **Riñón**: es un órgano par situado en la parte posterior de la cavidad abdominal, a la altura de la región lumbar, que tienen forma ovalada o de judía y está rodeado de tejido adiposo. Su peso es de unos 150 g en el varón y unos 135 g en la mujer, y está dividido en corteza o parte externa y la médula situada en el interior. Posee una red sanguínea muy extensa, tanto para la alimentación y oxigenación de sus propias células como para la realización de su función filtradora de la sangre. Además de ésta, posee otras funciones como la producción de ciertas hormonas que regulan la presión arterial o estimulan la producción de células sanguíneas, como la eritropoyetina (EPO).
- **Uréter**: es el conducto de salida o desagüe del riñón que conduce la orina desde éste

(en la llamada pelvis renal) hasta la vejiga urinaria, y que mide unos 30 cm aproximadamente. Tiene un aspecto aplanado y consta de una capa muscular muy gruesa, que favorece el avance de la orina que lo atraviesa, junto con una capa mucosa en su interior.

- **Vejiga urinaria**: es un órgano hueco con forma de bolsa situado en la parte media e inferior del abdomen que recoge y almacena la orina procedente del riñón. Posee una capa muscular que le permite un cierto margen de dilatación hasta que, al alcanzar un volumen determinado, estimula al cerebro para que se produzca el deseo de micción.
- **Uretra**: conducto que transporta la orina desde la vejiga urinaria (en el llamado cuello vesical) hasta el exterior, además del semen en los varones. La uretra es más larga en éstos, unos 16 cm aproximadamente, a expensas del recorrido que realiza a través del pene hasta desembocar en el meato uretral; en las mujeres tiene una longitud de unos 3,5 cm y desemboca entre los labios menores junto al tubérculo vaginal.

■ Las principales afecciones que pueden presentarse en este sistema se deben a las siguientes situaciones:

- Inflamaciones de la estructura renal o nefritis, secundarias a procesos infecciosos o traumatismos. Formación de quistes.
- Trastornos de la función renal o más concretamente de su capacidad de filtración, que pueden deberse a otras enfermedades como la diabetes o el empleo continuado de ciertos fármacos y que se traducen en insuficiencia renal crónica.

- Obstrucción de las arterias renales o en general descenso de la aportación sanguínea del riñón, que provocan cuadros de insuficiencia renal aguda.
- Malformaciones congénitas de las vías urinarias.
- Formación de cálculos o piedras en los conductos de la vía urinaria que obstruyen el flujo normal de la orina.
- Infecciones de las vías urinarias inferiores y de la vejiga urinaria, que pueden ser puntuales o repetitivas.
- Pérdida de la capacidad de control de los esfínteres o incontinencia.
- Aparición de tumores en la estructura renal o en otros órganos que puedan afectar por contigüidad a la vía urinaria.

■ Además del estudio de los síntomas y la exploración física del enfermo, las principales pruebas diagnósticas para este tipo de enfermedades son:

- Análisis de orina, que sirve para analizar el pH y la densidad de la misma, la presencia de compuestos extraños y la detección de células sanguíneas que en condiciones normales no deben encontrarse.
- Cultivo de orina, o estudio microbiológico de la misma en busca de posibles gérmenes que la infecten.
- Análisis de sangre, empleado para valorar la función renal, especialmente con determinados parámetros como la urea, la creatinina y el ácido úrico.
- Técnicas de imagen como la radiografía simple de abdomen, la urografía intravenosa (con contraste), la arteriografía renal y la tomografía axial computerizada (TAC).
- Ecografía renal, que permite de forma rápida, cómoda y eficaz explorar los riñones y, con ciertas limitaciones, el resto del aparato genitourinario.
- Biopsia renal, indicada en enfermedades de la estructura del riñón en las que no se llega a un diagnóstico definitivo con otros métodos.
- Cistografía y cistoscopia o métodos directos para visualizar las vías urinarias inferiores y la vejiga.

Insuficiencia renal

Los riñones son unos órganos dobles situados en la parte posterior de la región abdominal y cercanos a la porción lumbar de la columna vertebral. Su función principal es la de filtrar la sangre y eliminar de la misma los productos de desecho sobrantes del metabolismo corporal; al mismo tiempo es capaz de reabsorber ciertas sustancias vitales y nutrientes que no deben perderse con la orina. Otra función primordial del aparato renal es la de controlar el volumen de agua y sales minerales presente en el organismo en cada momento.

Para realizar estas funciones cada riñón está formado por un complicado sistema de pequeños tubos en forma de asa, llamados nefronas, por donde circula un líquido filtrado desde la sangre. Una serie de túbulos colectores recogen dicho líquido y lo depositan en un único conducto llamado uréter que lo transporta hasta la vejiga, y desde ahí al exterior por la uretra. Los millones de nefronas existentes en cada riñón son capaces de filtrar la sangre a un ritmo vertiginoso, hasta el punto de que en una hora toda ella ha pasado por los riñones y ha sido depurada, y así constantemente a lo largo de todo el día. Para que cada nefrona tenga su aporte de sangre que limpiar, los vasos sanguíneos se distribuyen en una extensa red de capilares con paredes muy finas que permiten el paso de ciertas sustancias a través de ellas.

Un sofisticado sistema de control a través de una serie de hormonas es capaz de regular en cada momento y según las necesidades el volumen de agua que puede perderse, resultando así una orina más o menos concentrada; otras hormonas regulan la cantidad de minerales que pueden ser expulsados.

¿QUÉ ES LA INSUFICIENCIA RENAL?

Es el fracaso del riñón en su intento de eliminar de la sangre las sustancias nocivas desprendidas por nuestro cuerpo. Esto se traduce en una sangre «envenenada» y en una incapacidad para controlar el volumen de agua que la forma. Es una patología relativamente frecuente y secundaria a diferentes enfermedades, aunque en ciertas ocasiones no se llega a identificar la causa final del proceso.

CLASIFICACIÓN

Según su forma de presentarse respecto a su tiempo de instauración, se distinguen dos formas diferentes:

■ **Insuficiencia renal aguda**: es el deterioro brusco de la función renal que provoca la retención en la sangre de productos del metabolismo que tendrían que ser eliminados; suele ser reversible. Puede producirse por varias causas:

- Falta de irrigación sanguínea renal por alguna pérdida brusca de la misma como una hemorragia grave o una incapacidad cardíaca para bombear la sangre a todos los órganos del cuerpo.
- Alteración estructural de los riñones por agentes infecciosos o tóxicos que dañan a las nefronas e impiden que estas realicen su función.
- Obstrucción de la vía urinaria que impide expulsar la orina de forma correcta debido a tumores, coágulos, cálculos o fibrosis de alguno de los conductos que transportan la misma desde los riñones hacia el exterior.

■ **Insuficiencia renal crónica**: es la disminución progresiva de la actividad renal que va causando diferentes patologías a medida que avanza y que se extiende más allá de tres meses. En la mayoría de las ocasiones se trata de un proceso irreversible. En ciertos casos la causa es desconocida (20%), aunque en la mayoría se puede identificar alguna de las siguientes:

- Glomerulonefritis o afectación inflamatoria de origen infeccioso o tóxico que afecta a las nefronas y las inhabilita para realizar su función.
- Diabetes mellitus que destruye con los años los pequeños capilares sanguíneos de todo el cuerpo humano, incluidos los renales que llevan la sangre a ser depurada.
- Trombosis o malformaciones de los grandes vasos que llegan a los riñones y al resto del aparato urinario.
- Quistes renales que desplazan a las nefronas de su lugar y alteran su funcionamiento.

¿CUÁLES SON LOS SÍNTOMAS DE LA INSUFICIENCIA RENAL?

Cuando esta enfermedad se presenta de forma aguda o brusca el deterioro del estado general del individuo es notable y puede llegar a poner en peligro su vida. Así, es frecuente que aparezca un estado de shock en el que el fracaso renal se com-

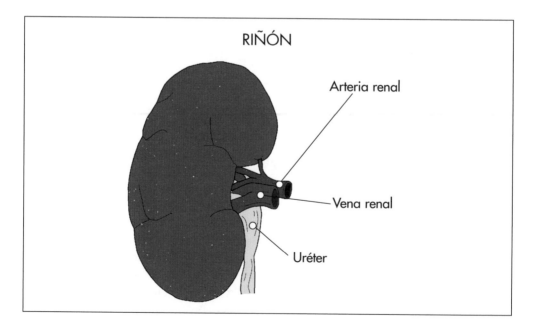

RIÑÓN

Arteria renal

Vena renal

Uréter

parte con otros órganos como el hígado o el corazón.

■ La insuficiencia renal crónica, al ser más lenta en su desarrollo, sí permite la detección de una serie de signos de alerta de la misma, que van apareciendo a medida que progresa la enfermedad. Estos signos de sospecha son:

- Astenia o cansancio mayor de lo normal, sobre todo tras esfuerzos que por la edad y el estado físico tendrían que ser perfectamente tolerables.
- Trastornos digestivos como náuseas y vómitos que no ceden con el tratamiento habitual.
- Dolores óseos por el trastorno del metabolismo de los mismos, ya que conviene recordar que los riñones juegan un papel fundamental en la reabsorción de minerales.

- Hipertensión secundaria ante la retención de líquido que el aparato renal no es capaz de eliminar. También pueden aparecer edemas generalizados por la misma razón.
- Palidez cutánea motivada por la presencia de un cuadro de anemia; la afectación renal puede disminuir la producción de eritropoyetina, hormona necesaria para la producción de glóbulos rojos en la médula ósea.
- Otros síntomas como pérdida de la líbido, impotencia, trastornos del gusto, calambres y picor de la piel.

Al conjunto de estos síntomas se le denomina uremia, que quiere decir urea en exceso en la sangre. La urea es la forma

Tratamiento

■ Está encaminado hacia el mantenimiento de las funciones vitales y la desaparición del estado de shock en la forma aguda, y hacia la mejoría de la función renal en general, tanto en las formas agudas como crónicas.

■ El tratamiento de la insuficiencia renal es siempre el tratamiento de la enfermedad causante del cuadro y requerirá de ingreso hospitalario en las fases avanzadas o terminales. En las fases leves o moderadas se pueden establecer unas líneas generales a seguir:

- Actividad diaria lo más cercana a la normalidad, sin ejercicios violentos y con un descanso nocturno suficiente.
- Dieta equilibrada con restricción de proteínas, para evitar un acúmulo aún mayor de urea en la sangre; conviene olvidarse de la charcutería, las conservas y las carnes saladas o ahumadas. Evitar el consumo del tabaco.
- Ingesta de líquidos normal, 1,5-2 l diarios, con eliminación de la sal en caso de hipertensión.

■ Estas medidas se acompañan del tratamiento de las posibles complicaciones de la enfermedad como la hipertensión, la anemia, el aumento del ácido úrico y el prurito o picor de la piel. Cuando la enfermedad avanza hasta sus estadios finales el único tratamiento de soporte que puede mantener con vida al enfermo es la diálisis, y la única posibilidad de curación es el trasplante renal.

que tiene el organismo humano de eliminar los productos nitrogenados del metabolismo, y su acúmulo al no poder ser expulsada por la orina produce el cuadro clínico mencionado.

Conviene vigilar la aparición de efectos secundarios por la medicación habitual, ya que la insuficiencia renal impide en muchos casos su eliminación, lo que provoca que las concentraciones en sangre de los fármacos sean mayores de lo habitual y, por lo tanto, pueda aparecer toxicidad por los mismos.

DIAGNÓSTICO

Durante la primera fase de la enfermedad puede ocurrir que el individuo esté completamente asintomático, es decir, que no se pueda diagnosticar la misma porque pasa desapercibida. Ante la aparición de los síntomas descritos, y sobre todo si existen antecedentes familiares sobre esta enfermedad, es necesaria la consulta a nuestro médico para diagnosticarla o descartarla.

Es muy importante saber describir al especialista detalles acerca de la ingesta de líquidos habitual, la cantidad y características de la orina, la presencia o no de fiebre, la historia previa de cálculos renales y, en general, cualquier anomalía del aparato urinario que se haya padecido sobre todo en los últimos días.

El diagnóstico definitivo se realiza mediante la analítica sanguínea donde puede observarse el aumento de ciertas sustancias como la mencionada urea y la creatinina. El análisis de orina sirve también para observar la presencia de sangre o proteínas en la misma que también nos orientan hacia la insuficiencia renal.

Una vez detectada la enfermedad y hecha la distinción de si es una presentación aguda o crónica, los esfuerzos se dirigen hacia el conocimiento de la causa de la misma, y a su clasificación según ésta; para ello se emplean otras técnicas que permiten saber la enfermedad subyacente responsable del fracaso renal. La radiografía simple, la ecografía y el escáner (TAC) orientan hacia esto último, mientras que la biopsia puede demostrar el origen inflamatorio o infeccioso de esta patología.

En cualquier caso la insuficiencia renal puede ser clasificada como leve, moderada, avanzada y terminal según el porcentaje de función renal que se mantiene aún operativo.

PRONÓSTICO

La insuficiencia renal aguda sigue teniendo hoy en día un pronóstico bastante sombrío con una tasa de mortalidad en torno al 40% de los casos, siempre en directa relación con la enfermedad de base que la causa. La insuficiencia renal crónica, por el contrario, es hoy en día bien controlada por los nefrólogos, que siempre pueden contar con la alternativa del trasplante. No obstante la esperanza de vida de estos enfermos se haya disminuida con respecto a la población en general.

Insuficiencia renal

ESTRUCTURA Y FUNCIONAMIENTO DEL APARATO URINARIO

Los dos riñones como encargados de filtrar la sangre y eliminar los desechos. Las nefronas.

DEFINICIÓN DE INSUFICIENCIA RENAL

Fracaso del riñón en su intento de eliminar de la sangre las sustancias nocivas que transporta, que aparece como consecuencia de diferentes enfermedades.

DIAGNÓSTICO

Mediante analítica, radiografía, ecografía, escáner y biopsia.

SÍNTOMAS DE LA INSUFICIENCIA RENAL

- Estado de shock en las formas agudas.
- Signos de sospecha en las formas crónicas: cansancio, trastornos digestivos, dolores óseos, hipertensión, palidez y pérdida de líbido entre otros.

CLASIFICACIÓN

- Insuficiencia renal aguda: deterioro brusco de la función renal, generalmente reversible, que puede producirse por diversas circunstancias como falta de irrigación sanguínea del riñón, alteraciones estructurales u obstrucción de las vías urinarias.
- Insuficiencia renal crónica: disminución progresiva de la actividad renal que se acompaña de diferentes patologías a medida que ésta avanza; puede deberse a infecciones o procesos inflamatorios renales como la diabetes mellitus, trombosis, malformaciones, etc.

PRONÓSTICO

Sombrío, con mortalidad en el 40% de los casos.

TRATAMIENTO

- Medidas preventivas: actividades diarias, dieta.
- Diálisis.
- Trasplante renal.

Enfermedades de la próstata

La próstata es un órgano del aparato genitourinario de los varones situado en la base de la vejiga, alrededor de la uretra, envolviendo la primera porción de ésta. Tiene forma de castaña con una consistencia elástica, superficie lisa y un surco en su línea media. Su función es la de contribuir a la formación del semen añadiendo al mismo un fluido que nutre y licua el mismo, que es indispensable para asegurar su fertilidad.

Como en otras enfermedades, el aumento de la esperanza de vida de los seres humanos se ha acompañado de una mayor incidencia de problemas prostáticos en los varones, ya que éstos aparecen normalmente en edades avanzadas que apenas se alcanzaban hace 100 años. Podríamos decir que es cuestión de tiempo o de años que aparezca alguna enfermedad prostática, y todo varón que viva lo suficiente acabará por padecerlas en su forma benigna o maligna.

La afectación de la próstata es por tanto hoy en día la enfermedad urológica más frecuente entre los varones de todas las razas y culturas; gracias a la divulgación médica el público en general está bastante sensibilizado e informado acerca de la misma. En este capítulo hablaremos de la hiperplasia prostática o tumor benigno de la próstata y de los tumores malignos. Las prostatitis infecciosas se han comentado en el capítulo dedicado a las infecciones urinarias.

HIPERPLASIA BENIGNA DE PRÓSTATA

Es la patología urológica más frecuente en los varones, con una incidencia que se calcula de un 90% en los individuos de 80 años, aunque ya se encuentra presente en el 10% de los que sólo tienen 40. Esto no quiere decir que todo ese porcentaje de varones tenga síntomas de la enfermedad, ya que ésta puede pasar desapercibida en sus inicios o incluso hasta fases muy avanzadas. Si se realizara autopsia a todos los varones fallecidos con más de 65 años, se piensa que la hiperplasia prostática estaría presente en todos ellos en mayor o menor grado.

¿QUÉ ES LA HIPERPLASIA DE LA PRÓSTATA?

Se entiende por hiperplasia el crecimiento exagerado de cualquier órgano humano, que se produce normalmente de forma lenta y por causas no siempre conocidas, que afecta a las estructuras de su vecindad, al invadir el espacio de éstas. Es, por tanto, una especie de tumor benigno, que no produce metástasis, en el que las células de dicho órgano se reproducen de forma descontrolada hasta aumentar el tamaño de éste por encima de lo normal.

La hiperplasia benigna de próstata es un tipo de tumor llamado fibroadenoma que provoca un crecimiento de la misma tanto en su parte muscular como en la glandular. Aunque su origen es en parte desconocido, se sabe que son necesarios dos factores para su aparición: la edad y la testosterona, que es una hormona masculina producida por los testículos.

El hecho de que tener familiares directos con esta enfermedad aumenta el riesgo de padecerla es indicativo de que debe existir una alteración genética hereditaria, aún desconocida, que condicione la aparición de la misma. Otros factores como la obesidad, la hipertensión o el infarto de miocardio se han postulado como predisponentes para padecerla, aunque los resultados aún no son concluyentes en este sentido.

¿CUÁLES SON LOS SÍNTOMAS DE ESTA ENFERMEDAD?

Como consecuencia del crecimiento de la glándula y de la excesiva tensión de sus fibras musculares por el mismo, aparecen una serie de signos y síntomas propios de esta enfermedad, que reciben el nombre de prostatismo.

■ Recordemos que la próstata asienta junto a la vejiga y que envuelve a una parte de la uretra que de ella sale en dirección al pene, por lo que un aumento prostático desembocará probablemente en una compresión de dichas estructuras; los síntomas por tanto están en relación con la afectación de estas últimas, y los podemos dividir en:

• Síntomas irritativos: debidos fundamentalmente a la excesiva tensión de la musculatura prostática y de la vejiga. Son la disuria (dolor o quemazón al orinar), sobre todo al comienzo de la micción y en las primeras horas del día, la polaquiuria (sensación de no orinar la cantidad suficiente aunque se tienen ganas) y pesadez en la parte inferior del abdomen.

• Síntomas obstructivos: producidos por la mencionada compresión sobre el cuello de la vejiga y la uretra que se manifiestan en forma de alteraciones del flujo de la orina. Así puede observarse una disminución del calibre y de la fuerza del chorro de orina, junto con interrupción brusca del mismo y goteo excesivo después de la micción; durante la misma es también frecuente que aparezca dolor en la región del pubis o temblor en la zona del ano y el recto.

En cada individuo la enfermedad se manifiesta de una forma diferente, predominando unos síntomas sobre otros y con diferente gravedad en cada caso. No siempre existe una relación directa proporcional entre el tamaño de la glándula y los síntomas que el paciente experimenta.

Diagnóstico de la hiperplasia de próstata

■ La historia clínica, es decir, el relato de estos síntomas a nuestro médico, junto con el tacto rectal, son los dos pilares fundamentales para el diagnóstico de esta enfermedad. Mediante este último se puede tocar la parte posterior de la próstata, comprobando su tamaño, su consistencia elástica y si mantiene su superficie completamente lisa.

■ Otras técnicas sirven de apoyo y confirmación, como la analítica de sangre y en concreto la determinación del antígeno prostático específico o PSA, muy útil sobre todo en sospecha de malignidad. La ecografía es la técnica de imagen más solicitada y permite detectar prácticamente cualquier alteración prostática; se puede realizar por vía rectal cuando no se pueda visualizar bien la próstata con el método normal.

En ocasiones pueden aparecer ciertas complicaciones como la retención de orina, que puede hacerse crónica y llegar a comprometer la función renal, infecciones urinarias, cálculos o piedras y orina oscura por aparición de sangre (hematuria).

TRATAMIENTO

Dado que se trata de una enfermedad benigna que salvo en raras ocasiones no produce ninguna complicación grave del estado de salud, el objetivo del tratamiento es el de mejorar los síntomas de la enfermedad, que en los casos avanzados pueden resultar bastante desagradables para el individuo y empeorar su descanso. Para ello se pueden adoptar tres actitudes diferentes:

1. Vigilancia expectante: es decir, no hacer nada de nada y vigilar periódicamente la evolución de la enfermedad; este aparente absurdo tiene su explicación en que más del 50% de los cuadros de hiperplasia prostática remiten espontáneamente con el paso de los años sin tomar ninguna otra medida.
2. Tratamiento farmacológico: especialmente útil en las primeras fases del prostatismo, antes de que los síntomas obstructivos se agraven. Se han empleado a su vez tres tipos diferentes:

   • Extractos de plantas que contienen fitosteroles que podrían actuar inhibiendo el crecimiento de la próstata aunque su utilidad no esté plenamente demostrada.
   • Bloqueantes alfa-adrenérgicos que disminuyen el tono muscular de la vejiga y la próstata y mejoran así los síntomas de tipo irritativo; disminuyen la tensión, por lo que a veces con un único fármaco se puede controlar de paso la hipertensión arterial.
   • Terapia hormonal: se basa en la utilización de fármacos que impiden la acción de las hormonas masculinas; como ya hemos dicho, la acción de la testosterona es uno de los factores necesarios para la aparición de la hiperplasia.

3. Tratamiento quirúrgico: es el más efectivo de todos en cuanto a la mejoría de los síntomas, y se puede realizar mediante diferentes técnicas: la prostatectomía abierta (más eficaz) consiste en la extirpación de la glándula a través de una incisión abdominal tradicional; la resección transureteral de la próstata (más utilizada hoy en día) realiza lo mismo pero sin necesidad de incisión mediante un instrumento que visualiza la próstata a través del pene y la corta en pequeños fragmentos que se extraen posteriormente.

Tras la extirpación de la próstata se pierde la fertilidad del varón, pero no necesariamente la capacidad sexual.

CÁNCER DE PRÓSTATA

El cáncer de próstata es en la actualidad uno de los tumores malignos más frecuentes entre los varones de los países desarrollados, siendo responsable del 10% de los fallecimientos por cáncer de cualquier tipo entre los mismos. En los últimos años se ha disparado el número de casos diagnosticados, no por una mayor incidencia real de la enfermedad, sino por un avance significativo en la vigilancia médica de la misma.

¿QUÉ ES EL CÁNCER DE PRÓSTATA?

Consiste en la aparición de un tumor maligno (del tipo adenocarcinoma) en la glándula prostática que puede invadir la cápsula que la recubre, extenderse a estructuras vecinas como el cuello de la vejiga y las vesículas seminales, y producir metástasis, sobre todo en los huesos.

Existen una serie de factores de riesgo que favorecen el desarrollo de este tipo de tumores, entre los que destacan la edad (con un riesgo cada vez mayor a partir de los 65 años), la herencia (los hijos o hermanos de un enfermo con este cáncer tienen un riesgo mayor), la raza (mayor entre afroamericanos) y, al igual que en la hiperplasia, la acción de la testosterona de forma imprescindible. Otros posibles factores de riesgo como la dieta rica en grasas, la vasectomía, el exceso de relaciones sexuales y la presencia previa de hiperplasia benigna prostática son más controvertidos y no están plenamente confirmados hoy en día.

¿CÓMO SE MANIFIESTA LA ENFERMEDAD?

El cáncer de próstata no produce ningún síntoma aparente de forma habitual en sus inicios, siendo en muchos casos un hallazgo del médico tras una exploración rutinaria o tras una revisión analítica. Cuando progresa la extensión del tumor aparecen síntomas como dolor y dificultad al orinar (a veces acompañado de sangre) junto con los síntomas generales de cualquier cáncer, como pérdida de peso, cansancio y anemia. En muchos casos, la enfermedad se diagnostica al referir el individuo un dolor óseo localizado que resulta de una metástasis del tumor.

Tratamiento del cáncer de próstata

El tratamiento y el pronóstico del cáncer de próstata dependen de muchos factores, pero sobre todo del grado de extensión o diseminación del mismo. Las diferentes armas terapéuticas utilizadas son:

■ **Prostatectomía radical:** consiste en la extirpación de la glándula prostática con su cápsula incluida, las vesículas seminales, los ganglios linfáticos circundantes y el cuello vesical. Las técnicas actuales permiten conservar en la mayoría de los casos una potencia sexual aceptable y casi no producen incontinencia.
■ **Radioterapia:** con un resultado similar a la cirugía y utilizada indistintamente a ésta.

■ **Tratamiento hormonal:** consigue una castración química del individuo, eliminando así el factor androgénico (de las hormonas masculinas) que estimula la reproducción de las células tumorales.

En cualquier caso se discute hoy en día si cualquiera de estos tratamientos prolonga la esperanza de vida de los enfermos, aunque sí es evidente la mejoría de los síntomas que produce; en un enfermo mayor de 70 años puede ser éticamente aceptable no realizar ningún tratamiento si no existe dolor u otras complicaciones, ya que probablemente fallecerá por causas diferentes a este cáncer.

DIAGNÓSTICO

Los signos de sospecha del mismo son, además de la presencia de los síntomas anteriormente indicados, la palpación a través del tacto rectal de una masa sugerente de ser tumoral y la elevación del antígeno prostático específico (PSA) por encima de sus niveles normales.

El diagnóstico definitivo de la enfermedad sólo se puede realizar mediante el estudio de la biopsia de tejido prostático, que se extrae a través del recto.

La ecografía transrectal permite obtener una buena imagen de la próstata y de los posibles cambios en la misma que denoten la posible enfermedad.

Patología de la próstata

ESTRUCTURA Y FUNCIÓN DE LA PRÓSTATA

La próstata es el órgano genitourinario masculino que contribuye a formar el semen.

CÁNCER DE PRÓSTATA

Tumor maligno de la glándula prostática que puede invadir la cápsula que la recubre, extenderse a estructuras vecinas y producir metástasis a distancia, especialmente en las estructuras óseas.

Manifestaciones como dolor o dificultad para orinar y síntomas de cáncer, como pérdida de peso, cansancio, etcétera.

Diagnóstico mediante tacto rectal y analítica. Biopsia.

Tratamiento:

- Extirpación de la próstata.
- Radioterapia.
- Tratamiento hormonal.

HIPERPLASIA BENIGNA DE PRÓSTATA

Crecimiento exagerado del tamaño de la glándula prostática, de características benignas, debido a dos factores fundamentales que son: la edad y la testosterona u hormona masculina.

Incidencia en un 90% de los hombres a partir de los 80 años.

Síntomas:

- Irritativos: producidos por la excesiva tensión de la musculatura prostática y la vejiga.
- Obstructivos: por la compresión sobre el cuello de la vejiga y la uretra, que se traduce en la alteración del flujo normal de la orina.

Diagnóstico mediante tacto rectal, exploración y analítica. Ecografía.

Tratamiento:

- Vigilancia expectante.
- Tratamiento farmacológico con fitosteroles, bloqueantes alfa-adrenérgicos y terapia hormonal.
- Tratamiento quirúrgico de prostatectomía.

Cólico nefrítico

El cólico nefrítico se manifiesta como un dolor abdominal provocado por un bloqueo de la orina en el tracto urinario por cálculos o piedras causando inflamación en el mismo. Los síntomas propios del cólico nefrítico más conocidos son dolor abdominal, náuseas y vómitos, presencia de sangre en la orina y dolor al orinar.

El cólico nefrítico o crisis renoureteral es un síndrome doloroso motivado por el bloqueo del flujo de orina en el tracto urinario superior. La causa más frecuente de este bloqueo es el enclavamiento en el conducto de cálculos urinarios o pequeñas piedras, lo que se denomina litiasis renal.

Tras la producción de dichos cálculos por el riñón, salen a la vía urinaria de forma libre hasta que se depositan o atascan en alguna estructura que no pueden superar por su tamaño; en dicho punto aparece una reacción inflamatoria como consecuencia de la lesión de la capa interna del conducto producida por la piedra, debido a la presión ejercida por la orina que el riñón trata de expulsar, junto con el espasmo de la propia vía urinaria; ambos mecanismos son los responsables de la aparición del dolor.

■ Según su localización se puede hablar de dos tipos de cólicos:

1. Cólico renal: cuando el cálculo se sitúa en la parte más alta del aparato urinario, es decir, en la salida del riñón y en la zona del uréter que le sigue.
2. Cólico ureteral: cuando se encuentra en la zona más inferior del uréter, cercano a la vejiga urinaria o en ella misma.

En algunas ocasiones un cálculo puede disolverse en parte y abandonar el tramo de la vía donde se encuentra para depositarse o atravesarse de nuevo más adelante y volver a producir el mismo cuadro de inflamación y dolor.

¿CUÁLES SON LOS SÍNTOMAS DEL CÓLICO NEFRÍTICO?

■ Este cuadro es una de las principales urgencias urológicas atendidas en los hospitales y tiene las siguientes características:

- Dolor abdominal que suele estar localizado en una de las fosas renales de la región lumbar y desde ahí se puede irradiar hacia la ingle y llegar incluso hasta los genitales. Suele tener un comienzo brusco y muy intenso, con un curso fluctuante que alterna pequeñas mejorías con fases de dolor lancinante.
- Agitación provocada por el dolor, que llega a desesperar al enfermo hasta el punto de moverse constantemente buscando una posición donde le duela menos, que no es capaz de encontrar.
- Náuseas dentro de un estado general de angustia, que pueden producir vómitos y se acompañan de sudoración más o menos intensa.

- Hematuria o presencia de sangre en la orina, que se detecta por un oscurecimiento de la misma y que se produce por la lesión inflamatoria que rodea al cálculo en su lugar de asentamiento.
- Disuria o molestias al orinar producidas por la expulsión de arenilla provenientes del propio cálculo.
- Síntomas de infección urinaria como dificultad para orinar aunque se tengan ganas o temblor mientras se hace.
- Estreñimiento en algunos casos por detención intestinal como reflejo del intenso dolor producido o como consecuencia de la medicación empleada.

En los casos de cólico bilateral, es decir, que de forma excepcional se afecten las dos vías urinarias superiores, puede aparecer anuria o cese completo de la expulsión de orina;

esto implicaría una complicación bastante grave pero que sucede en raras ocasiones.

TRATAMIENTO

La presencia de este cuadro se acompaña normalmente de la necesidad de asistencia médica inmediata aunque no necesariamente en el ámbito hospitalario; es lo que podríamos llamar tratamiento de urgencia o de la fase aguda. Una vez que desaparece el dolor comienza el estudio programado de la causa del cólico, que en la mayoría de los casos es la urolitiasis, que se acompaña de su propio tratamiento.

■ FASE AGUDA

- Analgesia: sólo indicada cuando se hayan descartado otras causas de dolor ab-

---

Diagnóstico del cólico nefrítico

■ La detección del cólico nefrítico es habitualmente sencilla sobre todo para quien lo ha sufrido ya en alguna ocasión anterior. Se realiza de la siguiente manera:

- Observando las características del dolor, que como ya hemos dicho se extiende desde la región lumbar hacia la ingle a través del costado, y que aumenta considerablemente si se percute con el puño en la zona vulgarmente llamada de "los riñones".
- Mediante la analítica de orina, que permite detectar sangre en la misma y otros parámetros que orientan hacia la naturaleza o composición de los cálculos.
- Con la radiografía simple de abdomen se puede llegar a visualizar los cálculos cuando están formados por material ra-

dioopaco, que son el 50% de los mismos aproximadamente, mientras que aquellos que son radiotransparentes (son atravesados por los rayos X) no se consiguen ver. Además la radiografía ofrece una imagen de la silueta renal, pudiéndose valorar su tamaño y morfología.

- La ecografía renal puede emplearse en los casos complicados o en aquellos en los que los síntomas se extienden más allá de un tiempo razonable como 72 horas o más.

■ Por su forma parecida de presentarse, el cólico nefrítico puede confundirse con otras patologías de la cavidad abdominal como la apendicitis, las afectaciones ginecológicas, el cólico biliar y las lumbalgias de otro tipo producidas por hernias, contracturas o pinzamientos.

dominal para no enmascarar procesos graves no urinarios que puedan progresar sin darnos cuenta al quitar artificialmente el dolor. Habitualmente se emplean antiinflamatorios por vía intramuscular junto con espasmolíticos (derivados de la hioscina) por vía oral o intravenosa. Tras el tratamiento inicial o de choque suele amortiguarse el dolor, pero es necesario seguir tomando la medicación varios días más hasta la mejoría total. En los casos más graves, si estas medidas no son suficientes pueden utilizarse opiáceos para el dolor.

- Antiheméticos o fármacos para corregir las náuseas y los vómitos.
- Hidratación abundante: es una medida fundamental para el tratamiento y la prevención de los cólicos nefríticos, ya que sólo así se puede ayudar a disolver y expulsar la piedra definitivamente. Normalmente se aconseja un consumo diario de líquido no inferior a 3 l.

Estas medidas producen la desaparición del cuadro en un alto porcentaje de los casos; en ocasiones el propio individuo detecta la arenilla o la piedra cuando la expulsa. El ingreso hospitalario puede estar indicado en casos de riñón único, cálculos excesivamente grandes o con infección urinaria asociada.

■ FASE CRÓNICA O LITIASIS RENAL

La litiasis renal o urolitiasis es una enfermedad frecuente que afecta a un 5-10% de la población en los países desarrollados, en los cuales ha aumentado su incidencia en los últimos años. Es causa por tanto de múltiples consultas médicas y no sólo por los cólicos nefríticos que se derivan de ella, sino también por el seguimiento necesario para su tratamiento y eliminación. Tiene un claro predominio entre los varones, con una incidencia cuatro veces mayor que en las mujeres; parecen ser factores de riesgo para esta enfermedad la raza blanca, los climas cálidos y la vasectomía en individuos menores de 50 años.

Los primeros síntomas aparecen en la juventud aunque sus manifestaciones se prolongan hasta la ancianidad.

■ Todos los cálculos están formados por diferentes sustancias que habitualmente se expulsan por la orina, pero que en determinadas circunstancias alcanzan la suficiente concentración como para precipitarse en forma de cristales y formar cálculos, que al fin y al cabo no son más que pequeñas piedras cristalinas. Por tanto es necesario que la orina esté sobresaturada de alguna de dichas sustancias para que precipiten; las causas de esta sobresaturación pueden ser varias:

- Poco volumen de orina por mala hidratación, lo que lleva a la concentración de la misma y de las sustancias que arrastra.
- Aumento de dichas sustancias en la orina, provenientes del metabolismo por ciertas dietas alimenticias, fármacos o por enfermedades.
- Cambios en el pH urinario, que en condiciones normales debe situarse entre 4,5 y 8.
- Ausencia o déficit de ciertas sustancias en la orina que impiden la formación de cristales, como el citrato, el magnesio y los pirofosfatos.

■ Según su composición podemos enumerar los principales tipos de cálculos:

- Cálculos de oxalato cálcico: son los más frecuentes y se producen por la saturación en la orina de sus dos componentes, el oxalato y el calcio. Pueden ser secundarios a diversas enfermedades que afecten al metabolismo del calcio, aunque parece demostrado que también se favorecen por dietas con exceso de proteínas o hidratos de carbono refinados. Son cálculos de tamaño pequeño o mediano.

- Cálculos de estruvita: se trata de un cristal de magnesio que se forma en presencia de ciertas bacterias que producen un tipo especial de enzima llamada ureasa; son los cálculos que alcanzan un mayor tamaño.

- Cálculos de ácido úrico: de tamaño grande, con mayor propensión entre los individuos con ácido úrico elevado en sangre o con cualquier enfermedad o tratamiento farmacológico que disminuya el pH de la sangre, es decir, que se vuelva más ácida.

Aunque en la mayoría de los casos la litiasis renal se presenta de forma brusca y dolorosa como cólicos renoureterales, en ocasiones puede pasar desapercibida un largo periodo de tiempo y ser descubierta casualmente en una radiografía o tras investigar la causa de una infección urinaria. Puede suceder que la expulsión de arenilla en la micción o una orina habitualmente oscura sean los únicos síntomas de la enfermedad.

■ El tratamiento se fundamenta en:

- Medidas preventivas: basadas en la educación del paciente, que debe imponerse una buena hidratación, especialmente en verano, con el fin de lograr el objetivo de orinar 2 l diarios; es recomendable no abusar de las proteínas animales y aumentar la ingesta de potasio (frutas como el plátano y la naranja, el tomate y las verduras).

- Litotricia: es una técnica utilizada desde principios de los 80 que consiste en la destrucción de los cálculos renales en pequeños fragmentos mediante la proyección de ondas de choque sobre los mismos; al ser una técnica extracorpórea apenas tiene complicaciones. Su máxima efectividad se circunscribe a los cálculos menores de 2 cm de diámetro y se reserva para ese pequeño porcentaje de los mismos que no se expulsa espontáneamente.

Aproximadamente en la mitad de los pacientes se produce un segundo cálculo (y un segundo cólico) tras el primer episodio; sólo cuando la enfermedad se hace excesivamente recurrente o se acompaña de complicaciones habituales puede alterar la calidad de vida del individuo.

Cólico nefrítico

CONCEPTO

Síndrome doloroso, a nivel abdominal, motivado por el bloqueo del flujo de la orina en el tracto urinario superior por cálculos o piedras, que causa inflamación en el mismo.

TRATAMIENTO

Fase aguda:

- Analgesia.
- Hidratación abundante.
- Antiheméticos.

Fase crónica o tratamiento de la litiasis renal:

- Medidas preventivas.
- Litotricia.

Causas de litiasis renal: poca orina y muy concentrada, cambios en su pH, déficit de nitratos, magnesio y pirofosfatos; tipos de cálculos: de oxalato cálcico, de estruvita, de ácido úrico.
Síntomas de la litiasis renal: cólicos. Se diagnostica a través de radiografía.

DIAGNÓSTICO

Características del dolor, analítica de orina, radiografía simple de abdomen, ecografía renal.
Diferencias con otros procesos similares.

SÍNTOMAS

- Dolor abdominal.
- Agitación e inquietud secundaria al dolor.
- Náuseas y vómitos.
- Hematuria o presencia de sangre en la orina.
- Disuria o dolor al orinar.

Incontinencia urinaria

La vejiga urinaria es un órgano hueco situado en el centro de la pelvis que tiene la función de almacenar la orina proveniente de los riñones a través de los uréteres hasta que sea expulsada por medio de la uretra hacia el exterior, a un ritmo aproximado de 1,5 l por día.

La retención de la orina en la vejiga urinaria se lleva a cabo a través de un esfínter muscular interno, situado en la base de la misma, y gracias también a los músculos que forman parte del suelo de la pelvis, como el elevador del ano y el diafragma urogenital, que contribuyen a formar el esfínter muscular externo.

En condiciones normales existe un equilibrio entre la presión de llenado de la vejiga y la presión de cierre de los esfínteres, lo que evita la salida de la orina por la uretra. Cuando la presión de llenado sobrepasa la capacidad de retención o cuando voluntariamente se relaja la musculatura esfinteriana se produce la micción. Normalmente los individuos aprenden a controlar sus esfínteres a la edad de dos años.

¿QUÉ ES LA INCONTINENCIA URINARIA?

Se define como la pérdida involuntaria de orina por la uretra, de forma repetida en el tiempo, que causa un problema higiénico y social. Cabe diferenciarla por tanto de la enuresis o descontrol nocturno de la retención urinaria, que puede prolongarse en los niños algunos años más de lo normal, y de las pérdidas de orina puntuales que acompañan a determinadas patologías agudas.

Se trata de una patología más frecuente de lo que dicen las estadísticas, debido probablemente a la dificultad que representa interrogar al enfermo sobre su existencia o consultar por este motivo al médico. La incontinencia es más frecuente en las mujeres y aumenta con la edad, el número de hijos y la menopausia. Se presenta en el 30% de las personas mayores de 60 años, elevándose hasta el 50% entre los ancianos que viven en residencias u hospitales.

¿POR QUÉ SE PRODUCE LA INCONTINENCIA?

■ En el desarrollo de esta patología intervienen muchos factores tanto físicos como emocionales. Podríamos decir que la incontinencia es el resultado del envejecimiento del aparato urinario que se manifiesta como:

- Una disminución progresiva de la capacidad de la vejiga.
- Una pérdida de fuerza de los esfínteres encargados de cerrar su salida.

■ Sobre este hecho fisiológico pueden actuar diversas circunstancias que aceleren la evolución del cuadro, como por ejemplo:

- El estado mental del individuo: las diversas formas de demencia favorecen su aparición a medida que se produce la desconexión con la realidad y el mundo exterior.

- Enfermedades neurológicas como el Parkinson.
- Crecimiento de la próstata en los varones.
- Consumo de fármacos diuréticos.
- Periodos de convalecencia tras intervenciones quirúrgicas.
- Diabetes mellitus.

■ Según su forma de presentación podemos distinguir dos tipos fundamentales de incontinencia urinaria:

- Incontinencia transitoria: supone un tercio del total, aproximadamente, y se debe a una serie de situaciones agudas (patológicas o no) que provocan una pérdida del control miccional aunque se conserven intactas las estructuras urinarias. Las principales causas son las infecciones urinarias, las vaginitis infecciosas o atróficas, ciertos medicamentos como los diuréticos, los somníferos y los antidepresivos, el alcoholismo y el estreñimiento. Junto con éstas, existen otras causas de tipo psicológico como la depresión, la ansiedad, los estados confusionales agudos y las demencias incipientes. Finalmente cabe destacar aquellas situaciones del entorno del individuo que favorecen esta patología, como son la restricción parcial o total de la movilidad, la limitación de la agudeza visual, el miedo a caerse, la dificultad para acceder al servicio o simplemente como «protesta» por no poder vencer todas estas dificultades o no recibir ayuda.
- Incontinencia establecida: es aquella que persiste más de un tiempo razonable (4 semanas) pese al tratamiento, sin que se encuentre una causa que pueda justificar su clasificación como transitoria. Existen cuatro tipos principales:

1. Incontinencia de esfuerzo o de estrés, secundaria al aumento de presión abdominal en relación con determinados actos como la tos, el estornudo, la risa, los saltos y la flexión del abdomen. La caída o prolapso del suelo de la vejiga (cistocele) y el prolapso uterino puede favorecer también este tipo de incontinencia. En general se trata de pequeñas pérdidas ocasionales aunque repetitivas, más frecuentes entre las mujeres mayores de 75 años o en varones durante los primeros meses que siguen a la cirugía de la próstata.

2. Incontinencia de apremio o urgencia, más frecuente en los varones ancianos y debida a contracciones involuntarias de la vejiga que producen un deseo súbito e imperioso de orinar junto con pérdida involuntaria. Se acompaña además en muchos casos de polaquiuria (frecuentes ganas de orinar con micciones escasas) y nicturia (aumento del número de micciones por la noche).

3. Incontinencia por rebosamiento o paradójica, producida por la obstrucción al flujo de la orina en la uretra de forma secundaria al crecimiento de la próstata o lesiones de la médula espinal, lo que normalmente desemboca en un agrandamiento de la vejiga urinaria. Se manifiesta como dificultad para comenzar a orinar, sensación de micción incompleta y goteo tras haber terminado y pérdidas de orina por aumento de presión de llenado en el interior de la vejiga.

4. Incontinencia funcional, como consecuencia de determinadas barreras

físicas que imposibilitan el acceso al servicio o lo retardan el tiempo suficiente como para poder controlar las ganas, sin que en principio exista ninguna otra causa física o psíquica que lo justifique.

¿CÓMO ABORDAR LA INCONTINENCIA URINARIA?

Cuando comienzan a producirse las primeras pérdidas de orina es conveniente consultar al médico sin ningún tipo de prejuicio, relatando de la forma más completa posible las características de los episodios. Junto con la exploración física del enfermo, determinadas pruebas de laboratorio pueden resultar de interés para descartar alguna de las enfermedades causantes del cuadro, del mismo modo que la radiografía de abdomen y la ecografía.

¿CUÁL ES EL TRATAMIENTO DE LA INCONTINENCIA?

■ Se basa en la utilización simultánea de varios métodos generales, farmacológicos y quirúrgicos según las características de cada caso. Conviene recordar que el primer paso siempre es identificar y tratar la causa o patología subyacente de la incontinencia, especialmente en las formas intermitentes. Las diferentes terapias son:

- Cuidado del enfermo incontinente, movilización diaria, higiene corporal, eliminación de barreras arquitectónicas, asegurar una buena iluminación nocturna, adaptar los sanitarios, controlar la ingesta de líquidos y eliminar fármacos que puedan

aumentar la diuresis y no sean imprescindibles.
- Aprendizaje de los llamados ejercicios de suelo pélvico y entrenamiento vesical que ayudan a desarrollar la musculatura del esfínter y a controlar su funcionamiento.
- Utilización de fármacos como relajantes vesicales, anticolinérgicos y antidepresivos como terapia de ayuda, aunque por sí solos no suelen ser suficientes para curar la enfermedad. No existe un fármaco eficaz hoy en día para el control de la incontinencia y además debe valorarse el riesgo de posibles efectos secundarios.
- La cirugía puede ofrecer resultados satisfactorios en casos seleccionados en los que hayan fracasado las medidas anteriores.
- El empleo de absorbentes urinarios (pañales) es la medida paliativa más extendida en la actualidad, especialmente cuando se asocia incontinencia fecal, tanto por el día como por la noche. Si no se emplean y cambian de manera periódica pueden aparecer úlceras, dermatitis e infecciones de orina como consecuencia de su mala utilización.
- El sondaje urinario permanente sólo debe reservarse para aquellos casos de retenciones de orina inoperables u otros trastornos similares.

Finalmente cabe destacar que la utilización conjunta de estas terapias puede conseguir la curación o, cuando menos, una notable mejoría de los síntomas y de la calidad de vida del paciente en un 65-80% de los casos, siempre en directa relación con el apoyo médico y familiar que éste reciba.

Incontinencia urinaria

Se define como la pérdida involuntaria de orina por la uretra, de forma repetida a lo largo del tiempo, que desemboca en un problema higiénico y social.

Se trata de una patología más frecuente de lo que parece, presente en el 30% de los mayores de 60 años y hasta en el 50% de los ancianos que viven en residencias u hospitales. Las mujeres son más propensas tras la menopausia y sobre todo las que han tenido un mayor número de hijos.

En el desarrollo de esta patología intervienen dos circunstancias fundamentales:

l La disminución progresiva de la capacidad de la vejiga.

l Pérdida de fuerza de los esfínteres urinarios.

Existen diversos factores que pueden acelerar la evolución del cuadro, como por ejemplo:

- El estado mental del individuo.
- Enfermedades neurológicas como el Parkinson.
- Hiperplasia benigna de la próstata.
- Consumo de fármacos diuréticos.
- Diabetes mellitus.

Según su forma de presentación se puede hablar de incontinencia transitoria o secundaria a situaciones agudas como infecciones o ciertas medicaciones; se habla de incontinencia establecida a aquella que se extiende más de 4 semanas sin ninguna causa aguda que permita considerarla como transitoria. Esta última puede dividirse en cuatro tipos:

1) Incontinencia de esfuerzo o de estrés.
2) Incontinencia de apremio o urgencia.
3) Incontinencia por rebosamiento o paradójica.
4) Incontinencia funcional.

El tratamiento se basa en la identificación y cura de la patología subyacente causante del cuadro. Cuando esto no es posible, pueden utilizarse otras medidas como:

- Absorbentes urinarios.
- Fármacos relajantes vesicales.
- Ejercicios de suelo pélvico.
- Sondaje urinario permanente.
- Cirugía.

Trastornos de la sexualidad y esterilidad

La sexualidad es una función vital de todos los organismos encaminada hacia la reproducción y la supervivencia de la especie. Este concepto puramente biológico se completa en los seres humanos con una dimensión sociocultural que se ha modificado con el transcurso de los siglos y que hoy en día varía entre las diferentes comunidades. En la raza humana el simple interés reproductor se acompaña de una conducta social más compleja que se organiza alrededor de una moral social dominante influida por aspectos históricos, raciales, religiosos y legales.

La mayoría de las personas en el mundo actual entienden y utilizan su sexualidad como un aspecto más de su desarrollo individual y colectivo y como una forma de potenciar su propia personalidad y su relación con los demás. Las propias sociedades adoptan criterios sobre la conducta sexual aceptable basándose en el código moral de la mayoría y se rechazan o apartan las conductas minoritarias.

Puesto que la sexualidad no es una cuestión puramente física, los trastornos de la misma pueden deberse a diferentes circunstancias que se extienden desde aspectos psicológicos (el cerebro es el principal órgano sexual), sociales y biológicos. Se dividirán a éstos según la fase de la actividad sexual afectada (deseo, excitación y orgasmo), junto con los trastornos debidos a enfermedades y tóxicos; finalmente se clasifica y comenta la esterilidad.

TRASTORNOS DEL DESEO SEXUAL

El descenso o desaparición del deseo sexual se caracteriza por la falta de estímulo interno para realizar una conducta social adecuada que se presenta de forma persistente o muy recurrente. La ausencia de dicho estímulo impide la formación de fantasías sexuales y disminuye la atracción sexual voluntaria y espontánea hacia la pareja.

Esta disminución de la líbido se traduce como una pérdida del interés sexual y es más frecuente de lo que pueda parecer; en los varones se sitúa en torno al 15% del total, cifra que puede llegar hasta ser del 50% entre las mujeres. En muchas ocasiones el problema puede quedar enmascarado por vergüenza o consideraciones morales (limitarse a «cumplir») y pasar desapercibido mucho tiempo para el compañero o compañera sexual.

■ Las causas principales de este trastorno son:

● Ansiedad: siempre antes de la relación sexual, por miedo a perder la propia intimidad, por una educación moral rígida o por temor al fracaso de la misma.
● Falta de amor propio: concepto pesimista de uno mismo y de su capacidad en el ámbito sexual.
● Experiencias sexuales traumáticas que afectan al individuo.

- Dudas sobre la propia condición u orientación sexual.
- Aburrimiento sexual por conductas excesivamente rutinarias.
- Causas orgánicas: sobre todo enfermedades renales, cardíacas y tiroideas.
- Causas tóxicas: alcoholismo crónico y consumo habitual de drogas. Ciertos fármacos inhiben el apetito sexual.

En ciertos casos puede llegarse a desarrollar una auténtica aversión hacia el sexo que desemboca en una conducta que evite cualquier contacto o aproximación hacia el mismo. Esta auténtica fobia sexual, poco frecuente, se produce por las mismas causas antes mencionadas pero con una respuesta más intensa; en algunos casos de anorexia puede aparecer esta aversión.

El tratamiento en general de estos trastornos consiste primero en descartar la presencia de una enfermedad física o mental que pueda ser la responsable de los mismos. Una vez desechada esta posibilidad, la terapia sexual puede ayudar a superar el problema mediante un reaprendizaje de la interacción sexual y un conocimiento mayor de la pareja. La curación sólo se produce cuando se busca información y soluciones dejando a un lado los prejuicios o el conformismo.

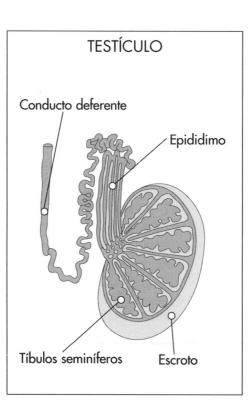

TESTÍCULO

Conducto deferente

Epididimo

Tíbulos seminíferos

Escroto

TRASTORNO DE LA EXCITACIÓN SEXUAL

Son alteraciones de la capacidad para crear o mantener el clímax necesario para que el acto sexual se complete satisfactoriamente. Este trastorno se acompaña habitualmente de otros como la ausencia de orgasmo que después comentaremos.

■ En los varones se manifiesta en forma de impotencia o disfunción eréctil que consiste en la imposibilidad de obtener una erección lo suficientemente rígida y duradera para mantener una relación sexual normal con penetración. La eyaculación precoz es también un problema muy frecuente entre los varones, con una incidencia incluso mayor que la propia impotencia; ambos trastornos pueden aparecer en la mitad de los hombres en algún momento de su vida, aunque la mayoría de las veces de forma leve y transitoria. Según avanza la edad es más fácil encontrar esta patología, pero no se debe asociar necesariamente vejez con impotencia ni resignarse a ella.

La erección es el resultado de la acumulación de sangre en el pene por una orden cerebral que actúa sobre los vasos sanguíneos del mismo. Los cuerpos cavernosos del pene son unas estructuras esponjosas que aumentan de tamaño al inundarse de sangre y que se vacían durante la flacidez.

■ Las principales causas de impotencia son:

● Causas psicológicas, que hace años se pensaba que eran las más frecuentes, pero hoy en día se sabe que sólo son la causa única de impotencia en pocos casos. Se manifiestan en forma de ansiedad por la presión psicológica por no fallar durante el acto, la exigencia de la pareja o la pérdida de atracción sexual de la misma.

● Trastornos vasculares de la región pélvica que impiden el atrapamiento sanguíneo en el interior del pene, necesario para la erección.

● Secuelas traumáticas o quirúrgicas, especialmente tras la extirpación radical de la próstata, en la cual aparece este cuadro en un alto porcentaje de los casos.

● La diabetes mellitus es una causa frecuente y que podría ser responsable de un tercio de todas las disfunciones.

● Otras enfermedades de tipo neurológico o endocrino pueden causar también esta enfermedad.

■ El tratamiento de la impotencia abarca muchas técnicas diferentes:

1. Tratamiento farmacológico oral: mediante hormonas, si existe un trastorno endocrino que justifique el cuadro, o mediante otro tipo de fármacos con función vasodilatadora o que bloquean ciertos mecanismos neurológicos que relajan el pene. Mención aparte merece el sildenafilo, cuyo lanzamiento al mercado fue muy impactante, que actúa bloqueando una enzima presente en los cuerpos cavernosos del pene y favoreciendo así el inicio y mantenimiento de la erección de forma muy efectiva.

2. Autoinyección en el pene de fármacos vasoactivos: se trata de una serie de sustancias que actúan localmente en los cuerpos cavernosos del pene permitiendo la dilatación de sus arterias.

3. Psicoterapia sexual: tiene un aspecto informativo para el individuo acerca de su problema al mismo tiempo que mejora y afianza los recursos afectivos necesarios para una buena relación sexual.

■ Existen una serie de medidas generales que ayudan a evitar, o cuando menos a mejorar la disfunción eréctil, como son las técnicas de relajación, la higiene y la planificación del acto sexual con un prólogo pausado de contacto íntimo para lograr la máxima excitación. Está demostrado que el tabaco afecta a la potencia sexual, así como el alcohol y las drogas. Todo lo anteriormente citado ayuda a que la impotencia sea un problema hoy en día perfectamente superable y que no deteriore la calidad de vida.

■ En las mujeres el trastorno de la excitación sexual se define como la incapacidad para la obtención y mantenimiento de la lubricación y tumescencia que acompañan a esta fase. Es decir, que los genitales femeninos no son capaces de alcanzar su particular estado de excitación en contraposición a la erección masculina. Puede llegar a afectar hasta al 60 % de las mujeres en algún momento de su vida, aunque sólo se considera patológico cuando el trastorno es recurrente.

■ Las principales causas son:

● Factores psicológicos: similares a los de los varones, como el temor al fracaso del acto sexual, vergüenza o prejuicios educacionales.

- Alteraciones neurológicas o psiquiátricas.
- Alteraciones hormonales: bien congénitas o secundarias a otra enfermedad.
- Ciertas situaciones como la menopausia y el puerperio (tras el parto).

El pronóstico es bueno, ya que una vez descartadas las causas orgánicas se puede recuperar la función sexual normal mediante diferentes técnicas como el entrenamiento de la musculatura del pubis y la compenetración con la pareja sexual.

TRASTORNOS DEL ORGASMO

Consisten en la ausencia del clímax placentero que proporciona el acto sexual pese a haberse alcanzado una correcta excitación. Es por tanto una inhibición orgásmica o anorgasmia que puede aparecer tanto en hombres como en mujeres.

En los hombres se presenta en un 5% de los casos, aunque nunca de forma absoluta sino más bien como una situación que aparece con más o menos frecuencia. Es muy típico que se oculte a la pareja y se simule el orgasmo para finalizar el acto sexual. En su origen parecen actuar ciertos aspectos psicológicos como experiencias traumáticas previas, miedo a la eyaculación (por ejemplo durante la marcha atrás) o excesiva ansiedad. Algunas lesiones de la médula espinal o lesiones neurológicas secundarias a traumatismos o cirugía pueden ser causantes de este cuadro, aunque no es muy habitual.

En las mujeres pueden existir dos tipos de orgasmo, que son el vaginal y el del clítoris (que puede corresponderse con el pene femenino). La ausencia del mismo puede llegar hasta el 30% de los casos, aunque es muy

difícil de establecer con precisión puesto que en las mujeres el orgasmo se ve muy influenciado por diferentes circunstancias como la pareja sexual, la postura empleada y el grado de excitación. Entre sus principales causas se encuentran las malformaciones genitales, los problemas neurológicos o las secuelas. Un mal contexto emocional o antecedentes negativos en este sentido pueden ser causas psicológicas de este trastorno; la terapia sexual mejora definitivamente el cuadro hasta en un 90% de los casos.

EYACULACIÓN PRECOZ

Se define como la expulsión al exterior del semen masculino antes de que la persona lo desee, como consecuencia de una estimulación sexual pequeña que normalmente no llevaría a hacerlo. Aunque cada pareja sexual puede establecer una duración diferente de sus actos, se puede considerar eyaculación precoz a aquella que se produce inevitablemente antes de que pasen unos cinco minutos desde la penetración y no satisface a la pareja.

Entre las causas de este trastorno vuelven a ser preponderantes las psicológicas, que se engloban en general como la ansiedad alrededor del acto sexual provocada por diferentes temores o por una sensibilización erótica excesiva. A veces las infecciones de la vía urinaria como la uretritis y la prostatitis o ciertos trastornos neurológicos pueden ser los responsables de forma transitoria.

El mejor tratamiento se basa en el aprendizaje de una serie de técnicas basadas en el reconocimiento de las señales sensitivas que preceden al orgasmo y su dominio para poder retrasar la eyaculación a voluntad. Ciertos métodos populares como el empleo de anestésicos en el pene, tensión de la musculatura anal o distracción voluntaria durante el acto pueden resolver el problema momentáneamente, pero a la larga sólo sirven para empobrecer la calidad de la relación sexual. Hoy en día se utilizan también algunos fármacos antidepresivos para este trastorno con diferentes resultados.

DISPAREUNIA

Es la aparición de dolor en la región genital durante la realización del coito o inmediatamente antes o después del mismo. Aunque no es exclusivo de las mujeres se presenta con más frecuencia entre las mismas en forma no sólo de dolor, sino también como escozor o quemazón, que suele ser ocasional y que rara vez se convierte en un problema crónico. Además de los habituales problemas psicológicos, que como hemos visto son responsables de la mayoría de trastornos que suceden en la esfera sexual, pueden existir alteraciones en la morfología vaginal u otras enfermedades subyacentes que justifiquen el cuadro.

El vaginismo consiste en un espasmo involuntario de la parte externa de la vagina que impide la realización del coito; parece que se desencadena por el temor al dolor de la penetración. Es poco frecuente y aparece de forma típica en mujeres que no han tenido relaciones sexuales, aunque no es raro en otras que sí las han tenido con normalidad.

Tanto la dispareunia como el vaginismo requieren de un tratamiento psicológico una vez que se evidencia que no existe ningún problema en la región genital. El éxito del mismo llega casi al 100% de los casos.

ESTERILIDAD

Es la dificultad o imposibilidad que una pareja encuentra para procrear pese a mantener relaciones sexuales completas de forma habitual. Se considera que puede haber un problema de esterilidad cuando el embarazo no se produce tras dos años intentándolo sin ningún tipo de protección anticonceptiva.

Aproximadamente un 15% de las parejas pueden experimentar este problema, aunque ciertas circunstancias como el estrés, las infecciones venéreas y la mayor edad de las parejas que buscan hijos hoy en día pueden aumentar esta cifra en los próximos años. La fertilidad se define como la probabilidad de quedarse embarazada una mujer que mantiene relaciones sexuales durante el periodo fértil; en las parejas normales esta probabilidad se sitúa en torno al 25%. La máxima fertilidad en el ser humano se produce en torno a los 25 años, disminuyendo después de los 30 en las mujeres y de los 40 en los varones. Un concepto parecido es la fecundidad, que es la capacidad para concebir y gestar un nacido vivo.

La mayor parte de los casos de esterilidad no se acompañan de ningún síntoma previo que pueda vaticinar la misma, por lo que con frecuencia aparece un cuadro de ansiedad asociado al deseo no cumplido de tener hijos.

Las causas de la esterilidad pueden ser masculinas o femeninas a partes iguales, con un 25% de casos en los que no se llega a determinar concretamente.

En las mujeres la causa más frecuente es la patología de la trompa de Falopio, donde llega el óvulo desde el ovario y espera a ser fecundado, por diversas patologías que producen inflamación de la misma (salpingitis); la falta de ovulación (expulsión de un óvulo por el ovario en cada ciclo menstrual) por alteraciones hormonales o las endometriosis pueden ser también responsables de la misma. Otras causas menos frecuentes son la falta de grasa corporal (en la anorexia), las alteraciones cromosómicas genéticas, las enfermedades venéreas no tratadas o las malformaciones del aparato reproductor.

■ El ciclo menstrual de las mujeres tiene una duración aproximada de 28 días y está controlado por la actuación de diversas hormonas:

- Durante las dos primeras semanas el útero se prepara para recibir el óvulo fecundado, mediante la formación de un tapizado en su interior.
- El 14º día se rompe un folículo ovárico y se desprende un óvulo que alcanza una de las trompas y espera al espermatozoide; si es fecundado, desciende hasta el útero donde anida y comienza a gestar el embrión; si no es fecundado tras unos cuantos días, degenera y se destruye.
- El día 28 la capa endometrial del útero que iba a recibir al óvulo fecundado se desprende y se produce la menstruación.

En los varones se produce por la mala calidad del esperma, que puede deberse a diversas enfermedades como el varicocele, infecciones genitales, testículos pequeños y mal desarrollados o el alcoholismo crónico. Asimismo puede deberse a otras circunstancias como el tabaquismo, el estrés, la radiación o el desarrollo de una parotiditis (paperas) en la adolescencia. Algunas malformaciones congénitas o síndromes congénitos cromosómicos también pueden acompañarse de esterilidad; la extirpación de la próstata impide la fertilidad del semen.

La producción de espermatozoides es continua y es también estimulada por la acción hormonal. Los testículos se encuentran suspendidos en el escroto a cierta distancia del cuerpo para poder mantener una temperatura algo menor de lo normal, que necesitan para funcionar al máximo rendimiento. Las vesículas seminales son unas pequeñas bolsas cercanas a la próstata donde se almacena el semen hasta ser expulsado junto con un líquido producido por ésta última. En un centímetro cúbico de semen deben encontrarse entre 20 y 250 millones de espermatozoides.

■ Ante una sospecha de esterilidad, que nunca debe producirse antes de un año de relaciones sexuales, es necesario consultar al médico para investigar las causas de la misma y clasificarla. De forma habitual se suelen solicitar una serie de pruebas:

- Espermiograma: consiste en el estudio de una muestra de semen recogida por masturbación en un recipiente estéril, tras dos días de abstinencia sexual como mínimo. Los parámetros que normalmente se miden con este estudio son la cantidad de espermatozoides por centímetro cúbico (que no debe ser inferior a 20 millones), la morfología normal de los mismos (que debe ser superior al 40%) y su correcta movilidad. En caso de aparecer alguna alteración en esta prueba se debe extender el estudio por el andrólogo si es posible.
- Ecografía: para valorar la forma y situación de los ovarios y el útero, así como para descartar enfermedades como el ovario poliquístico o fibromas que puedan ser los causantes de la esterilidad.
- Determinación de hormonas: tanto en varones como en mujeres, incluyendo en las últimas un estudio del ciclo hormonal comprobando los niveles de éstas durante las diferentes fases.
- Métodos de imagen: como la histeroscopia (útero) e histerosalpingografía (útero y trompas) para tratar de descartar alteraciones que obstruyan las trompas de Falopio.
- Test poscoital: consiste en el estudio del moco cervical femenino tras reaccionar con los espermatozoides.

Además de éstas existen otras pruebas, generalmente más agresivas, que se reservan para los casos de difícil diagnóstico. El 20% de los trastornos de la fertilidad que no pueden ser explicados tiene un peor pronóstico, sobre todo si la mujer supera los 30 años y la esterilidad se extiende más allá de 36 meses consecutivos. Afortunadamente el 80% restante suele ser localizado y tratado con una tasa de éxito muy elevada, aunque se recurra a diferentes técnicas como la inseminación artificial o la fertilización in vitro.

Trastornos de la sexualidad y esterilidad

CARACTERÍSTICAS DE LA SEXUALIDAD

Interés reproductor, conducta moral y social, cuestiones físicas y psicológicas.

TRASTORNOS DEL DESEO SEXUAL

Falta de estímulo interno para realizar una conducta sexual adecuada, que se presenta de forma persistente o muy habitual.

Las principales causas de este trastorno son la ansiedad, el bajo concepto de sí mismo, las experiencias sexuales traumáticas, las dudas sobre la propia condición sexual y el consumo de ciertos tóxicos entre otras.

TRASTORNOS DEL ORGASMO

Inhibición o ausencia de orgasmo a través del acto sexual tanto en varones como en mujeres.

TRASTORNOS DE LA EXCITACIÓN SEXUAL

Alteraciones de la capacidad para crear o mantener el clímax necesario que complete de forma satisfactoria el acto sexual.

En los varones se manifiesta como impotencia o disfunción eréctil y sus principales causas son psicológicas, vasculares, traumáticas o como consecuencia de ciertas enfermedades. En las mujeres consiste en la incapacidad para alcanzar el grado de lubricación y tumescencia genital necesario para que la relación sexual sea normalmente placentera, y sus principales causas son psicológicas, neurológicas, psiquiátricas u hormonales.

EYACULACIÓN PRECOZ

Expulsión del semen masculino ante una estimulación sexual leve que generalmente no es suficiente para provocarla. Tratamiento por aprendizaje de técnicas orgásmicas y fármacos antidepresivos.

DISPAREUNIA

Aparición de dolor en la región genital durante la realización del coito o inmediatamente después de éste, que se produce con más frecuencia en las mujeres. Vaginismo.

ESTERILIDAD

Dificultad o imposibilidad que encuentra una pareja para procrear pese a mantener relaciones sexuales completas de modo habitual, sin ningún tipo de protección anticonceptiva, durante al menos dos años consecutivos.

En las mujeres la causa más frecuente es la patología de la trompa de Falopio; en los varones se produce por la mala calidad del esperma debido a diversas enfermedades. Diagnóstico por medio de espermiograma, ecografía, determinación de hormonas, histeroscopia y test poscoital.

Enfermedades hormonales y metabólicas

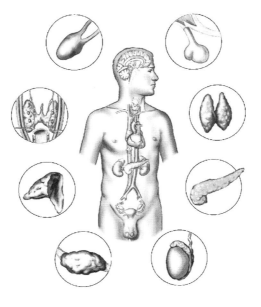

✓ **Diabetes mellitus**
Diabetes tipo 1 • Diabetes tipo 2 • Diabetes gestacional • Otros tipos de diabetes

✓ **Obesidad**

✓ **Gota**

✓ **Enfermedades del tiroides**
Hipertiroidismo • Hipotiroidismo • Hipotiroidismo subclínico • Tiroiditis

✓ **Triglicéridos y Colesterol**
Hiperlipemias primarias • Hiperlipemias secundarias

✓ **Glándulas suprarrenales**
Enfermedad de Addison • Síndrome de Cushing • Feocromocitoma

Glándulas

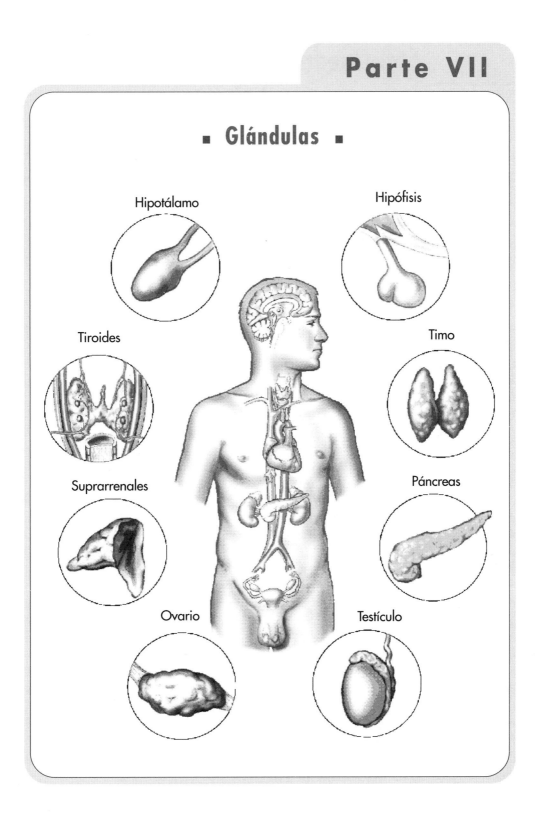

Hipotálamo

Hipófisis

Tiroides

Timo

Suprarrenales

Páncreas

Ovario

Testículo

Enfermedades hormonales y metabólicas

El sistema endocrino es el responsable de la producción de unas sustancias químicas que se denominan hormonas. Estas actúan sobre la química de las células, regulando la producción de sustancias por estas, su crecimiento, su reproducción o incluso su muerte. De esta forma, las hormonas son las responsables del control del metabolismo de todo el organismo.

Además del sistema nervioso, existe en el organismo humano y, en general, en el del resto de seres vivos superiores, un sistema de comunicación interno que les permite controlar un buen número de funciones metabólicas esenciales. Este sistema, llamado endocrino, se basa en la producción de unos mediadores químicos que se denominan hormonas. El sistema endocrino actúa de forma sinérgica o acoplado al sistema nervioso, de tal manera que ambos realizan el conjunto de las comunicaciones del interior del organismo, formando lo que se conoce como sistema neuroendocrino.

Las hormonas son por tanto mensajeros químicos producidos específicamente en determinados órganos, llamados entonces glándulas, que son vertidos al torrente circulatorio para que actúen sobre otras estructuras o tejidos a cierta distancia, llamados órganos diana, pese a encontrarse en la sangre en mínimas concentraciones. A diferencia de los impulsos eléctricos nerviosos, las hormonas producen su efecto de forma más lenta o pausada, aunque en determinados momentos su acción puede ser tan rápida como la de éstos, especialmente en situaciones de riesgo vital o en las que correspondan con instintos primarios del hombre. Sin embargo, las hormonas pueden mantener un efecto sostenido o incluso permanente durante horas, días e incluso años mientras que los estímulos nerviosos, por su propia naturaleza, tienden a la discontinuidad.

El mecanismo de acción de las hormonas consiste en la modificación de la química de las células sobre las que actúan, de tal manera que regulan en cada caso la producción concreta de una sustancia por parte de las mismas, su crecimiento, su reproducción o incluso su muerte. De este modo, las hormonas son las responsables del control del metabolismo en todo el organismo, vigilando que todas las funciones vitales se mantengan en su justa proporción. El sistema endocrino, por tanto, se relaciona directamente con el resto de sistemas ejerciendo tareas de dirección de los mismos. Actividades como el crecimiento, la digestión, el metabolismo del azúcar, la reproducción o incluso la atracción sexual, están mediadas a través de hormonas.

■ Las partes que forman el sistema endocrino son:

- Glándulas: son órganos especializados en la fabricación de ciertas hormonas cuando la concentración de éstas disminuye o cuando es necesaria una mayor producción puntual de las mismas. Las glándulas endocrinas representan los órganos idóneos para la síntesis de hormonas, aunque éstas pueden producirse también en otros muchos tejidos como en el nervioso, el digestivo o, por ejemplo, en la misma piel. Destacan entre éstas el páncreas, el tiroides, las glándulas suprarrenales y la hipófisis.

- Hormonas: según sus características estructurales podemos clasificarlas en hormonas proteicas o peptídicas (hormona del crecimiento, insulina, folículoestimulante, etc.) y esteroides o derivadas del colesterol; las hormonas tiroideas forman un grupo especial. Su producción está codificada en el ADN del núcleo de las células.

- Proteínas transportadoras: la mayoría de las hormonas necesitan unirse a ciertas proteínas de la sangre para pasar a ésta y alcanzar su órgano diana específico. La albúmina y la prealbúmina son las más empleadas comúnmente, aunque algunas hormonas poseen proteínas de transporte propias.

- Órganos diana: cualquier tejido corporal susceptible de modificar su actividad tras la actuación sobre sus células, bien en el interior de éstas o bien sobre la membrana externa que la recubre, de un mensajero hormonal.

El hipotálamo es una región cerebral encargada de estimular la producción hormonal mediante la fabricación de una serie de sustancias y mediante una conexión nerviosa con la hipófisis o glándula pituitaria. Pertenece por tanto al sistema endocrino y al sistema nervioso al mismo tiempo.

■ Las principales alteraciones que pueden afectar al sistema endocrino son:

- Producción hormonal deficiente o déficit parcial o total de la síntesis de una o varias hormonas. Puede deberse a una afectación aguda o crónica que conduzca a la destrucción de una glándula endocrina o por una malformación congénita de la misma. Según la hormona afectada se puede producir un trastorno diferente que afecte al crecimiento, a la reproducción o incluso a la propia preservación de la vida. Estos defectos congénitos se deben en ocasiones a la ausencia de ciertas enzimas indispensables para la producción de una hormona concreta.

- Producción hormonal excesiva o aumento incontrolado de la secreción de una o varias hormonas, secundariamente a tumores de una glándula endocrina o por trastornos de la inmunidad.

- Producción de hormonas anómalas o parcialmente incapaces de actuar sobre los órganos diana por una alteración en su estructura.

- Resistencia a la acción hormonal o dificultad de los órganos diana a reconocer la estimulación hormonal por una enfermedad congénita o adquirida, que se acompaña de un acúmulo en la sangre de dicha hormona.

- Alteración en el transporte de las hormonas por defectos en la producción de proteínas transportadoras o defectos en su funcionamiento.

■ Los procedimientos empleados habitualmente para la exploración de la función endocrina por parte de la Endocrinología son:

- Determinación de las concentraciones sanguíneas de las hormonas: consiste en la medición mediante métodos muy sensibles de las cantidades aproximadas de hormonas que circulan por la sangre en un momento determinado. Es el método ideal para valorar el exceso o el defecto en la producción de alguno de estos mensajeros químicos.
- Determinación de la excreción urinaria de hormonas: permite valorar el estado de las glándulas endocrinas observando la cantidad de hormona producida en un cierto periodo de tiempo.

- Pruebas de estimulación o inhibición hormonal: se basan en el empleo de sustancias que modifican artificialmente el metabolismo corporal y permiten estudiar el funcionamiento de las glándulas endocrinas en dicha situación. Un ejemplo típico es la sobrecarga oral de glucosa durante el embarazo para descartar una diabetes gestacional.
- Técnicas de imagen: permiten valorar el tamaño de una glándula o su funcionamiento mediante la utilización de sustancias radioactivas que son absorbidas por éstas.

Diabetes mellitus

La diabetes se produce por un déficit total o parcial de insulina en la sangre, ya sea por un fallo en la producción o bien un mal aprovechamiento de la misma. Aunque se manifiesta de forma muy común y es generalmente conocida, su tratamiento requiere una dieta alimenticia especial, ejercicio físico, y en los casos más acusados administración de insulina y antidiábeticos orales.

Todos los tejidos y órganos del cuerpo humano y del resto de los seres vivos están formados por células. Las células son pequeñas estructuras vivas, que realizan múltiples funciones, y que a lo largo del desarrollo y crecimiento se especializan en una tarea concreta.

Para poder realizar su trabajo, como fabricar proteínas u hormonas, transmitir corrientes eléctricas, contraerse y relajarse en los músculos y otras muchas, o simplemente para mantener invariable su estructura, las células necesitan «combustible» aportado desde el exterior, exactamente igual que cualquier aparato o sistema fabricado por el hombre.

Las células utilizan la glucosa (presente en los azúcares o hidratos de carbono) como fuente para sus necesidades, mediante una reacción en la que «queman» la glucosa, en presencia de oxígeno, para obtener la energía que requieren. Por tanto, las células viven fundamentalmente de glucosa y oxígeno, y cuando comemos y respiramos lo hacemos para nuestras células, ya que son ellas las que realmente necesitan ambas sustancias. El sistema circulatorio se encarga de repartir a cada una de ellas estos elementos básicos a través de la sangre.

La glucosa circula por la sangre proveniente de la comida que hayamos tomado, de las reservas propias que tenemos, o de las grasas y las proteínas, también presentes en los alimentos, que pueden ser transformadas en glucosa por el propio metabolismo, si las circunstancias lo exigieran así. Para que la glucosa pueda ser utilizada por las células, debe pasar desde la sangre al interior de las mismas, y para ello es necesario la participación de una hormona llamada insulina. La insulina es una proteína (como todas las hormonas) producida por un tipo de células del páncreas, que es un órgano situado en la cavidad abdominal junto al hígado.

¿QUÉ ES LA DIABETES?

La diabetes es una enfermedad crónica que aparece por un déficit total o parcial de insulina en la sangre, o por un mal aprovechamiento de ésta. Aunque comúnmente se la llame diabetes, a secas, la forma correcta de referirse a ella es diabetes mellitus, para diferenciarla de otros tipos de diabetes que nada tienen que ver con la glucosa.

Es un problema de salud creciente tanto en los países desarrollados como en vías de desarrollo, debido al envejecimiento progresivo de la población, al aumento de la obesidad y al sedentarismo en las sociedades actuales.

La incidencia de la diabetes en los países europeos ronda el 5% de todos los individuos, cifra que se eleva hasta el 16% si contamos sólo los mayores de 65 años. Aún así, se piensa que las cifras reales de incidencia son casi el doble, y que, por lo tanto, en la mitad de los casos de diabetes, ésta nunca se llega a diagnosticar.

CLASIFICACIÓN

■ De forma sencilla vamos a tratar de explicar las dos causas fundamentales que producen esta enfermedad:

- Alteración de la producción de insulina por el páncreas: que se produce porque el propio organismo, mediante su sistema inmune, destruye las células pancreáticas especializadas en producir insulina (llamadas células), por razones desconocidas.
- Resistencia a la acción de la insulina: aunque la cantidad de insulina fabricada es suficiente, las células no son capaces de reconocerla y, por tanto, la glucosa no puede penetrar en la célula.

En ambos casos, la glucosa se acumula en la sangre ya que no puede pasar al interior celular para ser utilizada, por lo que aumentan sus niveles (lo que se denomina hiperglucemia).

Existen diferentes tipos de diabetes mellitus que se diferencian por la causa que las produce, la edad de aparición y el tratamiento que necesitan:

DIABETES TIPO 1

Es la diabetes que aparece por un déficit total o casi total de la formación de insulina por la causa antes explicada. Representa el 10% de todos los casos de diabetes mellitus, aunque parece que este porcentaje está aumentando en los últimos años.

Aparece normalmente antes de los 30 años, pero puede presentarse por encima de esta edad, aunque rara vez. Lo más habitual es que se manifieste entre los 10 y los 14 años, y con algo más de frecuencia entre los varones.

Existe una predisposición hereditaria (genética) en algunos individuos a padecer la enfermedad, sobre la cual se piensa que actúan posteriormente una serie de factores externos que provocan que ésta se desarrolle. Estos factores están aún en investigación, aunque se sospecha de determinados virus, del clima y de la nutrición infantil como precipitantes de la enfermedad. Esto explicaría por qué la enfermedad se diagnostica con más frecuencia en determinadas estaciones del año, o por qué, por ejemplo, los escandinavos tienen un riesgo 20 veces mayor de padecerla que los españoles.

El prototipo de estos enfermos sería el del individuo joven, delgado y que se inyecta insulina.

DIABETES TIPO 2

Se produce tanto por un déficit parcial de la formación de insulina, como por la resistencia que ésta encuentra para actuar en las células del organismo. En cada enfermo predomina una causa sobre la otra. El 90% de las diabetes son de este tipo.

A diferencia del tipo 1, el diagnóstico se realiza en la mayoría de los casos después de los 40 años de edad, aumentando el riesgo de padecer este tipo de diabetes cada año que pasa, y siendo la ancianidad el momento en el que más aparece.

Tiene también un componente hereditario, aunque el mayor factor de riesgo para padecerla es la obesidad, que dificulta la actuación de la insulina. La falta de ejercicio físico y las dietas con exceso de calorías favorecen de forma indirecta el desarrollo de este tipo de diabetes, ya que desembocan la mayoría de los casos en obesidad. Aunque no está enteramente demostrado parece que es más frecuente en el sexo femenino.

Sería la diabetes de la mujer mayor, obesa y que toma pastillas para «el azúcar», si elegimos el paciente más típico de esta enfermedad.

DIABETES GESTACIONAL

Se denomina así al trastorno de la regulación de las cifras de glucosa, que aparece en el curso de un embarazo, en una mujer que no estaba diagnosticada previamente de diabetes. Es la complicación más frecuente durante el embarazo en los países desarrollados, y afecta hasta un 10% de los mismos. Además, la mitad de las mujeres que sufren este tipo de diabetes acaban siendo diabéticas permanentes con el paso de los años.

La principal consecuencia que tiene sobre el feto es el aumento de tamaño del mismo; niños más grandes significan embarazos más difíciles y partos más complicados. Hay también un mayor riesgo de muerte del feto antes del parto y de malformaciones congénitas.

OTROS TIPOS DE DIABETES

Aquí se incluyen una serie de procesos poco frecuentes que provocan descontrol de las cifras de glucosa. Son diabetes secundarias al uso continuado de determinados fármacos (como los corticoides), a enfermedades que afectan al páncreas o a ciertas alteraciones genéticas.

Primeros síntomas de la diabetes

■ En la diabetes del tipo 1, la enfermedad suele aparecer de una forma más o menos brusca, incluso con criterios de gravedad en algunos casos. Los principales síntomas son:
- Polidipsia: muchas ganas de beber.
- Poliuria: se orina con mucha frecuencia.
- Polifagia: hambre irresistible a todas horas.
- Pérdida de peso importante, pese a que se come mucho.
- Cansancio.

- En los casos más graves, la enfermedad puede comenzar provocando directamente un coma diabético con cifras de glucosa en sangre muy altas.
■ En la diabetes del tipo 2, el inicio suele ser más lento y más difícil de reconocer. Algunas veces se puede llegar a percibir el aumento de la sed y de la orina, pero en otros muchos, puede pasar inadvertida durante años y sólo ser detectada cuando aparece una complicación de la misma o de forma casual, en un control analítico rutinario. Normalmente la «subida» de azúcar no es muy alta.

¿CUÁLES SON LAS PRINCIPALES COMPLICACIONES DE LA DIABETES?

■ Pueden ser agudas:

- Cetoacidosis: es un trastorno grave del metabolismo, que puede llevar a la muerte, y que se produce por un descontrol del tratamiento debido a mal cumplimiento del mismo, infecciones, traumatismos o a determinados fármacos. A veces es la forma de presentarse la diabetes por primera vez, sobre todo en el tipo 1. Produce deshidratación, vómitos, dolor abdominal, bajada de tensión arterial y respiración dificultosa jadeante. Algunas veces el aliento del enfermo es muy fuerte y con olor a manzanas.
- Coma hiperosmolar: es un cuadro similar al anterior, pero aún más grave, con una deshidratación y unas cifras de glucosa mayores. En una buena parte de los casos se produce pérdida de conciencia y muerte. Es más frecuente entre los ancianos.

■ Pueden ser crónicas o a largo plazo:

- Afectación de grandes vasos sanguíneos: sobre todo de las arterias del corazón o coronarias, en las cuales la diabetes favorece la formación de arterioesclerosis y por tanto un mayor riesgo de infarto.
- Afectación ocular: sobre todo la retinopatía diabética, que consiste en la rotura y obturación de las arterias que llegan a la retina y que con el tiempo provoca pérdida de agudeza visual y ceguera. La diabetes también favorece la aparición de glaucoma (tensión ocular elevada) y cataratas.
- Afectación renal: afecta a la capacidad de los riñones para depurar la sangre, siendo característica la pérdida por la orina de proteínas que en condiciones normales deberían permanecer en la sangre.
- Afectación nerviosa: que normalmente produce calambres, dolor, hormigueo, acorchamiento o ardor en las piernas y pies. A veces se acompaña de aparición de úlceras en esa zona. Es frecuente que los enfermos diabéticos de más edad pierdan la sensibilidad en determinadas zonas de su piel y se produzcan grandes quemaduras sin darse cuenta.
- Pie diabético: consiste en la afectación del riego sanguíneo en las zonas más separadas del cuerpo, que progresa hacia la gangrena y la amputación del miembro en el 2% de los casos. Son más propensos los diabéticos fumadores y con más de diez años de enfermedad.

¿QUÉ ES LA HIPOGLUCEMIA?

A diferencia de las complicaciones anteriores que son debidas al aumento de la glucosa, la hipoglucemia es el descenso de la concentración de la misma en la sangre por debajo de 60 mg/dl, que se acompaña de una serie de síntomas, que puede provocar la entrada en coma y la muerte si no se toman medidas a tiempo.

En un primer momento aparece sudoración, temblor en las piernas y ansiedad; después el cuadro progresa hacia visión borrosa, confusión y amnesia. Si la situación se prolonga pueden llegar a aparecer convulsiones, estado de coma y, finalmente, la muerte. Algunas veces la hipoglucemia que aparece mientras se duerme puede pasar inadvertida o provocar pesadillas y cefalea al despertarse.

¿POR QUÉ SE PRODUCE LA HIPOGLUCEMIA?

La diabetes es una enfermedad que provoca el aumento de la glucosa en la sangre (hiperglucemia), como ya hemos explicado; por lo tanto, los descensos de la misma, o hipoglucemias, están causados por la medicación que el enfermo diabético toma, bien sea la insulina o bien otros fármacos por vía oral. Aproximadamente el 50% de los diabéticos sufren un episodio, generalmente leve, al mes y un 10% tiene una hipoglucemia grave al año.

DIAGNÓSTICO

La detección precoz de la diabetes tiene una importancia capital para el individuo, puesto que así se pueden eliminar las complicaciones agudas, que pueden ser mortales, y se previene y retarda la aparición de las crónicas.

Existen grupos de población que deben estar más vigilados puesto que la posibilidad de comenzar con esta enfermedad es mayor. En general debemos consultar a nuestro médico a partir de los 45 años, sobre todo si hace mucho tiempo que no se nos pide una analítica; esto mismo es aplicable a individuos de cualquier edad con antecedentes de diabetes en la familia, obesidad o aumento de la glucosa durante el embarazo.

Como ya hemos comentado antes, la diabetes tipo 1 suele detectarse por los síntomas inconfundibles que aparecen en la juventud, y la analítica no hace sino confirmar la presencia de la enfermedad. Sin embargo, en el tipo 2, la diabetes se detecta en muchas ocasiones de forma casual en una analítica, ya que aún no ha transcurrido el suficiente tiempo para que existan complicaciones crónicas, y las cifras de glucosa nunca son tan elevadas como para provocar complicaciones agudas.

De forma orientativa conviene saber que las cifras de glucosa en sangre deben estar entre 75 y 110 mg/dl (puede variar un poco según cada laboratorio). La diabetes queda automáticamente diagnosticada si el sujeto presenta una glucosa mayor de 126 mg/dl en un análisis en ayunas o si es mayor de 200 mg/dl en cualquier momento del día y se tienen síntomas de la enfermedad. Con este sistema sólo podemos saber las cifras de glucosa en un momento puntual; para hacernos una idea de cómo están generalmente a lo largo del día las mismas, y para valorar la repercusión de la enfermedad, se utilizan otras pruebas analíticas como la hemoglobina glicoxilada o HA1c (que indica cómo han sido las cifras de glucosa los últimos tres meses) y la microalbuminuria (que indica el grado de afectación de los riñones).

En las embarazadas se realiza un test especial para descartarla entre la 24ª y la 28ª semana de gestación.

TRATAMIENTO

El objetivo del tratamiento es conseguir mantener unos niveles aceptables de glucosa en la sangre, que elimine la posibilidad de complicaciones agudas y crónicas, mantenga un peso corporal proporcionado y permita al individuo integrarse plenamente en la sociedad.

Ninguna otra enfermedad del cuerpo humano exige una disciplina y una constancia en el tratamiento como la diabetes mellitus. Hoy en día, salvo casos excepcionales, cualquier diabético, que se lo proponga firmemente, puede controlar la enfermedad y sus complicaciones, y mantener por tanto una calidad de vida excelente.

■ Se basa en tres pilares fundamentales:

DIETA

Debe ser variada pero no necesariamente muy estricta ni con los horarios ni con determinados alimentos; en general, el diabético, como cualquier individuo, debe comer de todo y en cantidades razonables.

Es cierto que debe atenderse a un cierto horario y número de comidas, especialmente aquellos enfermos que tomen pastillas o insulina, con el fin de evitar grandes vaivenes de la glucosa a lo largo del día.

Es necesario consumir hidratos de carbono o azúcares de absorción lenta (arroz, patatas, pasta, pan), pero deben estar repartidos a lo largo de todas las comidas y de forma moderada. Se deben limitar los alimentos ricos en determinadas grasas como los embutidos, mantequilla y la bollería industrial, y tomar más pescado, legumbres, cereales, verduras y frutas. Es también recomendable el consumo de aceite de oliva, lácteos descremados así como evitar las natas y las cremas. Es conveniente adaptarse al uso de edulcorantes sin calorías como la sacarina o el aspartamo.

El consumo moderado de alcohol de baja graduación durante las comidas no es perjudicial; el abuso del mismo o el alcohol de alta graduación, sobre todo fuera de las comidas, es muy perjudicial tanto a largo como a corto plazo, debido a las fuertes bajadas de glucosa (hipoglucemias) que puede provocar. El paciente debe tener muy presente que no se puede tomar la medicación si no se come, por el riesgo de bajada de azúcar que se puede producir.

Finalmente, es importante que el enfermo avise a cualquier profesional sanitario que le atienda de su condición de diabético, sobre todo para evitar la prescripción de fármacos contraindicados o que lleven glucosa, lactosa u otros derivados.

EJERCICIO FÍSICO

Ayuda en muchos aspectos al control de los diabéticos. Por una parte, disminuye las cifras de glucosa, ya que nuestros músculos la «queman» para obtener energía. Por otro, permite mantener el peso corporal dentro de los límites adecuados, lo que por sí sólo puede mejorar la enfermedad. La pérdida de 5-10 kg de peso puede ser suficiente para que desaparezca la resistencia celular a la insulina.

Se deben evitar deportes peligrosos o que se practiquen en solitario; debe llevarse siempre encima azúcar o caramelos por si se produce un descenso de glucosa. En general hay que adaptar los periodos de ejercicio al horario de medicación, y modificar ésta si se va a realizar un ejercicio muy intenso, así como aumentar la comida previa.

En personas mayores lo más recomendable es caminar a buen paso durante 60 minutos al día, como mínimo, o pasear en bicicleta 30 minutos.

EDUCACIÓN DEL ENFERMO

Es la base del tratamiento, puesto que el diabético tiene que aprender una serie de conocimientos y de habilidades, como inyectarse la insulina o manejar el aparato de autocontrol de glucosa. Es recomendable rellenar un cuaderno de control personal con el peso, tratamiento, incidencias y resultados de los autocontroles.

El autocontrol se realiza mediante un pequeño dispositivo, fácilmente transportable, llamado automedidor, que analiza la glucosa presente en una gota de sangre extraída de un dedo tras un pequeño pinchazo. Es muy importante que el diabético aprenda a manejar este automedidor, ya que es la mejor manera de comprobar la eficacia del tratamiento y de prevenir las alteraciones del azúcar tanto por exceso como por defecto.

Se debe prestar especial atención a la higiene de la piel y, en especial, la de los pies; es recomendable utilizar jabones suaves con agua templada de forma diaria, junto con crema hidratante. Las uñas deben cortarse en línea recta y se debe evitar extirpar los callos si no es por el especialista. Ante cualquier herida o cambio de color en la piel de los pies se debe consultar al médico.

■ Cuando, pese a la correcta aplicación de estas medidas, no se pueda corregir la elevación de la glucosa, es necesario iniciar el tratamiento farmacológico:

● Insulina: se sintetiza artificialmente y es similar a la humana en cuanto a eficacia. Existen varios tipos diferentes según el tiempo que tardan en actuar, y así pueden ser rápidas, intermedias, lentas o ultralentas, que pueden combinarse entre sí según las necesidades de cada enfermo. Es el tratamiento de la diabetes tipo 1, y el de algunos casos de diabetes tipo 2 en los que el resto de tratamientos pierden eficacia con los años.

● Antidiabéticos orales: son fármacos que actúan frente a la glucosa bien impidiendo su absorción en el aparato digestivo, bien estimulando la liberación de insulina o bien disminuyendo la resistencia de las células a la misma. Es el tratamiento inicial de la diabetes tipo 2, que suele asociar varios de estos fármacos, y que se muestra eficaz en la mayoría de los casos.

Ambos tipos de tratamiento tienen como efecto secundario más habitual la aparición de hipoglucemias, que deben ser prevenidas por el enfermo mediante el control de glucosa con el automedidor y con el conocimiento de los síntomas iniciales de aquéllas.

PRONÓSTICO

Pese a los avances en la prevención y en el tratamiento de esta enfermedad, la esperanza de vida de estos enfermos se halla reducida en torno a los 30 años menos de vida en los diabéticos tipo 1 que la padezcan desde la niñez, y 20 años en los diabéticos tipo 2.

Este aumento de mortalidad se debe principalmente a las complicaciones renales en las diabetes iniciadas en edad joven, y a las complicaciones coronarias (infarto de miocardio) en los casos diagnosticados después de los 40 años. Esto se produce, sobre todo, en los casos en los que la diabetes se asocia con otros factores de riesgo cardiovascular como la hipertensión arterial, el colesterol elevado, el tabaco y los antecedentes familiares.

No obstante, los enfermos buenos cumplidores del tratamiento, que acuden a las revisiones periódicas con su médico, que respetan las medidas higiénicas y preventivas comentadas y que carecen de otros factores de riesgo o están tratados y controlados, pueden vivir un número de años similar al resto de la población.

Diabetes mellitus

PAPEL DE LA GLUCOSA COMO FUENTE DE ENERGÍA CELULAR

La glucosa circula por la sangre, que alimenta a las células de esa glucosa y de oxígeno. Para que la glucosa llegue a las células interviene la insulina producida en el páncreas.

DEFINICIÓN DE DIABETES

Enfermedad crónica producida por un déficit total o parcial de insulina en la sangre, bien por un fallo en su producción o bien por un mal aprovechamiento de la misma.

SÍNTOMAS

- Inicio: polidipsia, polifagia, poliuria, pérdida de peso.
- Complicaciones: cetoacidosis, coma.
- Afectaciones a largo plazo: retina, riñón, corazón, nervios.

CLASIFICACIÓN

- Diabetes tipo 1: déficit en la producción de insulina por el páncreas, que suele manifestarse antes de los 30 años y que se debe a la actuación de una serie de factores externos en un individuo genéticamente predispuesto.
- Diabetes tipo 2: déficit parcial de insulina más resistencia en los tejidos hacia la misma, que se manifiesta normalmente a partir de los 40 años de edad, sobre todo en los obesos.
- Diabetes gestacional: trastorno de la regulación de la glucosa durante el embarazo.

DIAGNÓSTICO

- Detección precoz: antecedentes familiares.
- Pruebas biológicas, analíticas, test, etc.

TRATAMIENTO

- Dieta.
- Ejercicio físico.
- Educación del enfermo.
- Fármacos: insulina y antidiabéticos orales.

Obesidad

La obesidad consiste en un exceso de tejido adiposo en el organismo que se traduce en un incremento de peso corporal por encima de los límites normales de cada individuo. Entre los factores que influyen en su aparición figuran los hereditarios, la mala dieta alimenticia, los factores psicológicos y los factores culturales.

Las grasas son uno de los tres grupos principales en los que se puede dividir el grueso de la dieta humana. Son compuestos formados a partir de ácidos (ácidos grasos) y alcohol (glicerol) que forman largas cadenas llamadas triglicéridos. Los triglicéridos son fundamentales en muchos aspectos del metabolismo humano, tanto como precursores de otras moléculas, como formadores de la pared de la célula, y su acúmulo produce depósitos de grasa necesarios para el aislamiento térmico del cuerpo humano, para lubricar la piel y para proteger ciertas estructuras entre otras funciones.

Pero las grasas tienen una función primordial que es el almacenamiento de energía; cuando se toman alimentos grasos, ciertas sustancias del tubo digestivo como la bilis fraccionan los triglicéridos que las forman en sus componentes más pequeños, para obtener energía a partir de ellos. La parte de estos componentes que no ha sido utilizada para producir energía, puesto que las necesidades ya estaban satisfechas, es transformada de nuevo en triglicéridos y acumulada en ciertas regiones del cuerpo, en el interior de unas células llamadas adi-

pocitos, que juntas, forman el llamado tejido adiposo.

La grasa acumulada o tejido adiposo es un magnífico sistema de reserva energética que puede ser movilizado por el metabolismo cuando las circunstancias lo requieren, como por ejemplo, tras un ayuno prolongado. En condiciones normales, existe un equilibrio entre las grasas almacenadas y las necesidades energéticas del organismo.

■ Podemos distinguir dos tipos de grasa:

- Grasa blanca: rica en triglicéridos y situada debajo de la piel y alrededor de los órganos del cuerpo humano; cumple la función de protección y reserva de energía.
- Grasa parda: pobre en triglicéridos y situada en ciertas zonas como la nuca, las axilas o entre las costillas; su misión es la de producir calor para mantener la temperatura corporal en los límites normales.

¿QUÉ ES LA OBESIDAD?

La obesidad es el exceso de tejido adiposo (grasa blanca) en el organismo, que se manifiesta como un aumento del peso corporal por encima de sus límites normales establecidos según las características de cada individuo. Es hoy en día el trastorno del metabolismo humano más frecuente y que más consultas médicas produce. No hay que confundir peso elevado con obesidad, ya que el primero puede deberse a un aumento de la masa ósea y muscular y no a un incremento del tejido graso corporal.

Las cifras de individuos obesos varían notablemente de unos países a otros; así por ejemplo en Estados Unidos se sitúa en torno a un 25% de la población, mientras que en algunos países del oeste de Europa no supera el 5%. Como después veremos son muchos los factores que influyen en el desarrollo de la obesidad.

Para poder establecer los límites de peso recomendado de forma individualizada y de manera que pueda ser referido a unas tablas generales para toda la población, se calcula, mediante una fórmula matemática, el llamado índice de masa corporal (IMC), que consiste en dividir el peso en kilogramos entre la altura de la persona, medida en metros y elevada al cuadrado.

■ La tabla de referencia sería:

● El peso ideal IMC de 22,6 en los varones y de 21,1 en las mujeres.

Clasificación de la obesidad

■ Podemos clasificar la obesidad atendiendo a diferentes aspectos de la misma; por ejemplo, según su origen podemos dividirla en:

● **Obesidad primaria:** es la forma aislada de obesidad, que aparece como consecuencia de los factores de riesgo antes enumerados o en cualquier caso por causa desconocida. Es la forma más frecuente.

● **Obesidad secundaria:** es la producida como consecuencia de diferentes enfermedades como el ovario poliquístico, el hipotiroidismo o ciertos tumores cerebrales, así como por el consumo de algunos fármacos antidepresivos, antihistamínicos y corticoides entre otros. Este tipo de obesidad es menos frecuente y se corrige cuando se cura la enfermedad causante o se deja de tomar el fármaco.

■ De acuerdo con la edad de aparición se puede distinguir:

● **Obesidad de larga evolución:** es la que aparece desde la infancia o adolescencia, con una fuerte influencia hereditaria y que tiende a perpetuarse durante toda la vida.

● **Obesidad del adulto:** se presenta a partir de los 30 años aproximadamente, coincidiendo con el descenso de la actividad física y el sedentarismo. Tiene mayores posibilidades de tratamiento.

■ Finalmente, según la distribución de la grasa:

● **Obesidad androide:** la acumulación de la grasa se produce en la cara y el cuello, en el tronco y de forma típica en el abdomen alrededor del ombligo. Este tipo de obesidad es más frecuente en hombres.

● **Obesidad ginoide:** la grasa tiende a depositarse en las caderas, glúteos, muslos y en la región situada por encima del pubis. Más frecuente en mujeres.

- Límites de peso normal IMC menor de 27 en varones y de 25 en mujeres.
- Sobrepeso IMC entre 27-30 en varones o entre 25-30 en mujeres.
- Obesidad IMC mayor de 30 en ambos sexos.
- Obesidad mórbida IMC mayor de 40 en ambos sexos.

Este índice de masa corporal permite correlacionar el peso con la envergadura del individuo y sirve para hacer un diagnóstico más preciso sobre el grado de obesidad del mismo, así como para controlar el efecto de los tratamientos.

¿CUÁL ES LA CAUSA DE LA OBESIDAD?

■ Los factores que influyen en el individuo para que pueda desarrollar una obesidad son múltiples y abarcan no sólo aspectos biológicos sino también toda la esfera psicológica y social que le rodea. El papel que desempeñan cada uno de ellos no está claramente definido, y en muchas ocasiones la causa final de la obesidad no llega a ser conocida. Estos factores son:

- Factores hereditarios: el origen genético de la obesidad queda demostrado por el hecho de que los padres obesos tienen una probabilidad mayor del 75% de engendrar hijos también obesos. Es difícil distinguir si esto se produce únicamente por factores genéticos o si también influye que en estas familias se coma más que en el resto, lo que desemboque en la obesidad. Aunque no se niegue la influencia de esto último, parece demostrada la dependencia hereditaria al observar por ejemplo que los hijos adoptados por familias de obesos no desarrollan la enfermedad.

- Dieta: indudablemente la ingesta excesiva de alimento favorece la obesidad, entendiendo por excesiva aquella que proporciona más calorías de las que se queman diariamente en nuestra actividad. No obstante resulta demasiado simplista decir que la obesidad se produce porque se come demasiado. Determinados hábitos alimenticios como comer deprisa o a todas horas, o comer compulsivamente de noche, favorecen la ganancia de peso. Las dietas ricas en grasas animales y carbohidratos también apuntan en esta dirección. Las dietas abusivas y los malos hábitos alimentarios pueden presentarse durante muchos años sin que se detecte obesidad, aunque tarde o temprano ésta empezará a producirse. Desde la infancia las personas se acostumbran a un volumen alimenticio diario del que es difícil liberarse, y que si no se regula puede desembocar cuando menos en sobrepeso a lo largo de los años, cuando el ritmo de actividad física disminuye. Esto se produce porque la alimentación excesiva en los periodos de desarrollo condiciona el número de adipocitos que tendrá finalmente el individuo en su tejido graso.

- Factores psicológicos: parece comprobado que determinados estados psíquicos incitan a ciertos individuos a la ingesta más o menos controlada de alimentos, generalmente hipercalóricos, como terapia para combatir la ansiedad, la depresión o simplemente el aburrimiento. Es frecuente observar que cierto tipo de individuos necesitan siempre comer algo mientras realizan ciertas actividades lúdicas como por ejemplo ver la televisión. En los obesos, las dietas estrictas provocan signos de depresión, lo que contrasta con el hecho de que son el grupo poblacional con menor incidencia de episodios depresivos salvo que, como hemos comentado, empiecen con una dieta o se preocupen en exceso por su imagen corporal, lo que puede provocarles angustia.

● Factores culturales y económicos: la incidencia de la obesidad es mayor en los grupos poblacionales con una menor preparación intelectual, sobre todo entre las mujeres; en los varones parece no observarse diferencia o incluso la relación es inversa. Algo parecido ocurre con el nivel económico; en las clases altas es frecuente observar que las mujeres suelen ser delgadas mientras que los varones mantienen un sobrepeso posiblemente relacionado con sus profesiones sedentarias. Sobre estos estereotipos caben múltiples excepciones.

Todos estos factores influyen en la tendencia a la obesidad, aunque la base de ésta es el desequilibrio que se produce entre la energía que tomamos a través de los alimentos y la que gastamos. Al fin y al cabo, no existe obesidad si casi no se come y se puede estar obeso, aunque se coma poco, si no se realiza apenas ejercicio.

La ingesta alimentaria está regulada por el apetito, que a su vez es controlado por el llamado centro del hambre y el centro de la saciedad, que se encuentran en el hipotálamo cerebral. Diversas sustancias producidas a nivel gastrointestinal, suprarrenal y en la propia grasa estimulan o inhiben dichos centros en respuesta a la llegada o ausencia de alimentos así como según los niveles de energía almacenados; además los estímulos sensoriales ayudan a despertar el hambre o a frenar el periodo de ingesta. En la obesidad suele haber una alimentación excesiva en probable relación con una alteración de estos centros del apetito y la saciedad, que hacen que el individuo pierda la noción de cuándo acaba la necesidad y empieza el exceso, sobre todo cuando se trata de alimentos especialmente atractivos para el gusto del individuo. Con el paso de los años el sistema digestivo se acostumbra a manejar cantidades grandes de alimento, lo que provoca que las señales producidas por el estómago cuando está lleno se retrasen, ya que se ha dilatado y agrandado progresivamente. Los obesos además tienden a subestimar la cantidad de alimento que ingieren en un 30% aproximadamente, es decir, que suelen comer al menos un tercio más de lo que dicen.

El gasto energético representa el lado contrario de este equilibrio y consiste en el consumo de energía que realiza el ser humano para mantener el funcionamiento de su organismo, su temperatura y su relación con el entorno. El metabolismo corporal supone la mayor parte del gasto que se realiza diariamente en condiciones normales; las células necesitan energía para mantener su estructura y realizar su función, ya sean las células musculares del corazón, las células nerviosas o neuronas, las del hígado, las del riñón, etc. Otra parte de la energía se consume en la producción de calor a través de reacciones químicas que mantengan la temperatura corporal adecuada; esto se produce en su mayoría en la grasa parda, como explicamos en el inicio de este capítulo. Finalmente, un 20% aproximadamente de la energía que consumimos se emplea en la actividad física diaria, siendo este punto sobre el que se puede actuar de forma más satisfactoria para equilibrar el gasto con el consumo. En general los obesos tienden a rehuir del ejercicio innecesario y a facilitarse los desplazamientos, además de no realizar ejercicio físico añadido en forma de deporte.

En resumen, la obesidad es una enfermedad con una marcada tendencia genética sobre la que actúan factores psicológicos y culturales para producir un desequilibrio entre el aporte y el gasto de energía que desemboca en una ganancia de peso paulatina. La obesidad es un problema de salud que se acompaña de un riesgo para determinadas patologías como veremos a continuación.

¿CUÁLES SON LAS CONSECUENCIAS DE LA OBESIDAD?

■ La obesidad es un factor de riesgo para padecer múltiples patologías tanto a escala metabólica o del funcionamiento de los órganos como por la sobrecarga que produce. Los principales efectos que produce son:

- Afectación cardiovascular: la obesidad se relaciona directamente con otros factores de riesgo como la hipertensión o la elevación del colesterol, potenciándolos y agravando su efecto dañino sobre el corazón y el sistema circulatorio. Además favorece la aparición de arterioesclerosis y aumenta el trabajo del corazón, que tiene que hacer un mayor esfuerzo para latir (puesto que está rodeado de más grasa) y tiene que movilizar un cuerpo más pesado.
- Afectación osteoarticular: el aumento de peso produce un desgaste mayor de las articulaciones, que puede pasar desapercibido en la juventud, pero que provoca dolor crónico en la edad adulta.
- Diabetes: es la principal causa de la aparición de la llamada diabetes tipo 2, que aparece generalmente en la madurez como consecuencia de la resistencia que encuentra la insulina para actuar en los tejidos por el exceso de grasa corporal.

La pérdida de peso mejora el control del azúcar en estos individuos hasta el punto de mantenerse sin medicación y sólo con dieta toda su vida.
- Afectación respiratoria: los obesos pueden presentar dificultad para ventilar sus pulmones de forma correcta por la afectación del diafragma, que es el principal músculo implicado en esta función vital. La apnea del sueño también aparece con más frecuencia en los individuos con sobrepeso.
- Otras enfermedades: la gota, los cólicos biliares, el aumento de colesterol, la insuficiencia renal y las trombosis pueden también verse potenciadas en los obesos. Algunos tipos de cáncer, como el de próstata, mama, cuello uterino o recto se han observado con mayor frecuencia en este tipo de individuos, aunque el mecanismo que justifique esta relación aún no ha sido descubierto.

Se denomina obesidad mórbida a la que por su intensidad exagerada (índice de masa corporal superior a 40 o más de 50 kg sobre el peso ideal) se acompaña de un alto riesgo de presentar complicaciones graves como la insuficiencia cardíaca, el hígado graso, la dificultad respiratoria y la diabetes incontrolable; también se asocia con un porcentaje importante de muerte súbita. El pronóstico es malo por la dificultad de curación que presenta este tipo de obesidad.

La esperanza de vida entre los individuos obesos disminuye de forma proporcional al porcentaje de sobrepeso que presenta. El riesgo de muerte súbita es tres veces superior al de la población normal, o incluso hasta diez veces superior en los casos de obesidad mórbida. Estas cifras se disparan aún más si la obesidad se asocia a otros factores de riesgo cardiovascular.

¿CÓMO SE TRATA LA OBESIDAD?

La obesidad es una de las enfermedades más difíciles de tratar y sobre la cual probablemente más se haya escrito. El abordaje de la misma debe incluir necesariamente un alto grado de colaboración y disciplina por parte del individuo, sin la cual todo tratamiento está destinado al fracaso.

El primer paso, como en otras muchas enfermedades, es el conocimiento por parte del obeso de las características y de los riesgos de su enfermedad, así como de los beneficios que obtendrá con la eliminación de su sobrepeso.

Todo individuo obeso que desee recibir tratamiento debe ser valorado por su médico con el fin de clasificar correctamente su obe-

Diagnóstico de la obesidad

■ El concepto de obesidad debe reunir al menos tres condiciones como son el aumento de peso total, el aumento de la grasa corporal y la aparición de enfermedades secundariamente a la misma. El consenso actual refiere que es obeso todo aquel individuo que presente un índice de masa corporal superior a 27, lo que equivale a un exceso de más del 20% sobre su peso teórico.

El criterio diagnóstico más fiable para la obesidad sería la determinación de la grasa corporal, y para medir ésta se emplean diferentes técnicas como la medida de la densidad corporal mediante impedanciometría, estudios radiológicos, determinación del pliegue cutáneo u otras. En cualquier caso el índice de masa corporal suele ser suficiente para concluir que un individuo es o no obeso, mientras que el resto de pruebas se reservan para los casos especiales.

sidad, informarse de las opciones terapéuticas y establecer un plan personalizado a cada caso. Debe tenerse mucho cuidado con las dietas milagrosas, normalmente recomendadas por algún conocido, que en muchos casos no sólo no son efectivas sino que pueden poner en peligro la salud.

Existe una serie de factores o circunstancias que colaboran con el éxito de los tratamientos para la obesidad, que responderían al arquetipo de un varón de edad media con una obesidad iniciada tardíamente y que nunca ha intentado adelgazar de manera formal; por el contrario el arquetipo que correspondería con un mal pronóstico en cuanto al éxito en el tratamiento sería el de una mujer de edad avanzada, con un largo historial de sobrepeso que ha intentado infructuosamente diversos procedimientos para perder peso.

■ Podemos dividir el tratamiento de la obesidad en tres apartados:

DIETA

• Equilibrio en la dieta: como es lógico la dieta que elimine el sobrepeso ha de ser hipocalórica, es decir, que debe proporcionar un número menor de calorías, pero en ningún caso la proporción de nutrientes necesarios para mantener un buen estado de salud. Un 55-60% de las calorías consumidas deben proceder de los hidratos de carbono, en forma de pan, verduras, hortalizas, patatas y legumbres, incluyendo también la pasta. Las proteínas deben representar el 15% de la ingesta energética y se obtienen a través de las carnes, el pescado y los huevos principalmente. En cuanto a las grasas se recomienda que aporten el 30-35% de las calorías totales mediante el consumo de carnes grasas, aceite de oliva y pescados. Es indispensable vigilar el correcto aporte de vitaminas y fibra en cualquier dieta, así como la ingesta diaria de 1,5-2 l de agua. En general, se considera dieta equilibrada aquélla en la que se come prácticamente de todo sin abusar de nada en concreto, y además será hipocalórica si se restringen racionalmente las cantidades que se toman y se evitan alimentos de alto contenido calórico y no se consume alcohol.

• Dieta personalizada: Debe siempre adecuarse la dieta a los gustos, a los horarios y a las características socioeconómicas del individuo, lo que ayudará a evitar el fracaso de la misma. No es conveniente prohibir categóricamente determinados grupos alimenticios si con ello se genera ansiedad en el individuo; es preferible «negociar» el consumo de ciertos alimentos y asegurarse así un mejor cumplimiento de la dieta en general.

• Hábitos alimenticios: es muy importante modificar en la medida de lo posible y de forma paulatina algunas costumbres que favorecen la obesidad y aplicar otras que pueden resultar beneficiosas:

– Incrementar la frecuencia de las comidas, siendo recomendable un mínimo de cinco diarias, sobre todo sin saltarse el desayuno, y procurando no comer entre horas.

– Comer a pequeños bocados, despacio y masticando bien; comer sentado y a poder ser en el mismo sitio siempre.

– Utilizar platos pequeños, no repetir, no comer dos cosas a la vez y no realizar otras tareas mientras se come.

– Levantarse de la mesa tan pronto como se finalice cada comida; pasear o realizar cualquier actividad durante las horas en las que habitualmente se come innecesariamente.

– Ir a la compra con una lista cerrada y siempre después de haber comido.

– Solicitar ayuda a los familiares y amigos para poder cumplir cualquier dieta de la mejor manera posible.

EJERCICIO

Una disminución en la cantidad de calorías que diariamente se toman debe acompañarse de un aumento en el gasto de las mismas, con el fin de que se traduzca en una pérdida real de peso. Sin ejercicio físico, un individuo con un modo de vida sedentario puede mantener su mismo peso aunque emplee dietas de adelgazamiento más o menos estrictas.

El ejercicio debe estar adaptado a la capacidad de cada persona, siendo recomendables de forma general la natación, la bicicleta y caminar. Es importante que resulte placentera su realización y que no se imponga de forma rigurosa, sino que exista un margen variable en su intensidad y periodicidad según la voluntad del individuo.

FÁRMACOS

El tratamiento farmacológico no debe sustituir en ningún caso el empleo de dietas hipocalóricas equilibradas y personalizadas, sino completar las mismas. De los muchos grupos de medicamentos empleados ninguno ofrece una eficacia comparativamente mayor que una dieta rigurosamente respetada, y si no es así el posible efecto de estas sustancias es únicamente transitorio. Los principales grupos farmacológicos empleados son:

• Anorexígenos: su mecanismo de acción es reducir el apetito, bien mediante mecanismos similares a los de los antidepresivos o bien mediante la estimulación del sistema nervioso central. Su uso debe estar regulado por el especialista y en cualquier caso deberá valorarse la presencia de enfermedades concomitantes o de posibles efectos secundarios.

- Termogénicos: determinados fármacos parecen aumentar el gasto energético basal del organismo y favorecer así la utilización de un mayor número de calorías por el metabolismo humano. Sus beneficios son dudosos aunque las líneas de investigación sobre ellos son esperanzadoras.

- Estimuladores de la sensación de llenado gástrico: son sustancias como la fibra vegetal o algunos derivados de la celulosa que actúan sobre el centro de la saciedad situado en el cerebro y provocan así el acortamiento de las comidas.

- Reductores de la absorción: ciertas sustancias son capaces de impedir la absorción intestinal de las grasas y los hidratos de carbono de forma parcial. El orlistat es una de las últimas sustancias incorporadas a este grupo, y aunque parecen obtenerse resultados satisfactorios con la misma, existe aún poca experiencia de su uso.

CIRUGÍA

Existen diferentes técnicas quirúrgicas que producen una pérdida de peso mediante la disminución de la capacidad de ingesta alimentaria o mediante el deterioro de la capacidad de absorción intestinal. Este tipo de cirugía, llamada bariátrica, sólo puede ser empleada bajo determinadas condiciones como:

- Obesidad mórbida (IMC mayor de 40) u obesidades de larga evolución que hayan cosechado múltiples fracasos terapéuticos.

- Obesidades moderadas que asocien enfermedades importantes directamente relacionadas con el sobrepeso.

- Ausencia total de enfermedades psiquiátricas o digestivas y, en cualquier caso, siempre en individuos mayores de 18 años.

■ Las principales técnicas empleadas son:

- Técnicas restrictivas: basadas en la reducción del volumen del estómago mediante una gastroplastia vertical anillada. Producen una sensación de saciedad precoz y son reversibles.

- Técnicas malabsortivas: consisten en la eliminación de una parte de la zona absortiva del intestino y un *by-pass* entre los extremos de la región extirpada. Hoy en día se ha reducido su uso pese a su gran efectividad por las complicaciones que produce, sobre todo si no es realizada por manos muy expertas.

Obesidad

FUNCIÓN DE LA GRASA EN EL CUERPO HUMANO

Almacenamiento de la energía.

TIPOS DE GRASA

Grasa blanca y grasa parda.

CONSECUENCIAS DE LA OBESIDAD

- Afectación cardiovascular: factor de riesgo para este tipo de enfermedades.
- Afectación osteoarticular: dolores crónicos.
- Diabetes del tipo 2.
- Afectación respiratoria: dificultad respiratoria, apnea del sueño.
- Otras enfermedades: gota, dislipemias, cólicos, trombosis, etc.

CLASIFICACIÓN

- Obesidad primaria: de forma aislada o sin un desencadenante conocido.
- Obesidad secundaria: debida a una alteración subyacente o a un tratamiento farmacológico.
- Obesidad de larga evolución: que comienza en la infancia y se prolonga durante toda la vida.
- Obesidad del adulto: de comienzo más tardío.
- Obesidad androide o típicamente masculina.
- Obesidad ginoide o típicamente femenina.

DEFINICIÓN Y CAUSAS DE OBESIDAD

Exceso de tejido adiposo en el organismo que se traduce en un incremento de peso corporal por encima de los límites normales de cada individuo. En su producción intervienen diferentes factores como:

- Herencia.
- Mala dieta.
- Factores psicológicos.
- Factores culturales y económicos.

TRATAMIENTO

Dieta: equilibrada y personalizada; hábitos alimenticios.
Ejercicio físico.
Fármacos: anorexígenos, termogénicos y otros que impidan la absorción de grasas o que tengan efectos saciantes cerebrales.
Cirugía: indicaciones, técnicas empleadas.

DIAGNÓSTICO

Es obeso el paciente cuyo índice de masa corporal supera a 27, es decir, el que tiene un 20% de exceso de peso.

Gota

La gota es una enfermedad metabólica producida por un exceso de ácido úrico en la sangre que tiende a cristalizar en las articulaciones. Dado su carácter hereditario puede afectar a varios miembros de una misma familia, en este caso se trata de una alteración metabólica hereditaria. En otros casos, puede tratarse de una enfermedad adquirida.

■ El ácido úrico es un producto normal del metabolismo humano originado por una clase determinada de sustancias llamadas purinas, que son constituyentes esenciales de los núcleos de las células humanas. Las purinas provienen de tres fuentes diferentes:

- Mediante un proceso de síntesis química en el interior de la célula a partir de sustancias precursoras.
- Tras la rotura de los núcleos celulares de los que forman parte.
- Directamente procedentes de la dieta.

El ser humano, al igual que los primates superiores, ha perdido una enzima llamada uricasa que es capaz de romper el ácido úrico antes de ser expulsado al exterior; por esto, el hombre debe eliminar este ácido como tal, la mayor parte a través de la orina y una pequeña porción por el intestino.

Por lo tanto, el ácido úrico es una sustancia necesaria producida por nuestro metabolismo como forma de eliminación de desechos del mismo, y sólo el aumento de sus cifras en sangre puede representar una patología.

¿QUÉ ES LA GOTA?

La gota es una enfermedad metabólica producida generalmente por un exceso de ácido úrico en la sangre o hiperuricemia, que provoca la formación de cristales de urato monosódico en las articulaciones y su periferia. Aparece predominantemente en hombres adultos en forma de episodios de artritis aguda y, con el tiempo, produce lesiones crónicas articulares.

Desde hace miles de años se conocen las manifestaciones de esta enfermedad, que cuenta con una extensa lista de víctimas célebres como reyes, políticos, científicos y escritores. Aunque desde el siglo XIX se conoce el papel del ácido úrico en la génesis de la misma, la detección rutinaria de sus niveles en sangre o en la propia articulación no se realiza hasta hace relativamente pocos años.

No todos los casos de gota se acompañan de hiperuricemia, por lo que no es raro que durante un ataque agudo las cifras de ácido úrico sean normales; por otro lado puede tolerarse una elevación prolongada en el tiempo de ácido úrico sin que se produzca ningún brote de esta enfermedad.

¿A QUIÉN AFECTA LA GOTA?

Es una enfermedad predominante en los hombres adultos, aproximadamente cinco o diez veces más frecuente que entre las mujeres. La gota es una enfermedad con gran tendencia a afectar a varios miembros de una misma familia. En los últimos años ha aumentado su incidencia en todas las áreas geográficas del planeta, incluso en aquellas donde hasta no hace mucho era casi desconocida.

¿POR QUÉ SE PRODUCE LA GOTA?

La artritis gotosa aguda se produce por la precipitación de cristales de urato monosódico (procedentes del ácido úrico) en una articulación, lo que provoca una reacción inflamatoria en la misma. El ácido úrico y el urato monosódico también pueden depositarse en algunas vísceras, especialmente en el aparato renal donde puede producir cálculos o piedras y algún tipo de patología renal crónica.

■ Como ya hemos mencionado anteriormente, la mayor parte de los casos de gota se acompañan de una elevación de las cifras de ácido úrico. Estas cifras aumentan por numerosos factores, tanto congénitos como ambientales, que actúan por sí solos o combinados entre sí; los principales son:

● Aumento de la formación de ácido úrico: debido fundamentalmente al incremento de la destrucción de células del organismo por cualquier causa (sobre todo algunos tipos de cáncer sanguíneo), y a la liberación de las purinas de los núcleos celulares que se produce como consecuencia de esto (recordemos que el ácido úrico es el producto final del metabolismo de las purinas).

● Disminución de la eliminación de ácido úrico: diversos factores pueden impedir la correcta excreción de esta sustancia, como por ejemplo el alcohol, la intoxicación por plomo, el exceso de calcio en la sangre, la inanición (ausencia total de alimentación) y determinados fármacos, especialmente los diuréticos.

La dieta proporciona purinas a través de determinados alimentos como las vísceras (en general la casquería), las carnes rojas o de venado, el pato, el pavo, y algunos tipos de pescado como las sardinas, los arenques y las huevas, así como el marisco. Existen otros factores relacionados con la aparición de la gota, que han sido más o menos confirmados por los estudios, como la raza, el peso corporal, la clase social, el nivel intelectual y la presencia de otras enfermedades como las cardiovasculares y la diabetes.

De forma hereditaria existen alteraciones genéticas que influyen en el aumento del ácido úrico al provocar disfunciones en el metabolismo del mismo, ya sea aumentando su producción como impidiendo su correcta eliminación.

Se denomina gota primaria a la que se produce como consecuencia de una alteración metabólica hereditaria sobre la que actúan en mayor o menor medida alguno de los factores antes mencionados; es la forma más frecuente de aparecer la enfermedad (hasta el 95% de los casos). Se denomina gota secundaria a la que se produce como resultado de una enfermedad adquirida o por la toma de determinados fármacos, sin que exista una predisposición genética a la misma.

¿CÓMO SE MANIFIESTA LA GOTA?

Aquellos individuos que padecen hiperuricemia pueden vivir durante muchos años con niveles elevados de ácido úrico sin ser conscientes de ello al no padecer ningún tipo de síntoma secundario a esta alteración; en ocasiones se detectan estos niveles altos de forma casual en una analítica rutinaria, y se denomina al cuadro hiperuricemia asintomática, que puede mantenerse a lo largo de toda la vida.

· En otras ocasiones los niveles elevados de ácido úrico prolongados en el tiempo pueden provocar una reacción inflamatoria brusca en una articulación, por la precipitación cristalina de urato ya mencionada, y producir lo que se denomina ataque de gota aguda. El ataque de gota es más frecuente entre los varones de 30 a 50 años y se caracteriza por la aparición de un dolor muy intenso y tormentoso, que suele aparecer por la noche despertando al individuo, que no tolera ni siquiera el roce de la sábana sobre la zona afectada o el movimiento de la misma. La articulación afectada se inflama y adquiere un aspecto rojo y brillante, que se extiende incluso a las regiones que la rodean. Los signos y síntomas inflamatorios son máximos a las pocas horas y, sin medicación, el proceso puede extenderse durante días o incluso semanas, hasta que se elimina por completo el depósito cristalino de urato monosódico.

En el 70% de los casos se afecta la articulación de la base del primer dedo del pie, siguiéndole con frecuencia el antepié, el tobillo, la rodilla, el codo, los dedos de la mano y la muñeca. Los ataques suelen aparecer de forma espontánea, si bien pueden verse precipitados por traumatismos fuertes o pequeños golpes repetidos, así como intervenciones quirúrgicas y algunos de los factores favorecedores de gota ya conocidos, como una ingesta excesiva de alcohol o ciertos alimentos el día anterior, el ayuno o el estrés. En ocasiones la crisis aguda de gota puede acompañarse de fiebre no muy alta.

Después del ataque inicial y tras su resolución puede haber un periodo de tiempo variable sin la presencia de síntomas, aunque los niveles de ácido úrico sigan siendo altos; este periodo puede ser de semanas, meses o incluso años. Algunos individuos pueden tener sólo uno o dos episodios agudos en toda su vida, mientras que otros pueden sufrir ataques repetidos, cada vez más frecuentes, que provoquen secuelas en las articulaciones como deformidades y molestias permanentes.

La gota crónica o artritis crónica gotosa se produce como consecuencia de la progresiva incapacidad del organismo para eliminar los cristales de urato de las articulaciones; puede aparecer tras varios episodios agudos de gota o de forma insidiosa o lenta tras muchos años de hiperuricemia sin ataques agudos. Se caracteriza por la aparición de unos nódulos permanentes formados por los propios cristales precipitados y tejido inflamatorio llamados tofos. Los tofos aparecen en el 20% de los enfermos gotosos y se encuentran en lugares distintos a las articulaciones, principalmente en el pabellón auricular, el codo, las manos, las rodillas y en el tendón de Aquiles. Su aparición se correlaciona directamente con el tiempo de evolución de la enfermedad y la severidad de la hiperuricemia, y conlleva un proceso destructivo de las zonas donde asientan con aparición de dolor continuo y dificultad para el movimiento.

El 30% de los enfermos que sufren de gota desarrollan litiasis renal y a su vez un elevado porcentaje de éstos padecen cólicos nefríticos de repetición, cuando los cálculos tienen el suficiente tamaño como para obstruir las vías urinarias. Además estos enfermos presentan con mayor frecuencia que la población general cálculos o piedras de otras sustancias como calcio.

En general está demostrado que la mitad aproximadamente de los enfermos gotosos va a sufrir algún trastorno de la función renal a lo largo de su vida, aunque en la mayoría de los casos será de características leves y no requerirá un tratamiento específico.

¿CUÁL ES EL TRATAMIENTO DE LA GOTA?

La gota responde de forma espectacular al tratamiento que se utiliza hoy en día, tanto en su forma aguda como crónica, lo que representa una mejora sustancial en la calidad de vida de estos enfermos, que hasta hace algunos años se veían «martirizados» por los dolores y las deformidades.

■ Tratamiento del ataque agudo de gota.

El tratamiento de la gota aguda pretende aliviar la inflamación de la forma más rápida posible y no de las cifras de ácido úrico, puesto que una vez producida la precipitación cristalina del urato en la articulación poco importa que desciendan dichas cifras. Habitualmente se emplea una combinación terapéutica consistente en:

- Antiinflamatorios: especialmente la indometacina a dosis altas.
- Colchicina: a dosis inferiores a las empleadas de forma clásica; produce diarrea como efecto secundario.

Diagnóstico de la gota

■ Pese al profundo conocimiento que existe hoy en día de esta enfermedad, de sus causas y de sus formas de presentación, en la mayoría de los pacientes con hiperuricemia no se sabe con certeza cuál es el verdadero origen de la misma, independientemente de que desarrollen ataques de gota o no. Es decir, que aunque se trate de un proceso fácilmente diagnosticable, no se suele profundizar en la causa final del mismo, puesto que el tratamiento es eficaz en casi todos los casos y rara vez se producen complicaciones.

■ El diagnóstico de la enfermedad se produce habitualmente tras un episodio de gota aguda al observar los síntomas de la misma, que suelen ser claros e inequívocos y que se confirman con el subsiguiente análisis sanguíneo, que sirve para detectar la elevación de ácido úrico y rechazar otras posibilidades. En aquellos casos en los que se afecta una articulación diferente a la de la base del primer dedo del pie puede existir más duda acerca de la naturaleza del proceso. Los antecedentes familiares o el hecho de haber padecido ya algún episodio de gota ayudan a corroborar su origen.

■ En términos generales se define el límite más alto de la concentración de ácido úrico en sangre en 7 mg/100 ml en los varones, y en 6 mg/100 ml en las mujeres. Concentraciones mayores entrañan un mayor riesgo de aparición de la gota y de cálculos renales. La detección mediante microscopio de la presencia de cristales de urato en el líquido sinovial que envuelve las articulaciones confirma absolutamente el diagnóstico de artritis gotosa, como también la observación del contenido de los tofos.

■ En un primer momento la radiografía no permite apreciar alteraciones importantes que orienten hacia esta enfermedad, pero a medida que pasa el tiempo la destrucción ósea y cartilaginosa produce una serie de defectos radiológicos que sugieren la misma.

El tratamiento debe ser instaurado tan pronto como sea posible, puesto que su eficacia disminuye con el tiempo transcurrido desde el inicio del ataque. Por esto es importante que el enfermo con antecedentes de gota disponga de una pequeña reserva de estos fármacos para emplearlos durante el inicio de los síntomas.

En algunos casos la gota aguda origina un derrame articular considerable, especialmente cuando afecta a la rodilla, pudiendo ser necesario la aspiración del líquido articular para mejorar el dolor y estudiar la presencia de cristales.

El uso de corticoides ha sido desplazado hoy en día por los medicamentos antes mencionados, y sólo se emplean en determinadas circunstancias.

■ Prevención de nuevos ataques.

Se realiza mediante colchicina durante un largo periodo de tiempo (hasta un año) con el fin de evitar que se reproduzcan los ataques mientras el resto de tratamientos reducen las cifras de ácido úrico.

■ Tratamiento a largo plazo.

Una vez ha cedido la crisis aguda es necesario concentrarse en la disminución de los niveles de ácido úrico en la sangre para evitar la progresión de la enfermedad; el objetivo es mantener dichos niveles por debajo de 6 mg/100 ml. El fármaco cuyo empleo está más extendido hoy en día es el alopurinol, que impide la formación de ácido úrico desde las purinas. Otro tipo de fármacos, llamados uricosúricos, actúan aumentando la excreción renal de ácido úrico, favoreciendo así su eliminación.

Este tratamiento debe comenzar a las pocas semanas de haber superado el ataque de gota y debe acompañarse de otras medidas como:

- Moderación en la ingesta alcohólica.
- Reducción del peso corporal.
- Eliminación en la dieta de alimentos ricos en purina.
- Cambios en la medida de lo posible en ciertos medicamentos utilizados para otras enfermedades.
- Extirpación quirúrgica de los tofos.

En aquellos casos en los que se detecte una hiperuricemia que no ha producido síntomas en ningún momento (hiperuricemia asintomática), la tendencia actual es a no tratarla con medicación, pero sí a someter a una cierta vigilancia analítica al individuo que la padece.

Gota

ORIGEN Y FUNCIÓN DEL ÁCIDO ÚRICO

El ácido úrico proviene de las purinas y contribuye a eliminar los desechos.

DEFINICIÓN DE GOTA

Enfermedad metabólica producida por un exceso de ácido úrico en la sangre que tiende a cristalizar en las articulaciones.

Predomina entre los adultos varones y suele afectar a varios miembros de la misma familia.

Diferencia entre gota primaria, por alteración metabólica hereditaria, y gota secundaria, por enfermedad adquirida.

DIAGNÓSTICO

Tras episodio de gota aguda, observación de los antecedentes familiares, analítica y radiografía.

CLASIFICACIÓN

- Hiperuricemia asintomática.
- Ataque de gota aguda: afectación articular dolorosa de comienzo brusco.
- Gota crónica o artritis gotosa crónica.
- Litiasis renal asociada a gota.
- Trastornos de la función renal.

TRATAMIENTO

- Crisis agudas: antiinflamatorios y colchicina.
- Prevención de ataques.
- Tratamiento a largo plazo: vigilar el peso, reducir el consumo de alcohol, evitar una dieta rica en purina, etc.

Enfermedades del tiroides

La glándula tiroidea es la encargada de producir una hormona necesaria para el desarrollo y el funcionamiento celular. Un funcionamiento no adecuado de esta glándula provoca el hipertiroidismo, una enfermedad provocada por el aumento de la hormona tiroidea, o el hipotiroidismo, que es la incapacidad de la glándula tiroidea para mantener una producción hormonal adecuada.

El tiroides es una glándula situada en el cuello justo por debajo de la laringe a la altura de la nuez aproximadamente. Esta pequeña glándula, de unos 20 g de peso en los adultos, está formada por dos lóbulos laterales de 2-3 cm de anchura que se unen mediante un puente central por delante de la tráquea.

La función del tiroides es sintetizar en su interior un tipo especial de hormona llamada tiroxina u hormona tiroidea, para lo cual necesita yodo que capta directamente de la dieta y del agua que el ser humano ingiere.

La hormona tiroidea, una vez liberada al torrente sanguíneo, actúa directamente sobre las células del organismo estimulando su funcionamiento y su consumo de energía; mantiene por así decirlo el ritmo adecuado celular y la producción de diferentes sustancias por parte de éstas. La hormona tiroidea es esencial para el desarrollo del cuerpo humano y para su correcto funcionamiento.

■ Se distinguen dos tipos de hormona tiroidea:

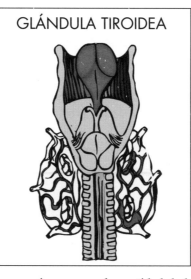

GLÁNDULA TIROIDEA

● Tetrayodotironina o T4, que contiene cuatro átomos de yodo y que es la forma en que se produce mayoritariamente la hormona en el tiroides.
● Triyodotironina o T3, que proviene de la T4 cuando ésta pierde un átomo de yodo al llegar a los tejidos y que es la forma que en realidad actúa finalmente sobre las células.

Por tanto, la T4 representa la cantidad de hormona producida por el tiroides y la T3 la cantidad de la misma que es realmente efectiva.

Como ocurre con otras glándulas, el cerebro regula la actividad del tiroides a través de la hipófisis, que es una pequeña estructura cerebral que segrega otra hormona llamada TSH y que estimula la producción del tiroides cuando interpreta que los niveles de hormona tiroidea en la sangre son bajos.

Para complicar aún más la cosa, otra área cerebral llamada hipotálamo estimula la producción de TSH por la hipófisis. En resumen, el hipotálamo controla la producción de TSH en la hipófisis, que a su vez estimula el tiroides para producir hormona, tiroidea T4, que actúa sobre las células después de transformarse en T3.

Este complejo sistema tiene su sentido en establecer un control preciso de la cantidad de hormona tiroidea circulante. Así cuando el cerebro detecta que el tiroides está produciendo poca hormona estimula el tiroides a través del hipotálamo y la hipófisis; al contrario, cuando la producción es excesiva, se disminuye la cantidad de TSH hipofisiaria y el tiroides frena la formación de hormona.

Cuando aparece una enfermedad del tiroides, este sistema de control permite mantener una producción hormonal final adecuada, por lo que es posible que pase desapercibida, sin síntomas, hasta que dicho sistema no dé más de sí. Por ejemplo, si cierta enfermedad provoca un aumento en la síntesis de hormona, y ésta se acumula en exceso en la sangre, el cerebro reacciona disminuyendo la TSH y frena la producción; si por el contrario el tiroides disminuye su producción, la hipófisis reacciona produciendo más TSH para que restablezca las cifras normales de hormona.

CLASIFICACIÓN

■ Las enfermedades tiroideas pueden clasificarse desde este punto de vista en:

- Hipertiroidismo: aquellas que producen un aumento de hormona tiroidea, con las consecuencias que esto traiga.
- Hipotiroidismo: las que disminuyen la cantidad de la misma en la sangre circulante.

Se denomina bocio a cualquier crecimiento de la glándula tiroidea por encima de sus límites, independientemente de que provoquen una alteración de la producción hormonal o no. Está presente hasta en un 15% de la población, aunque normalmente pasa inadvertido por su pequeño tamaño y por no producir ninguna patología detectable. Sin embargo, al hablar del hiper e hipotiroidismo veremos que estas enfermedades pueden acompañarse de bocio en algunas ocasiones.

Las alteraciones del tiroides, tanto en su tamaño como en su funcionamiento, tienen una elevada prevalencia a cualquier edad en el ser humano, especialmente entre las mujeres. Las manifestaciones clínicas de estas enfermedades suelen ser diversas y mal definidas, con tendencia a pasar inadvertidas durante largo tiempo por su lenta instauración, especialmente entre los ancianos.

HIPERTIROIDISMO

El hipertiroidismo o tirotoxicosis es un síndrome que engloba a una serie de diferentes enfermedades que tienen como nexo común la presencia en la sangre de hormonas tiroideas en exceso. Este tipo de procesos son diez veces más frecuentes entre las mujeres, llegando a afectar al 2% de las mismas aproximadamente.

■ Las principales causas del hipertiroidismo son:

- Enfermedad de Graves-Basedow o bocio difuso tóxico: consiste en el aumento de la producción hormonal del tiroides por la acción de ciertos anticuerpos que actúan sobre la glándula y provocan el aumento generalizado del tamaño de la misma (bocio). Es por tanto una enfermedad provocada por el propio sistema defensivo o inmune que tiene una base genética o hereditaria. Es la causa más frecuente de hipertiroidismo (85%) y aparece sobre todo en torno a los 40 años de edad.

- Enfermedad de Plummer o bocio nodular tóxico: se caracteriza por la aparición de uno o varios nódulos en el tiroides que producen mucha hormona tiroidea. Es la segunda causa de hipertiroidismo en cuanto a frecuencia y la primera entre los ancianos.
- Tiroiditis: son las inflamaciones del tejido tiroideo de origen infeccioso (virus) o por la acción de anticuerpos propios del individuo, que pueden provocar este cuadro aunque con poca frecuencia.
- Tumores del tiroides, de la hipófisis y de los ovarios, aunque son causas excepcionales de esta enfermedad.

■ Los síntomas del hipertiroidismo varían notablemente según la gravedad y la causa del cuadro; en ocasiones el diagnóstico es obvio y en otras, sin embargo, la presentación es tan sutil que sólo puede descubrirse mediante pruebas de laboratorio. Los principales rasgos son:

- Inquietud o nerviosismo junto con taquicardia (más de 100 latidos por minuto), que produce palpitaciones y sudoración excesiva; en general existe una gran intolerancia al calor y el individuo tolera sin problema ambientes bastante fríos.
- Hambre y sed permanentes, con tendencia a la sobrehidratación y a la polifagia (comer constantemente).
- Cansancio, debilidad muscular y pérdida de peso, pese al aumento de la ingesta calórica.
- Aumento del ritmo intestinal, con un número de defecaciones diarias mayor de lo normal, a veces en forma de diarrea.
- Caída de cabello (hasta en el 50% de los casos), generalmente leve/moderada, con tendencia a tener un pelo más fino y sedoso.
- Temblor fino en las extremidades, que se acentúa con las manos abiertas y estiradas.
- Piel lisa y muy suave, con tendencia a permanecer caliente y húmeda, y presencia de lesiones enrojecidas en las palmas de las manos.
- Afectación ocular, con ojos de aspecto protuyente y exageradamente abiertos por la retracción del párpado superior, lo que se denomina exoftalmos.

El diagnóstico del hipertiroidismo se realiza mediante la determinación en el laboratorio de los niveles de las hormonas tiroideas en sangre, especialmente de la forma T3 o triyodotironina, ya que la T4 puede estar en niveles normales incluso aunque esté presente la enfermedad. Por el contrario, la TSH se encuentra disminuida o indetectable, puesto que la hipófisis no estimula la producción de hormona por el tiroides al detectar que ya se encuentra en exceso. En la analítica es frecuente observar otras alteraciones como un discreto aumento de las transaminasas y la bilirrubina. Otras pruebas diagnósticas encaminadas a discernir el origen del hipertiroidismo son la gammagrafía tiroidea y la detección de anticuerpos.

■ El tratamiento elegido en cada caso puede ser de tres tipos:

- Farmacológico: mediante sustancias que consiguen suprimir la actividad del tiroides a largo plazo, que algunas veces consiguen la curación y otras preparan al enfermo antes de tomar otra medida terapéutica. Los efectos secundarios de este tipo de fármacos son diarrea, fiebre, manchas en la piel, dolores en las articulaciones y descenso de las defensas naturales, junto con afectación hepática, sobre todo durante los primeros meses de tratamiento.

- Yodo radiactivo: se trata de una variante isotópica del yodo normal (I131) que, al ser captada por el tiroides (que recordemos que es el único órgano que lo hace), destruye la propia glándula, disminuyendo directamente la producción de hormona con gran efectividad aunque de forma lenta. Su principal efecto secundario es el hipotiroidismo por exceso de destrucción.

- Quirúrgico: extirpación de la glándula en caso de grandes bocios o fracaso de otras medidas terapéuticas; puede ser total, lo que producirá hipotiroidismo en todos los casos, o parcial, que según la habilidad del cirujano puede quedar una cantidad de glándula suficiente, excesiva o escasa para mantener una producción hormonal adecuada.

El diagnóstico y tratamiento precoz de la enfermedad mejoran el pronóstico de la misma, aunque en cualquier caso éste depende fundamentalmente de la causa que la provoca. En la mayoría de los casos se consigue un buen control de los síntomas y tras uno o dos años de media de tratamiento la enfermedad suele estabilizarse, aunque deba realizarse un seguimiento de por vida. Si no se detecta y se trata el hipertiroidismo puede provocar la muerte a largo plazo por causas cardíacas.

HIPOTIROIDISMO

■ El hipotiroidismo es producto de la incapacidad del tiroides para mantener una producción adecuada de hormona tiroidea como consecuencia de diferentes patologías que afectan al mismo. Es también mucho más frecuente entre las mujeres, sobre todo a partir de los 60 años, pudiendo aparecer hasta en el 6% de las mujeres ancianas. Las principales causas de hipotiroidismo son:

- Hipotiroidismo idiopático: destrucción y atrofia de la glándula tiroidea por anticuerpos del propio individuo; es la causa más frecuente de hipotiroidismo en adultos.

- Enfermedad de Hashimoto o tiroiditis crónica autoinmune: es un proceso similar al anterior que cursa con bocio por inflamación de la glándula.

- Bocio endémico: producido por exceso, pero sobre todo por defecto de yodo en el agua de determinadas áreas geográficas; cuando aparece de forma congénita se acompaña de retraso mental, lo que se denomina cretinismo.

- Secundario al tratamiento del hipertiroidismo: sobre todo tras la extirpación radical del tiroides o el tratamiento con yodo radiactivo; cuando la actividad tiroidea se normaliza a los pocos meses se denomina hipotiroidismo transitorio. También puede aparecer tras el uso de ciertos fármacos como las tioureas, la amiodarona y el litio.

- Por tumores o cualquier enfermedad que afecte al eje hipotálamo-hipofisiario que afecte a la producción de las sustancias estimuladoras del tiroides.

El cuadro clínico del hipotiroidismo tiene una instauración lenta pero progresiva, en muchos casos difícil de detectar, que comprende un buen número de signos y síntomas que aparecen con mayor o menor intensidad en cada enfermo. Los más habituales son:

- Letargia o disminución excesiva de la actividad, somnolencia, cansancio e intolerancia al frío, con necesidad de abrigarse en cualquier situación.
- Disminución del ritmo intestinal con tendencia al estreñimiento.
- Acorchamiento y falta de sensibilidad en las extremidades superiores, junto con calambres y dolores articulares.
- Anorexia o falta de apetito que cursa, sin embargo, con ganancia de peso leve o moderada.
- Disminución de la sudoración, piel seca y áspera e hinchazón de la cara y de las piernas; fragilidad del cabello y el vello con «depilación» de la cola de las cejas.
- Sordera; hablar lento con voz ronca.
- Impotencia e irregularidades menstruales, con escaso sangrado que puede desembocar en amenorrea (ausencia de regla).
- Elevación del colesterol, hasta en un 75% de los casos.

En los ancianos puede presentarse típicamente en forma de depresión y descuido de su higiene personal, junto con síndrome confusional, sordera y signos de demencia.

El coma mixedematoso es un brote agudo de síntomas de hipotiroidismo en pacientes que sufren esta enfermedad, pero que no ha sido detectada ni tratada. Es una urgencia hospitalaria con gran mortalidad asociada y que se caracteriza por temperatura corporal muy baja, dificultad respiratoria y obnubilación.

El diagnóstico de esta enfermedad se realiza normalmente mediante la detección en sangre de la TSH en aquellos individuos que despiertan la sospecha clínica de padecerla; esta hormona estará habitualmente elevada junto con niveles de T3 y T4 bajos. Además de la posible elevación del colesterol ya citada, con frecuencia se detectan también niveles altos de transaminasas, LDH y creatinina. Aunque estas pruebas analíticas suelen ser suficientes para el diagnóstico, éste suele completarse con el estudio de anticuerpos antitiroideos y la gammagrafía.

El tratamiento de elección es la sustitución de la hormona tiroidea no producida mediante la toma diaria (por la mañana) por vía oral de L-tiroxina. Las dosis se ajustan poco a poco hasta alcanzar una estabilidad que permite vivir al individuo sin ningún tipo de síntomas y con una calidad de vida normal. Algunos fármacos como los antiácidos y el hierro oral pueden interferir en la absorción de esta sustancia. El principal efecto secundario de la L-tiroxina es la agitación y el nerviosismo, y en general, los síntomas del hipertiroidismo (lógicamente por exceso de hormona tiroidea, aunque sea artificial).

El pronóstico del hipotiroidismo es bueno, aunque salvo en las formas transitorias, el paciente debe saber que el tratamiento será de por vida. En los casos en los que la cardiopatía isquémica (angina o infarto) se asocia con esta enfermedad puede no tolerarse el tratamiento sustitutivo o provocar agravamiento de la misma.

HIPOTIROIDISMO SUBCLÍNICO

Se denomina así a un estado de disfunción del tiroides, que produciría poca cantidad de hormona tiroidea si no fuera por un aumento de la estimulación del mismo por la hipófisis a través de la TSH; es decir, que se mantienen niveles hormonales correctos en la sangre gracias a un aumento de la TSH hipofisiaria que trata de compensar el fallo del tiroides. Este mecanismo puede funcionar durante muchos años y no aparecer ningún síntoma de hipotiroidismo hasta fases avanzadas.

Está producido por las mismas causas que el hipotiroidismo normal, pudiendo ser incluso la forma inicial de presentarse éste hasta que se hace «clínico», lo que sucede en un 25% de los casos. Este cuadro pasa desapercibido en la mayoría de los casos, y sólo se diagnostica casualmente en una analítica de control; aproximadamente un 15% de la población mayor de 65 años puede padecerlo.

Es discutible en estos enfermos el empleo de hormona sustitutiva, que normalmente se reserva sólo para los casos en los que se sospecha que puede evolucionar hacia un hipotiroidismo propiamente dicho.

TIROIDITIS

■ Es la infiltración de la glándula tiroidea por células inflamatorias que destruyen su estructura normal y alteran su funcionamiento. Son debidas a un grupo heterogéneo de enfermedades, que también en este caso son más frecuentes en las mujeres, y que se presentan con mayor incidencia entre los 30 y los 60 años. Los principales tipos de tiroiditis son:

● **Tiroiditis de De Quervain o granulomatosa**: es una inflamación tiroidea aguda de origen infeccioso (probablemente por virus) más típica del verano y otoño. Se presenta como cualquier otro proceso catarral de origen vírico, con dolor en la garganta y los oídos y fiebre alta; el diagnóstico se realiza normalmente al palpar un tiroides muy doloroso. Tiene un curso benigno con estabilización de la función tiroidea a los seis meses del inicio aproximadamente, no siendo necesario ningún tratamiento ni control posterior; sólo en un 10% de los casos puede quedar un hipotiroidismo permanente.

● **Tiroiditis autoinmunes**: consiste en la infiltración por linfocitos y otras células inmunes de la glándula tiroidea, posiblemente por los mismos factores genéticos que producen otras enfermedades como el síndrome de Down, el síndrome de Turner, la diabetes mellitus tipo 1 y la enfermedad de Alzheimer. Asimismo se ha asociado también a la ingesta elevada de yodo en la dieta y al tratamiento con ciertos fármacos. Puede presentarse de varias formas:

– Linfocitaria subaguda: normalmente silente o sin síntomas.
– Postparto: aparece dentro del primer año que sigue al mismo y suele desaparecer espontáneamente.
– Linfocitaria crónica o enfermedad de Hashimoto: produce un bocio de crecimiento lento con síntomas de hipotiroidismo que pueden alternarse con hipertiroidismo agudo.

Enfermedades del tiroides

CLASIFICACIÓN

Hipertiroidismo: síndrome que engloba a diferentes enfermedades que producen un aumento de la producción de hormona tiroidea:

- Causas: enfermedad de Graves-Basedow, enfermedad de Plummer, tiroiditis, tumores del tiroides.
- Síntomas: inquietud, nerviosismo, taquicardia, palpitaciones, sudoración excesiva, cansancio, aumento del ritmo intestinal, afectación ocular.
- Tratamiento: farmacológico, yodo radioactivo, quirúrgico.

Hipotiroidismo: incapacidad de la glándula tiroidea para mantener una producción hormonal adecuada.

- Tipos de hipotiroidismo: idiopático, enfermedad de Hashimoto, bocio endémico.
- Síntomas: letargia, somnolencia, intolerancia al frío, falta de apetito, disminución del ritmo intestinal, impotencia, elevación del colesterol.
- Diagnóstico y tratamiento: detección en sangre de TSH. Sustitución de la hormona tiroidea por L-tiroxina.

Hipotiroidismo subclínico: disfunción de la glándula tiroidea, que se mantiene desapercibida desde el punto de vista sintomático por la actuación de los mecanismos compensadores de la producción de hormona tiroidea.

Tiroiditis: inflamación de la glándula tiroidea que destruye su estructura normal y altera su funcionamiento:

- Tiroiditis de De Quervain o granulomatosa.
- Tiroiditis autoinmunes: linfocitarias o postparto.

CARACTERÍSTICAS DE LA GLÁNDULA TIROIDEA

Situada en el cuello bajo la laringe, produce una hormona necesaria para el desarrollo y funcionamiento celular.

FUNCIONES DE LAS HORMONAS TIROIDEAS

Tetrayodotironina o T4 y triyodotironina o T3.

Triglicéridos y colesterol

Desde hace unas décadas, la población general ha tomado conciencia acerca de los llamados factores de riesgo cardiovascular, y acerca de la importancia de la prevención de los mismos. En Occidente, las enfermedades cardiovasculares (infarto de miocardio, trombosis cerebral, etc.) suponen la mayor causa de muerte, y el colesterol elevado (hipercolesterolemia) y los ácidos triglicéridos elevados (hipertrigliceridemia) son uno de esos factores de riesgo para padecer este tipo de enfermedades. En ambos casos hablamos de sustancias fundamentales para la vida de nuestras células, y que sólo pueden tener un efecto perjudicial cuando su concentración en la sangre se eleva por encima de los límites normales.

¿QUÉ ES EL COLESTEROL?

Es una molécula sintetizada por el propio organismo humano o proveniente de los alimentos que tiene dos funciones primordiales: la primera es la de ser un componente fundamental de la pared de la célula, es decir, de la membrana que la envuelve y la permite aislarse del medio que la rodea; la segunda es la de ser la molécula a partir de la cual se forman un tipo especial de hormonas llamadas esteroideas.

¿QUÉ SON LOS TRIGLICÉRIDOS?

Son unos ácidos resultantes del tratamiento (metabolismo) de las grasas por el organismo, a través del hígado, que pasan a la sangre, bien para ser almacenados en las zonas de depósito de las grasas o bien, provenientes desde allí, para ser utilizados como fuente energética.

En ambos casos es necesario un tipo especial de proteínas llamadas lipoproteínas, para su transporte en la sangre. Estas lipoproteínas tienen la capacidad de captar los triglicéri-dos y el colesterol de forma transitoria, y depositarlos en un lugar determinado.

■ Se clasifican según su densidad en:

- Quilomicrones: transportan triglicéridos.
- VLDL: muy baja densidad; transportan triglicéridos y colesterol hasta o desde el hígado.
- LDL: baja densidad; transportan colesterol a las células.
- IDL: densidad intermedia; se producen de forma temporal al destruirse las VLDL, tras lo cual, se rompen en el hígado o se transforman en LDL.
- HDL: densidad alta; recogen el colesterol sobrante de las células.

¿CÓMO CIRCULA EL COLESTEROL EN NUESTRO ORGANISMO?

Tras una comida, el intestino absorbe de los alimentos parte de las grasas que se hayan consumido, y el resto se expulsan con las heces. Estas grasas absorbidas pasan a la sangre en forma de ácidos grasos, colesterol y triglicéridos. Al mismo tiempo, el hígado produce colesterol y triglicéridos de forma autónoma y los vierte a la sangre. En ambos casos el colesterol y los triglicéridos salen al torrente circulatorio unido a la lipoproteína VLDL y a los quilomicrones. Al llegar a los tejidos grasos, estas lipoproteínas se destruyen, quedando los triglicéridos en la grasa, y el colesterol libre para ser transportado por la lipoproteína LDL, hasta las células que lo necesiten. Las lipoproteínas HDL captan el colesterol que sobra de las células y lo trasladan al hígado de nuevo, donde es expulsado a través de la bilis o es puesto de nuevo en circulación, cerrándose así el círculo.

Por tanto, debe distinguirse entre colesterol endógeno (el 75% del total), creado o aportado por el propio hígado, y el colesterol exógeno (el 25% restante), que proviene de la dieta. Al hablar de las causas de hipercolesterolemia veremos que ambos pueden estar implicados en este proceso.

¿QUÉ ES LA HIPERLIPEMIA?

Es el aumento de lípidos o grasas en la sangre, bien de colesterol (hipercolesterolemia), de triglicéridos (hipertrigliceridemia), o de ambas sustancias (mixta). Dado que éstas no pueden circular libremente, realmente lo que medimos es la concentración de colesterol o triglicéridos que posee cada una de las lipoproteínas que los transporta, y a la suma de todas se la denomina colesterol total y triglicéridos totales.

Se considera que el colesterol total está elevado cuando es mayor de 200 mg/dl, siendo la misma cifra para los triglicéridos. Estas cifras límite pueden ser más o menos flexibles según la edad o sexo del individuo, y también será necesario bajarlas si existen otros factores de riesgo importantes o hay antecedentes de enfermedades cardiovasculares.

¿POR QUÉ ES DAÑINO EL EXCESO DE ESTAS SUSTANCIAS?

En el capítulo dedicado al infarto de corazón se explica en qué consiste la placa de ateroma y en general la arterioesclerosis; pues bien, parece ser que dicha placa asienta sobre unas estrías grasas, que previamente se han formado en las arterias por la actuación del colesterol y los triglicéridos al cabo de los años. Se cree que prácticamente todos los individuos empiezan a formar estas estrías a partir de los 20 años de edad, pero que en aquellos que tienen una hiperlipemia evoluciona más deprisa y la placa de ateroma se forma antes. Además, una vez formada ésta, el colesterol circulante se deposita, haciendo que aumente de tamaño hasta llegar a ocluir la arteria. Por todo esto, la hiperlipemia es uno de los factores de riesgo más importantes para sufrir arterioesclerosis, y las personas que la padecen desde la juventud tienen más riesgo de padecer problemas cardíacos a partir de los 40 años.

CLASIFICACIÓN

Se pueden distinguir diferentes tipos de hiperlipemias, tanto por la causa que las produce como por las sustancias que están elevadas, bien sea el colesterol, los triglicéridos, o las dos.

HIPERLIPEMIAS PRIMARIAS

Son aquellas que se producen por un defecto genético heredado, que provoca el aumento de una o varias lipoproteínas en la sangre (porque no se destruyen bien), y por tanto aumenta la cantidad de colesterol o triglicéridos que circulan por la misma. Así, por ejemplo, un aumento de la LDL provoca un aumento del colesterol, ya que esta lipoproteína lo transporta casi de forma exclusiva; por el contrario, un aumento en las cifras de triglicéridos será probablemente causado por una producción excesiva de quilomicrones o VLDL, que son las que lo movilizan de una zona a otra. Son la causa más frecuente de elevación aislada de colesterol (80% de todos los casos), pero no de triglicéridos.

Afecta al 5% de la población aproximadamente, aunque en algunas regiones esta cifra puede ser mucho mayor, como por ejemplo en los países nórdicos. Existen diferentes tipos de alteraciones genéticas, que pueden provocar elevaciones mayores o menores de las cifras de colesterol. Cuando un defecto genético grave se hereda de ambos padres (sólo en uno de cada millón de nacimientos), la enfermedad aparece antes de los 20 años en forma de arterioesclerosis generalizada (no sólo en las coronarias) con graves repercusiones. Si la herencia es de un único progenitor, o de ambos pero con hiperlipemia leve, la enfermedad se manifiesta a partir de los 40 o 50 años de edad con un cuadro similar de arterioesclerosis pero de lenta evolución.

Así, hay formas graves con aumento del colesterol desde la primera infancia, que requieren tratamiento precoz, y formas que aparecen en la edad adulta, menos graves a corto plazo, en parte producidas por el déficit genético y en parte por la aparición de circunstancias externas que a continuación veremos.

HIPERLIPEMIAS SECUNDARIAS

Son aquéllas que se producen como consecuencia de determinadas condiciones o situaciones de cada persona, sin que exista déficit genético. Estas condiciones pueden aparecer también en individuos que ya tienen una hiperlipemia primaria, empeorando la misma.

■ La mayoría de las hipertrigliceridemias, a diferencia de las elevaciones de colesterol, son de tipo secundario. Las principales son:

● Diabetes mellitus: sobre todo en el tipo 2 (no requieren insulina normalmente) con sobrepeso y mal control de la enfermedad. Se produce, sobre todo, aumento de los triglicéridos (por incremento de la síntesis de VLDL) y menos del colesterol.

● Hipotiroidismo: o disminución de la función tiroidea, que provoca acúmulo de LDL (y por tanto de colesterol) al impedir su destrucción.

● Alimentación: los ácidos grasos saturados elevan la LDL y potencian la absorción del colesterol proveniente de la dieta. Los hidratos de carbono aumentan la VLDL y tienden, por tanto, a elevar la concentración de triglicéridos.

● Obesidad: produce elevación de triglicéridos por aumento de las VLDL.

● Alcohol: por su afectación hepática en casos de abuso del mismo, se incrementa también la cantidad de VLDL y, por lo tanto, de triglicéridos. La ingesta regular moderada de alcohol parece tener un efecto beneficioso aumentando la concentración de las HDL, aunque se discute si tiene un efecto parecido sobre las LDL.

● Fármacos: algunos de éstos actúan elevando tanto la VLDL como la LDL, como por ejemplo los corticoides, algunos diuréticos y los betabloqueantes.

DIAGNÓSTICO

Las cifras de colesterol y, especialmente, las de triglicéridos, sufren oscilaciones a lo largo del día, y entre un día y otro, en cada individuo. Por esto, no podemos decir que se padece la enfermedad con una única analítica, sino que, una vez detectada la elevación, es necesario contrastar el resultado con una o dos analíticas más, separadas entre sí como mínimo dos semanas. Además, para asegurar que los resultados sean lo más fiables posible, se debe guardar siempre un ayuno de 12 horas antes de la extracción de sangre; si no se hace así, las cifras de triglicéridos no serán fiables, y la fórmula matemática empleada para calcular las lipoproteínas dará resultados erróneos.

La hiperlipemia es una enfermedad que no da síntomas, por lo que sólo puede detectarse mediante análisis sanguíneo; desgraciadamente, en muchos casos la manifestación inicial de la misma es el infarto de miocardio, sobre todo en aquellos individuos que poseen otros factores de riesgo como la hipertensión arterial y el tabaquismo. Para prevenir esto, es aconsejable hacerse al menos un análisis antes de los 35 años, y cada cinco años a partir de esa edad. Los individuos con parientes próximos que sufran hiperlipemias primarias deben ser controlados desde la infancia, por el alto riesgo que tienen de padecer la enfermedad.

El objetivo del análisis no es sólo determinar la concentración total de colesterol, sino las fracciones del mismo que están unidas a cada tipo de lipoproteína (esto se denomina perfil lipídico). De forma coloquial, se denomina colesterol «malo» al que es transportado por la LDL (o LDL colesterol), ya que se deposita en exceso en las células, especialmente en las que forman la pared de las arterias; llamamos colesterol «bueno» al HDL colesterol porque proviene de la «limpieza» que dicha lipoproteína realiza en el organismo con el colesterol sobrante en las células.

Con el tiempo pueden aparecer algunos signos indicativos de hiperlipemia de larga evolución como xantomas (nódulos de colesterol sobre los tendones), xantelasmas (especie de pequeñas verrugas amarillentas, normalmente en los párpados) y arco corneal (semicírculo amarillento alrededor del iris ocular).

En el caso de los niños, el diagnóstico es difícil en los primeros años de vida y, ante la sospecha de la enfermedad, se debe hacer un seguimiento analítico anual hasta detectarla o descartarla.

TRATAMIENTO

El objetivo del mismo es disminuir las cifras de colesterol al mismo tiempo que se previenen el resto de factores de riesgo para enfermedad cardiovascular. También se pretende evitar la aparición de alteraciones pancreáticas y dolor abdominal secundarios al exceso de triglicéridos.

El beneficio del tratamiento contra esta enfermedad está claramente demostrado, observándose que una disminución del 10% en las cifras de colesterol conlleva también un descenso del 10% en la mortalidad de los individuos.

El propósito final es lograr una cifra de colesterol total inferior a 200 mg/dl con un colesterol LDL inferior a 120 mg/dl o, incluso, a 100 mg/dl en individuos con antecedentes de enfermedad coronaria.

Como en otras ocasiones, dividiremos el tratamiento en dos partes:

■ Medidas higiénico-dietéticas: este término, muy utilizado en medicina, agrupa a todas las actitudes que el individuo puede adoptar para prevenir o tratar una enfermedad. En este caso, son el primer escalón del tratamiento, y sólo cuando se manifiesten insuficientes, deberán acompañarse de otras medidas terapéuticas. Las principales son:

● Dieta: se debe actuar en diferentes niveles:

- Evitar el consumo de alimentos ricos en colesterol como los huevos, los sesos y, en general, las vísceras, los calamares y el pulpo, algunos mariscos (langosta, gambas y mejillones), la leche entera y los quesos curados, la manteca y la mantequilla, los embutidos, las carnes rojas y el tocino. El consumo de alcohol no debe superar los 30 g diarios, y se debe suprimir en caso de elevación de triglicéridos.

- Mantener el consumo de grasas por debajo del 30% del aporte total diario de calorías y, fundamentalmente, a base de grasas monoinsaturadas y poliinsaturadas, que son de origen vegetal y están presentes también en el pescado.

- La ingesta de hidratos de carbono debe representar el 50% del aporte calórico total, sobre todo con los de absorción lenta como vegetales, legumbres, pastas y frutas. No es necesario suprimir el azúcar si se toma con moderación.

- El aporte energético de las proteínas debe situarse en torno al 15-20% a base de pescado, pollo, pavo y proteínas vegetales (legumbres, soja, etc.). Es preferible cocinar a la parrilla o a la plancha y, en cualquier caso, reducir el consumo de asados y fritos.

- La dieta rica en fibra es muy apropiada, ya que disminuye la cantidad de grasas que se absorben en el intestino.

■ Hay que ser conscientes de que el tratamiento dietético debe emplearse de forma indefinida, ya que el abandono del mismo provoca, en la mayoría de los casos, la elevación del colesterol de nuevo. Los efectos beneficiosos de la dieta mediterránea son bien conocidos, aunque en estos países progresivamente se ha ido perdiendo por la «occidentalización» de la dieta, con un aumento del consumo de carne y grasas animales.

● Ejercicio físico: está demostrado que la práctica de ejercicio de forma regular, además de prevenir otros factores de riesgo, reduce las cifras de colesterol total al estimular la producción de HDL y disminuir la síntesis de VLDL en el hígado. Este ejercicio debe realizarse como mínimo tres veces por semana, al menos durante 30 minutos, y con una intensidad tal que se alcance aproximadamente un 70% de la frecuencia cardíaca máxima teórica (que se calcula restando la edad del individuo a 220). La cantidad de ejercicio recomendable dependerá de las condiciones físicas de cada individuo y de la actividad diaria laboral del mismo.

● Tabaco: parece ser que la nicotina es capaz de modificar la estructura de la lipoproteína HDL y provocar una disminución de hasta un 10% de la misma en sangre. A su vez, produce un incremento de la concentración de LDL y VLDL.

● Menopausia: la disminución de estrógenos durante la misma puede ser sustituida artificialmente mediante parches de estrógenos, que favorecen la formación de HDL y disminuye la LDL. Para evitar el riesgo de cáncer de endometrio se asocian con otros fármacos llamados progestágenos, salvo, lógicamente, en mujeres con histerectomía o extirpación del útero.

● Tratamiento farmacológico: cuando las medidas que hemos enumerado no consiguen descender las cifras de colesterol, o si lo hacen, no es de forma plenamente satisfactoria por el riesgo cardiovascular que el enfermo presenta, se plantea el uso de fármacos, llamados hipolipemiantes, con el fin de controlar la enfermedad. Normalmente se empieza a tomar cuando, tras cuatro o seis meses de medidas higiénico-dietéticas seguidas de forma correcta, no se obtiene el resultado esperado; en ningún caso sustituye a éstas, sino que las complementa, por lo que se deben seguir respetando aunque se tomen medicamentos.

En los casos de hiperlipemias genéticas o familiares es habitual que se inicie el tratamiento farmacológico desde su detección dada la rápida progresión que pueden tener hacia la arterioesclerosis. Del mismo modo, los individuos que hayan sufrido algún problema coronario deben comenzar el tratamiento farmacológico precozmente, con el fin de hacer desaparecer el colesterol como factor de riesgo.

■ Los principales tratamientos de forma resumida son:
- Resinas: son fármacos seguros, utilizados sobre todo en niños que disminuyen el colesterol LDL y aumentan el HDL pero también los triglicéridos. Como efectos secundarios producen estreñimiento, náuseas y flatulencias.
- Fibratos: tienen una actuación similar a los anteriores pero sin aumentar los triglicéridos, y su seguridad a largo plazo no está tan demostrada. Pueden producir diarrea, cálculos biliares y elevación de las transaminasas.
- Estatinas: producen una importante disminución del colesterol LDL al inhibir la enzima hepática necesaria para fabricar colesterol. Son fármacos muy eficaces, bien tolerados y seguros, contraindicados en enfermos hepáticos y en niños o adolescentes.

PRONÓSTICO

El incumplimiento por parte del paciente de las medidas terapéuticas es la principal causa del fracaso en la lucha contra este factor de riesgo; esto es más habitual entre los pacientes más desinformados acerca de la enfermedad y sus posibles complicaciones.

Por el contrario, el seguimiento de estas normas de una forma más o menos estricta, y la toma de la medicación respetando las pautas establecidas, garantizan prácticamente una disminución del riesgo coronario del individuo, a expensas del control del resto de factores de riesgo.

Colesterol y triglicéridos

FUNCIÓN DEL COLESTEROL Y DE LOS TRIGLICÉRIDOS

El colesterol es una molécula que compone la membrana que aísla a la célula y que contribuye a producir la hormona esteroidea. Los triglicéridos son ácidos que sirven como fuente energética.

CONCEPTO DE HIPERLIPEMIA

Aumento de lípidos (colesterol y/o triglicéridos) en la sangre, medido a través de la concentración de las proteínas que los transportan, que produce una serie de daños a nivel circulatorio que desemboca en diversas enfermedades a largo plazo.

DIAGNÓSTICO DE LAS HIPERLIPEMIAS

A través de analítica, pues no suele dar síntomas previos y a veces se descubre a raíz de un infarto.

CLASIFICACIÓN DE LAS HIPERLIPEMIAS

Hiperlipemias primarias: de origen genético, son la forma más frecuente de elevarse el colesterol.

Hiperlipemias secundarias: producidas por diversas enfermedades o situaciones como la diabetes, el hipotiroidismo, los fármacos, la dieta o el alcohol, son la causa más frecuente de elevación de los triglicéridos.

TRATAMIENTO DE LAS HIPERLIPEMIAS

Medidas higiénico-dietéticas:

- Dieta: alimentos prohibidos, moderados y recomendados.
- Ejercicio físico: práctica semanal recomendada.
- Tabaco: influencia sobre la enfermedad.
- Menopausia: recomendados los parches de estrógenos.

Tratamiento farmacológico:

- Resinas.
- Fibratos.
- Estatinas.

PRONÓSTICO DE LAS HIPERLIPEMIAS

Bueno, si se siguen las medidas y el tratamiento.

Glándulas suprarrenales

Las glándulas suprarrenales se encargan de la producción de una serie de hormonas fundamentales para el metabolismo, la circulación de la sangre y el desarrollo sexual. Cuando estas glándulas no funcionan adecuadamente pueden dar lugar a la enfermedad de Addison (relacionada con los déficits hormonales) o el síndrome de Cushing (consistente en la producción excesiva de corticoides).

Las glándulas suprarrenales, también denominadas adrenales, son un órgano par situado sobre la parte superior de cada uno de los riñones como su propio nombre indica. Tienen una forma cónica o triangular y aplanada, con un peso aproximado de unos 5 g cada una de ellas en el individuo adulto. Su tamaño habitual es de 3 cm de longitud, 2 cm de anchura y 1 cm de altura.

■ Cada glándula está formada por dos partes bien diferenciadas:

- La médula adrenal o zonal interna, íntimamente relacionada y conectada con el sistema nervioso, que produce un tipo de hormonas llamadas catecolaminas, que son la adrenalina y la noradrenalina.
- La corteza suprarrenal o cubierta externa de la glándula, que rodea a la médula interna y que segrega una serie de hormonas conocidas como corticoides, que pueden ser de tres tipos diferentes, mineralocorticoides, glucocorticoides y andrógenos.

Las hormonas producidas por la médula adrenal o catecolaminas tienen una función especial sobre la circulación de la sangre en cuanto al control de la frecuencia cardíaca, la fuerza de la contracción del miocardio, la constricción o dilatación vascular y, en general, la tensión arterial. Además, desempeñan un papel en el metabolismo de la glucosa, las grasas y los aminoácidos. Estas hormonas actúan de forma inmediata sobre el organismo cuando es necesario prepararlo frente a una acción física o en una situación de peligro.

■ Los corticoides producidos por la corteza suprarrenal tienen diferentes funciones:

- Los mineralocorticoides como la aldosterona regulan el volumen de sangre presente en la circulación mediante el control de las sales que deben ser excretadas o retenidas a escala renal. La producción de aldosterona, a su vez, es controlada por otra hormona llamada renina, que se produce en los riñones.
- Los glucocorticoides como el cortisol o cortisona realizan múltiples funciones en el organismo, como la estimulación o inhibición de otras hormonas, la elevación de las cifras de glucosa y grasas en la

sangre, el incremento de la secreción gástrica, la supresión de parte del sistema inmune o defensivo del organismo y la disminución de la respuesta inflamatoria entre otras.

- Los andrógenos u hormonas sexuales como la deshidroepiandrosterona y la androstenodiona, que pueden transformarse posteriormente en testosterona. Estas hormonas complementan las producidas en cantidades mayores por las gónadas o glándulas sexuales, especialmente en los varones, siendo responsables de la mayor masa muscular y desarrollo físico de los mismos. En las mujeres, los andrógenos proceden exclusivamente de la corteza suprarrenal y son responsables de la aparición de la pubarquia (formación del vello pubiano) dentro del desarrollo sexual de las mismas, mientras que su exceso puede manifestarse como androgenización o masculinización.

Existen diversas enfermedades en relación con la alteración de las hormonas producidas por estas glándulas, tanto en su exceso y en su defecto como en su control, en su transporte o en su actuación sobre las células diana que les corresponden. Las principales patologías que vamos a exponer son las siguientes:

ENFERMEDAD DE ADDISON

■ Esta enfermedad, también denominada hipofunción corticosuprarrenal global, consiste en la lesión o enfermedad de ambas cortezas suprarrenales que origina un cuadro clínico basado en el déficit de secreción de las hormonas producidas en las mismas. Es una enfermedad infrecuente, con cierto predominio en los varones de edad media y que puede originarse de dos maneras diferentes:

- Como consecuencia de una infección por tuberculosis que destruya completamente las glándulas suprarrenales de forma lenta y progresiva.
- Por actuación del propio sistema inmune o defensivo del organismo que destruye la corteza de las glándulas al reconocerlas como partes extrañas al mismo, respetando la médula interna.

■ Los síntomas de esta patología se instauran normalmente de forma progresiva y están vinculados especialmente al déficit de cortisol (glucocorticoides) y aldosterona (mineralocorticoides), siendo prácticamente imperceptibles los efectos de la disminución de andrógenos. Los diferentes signos y síntomas que forman el cuadro clínico de esta enfermedad son:

- Aparición de debilidad muscular progresiva, con excesiva fatigabilidad que aumenta a lo largo del día, junto con pérdida de peso y de apetito.
- Pigmentación de color parduzco en las zonas descubiertas de la piel como la cara y las manos así como en los genitales, el ano y las areolas mamarias. La mucosa oral también puede adoptar una coloración más oscura.
- Descenso de la presión arterial por disminución del volumen sanguíneo y del tamaño del corazón.
- Náuseas, vómitos y dolor abdominal, junto con descenso de la producción de ácido clorhídrico en el estómago. Diarrea.
- Pérdida del vello pubiano y axilar como consecuencia de la disminución de andrógenos.

- Nerviosismo, irritabilidad, contracturas musculares espontáneas, pérdida de memoria y, en general, afectación de la función intelectual con sus consiguientes problemas, lo que puede desembocar incluso en estados confusionales y depresiones graves.

El diagnóstico de la enfermedad de Addison se basa en la determinación de los niveles de corticoides en sangre tras el estímulo de las glándulas suprarrenales con ciertas sustancias. Este tipo de pruebas confirman el diagnóstico cuando se sospecha el mismo por los síntomas y signos que se han expuesto antes.

El tratamiento consiste básicamente en la administración artificial de los corticoides que las glándulas del enfermo no son capaces de producir, tanto glucocorticoides como mineralocorticoides, por vía oral y de forma diaria durante toda la vida.

El pronóstico de la enfermedad es muy bueno cuando se diagnostica la misma a tiempo y se mantiene el tratamiento de forma estable, llegando a tener una esperanza de vida similar a la del resto de la población. No obstante, existen formas agudas muy graves, llamadas crisis addisonianas, que aparecen en situaciones de estrés y que pueden provocar la muerte si no se tratan de forma inmediata.

SÍNDROME DE CUSHING

Se define como el cuadro clínico producido por un exceso en la producción de cortisol (glucocorticoides) por parte de la corteza de las glándulas suprarrenales, que puede acompañarse en ocasiones de un aumento asociado de mineralocorticoides y andrógenos.

■ Al igual que la enfermedad de Addison, se trata de una patología muy poco frecuente y que aparece sobre todo en mujeres entre la tercera y cuarta década de la vida. Las principales causas del síndrome de Cushing son:

- Hiperplasia o desarrollo excesivo de la corteza suprarrenal como consecuencia de un estímulo exagerado de la misma por la hipófisis cerebral, que en condiciones normales regula la producción de hormonas en este punto.
- Desarrollo de tumores en las glándulas suprarrenales, tanto benignos como malignos, cuyas células producen hormonas en exceso.
- Secundariamente a la ingesta excesiva de alcohol o como consecuencia de la administración continuada de glucocorticoides con fines terapéuticos.

■ Los principales signos y síntomas que pueden apreciarse durante el desarrollo de esta enfermedad son:

- Cansancio generalizado y debilidad muscular, con atrofia de la musculatura de los miembros inferiores y los glúteos.
- Desarrollo de obesidad a nivel del tronco y la cara, que adquiere un aspecto típico de «luna llena», junto con acumulación de grasa en la nuca. Es frecuente observar también un color rojizo facial que puede atribuirse erróneamente a buen estado de salud.
- Adelgazamiento y fragilidad de la piel, a través de la cual se pueden apreciar los vasos y en la que se producen hemorragias tras mínimos traumatismos. De forma típica aparecen estrías de color rojizo oscuro sobre la piel del abdomen y de los pliegues cutáneos (muslos y axilas).
- Hipertensión arterial en relación con el aumento del volumen sanguíneo por una retención excesiva de sodio; puede com-

plicarse hacia insuficiencia cardíaca y accidentes cerebrovasculares.

– Mayor susceptibilidad hacia las infecciones por el deterioro del sistema inmunológico que produce el exceso de corticoides.

– Reducción de la líbido y la potencia sexual; es algo muy frecuente también la amenorrea y la reducción de la fertilidad.

– Alteraciones intelectuales y psiquiátricas como depresión, alucinaciones y delirios.

En aquellos casos en los que este síndrome está bien establecido, el diagnóstico del mismo es relativamente sencillo observando los síntomas que le acompañan. Para confirmar dicho diagnóstico o cuando la enfermedad se encuentra en sus fases iniciales, se emplean diversas determinaciones de los valores sanguíneos de las hormonas producidas por la corteza suprarrenal, así como de la hormona estimuladora de la misma producida por la hipófisis, que se denomina ACTH.

El tratamiento varía según el origen concreto de la enfermedad, actuando directamente sobre la hipófisis mediante cirugía o radioterapia, cuando esta es la responsable, o extirpando directamente las glándulas suprarrenales cuando la enfermedad no responde a los tratamientos farmacológicos, lo que convierte al individuo en enfermo de Addison de forma secundaria.

El pronóstico está también en relación indirecta con la causa del síndrome y con la terapia que pueda aplicarse en cada caso. Hoy en día se obtiene la curación en un porcentaje apreciable de los enfermos.

FEOCROMOCITOMA

El feocromocitoma o paraganglioma funcionante es un tumor poco frecuente de las glándulas suprarrenales, concretamente de la médula de las mismas, que puede tener características benignas o malignas. Este tumor se presenta con igual incidencia en ambos sexos, entre los 20 y 60 años de edad, afectando con más frecuencia a la glándula suprarrenal derecha más que a la izquierda y a ambas en el 10% de los casos.

El origen de este tumor es aún desconocido, aunque parece existir una predisposición hereditaria a padecerlo en determinadas familias. Su principal característica es la producción excesiva de catecolaminas u hormonas producidas por la médula de la glándula suprarrenal, que recordemos son la adrenalina y la noradrenalina.

■ El cuadro clínico que acompaña a este tumor consiste en:

• Hipertensión arterial, que puede ser mantenida o intermitente en forma de crisis que pueden durar desde minutos hasta varias horas.

• Cefalea, palpitaciones, ansiedad, náuseas, trastornos visuales y otros síntomas que pueden aparecer de forma súbita acompañando a la crisis hipertensiva y que pueden desencadenar complicaciones graves.

• Aumento de las cifras normales de glucosa en la sangre y pérdida de peso.

El diagnóstico del feocromocitoma puede pasar inadvertido durante muchos años, sobre todo si la tensión arterial es normal o el individuo no presenta crisis hipertensivas. Cuando existe la sospecha del cuadro debe demostrarse el aumento de catecolaminas en sangre junto con la localización del tumor mediante pruebas de imagen como la ecografía, el escáner o la gammagrafía.

La cirugía es el único tratamiento curativo de esta enfermedad, que es precedida generalmente por un tratamiento bloqueante previo que reduce el tamaño del tumor y mejora la actividad circulatoria del paciente. Las formas benignas suelen responder positivamen- te a la cirugía con una alta tasa de curación, mientras que las formas malignas que no pueden ser operadas llevan asociada una importante mortalidad a corto/medio plazo.

Enfermedades de las glándulas suprarrenales

ENFERMEDADES DE LAS GLÁNDULAS SUPRARRENALES

Las glándulas suprarrenales están situadas sobre los polos superiores de cada uno de los riñones y se encargan de la producción de una serie de hormonas fundamentales para el metabolismo, la circulación de la sangre y el desarrollo sexual.

ENFERMEDAD DE ADDISON

Consiste en el fracaso de las glándulas suprarrenales en su producción hormonal, bien como consecuencia de un proceso infeccioso destructivo o por una actuación inadecuada del propio sistema defensivo. Los síntomas de esta enfermedad están en relación con los déficits hormonales que conlleva:

• Debilidad muscular y cansancio; pérdida de peso.
• Pigmentación de determinadas zonas de la piel y las mucosas.
• Descenso de la presión arterial.
• Náuseas, vómitos y dolor abdominal.

Tras el diagnóstico de la enfermedad mediante la determinación de las hormonas suprarrenales en la sangre, se instaura el tratamiento sustitutivo de las mismas.

SÍNDROME DE CUSHING

Consiste en la producción excesiva de corticoides por parte de las glándulas suprarrenales como consecuencia de un desarrollo excesivo patológico de las mismas o por la presencia de tumores en su interior. La ingesta prolongada de corticoides como tratamiento de otra patología puede desembocar en un cuadro similar. Los principales síntomas son:

• Cansancio y debilidad muscular, especialmente en los miembros inferiores.
• Obesidad localizada en el tronco y en la cara.
• Fragilidad de la piel.
• Hipertensión arterial.
• Alteración de la potencia sexual y de la líbido.

El tratamiento empleado dependerá de la causa que se observe como responsable final del cuadro, pudiendo ser éste quirúrgico, farmacológico o radioterápico.

FEOCROMOCITOMA

Tumor poco frecuente de las glándulas suprarrenales, concretamente de la médula adrenal, que se caracteriza por la producción excesiva y fuera de control de catecolaminas (adrenalina y noradrenalina).

Los principales síntomas que acompañan este cuadro son hipertensión arterial (sostenida o en forma de crisis), cefalea, palpitaciones, ansiedad y, en general, alteraciones del metabolismo de la glucosa.
El tratamiento curativo es siempre quirúrgico.

Enfermedades reumatológicas y traumatológicas

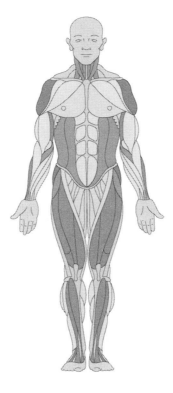

✓ Osteoporosis

✓ Artritis reumatoide

✓ Artrosis

✓ Lumbalgia y lumbociática

✓ Esguinces y fracturas
Esguinces • Lesiones musculares • Luxaciones • Tendinitis • Lesiones del menisco • Fracturas

▪ Músculos ▪

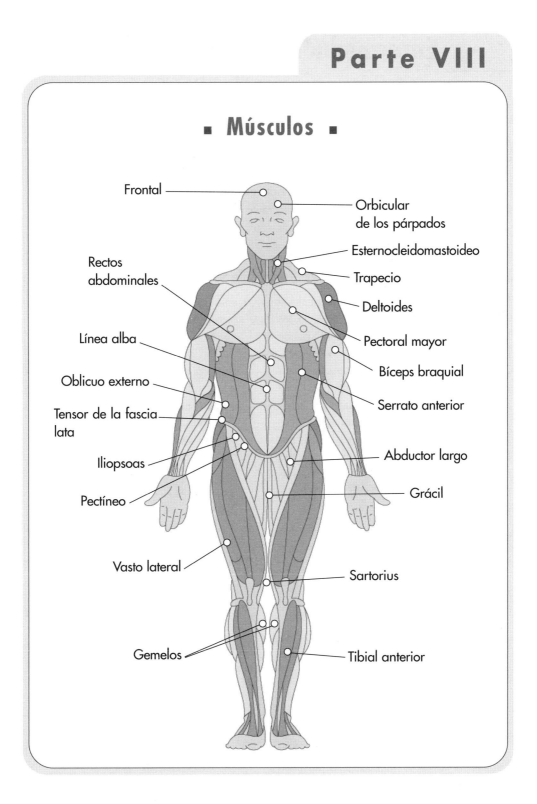

Frontal

Orbicular de los párpados

Esternocleidomastoideo

Trapecio

Rectos abdominales

Deltoides

Pectoral mayor

Línea alba

Bíceps braquial

Oblicuo externo

Serrato anterior

Tensor de la fascia lata

Iliopsoas

Abductor largo

Pectíneo

Grácil

Vasto lateral

Sartorius

Gemelos

Tibial anterior

Enfermedades reumatológicas y traumatológicas

Los huesos, la musculatura y las articulaciones forman un conjunto llamado aparato locomotor, encargado de permitir el desplazamiento y, en general, el movimiento de los seres vivos. Este aparato se desarrolla en cada especie de forma diferente según su grado de adaptación al entorno y según la necesidad que tienen de realizar un tipo concreto de movimiento para asegurar sus funciones vitales, como la alimentación o la reproducción.

El ser humano, pese a su mayor desarrollo cerebral y pese a los avances tecnológicos existentes, no puede prescindir de la necesidad de moverse dentro del mundo que le rodea para realizar una vida que pueda considerarse completa. Su aparato locomotor se ha adaptado a lo largo de los siglos a un modo de vida más sedentario que ha sustituido el esfuerzo físico por la capacidad intelectual. No obstante, como mamífero perteneciente al orden de los primates conserva prácticamente intacta su estructura osteomuscular primitiva.

La Reumatología y la Traumatología son las áreas de la Medicina que estudian este tipo de enfermedades.

■ Las partes que componen el aparato locomotor son:

- **Huesos**: representan el armazón sólido que sostiene el cuerpo humano, que se mueve de forma proporcionada y limitada a la contracción de los músculos que sobre ellos se insertan, además de ofrecer protección a determinados órganos. Los huesos se forman por el depósito de sales minerales, especialmente cálcicas, en el interior de una matriz de tejido básico fibroso, actuando como «cemento» que le proporciona solidez, combinando así flexibilidad y rigidez. El cuerpo humano posee 207 huesos diferentes, que pueden clasificarse en largos, planos y anchos según la forma adquirida en los diferentes puntos del esqueleto. Están recubiertos de una membrana llamada periostio y en su interior puede encontrarse la médula ósea, productora de las células sanguíneas.

- **Músculos**: son estructuras fibrosas desarrolladas en torno al esqueleto con el fin de movilizarlo de forma coordinada en respuesta a una orden cerebral. Los músculos tienen la capacidad de acortar la longitud de sus fibras tras recibir un impulso eléctrico adecuado y por tanto de contraerse arrastrando los huesos en los que se insertan a través de los tendones y producir así un movimiento determinado. Su forma se adapta en cada punto del organismo a la del hueso sobre el que actúan y a la potencia que requiere para realizar su función. La mayoría de los músculos del cuerpo (unos 250) son voluntarios, es decir, que se contraen o se relajan como respuesta a una orden del individuo, mientras que el resto se distribuyen entre ciertos órganos y conductos vitales siendo controlados por el sistema nervioso autónomo.

Se pueden diferenciar tres clases principales de músculos: el músculo esquelético o voluntario, que puede ser controlado conscientemente; el músculo liso o involuntario, que, como su nombre indica, no puede ser controlado conscientemente; y la tercera clase es el tejido especializado del músculo cardíaco. El cuerpo humano consta de más de 600 músculos esqueléticos, que están unidos directa o indirectamente (a través de los tendones) a los huesos y trabajan en pares opuestos (contracción-relajación) para realizar los movimientos corporales.

- **Articulaciones**: son los puntos de fricción y movimiento que tienen los huesos del esqueleto entre sí, actuando como acopladores, protectores y lubrificantes de sus superficies facilitando su desplazamiento. Existen diferentes tipos de articulaciones dependiendo del grado de movilidad que tienen los huesos que las forman y de las características de los mismos y cuentan en ocasiones con membranas sinoviales para colaborar en esta función.

- **Ligamentos**: son bandas de tejido colágeno y elastina, de aspecto fibroso, que se extienden entre los huesos que forman una articulación, limitando la flexibilidad de ésta y protegiéndola de los traumatismos. En algunos casos proporcionan a la articulación la estabilidad necesaria para su funcionamiento, como por ejemplo en la rodilla.

■ Las enfermedades más habituales en relación con el aparato locomotor son:

- Traumatismos sobre cualquiera de sus componentes, que se manifiestan en forma de fracturas óseas, roturas musculares, esguinces o roturas ligamentosas.

- Infecciones osteomusculares u osteoarticulares por gérmenes que penetran a través de heridas en la piel, tras la cirugía o por extensión desde otros órganos.

- Inflamaciones musculares secundarias a ciertas infecciones que producen dolor y dificultad para la movilización.

- Enfermedades degenerativas de la estructura ósea que afectan a la composición de la misma o a su proceso de destrucción/remodelación permanente y que disminuyen la resistencia del hueso. Carencias nutricionales que imposibilitan el desarrollo adecuado de la masa ósea.

- Alteraciones metabólicas de los cartílagos y membranas que forman parte de las articulaciones o destrucción excesiva o precoz de los mismos. Procesos inflamatorios articulares agudos y crónicos.

- Desplazamiento fuera de las articulaciones de los discos que acomodan las superficies óseas, como por ejemplo en la columna vertebral.

- Contracciones aisladas e inapropiadas de grupos musculares, llamadas contracturas, que pueden atrapar y lesionar las estructuras nerviosas que los atraviesan. Espasmos secundarios al sobreesfuerzo, provocados por la alteración del equilibrio de sales minerales en el mismo, que vulgarmente se denominan calambres.

- Anomalías hereditarias en el desarrollo de la célula muscular que provocan cuadros de distrofia o cualquier tipo de malformación congénita del aparato osteomuscular.

- Tumores óseos, generalmente benignos, que se manifiestan como bultos de lento crecimiento, y malignos, poco frecuentes, que suelen corresponder más bien a una metástasis de un tumor principal de otro órgano.

■ Los principales procedimientos diagnósticos empleados por la Reumatología y la Traumatología en este campo son:

- Exploración de las articulaciones, de su movilidad, de sus deformidades y de sus puntos dolorosos. Detección de los procesos inflamatorios.
- Investigación de los antecedentes familiares: un buen número de estos cuadros tienen un componente hereditario conocido.
- Radiografía: permite observar la forma, la madurez, la posición, la integridad y la composición de los diferentes huesos del cuerpo, así como los procesos degenerativos que aparecen sobre ellos.
- Técnicas de imagen avanzadas: como el escáner o la resonancia magnética que permiten visualizar las llamadas partes blandas y no sólo la estructura ósea.
- Analítica de sangre y orina: útil para la detección de procesos reumáticos mediante la detección de ciertos reactantes, anticuerpos, estudios genéticos y otros.
- Examen del líquido sinovial: sustancia viscosa que cubre interiormente las articulaciones y cuyo análisis resulta muy importante para determinar el origen de muchas patologías locomotoras.

Osteoporosis

La osteoporosis se produce como una consecuencia del desequilibrio que se produce entre la destrucción y la formación de hueso. De esta forma los huesos van perdiendo densidad, ya que nuestro organismo no es capaz de repararlos a la misma velocidad que los destruye. Existen algunos factores de riesgo que favorecen su aparición, como la edad, los factores hereditarios, ser del sexo femenino o de raza blanca.

OSTEOPOROSIS

El hueso es la parte de nuestro cuerpo encargada de sostener y dar cabida en su interior a todas las demás estructuras del organismo. El conjunto de huesos del cuerpo humano o esqueleto supone el 15% del peso total en un adulto y, al contrario de lo que se ha pensado durante mucho tiempo, no se trata de una estructura fija sin vida, sino que está viva y en continuo proceso de remodelación. Así nuestros huesos, además de servir de apoyo para la musculatura y proteger los órganos vitales, realizan funciones para el metabolismo, como el control de los niveles de calcio y fósforo. Por otra parte, en su interior se encuentra la médula ósea, que es la sustancia responsable de la formación de las células sanguíneas. Para ello, es atravesado por una gran cantidad de arterias y venas, que le permiten realizar sus funciones y mantenerse permanentemente vivo.

El hueso está formado principalmente por una matriz de colágeno sobre la que se distribuyen y depositan sales de calcio en forma de cristales microscópicos. A lo largo de la vida se produce una renovación cons-

tante de nuestros huesos; el hueso viejo va desapareciendo mientras se va formando hueso joven que ocupa su sitio. Este proceso se produce de forma permanente y es independiente del crecimiento que el esqueleto tiene durante la infancia y adolescencia.

Aproximadamente a los 30 años de edad, los seres humanos llegan al máximo desarrollo óseo; a partir de este momento comienza a disminuir, de forma progresiva, la densidad de sus huesos. En general, los varones poseen una masa ósea un 30% más densa que la de las mujeres; a su vez, parece demostrado que de forma hereditaria cada individuo posee una densidad en sus huesos mayor o menor.

¿POR QUÉ SE PRODUCE LA OSTEOPOROSIS?

La osteoporosis se produce porque en un momento determinado de la vida se rompe el equilibrio entre la formación y la destrucción del hueso. Nos encontramos entonces con huesos que van perdiendo densidad ya que nuestro organismo no es capaz de repararlos a la misma velocidad que se destruyen, como lo hacía hasta ahora. Esto no quiere decir que los huesos se descalci-

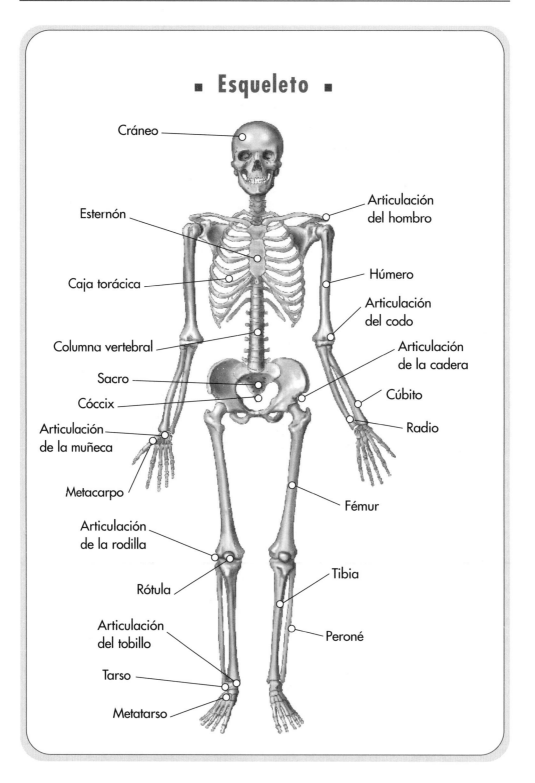

▪ **Esqueleto** ▪

Cráneo

Articulación
del hombro

Esternón

Caja torácica

Húmero

Articulación
del codo

Columna vertebral

Articulación
de la cadera

Sacro

Cúbito

Cóccix

Radio

Articulación
de la muñeca

Metacarpo

Fémur

Articulación
de la rodilla

Tibia

Rótula

Articulación
del tobillo

Peroné

Tarso

Metatarso

fiquen, sino que se pierde cantidad de hueso total, no sólo calcio. Este es un proceso lento, crónico, que se puede ver acelerado en determinadas circunstancias, como más adelante veremos, y que puede ser normal dentro de unos límites con el envejecimiento.

Los huesos afectados por esta lenta destrucción se van adelgazando y presentan perforaciones cada vez más profundas, que los debilitan con el paso del tiempo.

Aunque la mayor incidencia de esta enfermedad es en mujeres de edad avanzada, también aparece en varones y en personas jóvenes. Aproximadamente el 15% de las mujeres mayores de 45 años y el 5% de los hombres padecen de osteoporosis. Por encima de los 65 años esta diferencia se reduce hasta prácticamente igualarse en ambos sexos. Se trata por tanto de una enfermedad que comienza en los adultos jóvenes, pero que no empieza a tener repercusión, en la mayoría de los casos, hasta la vejez.

■ Existen una serie de factores de riesgo o circunstancias que favorecen la aparición de esta enfermedad. Los podemos dividir en dos grupos:

● Factores inherentes al individuo, es decir, que no podemos tratar de modificar:

– Edad: como ya hemos comentado, según pasan los años disminuye la capacidad para formar hueso nuevo.

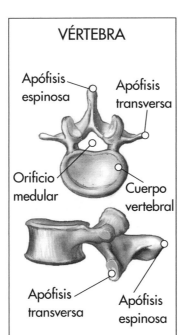

VÉRTEBRA

Apófisis espinosa

Apófisis transversa

Orificio medular

Cuerpo vertebral

Apófisis transversa

Apófisis espinosa

– Historia familiar: se trata de una enfermedad hereditaria; los hijos de osteoporóticos desarrollan la enfermedad con mayor probabilidad.
– Sexo: las mujeres, al tener por naturaleza unos huesos menos densos, son más propensas a padecer osteoporosis.
– Raza: mayor riesgo entre los blancos respecto al resto de las etnias.

● Factores ajenos al propio ser del individuo, es decir, aquéllos que podemos tratar de prevenir o modificar:

– Menopausia: como se expone en su correspondiente capítulo, la menopausia o climaterio se acompaña de una disminución de la cantidad de estrógenos en el organismo de la mujer. Esto provoca un aumento de la destrucción del hueso tanto en la menopausia natural como en la artificial (secundaria a extirpación de ovarios).
– Sedentarismo: la práctica de ejercicio físico favorece la formación de hueso nuevo en sustitución del hueso que se destruye. Por esta razón, los enfermos inmovilizados durante largo tiempo desarrollan osteoporosis con mayor facilidad que el resto.
– Déficit de calcio y vitamina D en la dieta: es imprescindible el aporte diario de ambas sustancias para un equilibrio adecuado en el interior del hueso. El abuso en la dieta de proteínas de origen

animal (carnes) impide la absorción del calcio en el intestino de forma correcta.

– Tabaquismo: por mecanismos aún no bien conocidos, parece demostrado que la nicotina acelera la destrucción del hueso, sobre todo a partir de los 65 años. Además, disminuye la concentración de estrógenos, favoreciendo así la aparición de la menopausia antes de tiempo.

– Ingesta de alcohol: esta sustancia afecta a la estructura del hueso impidiendo la absorción por parte de éste de sustancias indispensables.

– Consumo de determinados medicamentos como los corticoides, antiepilépticos y fármacos con hormonas del tiroides.

– Presencia de ciertas enfermedades como diabetes y algunas dolencias hepáticas e intestinales.

¿QUÉ PODEMOS HACER FRENTE A LA OSTEOPOROSIS?

El objetivo del tratamiento debe ser prevenir o retrasar todo lo posible la pérdida de masa ósea, y así, por tanto, evitar la aparición de fracturas. No se trata de una enfermedad curable, pero sí podemos actuar para detener su avance. Como en otros capítulos, dividiremos el tratamiento en dos partes:

■ Tratamiento preventivo no farmacológico:

● Fomentar hábitos desde la juventud que aseguren unos huesos fuertes y resistentes mediante el ejercicio físico y el sufi-ciente aporte de calcio (leche, queso y otros derivados)

● Evitar los factores de riesgo que estén a nuestro alcance, y que antes mencionamos, como el tabaco, el alcohol, etc.

● Prevenir la aparición de fracturas mediante educación del paciente, adecuación del domicilio, eliminación de barreras arquitectónicas y, en casos más avanzados, ayuda permanente al paciente si es posible.

■ Tratamiento preventivo farmacológico:

● Estrógenos: sabemos que tras la menopausia disminuye la presencia de los mismos en el organismo de la mujer y, como consecuencia de ello, el hueso se debilita poco a poco. Está demostrado que la utilización de parches de estrógenos durante los diez años siguientes a la menopausia previene la enfermedad. Requiere de control ginecológico anual.

● Calcitonina: se trata de una hormona presente en nuestro organismo cuyo efecto es el de impedir la desaparición del hueso. El beneficio de su uso hoy en día está contrastado.

La realidad actual es que en ningún caso debe dejarse avanzar esta enfermedad hasta la aparición de fracturas. La prevención, sobre todo en mujeres con antecedentes familiares de osteoporosis, así como el tratamiento tras la menopausia, aseguran una calidad ósea mayor y más prolongada en el tiempo.

Diagnóstico de la osteoporosis

■ La osteoporosis es una enfermedad de evolución lenta y progresiva, que desemboca finalmente en la aparición de fracturas en diferentes huesos. Estas fracturas se producen por caídas leves u otros traumatismos de pequeña importancia que los huesos perfectamente sanos resistirían. Los más afectados son, por orden de frecuencia, la columna vertebral, las muñecas, las caderas, las costillas y, finalmente, el húmero y el fémur. En cuanto a la gravedad, las fracturas de cadera y fémur ocupan el primer lugar, con una mortalidad asociada de hasta el 50% de los casos debida a complicaciones de las mismas, que serán mayores cuanto más anciano sea el individuo.

■ La osteoporosis puede pasar inadvertida para el individuo, ya que no se acompaña de dolores, hasta que se produce una fractura, momento en el que se diagnostica. Sin embargo, en muchos de los casos, pueden aparecer una serie de signos que nos permiten sospechar de la presencia de esta enfermedad, como son:

● Reducción de la estatura.

● Desviación de la columna vertebral (con la aparición de joroba).

● Aparición de pliegues de la piel en la espalda, de dirección oblicua, como consecuencia del aplastamiento de la columna.

● Dolores en la espalda intermitentes, no bien localizados por el enfermo y en general relacionados con contracturas musculares.

Por tanto, tras producirse una fractura de las características anteriormente mencionadas o alguno de los signos de sospecha, corresponde a nuestro médico el diagnóstico definitivo de la enfermedad. Esto se realiza mediante métodos de imagen como la radiografía y, sobre todo, la densitometría ósea, que consiste en el análisis de la cantidad de masa ósea en la muñeca del individuo y su comparativa con la ideal para su edad.

Osteoporosis

CARACTERÍSTICAS Y FUNCIÓN DEL HUESO

Sostiene y apoya la musculatura, protege los órganos vitales y controla el calcio y fósforo.

CAUSAS DE LA OSTEOPOROSIS

Factores de riesgo individuales:

- A más edad, mayor riesgo.
- Historia familiar: es hereditario.
- Sexo femenino y raza blanca.

Factores de riesgo ajenos al individuo:

- Menopausia.
- Sedentarismo.
- Carencias vitamínicas y minerales.
- Tabaquismo.
- Alcoholismo.

DIAGNÓSTICO

- Aparición de fracturas espontáneas.
- Reducción de la estatura.
- Desviación de la columna.
- Dolores óseos intermitentes.

TRATAMIENTO

Preventivo:
- Ejercicio físico.
- Dieta adecuada.
- Eliminación de factores de riesgo.

Farmacológico:
- Tratamiento de la menopausia.

Artritis reumatoide

Las articulaciones son las partes móviles de la estructura ósea que permiten el desplazamiento de los huesos traccionados por la musculatura. Estas «bisagras» biológicas permiten que los huesos giren y se muevan sobre un determinado eje del espacio, sobre dos ejes o incluso sobre los tres. Para realizar esta función, están revestidas de una membrana especial denominada sinovial, o pueden ser más rígidas y estar formadas por tejido fibroso. En muchas ocasiones poseen, además, cartílagos internos (como por ejemplo los meniscos) que ayudan al acoplamiento de los huesos entre sí.

¿QUÉ ES LA ARTRITIS REUMATOIDE?

Es una enfermedad inflamatoria crónica que afecta a las articulaciones del cuerpo humano, de curso impredecible, que puede curar espontáneamente o evolucionar hacia la invalidez. Presenta una incidencia alrededor del 1% de la población general, y aunque puede aparecer a cualquier edad, es más frecuente entre los 30 y los 60 años. Tiene una mayor predilección por el sexo femenino, con una proporción a su favor de tres a uno respecto al masculino. Es la enfermedad de las articulaciones de tipo inflamatorio más frecuente y característica.

¿POR QUÉ SE PRODUCE LA ARTRITIS REUMATOIDE?

Esta enfermedad es el resultado de la acción de un factor desencadenante desconocido (llamado antígeno) que estimula el sistema inmune en individuos con predisposición congénita a padecerla. Es decir, existen individuos que por herencia genética son más susceptibles a que, en un momento de su vida, el sistema defensivo o inmune de su organismo fabrique anticuerpos frente a un agente, aún no identificado, que se le presenta como extraño y que trata de eliminar.

Como consecuencia de la acción de dichos anticuerpos se desencadena una reacción inflamatoria en el interior de la membrana sinovial que envuelve a las articulaciones. Atraídas por esta reacción, se depositan en la articulación ciertas sustancias enzimáticas que perpetúan la inflamación y favorecen el desgaste del hueso y de los cartílagos. En este caso, por tanto, la inflamación es la causante de los síntomas de la enfermedad y, a la larga, de la deformación de las articulaciones; esta enfermedad sería otro ejemplo de exceso de «celo» del sistema inmune de nuestro cuerpo.

Como factor desencadenante se ha buscado con insistencia un agente infeccioso vírico o bacteriano, pero sin éxito hasta el momento.

¿CUÁLES SON LOS SÍNTOMAS DE ESTA ENFERMEDAD?

Los síntomas principales son el dolor, la hinchazón y la rigidez de las regiones afectadas.

En su inicio afecta a las articulaciones metacarpofalángicas (nudillos), metatarsofalángicas (la misma zona en los pies), las interfalángicas proximales (entre la primera y la segunda falange) y las muñecas; posteriormente el cuadro se extiende a otras articulaciones como las rodillas, los hombros o los tobillos. Es típica de esta enfermedad la afectación de la articulación temporomandibular (que conecta la rama de la mandíbula con el hueso temporal del cráneo). El número de articulaciones afectadas depende, por tanto, de la gravedad de la enfermedad y del tiempo de evolución de la misma.

Característicamente, la artritis reumatoide afecta a las articulaciones de forma simétrica, es decir, que por ejemplo, la inflamación de una muñeca se acompaña casi siempre de la inflamación de la otra.

El dolor varía desde una simple molestia hasta un dolor intenso, presente incluso estando en reposo, que aumenta con la movilidad y con la presión de las articulaciones afectadas; la inflamación de éstas provoca tumefacción y sensación de calor en dichas zonas.

La rigidez matutina es un síntoma muy importante de esta enfermedad y consiste en la sensación de agarrotamiento y debilidad que aparece nada más levantarse y que impide al enfermo realizar movimientos o acciones que requieran una cierta destreza, como coger un vaso o abrocharse un botón; según transcurre el día esta rigidez va cediendo.

■ Aunque se trate de una enfermedad predominantemente articular, a lo largo de su curso pueden aparecer manifestaciones en otros órganos del cuerpo, lo que empeora significativamente el pronóstico. Así es frecuente encontrar:

- Astenia o cansancio y malestar general; a veces se acompaña de pérdida de peso.

- Nódulos subcutáneos: son pequeñas estructuras o bultos situados debajo de la piel, principalmente en la zona de los codos, el dorso de las manos y en la región sacra (parte posterior de la cadera).

- Vasculitis: grave afectación de los vasos sanguíneos por esta enfermedad que se acompaña de fiebre y puede conducir a la muerte.

- Manifestaciones oculares: como la escleritis y epiescleritis que provocan enrojecimiento y sequedad del ojo como consecuencia de su inflamación.

- Con menos frecuencia pueden aparecer complicaciones pulmonares, cardíacas, laríngeas y hepáticas.

¿CÓMO SE INICIA ESTA ENFERMEDAD?

Por lo general el inicio de la enfermedad suele ser lento e insidioso, pero en el 10% de los casos puede aparecer de forma brusca, acompañada de fiebre, malestar general y cansancio, sobre todo si se acompaña de vasculitis.

TRATAMIENTO

El enfermo juega un papel de primer orden en el tratamiento de la artritis reumatoide; por ello es fundamental que esté instruido sobre la naturaleza de la enfermedad y los objetivos que se persiguen; además, es importante que se conciencie sobre la colaboración necesaria para conseguir los mismos.

No es posible la curación de la enfermedad pero sí la disminución del dolor, la mejoría de la movilidad y la prevención de las secuelas. Podemos distinguir tres tipos de actuaciones frente a esta enfermedad:

1. Ejercicio físico: tiene la finalidad de mantener el tono de la musculatura, evi-

tar la rigidez y prevenir las deformaciones; se debe buscar una adecuada alternancia entre ejercicio y reposo, no siendo éste nunca muy prolongado, ya que facilita la aparición de la rigidez. El ejercicio se realiza con mayor facilidad después de la aplicación de calor local en las zonas doloridas, y siempre empezando despacio para ir aumentando la intensidad del mismo poco a poco. La terapia ocupacional es muy beneficiosa para este tipo de enfermos y consiste en el entrenamiento por parte del fisioterapeuta de las habilidades básicas para realizar las actividades cotidianas.

2. Tratamiento farmacológico: no existe ningún medicamento milagroso que cure la enfermedad de forma espectacular; se utilizan diferentes fármacos con una doble finalidad:

   • Calmar el dolor: para ello se emplean antiinflamatorios como la aspirina u otros con el fin de reducir la hinchazón de las articulaciones.

   • Frenar la progresión de la enfermedad: consiguen este propósito hasta en un 60% de los casos a corto y medio plazo, aunque no se conoce bien su efecto a largo plazo. Son potencialmente tóxicos, lo que exige un control riguroso de su administración. Los corticoides pueden ser útiles en caso de dolor e inflamación intensa que no cede con las medidas anteriores.

3. Medidas quirúrgicas: hoy en día el avance de las técnicas quirúrgicas ofrece una alternativa interesante a este tipo de enfermos. Las prótesis de cadera y de rodilla se recomiendan en casos graves con destrucción de dichas articulaciones. Asimismo, la extirpación o «limado» de algunos huesos puede mejorar también la sintomatología.

PRONÓSTICO

Un 10% de los enfermos diagnosticados de artritis reumatoide llegan al estado de inva-

---

Diagnóstico de la artritis reumatoide

■ La aparición de los síntomas antes mencionados es la base para la detección de esta enfermedad. De este modo los individuos con antecedentes familiares, especialmente las mujeres, deben consultar a su médico la aparición temprana de los dolores articulares para prevenir a tiempo, en la medida de lo posible, las consecuencias de esta enfermedad.

■ La confirmación se realiza mediante una serie de pruebas:

• Radiografía de las articulaciones afectadas: en las cuales se puede observar el estrechamiento del espacio entre los huesos y otras alteraciones.

• Análisis de sangre: es posible detectar un cuadro de anemia asociada a la enfermedad, especialmente en las formas crónicas muy evolucionadas.

• Detección del factor reumatoide: consiste en cuantificar la presencia de este tipo especial de anticuerpo en la sangre, cuya aparición es muy indicativa de la artritis reumatoide.

lidez total al cabo de unos diez años aproximadamente de evolución de la enfermedad.
Por el contrario, otro 10% de los mismos
experimentará durante ese periodo una aparente curación total; el resto de los enfermos padece una limitación más o menos
importante, aunque la gran mayoría puede

realizar su trabajo habitual con alguna dificultad.

El futuro de esta enfermedad, en cuanto
al avance del tratamiento de la misma, parece prometedor, tanto en su forma preventiva, como en la búsqueda de la curación
definitiva.

Artritis reumatoide

LAS ARTICULACIONES: ESTRUCTURA Y FUNCIONAMIENTO

Gracias a las articulaciones los huesos giran. Para ayudarlas, está la membrana sinovial y los cartílagos internos.

DEFINICIÓN Y CAUSAS DE ARTRITIS REUMATOIDE

Enfermedad inflamatoria crónica de curso impredecible que se produce por la estimulación del sistema inmune en individuos predispuestos genéticamente.

SÍNTOMAS

- Dolor.
- Hinchazón.
- Rigidez.
- Manifestaciones extraarticulares.

ARTICULACIONES AFECTADAS

- Metacarpofalángicas.
- Metatarsofalángicas.
- Interfalángicas.
- Muñecas, rodillas, hombros y tobillos.
- Articulación témporomandibular.

DIAGNÓSTICO

Mediante radiografías y analítica. También se suele hacer la detección del factor reumatoide.

TRATAMIENTO

- Ejercicio físico.
- Tratamiento farmacológico con antiinflamatorios y corticoides.
- Medidas quirúrgicas: prótesis y limados.

PRONÓSTICO

Prometedor, en el 10% de los casos se cura totalmente y el 80% puede hacer vida normal, con pequeñas limitaciones.

Artrosis

Cuando dos huesos se articulan enfrentan sus superficies entre sí en torno a un eje de rotación que les permite desplazarse accionados por la musculatura; las articulaciones son las estructuras que rodean estos ejes imaginarios y se extienden hasta los extremos de los huesos que la forman, abrazando todo el conjunto como si fuera un «manguito». La superficie de los huesos dentro de la articulación está recubierta por un cartílago que sirve de «almohadilla» para un mejor acoplamiento de los mismos y para evitar el roce directo y el desgaste. Este cartílago elástico, que se renueva constantemente, está formado por agua en un 70%, junto con fibras resistentes y líquido lubricante para facilitar al máximo la movilidad y asegurar la durabilidad del conjunto.

¿QUÉ ES LA ARTROSIS?

La artrosis consiste en la degeneración del cartílago que recubre los huesos que se articulan entre sí; hoy en día no se considera como una enfermedad en sí, sino como el resultado de una serie de alteraciones en la estructura y composición de dicho cartílago por diversos factores. Es una de las formas más frecuentes de manifestarse el reumatismo, afectando a la mitad de los individuos en mayor o menor medida a partir de los 35 años y provocando la mayoría de las invalideces definitivas en los países desarrollados.

¿CÓMO SE PRODUCE LA ARTROSIS?

En las primeras fases se producen pequeñas roturas o fisuras en la superficie del cartílago que trata de ser compensado con la producción de más cartílago; esto puede pasar desapercibido para el individuo o producir sólo leves molestias y cierta rigidez. Posteriormente el cartílago comienza a fracturarse en zonas más amplias y se adelgaza su estructura hasta convertirse en una superficie irregu-

lar y excesivamente fina como para proteger el hueso. Esto provoca que los huesos empiecen a rozar entre sí y comience a destruirse el borde del mismo, y aparece entonces el dolor; como el hueso es una estructura viva, trata de reconstruir y remodelar la porción desgastada aunque ya no es capaz de hacerlo de forma congruente, con lo que se forman acúmulos óseos de forma picuda que empeoran aún más el dolor.

¿POR QUÉ SE PRODUCE LA ARTROSIS?

Como en otras muchas enfermedades, no siempre es identificable una causa concreta de este proceso, aunque en otras ocasiones existe un antecedente patológico que la justifica.

■ Según esto podemos dividir la artrosis en:

● Primaria o idiopática, es decir, de causa final desconocida, que aparece por la conjunción de una serie de factores predisponentes que después glosaremos.

● Secundaria a diversas circunstancias como:

- Traumatismos y fracturas óseas, a veces muchos años después de que estas se produzcan.
- Enfermedades congénitas o del desarrollo como las luxaciones congénitas, las dismetrías de las extremidades o ciertas enfermedades metabólicas.
- Enfermedades óseas por depósito excesivo de calcio en los huesos, falta de riego sanguíneo de los mismos, gota, infecciones o por la enfermedad de Paget.
- Otras enfermedades como la diabetes mellitus y el hipotiroidismo o por la afectación de los nervios que llegan a la articulación.

¿QUÉ FACTORES INFLUYEN EN EL DESARROLLO Y EVOLUCIÓN DE LA ARTROSIS?

■ Existen una serie de factores que intervienen en mayor o menor medida en este proceso degenerativo:

- Edad: aunque la alteración comienza entre los adultos jóvenes, su progresión es lenta hasta los 50 años de edad; a partir de ese momento se acelera y se extiende a varias articulaciones. Aún así, la edad no puede ser considerada como el único factor responsable.
- Sexo: aunque en un principio es algo más frecuente entre los varones, justo cuando la artrosis comienza a acelerar su desarrollo empieza a ser más frecuente entre las mujeres, correspondiendo con la llegada de la menopausia.
- Sobrecarga de la articulación: la repetición de movimientos, sobre todo por motivos laborales, favorece el desgaste del cartílago de forma progresiva.
- Constitución física: la obesidad, aunque no es por sí sola un factor de riesgo para padecer artrosis, parece que sí que contribuye a su formación por la sobrecarga de peso en las articulaciones que acarrea.
- Dieta: el déficit de calcio y vitaminas en la infancia pueden causar deformidades en articulaciones como las rodillas que desemboquen en la formación de artrosis con los años. El consumo de alcohol se ha relacionado también con una mayor predisposición para este proceso, sobre todo en las caderas.
- Herencia: parece que existe cierta predisposición genética para algunas formas de artrosis, especialmente para las de inicio precoz. El paciente artrósico tiene con frecuencia familiares directos con la misma enfermedad.
- Clima: aunque ni mejora ni empeora la evolución de la artrosis, parece demostrado que el frío y la humedad aumentan el dolor en general de las enfermedades reumáticas, así como los cambios bruscos de presión atmosférica.

¿CUÁLES SON LOS SÍNTOMAS DE LA ARTROSIS?

El síntoma principal es el dolor, que normalmente coincide o empeora con el movimiento de la articulación y que varía desde una simple molestia difusa y pasajera hasta un dolor brutal e insoportable que obliga al enfermo a permanecer inmóvil. También puede aparecer en reposo de forma más leve y llevadera. El dolor, con el tiempo, tiene tendencia a aumentar y no se corresponde siempre con el grado de afectación articular real; así, algunas veces, grandes degeneraciones cartilaginosas son bien toleradas por una persona mientras que procesos incipientes más leves producen molestias o dolor en otra. En cualquier caso, al ser el dolor un síntoma subjetivo, su manifestación dependerá de la resistencia individual de cada uno frente al mismo.

En ocasiones la primera manifestación puede producirse en una articulación diferente a la afectada por la artrosis, debido a la sobrecarga de aquella por una mala postura o por una desviación.

Otro síntoma importante es la rigidez, que aparece especialmente por la mañana tras levantarse y que mejora a lo largo del día, según se empieza a realizar la actividad habitual. A través de los años la enfermedad produce una deformación característica de las articulaciones y además éstas van perdiendo amplitud de movimientos y pueden crepitar o crujir al ser movilizadas.

De forma indirecta, la ansiedad o incluso la depresión acompañan algunas veces a estos cuadros por la angustia e incertidumbre que el enfermo puede sufrir ante el pronóstico incierto.

¿CUÁLES SON LAS ARTICULACIONES MÁS AFECTADAS?

- Manos: se produce sobre todo en las mujeres (hasta diez veces más que en los hombres) y a partir de los 50 años de edad.

Afecta básicamente a las articulaciones que conectan las falanges entre sí, con mayor daño en la mano dominante y varios dedos al mismo tiempo. En general no produce dolor salvo en formas muy avanzadas o tras determinados movimientos.

- Cadera: más frecuente en los hombres, sobre todo si tienen antecedentes de obesidad o historia previa de esfuerzo laboral o deportivo excesivo. Suele afectar sólo a uno de los lados y produce dolor desde su inicio, que pasa de ser un dolor con el movimiento a un dolor incluso en reposo y que se irradia hacia el muslo, el glúteo y la ingle. También se acompaña de rigidez y limitación de la movilidad.

- Vértebras: se puede afectar la columna vertebral por este proceso, con la misma frecuencia en ambos sexos, en las articulaciones que unen cada vértebra y en los discos que las separan. Aunque no se aprecien síntomas en la mayoría de los casos, a partir de cierta edad es habitual encontrar signos degenerativos en el estudio radiológico de la mayoría de los individuos. Cuando la afectación penetra

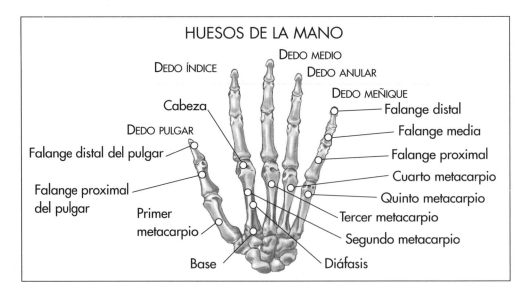

HUESOS DE LA MANO

DEDO MEDIO
DEDO ÍNDICE
DEDO ANULAR
DEDO MEÑIQUE
Cabeza
DEDO PULGAR
Falange distal
Falange media
Falange distal del pulgar
Falange proximal
Cuarto metacarpio
Falange proximal del pulgar
Quinto metacarpio
Primer metacarpio
Tercer metacarpio
Segundo metacarpio
Base
Diáfasis

hacia el interior y afecta al canal por el que transcurre la médula espinal, o a los nervios que de ella parten, pueden aparecer síntomas como dolor y adormecimiento en el territorio que inervan.

- Rodilla: especialmente en su compartimento interno y cerca de la rótula, con producción de dolor, cada vez mayor, que aumenta al andar y al bajar escaleras. Se acompaña de «crujidos» en las rodillas y de derrame sinovial e inflamación en algunos casos.
- Codo: se afecta en pocas ocasiones salvo que se haya producido un traumatismo previamente en esa zona o en personas que utilicen perforadoras en su profesión.
- Tobillos: curiosamente se afectan de forma excepcional por la artrosis, pese a ser la articulación que más peso soporta de todo el cuerpo.
– Hombro: también con poca frecuencia en comparación a la artritis y la tendinitis del hombro que son las principales causas de dolor en el mismo.

Diagnóstico de la artritis reumatoide

■ Se basa en la confirmación, mediante pruebas de radiología, de la sospecha de la artrosis por la presencia de los síntomas ya comentados que el individuo refiere tener desde hace un cierto tiempo, especialmente si existen antecedentes familiares de la enfermedad. Además en la exploración de la articulación dolorida se pueden observar signos como la tumefacción y el engrosamiento de la misma.

■ La artrosis algunas veces se convierte erróneamente en un «cajón de sastre» donde se encuadran molestias de todo tipo sin haber sido confirmadas como una auténtica artrosis mediante la correspondiente radiografía.

Se denomina artrosis generalizada o poliartrosis cuando se ven afectados más de tres articulaciones diferentes; es más frecuente entre las mujeres con edades alrededor de la menopausia.

TRATAMIENTO

■ El objetivo del tratamiento de la artrosis es mejorar la sintomatología, disminuir la incapacidad que produce y retrasar lo más posible su evolución; no hay por tanto curación posible para este proceso degenerativo, aunque actualmente se puede conservar una calidad de vida aceptable durante mucho tiempo en la mayoría de las personas. Se basa en los siguientes aspectos:

- Educación del paciente: la información acerca de la naturaleza de la enfermedad, así como el conocimiento de su evolución, debe ser primordial entre todos los individuos que la padecen, ya que sólo así se puede perder el temor y la angustia que la incertidumbre o la ignorancia producen. A través del propio médico o las asociaciones de enfermos reumáticos se puede obtener los medios necesarios para comprender el proceso y el apoyo para superarla.
- Reposo y ejercicio: durante los episodios agudos de dolor es necesario guardar reposo durante las horas o días que sean necesarios hasta que éste ceda; por el contrario no se debe mantener una inmovilización excesiva porque favorece la progresión de la enfermedad. Por tanto, en cuanto mejoren los síntomas se debe reiniciar la actividad física, puesto que el ejercicio que no se haga hoy no se podrá hacer ya más adelante. Se recomienda pasear y mover las articulaciones durante una o dos horas todos los días.

- Dieta: la pérdida de peso es muy importante para descargar a las articulaciones y para tolerar mejor el ejercicio; no es necesario hacer dietas muy estrictas sino equilibradas y libres de grasas animales, embutidos y azúcares.
- Masaje y calor: sirven para relajar la musculatura y mejorar la movilidad aunque su efecto es sólo pasajero; los baños con agua templada mientras se ejercitan los dedos, apretando una esponja por ejemplo, calman el dolor. El calor en general puede aplicarse de varias maneras, pero siempre en intervalos cortos y descansando cada diez minutos, puesto que si la piel se calienta en exceso produce dolor. En ningún caso se trata de medidas «mágicas» sino de apoyo a otros tratamientos con el fin de ayudar a paliar las molestias.
- Ayuda cotidiana: se han ideado algunos mecanismos que facilitan el empleo de objetos como las llaves, los grifos, los lápices y los utensilios de comida. También es recomendable la adaptación de las sillas y sillones o incluso la elevación del retrete junto con barras laterales de apoyo y pasamanos en toda la casa; igualmente se puede adaptar la bañera.
- Tratamiento farmacológico: junto con las medidas antes expuestas, se pueden utilizar varios grupos:

  - Analgésicos: deben reservarse para los episodios agudos de dolor junto con el reposo; el más empleado es el paracetamol.
  - Antiinflamatorios: cuando los anteriores sean insuficientes pero siempre durante periodos limitados (máximo 15 días), para evitar sus efectos secundarios sobre todo los gastroduodenales.

  - Corticoides: directamente infiltrados en la articulación dolorida y nunca tomados por vía oral, y menos aún de forma crónica. La infiltración produce una mejoría bastante rápida y duradera aunque no debe abusarse de ellas (no más de tres al año).
  - Protectores del cartílago: en los últimos años han aparecido en el mercado algunas sustancias como el sulfato de glucosamina que podrían tener un efecto preventivo a largo plazo sobre la destrucción del cartílago, que es la base del desarrollo de la artrosis. Pese a que no existen aún estudios definitivos sobre su verdadera eficacia, se trata de la única opción preventiva disponible en la actualidad.

- Tratamiento quirúrgico: será indicado o no según las características del paciente en cuanto a edad, actividad y articulación afectada, así como el grado de dolor y limitación de la movilidad que se produzca. La cadera y la rodilla son las que se intervienen con más frecuencia (prótesis) con gran éxito en la mayoría de los casos.

■ Además de lo ya comentado, se pueden añadir una serie de consejos generales para los pacientes artrósicos:

- No se deben realizar sobreesfuerzos físicos, sobre todo si implican a las articulaciones más doloridas habitualmente.
- No es aconsejable permanecer de pie durante mucho rato; descansar cada cierto tiempo cuando se camina.
- Dormir, o al menos permanecer en la cama por las noches las ocho horas de rigor, ni más ni menos.

- Cambiar la postura con frecuencia, sentarse correctamente y mover las articulaciones con firmeza y sin miedo.
- No angustiarse por el resultado de las siguientes pruebas que se vayan a realizar, ni obsesionarse con malos augurios sobre el pronóstico de la enfermedad.
- Dudar razonablemente de los remedios milagrosos que podamos escuchar, aunque su efecto placebo puede ser útil en no pocos casos.

PRONÓSTICO

Aunque en general la artrosis tiende a progresar indefectiblemente a lo largo de los años, en ocasiones los síntomas pueden remitir y desaparecer espontáneamente. En cualquier caso, actualmente hay motivos para asegurar que con un tratamiento correcto bien cumplido la invalidez total es muy poco probable y el paciente con artrosis puede adaptarse a su situación y vivir (los mismos años que el resto de la población) en buenas condiciones.

Artrosis

EL CARTÍLAGO ARTICULAR

Parte elástica y lubricante en el interior de los huesos de las articulaciones para asegurar la movilidad.

DEFINICIÓN Y CAUSAS DE LA ARTROSIS

Degeneración del cartílago que recubre los huesos que se articulan entre sí; es el resultado de una serie de alteraciones en la estructura y composición de dicho cartílago.

Puede ser de causa primaria, desconocida o secundaria a diversas circunstancias como traumatismos, enfermedades congénitas, enfermedades óseas y otras.

FACTORES PREDISPONENTES

- Edad: mayor tendencia a partir de los 50 años.
- Sexo: más incidencia entre mujeres menopáusicas.
- Exceso de esfuerzo físico y constitución obesa.
- Dieta deficitaria en calcio y vitaminas. Ingesta de alcohol.
- Herencia.
- Clima frío o húmedo, que aumenta el dolor.

SÍNTOMAS DE LA ARTROSIS

Dolor en ascenso, rigidez y deformaciones con el tiempo.

ARTICULACIONES MÁS AFECTADAS

- Manos.
- Cadera.
- Vértebras.
- Rodilla.
- Codo.
- Tobillos.
- Hombro.

DIAGNÓSTICO

A través de radiografías y exploración.

TRATAMIENTO

- Educación al paciente para evitar la angustia.
- Reposo y ejercicio.
- Dieta equilibrada que evite el peso y la sobrecarga.
- Masaje y calor.
- Tratamiento quirúrgico.
- Tratamiento farmacológico contra el dolor y la inflamación.

PRONÓSTICO

Tiende a progresar a más y peor, pero siguiendo el tratamiento el paciente se adapta mejor a su nueva situación.

Lumbalgia y lumbociática

La lumbalgia puede tener un origen muy diverso: puede deberse a un traumatismo del aparato motor de la región lumbar; puede proceder de los órganos que ocupan la cavidad abdominal, como los del aparato ginecológico, urinario o gastrointestinal, o puede tener un origen depresivo, hipocondriaco o simulado.
La lumbociática consiste en el pinzamiento del nervio ciático por el disco intervertebral como consecuencia de la contractura de un grupo muscular.

LUMBALGIA Y LUMBOCIÁTICA

■ El dolor lumbar o lumbalgia es uno de los problemas más frecuentes en la práctica médica habitual, aunque en la mayoría de los casos se presenta de forma transitoria y mejora espontáneamente. Según su origen podemos clasificar el dolor lumbar en:

1. Osteomuscular o procedente de las estructuras óseas que ocupan esta zona, en este caso las últimas vértebras dorsales, las vértebras lumbares, el sacro y el cóccix, junto con la musculatura que las rodean. Las principales patologías que originan este tipo de lumbalgia son:

- Anomalías congénitas de la columna vertebral como la espina bífida y otras malformaciones vertebrales.
- Traumatismos que provoquen esguinces o fracturas vertebrales.
- Alteraciones degenerativas e inflamatorias de la columna vertebral como la artritis reumatoide, la espondiloartrosis (artrosis de las vértebras) y diversos síndromes reumatológicos que pueden afectar la columna vertebral, incluyendo las manifestaciones óseas de la psoriasis.
- Infecciones vertebrales como la osteomielitis, la discitis (de los discos intervertebrales) y la sacroileitis (de la unión del hueso sacro con la pelvis).
- Hernias discales, bien sean degenerativas o como consecuencia de un traumatismo.
- Alteraciones metabólicas como la osteoporosis, la osteomalacia, la enfermedad de Paget, el hipertiroidismo y otras.
- Tumores óseos localizados en esta zona o metástasis de otros tumores del organismo, especialmente del cáncer de próstata.

2. Visceral o procedente de alguno de los órganos y estructuras que se sitúan en la cavidad abdominal, como por ejemplo:

- Origen ginecológico, como en la dismenorrea, la endometriosis, el embarazo y la presencia de tumores ováricos y uterinos, incluidos los miomas benignos.
- Origen urinario por pielonefritis o infecciones del riñón, cólicos renales secundarios a la presencia de cálculos, infartos renales o diversos tumores.

- Origen gastrointestinal debido a la enfermedad inflamatoria intestinal, procesos inflamatorios agudos como la apendicitis y la diverticulitis y, en general, a cualquier tumor de la cavidad abdominal.
- Origen vascular como por ejemplo en los aneurismas de la aorta abdominal.
3. Psiquiátrico o con relación a episodios depresivos, simulaciones de dolor o cuadros de hipocondría.

■ Cada dolor lumbar posee siempre una serie de características concretas que permiten identificar su origen; éstas son:

- Tiempo de instauración: pueden ser dolores súbitos, como los de las hernias discales traumáticas y los aneurismas, lentos pero crecientes como por ejemplo en los cólicos renales o, finalmente, insidiosos como en los procesos degenerativos, las infecciones y los tumores.
- Ritmo: permite clasificar el dolor lumbar en mecánico o inflamatorio; el primero se acentúa con el movimiento, suele ser unilateral y mejora con el reposo nocturno, mientras que el segundo mejora con los movimientos y es más intenso a primeras horas de la mañana, además de ser generalmente bilateral o alternante.
- Duración: los dolores lumbares agudos suelen corresponder a traumatismos, patología renal, dismenorrea y procesos inflamatorios de la cavidad abdominal. Por el contrario, los dolores crónicos de más de tres meses de duración suelen responder a patologías degenerativas de la columna, tumores y enfermedades congénitas.
- Irradiación: cuando el dolor lumbar se extiende hacia las ingles suele corresponderse con un cólico o crisis renoureteral, mientras que la extensión hacia el abdomen indica patología en el interior de esta cavidad. La lumbociática se acompaña con frecuencia de dolor en la nalga y en toda la región posterior de la pierna.

COLUMNA VERTEBRAL

| Columna cervical
| Columna dorsal
| Columna lumbar
| Hueso sacro
| Cóccix

El dolor de los cólicos renoureterales se debe a la inflamación del uréter en la región en la que se produce el enclavamiento del cálculo o piedra, junto con el espasmo de la capa muscular de dicho conducto. Este dolor, que se acompaña de otros síntomas como inquietud, malestar general, náuseas y vómitos, puede ceder con el desplazamiento del cálculo y reaparecer si éste vuelve a taponar la vía urinaria más abajo. Este tipo de dolor lumbar, así como cualquiera de los que se originan en alguna víscera abdominal, deben ser tratados mediante la curación de la patología original, bien sea a nivel urinario, ginecológico, vascular o gastrointestinal.

LUMBOCIÁTICA

La lumbociática, o simplemente ciática, se produce como consecuencia del atrapamiento del nervio ciático en su salida de la columna vertebral o cerca de ésta. Dicho atrapamiento, que puede ser debido a la contractura de un grupo muscular cercano o secundario al desplazamiento de un disco intervertebral, produce una compresión del nervio que queda dañado e inflamado durante un tiempo. Aunque el dolor se perciba en el glúteo o en la pierna, el origen del mismo se encuentra en la propia raíz del nervio. Este cuadro puede instaurarse de forma aguda tras un movimiento brusco, tras una sobrecarga de peso o tras un esfuerzo físico continuado o, por el contrario, puede ser más anodino cuando responde a la patología de los discos intervertebrales y aparecer de manera más leve pero casi permanente.

Junto con la exploración directa de la columna vertebral y de sus puntos dolorosos, el diagnóstico de esta patología se complementa con una serie de pruebas de imagen como la radiografía ósea convencional, el escáner (TAC) y, sobre todo, la resonancia magnética nuclear, que permite visualizar de forma óptima las partes blandas de la columna vertebral.

■ El dolor producido por la lumbociática y, en general, el dolor lumbar de origen osteoarticular tiene un excelente pronóstico en la mayoría de los casos sin tener que llegar a tratamientos más agresivos. En cualquier caso, las diferentes medidas terapéuticas empleadas en este caso son:

- Medidas generales: el reposo en la cama o sobre una superficie firme es la base del tratamiento conservador, aunque éste no debe nunca prolongarse más de una semana para evitar la atrofia de la masa muscular y la pérdida de densidad ósea. Puede ser beneficioso el calor a nivel local aplicado en la zona dolorida de forma intermitente, así como el masaje adecuado de la misma. El empleo de fajas o corsés puede ser útil en los individuos con dolor crónico lumbar, así como la llamada higiene postural o adopción de posiciones cómodas y correctas al sentarse, al agacharse y al andar.

- Tratamiento farmacológico: se basa en el empleo de antiinflamatorios por vía oral o intramuscular, dado que las pomadas o cremas empleadas por vía tópica no han demostrado verdadera eficacia. Los relajantes musculares colaboran en la eliminación de la contractura causante del «pinzamiento» nervioso, aunque producen sueño como efecto secundario. Este tratamiento puede completarse en cualquier caso con el uso de los analgésicos habituales, bien de forma pautada o a demanda del enfermo según la intensidad del dolor.

- Tratamiento rehabilitador: a medida que el dolor disminuye es importante comenzar con una serie de ejercicios que complementen la actividad física diaria, con el fin de fortalecer la musculatura que rodea la columna vertebral y aumentar la flexibilidad de ésta. Las tracciones alivian el dolor y ayudan a disminuir la contractura muscular. Cualquier técnica rehabilitadora debe ser dirigida por un fisioterapeuta en el primer momento hasta que el enfermo aprenda la forma correcta de realizar los ejercicios. La natación o simplemente caminar ayudan también en este sentido.

- Tratamiento quirúrgico: indicado en los dolores de larga evolución que no mejoran con los métodos anteriores o que presentan complicaciones graves como compresión de la médula espinal y pérdida de sensibilidad o fuerza en los miembros inferiores como consecuencia de la evolución de una hernia discal.

Lumbalgia y lumbociática

DEFINICIÓN Y CLASIFICACIÓN

El dolor lumbar es una de las patologías más frecuentes en la práctica médica diaria; según su origen podemos clasificarlo en:

- Osteomuscular: originado en el aparato locomotor de la región lumbar, bien por traumatismos en dicha zona, anomalías congénitas, infecciones o alteraciones degenerativas e inflamatorias.

- Visceral: procedente de los órganos que ocupan la cavidad abdominal, como los del aparato ginecológico, urinario o gastrointestinal, así como de los vasos sanguíneos localizados en esta región.

- Psiquiátrico: de origen depresivo, hipocondríaco o simulado.

Las diferentes características del dolor en cuanto a tiempo de instauración, duración, ritmo e irradiación permiten orientarlo hacia una patología concreta.

LUMBOCIÁTICA

Consiste en el atrapamiento o pinzamiento del nervio ciático por el disco intervertebral correspondiente o como consecuencia de la contractura de un grupo muscular. Puede manifestarse como un cuadro agudo, tras un esfuerzo físico o un traumatismo, o como un cuadro de larga evolución con dolor permanente.

Las técnicas de imagen, especialmente la resonancia magnética nuclear, ayudan al diagnóstico de esta patología, que por otro lado tiene una incidencia bastante elevada en los países desarrollados.

Las principales medidas terapéuticas empleadas son:

- Medidas generales, que incluyen el reposo relativo, el calor local y el masaje adecuado, junto con el empleo de protectores lumbares.
- Tratamiento farmacológico: se basa en el empleo de antiinflamatorios, analgésicos y relajantes musculares de forma pautada por vía oral o intramuscular.
- Tratamiento rehabilitador: dirigido por un especialista y encaminado al fortalecimiento de la musculatura lumbar y a la flexibilidad de la columna.
- Tratamiento quirúrgico: cuando fracasan las medidas anteriores o se presentan complicaciones como déficits neurológicos o compresión de la médula espinal.

Esguinces y fracturas

El aparato locomotor está formado por huesos, que actúan como soporte estructural de todo el cuerpo, músculos encargados de movilizar los huesos y ligamentos que protegen y limitan las articulaciones de los huesos entre sí. Las contusiones o los traumatismos directos sobre alguna de estas estructuras, así como el estiramiento excesivo de una articulación, pueden producir un daño de diferente intensidad que requiere tratamiento. En la mayor parte de los casos las agresiones al sistema locomotor son de carácter leve y se traducen únicamente en dolor transitorio o en lo que se denomina impotencia funcional, que es la incapacidad de realizar un movimiento como consecuencia de dicho dolor. En otros casos, se produce un daño más importante que no cura espontáneamente de forma correcta, y que según el tipo de estructura afectada dividiremos en esguinces, roturas musculares y fracturas.

ESGUINCES

Son las lesiones más habituales del aparato locomotor, sobre todo en el ámbito de la práctica deportiva, como consecuencia de un traumatismo directo o de un desplazamiento articular forzado más allá de sus límites naturales.

■ Según su gravedad podemos dividir los esguinces en tres grados:

● Esguince de grado I: se denomina así a la distensión o elongación de un ligamento tras una flexión o extensión excesiva de una articulación. El ligamento, en su función de mantener la estabilidad articular apropiada, se ve «estirado» por encima de su longitud habitual, afectándose alguna de las fibras internas que lo forman.

● Esguince de grado II: se produce cuando aparece desgarro parcial del ligamento sin llegar a romperse.

● Esguince de grado III: se clasifican como tales los esguinces que se acompañan de la rotura total del ligamento, con la inestabilidad de la articulación que esto asocia.

El principal síntoma que acompaña a un esguince es el dolor en la zona afectada, que en ocasiones es súbito y severo aunque no es infrecuente que aparezca varias horas después de la lesión cuando se detiene la práctica de ejercicio; es lo que habitualmente se expresa como dolor «al quedarse frío». De forma característica, el dolor aumenta considerablemente si se trata de mover la articulación afectada o bien si se la obliga a soportar peso. Junto con el dolor aparece una inflamación más o menos importante según el grado de afectación del ligamento y según la hemorragia asociada a la lesión de éste. La inflamación no está siempre presente en un esguince y, en ocasiones, puede aparecer transcurridas varias horas desde que acontece la contusión. Con frecuencia se observa también una zona de hipersensibilidad sobre la inflamación que provoca dolor a la mínima presión o roce.

Ante la sospecha de un esguince hay que procurar valorar la intensidad de éste y acudir a un centro sanitario si el grado del mismo puede ser intenso o existen dudas acerca de la presencia de fracturas o fisuras asociadas. En los esguinces leves o hasta que se recibe ayuda especializada en los más graves, deben tomarse las siguientes medidas:

- Evitar forzar la articulación o someterla a ninguna carga.
- Aplicar hielo o compresas frías sobre la zona afectada durante las primeras 24 horas; nunca se debe proporcionar calor en una lesión de tipo osteomuscular.
- Inmovilizar la articulación con un vendaje elástico, colocando a ésta en una posición ligeramente flexionada, aplicando la venda desde abajo hacia arriba y desde dentro hacia fuera, de modo uniforme y cubriendo en cada vuelta 2/3 de la venda colocada en la vuelta anterior.
- Proporcionar al individuo algún tipo de ayuda que permita mantener sin apoyar la articulación afectada (muletas, cabestrillo, etc.).

En los esguinces moderados o graves es necesaria una inmovilización más compleja,

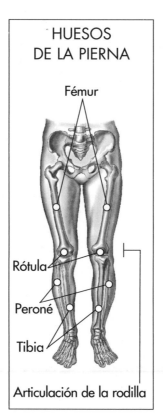

HUESOS DE LA PIERNA

Fémur

Rótula

Peroné

Tibia

Articulación de la rodilla

bien con un vendaje plástico especial, con una férula de escayola o bien con una escayola completa. Este tratamiento se acompaña de medicación antiinflamatoria y con el cumplimiento riguroso de medidas como no apoyar o forzar la articulación hasta que se retire el vendaje o la escayola y mantener, siempre que se pueda, la zona lesionada en alto, movilizando los dedos de vez en cuando para evitar el edema de los mismos.

LESIONES MUSCULARES

■ Se producen normalmente por dos circunstancias diferentes:

- Por traumatismos o contusiones directas sobre el propio músculo.
- Por sobreesfuerzo o movimiento inadecuado que sobrepasa la capacidad de resistencia del músculo.

Las lesiones musculares se manifiestan como un dolor local intenso y una impotencia funcional o incapacidad de movilizar la región lesionada. La rotura de las fibras musculares produce una hemorragia interna que puede llegar a ser visible debajo de la piel. En cualquier caso, al cabo de los días es frecuente observar una mancha violácea que después se torna amarillenta en la región donde se produjo la rotura o por debajo de ella, que se corresponde con la sangre extravasada desde los vasos musculares.

Junto con el dolor se produce un edema alrededor de la zona lesionada, que puede ser detectado mediante ecografía, ya que la radiología en estos casos suele ser normal. Existe también espasmo muscular.

El tratamiento inicial debe ser la aplicación local de frío, para producir la constricción de los vasos sangrantes y cortar así la hemorragia e impedir la llegada de factores defensivos productores de inflamación. Al igual que el frío, la compresión del músculo afectado mediante un vendaje fuerte colabora también en este sentido, favoreciendo además la posterior cicatrización. El músculo debe mantenerse en reposo durante tiempo prolongado, junto con un tratamiento analgésico y antiinflamatorio, mientras cicatriza la lesión muscular. La recuperación completa se basa en el tratamiento rehabilitador, dirigido hacia una curación del proceso y hacia la prevención de nuevos episodios.

Es importante recordar que el calentamiento muscular antes de un ejercicio físico moderado o intenso es fundamental para prevenir las lesiones musculares, especialmente si existen antecedentes de lesiones de este tipo y si la masa muscular es muy grande.

LUXACIONES

Una luxación es el desplazamiento de alguna de las estructuras óseas que forman una articulación concreta tras un traumatismo directo o por un movimiento forzado en determinadas circunstancias. Las articulaciones están protegidas por ligamentos especiales que las dan estabilidad al tiempo que permiten un cierto grado de desplazamiento de las mismas; la musculatura, por su

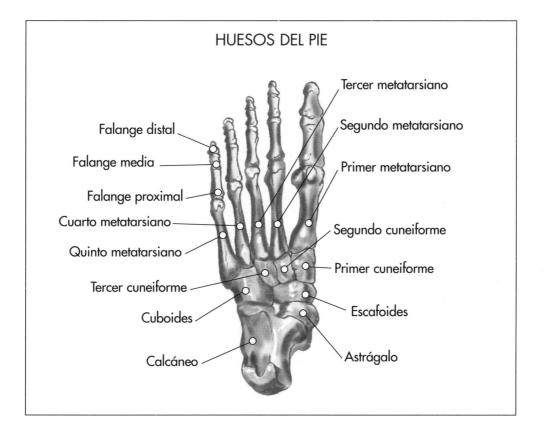

HUESOS DEL PIE

Tercer metatarsiano
Segundo metatarsiano
Primer metatarsiano
Falange distal
Falange media
Falange proximal
Cuarto metatarsiano
Quinto metatarsiano
Segundo cuneiforme
Primer cuneiforme
Tercer cuneiforme
Cuboides
Escafoides
Calcáneo
Astrágalo

parte, recubre la articulación y la protege de las agresiones externas. En ocasiones, estos dos sistemas defensivos no son capaces de evitar que uno de los huesos implicados en la articulación se desplace fuera de la misma, bien por la intensidad del golpe recibido o bien por la debilidad, secundaria a diferentes causas, de los ligamentos y músculos protectores.

Las luxaciones producen un dolor intenso, sobre todo si se comprimen las estructuras nerviosas adyacentes, junto con una incapacidad casi total de realizar movimientos a través de la articulación afectada.

Las luxaciones deben ser corregidas o reducidas tan pronto como sea posible, puesto que con el paso del tiempo los tendones y ligamentos tienden a acortarse y la maniobra es más dificultosa. Por lo general debe realizarse siempre en un centro médico, aunque algunos individuos que presentan luxaciones de repetición aprenden a reducir las mismas sin necesidad de ayuda externa.

■ Las articulaciones en las que con más frecuencia se producen luxaciones son:

- Articulaciones interfalángicas: típicas de determinados deportes en los que alguno de los dedos puede verse desplazado hacia atrás de forma exagerada hasta salirse de su posición natural; se acompañan normalmente de un esguince del ligamento forzado y, en ocasiones, de fracturas o arrancamientos óseos. El tratamiento consiste en la reducción del desplazamiento y la inmovilización del mismo mediante la unión con esparadrapo al dedo de al lado, que actúa como férula.
- Articulación del hombro: es la luxación más frecuente y generalmente consiste en el desplazamiento de la cabeza del húmero (hueso del brazo) hacia delante, hacia aba-

jo y hacia el medio respecto de su posición normal. Generalmente se debe a un traumatismo por la parte posterior del hombro (la protección delantera de la articulación es más débil) o a una caída en mala posición. En ocasiones puede complicarse con fracturas o afectación del paquete vasculonervioso que atraviesa esta zona. La reducción de este tipo de lesiones, una vez descartada la fractura, se realiza mediante una maniobra de estiramiento y rotación que sólo deben realizar personas expertas; posteriormente el individuo llevará el brazo en cabestrillo durante varias semanas. La cirugía está indicada en aquellos casos en los que las luxaciones son muy frecuentes y se producen ante mínimos golpes.
- Articulación del codo: las luxaciones en este punto se suelen producir por una caída en la que se apoya la palma de la mano estando el codo semiflexionado. Se detecta fácilmente por la gran deformidad que aparece al desplazarse el cúbito y el radio hacia atrás (huesos del antebrazo) y el húmero hacia delante.

TENDINITIS

Los tendones son bandas fibrosas que unen el músculo con su punto de inserción, que generalmente suele ser un hueso, para poder movilizarlo. Son estructuras con poco aporte sanguíneo que soportan una gran sobrecarga de tensión durante el ejercicio prolongado y, en ocasiones, tienen una gran longitud (como en las manos y en los pies) debido a que los músculos donde se originan están bastante alejados del punto de inserción. Los tendones están revestidos de unas vainas protectoras que lubrifican y aíslan el movimiento de los mismos.

Las tendinitis son reacciones inflamatorias de los tendones que se producen como consecuencia del desgaste de los mismos tras un periodo muy prolongado de ejercicio físico sin reposo, especialmente si se emplea de forma repetida el mismo grupo muscular por las características del deporte practicado o la profesión habitual.

La tendinitis del manguito de los rotadores, en el hombro, es una de las formas más típicas de manifestarse esta enfermedad. Se trata de un dolor en la zona superior del hombro que se acentúa al separar o elevar el brazo. Como en el resto de tendinitis, el tratamiento consiste básicamente en la inmovilización de la articulación del hombro (mediante cabestrillo) y los antiinflamatorios; posteriormente será necesaria una rehabilitación adecuada. La infiltración o inyección de corticoides y anestésicos sobre el punto doloroso puede ser útil cuando han fracasado otras medidas terapéuticas, aunque no se debe abusar de esta técnica ya que a la larga puede resultar perjudicial.

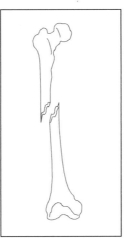

Otros tipos de tendinitis que aparecen con frecuencia son las tendinitis del bíceps humeral o de músculos femorales en deportistas de alto nivel.

LESIONES DEL MENISCO

Los meniscos son unas estructuras situadas en el interior de la articulación que tienen la función de amoldar, de forma congruente, las superficies de los huesos que se enfrentan entre sí. Es decir, son como una especie de cojinetes sobre los que apoyan los huesos que penetran en la articulación, que en el caso de la rodilla son el fémur y la tibia.

Según avanza la edad o en aquellos individuos que realizan un ejercicio muy intenso de forma prolongada, los meniscos van perdiendo

su elasticidad hasta el punto de que pueden dañarse con más facilidad. Los meniscos pueden fisurarse o romperse completamente tras un traumatismo directo o tras un esfuerzo o sobrecarga de la rodilla estando en mala posición, generalmente cuando está semiflexionada y ligeramente rotada.

Las lesiones de los meniscos de la rodilla (generalmente del interno, que se fractura con mayor facilidad) se manifiestan como dolor localizado por debajo de la rótula, que aumenta si se presiona en dicha zona o al movilizar la rodilla y que se acompaña en ocasiones de derrame sinovial no hemorrágico. La presencia de sangre en un derrame suele ser indicativa de lesión ligamentosa. Es frecuente que el fragmento de menisco fracturado se desplace y quede libre en el interior de la articulación, produciéndose bloqueos de la misma de forma ocasional en determinadas posturas.

El tratamiento inicial de esta lesión consiste en la inmovilización de la articulación hasta que pueda confirmarse el alcance de la misma mediante técnicas diagnósticas avanzadas como la resonancia magnética o directamente mediante la artroscopia, durante la cual puede extraerse la porción de menisco rota.

FRACTURAS

■ Se define fractura como la pérdida de continuidad en un hueso largo o la alteración de la forma original en un hueso corto, producida por el traumatismo directo sobre la estructura ósea, un traumatismo indirecto sobre la región cercana, por sobrecarga de la misma o por doblamiento excesivo. Las fracturas pueden localizarse en cualquier punto del hueso y según las lesiones asociadas pueden dividirse en:

- Fracturas cerradas: son aquellas en las que se produce únicamente la ruptura de la continuidad ósea sin lesión importante de las estructuras vecinas.
- Fracturas abiertas: además del hueso se produce una herida abierta sobre la piel, y los grupos musculares adyacentes, bien por el propio traumatismo o bien como consecuencia del desplazamiento de la superficie ósea rota que actúa como una cuchilla sobre estas estructuras.
- Fracturas con luxación: la rotura del hueso se acompaña de su salida de la cavidad articular más próxima.
- Fracturas patológicas: se denominan así las fracturas que asientan sobre huesos debilitados por diversas enfermedades locales o generales, y que se producen de manera espontánea como consecuencia de traumatismos mínimos o movimientos ligeramente bruscos. Son típicas de la osteoporosis.

Es necesaria mucha fuerza en general para que se produzca la fractura de un hueso sano, aunque en ocasiones una mala postura o un movimiento anormal pueden favorecer que un hueso se rompa por su punto más débil.

Se denomina fisura al tipo de fractura en el que únicamente se produce la resquebrajadura parcial del hueso. Cuando una porción del hueso queda astillada o rota en varios trozos pequeños se denomina fractura conminuta.

Los síntomas que se producen tras una fractura son generalmente dolor intenso, impotencia funcional e inestabilidad de la región afectada, junto con una deformidad no siempre apreciable. Con frecuencia aparece a los pocos minutos una sensación desagradable de malestar general o angustia, con sudor frío y palidez del individuo. Posteriormente se produce una inflamación alrededor de la fractura, similar a la producida tras un esguince o una fuerte contusión.

Según la localización de la fractura el diagnóstico de ésta puede ser más o menos evidente, siendo necesaria en cualquier caso la radiografía del hueso afectado para valorar su intensidad.

La consolidación de las fracturas es un proceso natural que comienza desde el mismo instante en el que se producen y cuya correcta evolución depende de dos factores fundamentales que son la inmovilización adecuada del foco de fractura y la gravedad de la misma, sobre todo la afectación vascular local que se haya podido producir.

■ El tratamiento de las fracturas debe ser realizado por tanto de manera precoz para que el callo de fractura se forme de manera correcta y se eviten complicaciones posteriores; las líneas generales de este tratamiento son:

- Antes de inmovilizar una fractura hay que proceder a reducir ésta para que las superficies separadas vuelvan a ser congruentes entre sí y el hueso recupere su continuidad. Para ello en ocasiones es necesario traccionar una de las porciones del hueso ya que a veces quedan «montadas» una sobre la otra. Cuando esto no es posible desde el exterior o se trata de una fractura múltiple o conminuta es necesaria la intervención quirúrgica.
- Inmovilización de la fractura, bien desde el exterior mediante férulas, escayolas y tracciones o mediante cirugía con clavos o placas que fijen con fuerza las porciones separadas. La duración de la inmovilización depende del tipo de

fractura concreto así como de la evolución de la misma.

- Tratamiento analgésico y antiinflamatorio ya que el hueso es una estructura muy dolorosa; en caso de fracturas complicadas puede ser necesario atender al soporte vital del individuo si por ejemplo se ha producido una hemorragia intensa y añadir un tratamiento antibiótico para prevenir infecciones en la zona abierta. Es también muy importante la vacunación antitetánica.

■ Las complicaciones que pueden observarse con más frecuencia de forma secundaria a una fractura ósea son:

- Lesiones vasculares y nerviosas como consecuencia del desplazamiento de los fragmentos rotos y que requieren tratamiento inmediato para evitar secuelas.
- Callos de fractura malformados, producidos en muchas ocasiones por una mala o tardía inmovilización o una retirada de ésta excesivamente precoz.
- Embolia grasa o salida a la circulación sanguínea de partículas de la médula ósea que pueden obstruir un vaso sanguíneo a nivel cerebral o pulmonar.

Aunque se trate de un cuadro infrecuente, debe ser siempre prevenido, especialmente en las fracturas de cadera y fémur.

- Infecciones, en las fracturas abiertas, con una frecuencia directamente proporcional a la gravedad de las mismas y al grado de contaminación de la herida.

Si se produce una fractura en determinadas circunstancias que imposibilitan el traslado a un centro sanitario en menos de 24 horas, se debe comenzar con el tratamiento antes expuesto en la medida de lo posible, primero reduciendo mediante tracción la fractura e inmovilizándola después mediante cualquier superficie dura a la que se ata o entablilla el miembro roto. También se puede proceder a vendar la zona fracturada junto con un palo que haga de férula.

Las fracturas en los niños tiene una serie de peculiaridades con respecto a las de los adultos como son el hecho de que consoliden más rápido y mejor cuanto más pequeños son, permitiendo además que la reducción de las mismas no tenga que ser necesariamente perfecta puesto que tienen tendencia a corregirse espontáneamente desde el punto de vista anatómico.

Esguinces y fracturas

ESGUINCES

Clasificación según su gravedad: grado I, II o III.

Síntomas: dolor o inflamación e impotencia funcional.

Tratamiento: aplicar hielo las primeras 24 horas, inmovilizar con vendaje elástico o escayola y toma de antiinflamatorios.

LESIONES MUSCULARES

Causas: traumatismos, sobreesfuerzos.
Síntomas: dolor, edema, espasmo muscular.
Tratamiento: frío local, vendaje y analgésicos y antiinflamatorios.
Prevención en forma de calentamiento antes de hacer ejercicio.

LUXACIONES

Es un desplazamiento óseo en una articulación producido por traumatismo o movimiento brusco.
Articulaciones más afectadas: interfalángicas, hombro, codo.
Tratamiento: reducción por estiramiento y rotación e inmovilización, cirugía.

TENDINITIS

Los tendones son bandas fibrosas que unen el músculo con el hueso para poder moverlo.

La región afectada con más frecuencia es el hombro.
Tratamiento con inmovilización y antiinflamatorios. Si es severo, infiltraciones.

LESIONES DEL MENISCO

• Función de los meniscos: amoldar unos huesos con otros situados en la articulación.
• Causas de lesiones meniscales: traumatismos directos, sobrecargas.
• Meniscos de la rodilla: son los más comunes, el síntoma es mucho dolor y derrame sinovial. El tratamiento consiste en inmovilizar y hacer artroscopia.

FRACTURAS

Definición: pérdida de la continuidad estructural de un hueso producida por un traumatismo directo o indirecto o un exceso de sobrecarga en el mismo.

Tipos de fracturas: cerradas, abiertas, con luxación, patológicas.
Síntomas: dolor intenso, inestabilidad, impotencia funcional, deformidad.

Tratamiento: reducción, inmovilización, tratamiento analgésico y antiinflamatorio.

Complicaciones: lesiones vasculares, embolia grasa, infecciones.

Parte IX

Enfermedades hematológicas

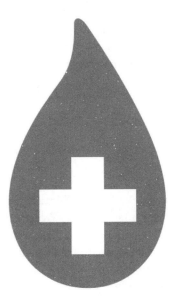

✓ Anemia
Anemia aplástica • Anemia por insuficiencia renal • Anemia ferropénica • Talasemia • Anemia de las células falciformes • Anemia por enfermedades crónicas • Anemia megaloblástica • Anemia hemolítica • Anemia por cirrosis hepática

✓ Alteraciones de la coagulación sanguínea
Púrpuras • Trombocitopenias • Hemofilia • Enfermedad de Von Willebrand • Trombosis

✓ Leucemia
Leucemia aguda linfoide • Leucemia aguda mieloide • Leucemia crónica linfoide • Leucemia crónica mieloide

✓ Enfermedad de Hodgkin

Enfermedades hematológicas

La sangre es un líquido esencial para la vida que, al igual que los huesos o la piel, forma un verdadero tejido en el organismo de los seres vivos. Su distribución por todos los territorios corporales, gracias a la acción del sistema cardiovascular, es la base del desarrollo coordinado y del mantenimiento de la vida en los mismos.

■ Este líquido especial se compone fundamentalmente de dos partes:

- Plasma o parte líquida de la sangre, llamada suero cuando ésta se coagula, constituido básicamente por agua (90%) y proteínas especiales (albúmina y globulinas) en la que circulan numerosas sustancias químicas, disueltas o no, como vitaminas, sales minerales, azúcares, grasas, hormonas y sustancias de desecho como la urea.
- Células sanguíneas, que flotan en el plasma y que constituyen la parte sólida de la sangre en un porcentaje aproximado al 50% del volumen total de la misma, lo que se denomina hematocrito.

La función de la sangre es la de servir de transporte a diferentes sustancias que son necesarias para el metabolismo de las células o bien a los productos sobrantes de las mismas hasta llegar a los puntos de eliminación. Además, desarrolla diversas funciones como la inmunitaria o defensiva o la hemostática o de la coagulación. Todas estas funciones, que proporcionan soporte vital a los tejidos corporales, son realizados tanto por el plasma como a través de las células que transporta, que se clasifican en:

- **Glóbulos rojos o eritrocitos** (también llamados **hematíes**), que son unos discos de forma aplanada bicóncava, elásticos, con un diámetro aproximado de 8 micras y especializados en el almacenamiento interior de una sustancia llamada hemoglobina. Esta sustancia, formada por la unión de una proteína con un grupo químico que tiene como base el hierro, es la encargada de transportar el oxígeno hacia las células y de recoger el anhídrido carbónico resultante de los procesos de combustión de las mismas. La vida media de los glóbulos rojos es de unos 120 días, tras lo cual se degenera su membrana y se destruyen, aunque recuperándose la mayoría del hierro que posee su hemoglobina para la formación de nuevos glóbulos.
- **Glóbulos blancos o leucocitos**, encargados de parte de la función defensiva del organismo, formando lo que se denomina inmunidad celular. Estas células detectan la presencia de elementos ajenos al organismo en cualquier tejido corporal y actúan frente a ellos. Los

leucocitos pueden ser de distinto tipo y tamaño, aunque este oscila entre 6 y 20 micras de diámetro. Según sus características y su papel en el mecanismo defensivo se dividen en granulocitos (neutrófilos, basófilos y eosinófilos), linfocitos y monocitos. La vida media de estas células puede ser desde sólo unas horas hasta más de 200 días, dependiendo del tipo concreto de leucocito y de la actividad frente a los gérmenes que se vea obligado a realizar.

— **Plaquetas o trombocitos**, que son las células más pequeñas (2-3 micras de diámetro) y complejas de las que circulan por la sangre. Su función es la de formar redes de taponamiento sobre las fisuras que puedan formarse en los vasos sanguíneos, constituyendo así el primer escalón de la coagulación sanguínea. El proceso de la coagulación se completa con una serie de reacciones químicas acopladas que activan una serie de factores indispensables para la misma y que a veces pueden estar ausentes desde el nacimiento (hemofilia).

Prácticamente todas las células de la sangre se fabrican en la médula ósea, que es un tejido especial situado en el interior de todos los huesos tras el nacimiento, aunque con el desarrollo posterior esta actividad se limita a la médula de los huesos planos (costillas, esternón, pelvis y cráneo), a los cuerpos centrales de las vértebras y a la parte media de los huesos largos. Otros órganos como el bazo, los ganglios linfáticos y el timo ejercen también una actividad formadora y de maduración de estas células, aunque de forma muy reducida. Durante la vida fetal y hasta que la médula ósea madura en torno al cuarto mes de embarazo, el hígado ejerce de órgano hematopoyético, esto es, formador de células sanguíneas.

La médula ósea posee unas células madre pluripotentes, capaces de autoperpetuarse y de diferenciarse en cualquiera de las líneas de maduración necesaria en cada momento. Así, estas células madre se transforman oportunamente en alguna de las tres células precursoras de las tres estirpes celulares de la sangre, es decir, que se convierten en células productoras de glóbulos rojos, blancos o plaquetas. Dado el enorme volumen celular que posee la sangre del ser humano, las células madre se encuentran en continua multiplicación y diferenciación para asegurar la producción necesaria. En determinadas circunstancias como por ejemplo hemorragias o infecciones, la médula puede verse obligada a fabricar un mayor número de células sanguíneas para contrarrestar un déficit o para mejorar las condiciones defensivas del organismo.

El volumen de sangre que circula en cada momento por los vasos sanguíneos puede variar dependiendo de las necesidades fisiológicas concretas o de la presencia de ciertas patologías. En condiciones normales y en un individuo adulto normal, este volumen es de unos 5 l aproximadamente, pudiendo variar a expensas del aumento o descenso de la parte líquida de la sangre o plasma, ya que la masa total de células tiende a mantenerse constante a corto plazo. Por ejemplo durante el embarazo aumenta el volumen plasmático de forma progresiva durante el primer trimestre, mientras que por el contrario la deshidratación, las quemaduras o la desnutrición pueden disminuirlo.

■ Las principales enfermedades que pueden afectar al sistema hematológico son las siguientes:

● Síndromes anémicos, o alteraciones en la producción de glóbulos rojos por falta de las sustancias precursoras, en su mantenimiento o por exceso de su destrucción.

- Alteraciones plaquetarias, bien por formación insuficiente o defectuosa, que se manifiestan como alteraciones de la coagulación.
- Incapacidad de formar alguna de las estirpes celulares de la médula ósea como consecuencia de agresiones sobre la misma por ciertos medicamentos o como complicación de alguna enfermedad.
- Trastornos de la coagulación independientes de la actuación de las plaquetas, producidos como consecuencia de fallos en la cascada que se origina de forma secundaria a la actuación de aquellas. Estos trastornos se corresponden con enfermedades congénitas.
- Invasión de la médula ósea por células tumorales que desplazan a las células productoras de su sitio natural e impiden su funcionamiento.
- Síndromes de tipo canceroso causados por la transformación o malignización de las células precursoras de la médula ósea que se traducen en una proliferación excesiva de las mismas o, por el contrario, en un déficit de la producción final de células sanguíneas.
- Infección por el virus de la inmunodeficiencia humana (VIH), que destruye de forma paulatina los linfocitos defensivos y favorece la aparición de infecciones oportunistas.

■ Los principales métodos de estudio del sistema hematológico son:

- Hemograma: consiste en la analítica normal de las células sanguíneas, su número, su volumen, su porcentaje respecto al total, su tamaño medio y su índice de recambio. Es el estudio básico para detectar cualquier anomalía en el conjunto celular de la sangre y se realiza automáticamente mediante analizadores mecánicos.
- Velocidad de sedimentación globular: vulgarmente denominada «velocidad de la sangre», indica la velocidad con la que los glóbulos rojos se agregan y sedimentan, siendo los aumentos de este parámetro indicativos, de forma muy poco específica, de procesos infecciosos o inflamatorios.
- Frotis sanguíneo: se trata de la observación directa al microscopio de una cierta cantidad de sangre para valorar de forma más fidedigna el número de células así como su forma, su tamaño o sus posibles defectos.
- Aspirado medular: obtención mediante una aguja fina de una pequeña parte del contenido medular para realizar lo que se denomina mielograma, que es el recuento diferencial de los diferentes elementos celulares presentes en la muestra.
- Biopsia medular: extracción de un cilindro óseo y de su médula, que permite un estudio más detallado de la misma.
- Estudios con marcadores isotópicos incorporados a las células sanguíneas que son de utilidad para investigar la circulación de las mismas, su vida media y su distribución así como sus zonas de destrucción.

Anemia

La anemia es una enfermedad que puede estar causada por falta de nutrientes básicos, por la insuficiencia de ácido fólico o por una destrucción anormal de glóbulos rojos; otros tipo de anemia se pueden deber a defectos en la médula ósea, a la ingesta de sustancias tóxicas (como alcohol o fármacos) o a enfermedades como el hipertiroidismo o enfermedades hepáticas.

ANEMIA

Como es bien sabido, la función de la sangre es la de abastecer a todas las células del organismo de los nutrientes y el oxígeno necesario para su supervivencia. La circulación sanguínea aparece ya en los primeros momentos de la formación del embrión y las alteraciones en la formación de la misma durante este periodo tienen consecuencias nefastas para su desarrollo.

■ La sangre, como todos los líquidos del organismo, es prácticamente agua con una serie de compuestos en su interior:

• Por una parte posee sustancias disueltas como azúcar y sales minerales; por otro sirve de vehículo a múltiples sustancias que circulan en ella, bien unidas a determinadas proteínas transportadoras como la albúmina, o bien sueltas libremente. A este conjunto de agua con sales, azúcar y demás sustancias se le denomina **plasma**, tiene un color amarillento y se podría considerar la parte inorgánica líquida o no celular de la sangre.

• Además, la sangre tiene una parte llamada **células sanguíneas** que constituye la parte orgánica o sólida de la misma. Estas células se forman a un ritmo vertiginoso en la médula ósea, que se encuentra en el interior de algunos huesos de la ergonomía humana, y que es una sustancia capaz de originar indefinidamente copias de unas células llamadas **células madre**, para producir glóbulos rojos, blancos y plaquetas, y verterlos a la sangre, donde circulan libremente. Al hablar de la médula ósea no conviene confundirla con la médula espinal, que es la prolongación del sistema nervioso que discurre en el interior de la columna vertebral, y que nada tiene que ver con aquella. Los glóbulos rojos, con el paso del tiempo, van perdiendo la elasticidad que les permite atravesar libremente todos los vasos, incluso los más pequeños, y tras 120 días de vida aproximadamente, son «atrapados» y destruidos en el bazo.

La eritropoyetina o EPO es una hormona producida por los riñones que estimula a la médula ósea para que fabrique glóbulos rojos. A mayor cantidad de EPO, mayor cantidad de hemoglobina y, por tanto, mayor capacidad de esfuerzo físico porque se transporta más oxígeno (por eso se produce el uso fraudulento de EPO en determinados deportes).

Los glóbulos rojos o hematíes (también llamados eritrocitos) son un tipo de células especiales con forma de disco, que han perdido parte de su estructura interna para poder realizar la que es su principal función, que es la de transportar la hemoglobina en la sangre. La hemoglobina es una proteína que lleva una molécula de hierro en su interior, que se forma en la médula junto con los glóbulos rojos y cuya función principal es la de transportar el oxígeno desde los pulmones hacia los tejidos y el dióxido de carbono en sentido contrario. Tiene un color rojo intenso que proporciona a la sangre este aspecto característico.

¿QUÉ ES LA ANEMIA?

Es la disminución de la concentración de hemoglobina en la sangre; este es el mejor parámetro para diagnosticarla, ya que es más fiable y sensible que el número de glóbulos rojos existentes, aunque estos también suelen estar descendidos en caso de anemia. El hematocrito es el porcentaje que representa la parte celular o sólida de la sangre con respecto al total de la misma; en caso de anemia también disminuye este porcentaje.

¿CUÁLES SON LOS SÍNTOMAS DE LA ANEMIA?

Las manifestaciones de la anemia dependen mucho de la edad del enfermo, del tiempo que lleva ésta presente y de la existencia o no de otras enfermedades subyacentes. Así, cada individuo puede reaccionar de una forma diferente frente a ella, desde necesitar ingreso hospitalario por la gravedad de los síntomas, hasta pasar completamente desapercibida la enfermedad y

ser diagnosticada por casualidad en una analítica rutinaria.

■ Aunque al hablar de cada tipo concreto de anemia se comentarán sus síntomas característicos, se pueden reseñar algunos que son comunes para todos ellas:

- Palidez cutánea y de mucosas como la conjuntival (borde interno del párpado), que se observan con un color rojo muy pálido.
- Cansancio, fatiga en la respiración, mareo; estos síntomas aparecen a la misma velocidad que a la que se instaure el cuadro anémico. En caso de anemia grave por pérdida hemorrágica aguda o en anemias ya muy evolucionadas, puede aparecer síncope o pérdida de conocimiento.
- Taquicardia y palpitaciones, que se produce como respuesta de nuestro organismo para tratar de compensar la falta de hemoglobina que transporte oxígeno, con un incremento de la frecuencia cardíaca para «mover» la sangre más deprisa. Por esta misma razón, también puede aparecer taquipnea (aumento de la frecuencia respiratoria).
- Cefalea, anorexia (falta de apetito) y acúfenos (ruidos o pitidos en los oídos).

CLASIFICACIÓN

Son muchos los factores que intervienen en la formación, mantenimiento y destrucción de los glóbulos rojos y así, existen diferentes tipos de anemias según la causa que la provoque:

ANEMIA APLÁSICA

Es aquella que se produce por una afectación grave de la médula ósea que la impide realizar correctamente su función de sustancia formadora de células sanguíneas; puede afectar sólo a los glóbulos rojos o también a los blancos y las plaquetas. Se produce por una destrucción de las células madre de la médula, o por una alteración de las mismas que impide que proliferen y formen las células sanguíneas. Puede ser secundaria a procesos infecciosos como las hepatitis, contacto con tóxicos como pegamentos e insecticidas, radiaciones peligrosas como la nuclear o por campos electromagnéticos muy intensos y ciertos fármacos.

Algunos tipos de cáncer de sangre (leucemias) invaden la médula ósea y desplazan a las células formadoras, por lo que también producen anemia; lo mismo ocurre con las metástasis en hueso de otros tumores. A este tipo concreto se le denomina también **anemia por invasión medular**. Estas anemias son de instauración relativamente lenta.

ANEMIA POR INSUFICIENCIA RENAL

Aparece como consecuencia de un fallo renal crónico que provoca un déficit en la formación de eritropoyetina o EPO que, como ya hemos explicado, es necesaria para estimular la producción de glóbulos rojos.

ANEMIA FERROPÉNICA O POR FALTA DE HIERRO

Es el tipo más frecuente de anemia y se debe a la carencia de hierro, elemento imprescindible para la formación de hemoglobina. El hierro necesario proviene en parte de la dieta normal y en parte del que se recicla cuando el glóbulo rojo, tras 120 días de vida, se destruye. El hierro de la dieta se absorbe en el intestino delgado y para ello necesita de la presencia de un pH ácido en esa región. Las principales causas de este déficit son:

- Aumento de las demandas de hierro, o lo que es lo mismo de hemoglobina, en determinadas circunstancias no patológicas como son el crecimiento, el embarazo y la lactancia. En estos casos, la médula ósea necesita «fabricar mucha sangre» y agota con relativa rapidez las reservas de hierro si no se consume en la dieta adecuadamente.

- Malnutrición a base de comidas irregulares, poco equilibradas y con ausencia manifiesta de alimentos ricos en hierro que luego recordaremos. En los niños se dan síndromes extraños de anemia por ingesta habitual de tizas u otros materiales con yeso que impiden la absorción correcta de hierro (síndrome de pica).

- Mala absorción de este elemento en el intestino por diversas causas como la extirpación de un tramo intestinal donde se absorba hierro (cirugía de un tumor o en algunos casos de cirugía de obesidad mórbida), falta de ácido clorhídrico proveniente del estómago (recordemos que se necesita un pH ácido), o determinados fármacos por un mecanismo similar.

- Pérdida excesiva de sangre de forma crónica que obliga a la médula a vaciar los depósitos de hierro para producir más hematíes y compensar las pérdidas, sin contar además con la posibilidad de reciclarlo porque se pierde fuera del organismo. Esta situación acaece con la menstruación (sobre todo cuando están alteradas por ser excesivamente largas o con mucho sangrado), la hernia de hiato, las úlceras gastrointestinales, ciertos tumores, y también de forma típica, el sangrado de las hemorroides.

La forma de manifestarse es insidiosa, con malestar ocasional, cansancio atribuible a otras circunstancias, palidez, etc. En ocasiones pasan tan inadvertidas que se llegan a tolerar descensos muy importantes de la cifra de hemoglobina.

TALASEMIA

Es una enfermedad hereditaria que consiste en una alteración en la formación de la he-moglobina normal (hemoglobina A), que se encuentra sustituida de nacimiento por otros tipos de hemoglobina menos eficaz (hemoglobina F o A2), por lo que en los análisis, la hemoglobina normal, que es la que se mide, se encuentra disminuida pero con un número de glóbulos rojos elevado, para tratar de compensar este defecto. La forma B o minor

Diagnóstico

■ Como ya hemos comentado, los síntomas de la anemia pueden llegar a pasar inadvertidos en las primeras fases de la misma, sobre todo en individuos con más fortaleza. Es frecuente por el contrario, que personas jóvenes, bien nutridas y sin ninguna enfermedad importante, consulten a su médico y soliciten estudio analítico por encontrarse cansadas o con apatía generalizada; en este caso es poco probable que exista anemia, y se confunda ésta con la falta de forma física (por no practicar deporte) o el cansancio típico de las épocas más calurosas del año.

En cualquier caso, la analítica de sangre, concretamente el hemograma es la prueba indicada para detectar la enfermedad. En ella se estudian los tres tipos de células sanguíneas, aunque ahora sólo haremos referencia a la serie roja, es decir, a los glóbulos rojos o hematíes.

■ Puede ser útil conocer un poco por encima el significado de algunos de los parámetros que aparecen, no con el fin de diagnosticarnos nada a nosotros mismos, sino más bien para tranquilizarnos cuando vemos alguna «crucecita» sospechosa al lado de una de las cifras.

■ Existe anemia cuando la cantidad de hemoglobina (Hb) es inferior a 13 g/dl en hombres o 12 g/dl en mujeres; en los niños varía con la edad, siendo las cifras algo más bajas hasta los seis años de edad. El número de hematíes no es siempre fiable para diagnosticar anemia; no obstante lo normal es que se sitúe entre 4-6 millones/ml. El hematocrito o parte sólida de la sangre puede descender por debajo del 40% cuando no hay suficiente producción de glóbulos rojos, por el contrario en condiciones normales no debe superar el 50% (si eres ciclista, te sancionan). El VCM es el volumen que tiene el glóbulo rojo de media, es decir el tamaño que tiene cada uno de forma aproximada; esto es útil para clasificar las anemias según éstos sean:

• Menor (por debajo de 79 fL): anemias microcíticas como la ferropénica.
• Normales (entre 79 y 98 fL): anemias normocíticas como la de enfermedades crónicas.
• Grandes (por encima de 98 fL): anemias macrocíticas como la perniciosa.

■ Cuando existen dudas sobre el origen de la anemia, o se pretende confirmarla, a veces se realizan una serie de estudios como la cantidad de hierro en sangre, la ferritina (depósitos de hierro), la vitamina y el ácido fólico, etc. En otras ocasiones es necesario buscar si existe un sangrado oculto que justifique el cuadro (endoscopia y colonoscopia digestivas), o un estudio de la médula ósea (extrayendo parte mediante punción o biopsia).

(forma leve heredada sólo de un progenitor) es la más habitual y dado que no se manifiesta con ningún síntoma puede pasar inadvertida si no se realizan análisis.

ANEMIA DE LAS CÉLULAS FALCIFORMES

Se trata también de una enfermedad hereditaria en la que aparece también un defecto en la formación de la hemoglobina normal, que es sustituida por otro tipo (hemoglobina S). Este tipo de hemoglobina provoca que los hematíes no tengan su forma típica discoidea, sino que se asemejen a una semiluna o a una hoz. Estos hematíes tienen más facilidad para romperse y para bloquear los vasos sanguíneos pequeños, por lo que además de anemia es frecuente que aparezcan con los años coágulos y úlceras en la piel.

Es más frecuente en la raza negra y en general en los países africanos; se sospecha que puede ser por la mayor incidencia de la malaria en los mismos desde hace siglos. Esto ha provocado que los individuos desarrollen esta enfermedad como sistema defensivo, ya que parece que protege frente a la malaria, aunque cause otros problemas.

ANEMIA POR ENFERMEDADES CRÓNICAS

Se incluyen aquí a un grupo de anemias que aparecen a lo largo del curso de una enfermedad grave de tipo crónico, y que sólo desaparecen cuando cure ésta. Bajo ciertas condiciones patológicas como infecciones, procesos inflamatorios o tumores, se produce un bloqueo del hierro por parte de algunas células del sistema inmune que no dejan que llegue a la médula ósea. Por lo tanto no falta hierro (de hecho los depósitos están llenos), sino que no se puede utilizar correctamente.

La velocidad a la que evolucione la enfermedad crónica causante del cuadro es la que marca también el avance de la anemia y la gravedad de los síntomas.

ANEMIA MEGALOBLÁSTICA

Son las anemias que se producen por déficit de las vitaminas B12 y ácido fólico; estas dos sustancias son necesarias en general para la formación de cualquier tipo de células; dado que las células sanguíneas se están produciendo constantemente, el déficit provoca que disminuya el número de glóbulos rojos en sangre y que éstos tengan ciertas deformidades.

■ Las principales causas de falta de vitamina B12 son:

• Gastritis atrófica: enfermedad producida por anticuerpos de nuestro propio organismo que impide que se absorba la vitamina que viene de la comida de forma normal. Esto se denomina **anemia perniciosa**.

• Malnutrición por dietas deficientes o inadecuadas, como por ejemplo la dieta vegetariana estricta.

■ Y las de ácido fólico son:

• Falta de aporte como en el alcoholismo, algunas enfermedades intestinales (enfermedad celíaca) o malnutrición.

• Aumento de las necesidades como en el embarazo y el crecimiento; los tumores crecen rápidamente, y como para reproducirse sus células también necesitan esta sustancia, se produce un déficit de la misma.

• En enfermos en régimen de diálisis renal.

En ambos casos es necesario que pasen meses o años para que aparezcan estos síntomas puesto que las reservas de ambas vitaminas en el organismo son muy amplias.

Además de los síntomas comunes en las anemias, con frecuencia aparecen en este tipo otras como pérdida de sensibilidad en las extremidades o adormecimiento de las mismas, sangrado por la nariz habitual e irritabilidad. Algunos casos de demencia senil, que aparentan ser una enfermedad de Alzheimer, se deben a un déficit de estas vitaminas.

ANEMIA HEMOLÍTICA

■ Es un tipo de anemia producida por la destrucción excesiva de los hematíes debido a diferentes causas:

- Por anomalías congénitas que afectan a la forma y estructura de los glóbulos rojos, favoreciendo su destrucción precoz; un ejemplo es la **esferocitosis hereditaria**.
- Por los propios anticuerpos del individuo, llamada **anemia hemolítica autoinmune**, o después de transfusiones sanguíneas o **anemia postransfusional**.
- Por infecciones, tumores o determinados medicamentos.
- Por causas mecánicas, como el golpeo de los glóbulos contra prótesis valvulares cardíacas o cualquier otro objeto extraño implantado en el sistema circulatorio.

Se pueden presentar de forma aguda, generalmente por una destrucción masiva de los hematíes por el sistema inmune, que deja de reconocerlos como propios y los ataca como si de un agente extraño o infeccioso se tratara; en estos casos puede producirse un cuadro grave con vómitos, escalofríos, dolores generalizados, postración y orina muy oscura por la presencia de sangre. Requiere hospitalización inmediata.

En otros casos la instauración de los síntomas es lenta debido a que la enfermedad tiende a hacerse crónica.

ANEMIA POR CIRROSIS HEPÁTICA

Se produce por la conjunción de varios factores como la ya mencionada falta de ácido fólico, la desnutrición típica de las cirrosis alcohólicas y las pérdidas de sangre por el sistema digestivo.

TRATAMIENTO

La prevención es posible en aquellos casos de anemia producida por falta de algún nutriente, como en la perniciosa o en la ferropénica; en otros casos, como las anemias hereditarias o tumorales, no es posible tomar ninguna medida previa que evite su aparición.

■ La dieta equilibrada es el mejor tratamiento preventivo que existe, y se basa en comer cantidades suficientes de los más variados alimentos. Comer mucho no significa que no se pueda tener anemia; no es infrecuente que se diagnostique la enfermedad en pacientes con obesidad. De forma orientativa vamos a enumerar algunos alimentos ricos en vitaminas y hierro:

- Verduras y legumbres: fundamentales para el aporte de ácido fólico, sobre todo si son frescas; las espinacas, acelgas, lentejas, guisantes, garbanzos y la soja en grano son ricos en hierro.
- Frutas: los pistachos y las pipas de girasol son ricas en hierro y, aunque no son especialmente ricas en vitamina B12 y ácido fólico, sí que poseen prácticamente el resto de vitaminas y deben ser imprescindibles en cualquier dieta.

- Cereales: en general con bastante hierro, sobre todo la avena integral y los «copos» de cereales del desayuno, especialmente los de maíz integral.
- Carnes: es la única fuente conocida de vitamina B12, por lo que los vegetarianos estrictos con frecuencia tienen que tomar suplementos artificiales de la misma (es curioso que algunos individuos que sólo consideran natural comer alimentos vegetales acaben tomando compuestos vitamínicos de laboratorio). Las más ricas en hierro son las que llevan más «sangre» del animal como la morcilla, el hígado (y por tanto los patés) y en general las carnes de caza que no han sangrado al morir la presa.
- Pescados y mariscos: las almejas, berberechos y mejillones son los alimentos más ricos en hierro (en general todos los mariscos).
- Otros: los caracoles y la yema del huevo también aportan bastante cantidad de este metal.

Los tónicos y píldoras de diferentes vitaminas no deben ser usados como medicamento preventivo salvo que el médico lo indique de forma expresa por un cuadro anémico bien conocido. Existe la tendencia a pensar que estos complejos vitamínicos son la solución a los problemas de cansancio que a veces nos acucian, pero no es así; en los países desarrollados es muy difícil encontrar un individuo, que coma más o menos de todo, con algún déficit de vitaminas. El efecto euforizante de algunos de estos compuestos se debe no tanto a las vitaminas, sino a algunas de las sustancias que las acompañan (ginseng, derivados anfetamínicos y otros).

En caso de anemias constatadas mediante analítica en personas con una dieta normal, sí que puede estar indicado la utilización de suplementos de hierro o vitaminas B12 y ácido fólico, a veces de forma crónica, pero sobre todo en determinadas circunstancias ya mencionadas como el embarazo y las pérdidas constantes de sangre por hemorragias.

La transfusión sanguínea puede llegar a ser necesaria en aquellos casos en los que se produzca una hemorragia aguda intensa, o en anemias crónicas en las que además de un descenso importante de la hemoglobina haya síntomas evidentes e importantes de la enfermedad.

El trasplante de médula ósea es una técnica reservada para aquellos casos en los cuales los medicamentos, habitualmente utilizados para estimularla, dejan de hacer efecto. Puede realizarse con médula compatible (generalmente de un familiar) o con médula propia conservada (que se extrajo en un momento de mejoría). En las leucemias o en general en el llamado «cáncer» de sangre se destruye la médula ósea enferma mediante radioterapia, antes de proceder a trasplantar la nueva.

PRONÓSTICO

Depende lógicamente del tipo de anemia que se padezca y de la enfermedad de base que la haya causado; en este último caso, las medidas que se tomen serán para paliar la anemia, ya que ésta no curará hasta que no se resuelva la enfermedad causante.

En los casos de anemias por diferentes déficits, los resultados suelen ser muy buenos cuando se inicia el tratamiento con B12; en el caso del hierro, el beneficio es más lento, y la curación completa no se produce hasta que no cesa la causa de la anemia.

El pronóstico de las anemias aplásicas no suele ser muy bueno, dado que el éxito con el trasplante de médula no se alcanza en muchas ocasiones, o se logra sólo de forma parcial.

Anemia

CLASIFICACIÓN Y CAUSAS

Anemias por falta de nutrientes básicos:

• Por déficit de vitamina B12 y vitamina B6.
• Por déficit de ácido fólico.
• Por déficit de hierro:

— Sangrado abundante o repetido; menstruación, úlceras sangrantes.
— Mala nutrición.
— Mala absorción del hierro en el intestino.

Anemias por destrucción de los glóbulos rojos o hemolíticas:

• Por el propio sistema inmune: anticuerpos; fármacos.
• Por traumas mecánicos; prótesis cardíaca; hemangioma; púrpura trombótica.
• Por tóxicos: picaduras; venenos, cobre.
• Por quemaduras e infecciones.

Anemias por defectos en la médula ósea: leucemias.

Anemias por sustancias tóxicas: alcoholismo, fármacos.

Anemias por enfermedades: hipotiroidismo, enfermedades hepáticas.

SÍNTOMAS

Cansancio con pequeños esfuerzos; falta de aire; dolor de cabeza; alteración del sueño.

Disminución de la capacidad de concentración; aturdimiento; síncope con pérdida de conocimiento.

Palidez de la piel y las mucosas; taquicardia; úlceras en la piel; heces negras o con sangre; ictericia (piel amarillenta).

DIAGNÓSTICO

En individuos que presenten todos o algunos de los síntomas anteriores se puede confirmar y clasificar su anemia mediante diferentes técnicas de laboratorio:

• Análisis de las células sanguíneas (hemograma): recuento de glóbulos rojos; cantidad de hemoglobina; volumen; hematocrito.
• Extensión de sangre periférica o frotis (observación con microscopio de los glóbulos).
• Estudio de la médula ósea: análisis de las células que forman los glóbulos.

TRATAMIENTO

Se basa en conocer la causa que provoca la anemia, prevenirla si es posible y suplir las carencias de hierro, vitaminas B12 o B6 o ácido fólico.

Transfusión sanguínea; en casos de anemias graves que no responden a tratamiento o grandes pérdidas por traumatismos.

PRONÓSTICO

Después de un estudio completo, la mayoría de las anemias tienden hacia la curación; en algunos casos pueden hacerse crónicas y cuando se deben a enfermedades graves pueden ser la causa de la muerte.

Alteraciones de la coagulación

Existe una gran diversidad de alteraciones de la coagulación sanguínea que dan lugar a enfermedades diferentes: las púrpuras son un grupo de enfermedades congénitas que se caracterizan por la aparición de lesiones vasculares que se manifiestan como manchas rojas en la piel; las trombocitopenias se deben a un descenso del número de plaquetas en la sangre; la hemofilia es un defecto congénito de determinados factores que intervienen directamente en la formación del coágulo de fibrina sobre el agregado plaquetario; la trombosis consiste en la formación de coágulos en el interior de los vasos.

En muchas ocasiones el árbol circulatorio sufre agresiones que rompen su continuidad, produciéndose la salida de la sangre fuera del mismo, lo que se denomina hemorragia. Se denomina hemostasia a la serie de mecanismos naturales que el organismo pone en marcha para abortar una hemorragia o cualquier situación anormal que impida el correcto fluir de la sangre por los vasos. Las plaquetas, como veremos a continuación, son parte importante de este mecanismo fisiológico.

■ La respuesta frente a la hemorragia se divide en cuatro fases:

- Constricción de los vasos afectados por la rotura, así como los de su área circundante, con el fin de disminuir en todo lo posible el caudal sanguíneo que se extravasa. Esta constricción, de unos 30 s de duración, se produce gracias a la estimulación de la musculatura de la pared de las arterias por el sistema nervioso autónomo.
- Formación de un agregado o cúmulo plaquetario sobre la superficie dañada, que trata de taponar la herida abierta. Las plaquetas se adhieren de forma natural sobre cualquier superficie vascular dañada, favoreciendo además la unión con otras plaquetas hasta formar un agregado en forma de red que trata de cubrir la herida.
- Formación de fibrina que refuerza el trombo plaquetario provisional, dándole una mayor consistencia y perdurabilidad. Esta fase es lo que se denomina coagulación propiamente dicha y requiere de la actuación de un buen número de factores específicos que actúan de forma acoplada en forma de cascada que termina con la activación de la fibrina y su depósito sobre la lesión. La alteración o ausencia de algunos de estos factores provoca trastornos de la coagulación como alguno de los que después veremos.
- Eliminación de los depósitos de fibrina formados durante la coagulación una vez terminada la hemorragia y restablecida la continuidad del vaso afectado o, en general, de cualquier trombo circulante en la sangre. Este proceso, denominado fibrinolisis, se realiza mediante la actuación también de una serie de factores acoplados.

Las plaquetas o trombocitos son las células más pequeñas de la sangre y, al igual que los glóbulos rojos (hematíes o eritrocitos) y los blancos (leucocitos), se producen en la médula ósea de forma constante durante toda la vida. Poseen en su interior una compleja estructura de canalículos y de gránulos con diversas proteínas que actúan como factores de la coagulación. Tienen una forma discoidea, con un diámetro aproximado de unas 3 micras y una importante flexibilidad. Se destruyen mayoritariamente en los capilares tortuosos del bazo cuando envejecen y pierden dicha flexibilidad.

A continuación vamos a comentar algunas de las principales enfermedades que pueden afectar al proceso de la coagulación o a la aparición de hemorragias, bien por la afectación de alguno de sus factores, bien por trastornos de la formación y función plaquetaria o bien por la alteración de la pared vascular.

PÚRPURAS

Se denominan así las lesiones de la piel de color rojizo, que no se acompañan de dolor ni inflamación, producidas como consecuencia de la ruptura de un vaso sanguíneo y la hemorragia que le acompaña. Estas hemorragias pueden aparecer de forma espontánea o como consecuencia de un pequeño traumatismo que en condiciones normales no produciría ningún tipo de lesión. En ocasiones estas hemorragias se extienden sobre la piel en forma de telas de araña permanentes o, en casos más graves, como grandes hematomas.

■ Por extensión se denominan también púrpuras a diversas enfermedades que cursan con la producción de este tipo de lesiones, independientemente de la causa final de las mismas. Podemos dividir este tipo de enfermedades en:

● **Púrpuras congénitas**: debidas a malformaciones vasculares como en la enfermedad de Rendu-Osler o a alteraciones del tejido de sostén que rodea a los vasos como en el síndrome de Ehlers-Danlos o el síndrome de Marfan; en cualquier caso se trata de enfermedades hereditarias que producen otros síntomas además de este.

● **Púrpuras adquiridas**: como consecuencia de una especial sensibilidad vascular de tipo alérgico o inmune, como en la enfermedad de Schönlein-Henoch o producidas por determinados medicamentos como algunos antibióticos, el ácido acetilsalicílico, los anticoagulantes y otros. El escorbuto, producido por el déficit de la vitamina C, también puede ser responsable de este tipo de lesiones.

En ocasiones las lesiones purpúricas pueden deberse a esfuerzos físicos continuados, como por ejemplo permanecer mucho tiempo de pie, los accesos de tos continuados o durante la menstruación en algunas mujeres. La flagelación o la succión de la piel con la boca puede producir lesiones similares.

El tratamiento de las púrpuras varía según su origen, empleándose a veces corticoides, suplementos vitamínicos, reposo absoluto o simplemente medidas para detener la hemorragia cuando se trata de un cuadro congénito intratable.

TROMBOCITOPENIAS

Se denomina así a la cifra de plaquetas inferior a 100 millones de unidades por mililitro de sangre, comprobadas mediante el estudio con microscopio de una extensión de la misma y no simplemente con el recuento automático de las máquinas analizadoras.

■ El descenso del número de plaquetas puede deberse a dos causas fundamentales:

- Defecto en su producción en la médula ósea debido a infecciones de la misma, agentes tóxicos, medicamentos, sustancias radioactivas, tumores medulares o en general cualquier proceso que afecte su formación.

- Aumento de su destrucción una vez que se encuentran ya en el torrente circulatorio por diferentes patologías como el hiperesplenismo (aumento de la función destructora de células sanguíneas por parte del bazo), el consumo de determinados medicamentos y provocada por el propio sistema inmune o defensivo. La **púrpura trombocitopénica idiopática** (PTI) o **Enfermedad de Werlhof** es un tipo característico de trombocitopenia secundaria a la actuación de los mecanismos inmunes sobre las plaquetas recién formadas al reconocerlas equivocadamente como células extrañas al organismo.

Los principales signos de esta enfermedad son la aparición de pequeñas lesiones purpúricas en la piel muy rojizas llamadas petequias, las epistaxis o sangrados espontáneos por la nariz, los sangrados de las encías con la limpieza de los dientes y, con menos frecuencia, los sangrados del globo ocular y las meninges. Las subidas de la presión arterial pueden provocar sangrados similares aunque por una causa completamente diferente.

Existen una serie de pruebas de laboratorio encaminadas a confirmar la presencia de esta enfermedad y determinar su origen concreto, ya sea medular o no. El tratamiento de las trombocitopenias se basa en la reposición plaquetaria mediante transfusiones o en el empleo de corticoides que disminuyen la actividad del sistema inmune y por tanto la destrucción de las plaquetas; las afectaciones de la médula ósea de tipo tumoral tienen su tratamiento específico. En ocasiones es necesaria la extirpación del bazo o la retirada de determinados medicamentos implicados en la producción del cuadro.

HEMOFILIA

Consiste en el déficit congénito de alguno de los factores implicados en el proceso de la coagulación, concretamente en la fase de formación de fibrina sobre el agregado plaquetario. Existen dos tipos de hemofilia:

- Hemofilia A o déficit del factor VIII
- Hemofilia B o déficit del factor IX

Ambos tipos de hemofilia se transmiten a través del cromosoma X o cromosoma sexual de la mujer, que es quien transmite la enfermedad aunque no la sufre, salvo en ocasiones excepcionales en las que sus dos cromosomas X están afectados; los varones que heredan dicho cromosoma, al poseer sólo un cromosoma X, son los que sufren la enfermedad.

El síntoma principal de la hemofilia es la aparición de hemorragias, a veces provocadas por causas mínimas, que pasarían inadvertidas en un individuo normal. Estas hemorragias tienden a mantenerse indefinidamente en vez de cesar de manera espontánea y se localizan con mayor frecuencia en la piel, la boca, la nariz y a través de la orina. En ocasiones, las hemorragias son internas y potencialmente más graves, como en las articulaciones, los músculos y las membranas que envuelven los pulmones, el intestino o el cerebro. Como consecuencia de la propia hemorragia pueden aparecer otros síntomas como fiebre, anemia, tumefacción de la región sangrante o compresión nerviosa por el propio hematoma.

El tratamiento de la hemofilia se basa primero en la prevención de las hemorragias y en su taponamiento cuando se producen; debe tenerse especial cuidado con los traumatismos craneoencefálicos y abdominales. El empleo de determinados concentrados de factores antihemofílicos de manera continuada puede prevenir la aparición de complicaciones, aunque desgraciadamente algunos enfermos se han visto infectados por el virus del sida o de la hepatitis C a través de esta vía años atrás.

ENFERMEDAD DE VON WILLEBRAND

Consiste en un trastorno también hereditario que afecta al factor VIII de la coagulación pero sin ligamiento al cromosoma sexual. Su principal sintomatología es la aparición de hemorragias en edades tempranas de la vida, generalmente antes de los dos años de edad. Estas hemorragias, similares a las de la hemofilia, suelen ser menos frecuentes y graves que en la misma, aunque no por ello deja de ser peligrosa.

Existen diferentes formas de esta enfermedad, siendo la tipo I la más frecuente. El tratamiento es también similar al de la hemofilia A.

TROMBOSIS

Se denomina trombosis al proceso de formación de un coágulo en el interior del sistema circulatorio y que puede moverse libremente en el mismo obturando parcial o totalmente el paso de sangre en un punto determinado.

En otros capítulos de este libro nos referimos a algunas de las patologías que pueden aparecer de forma secundaria a una trombosis, como el tromboembolismo pulmonar o los accidentes cerebrovasculares.

■ Existen diversos factores implicados en mayor o menor medida en la predisposición para producir trombosis:

- Déficits hereditarios de ciertas enzimas y proteínas relacionadas con la coagulación.
- Empleo de ciertos medicamentos como los anticonceptivos orales.
- Embarazo, obesidad, inmovilización prolongada, senectud.
- Fibrilación auricular y prótesis valvulares cardíacas.
- Diabetes mellitus.
- Tumores.

■ En general, el remansamiento de la sangre o estasis en determinados puntos del aparato circulatorio favorece la formación de trombos. El tratamiento de estos procesos puede ser de dos tipos:

- Preventivo, mediante el empleo de sustancias que inhiben el proceso de coagulación en alguna de sus fases, como por ejemplo el ácido acetilsalicílico, la ticlopidina, la heparina o los derivados de la cumarina.
- Fibrinolíticos o destructores de los coágulos ya formados como por ejemplo la estreptocinasa o la urocinasa.

Alteraciones de la coagulación sanguínea y de las plaquetas

ALTERACIONES DE LA COAGULACIÓN SANGUÍNEA Y DE LAS PLAQUETAS

Se denomina hemostasia al mecanismo defensivo del organismo que se pone en marcha ante una hemorragia. Se divide en varias fases que incluyen la adhesión y agregación de las plaquetas sobre la región vascular dañada y la formación del trombo propiamente dicha

Las plaquetas son unas pequeñas células sanguíneas producidas en la médula ósea que desempeñan un papel primordial en este proceso

Las principales enfermedades que pueden observarse con relación a la coagulación en general o al funcionamiento de las plaquetas en particular son: púrpuras, hemofilia, trombosis, trombocitopenias y enfermedad de Von Willebrand.

PÚRPURAS

Grupo de enfermedades congénitas o adquiridas que se caracterizan por la aparición de lesiones vasculares que se manifiestan como lesiones rojizas en la piel más o menos extensas.

Su tratamiento, que no es siempre posible, depende directamente de la causa que las origina e incluye la administración de corticoides, suplementos vitamínicos o reposo.

TROMBOCITOPENIAS

Se denomina así al descenso del número de plaquetas en sangre, bien por defectos en su producción o bien por aumento de su destrucción. Existen un buen número de enfermedades y medicamentos relacionados directa o indirectamente con esta alteración.

Se manifiesta en forma de sangrados o hematomas casi espontáneos o como consecuencia de traumatismos mínimos.

HEMOFILIA

Consiste en el defecto congénito de determinados factores que intervienen directamente en la formación del coágulo de fibrina sobre el agregado plaquetario. Esta enfermedad hereditaria se haya ligada al cromosoma sexual X, por lo que la transmiten las mujeres(XX) aunque sólo la padecen los hombres (XY). Existen 2 tipos de hemofilia según el factor que se encuentra afectado.

Además de las lógicas medidas preventivas y el taponamiento adecuado de las hemorragias (que es el principal síntoma de la hemofilia), se pueden transfundir concentrados de factores antihemofílicos de forma pautada para el tratamiento de esta enfermedad.

ENFERMEDAD DE VON WILLEBRAND

Trastorno similar a la hemofilia, hereditario, pero no ligado a un cromosoma sexual. Sus manifestaciones y tratamiento son similares.

TROMBOSIS

Consiste en la formación de coágulos en el interior de los vasos que pueden desprenderse y ocasionar diferentes patologías a nivel pulmonar, cerebral o intestinal entre otros sistemas

Existen diversos factores de riesgo para la producción de trombosis, tanto congénitos como secundarios a diversas patologías y medicamentos

El tratamiento puede ser preventivo en pacientes de riesgo o ir encaminado a la destrucción del coágulo.

Leucemia

Los glóbulos blancos o leucocitos, al igual que el resto de células de la sangre, no son capaces de reproducirse por sí mismos, sino que su fabricación depende de la médula ósea del interior de algunos huesos del organismo. Además los linfocitos, que son un tipo especial de glóbulos blancos, se producen casi mayoritariamente en los ganglios del sistema linfático que, como sabemos, se encarga de recoger parte de los desechos sobrantes de los tejidos corporales. En cualquier caso, la función de los leucocitos es de defensa frente a cualquier agente extraño que invada el organismo, formando parte de la denominada inmunidad celular. La formación de leucocitos, tanto en la médula ósea como en los ganglios linfáticos, está controlada en condiciones normales de forma acorde con las demandas defensivas en cada momento.

¿QUÉ ES LA LEUCEMIA?

Se denominan leucemias a un grupo de enfermedades caracterizadas por la proliferación cancerosa o maligna de leucocitos, a partir de una célula madre alterada, que se acompaña de una disminución en la producción de células sanguíneas normales. Las células leucémicas tienen dos características fundamentales:

1. No llegan a madurar como auténticos leucocitos, por lo que son incapaces de luchar contra las infecciones.
2. Viven más tiempo que un leucocito normal, por lo que tienden a saturar e invadir la médula ósea, la sangre, el sistema linfático, el hígado y el bazo.

■ El origen de esta enfermedad no es aún bien conocido, aunque existen varios factores que pueden intervenir en su génesis como:

● Factores genéticos: se ha demostrado la mayor incidencia de esta enfermedad en determinadas familias o como consecuencia de ciertas anomalías cromosómicas.
● Infecciones víricas: se sospecha que algunos virus podrían estar implicados en el desarrollo de esta enfermedad, aunque no como únicos causantes.
● Radiaciones ionizantes: especialmente las provenientes de la energía nuclear.
● Fármacos: derivados del benceno y algunos agentes empleados en la quimioterapia.

¿QUÉ TIPOS DE LEUCEMIAS EXISTEN?

■ Podemos clasificar las leucemias desde dos puntos de vista:

● Según su forma de presentación, denominamos **leucemia aguda** a aquella que tiene un curso rápido y grave junto con una sintomatología muy florida, constituyendo la neoplasia o cáncer más frecuente en la infancia; por el contrario la **leucemia crónica** es un proceso más lento y leve que aparece con más frecuencia en la edad media y avanzada de la vida.

- Según su punto de origen, denominamos **leucemia mieloide** a la que se produce a partir de la médula ósea, mientras que la **leucemia linfoide** es la que se origina en los ganglios del sistema linfático.

Combinando ambas clasificaciones se pueden establecer cuatro tipos principales de leucemia, con sus propias características y evolución.

LEUCEMIA AGUDA LINFOIDE

■ Consiste en la aparición de una estirpe maligna de linfocitos que invade rápidamente la médula ósea y otros tejidos del organismo. Se manifiesta generalmente de forma brusca como cansancio, falta de apetito y pérdida de peso, junto con otros síntomas ocasionales como dolores articulares y fiebre. Cuando la médula ósea comienza a tener dificultad para fabricar células sanguíneas normales (no sólo los leucocitos sino también los glóbulos rojos y las plaquetas), aparecen otros síntomas como:

- Infecciones: como consecuencia del déficit de glóbulos blancos normales.
- Anemia: debida al déficit de glóbulos rojos.
- Hemorragias y hematomas: por afectación de la formación de plaquetas.

El diagnóstico de este tipo de leucemia se realiza mediante la detección de esta estirpe maligna de linfocitos en la médula ósea. El tratamiento se basa en el empleo de sustancias quimioterápicas en diferentes fases que incluyen remisión del cuadro, intensificación y mantenimiento hasta la curación total o remisión completa, tras la eliminación de la es-

tirpe cancerosa; otro de los objetivos del tratamiento es la preservación del sistema nervioso central frente a la enfermedad.

El pronóstico de este tipo de leucemia es mucho mejor en los niños (sobre todo en las niñas) que en los adultos, dependiendo también de las características concretas de la leucemia, de su extensión y de su forma de presentación. La mayoría de los niños tratados hoy en día de esta enfermedad obtienen una curación completa en un periodo de cinco años. La mortalidad asociada a este tipo de leucemia suele ser secundaria a infecciones graves que se producen de forma oportunista durante su desarrollo.

LEUCEMIA AGUDA MIELOIDE

Consiste en la transformación maligna de una célula madre de la médula ósea que produce una estirpe aberrante de mielocitos o glóbulos blancos maduros. Su presentación clínica es similar a la leucemia aguda linfoide aunque más leve y se debe también a la afectación de la producción de células sanguíneas por parte de la médula ósea.

En su tratamiento, además de la quimioterapia, se incluye el trasplante de médula ósea alogénico (de un hermano compatible) y el autotrasplante medular, con diferentes porcentajes de éxito en cada caso concreto. El pronóstico también empeora en este caso con la edad y con la recurrencia de la enfermedad tras el tratamiento.

LEUCEMIA CRÓNICA LINFOIDE

Es un tipo de neoplasia o cáncer de la sangre que se caracteriza por la proliferación y acumulación de linfocitos en diversos órganos (incluyendo la médula ósea) como consecuencia de la expansión de un único clon maligno. Aunque su origen también es desconocido, se cree que se debe únicamente a factores genéticos sin influencia evidente de factores medioambientales o víricos.

Representa casi un tercio de todos los tipos de leucemia, con predominio entre los varones y siendo excepcional su diagnóstico antes de los 40 años

Su forma de presentación es lenta e insidiosa, en forma de cansancio, malestar general, infecciones respiratorias reincidentes y palidez. En muchos casos, los síntomas tienen un curso tan leve que la enfermedad se detecta directamente tras una analítica rutinaria o solicitada por motivos banales. Es típica la aparición de adenopatías (aumento del tamaño de los ganglios) en el cuello, las axilas, las ingles y por encima de las clavículas.

El diagnóstico de este tipo de leucemia se basa en la presencia exagerada de linfocitos en el estudio de la sangre, con una morfología típica, junto con un posible descenso de los glóbulos rojos y las plaquetas. Aunque existen casos de supervivencia prolongada, las infecciones graves, la anemia y las hemorragias suelen provocar la muerte a los cinco o seis años desde su diagnóstico, aunque siempre dependiendo del grado de evolución de la enfermedad y de la velocidad a la que avanza. El tratamiento quimioterápico se indica en función de dicha evolución y del grado de invasión de las células tumorales.

LEUCEMIA CRÓNICA MIELOIDE

Es un tipo de leucemia encuadrada dentro de los llamados síndromes mieloproliferativos crónicos y cursa con el aumento descontrolado no sólo de los glóbulos blancos de la médula ósea, sino también del resto de células sanguíneas.

En casi todos los casos existe una anomalía cromosómica en las células de la médula llamada cromosoma Philadelphia, sobre la que podrían actuar como desencadenantes ciertos agentes químicos y algunas radiaciones. Su incidencia máxima se sitúa entre los 30 y 40 años de edad con un cierto predominio entre los varones.

Su forma de presentación es lenta e inespecífica, puesto que la mayor parte de los síntomas (cansancio, fiebre ligera, sudoración) pueden ser atribuidos a múltiples patologías. El hallazgo más habitual en la exploración física de estos enfermos es la presencia de esplenomegalia o aumento considerable del tamaño del bazo. La elevación de los leucocitos en el análisis de sangre, especialmente de los granulocitos, es el dato más característico para el diagnóstico de esta enfermedad.

El pronóstico de este tipo de leucemia es malo, con una supervivencia media de algo más de un año si no se recibe tratamiento y de unos cuantos años más con el mismo; la mortalidad suele ser secundaria a accidentes vasculares, hemorragias y, en ocasiones, como consecuencia del propio tratamiento, que consiste en el empleo de ciertos fármacos de forma continuada. El trasplante de médula ósea ha obtenido buenos resultados en individuos jóvenes en una fase precoz de la enfermedad.

Leucemia

LEUCEMIA

Los leucocitos son un tipo especial de células sanguíneas encargadas de defender al organismo ante la agresión de cualquier agente extraño.

Se denominan leucemias a un grupo de enfermedades caracterizadas por la proliferación cancerosa o maligna de una extirpe de leucocitos alterada. En su origen pueden intervenir factores genéticos, infecciosos, medioambientales y farmacológicos.

LEUCEMIA AGUDA LINFOIDE

Formación rápida y maligna de un tipo concreto de leucocitos, llamados linfocitos, que invaden la médula ósea y otros tejidos del organismo.

Se manifiesta en forma de cansancio, anorexia, pérdida de peso, dolores articulares y fiebre.

Más frecuente en niños, tiene generalmente un buen pronóstico si se detecta y trata de forma precoz mediante quimioterapia.

LEUCEMIA AGUDA MIELOIDE

Transformación maligna de una célula madre de la médula ósea que produce una extirpe aberrante de mielocitos o glóbulos blancos maduros.

Los síntomas son similares a la anterior aunque generalmente más leves.

Además de la quimioterapia, el tratamiento puede incluir el trasplante de médula ósea alogénico (de un hermano compatible) o autotrasplante.

LEUCEMIA CRÓNICA LINFOIDE

Proliferación y acumulación de linfocitos en diversos órganos, incluyendo la médula ósea, como consecuencia de la expansión lenta y progresiva de un clon maligno.

Aparece con más frecuencia en los varones y generalmente por encima de los 40 años. Se presenta de forma lenta e insidiosa como cansancio, malestar general y facilidad para las infecciones, pasando su presencia desapercibida durante mucho tiempo.

Pese al tratamiento quimioterápico, la supervivencia media desde el diagnóstico de esta leucemia es de unos 5 años.

LEUCEMIA CRÓNICA MIELOIDE

Leucemia encuadrada dentro de los síndromes mieloproliferativos crónicos, cursando con un descontrol en la producción de todas las células sanguíneas en la médula ósea. Casi en la totalidad de los casos se asocia a una anomalía cromosómica que parece ser el origen del cuadro. Su instauración es también lenta e inespecífica aunque destaca en la exploración física la esplenomegalia o aumento del tamaño del bazo.

Su pronóstico es malo si bien el trasplante de médula ósea puede mejorar la esperanza de vida.

Enfermedad de Hodgkin

El sistema linfático es un conjunto de tubos delgados, que se ramifican por el organismo al igual que los vasos sanguíneos, que transportan un líquido incoloro movido también gracias al efecto de la contracción cardíaca. La función de la linfa es la de recoger parte de los desechos del metabolismo de los diferentes tejidos que forman el cuerpo humano, además de proporcionarles una barrera defensiva a través de un tipo concreto de glóbulos blancos que transporta, llamados linfocitos. Esta red de conductos posee en algunas zonas agrupaciones de pequeños órganos esféricos o abultados llamados ganglios, que producen y almacenan células especiales para la lucha contra la infección. El bazo (situado en el abdomen), el timo (detrás del esternón) y las amígdalas (garganta) son algunos de los órganos que también forman parte de este sistema.
Se denominan linfomas a un tipo de enfermedades cancerosas que se desarrollan en el sistema linfático y que asientan preferentemente sobre los ganglios del mismo, a diferencia de la leucemia, que afecta en su inicio a la médula ósea.

¿QUÉ ES LA ENFERMEDAD DE HODGKIN?

Es un tipo concreto de linfoma maligno o cáncer linfático que afecta con más frecuencia a los jóvenes en torno a los 20 años de edad y a los adultos en la edad media de la vida. Representa el 1% de todos los tipos de cáncer aproximadamente, con una incidencia algo mayor entre los varones.

Como cualquier linfoma, se caracteriza por la reproducción incontrolada y anormal de las células del sistema linfático que merman su capacidad defensiva e invaden otras regiones del organismo. El linfoma de Hodgkin se produce concretamente a partir de una célula maligna llamada de Reed-Sternberg que no es sino un linfocito alterado que se reproduce formando clones que desplazan a las células linfáticas normales.

Se desconoce hoy en día el verdadero origen de esta enfermedad, aunque la participación de un tipo concreto de virus, llamado de Epstein-Barr, que causa una enfermedad benigna conocida como mononucleosis infecciosa parece ser la clave del origen del mal. Por otro lado se habla de genes implicados en una mayor incidencia de la enfermedad, lo que explicaría la agregación de casos de esta enfermedad en algunas familias. Otros factores de tipo ambiental son también objeto de estudio por su posible relación con esta afección.

En conclusión, parece que la infección por el virus de la mononucleosis en la infancia favorece, en individuos genéticamente predispuestos o sometidos a factores externos desconocidos, la aparición de la enfermedad con el transcurso de los años, aunque en un amplio porcentaje de los casos no se puede probar la presencia de este virus. Los enfermos de sida presentan también una cierta predisposición hacia este tipo de linfomas.

¿CÓMO SE MANIFIESTA LA ENFERMEDAD?

El linfoma de Hodgkin produce una inflamación del tejido linfático que se manifiesta de manera más visible en el aumento del tamaño de los ganglios linfáticos, lo que se denomina adenopatías. Los territorios ganglionares donde se pueden palpar estas adenopatías con más frecuencia son la región situada por encima de las clavículas, las axilas, las ingles y el cuello. Estos ganglios aumentados suelen aparecer también en regiones más profundas inaccesibles a la palpación como el mediastino (entre los pulmones) o en la región lumbar. Normalmente son indoloros y blandos, aunque en ocasiones pueden hacerse dolorosos con el consumo de alcohol, lo que permite diagnosticar la enfermedad de forma casi segura.

■ Otros síntomas que pueden acompañar a la enfermedad son:

● Fiebre y sudoración que no sigue un patrón regular aunque puede predominar por la noche y es persistente.
● Cansancio inexplicado por otras patologías.
● Pérdida de peso superior al 10% en los últimos meses sin haber realizado dieta alguna.

Diagnóstico

■ Ante la presencia de los síntomas generales antes expuestos, principalmente una pérdida de peso o un cansancio inexplicable, y sobre todo, ante la presencia prolongada de ganglios aumentados de tamaño en un área corporal, se debe realizar de forma rutinaria un estudio que descarte la presencia de esta enfermedad. Conviene recordar sin embargo, que los ganglios linfáticos pueden aumentar su tamaño como consecuencia de múltiples procesos benignos, principalmente infecciones, por lo que no es razonable alarmarse en exceso si éstos se perciben.

Las pruebas empleadas para el diagnóstico de la enfermedad de Hodgkin son:

● Analítica de sangre: destaca la elevación de la velocidad de la sangre como principal signo de sospecha. Otras alteraciones como la anemia o la elevación de leucocitos resultan menos específicas.

● Radiografía de tórax: el ensanchamiento del espacio mediastínico situado entre los dos pulmones puede ser orientativo hacia la presencia de a denopatías en dicha región.
● Biopsia de los ganglios afectados: la detección entre el tejido de los mismos de la ya mencionada célula de Reed-Sternberg es la prueba definitiva que confirma el diagnóstico.

■ Una vez confirmado el diagnóstico se continúa con el llamado estudio de extensión, que trata de establecer el grado de avance de la enfermedad o su estadio, lo que resulta clave para establecer el tratamiento a seguir. Para ello se emplean diferentes técnicas como el escáner torácico y abdominal, la resonancia magnética, la gammagrafía, y la biopsia del hígado y de cualquier órgano sospechoso de estar afectado por la enfermedad. En ocasiones es necesaria una intervención quirúrgica exploratoria para delimitar el alcance de la enfermedad y las regiones ganglionares afectadas.

- Prurito o picor intenso en la piel, sobre todo en las extremidades.

A medida que la enfermedad avanza se puede extender hacia otros órganos a través del propio sistema linfático, la sangre o por contigüidad hacia las estructuras que rodean los ganglios. Los principales órganos afectados son el hígado, el bazo, la médula ósea, el pulmón y los huesos. Aunque en raras ocasiones, también pueden verse afectados los riñones, el cerebro y la médula espinal.

El hecho de que la producción de linfocitos, y por tanto la inmunidad, esté alterada se traduce en una mayor facilidad para contraer infecciones, tanto por bacterias, como por virus y hongos. El tratamiento de esta enfermedad, como después veremos, también favorece la aparición de esas infecciones.

¿CÓMO SE TRATA ESTA ENFERMEDAD?

El tratamiento de la enfermedad de Hodgkin es diferente en cada caso dependiendo de diferentes circunstancias que se deben valorar como la edad y el estado general del enfermo, el grado de avance del linfoma, la tolerancia inicial al tratamiento y las expectativas de curación que ofrece.

El estudio de extensión de la enfermedad en el momento del diagnóstico es la clave para determinar el procedimiento a seguir. Así, se pueden distinguir linfomas limitados sólo a un área o un órgano, de muy buen pronóstico, o, en el otro extremo, formas más evolucionadas que se extienden por cadenas ganglionares distantes entre sí o que afectan a tejidos fuera del sistema linfático y que complican su curación.

■ Los tratamientos empleados son:

- Radioterapia o empleo de rayos X de alta energía para eliminar las células cancerosas y reducir todo lo posible el tamaño de los tumores durante varias sesiones. Se acompaña de efectos secundarios como anorexia, vómitos, alopecia y sequedad de la boca en un primer momento, y complicaciones más graves a posteriori como la fibrosis pulmonar, el hipotiroidismo, la pericarditis y cierto tipo de tumores malignos llamados sarcomas.

- Quimioterapia o empleo de medicamentos especiales por vía oral o intravenosa que destruyen las células cancerosas, con un resultado espectacular en la mayoría de los casos. También asocia efectos secundarios iniciales parecidos a la radioterapia y otros a largo plazo como la esterilidad, la leucemia y los tumores de pulmón.

- Trasplante de médula ósea: indicado en aquellos casos de resistencia al tratamiento combinado anterior. Consiste en reservar médula ósea sana del propio individuo para reimplantarla posteriormente tras someterle a dosis máximas de quimio y radioterapia, que dañan la médula restante.

El pronóstico de esta enfermedad cuando se detecta y se trata a tiempo es excelente, aunque ciertos factores como la edad del individuo (peor cuanto mayor), la nula o mala respuesta al tratamiento inicial y los estadios avanzados o muy extendidos ensombrecen el mismo. A los diez años del diagnóstico sobreviven hasta el 75% de los enfermos, con una alta tasa de curación definitiva o remisión completa. La mayoría de los fallecimientos se deben a la recurrencia o reaparición del proceso tras el primer tratamiento.

Enfermedad de Hodgkin

Se denomina así a un tipo concreto de linfoma maligno o cáncer del sistema linfático que afecta con más frecuencia a los jóvenes en torno a los 20 años de edad y a los adultos en la edad media de la vida. Como cualquier linfoma se caracteriza por la reproducción incontrolada de las células defensivas que merman el sistema inmune e invaden otras regiones del organismo.

Aunque se desconoce el verdadero origen de esta enfermedad, se sospecha que la mononucleosis infecciosa durante la infancia o la juventud puede predisponer hacia su desarrollo.

Las manifestaciones clínicas de este linfoma son:

- Aparición de adenopatías o ganglios inflamados en diversos territorios corporales.
- Fiebre y sudoración persistente y con predominio nocturno.
- Pérdida de peso en los últimos meses.
- Picor en la piel de las extremidades.
- Cansancio.

Ante un cuadro de estas características, deben realizarse una serie de pruebas para confirmar su presencia como la analítica de sangre, la radiografía de tórax y, sobre todo, la biopsia de los ganglios afectados en busca de células malignas.

El tratamiento de esta enfermedad depende de diversas circunstancias como la edad del enfermo, su estado general, el grado de avance del cáncer y las expectativas de curación que se ofrecen.

Los métodos terapéuticos empleados son:

- Radioterapia.
- Quimioterapia.
- Trasplante de médula ósea.

El pronóstico de la enfermedad cuando se detecta y se trata en sus fases iniciales es excelente, con una supervivencia de hasta el 75% de los enfermos a los 10 años del diagnóstico, con un buen número de casos con remisión completa o curación definitiva.

La reaparición del proceso tras el primer tratamiento, la edad avanzada del individuo y los estadios avanzados de la enfermedad ensombrecen el pronóstico.

Enfermedades oculares

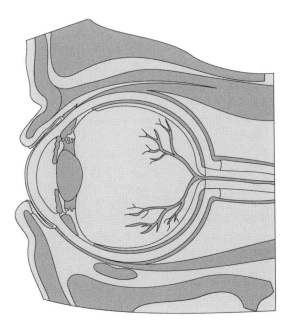

✓ Glaucoma

✓ Conjuntivitis
Conjuntivitis infecciosas • Conjuntivitis alérgicas • Conjuntivitis químicas y traumáticas • Ojo rojo

✓ Miopía, hipermetropía y astigmatismo

✓ Estrabismo

✓ Presbicia o vista cansada

✓ Cataratas

■ Partes del ojo ■

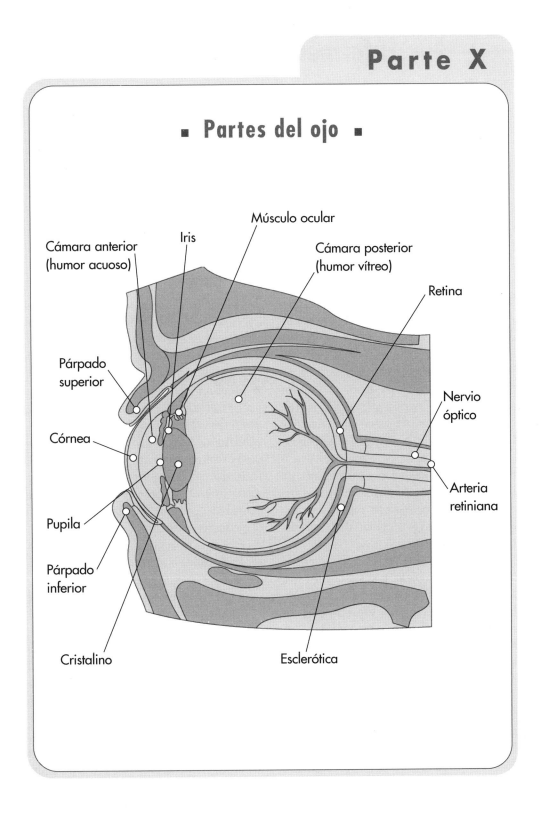

Músculo ocular

Iris

Cámara anterior
(humor acuoso)

Cámara posterior
(humor vítreo)

Retina

Párpado
superior

Nervio
óptico

Córnea

Arteria
retiniana

Pupila

Párpado
inferior

Cristalino

Esclerótica

Enfermedades oculares

El ojo es el órgano humano que permite la visión. Los globos oculares están directamente conectados con el cerebro a través de los nervios ópticos. Cada ojo se mueve por la acción de seis músculos que se encuentran alrededor del globo ocular. Los rayos de luz entran a través de la pupila, son concentrados por la córnea y el cristalino forma una imagen en la retina.

El sentido de la visión es considerado normalmente como el más importante y apreciado en el ser humano, puesto que, aunque todos son necesarios para una integración correcta en el entorno que le rodea, la percepción visual aporta una mayor cantidad de información que cualquier otro. Los seres vivos que tienen un pobre desarrollo de este sentido, o incluso los individuos que lo pierden o no lo poseen desde el nacimiento, se ven obligados a compensar esta circunstancia con un mayor desarrollo del resto, bien para permitir su supervivencia o bien para adaptarse al mundo de la manera más satisfactoria.

La visión consiste en la percepción de la luz emitida o reflejada por los objetos que forman nuestro propio universo, más concretamente una porción del espectro electromagnético llamado luz visible, acotada a ambos lados por la radiación infrarroja y ultravioleta respectivamente que son invisibles en condiciones normales.

Los seres vivos superiores han sido capaces de formar estructuras especialmente adaptadas a la percepción de este tipo de radiación y han desarrollado en su cerebro regiones específicas para la interpretación de estas señales. Aunque se sirva de órganos concretos para percibir el mundo exterior, es el cerebro el que realmente ve, oye, huele, degusta y siente.

■ En el ser humano los ojos son un órgano par de forma ovoide casi esférica situados en dos fosas especiales de la cara u órbitas, recubiertos de tejido adiposo o graso y protegidos por los párpados, las pestañas y las cejas, realizando un movimiento asociado o coherente entre sí, que permite la llamada visión conjugada. Las diferentes partes que forman el ojo humano son:

- **Esclerótica** o capa de aspecto blanquecino y resistente que envuelve exteriormente el globo ocular y que en su parte anterior se hace trasparente en una porción circular para permitir el paso de la luz, denominándose entonces **córnea**. La córnea actúa como la primera lente del ojo concentrando la luz que recibe hacia el interior del mismo y sus células tienen la capacidad de reproducirse fácilmente cuando resultan dañadas.
- **Conjuntiva** o tejido que recubre la parte posterior de los párpados y los bordes del

globo ocular proporcionando protección y humidificación al mismo. Posee un color rojo intenso por su abundante irrigación sanguínea.

- **Iris** o porción anterior de la coroides en forma de diafragma anular situado detrás de la córnea, que posee un color diferente en cada individuo y que permite modular el paso de luz apropiada en cada momento para una correcta visión, o lo que es lo mismo, el diámetro de la pupila.

- **Cámara anterior** o región situada entre la córnea exteriormente y el iris y el cristalino interiormente. Está rellena de un líquido transparente llamado **humor acuoso** que se drena y se renueva de forma constante.

- **Cristalino** o lente especial del ojo, transparente y elástica, que tiene la función de enfocar de manera fina y precisa la luz que le llega hacia la retina de la cámara posterior. Para modificar su forma y permitir así el enfoque correcto, se sirve de unos músculos situados en sus extremos llamados ciliares, que dividen a su vez el ojo en dos compartimentos llamados cámara anterior y posterior.

- **Cámara posterior** o región que ocupa toda la parte interna del globo ocular desde el cristalino hacia el nervio óptico. Esta cámara, más grande que la anterior, está rellena de un líquido llamado **humor vítreo** de consistencia similar a la de un gel que mantiene la forma y la tensión del globo ocular y que comprime la retina hacia su base.

- **Retina** o membrana fotosensible que recubre o tapiza interiormente una buena parte de la cámara posterior ocular. Esta capa delicada es la encargada de recibir las señales lumínicas que atraviesan el ojo mediante dos tipos de células llamadas conos y bastoncillos; los primeros están especializados en la percepción de las señales intensas y de los colores mientras que los segundos actúan cuando la intensidad de la percepción es baja. Ambos tipos de células forman capas a lo largo del espesor de la retina y están protegidas por un epitelio pigmentario especial. Se denomina **mácula lútea** a una región de la retina donde se concentran un mayor número de células fotorreceptoras y que proporciona la mayor claridad de visión cuando la imagen se enfoca sobre ella.

- **Nervio óptico**, o cordón nervioso que transporta la señal percibida por la retina hacia el lóbulo occipital del cerebro donde se encuentra la región encargada de la visión en el ser humano, llamada corteza visual.

- **Glándulas lacrimales** o pequeños sacos situados en el borde exterior y superior de cada globo ocular que proporciona un flujo de agua y sales minerales que humedece la superficie expuesta al exterior y el llamado saco conjuntival.

- **Musculatura ocular** o grupo de músculos horizontales, verticales y oblicuos que permiten el movimiento del ojo en la dirección deseada.

■ Los principales problemas que pueden afectar al órgano de la visión son:

- Infección e inflamación de la membrana conjuntiva que recubre el ojo, originando lo que se denomina conjuntivitis u otros procesos más o menos similares encuadrados dentro del «ojo rojo».

- Imposibilidad de obtener de forma natural una visión clara por un defecto congénito o adquirido del globo ocular, de la córnea o de los músculos internos que se traduce en los llamados defectos de refracción, como la miopía, hipermetropía, astigmatismo o presbicia.

- Alteración de la musculatura del ojo que dificulta la visión conjugada de forma unilateral o bilateral y que puede provocar estrabismo.
- Degeneración del cristalino con la consecuente opacificación del mismo originando lo que se denomina cataratas.
- Aumento de la presión interna del globo ocular por un defecto del drenaje del líquido que lo rellena, que produce el glaucoma y secundariamente a éste un daño en el nervio óptico.

- Desprendimiento de la retina por una alteración en la cámara posterior del globo ocular que puede desembocar en ceguera parcial o total.
- Alteración del riego sanguíneo de la retina por enfermedades como la diabetes, la sífilis o la hipertensión.
- Crecimiento de tumores en el globo ocular o en el trayecto del nervio óptico y en la corteza visual del cerebro.
- Traumatismos oculares.

Glaucoma

El glaucoma lo forman un conjunto de enfermedades que se caracterizan por tener en común la elevación de la presión intraocular por un defecto en el drenaje del humor acuoso que circula por la cámara anterior del ojo. Existe una serie de factores de riesgo que favorecen su aparición, como son: edad a partir de los 45 años, mayor frecuencia entre la población de raza negra, predisposición genética para desarrollar la enfermedad, la diabetes, la miopía y el pertenecer al sexo femenino.

■ En el ojo humano se pueden distinguir dos cámaras diferentes, separadas entre sí por el cristalino y los músculos que lo sujetan y lo movilizan, llamados músculos ciliares:

- Una cámara anterior, más pequeña, situada hacia el exterior entre la córnea y el propio cristalino y ocupada por un líquido renovable poco denso llamado humor acuoso.
- Una cámara posterior, más grande, que ocupa el resto del globo ocular desde el cristalino hacia atrás y que posee un líquido más denso y estable llamado humor vítreo.

En la cámara anterior el humor acuoso circula de forma permanente y así, al mismo tiempo que es producido por unas estructuras llamadas cuerpos ciliares es también recogido y drenado para mantener una cantidad más o menos constante del mismo en dicha cámara. Por el contrario, en la cámara posterior no existe circulación del humor vítreo.

Se denomina presión intraocular a la que ejerce el humor acuoso contra las paredes de la cámara anterior donde se encuentra y, por extensión, contra todas las estructuras del globo ocular incluido el nervio óptico. Esta presión debe mantenerse entre 10 y 21 mm de Hg en condiciones normales, siendo la media en los adultos de 15 mm de Hg. Según la hora del día (por la mañana) y la postura (tumbado o boca abajo) puede elevarse la presión ocular media, mientras que el ejercicio físico suele disminuirla.

¿QUÉ ES EL GLAUCOMA?

Se denomina glaucoma a un conjunto de enfermedades que tienen como punto común la elevación de la presión intraocular por un defecto en el drenaje del humor acuoso que circula por la cámara anterior del ojo. La relación de la presión intraocular y el glaucoma es evidente, hasta el punto de que valores por encima de 20 mm de Hg representan un riesgo hasta 40 veces mayor para presentar esta enfermedad.

El glaucoma es la segunda causa de ceguera en los países desarrollados, tras la retinopatía diabética, y afecta en torno a un 6-8% de la población general, aunque el 50% de la misma puede no ser consciente de ello.

¿POR QUÉ SE PRODUCE EL GLAUCOMA?

La elevación de la presión intraocular es el factor más claro que hoy en día se relaciona con la aparición de esta enfermedad, aunque su papel exacto en la misma sigue siendo en parte desconocido y será probablemente reconsiderado y completado con otros factores a lo largo del tiempo. El problema surge cuando una malla de forma trabecular (con cierto orden geométrico), que se encuentra situada en el ángulo inferior de la cámara anterior, no es capaz de drenar el humor acuoso a la misma velocidad que se produce en los cuerpos ciliares, con lo que éste se empieza a acumular.

Por otro lado paralelamente se produce un déficit vascular de la cabeza del nervio óptico que provoca la muerte o desaparición progresiva de las miles de fibras que forman el mismo. El aumento de la presión intraocular agrava este déficit vascular que hemos comentado, y así el nervio óptico cada vez es más débil.

■ El glaucoma puede presentarse de formas diferentes, según el tiempo de evolución del mismo y de sus causas; de forma sencilla podemos definir los siguientes tipos de glaucoma:

- **Glaucoma agudo o de ángulo cerrado**: es el aumento de presión intraocular de forma súbita que provoca cefalea intensa, náuseas, vómitos y disminución de la agudeza visual en forma de ataque agudo que requiere de atención especializada urgente. Es una forma poco habitual de producirse el glaucoma.
- **Glaucoma crónica o de ángulo abierto**: es el aumento progresivo de la presión intraocular que daña de forma lenta pero inexorable al nervio óptico sin producirse

ningún síntoma durante mucho tiempo hasta que empieza a deteriorarse la visión, en primer lugar la visión periférica y después, si no se controla, la visión central hasta desembocar en ceguera por la lesión total del nervio óptico. Es la forma más frecuente de presentarse esta enfermedad y a la que nos referiremos principalmente en este capítulo.

El glaucoma puede ser **primario** cuando aparece de forma espontánea sin asociarse a ninguna otra enfermedad oftalmológica o **secundario** cuando aparece como consecuencia de un traumatismo o un tumor ocular, o en general de cualquier proceso inflamatorio que afecte al ojo.

En ocasiones pueden aparecer casos de glaucoma en individuos con presiones oculares normales o incluso de forma congénita, que requieren un tratamiento precoz que proporciona buenos resultados.

¿CUÁLES SON LOS FACTORES DE RIESGO PARA PADECER GLAUCOMA?

■ Existe cierto desconocimiento en la actualidad acerca del papel real que desempeñan algunos factores predisponentes para el glaucoma, sobre todo porque no está claramente demostrado cómo interfieren en el aumento de la presión intraocular o si favorecen la enfermedad por otras causas independientes del aumento de la presión. No obstante podemos enumerar algunos de éstos que, aunque sólo sea de forma estadística, están asociados al glaucoma:

- Edad: a partir de los 45 años se incrementa de forma considerable la incidencia de la enfermedad, posiblemente debido al aumento de presión intraocular que se produce en todos los individuos de forma normal con el paso de los años. A partir de los 70 años de edad esta presión se estabiliza y comienza a disminuir.

- Raza: se detecta esta patología con mayor frecuencia entre la población de raza negra, hasta incluso ocho veces más, siendo el cuadro más grave y más precoz en su aparición que en la raza caucásica.

- Antecedentes familiares: existe una predisposición genética para desarrollar glaucoma y así, en torno a un 10% de los hijos de estos enfermos también lo desarrollan, aunque según otros estudios el riesgo puede aumentar hasta el 20%. Recientemente se han descubierto los primeros genes que podrían estar implicados en esta enfermedad.

- Diabetes: pese a que se ha establecido una relación directa entre diabetes y aumento de presión intraocular, no está clara su relación con el glaucoma aunque parece demostrado que los enfermos diabéticos tienen un mayor riesgo de padecer el mismo.

- Miopía: la presión intraocular se encuentra normalmente más elevada en los pacientes miopes que en el resto de individuos, independientemente de que padezcan una alteración visual o no.

- Sexo: no parece haber ninguna diferencia en este sentido pese a que diversos estudios han mantenido durante mucho tiempo que las mujeres eran más propensas a esta enfermedad.

¿CUÁLES SON LOS SÍNTOMAS DEL GLAUCOMA?

El glaucoma de ángulo abierto, que es el más frecuente como anteriormente hemos comentado, puede pasar desapercibido puesto que la pérdida de visión es generalmente gradual e indolora y una vez que el individuo se da cuenta el daño aparecido es irreversible. Esta característica de enfermedad silente durante la mayor parte de su evolución le otorga al glaucoma su mayor peligrosidad. En ocasiones el individuo puede detectar una especie de halos de arco iris alrededor de los objetos luminosos.

No siempre existe una relación directa entre el grado de afectación del nervio óptico y la disminución de la agudeza visual; así, algunos individuos con un nervio óptico muy dañado, pueden sin embargo mantener una calidad en la visión prácticamente normal, hasta el punto de que se detecte la enfermedad de forma casual en un control rutinario.

¿CÓMO SE DETECTA EL GLAUCOMA?

El diagnóstico del glaucoma se realiza mediante la medición de la presión intraocular, realizada bien dentro de un control oftalmológico habitual o bien tras la aparición de una pérdida de agudeza visual. El método más sencillo y fiable hoy en día es la tonometría, que utiliza una luz púrpura especial para medir esta presión.

Una vez se comprueba que la presión está alta, es necesario ampliar el estudio para comprobar el posible daño producido en el nervio óptico durante la evolución de la enfermedad.

■ Las dos pruebas fundamentales son:

- Examen del fondo de ojo: mediante oftalmoscopia se estudia la zona de la retina por donde llega el nervio óptico, llamada papila. Según la gravedad del glaucoma aparecerá una excavación mayor o menor en el centro de dicha papila, que normalmente es redondeada y de contorno regular, junto con una alteración de los vasos de la retina y una palidez en la cabeza del nervio óptico.

- Examen del campo visual: también llamado campimetría, que hoy en día se realiza mediante un sistema informático. Permite demostrar la presencia de un deterioro del campo visual y establece el grado de afectación real de la enfermedad; sirve como método para valorar la evolución o empeoramiento del glaucoma.

El concepto de presión intraocular alta y baja no es por tanto suficiente para esta-

Tratamiento

El objetivo de cualquier tratamiento que se emplee frente al glaucoma es el de detener su avance y conservar la calidad de visión que se tenga en el momento en el que se aplica. Es decir, que dado que la pérdida de visión que ya se ha producido es irrecuperable, debemos conformarnos con evitar que se pierda más. En cierto modo, por tanto, el glaucoma es una enfermedad incurable que sólo admite el empleo de medidas farmacológicas o quirúrgicas para disminuir la tensión intraocular y tratar de mantener el nervio óptico restante el mayor tiempo posible. Lo ideal sería conseguir presiones incluso más bajas de las consideradas normales en el resto de la población.

■ El tratamiento concreto que se emplea depende en parte de la edad del paciente y del grado de afectación del nervio óptico que posea, y normalmente combina diferentes medicamentos y técnicas quirúrgicas; así podemos distinguir:

● **Fármacos:** son el tratamiento que suele emplearse en primera instancia, en forma de colirios que asocian diferentes sustancias como bloqueantes, adrenérgicos selectivos, prostaglandinas y otros más modernos que han mejorado notablemente la evolución de esta enfermedad. Como cualquier otro fármaco pueden aparecer efectos secundarios en forma de molestias oculares, picor, cefalea o a nivel orgánico en el aparato cardiovascular y respiratorio, que deben ser consultados al médico.

● **Cirugía:** tradicionalmente las medidas quirúrgicas eran el único recurso eficaz que existía cuando la medicación no era capaz de disminuir la presión intraocular, y consistía en abrir los canales de drenaje del humor acuoso para evitar su acumulación. Desde principios de los años 80 se realiza una técnica llamada trabeculoplastia con láser que de forma sencilla perfora nuevos canales intraoculares para permitir el flujo del líquido, y que se realiza en poco tiempo y con anestesia local o tópica.

■ Hoy en día lo más habitual es que tras el diagnóstico de glaucoma se comience con el uso de colirios mientras la lesión del nervio óptico no sea muy grande y se mantenga estable a lo largo de los controles habituales. Cuando el nervio está lo suficientemente dañado se procede a la trabeculoplastia, que resulta exitosa en un elevado porcentaje de los casos, aunque deba seguirse del empleo de colirios durante toda la vida. En ocasiones ninguna de estas dos medidas es suficiente para mantener una presión intraocular aceptable y es necesaria la realización de una cirugía tradicional con el fin de realizar un nuevo canal de drenaje o válvula para el ojo. No es raro que durante esta cirugía se realice también la extirpación de las cataratas.

blecer un diagnóstico del glaucoma sino que debe acompañarse de pruebas que evidencien la lesión anatómica del nervio óptico y la alteración funcional de la visión. La media de tiempo que tarda una presión elevada en comenzar a producir defectos visuales es de unos 20 años aproximadamente.

El diagnóstico definitivo de glaucoma debe ser realizado por el oftalmólogo, cuya consulta ha de ser requerida por todos los individuos a partir de cierta edad independientemente de que se padezcan o no enfermedades oculares, sobre todo si existen antecedentes familiares de la enfermedad. La detección temprana del glaucoma es la clave para obtener el mayor éxito en su tratamiento. En aquellos individuos en los que la presión intraocular siempre ha sido correcta, y que por tanto no han sido diagnosticados de glaucoma, sólo está indicado controlarla cada cuatro o cinco años, salvo que posean alguno de los factores de riesgo antes mencionados.

PRONÓSTICO

Es importante saber que en la actualidad el glaucoma ya no es sinónimo de ceguera siempre que se detecte a tiempo y se cumpla el tratamiento de forma responsable. El avance en la terapia farmacológica y quirúrgica es constante, y ofrece expectativas cada vez más halagüeñas en cuanto al control de la enfermedad. Al mismo tiempo deben respetarse las fechas indicadas para la revisión, o acudir antes si aparece cualquier complicación. Como ya sabemos, el glaucoma es una enfermedad silenciosa en la mayoría de los casos, y el hecho de no tener molestias o ver bien tras la intervención quirúrgica o con el uso de colirios no indica que ya no necesitemos acudir de nuevo al especialista. El control de la presión intraocular no requiere de dietas u otras medidas especiales, y el enfermo puede hacer una vida completamente normal.

En resumen, podemos decir que los mejores métodos para prevenir las complicaciones del glaucoma son la información del paciente y los controles periódicos.

Glaucoma

ESTRUCTURA DEL OJO HUMANO

Tiene dos cámaras: una anterior ocupada por el humor acuoso y otra posterior con el humor vítreo.

CONCEPTO DE PRESIÓN INTRAOCULAR

Presión que ejerce el humor acuoso contra las paredes de la cámara donde se encuentra.

DEFINICIÓN Y CAUSAS DEL GLAUCOMA

Conjunto de enfermedades que tienen como punto en común la elevación de la presión intraocular. Segunda causa de ceguera en los países desarrollados.

CLASIFICACIÓN

- Glaucoma agudo o de ángulo cerrado: menos habitual, se manifiesta como un ataque agudo de cefalea, náuseas y vómitos por un aumento brusco de la presión intraocular.
- Glaucoma crónico o de ángulo abierto: aumento progresivo de la presión intraocular que produce daño en el nervio óptico y deteriora la agudeza visual.

FACTORES DE RIESGO

Determinadas situaciones están relacionadas con la mayor incidencia de esta enfermedad como por ejemplo la edad, la raza, los antecedentes familiares, la diabetes, la miopía previa y el sexo del individuo.

SÍNTOMAS

En el glaucoma crónico no se producen síntomas apreciables en la mayoría de los casos hasta que la enfermedad se encuentra en un estado muy avanzado, lo que provoca que se diagnostique de forma casual en un control rutinario.

DIAGNÓSTICO

Medición de la presión intraocular mediante tonometría, que se completa mediante examen del fondo de ojo y estudio del campo visual.

TRATAMIENTO

El objetivo es detener el avance de la enfermedad y conservar la calidad visual del momento del diagnóstico; el tratamiento se basa en la combinación de:

- Fármacos: generalmente en primera instancia.
- Cirugía: perforación de canales intraoculares para el drenaje del líquido intraocular.

PRONÓSTICO

El seguimiento riguroso del tratamiento y de las medidas preventivas garantiza una lenta evolución de la enfermedad y una conservación de la función visual prolongada.

Conjuntivitis

La conjuntiva es la membrana mucosa que tapiza el interior de los párpados y que cubre directamente el globo ocular; esta membrana está muy vascularizada, lo que le confiere un aspecto rojizo en condiciones normales. La anemia (palidez) o la ictericia (amarillenta) se reflejan tempranamente en esta mucosa, lo que la convierte en un signo de referencia diagnóstica en diversas patologías.

¿QUÉ ES LA CONJUNTIVITIS?

La conjuntivitis es la inflamación de la membrana conjuntival que provoca un enrojecimiento aún mayor de la misma y que está producida por múltiples causas. Esta inflamación se encuadra dentro de un grupo de enfermedades llamadas «ojo rojo» donde se incluyen todos aquellos procesos que provocan entre otros síntomas el enrojecimiento del ojo, no sólo de la conjuntiva, sino también del propio globo ocular.

¿POR QUÉ SE PRODUCE LA CONJUNTIVITIS?

Según las diferentes causas de la conjuntivitis podemos clasificarlas en varios grupos, con la característica común de la inflamación de la membrana conjuntival, pero con diferente sintomatología en cada caso.

CONJUNTIVITIS INFECCIOSAS

■ Los síntomas y signos de estas infecciones son, además del enrojecimiento de los ojos, las molestias en los mismos que no llega a ser dolor, el quemazón, la intolerancia a la luz intensa, el lagrimeo y la producción de un líquido purulento llamado exudado que hace que los párpados aparezcan «legañosos» y pegados al despertarse. Es también habitual que se aprecie una especie de arenilla intraocular que resulta más molesta cuando se cierra el ojo. En ocasiones los párpados llegan a inflamarse aunque la visión es completamente normal, al menos en los estadios iniciales.

Son la causa más frecuente de conjuntivitis, y a su vez, pueden estar causadas por diferentes tipos de gérmenes:

- **Conjuntivitis vírica**: es especialmente frecuente en los niños, entre los que se extiende con gran facilidad por la elevada contagiosidad que poseen en general los virus. Con frecuencia se afecta únicamente un ojo en primer lugar aunque después se extiende el proceso al otro. Los virus implicados pueden ser prácticamente todos aquellos que afectan al hombre, aunque los adenovirus son los que se detectan habitualmente en la típica conjuntivitis de piscina, que se acompaña de fiebre y dolor en la garganta y forman la llamada fiebre faringoconjuntival. En otros casos los virus pueden lesionar la córnea y producir úlceras en la misma, como en el caso de la infección ocular por el virus del herpes zoster. También diversas infecciones generales por virus como la varicela, la gripe, la rubéola u otras pueden tener una manifestación ocular dentro de sus síntomas generales. El lagrimeo es muy abundante, con escaso picor y con la presencia habitual de adenopatías en la región posterior del pabellón auricular.

- **Conjuntivitis bacteriana**: aparece con más frecuencia en los adultos, bien de forma aislada o como complicación de una conjuntivitis vírica que ha sido sobreinfectada por bacterias aprovechando la debilidad de la mucosa. La infección se produce por diversos staphylococos y estreptococos, y aunque no suele complicarse, si la infección avanza el cuadro puede ser grave. Se caracteriza por la producción de un exudado muy purulento, sin apenas lagrimeo y sin escozor ni dolor.

- **Conjuntivitis por *chlamidya trachomatis***: este parásito intracelular, más conocido por su afectación urinaria y pulmonar, se ha mostrado también como productor de conjuntivitis especialmente en los recién nacidos, que se contaminan en el canal del parto de madres infectadas. En los adultos pueden producirse lesiones más o menos crónicas y muy agresivas, llamadas tracomas, que pueden producir ceguera si no se tratan correctamente.

El diagnóstico de las conjuntivitis se basa en la exploración ocular en la que se revisan los párpados y el globo con una fuente de luz adecuada y otras técnicas complementarias. Las características de los síntomas permiten orientar la infección hacia un tipo u otro, aunque en la mayoría de los casos es difícil llegar a reconocer el germen causante en concreto.

El tratamiento se basa en el empleo de pomadas y colirios antibióticos varias veces al día tras un lavado de los ojos con suero salino o agua tibia. El uso de antibióticos está indicado no sólo en las formas bacterianas, sino también en las víricas para prevenir que se infecten secundariamente por aquellas. Normalmente se recomienda el tratamiento de ambos ojos, aunque inicialmente sólo se afecte uno de ellos, dada la facilidad de contagio de un ojo a otro. Los colirios antihistamínicos pueden resultar útiles para tratar el picor excesivo. En ningún caso debe ocluirse el ojo afectado.

Las medidas preventivas como la utilización de toallas u otros enseres de limpieza de forma separada son necesarias para impedir el traspaso de la infección a los demás miembros del entorno. Pueden emplearse gafas oscuras para evitar las molestias ocasionadas por la luz intensa.

La gran mayoría de las conjuntivitis infecciosas se resuelven en pocos días, aproximadamente en una semana, aunque sin tratamiento pueden evolucionar mal. En el caso del tracoma es posible que queden secuelas en forma de cicatrices que requieran de corrección quirúrgica posterior.

CONJUNTIVITIS ALÉRGICAS

Se producen cuando algún alérgeno, tanto pólenes como polvo o proteínas animales, entra en contacto con la conjuntiva ocular. El cuadro es muy característico por la irritación que provoca, y que se instaura de forma rápida (en pocos minutos) junto con una secreción de tipo mucoso, muy molesta para el individuo.

Además de la eliminación del alérgeno o agente causante de la reacción está indicado el uso de antihistamínicos por vía tópica y oral, así como el de corticoides a bajas dosis en los casos más agudos.

La primavera es la estación del año donde aparece este tipo de cuadros de forma más habitual, con tendencia a prolongarse durante toda ésta e incluso parte del verano.

La curación definitiva de esta patología va asociada a la curación de la alergia en general.

CONJUNTIVITIS QUÍMICAS Y TRAUMÁTICAS

Son aquellas que se producen por agentes químicos irritantes como la lejía o el alcohol o por pequeños traumatismos por astillas o esquirlas metálicas, sobre todo en el ámbito laboral. En ocasiones se acompañan de queratitis o afectación de la córnea.

En el caso de los agentes químicos es necesario hacer un lavado con abundante agua junto con corticoides tópicos para tratar las molestias. Si se sospecha la presencia de un cuerpo extraño clavado en la conjuntiva es necesario proceder a su extracción además de seguir un tratamiento antibiótico en colirio para prevenir infecciones.

OTRAS CAUSAS DE OJO ROJO

Además de la conjuntivitis, que es la causa más frecuente, otras patologías producen también enrojecimiento del globo ocular, como las hemorragias, el glaucoma agudo o de ángulo cerrado, la uveitis anterior o inflamación del iris y en general cualquier alteración de la córnea.

Cualquier proceso de este tipo debe ser consultado al oftalmólogo, o en su defecto al médico general para su diagnóstico y tratamiento.

Conjuntivitis

DEFINICIÓN Y CAUSAS

Inflamación aguda de la membrana conjuntival que se produce de forma secundaria a múltiples causas diferentes:

Conjuntivitis infecciosas: por diferentes gérmenes, que producen enrojecimiento ocular, molestias, sensación de quemazón y ojos «legañosos». Son la causa más frecuente de conjuntivitis y pueden estar producidas por:

- Virus: especialmente contagiosas, más frecuentes en los niños.
- Bacterias: más frecuentes en los adultos, a veces como complicación de una conjuntivitis vírica.
- Parasitarias: por Chlamidya trachomatis que son graves y se producen en adultos y en recién nacidos infectados a través del canal del parto.

Conjuntivitis alérgicas: por alérgenos como polvo y pólenes que entran en contacto con la conjuntiva ocular y producen de forma rápida un cuadro irritativo muy molesto.

Conjuntivitis químicas: por agentes irritantes como la lejía o el alcohol.

Conjuntivitis traumáticas: por pequeños objetos que golpean o se introducen en el ojo, con más frecuencia en el ámbito laboral.

OTRAS CAUSAS DE OJO ROJO

- Hemorragias conjuntivales.
- Glaucoma agudo.
- Uveítis anterior.
- Diversas patologías corneales.

— Miopía, hipermetropía y astigmatismo —

La córnea es la primera lente que posee el ojo para refractar o concentrar los haces luminosos que llegan al mismo sobre la retina. Las alteraciones en la curvatura de córnea desembocan en los defectos de la refracción ocular, que pueden ser un exceso de potencia óptica convergente en el caso de la miopía, la incapacidad del sistema óptico ocular para converger de forma apropiada los rayos de luz que recibe el ojo en la hipermetropía o la irregularidad e imperfección en la curvatura de la córnea en el astigmatismo.

La luz que llega a los ojos, como ya sabemos, debe ser enfocada de forma precisa sobre la retina para que la calidad de la visión que recibimos sea la máxima. Para ello, disponemos de dos lentes naturales que convergen los rayos de luz que llegan hasta su superficie y los dirigen hacia el fondo del globo ocular, donde se extiende la capa nerviosa llamada retina; esto se denomina refracción. Una de estas lentes es el cristalino que, gracias a su capacidad de acomodación voluntaria, permite enfocar de manera precisa los objetos según la distancia a la que se encuentren. La otra lente natural es la propia córnea que, situada en la parte anterior del globo ocular, desvía y concentra la luz hacia el interior del mismo.

■ La córnea posee una curvatura idónea para refractar los rayos lumínicos de manera exacta sobre la retina. Esta curvatura sin embargo puede no ser la correcta en algunos individuos e incluso diferente entre los dos ojos, lo que desemboca en los llamados defectos de la refracción ocular. Pueden ser de tres tipos diferentes:

- Un exceso de curvatura corneal, y por tanto un ojo excesivamente alargado en cuanto a su profundidad, se manifiesta como una concentración de la imagen percibida por delante de la retina o antes de la misma. Este defecto constituye lo que se denomina miopía.

- Un defecto de esta curvatura, es decir una córnea excesivamente plana y por tanto un ojo más largo en cuanto a su altura, se manifiesta por el contrario como una imagen formada por detrás de la retina, fuera ya del globo ocular. Esto es lo que se denomina hipermetropía.

- En ocasiones la cornea no es perfectamente curva en todas sus direcciones sino más bien ovalada de forma desigual que refracta de diferente manera la luz que le llega según provenga de un punto o de otro. Esta alteración ocasiona el llamado astigmatismo.

MIOPÍA

La miopía es por tanto el resultado de poseer un exceso de potencia óptica en los ojos, bien por un alargamiento inadecuado de los mismos o por un aumento en la capacidad convergente de la córnea o el cristalino, aunque ambas circunstancias pueden ir asociadas entre sí de forma indistinguible.

El resultado es en cualquier caso la formación de la imagen en un punto anterior a la retina, que como sabemos es la membrana de tejido nervioso que se estimula con la luz y transmite la imagen hacia el cerebro a través del nervio óptico. Por tanto, dado que la imagen perfecta se forma fuera de esta membrana, en este caso en algún punto del humor vítreo de la cámara ocular posterior, la visión es borrosa tanto más según el grado de miopía.

■ Existen diversas teorías sobre el origen de este defecto visual, aunque hoy en día se acepta mayoritariamente que la miopía es el resultado del empleo forzado del órgano de la visión para los objetos cercanos, en individuos genéticamente predispuestos. Es decir, que un niño puede tener mayores probabilidades que otro en desarrollar este defecto debido a su herencia familiar, pero serán la lectura y en general cualquier actividad que exija un esfuerzo mayor de la visión cercana, los que desarrollaran el mismo. Esto explica el hecho de que el periodo de escolarización (entre los cinco y seis años de edad) sea en el que se comienzan a percibir los primeros síntomas de la miopía:

- Dificultad para la visión lejana: los objetos distantes (como por ejemplo la pizarra) aparecen borrosos o desenfocados; de ahí que los miopes se hayan denominado también alguna vez como «cortos de vista».
- Dolor ocular o de cabeza tras ratos prolongados de lectura.
- Tendencia a guiñar o cerrar parcialmente los ojos para enfocar mejor los objetos lejanos o intermedios.
- Acercamiento excesivo hacia lo que se lee o se escribe.
- Posible desarrollo de estrabismo o bizqueo como consecuencia de diferentes grados de agudeza visual entre un ojo y el otro.

La desnutrición también ha sido implicada en el origen de ciertos casos de miopía en niños y adultos; la teoría de la luz para dormir, que defiende que los niños que duermen con la luz encendida tienen más posibilidades de desarrollar miopía, es hoy en día muy controvertida.

La miopía afecta al 25% de la población de forma aproximada en mayor o menor grado, y se mide mediante las dioptrías o unidades de potencia refractiva que poseen las lentes empleadas para su corrección. Una dioptría equivale a la capacidad de una lente para enfocar un objeto que se encuentre a un metro de distancia. A mayor grosor de la lente, es decir a más dioptrías, se puede enfocar un objeto aún más cercano; así, un individuo que requiera lentes de dos dioptrías no es capaz de ver sin ellas más allá de 50 cm (un metro dividido entre dos), mientras que uno con diez dioptrías no ve más allá de 10 cm (un metro dividido entre diez).

Una vez diagnosticada la miopía mediante diferentes técnicas de optometría y tests visuales, ésta suele progresar durante los primeros años a un ritmo aproximado de una dioptría/año, hasta que posteriormente se estabiliza cuando finaliza el crecimiento del individuo.

Existen formas de miopía puramente congénita que no se deben a un esfuerzo visual en los primeros años de vida sino que están presentes desde el nacimiento antes de que se vea la luz. Por otro lado existen formas de miopía maligna o miopía magna que avanzan de forma desmesurada en la edad adulta hasta desembocar en una incapacidad total para enfocar los objetos. La llamada miopía nocturna consiste en una dificultad bastante extendida para enfocar la visión en condiciones de baja luminosidad, que afecta por igual a miopes y no miopes.

¿CÓMO SE TRATA LA MIOPÍA?

■ Las diferentes opciones terapéuticas para corregir la miopía son:

● Gafas: se utilizan lentes divergentes o negativas que dispersan la luz recibida para compensar el exceso de poder refractivo convergente del ojo. Es la técnica más tradicional, que poco a poco se ve disminuida su utilización por razones puramente estéticas o de comodidad.
● Lentes de contacto: su funcionamiento es similar al de las gafas aunque ofrecen una mayor comodidad, sobre todo si se desarrollan actividades deportivas.
● Cirugía correctora de la miopía: se emplean diferentes técnicas como:

1. Queratotomía radial: consiste en la realización de una serie de cortes o incisiones radiales en la córnea con el fin de aplanarla y hacerla perder poder refractivo.
2. Fotoqueratectomía refractiva: procedimiento similar al anterior pero realizado con láser, que esculpe la superficie de la córnea a voluntad según un complejo sistema informático que calcula las necesidades de cada ojo.
3. Queratomileusis o LASIK: consiste en la corrección del espesor de la córnea y no de su superficie como en la técnica anterior, lo que se traduce en menos dolor durante la manipulación.

La decisión de operarse o no de miopía depende de cada caso y de la necesidad personal que cada individuo tenga de ello. En general las técnicas modernas ofrecen un buen resultado sin apenas molestias, aunque no eliminan por completo las dioptrías que se tengan (y a veces el uso de lentes correctoras) para no forzar al ojo a hacerse aún más miope. El entrenamiento visual mediante la realización de una serie de ejercicios y la ortoqueratología (utilización de lentes de contacto planas y rígidas) pueden mejorar este defecto visual en algunos casos.

■ Los individuos miopes deben revisarse con cierta asiduidad tanto su agudeza visual como el fondo de ojo y la tensión ocular dada la predisposición que tienen para el padecimiento de catarata, glaucoma y desprendimiento de retina, especialmente aquellos con más de diez dioptrías. En el caso de los niños deben observarse siempre las siguientes medidas preventivas:

● La posición para leer debe ser siempre la de sentado con una buena iluminación directa e indirecta, sobre un plano ligeramente inclinado hacia sí mismo.
● Descansar tras cortos periodos de lectura, alternándolos con paseos u otras formas de esparcimiento al aire libre.
● Alimentación equilibrada.
● Evitar malos hábitos como ver la televisión pegado a ella o acercar en exceso los libros a la cara.

HIPERMETROPÍA

La hipermetropía se define como la incapacidad del sistema óptico ocular para converger de forma apropiada los rayos luminosos que llegan hasta los ojos o, dicho de otro modo, un defecto en la potencia óptica de la córnea como consecuencia de una superficie de la misma excesivamente plana. Un ojo demasiado corto en cuanto a su longitud anteroposterior produce el mismo efecto final, que es la formación de la imagen detrás de la retina, fuera del globo ocular.

Se puede decir de forma general que los niños cuando nacen son hipermétropes debido a la menor longitud de sus ojos, aunque a medida que crecen éstos se reduce el grado de hipermetropía. En la adolescencia, cuando se detiene el crecimiento físico del individuo, se estabiliza el grado de hipermetropía para toda la vida.

En cierto modo todos padecemos hipermetropía, puesto que existe un punto lo suficientemente cercano a nuestros ojos a partir del cual ya no somos capaces de enfocar imágenes. Ciertos individuos con predisposición genética presentan este defecto de forma más evidente y a distancias que normalmente puede enfocar un ojo sano; estos son los hipermétropes.

Por tanto, el principal síntoma de este defecto visual es la incapacidad para enfocar correctamente los objetos cercanos, que se manifiestan como manchas borrosas más intensas cuanto más se acercan al ojo. Al contrario que en la miopía, el hipermétrope se aleja de los objetos para poder verlos mejor.

En ocasiones la musculatura que mueve el cristalino puede forzar la acomodación de éste hasta el punto de compensar parcial o totalmente el defecto y hacerlo pasar desapercibido, aunque en general este defecto visual se acabará manifestando tarde o temprano, especialmente cuando hacia los cuarenta años de edad se desarrolle la presbicia. Hasta media dioptría de hipermetropía se considera aceptable no utilizar ninguna técnica correctora.

La cefalea puede ser un síntoma acompañante a la hipermetropía como consecuencia del excesivo esfuerzo permanente para enfocar los objetos cercanos. Los individuos hipermétropes sin embargo mantienen una buena visión lejana, dado que los rayos luminosos que provienen desde una larga distancia son prácti-camente paralelos y no necesitan de un poder de refracción importante. En ocasiones puede aparecer en los niños un estrabismo compensador convergente (los ojos se giran levemente hacia dentro) que se resuelve con el tratamiento de la propia hipermetropía.

Este defecto visual se detecta mediante las habituales técnicas de optometría realizadas por el especialista dentro de las revisiones normales que todo niño debe seguir, sobre todo a partir de la escolarización o hacia los seis años aproximadamente.

■ El tratamiento corrector de la hipermetropía es necesario aunque el sujeto vea bien, ya que esto lo consigue a fuerza de abusar de la capacidad acomodadora del cristalino, lo que desembocará en fatiga visual temprana. Los principales sistemas empleados para esta corrección son:

- Gafas: se utilizan lentes convergentes o positivas que concentran los haces luminosos para compensar la falta de potencia refractiva del sistema óptico ocular. Sus ventajas o inconvenientes son similares al caso de la miopía, aunque en este caso la distancia exacta desde el cristal hasta el ojo es un factor variable que puede alterar la calidad de la imagen percibida.
- Lentes de contacto: además de sus ventajas en cuanto a la comodidad de su uso, permiten una graduación más exacta al permanecer fija la distancia entre el ojo y la lente, cubriendo además todo el campo visual.
- Cirugía refractiva: mediante láser se puede esculpir la superficie de la córnea para dotarla de un mayor poder refractivo y corregir así el problema de forma definitiva. Implica lógicamente unos riesgos (pocos) que el individuo debe asumir como ante cualquier otra intervención quirúrgica.

ASTIGMATISMO

La luz que llega reflejada a los ojos incide sobre la córnea donde es refractada hacia la retina para ser recogida y transformada en una señal nerviosa hacia el cerebro. En ocasiones la córnea no es capaz de concentrar de manera uniforme los haces de luz en puntos concretos sobre la retina, sino que forma líneas y formas ovaladas que distorsionan la imagen percibida. El astigmatismo es por tanto una alteración visual producida por imperfecciones e irregularidades en la curvatura de la córnea que se manifiestan como la imposibilidad de enfocar correctamente los objetos en determinados planos de la visión.

Los miopes e hipermétropes ven mal en cualquier dirección a la que miren, mientras que el astigmatismo produce mala visión según la orientación de la mirada, independientemente de que el objeto se encuentre cerca o lejos del individuo. Todos los ojos tienen un cierto componente astigmático en mayor o menor medida.

Existe un componente genético o hereditario en este defecto visual, aunque en muchos casos se piensa que la lectura en malas condiciones de luz y las posturas inadecuadas para la misma pueden precipitar la aparición del cuadro. Tras una intervención quirúrgica de cataratas puede producirse un cierto grado de astigmatismo remanente.

El astigmatismo puede ser regular cuando la distorsión sigue una progresión constante desde una región corneal muy refractante hacia otra, perpendicular a la primera, poco refractante. Los astigmatismos irregulares, afortunadamente menos frecuentes, no tienen ningún patrón geométrico en la curvatura de la córnea, lo que dificulta su tratamiento corrector. El astigmatismo puede asociarse a miopía e hipermetropía, lo que se denomina astigmatismo compuesto.

Junto con la visión borrosa de los objetos tanto cercanos como lejanos, el astigmatismo se acompaña de otros síntomas como ardor y picor en los ojos, sensación de arenilla en los mismos, dificultad para la alternancia de visión cercana y lejana y la consabida cefalea de todos los trastornos visuales. Mover los ojos más rápido que la cabeza, o al contrario, puede ser un signo premonitorio del desarrollo de un astigmatismo, así como la tendencia a ladear la cabeza para enfocar la mirada. En la mayoría de los casos esta alteración visual se estabiliza al finalizar el periodo de crecimiento, siendo poco probable que aumente con posterioridad. No es extraño que un pequeño astigmatismo pueda pasar desapercibido durante gran parte de la vida y manifestarse únicamente cuando los mecanismos compensatorios empiecen a fallar con la edad.

El tratamiento se realiza mediante una lente tórica (más curvada en un sentido que en el otro) que se opone al defecto natural de la córnea. En aquellos casos en los que el defecto es pequeño y se mantiene una buena agudeza visual no es necesaria la corrección. Además de las gafas, pueden emplearse lentes de contacto rígidas con muy buenos resultados. Hoy en día tambien se emplea la cirugía correctora para este defecto visual.

Miopía, hipermetropía y astigmatismo

MIOPÍA, HIPERMETROPÍA Y ASTIGMATISMO

La córnea es la primera lente que posee el ojo para refractar o concentrar los haces luminosos que llegan al mismo sobre la retina. En ocasiones pueden existir alteraciones de la curvatura de la misma que desemboquen en los llamados defectos de la refracción ocular, que pueden ser de tres tipos diferentes: miopía, hipermetropía y astigmatismo.

MIOPÍA

Es el resultado de un exceso de potencia óptica convergente bien por una excesiva curvatura de la córnea o una longitud excesiva del ojo.

Es el resultado del empleo excesivo de la visión cercana en individuos genéticamente predispuestos, que comienza a manifestarse generalmente a partir del periodo de escolarización.

Junto con la dificultad para la visión lejana pueden aparecer otros síntomas como cefalea, estrabismo y dolor ocular.

El tratamiento se basa en el empleo de lentes correctoras divergentes o negativas a través de gafas o lentes de contacto. La cirugía correctora de la miopía consigue excelentes resultados.

HIPERMETROPÍA

Es la incapacidad del sistema óptico ocular para converger de forma apropiada los rayos de luz que recibe el ojo. Al contrario que en la miopía, se debe al desarrollo de una córnea excesivamente plana o a un ojo corto.

El principal síntoma de este defecto visual es la dificultad para enfocar los objetos cercanos junto con cefalea y, en ocasiones, estrabismo compensador.

El tratamiento corrector es necesario aunque el sujeto mantenga una buena visión puesto que esto se consigue a fuerza de abusar de la capacidad acomodadora del cristalino. Se emplean lentes convergentes o positivas mediante gafas y lentes de contacto. La cirugía refractiva o correctora puede ser también una opción definitiva.

ASTIGMATISMO

Consiste en un defecto visual provocado por irregularidades e imperfecciones en la curvatura de la córnea que impiden enfocar correctamente en determinados planos de la visión.

Aunque existe un componente genético o hereditario, se cree que la lectura en malas condiciones de luz y las posturas inadecuadas para la misma pueden precipitar su aparición.

En ocasiones este defecto visual puede ser compensado durante mucho tiempo y pasar así desapercibido hasta la edad madura.

El tratamiento se realiza mediante el empleo de lentes tóricas (más curvadas en un sentido que en el otro) que se oponen al defecto natural de la córnea mediante gafas y lentes de contacto rígidas. Existe también tratamiento quirúrgico.

Estrabismo

Los ojos en las personas disponen de seis músculos cada uno, encargados de la movilidad del globo ocular de forma coordinada. Se denomina visión correcta a la estereoscópica o binocular, con una apreciación apropiada de la profundidad o tridimensionalidad de los objetos. Para ello es necesario que la musculatura de ambos ojos actúe de manera conjugada de tal manera que se enfoque siempre en la misma dirección, acoplando después el cerebro ambas imágenes para obtener la mejor visión posible. Cuando los ojos no miran exactamente en la misma dirección la visión binocular es imposible. El reflejo de la fijación aparece entorno a los dos meses de vida, que es cuando el recién nacido empieza a percibir de forma más precisa las imágenes que le rodean.

¿QUÉ ES EL ESTRABISMO?

Se denomina estrabismo a la pérdida del paralelismo o movimiento coordinado de los ojos, que se traduce en la fijación de uno de ellos sobre el objeto que se quiere enfocar y la desviación del otro. Es un problema frecuente en los niños menores de seis años, presentándose de forma patente hasta en un 5% de los mismos, aunque en otros muchos casos puede pasar prácticamente desapercibido. No obstante, es habitual que un recién nacido pueda desviar uno o ambos ojos en algunas ocasiones sin que ello signifique aún un estrabismo consolidado. El ojo desviado, cuya visión es rechazada por el cerebro puesto que es inútil para formar la imagen requerida, puede ir perdiendo gradualmente su capacidad y convertirse en un ojo ambliope o «vago».

Según el tipo de desviación se habla de estrabismo convergente o endotropía (el más frecuente), cuando la desviación es interna; divergente o exotropía cuando es externa o estrabismo vertical cuando es hacia arriba o abajo. Se denomina estrabismo fijo a aquél en el que siempre se desvía el mismo ojo y alternante al que se caracteriza por la intermitencia de uno y otro ojo en dicho desvío.

¿CUÁL ES LA CAUSA DEL ESTRABISMO?

■ Los factores que pueden intervenir en este proceso son diversos y, en general, se piensa que es la unión de varios de ellos lo que desemboca en el mismo. Estos factores son:

- Alteración de la coordinación muscular del ojo producida por una visión desigual con respecto al otro. Es decir, el ojo afectado se desvía porque ve mal o diferente al otro y no puede colaborar en la visión conjunta. Una catarata congénita, un mayor grado de miopía o simplemente un astigmatismo, pueden ser los responsables de la diferente visión de un ojo respecto al otro.
- En ocasiones pueden existir lesiones congénitas en los músculos oculares o en los nervios responsables de su estimulación. Se denomina entonces estrabismo paralítico.
- La herencia familiar es un factor importante como predisposición a padecer esta alteración visual.

La aparición de estrabismo en adultos suele ser secundaria a traumatismos craneales, tumores, enfermedades musculares y del tiroides, manifestándose generalmente como diplopia o visión doble. Posiblemente existan algunos otros factores determinantes en la aparición del estrabismo que aún son desconocidos.

¿CÓMO SE MANIFIESTA EL ESTRABISMO?

■ Los principales signos que pueden aparecer en esta alteración y que pueden ayudarnos a detectarla son:

- Desviación de un ojo o pérdida de su paralelismo, que en ocasiones es muy notorio mientras que en otras es apenas perceptible, que se mantiene de forma constante y no sólo ocasionalmente.
- Posiciones anormales de la cabeza como desviaciones o inclinación de la misma para enfocar los objetos; puede ser típico el hecho de mirar la televisión con la cabeza dirigida hacia un lado de la misma y no hacia el centro.
- Diplopia o visión doble, sobre todo en adultos; dificultad para el cálculo de distancias y relieves por pérdida de la visión binocular.

Tratamiento

■ El objetivo principal del tratamiento es lograr la alineación normal de los ojos junto con la recuperación de la visión binocular. Además, debe curarse la ambliopia (ojo vago) o disminución de la agudeza visual progresiva que produce esta alteración. En los adultos que presentan un estrabismo desde la niñez, dicha ambliopia ya es irreversible, por lo que la alineación de los ojos tiene únicamente fundamento estético.

■ Podemos diferenciar dos tipos de tratamiento:

- Tratamiento corrector conservador: consiste en la utilización de diversas técnicas que pretenden corregir el defecto visual del ojo afectado para impedir su desviación y su inutilización por parte del cerebro. Para ello se emplean gafas especiales, ejercicios de la musculatura del ojo y oclusión con parches para forzar el uso del ojo desviado o ambliope.
- Tratamiento corrector quirúrgico: indicado cuando las medidas previas no son suficientes

para producir la alineación de los ojos. Se trata de un procedimiento relativamente seguro que trata de modificar la «tensión» de la musculatura ocular para eliminar la desviación. Con frecuencia es necesaria más de una intervención quirúrgica hasta lograr el resultado deseado y en muchos casos se deben seguir empleando las gafas correctoras con posterioridad. El empleo de toxina botulínica es una técnica relativamente moderna que consigue la paralización de un músculo ocular concreto, sin necesidad de una cirugía convencional aunque bajo anestesia general.

■ Los resultados de estos tratamientos dependen del tipo concreto de estrabismo que se padezca, la edad de aparición y la de tratamiento, así como de la agudeza visual de cada ojo. En cualquier caso el estrabismo requiere de años de constancia en su tratamiento y de la colaboración del paciente (y de sus padres si es el caso). La mayoría de las veces se puede obtener hoy en día un resultado satisfactorio en el tratamiento de esta alteración.

En ocasiones el estrabismo puede debutar de forma brusca con la desviación importante de uno de los ojos en un niño con un paralelismo aparentemente normal con anterioridad. Se denomina foria a un tipo de estrabismo latente que se disimula mediante el esfuerzo muscular de los ojos que permite mantenerlos alineados, evitando así la visión doble; las forias normalmente no producen síntomas, pero si es grande y requiere una corrección muscular importante, puede manifestarse a largo plazo en cefaleas y dificultad para la visión tridimensional.

Es importante recalcar que el desarrollo de la función visual durante los primeros meses de vida determina la capacidad y la calidad de la misma en la edad adulta, por lo que cualquier defecto visual, sea llamativo o no, debe ser diagnosticado de forma precoz. Ningún niño es demasiado pequeño para ser examinado, especialmente si se observan desviaciones en la mirada o existen antecedentes familiares de estrabismo; después de los seis o siete años de vida, los resultados que se obtienen con el tratamiento de esta patología son mucho más pobres.

Estravismo

DEFINICIÓN

La musculatura de los globos oculares permite al cerebro dirigir la mirada de manera correcta hacia un objeto determinado para obtener la mejor imagen tridimensional y profunda del mismo.

Se denomina estrabismo a la pérdida del paralelismo ocular por desviación de uno de los ojos o de ambos, que ocurre normalmente desde los primeros momentos de la vida. Esta descoordinación suele ser manifiesta aunque en ocasiones puede pasar desapercibida durante mucho tiempo.

CAUSAS

Cualquier alteración en la agudeza visual de un ojo respecto del otro (mayor miopía o astigmatismo, catarata congénita y otras) puede traducirse en una desviación progresiva del mismo, dado que representa un «estorbo» para el cerebro en su intento de obtener una imagen nítida y adecuada. Este ojo con el tiempo se vuelve ambliope o vago y pierde, si no se remedia antes, su capacidad visual de forma progresiva.

Existen ciertos síndromes congénitos que pueden relacionarse con esta alteración y, en general, se reconoce una predisposición hereditaria a padecerlo. En los adultos, los traumatismos son la causa más frecuente de estrabismo.

DIAGNÓSTICO

La detección precoz de los síntomas del estrabismo es fundamental para lograr el mayor éxito en su tratamiento. A partir de los 6 meses de vida debe consultarse al pediatra si se denota una desviación de la mirada, especialmente si existen antecedentes familiares. La visión doble y las posturas inadecuadas de la cabeza para enfocar un objeto son algunos de los signos que también pueden detectarse.

TRATAMIENTO

Puede ser de 2 tipos diferentes aunque, en ningún caso excluyentes entre sí:

- Corrector o conservador: pretende eliminar la desviación del ojo afecto y estimular su utilización; para ello se emplean gafas especiales, parches oclusivos y ejercicios de la musculatura ocular.
- Quirúrgico: aplicación de diferentes técnicas sobre la musculatura del globo ocular con el fin de centrar el mismo; con frecuencia son necesarias varias intervenciones hasta lograr el resultado óptimo.

Presbicia o vista cansada

El ojo en el ser humano está preparado principalmente para la visión lejana, ya que los rayos luminosos que provienen prácticamente paralelos a media o larga distancia se refractan en la córnea y el cristalino para ser enfocados sobre la retina. Por el contrario, la visión cercana, cuyos rayos luminosos llegan al ojo de forma divergente, exige un cambio forzado en la curvatura del cristalino para poder enfocar correctamente la imagen. Este proceso, llamado acomodación, se realiza mediante la contracción y relajación del músculo ciliar que sostiene firmemente al cristalino.

La acomodación o capacidad de los ojos para ajustar el enfoque correcto de los objetos según su distancia va disminuyendo con el paso del tiempo, siendo máxima en torno a los 14 años y mínima a partir de los 65 años.

¿QUÉ ES LA PRESBICIA?

Se denomina así a la pérdida gradual del poder de acomodación del cristalino debida a la disminución de su flexibilidad como consecuencia del paso de los años. No es por tanto una patología propiamente dicha, sino una condición fisiológica o natural que comienza a manifestarse aproximadamente entre los 40 y 45 años de edad y que afecta prácticamente a la totalidad de los individuos. No obstante, existen algunos condicionantes que pueden acelerar este proceso, como por ejemplo la hipermetropía no tratada, la diabetes, las carencias nutricionales y la ingesta de ciertos medicamentos. Algunas teorías hablan de la incidencia del sol y la temperatura como factores predisponentes al desarrollo precoz de la presbicia, lo que explicaría la mayor incidencia de la misma en las poblaciones cercanas al ecuador de la Tierra, incidencia que va disminuyendo según nos acercamos a los polos.

■ A medida que la persona envejece se producen dos fenómenos característicos:

1. Las células del cristalino van muriendo, lo que provoca el engrosamiento de éste y su pérdida de elasticidad.
2. La musculatura ciliar pierde su tensión normal y tiene mayor dificultad para movilizar un cristalino cada vez más rígido.

La presbicia o vista cansada se desarrolla gradualmente y se manifiesta como la tendencia a alejar de forma involuntaria los objetos que se desean enfocar o leer, ya que cuanto más cercanos están éstos, más borrosos aparecen. Puede acompañarse también de fatiga ocular y cefalea tras un tiempo prolongado de lectura.

La presbicia afecta por igual a miopes e hipermétropes, aunque en estos últimos suele manifestarse antes como un empeoramiento de su ya mala capacidad para enfocar los objetos cercanos, sobre todo si nunca han empleado gafas correctoras con anterioridad.

¿CÓMO SE DIAGNOSTICA LA PRESBICIA?

La pérdida progresiva de la capacidad para enfocar correctamente los objetos cercanos es el síntoma cardinal de esta alteración visual. No tiene sentido prolongar durante mucho tiempo esta situación esperando a que los ojos «se acostumbren» a este nuevo estado forzando los mismos para evitar el empleo de gafas, ya que se trata de un proceso irreversible que debe consultarse al oftalmólogo tan pronto como se detecte.

En ocasiones, por motivos estéticos, los individuos prefieren «estirar» los brazos para leer antes que utilizar lentes correctoras. Humorísticamente se define como síntoma de la presbicia la incapacidad de estirar aún más los brazos para poder leer.

El empleo precoz de lentes correctoras evita el esfuerzo innecesario de la musculatura ocular y permite que la enfermedad progrese de forma más lenta.

¿CÓMO SE TRATA LA PRESBICIA?

■ La solución de la presbicia es sencilla y se basa en el empleo de lentes convergentes que sustituyen la pérdida de poder de refracción del cristalino ocular. Los tipos de gafas empleados normalmente son:

- Monofocales: empleadas únicamente para la visión cercana o la lectura.
- Bifocales: con dos lentes unidas que se utilizan para la visión cercana (inferior) y la lejana (superior). Con frecuencia no permiten una visión clara en distancias intermedias.
- Progresivas: permiten una visión nítida a cualquier distancia variando simplemente la inclinación de la cabeza sin necesidad de acercarse o alejarse del objeto que se desea enfocar. La visión lateral es algo defectuosa con este tipo de lentes.
- Lentes de contacto: funcionamiento similar a las lentes progresivas.

El tratamiento quirúrgico de la presbicia combina técnicas con láser e implantación de prótesis sobre la esclera o membrana externa del globo ocular. Su indicación depende de la edad del individuo, del estado del cristalino y de la presencia o no de otros defectos visuales asociados. Dado que se trata de una enfermedad evolutiva, el efecto corrector de la intervención quirúrgica sólo persiste durante unos cinco años aproximadamente.

Presbicia o vista cansada

PRESBICIA O VISTA CANSADA

Se denomina acomodación a los cambios de la curvatura del cristalino con el fin de enfocar correctamente sobre la retina las imágenes percibidas.

La capacidad de acomodación va disminuyendo con el envejecimiento, siendo máxima en torno a los 14 años y mínima a partir de los 65.

DEFINICIÓN

Se denomina presbicia a la pérdida gradual del poder de acomodación del cristalino como consecuencia de la disminución de su flexibilidad a lo largo de los años. Más que una enfermedad propiamente dicha es una condición natural que afecta prácticamente a la totalidad de los individuos a partir de los 40 años de edad.

La diabetes, ciertas carencias nutricionales, algunos medicamentos y la negativa al empleo de gafas correctoras, pueden acelerar o precipitar este defecto.

DIAGNÓSTICO

La aparición de dificultad para enfocar los objetos cercanos, particularmente para leer o escribir con normalidad, es el síntoma más significativo de la presbicia. De forma característica, el individuo con presbicia separa la lectura de sus ojos hasta que los brazos no dan más de sí.

TRATAMIENTO

La solución de la presbicia se basa en el empleo de lentes convergentes que sustituyen la pérdida de poder de refracción del cristalino.

Los tipos de gafas empleados son:

- Monofocales: sólo para la visión cercana o la lectura.
- Bifocales: lentes unidas para la visión cercana (inferior) o lejana (superior).
- Progresivas: permiten la visión a cualquier distancia variando la inclinación de la cabeza.
- Lentes de contacto: funcionamiento similar a las lentes progresivas.

El tratamiento quirúrgico de la presbicia produce buenos resultados a través de láser o implantación de prótesis, aunque el efecto corrector sólo persiste durante unos pocos años dado que el defecto visual es evolutivo.

Cataratas

El cristalino es una lente biconvexa situada detrás de la pupila cuya función es la de enfocar los rayos de luz que llegan al ojo sobre la retina, que es el tejido especial que transforma la estimulación lumínica en corriente eléctrica. La mayor parte de este trabajo lo realiza la córnea, mientras que el cristalino, gracias a que puede acomodarse y aumentar o disminuir su convexidad a voluntad, controla el ajuste fino de la imagen. En condiciones normales es una estructura transparente envuelta en una cápsula propia.

Para realizar esta acomodación, el cristalino posee una musculatura que modifica su curvatura según se desee enfocar un objeto más cercano o lejano.

¿QUÉ ES LA CATARATA?

La catarata es la formación progresiva de una capa o película opaca sobre la superficie del cristalino que provoca la disminución gradual de la cantidad de luz que llega a la retina así como una dificultad para enfocar correctamente los objetos. Este proceso de opacificación desemboca en la ceguera total si no se remedia antes.

Aunque las cataratas pueden afectar a individuos de cualquier edad, lo más común es que se produzcan en los mayores de 60 años, llegando a presentarse en algo más de la mitad de los que superan esta edad.

¿POR QUÉ SE PRODUCE LA CATARATA?

La causa más frecuente de la catarata es el envejecimiento del cristalino, que provoca su pérdida de elasticidad y la degeneración u oscurecimiento de su parte central primero, y de toda su estructura con el tiempo. En ocasiones el proceso puede ser lo suficientemente lento como para tolerarlo y conservar una calidad de visión aceptable durante toda la vida sin requerir cirugía. De hecho, si la

opacidad no afecta al centro del cristalino la catarata puede pasar inadvertida.

A veces las cataratas son congénitas, es decir, que se producen durante el periodo embrionario por ciertas infecciones o toma de fármacos por la madre (durante años, la famosa talidomida) que lesionan el cristalino y afectan su natural transparencia, o simplemente son hereditarias o asociadas a síndromes congénitos.

En otras ocasiones pueden aparecer como complicación de una enfermedad metabólica como la diabetes mellitus o el hipoparatiroidismo (mal funcionamiento de la glándula paratiroides). El abuso de los corticoides, tanto por vía oral como en forma de colirio ocular, también favorece su formación.

Los traumatismos oculares, a veces casi inapreciables, pueden causar una pequeña lesión en el cristalino que desemboque años después en la formación de una catarata; se habla entonces de catarata traumática. Tras una cirugía ocular puede producirse también un proceso parecido. El exceso de radiación solar sin protección u otras ondas electromagnéticas pueden dañar el cristalino y acelerar su proceso de envejecimiento.

Finalmente, la catarata puede ser secundaria a alguna enfermedad propia del ojo como el desprendimiento de retina o el glaucoma.

¿CÓMO SE DETECTA LA CATARATA?

Ante la aparición de este tipo de síntomas, sobre todo si existen antecedentes familiares o de traumatismos oculares, debe consultarse al especialista para que realice el diagnóstico definitivo y descarte otras causas que puedan provocar alteraciones de la visión, como alteraciones de la retina o el nervio óptico.

¿CUÁL ES EL TRATAMIENTO DE LA CATARATA?

La cirugía es el único tratamiento plenamente eficaz para el tratamiento de esta enfer-

Síntomas

■ Se produce en general una pérdida de la nitidez de la visión, que se manifiesta como una especie de enturbiamiento de la misma y una afectación de la visión en profundidad. Se tolera peor la luz intensa y el individuo se deslumbra con mayor facilidad, sin embargo al mismo tiempo empeora notablemente la visión nocturna hasta el punto de necesitar más luz de la habitual para poder leer.

Los colores, especialmente los azules y los púrpuras, se distinguen mal, así como las letras pequeñas o moderadamente alejadas.

■ A medida que la catarata progresa se acentúan todos estos síntomas hasta que llega un momento en el que apenas se distingue la luz de la oscuridad. Aunque esta enfermedad suele ser bilateral, es decir, que afecta a ambos ojos, es normal que los síntomas sean más acusados en un ojo que en el otro en un principio.

medad. Ciertos fármacos como la pirenoxina o algunos combinados vitamínicos se han empleado por vía tópica para prevenir y tratar la opacidad del cristalino, aunque sus resultados son decepcionantes. Tampoco existen ejercicios ni dispositivos ópticos que curen o prevengan esta enfermedad.

¿CUÁNDO DEBE INDICARSE LA CIRUGÍA?

Tan pronto como las cataratas dificulten la visión normal hasta el punto de interferir en el desarrollo de las actividades cotidianas; depende por tanto de la decisión consensuada del paciente y el oftalmólogo.

No se acepta hoy en día la idea de que la catarata debe «madurar» antes de ser operada, sino que debe tratarse cuando sea necesario. Habitualmente no se operan los dos ojos al mismo tiempo salvo que las condiciones médicas del paciente así lo recomienden.

¿QUÉ TÉCNICAS QUIRÚRGICAS PUEDEN EMPLEARSE?

La técnica quirúrgica más avanzada y en boga hoy en día es la facoemulsificación, que consiste en la pulverización del cristalino en partículas microscópicas a través de un terminal que se introduce en la cámara anterior del ojo por una mínima hendidura. Una vez aspirados los restos del cristalino, se introduce una lente artificial personalizada a cada caso que realiza la función de éste. La ventaja que presenta esta técnica frente a otras más antiguas, como la extracapsular, es que puede aplicarse a cualquier grupo de edad y con una recuperación mucho más rápida del enfermo.

Las lentes insertadas pueden sustituir además a las gafas habituales si se desea y es posible, de tal manera que no necesite utilizar nada para enfocar correctamente.

Independientemente de la técnica empleada, se utiliza anestesia local para la intervención, tras la cual el individuo se puede marchar a su casa donde debe guardar reposo durante al menos 24 horas. Durante un periodo de tiempo (unas dos semanas) se emplean colirios antibióticos y antiinflamatorios.

Como medida de precaución es necesario utilizar gafas protectoras de buena calidad durante algún tiempo, así como evitar los traumatismos, incluso leves, sobre el globo ocular; por ejemplo, no deben frotarse los ojos, y tampoco realizar grandes esfuerzos durante los primeros meses.

¿CUÁLES SON LOS RESULTADOS DE LA CIRUGÍA?

Más de un millón de intervenciones de este tipo se realizan anualmente en todo el mundo, con un éxito de más del 90% de los casos, dependiendo de la técnica empleada y de la presencia o no de otras complicaciones oculares que afecten a la córnea o a la retina. No obstante, toda cirugía tiene un riesgo asociado, y no pueden descartarse la aparición de complicaciones durante o después de la cirugía en forma de molestias mayores de lo habitual o no mejoría de la visión.

Cataratas

EL CRISTALINO Y SU FUNCIÓN

Lente biconvexa tras la pupila que enfoca los rayos de luz sobre la retina junto con la córnea.

DEFINICIÓN DE CATARATA

La catarata es la formación progresiva de una capa o película sobre la superficie del cristalino que dificulta su funcionamiento normal.

CAUSAS DE LA CATARATA

- Envejecimiento del cristalino.
- Congénitas o desde el nacimiento.
- Diabetes mellitus.
- Hipoparatiroidismo.
- Traumatismos oculares.
- Cirugía ocular.
- Radiación solar.
- Desprendimiento de retina.
- Glaucoma.

TRATAMIENTO

La cirugía es el único tratamiento plenamente eficaz para el tratamiento de esta enfermedad.
Indicaciones de la cirugía.
Técnicas quirúrgicas.

SÍNTOMAS

Pérdida de nitidez en la visión, deslumbramiento y dificultad para distinguir colores.

Enfermedades psiquiátricas

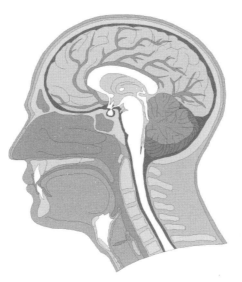

✓ **Trastornos de la alimentación**
Anorexia nerviosa • Bulimia nerviosa

✓ **Ansiedad**
Ansiedad generalizada • Angustia • Fobias

✓ **Depresión**

✓ **Esquizofrenia**

✓ **Trastornos obsesivos-compulsivos**

✓ **Alcoholismo**
Enfermedades hepáticas • Enfermedades gastrointestinales • Enfermedades cardiovasculares • Enfermedades hematológicas • Enfermedades neurológicas • Afectaciones emocionales y sociales

■ Sección de la cabeza ■

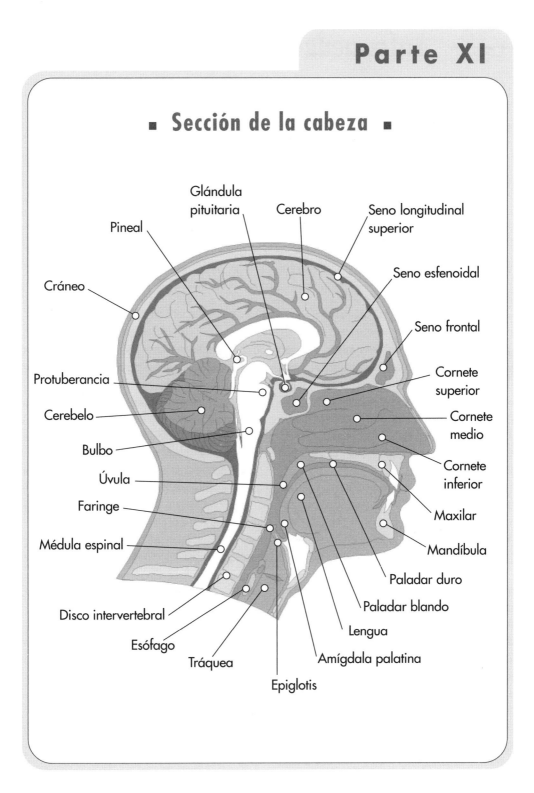

Glándula
pituitaria

Cerebro

Seno longitudinal
superior

Pineal

Seno esfenoidal

Cráneo

Seno frontal

Cornete
superior

Protuberancia

Cornete
medio

Cerebelo

Bulbo

Cornete
inferior

Úvula

Faringe

Maxilar

Médula espinal

Mandíbula

Paladar duro

Paladar blando

Disco intervertebral

Lengua

Esófago

Amígdala palatina

Tráquea

Epiglotis

Enfermedades psiquiátricas

El desarrollo privilegiado de su cerebro ha permitido al ser humano erigirse como dominador del mundo desde un punto de vista intelectual primero y desde un punto de vista físico después, como consecuencia de la aplicación práctica de su superioridad mental.

A lo largo de todo este desarrollo, el hombre ha ido estableciendo una serie de reglas no escritas que han dominado y subyugado sus instintos más primarios hasta el punto de adquirir una conducta social cada vez más avanzada. Este proceso de racionalización histórica sitúa al individuo en un punto concreto de la sociedad, al tiempo que le proporciona un esquema psicológico acerca de lo que está bien o mal, de lo que es razonable y de lo que no lo es o, de forma general, de lo que es normal y de lo que es anormal.

Cuando un individuo, como consecuencia de una enfermedad mental o no, mantiene un comportamiento inapropiado, absurdo, ridículo o simplemente diferente ante los demás, es considerado como un extraño dentro de la sociedad bajo diferentes denominaciones como loco, degenerado, enajenado, etc.

Por tanto, dado que no existe un modelo predefinido sobre cuál debe ser la actitud del ser humano, sino que ésta es la consecuencia de la herencia social a lo largo de los siglos de civilización, se considera anormal desde el punto de vista psíquico a cualquier individuo que no posea una estructura mental parecida a la de la mayoría y que se manifieste con una forma de pensamiento y una conducta considerados inapropiados. Se puede llegar así a la absurda simpleza de definir como «cuerdo» a todo aquel que no está «loco».

La enfermedad mental así vista es un desorden del pensamiento que imposibilita al que lo sufre integrarse plenamente en la sociedad en la que vive o disfrutar de ella. Sin embargo, cada vez se comprueba con más frecuencia que con el tratamiento adecuado los enfermos mentales pueden y deben vivir dentro de la sociedad, al igual que cualquier otro tipo de enfermos. Afortunadamente, hoy en día se va perdiendo poco a poco la estigmatización social de los enfermos mentales, que en su momento histórico fueron tratados como poseídos o herejes, en lo que se podría llamar una progresiva humanización de la psiquiatría.

La psiquiatría es la rama de la medicina que tiene por objeto el estudio de las llamadas enfermedades mentales, así como de los trastornos de la personalidad y el comportamiento de los seres humanos. Este estudio incluye el diagnóstico, el tratamiento y la prevención de estos desordenes.

Las enfermedades mentales son reconocidas hoy en día como el producto de una amplia serie de diversos factores que abarcan desde las alteraciones químicas cerebrales hasta la educación, el entorno social y los rasgos psicológicos de cada individuo; no obstante son muchas aún las sombras que rodean al conocimiento de este tipo de patologías. Cuando hablamos de enfermedad mental no nos referimos únicamente a la que sufre el individuo extravagante, agresivo o desconectado de la realidad, sino a muchas otras formas inadvertidas de deterioro intelectual que no se ajustan al arquetipo de enfermo psiquiátrico conocido y que pueden pasar perfectamente desapercibidas para los demás. Sería por tanto también una simpleza definir como «loco» sólo a aquel individuo cuyos rasgos de la personalidad se tornan conflictivos para la sociedad en la que vive.

Las enfermedades mentales han sido y siguen siendo subestimadas hoy en día en cuanto a su frecuencia y su gravedad, aunque muchos estudios demuestran que son una de las causas más habituales de deterioro de la calidad de vida de los individuos en las sociedades avanzadas, así como de absentismo y bajo rendimiento laboral. En el fondo de muchas de las consultas médicas que se realizan existe un factor psicológico encubierto que se oculta o que se desconoce.

■ De forma sencilla podemos clasificar las enfermedades mentales de la siguiente forma:

- Trastornos de la personalidad: consisten en la exageración de las características psicológicas normales que posee cada individuo hasta el punto de dificultar o imposibilitar la convivencia normal.

- Trastornos de la afectividad: como la depresión o el síndrome maníaco-depresivo, que afectan a la esfera emocional del individuo respetando sus capacidades intelectuales y sus habilidades.

- Neurosis: se definen así a las alteraciones del pensamiento y la conducta que aparecen en ciertos individuos predispuestos sometidos a situaciones estresantes o a experiencias conflictivas que, sin embargo, no llegan a desorganizar su personali-

dad ni su percepción adecuada de la realidad. Se incluyen patologías como las crisis de pánico, las fobias, la histeria, el trastorno de ansiedad generalizada y los trastornos obsesivos-compulsivos.

- Psicosis: trastornos mentales que cursan con una alteración cualitativa del juicio de la realidad y que se suelen acompañar de ideas delirantes y/o alucinaciones. Estos trastornos psiquiátricos, como la esquizofrenia en cualquiera de sus formas de presentación o los desarrollos paranoides, son los más invalidantes de todos ellos, además de los de peor pronóstico.

- Trastornos psicosomáticos: grupo de alteraciones corporales o somáticas cuyo origen puede estar en relación directa con enfermedades mentales o factores psíquicos de cualquier tipo.

- Disfunciones sexuales y parafilias: pérdida de la líbido, trastornos de la excitación, exhibicionismo, fetichismo, sadomasoquismo, pedofilia y otros.

- Trastornos de la alimentación: anorexia y bulimia nerviosa.

- Trastornos del sueño: insomnio, hipersomnia, narcolepsia, sonambulismo, pesadillas, terrores nocturnos y otros.

■ Los métodos utilizados con más frecuencia para tratar de lograr el diagnóstico de las enfermedades mentales son:

- La entrevista clínica, que trata de recoger de forma ordenada una serie de datos acerca del pensamiento y los sentimientos del individuo orientados dentro de su contexto psicológico y biográfico, estimulando su confianza e inspeccionando toda su esfera psicológica.

- La exploración física, que permite descartar en ocasiones trastornos mentales secundarios a enfermedades generales.

Se incluye aquí la exploración minuciosa del sistema nervioso.

- Los test psicológicos o pruebas específicas que tratan de valorar diferentes aspectos de la personalidad y la conducta del individuo desde un punto de vista más objetivo. Dentro de este tipo de pruebas se incluyen los test de inteligencia o los de desarrollo mental, las pruebas de personalidad, los métodos proyectivos y otros.
- Los análisis de laboratorio o cualquier tipo de prueba médica que pueda detectar la presencia de una patología orgánica susceptible de ser la causante del cuadro mental, como por ejemplo las intoxicaciones o las drogodependencias.
- Las técnicas de diagnóstico por imagen como la radiografía o el escáner cerebral, muy útiles frente a tumores o traumatismos que puedan causar enfermedad mental.
- La biopsia de tejido cerebral puede informar acerca de las alteraciones bioquímicas del cerebro o de la degeneración de sus neuronas.

Trastornos de la alimentación

La sensación de hambre o apetito es el método que utiliza el sistema nervioso de los seres vivos superiores para alertar acerca de la necesidad de ingerir alimentos en un plazo de tiempo razonable. En el ser humano existe un área especial en el cerebro encargada de crear y transmitir esta sensación, cuando el ayuno se prolonga lo suficiente como para que el instinto de conservación reclame nuestra atención.

A lo largo de su existencia, el ser humano ha ido racionalizando su alimentación hasta el punto de establecer un régimen diario de comidas, a determinadas horas del día, reemplazando el instinto primario de la alimentación por un hábito social necesario. Así, se convierte en el primer animal que come incluso cuando no tiene hambre o, por el contrario, ayuna voluntariamente.

La sociedad actual en los países desarrollados impone una serie de normas no escritas acerca de la alimentación y, sobre todo, acerca de la imagen corporal «ideal» que debemos poseer. Tanto la obesidad como la delgadez extrema quedan excluidas de dicho ideal, de tal manera que estigmatizan al individuo de una forma u otra, según la sociedad en la que viva.

Los trastornos de la alimentación surgen en los últimos años como consecuencia de la primacía del aspecto físico, en nuestra sociedad, por encima de cualquier otra cualidad humana. Las dos formas de presentarse estos trastornos son la anorexia nerviosa y la bulimia nerviosa.

ANOREXIA NERVIOSA

Se denomina anorexia, de forma general, a cualquier situación en la cual el individuo pierde el apetito de forma prolongada, independientemente de la causa que lo provoque. En muchas ocasiones aparece como consecuencia de una enfermedad orgánica, desapareciendo con la curación de ésta; otras veces se produce por un bajo estado de ánimo, o una depresión que hace que el individuo simplemente no tenga ganas de comer. En estos casos la anorexia no es en sí misma una enfermedad, sino que es la consecuencia lógica de dichas circunstancias o un síntoma de las mismas.

La anorexia nerviosa, por el contrario, es un cuadro complejo de aversión hacia la comida, de origen psiquiátrico, que no tiene justificación en ninguna enfermedad subyacente o en ninguna circunstancia transitoria de la vida, sino que aparece por causas aún desconocidas y que, por su gravedad, sí supone una patología propiamente dicha.

¿QUIÉNES TIENEN MÁS RIESGO DE PADECER ANOREXIA?

Es una enfermedad que aparece básicamente en mujeres (95% de los casos), sobre todo en la adolescencia, siendo el periodo de más riesgo el comprendido entre los 12 y los 18 años (pero a veces hasta por encima de los 40 años), y que afecta aproximadamente al 1-2% de la población femenina. Como mencionamos al inicio del capítulo, parece ser que la presión social que existe hoy en día acerca de la apariencia física o el culto al cuerpo influye sobre adolescentes predispuestos por su carácter y por su educación, de tal manera que deciden crear su propia pauta alimentaria.

Se piensa que el entorno familiar puede favorecer esta enfermedad o, cuando menos, colaborar en su desarrollo; así, las familias excesivamente sobreprotectoras, aparentemente perfectas y de nivel económico medio/alto, tienen más posibilidades de padecer la anorexia a través de uno de sus miembros. Las mujeres anoréxicas tienen un cociente intelectual por encima de la media; suelen ser, además, personas silenciosas, perfeccionistas y con tendencia al aislamiento.

Parece que también existe un componente genético o hereditario en la aparición de la anorexia, que justificaría el hecho de que las hijas o hermanas de anoréxicas tengan más probabilidad de desarrollar la enfermedad.

¿CÓMO SE MANIFIESTA LA ANOREXIA?

■ Existen una serie de características comunes que sirven para definir la enfermedad:

1. Rechazo a mantener el peso corporal por encima del 85% del teóricamente adecuado; en sus inicios, la anorexia puede manifestarse únicamente como una pequeña obsesión por no engordar, a veces alentada por el entorno, que lleva al individuo a restringir ocasionalmente la ingesta, a pesarse de manera repetida y a calcular su peso ideal cada poco tiempo. Progresivamente, aparece un miedo in-

Diagnóstico de la anorexia

Se basa, como en la mayoría de los casos, en la confirmación de la sospecha que la actitud y el aspecto de estos pacientes siembran en su entorno familiar. Junto con los síntomas antes descritos aparecen unas típicas señales de alarma que sólo las personas más cercanas pueden llegar a detectar e interpretar para frenar la progresión de la enfermedad lo antes posible. Estas podrían ser:

■ Cambio del aspecto físico: leve palidez, transformación del gesto facial, ropa más holgada, pérdida de fuerza y reflejos, etc.
■ Cambio del carácter: sensibilidad más acusada con una mayor tendencia al llanto,

empeoramiento del rendimiento intelectual, cambio de amistades, aislamiento, etc.
■ En general, son cambios en la persona, a veces casi sutiles, que sólo una madre o un padre pueden llegar a percibir. De la misma manera que es importante detectar la enfermedad a tiempo, también se debe evitar caer en la obsesión paterna por querer ver en sus hijos signos de la misma cuando no existen.
■ El diagnóstico definitivo lo establece el psiquiatra tras una valoración del paciente; en todos los casos se debe descartar previamente la existencia de otra enfermedad que sea la responsable de la pérdida de peso.

tenso a convertirse en obeso, aun estando por debajo del peso teórico, lo que se traduce en:

– Desarrollo de técnicas «furtivas» para no comer de forma que las personas que le rodean no lo detecten; excusas para comer fuera, supuestos malestares que impiden hacerlo, «secuestro» y almacenamiento de alimentos, etc.
– Provocación del vómito de forma regular, que acaba por producir dolores abdominales, ardor en el esófago e irritación en la garganta por el reflujo constante del alimento y los ácidos gástricos.
– Uso de diuréticos, laxantes y enemas para forzar la eliminación de nutrientes lo más rápido posible.
– Práctica de ejercicio físico intenso para eliminar «grasas sobrantes».
– Experimentación de auténtico placer al comprobar que se pierde peso.

2. Alteración de la percepción del propio cuerpo; el enfermo pierde la perspectiva acerca de su figura, convenciéndose de que está gordo cuando se ve en el espejo, aunque la realidad sea muy diferente. En este «autoengaño» radica la mayor dificultad para doblegar la enfermedad, ya que por mucho que tratemos de convencer al sujeto de que está extremadamente delgado, éste seguirá siempre viéndose con exceso de peso. Se toma como modelo a imitar cualquier personaje social que llame la atención por estas características, y se adquiere un profundo desprecio (incluso odio) por las personas obesas.

3. Aparición de amenorrea (falta de menstruación) prácticamente en el 100% de las mujeres, al menos durante tres ciclos consecutivos; se produce por la desaparición progresiva de la grasa corporal, que es necesaria para la correcta formación de las hormonas femeninas. Es frecuente observar una disminución o desaparición de la líbido o apetito sexual, que puede desembocar en fobia o incluso «asco» por el sexo. En los varones es típica la aparición de impotencia sexual.

4. Manifestación de múltiples signos y síntomas como consecuencia de la falta de ingesta y la progresiva desnutrición como el estreñimiento (por escasa formación del bolo alimenticio) que alterna con diarrea (por consumo de laxantes o alimentos que la provocan), intolerancia al frío (por la falta de grasa), edemas en los miembros (por falta de proteínas), aparición de vello (por la alteración hormonal) y tensión baja. Además, con frecuencia, se altera la estructura del sueño con un típico despertar temprano.

5. Rechazo de la enfermedad; pese a las campañas informativas y a los consejos de la familia y de los médicos, en la mayoría de los casos los pacientes no reconocen sufrir la misma. En muchas ocasiones se acompaña de cuadros depresivos graves, que aumentan de intensidad con el paso del tiempo y que conllevan intentos de suicidio.

Existen formas de anorexia llamadas compulsivas, en las cuales los enfermos alternan dietas muy estrictas con «atracones» ocasionales de alimentos hipercalóricos en grandes proporciones, que generan sentimiento de culpabilidad, por lo que se acompañan de la provocación del vómito a posteriori; es como una sensación de pérdida del autocontrol. Esto se denomina ataques de bulimia y aparecen en el 50% de los anoréxicos aproximadamente.

Durante un cierto tiempo, este tipo de pacientes acostumbra a su organismo a subsistir con estas pequeñas cantidades de alimento (por ejemplo, una manzana al día); poco a poco la desnutrición empieza a hacerse manifiesta y ya resulta imposible de disimular para el enfermo, pese a que lo seguirá intentando. Así, aparece mareo constante, debilidad por anemia grave, postración, dolores musculares y articulares, obnubilación de la conciencia y, en general, complicaciones graves que requieren ingreso hospitalario.

TRATAMIENTO

■ El objetivo del mismo es:

1. Restablecer el estado nutricional dentro de los límites adecuados: para ello es necesario, en muchos de los casos, el ingreso del enfermo en un centro hospitalario especializado. En los casos más graves es necesaria la nutrición intravenosa o a través de una sonda hasta el estómago; también es frecuente que aparezcan infecciones por el deficiente estado del sistema defensivo o inmune. Durante esta fase está indicado el reposo absoluto para disminuir al máximo el gasto de energía.
2. Normalizar la conducta alimentaria: bien como prevención para no tener que llegar al punto anterior, o bien como tratamiento curativo tras la recuperación física del individuo. Se debe hacer un control diario del peso y una vigilancia discreta pero eficaz sobre la cantidad de alimento ingerido.
3. Corregir las secuelas psicológicas y biológicas de la malnutrición para que no se perpetúe el trastorno. La familia debe representar un papel importante en el tratamiento de esta enfermedad y, para ello, debe estar informada e instruida por el psiquiatra acerca de las medidas a tomar para conseguir la completa curación del paciente.

■ Para lograr los puntos anteriores se pueden utilizar dos armas terapéuticas diferentes:

● Psicoterapia: que pretende corregir el trastorno alimenticio y, sobre todo, la falsa creencia de obesidad por parte del enfermo; esta técnica psiquiátrica no comienza hasta que no se ha producido una recuperación ponderal suficiente, con un peso de 40 kg como mínimo, ya que por debajo de éste es difícil que el estado de conciencia permita mantener una comunicación suficientemente fluida.
● Tratamiento farmacológico: el uso de algunos fármacos del grupo de los antidepresivos ha demostrado su efectividad en este tipo de pacientes, especialmente en aquéllos que asocian la anorexia con crisis de bulimia.

PRONÓSTICO

Las cifras acerca de la mortalidad de esta enfermedad son dispares, aunque de forma aproximada podemos decir que se produce en el 15-20% de los enfermos que requieren internamiento hospitalario. Paradójicamente, la respuesta inicial al tratamiento (tanto a la psicoterapia como a los fármacos) suele ser favorable aunque efímera, por lo que las recaídas son muy habituales y pueden llegar a desesperar a la familia.

Estas recaídas no son necesariamente un signo de mal pronóstico y pueden presentarse hasta en el 50% de los casos; además, un tercio de los enfermos requiere hospitalización en varias ocasiones por complicaciones.

BULIMIA NERVIOSA

Se caracteriza por la aparición de episodios recurrentes de ingesta voraz o «atracones» (lo que se denomina en términos médicos hiperfagia) al menos dos veces por semana durante un periodo mínimo de tres meses, de alimentos con un contenido calórico especialmente alto, en la mayoría de los casos. Estos episodios responden a una compulsión o a un deseo irrefrenable por comer.

Existe una preocupación persistente por la comida, que llega a obsesionar al individuo, de tal forma que está presente en su pensamiento a lo largo de todo el día.

■ El enfermo trata de contrarrestar la repercusión de esta ingesta voraz con diferentes técnicas que va aprendiendo a lo largo del curso de la enfermedad; esto se debe al sentimiento de culpabilidad que se despierta nada más terminar de comer, y una vez que el deseo compulsivo se ha saciado. Dichas técnicas son:

- Vómito inducido por el propio sujeto.
- Abuso de laxantes.
- Autoimposición de periodos de ayuno prolongados, como castigo tras una ingesta compulsiva.
- Utilización de fármacos supresores del apetito (anorexígenos), diuréticos u hormonas tiroideas que aceleren el metabolismo y favorezcan así la pérdida de peso. En algunos casos se llega al extremo de que pacientes diabéticos que sufren crisis bulímicas abandonen el tratamiento con insulina con el mismo fin.

Al igual que en la anorexia, se produce una distorsión de la imagen corporal con tendencia a verse excesivamente grueso. Existe, por tanto, un comportamiento absurdo en estos pacientes, que por un lado tienen miedo a la obesidad, y que por el otro no son capaces de controlar el ansia que les lleva a comer desmesuradamente.

La bulimia se presenta, como ya dijimos anteriormente, en el 50% de los casos de anorexia en algún momento de su evolución; no es frecuente que se presente de forma aislada, y si esto ocurre puede ser un aviso de la aparición de la anorexia.

El tratamiento es similar al de la anorexia, con especial hincapié en un tipo de fármacos antidepresivos (llamados ISRS) que reducen significativamente la frecuencia e intensidad de las crisis bulímicas; en cualquier caso también es necesario el estudio y el control del enfermo por parte del especialista de psiquiatría.

■ Por otro lado, existen unas pautas acerca de la alimentación que pueden ayudar a este tipo de enfermos a perder la obsesión por la comida y, con el tiempo, a evitar la aparición de las mencionadas crisis:

- Se debe comer despacio, marcando un tiempo mínimo que se debe permanecer en la mesa, que irá aumentando progresivamente.
- Tomar bocados pequeños, masticar la comida tranquilamente y dejar los cubiertos en la mesa mientras se hace.
- Comer un solo tipo de comida al mismo tiempo y no mezclarlas en el mismo plato (es decir, evitar los platos combinados).
- Levantarse de la mesa unos minutos entre plato y plato.
- Servir la comida en la cocina y no llevar la fuente a la mesa.
- Usar platos y cubiertos pequeños dejando siempre algo de comida al acabar.

Trastornos de la alimentación

REGULACIÓN DEL APETITO Y LA SACIEDAD. NORMAS ACTUALES SOBRE LA ALIMENTACIÓN

Imagen corporal ideal publicitaria de la sociedad actual como base de los trastornos de la alimentación.

ANOREXIA NERVIOSA

Cuadro de aversión hacia la comida, de origen psiquiátrico, que no tiene justificación en otra enfermedad subyacente. Población de riesgo: mujeres entre los 12 y los 18 años.

Manifestaciones de la enfermedad:

- Rechazo a mantener el peso corporal adecuado.
- Alteración de la percepción corporal.
- Amenorrea.
- Desnutrición.
- Estreñimiento.
- Rechazo de la enfermedad.

Diagnóstico: detectado por las personas cercanas basándose en los cambios del aspecto físico y de carácter. Debe ser revisado por el psiquiatra.

Tratamiento: Objetivos.

- Restablecer el estado nutricional.
- Normalizar la conducta alimentaria.
- Corregir secuelas.

Pronóstico: habituales recaídas y hospitalización. Mortalidad del 15%.

BULIMIA NERVIOSA

Aparición de episodios recurrentes de ingesta voraz, al menos dos veces por semana, durante varios meses seguidos, de alimentos de alto contenido calórico; se acompaña de sensación de culpabilidad que provoca el empleo de ciertas técnicas:

- Vómito autoprovocado.
- Abuso de laxantes.
- Ayunos prolongados.
- Empleo de fármacos.

Tratamiento similar al de la anorexia, pero utilizando también:

- Fármacos antidepresivos.
- Pautas alimenticias.

Ansiedad

El miedo, entendido como la inquietud expectante que el hombre puede sentir en determinadas circunstancias, es una actitud defensiva de la psique o parte psicológica de su ser. No se considera patológico que aparezca en situaciones en las que razonablemente se puede temer por la vida propia o la de los demás, o en todas aquellas que puedan suponer una amenaza a su integridad física o social. Surge por tanto como un mecanismo psicológico de supervivencia que pretende mantenernos en alerta para que estemos preparados, no sólo mentalmente, sino también físicamente ante una agresión externa; el miedo aumenta el ritmo cardíaco y la presión arterial, respiramos más deprisa y aumenta el azúcar en la sangre, mientras ésta se redistribuye entre el cerebro y la musculatura, puesto que nuestro organismo cree que las soluciones a este temor pueden estar en pensar o correr.

No todos los individuos reaccionan igual ante este tipo de situaciones, ya que cada personalidad afronta de manera diferente las amenazas o los temores que encuentra. La seguridad en uno mismo ayuda a dominar o cuando menos a disimular el miedo mientras que la ignorancia nos permite no sentirlo. El miedo es útil cuando se manifiesta de forma proporcionada a la situación que lo engendra; si es menor del esperable nos puede hacer ser temerarios o si es excesivo desemboca en pánico y nos bloquea.

¿QUÉ ES LA ANSIEDAD?

La ansiedad es la reacción de miedo o temor exagerado que aparece ante una situación vital habitual que no lo justifica, por no suponer una amenaza real para la integridad del individuo. Se manifiesta por tanto como una expectación aprensiva ante un futuro inmediato que no admite un razonamiento claro y que se manifiesta como un estado de tensión y excitación que afecta al individuo en su aspecto físico, psicológico y social. Es un miedo patológico, que ya no es puramente defensivo y que pierde su utilidad como instinto protector humano. No debe confundirse esta enfermedad con el estado de incertidumbre que puede preceder de forma lógi-

ca a una decisión o circunstancia importante, aunque se la denomine de igual forma.

Como después veremos al hablar de sus diferentes tipos, la ansiedad se acompaña de una serie de síntomas físicos que son consecuencia directa de la misma y que empeoran considerablemente la calidad de vida del que la padece. Un 15% de la población sufre algún tipo de trastorno de ansiedad en su vida.

¿CUÁL ES LA CAUSA DE LA ANSIEDAD?

Como en otras muchas enfermedades psiquiátricas, en los últimos años se ha descubierto una base neurológica que puede explicar el origen de este trastorno. Así, la disminución de la actividad de ciertos receptores de las neuronas parece estar presente en estos enfermos. Sobre esta alteración química cerebral actuarían diversos factores que desencadenan la aparición de la ansiedad; esto explicaría que determinados tipos de personalidad y el estrés habitual de la vida diaria hoy en día favorezcan la misma. Recientemente se ha añadido a los tipos de estrés un cuadro de ansiedad provocado por la presión laboral extrema llamado «mobbing».

La ansiedad puede ser secundaria a algunas enfermedades orgánicas como el hipertiroidismo, la enfermedad de Cushing, el lupus sistémico o el feocromocitoma. También es posible encontrarla en ciertos tipos de demencia y psicosis, así como en la dependencia alcohólica u otros tipos de drogodependencias. Algunos fármacos pueden provocar trastornos de ansiedad transitorios como efecto secundario durante su uso.

Es por tanto una enfermedad psíquica con una base orgánica, probablemente hereditaria, que se desencadena por circunstancias externas que el individuo no es capaz de asimilar y superar.

CLASIFICACIÓN

La ansiedad es una enfermedad que puede manifestarse de diferentes formas, tanto por su duración como por sus características:

TRASTORNO DE ANSIEDAD GENERALIZADA

Se produce cuando los síntomas se extienden más allá de los seis meses y tiende hacia la cronificación; aunque el curso es fluctuante, la ansiedad está presente en mayor o menor grado durante todos los días. Puede presentarse hasta en el 10% de la población y se asocia con mucha frecuencia con otros trastornos psiquiátricos como la depresión y al consumo excesivo de alcohol. Su incidencia es dos veces mayor entre las mujeres que entre los hombres.

■ Los principales síntomas psicológicos son:

- Inquietud y dificultad para relajarse junto con sensación de encontrarse al límite o bajo una gran presión.
- Dificultad para conciliar el sueño e irritabilidad persistente. Respuesta exagerada a pequeñas alarmas o sobresaltos. Transmisión a los demás de la misma ansiedad.
- Dificultad para la concentración mental con el consiguiente descenso del rendimiento intelectual y laboral.
- Sensación de pérdida de control, de locura inminente; miedo a morir.
- En los casos más graves aparecen sentimientos como de extrañeza ante las situaciones y objetos que nos rodean, como si no fueran reales.

■ Además se acompaña de una serie de síntomas físicos:

- Palpitaciones con ritmo cardíaco acelerado; sudoración excesiva, temblores y sequedad de boca.
- Dificultad para respirar (como si el aire no entrara del todo en los pulmones) y dolor en el pecho, generalmente en el centro y de tipo opresivo.
- Náuseas, dolor abdominal, diarrea, sofocos, escalofríos y sensación de hormigueo o entumecimiento de los miembros.
- Sensación de nudo en la garganta y dificultad para tragar.
- Cefalea, tensión en la musculatura cervical y dolor en hombros y cuello.
- Urticaria.

El prototipo de este cuadro podría ser el de una mujer entre 20 y 30 años de edad que acude a las urgencias de un hospital por un dolor intenso en el centro del pecho, similar al de una lanza clavada en el mismo, con sensación de ahogo y gran inquietud que no presenta ningún signo de enfermedad grave tras la exploración y las pruebas diagnósticas. Los síntomas de la ansiedad provocan a su vez que ésta aumente, por lo que se produce un círculo vicioso que sólo se rompe cuando el individuo es capaz de convencerse de que no tiene nada grave.

TRASTORNO DE ANGUSTIA

Consiste en la aparición de varios episodios de crisis repentinas de ansiedad que no duran más de 30 minutos y que ceden espontáneamente. Comienzan casi siempre de forma inesperada y sin ningún desencadenante previo y provocan un estado de miedo incontrolable con sensación de muerte inminente; por esto se le denomina también crisis de pánico. Estas crisis alcanza su máxima intensidad a los pocos segundos de comenzar y, tras su cese, el individuo puede quedar en una especie de estado de aletargamiento que dure varias horas.

Durante la crisis, junto con la ansiedad, aparecen una serie de síntomas similares a los de la ansiedad generalizada pero mucho más exacerbados y con predominio de los mareos, las palpitaciones y el dolor en el pecho. Cuando las primeras crisis aparecen suelen ser más leves y no alcanzar el estado de pánico; con el tiempo van empeorando hasta desarrollarse completamente.

Los episodios aislados de pánico se presentan en el 10% de la población en algún momento de su vida, aunque sólo un 1% las sufre repetidamente. Se asocia con frecuencia a agorafobia, que es el miedo a encontrarse en situaciones en las que resulte difícil o embarazoso escapar si aparece este tipo de crisis de pánico.

TRASTORNOS FÓBICOS

La fobia es un miedo persistente a un objeto o a una situación que es reconocida como irracional y absurdo por el propio individuo; el enfrentamiento con ese estímulo fóbico produce un alto grado de ansiedad que desemboca en la formación de una actitud de evitación hacia el mismo. Cuando una o varias fobias se presentan de forma habitual, hasta el punto de causar un malestar significativo y afectar la relación social de la persona, se habla de trastorno fóbico.

No debe confundirse la fobia con la manía o el desagrado a ciertas cosas, ya que éstas pueden resultar molestas o traer malos recuerdos pero no provocan un estado de ansiedad extrema; lo mismo ocurre con las supersticiones.

Son más frecuentes entre las mujeres, y aunque pueden ser sólo pasajeras, con frecuencia permanecen de forma más o menos explícita a lo largo de toda la vida.

■ Además de la agorafobia, ya comentada, las principales formas de presentarse son:

- Fobia simple: es el temor a un estímulo único y concreto como a los animales, los ascensores, las tormentas, las alturas, etc., o a ciertas actividades como conducir.
- Fobia social: es el miedo a atraer la atención de los demás y a la reprobación que estos puedan realizar de nuestra persona o nuestra actitud y palabras. No se trata de ser «vergonzoso», sino de no ser capaz de expresarse en público aunque este sea reducido.

TRATAMIENTO

■ Se fundamenta en tres pilares:

1. Psicoterapia: consiste en la exploración psicológica del individuo por parte de un especialista que trata de buscar a través de un diálogo basado en la confianza las causas que provocan su trastorno y ayuda a encontrar la solución al mismo. Cada tipo de trastorno tiene su propia terapia:

● Trastorno de ansiedad generalizada: terapia encaminada al «desahogo» verbal del paciente, ayudando a la identificación de los problemas y corrigiendo su visión pesimista.

● Trastorno de angustia: la terapia busca el aprendizaje de técnicas de relajación que ayuden a afianzar la mejoría y disminuya el número de crisis.

● Fobias: terapias conductuales que obliguen al individuo a encontrarse en la situación desencadenante de la fobia, de forma progresiva, hasta que ésta desaparezca.

2. Tratamiento farmacológico: mediante el uso de un grupo especial de fármacos

---

Para controlar la ansiedad y las crisis de pánico

Reglas para controlar la ansiedad:

■ Aceptar la enfermedad y no negarla ante los demás; no se trata de un trastorno vergonzante, sino habitual hoy en día.

■ Reconocer los síntomas, lo que ayuda a reducir el impacto emocional de los mismos y a no agravarlos aún más.

■ Observar los posibles factores desencadenantes, como ciertas fechas del calendario, visitas o situaciones que se repiten cíclicamente.

■ Mantener la misma actividad diaria de la forma más regular posible; cuidar el aspecto personal y dormir las suficientes horas.

■ Evitar el tabaco, el café y cualquier estimulante; el consumo de alcohol durante los periodos más críticos puede ser muy peligroso.

■ Aprender técnicas de relajación u obligarse a buscarla con actividades que resulten placenteras.

■ Buscar ayuda profesional tan pronto como se detecte el problema.

Reglas para afrontar las crisis de pánico:

■ Conocer por qué se producen, su forma y su duración, hasta el punto de saber que ceden en pocos minutos y que nunca desembocan en nada malo.

■ Tratar de relajarse, paseando, escuchando música y, en cualquier caso, intentando luchar contra el temor.

■ Observar lo que está sucediendo en su cuerpo ahora, y no en lo que se teme que pueda suceder; si se dejan de añadir pensamientos atemorizadores la ansiedad cede por sí sola.

■ Planear con optimismo las actividades inmediatas que va a comenzar cuando se encuentre mejor.

■ Analizar tranquilamente, una vez superado el episodio, las posibles causas que lo desencadenaron.

llamados ansiolíticos, que actúan a nivel cerebral sobre las alteraciones de los neurotransmisores y sus receptores que aparecen en la ansiedad. A este grupo pertenecen las benzodiacepinas, que son los fármacos más utilizados hoy en día para este trastorno; en ocasiones está indicado que se combinen con ciertos fármacos del grupo de los antidepresivos.

3. Educación: es importante que tanto el individuo que padece la enfermedad como su familia estén informados acerca de la misma, tanto de sus características como de la forma de afrontarla.

Ansiedad

EL MIEDO COMO MECANISMO DE DEFENSA

Ante situaciones que amenacen al individuo, el miedo le hace estar alerta aumentando el ritmo cardíaco, la presión arterial y el nivel de azúcar en sangre.

DEFINICIÓN Y CAUSAS DE ANSIEDAD

Enfermedad mental caracterizada por una reacción de temor o miedo inadecuado o exagerado ante situaciones vitales que no lo justifican y que se acompaña de una serie de trastornos físicos característicos.

Se produce por una alteración química cerebral de base hereditaria ante determinadas situaciones o experiencias de la vida o de forma secundaria a enfermedades metabólicas. En ocasiones se asocia a otras enfermedades psiquiátricas.

CLASIFICACIÓN

• Trastorno de ansiedad generalizada: cuadro de ansiedad prolongada con dificultad para la concentración, el relax y la conciliación del sueño que se acompaña de síntomas como palpitaciones, dolor opresivo en el pecho, dificultad respiratoria, náuseas y cefalea entre otros.
• Trastorno de angustia: crisis de pánico bruscas, de corta duración, que se acompañan con frecuencia de agorafobia y que limitan a veces de forma importante la calidad de vida del individuo.
• Trastornos fóbicos: miedo persistente a una situación que es reconocido como absurdo por el propio individuo, hasta el punto de modificar los hábitos de vida del individuo y sus relaciones sociales.

TRATAMIENTO

Psicoterapia: exploración psicológica del individuo con el fin de hacer aflorar el causante de su ansiedad, reforzar su confianza o modificar conductas.

Tratamiento farmacológico: mediante fármacos ansiolíticos.

Educación del enfermo ansioso:
• Reglas para controlar la ansiedad.
• Reglas para tratar la crisis de pánico.

Depresión

La depresión es una enfermedad psiquiátrica que pertenece al grupo de los trastornos afectivos de la personalidad, que engloba a todos los que cursan con alteración del humor, la afectividad y el estado de ánimo de las personas. Se denomina episodio depresivo a cada uno de los periodos de la vida del paciente en los cuales aparece la depresión.

Es una enfermedad que sigue presente hoy en día en todas las sociedades modernas y que es causa de buena parte de consultas al médico y de bajas laborales. Los pacientes depresivos utilizan hasta tres veces más los recursos del sistema sanitario que el resto de los individuos. Aproximadamente entre un 5 y un 10% de la población ha sufrido un episodio depresivo en algún momento de su vida, y el riesgo de que podamos sufrirlos, en al menos una ocasión, es del 20%.

Estos datos contrastan con el hecho de que aún sigue siendo hoy en día una enfermedad con un alto porcentaje de pacientes no tratados. Esto parece explicarse por el obstáculo que puede representar para el individuo el hecho de reconocer el mal que padece y pedir ayuda especializada, así como la dificultad de detectar algunos tipos de depresión que se presentan «enmascarados» bajo cuadros clínicos que sugieren otra enfermedad.

Por tanto la depresión puede ser una enfermedad por sí sola o un síntoma de otra enfermedad, a veces oculta. El conocimiento de la misma y de sus formas de presentación puede sernos muy útil para identificarla y prevenirla.

¿QUÉ ES LA DEPRESIÓN?

Es muy habitual que dentro de nuestro lenguaje empleemos la palabra depresión para referirnos a cualquier estado de ánimo bajo, generalmente transitorio, que aparece como consecuencia de circunstancias negativas de nuestro entorno. Estos estados de «infelicidad» aparecen en todas las personas en algún momento de su existencia, pero no por ello podemos decir que esa persona sufra de depresión. Parece lógico, que ante una situación adversa o dolorosa (como la pérdida de un ser querido o una grave enfermedad), reaccionemos con ausencia de interés por las cosas que nos rodean y desaparezca la ilusión de seguir viviendo; esto es normal (fisiológico) y forma parte de nuestra cultura. Lo anormal (patológico) sucede cuando no existe ninguna causa aparente que justifique este desinterés por la vida, o que dicha causa existió en un pasado ya lejano y ha transcurrido un tiempo razonable para superarla. Es muy importante, entonces, saber distinguir entre tristeza y auténtica depresión.

■ Para que podamos hablar de un cuadro depresivo como tal, se deben observar algunos de los siguientes síntomas, que denominamos síntomas cardinales:

- Presencia de ánimo deprimido, durante la mayor parte del día y casi todos los días de la semana, con tendencia al llanto, que no varía con los estímulos externos que nos rodean y que se presenta, al menos, durante dos semanas consecutivas.

- Pérdida de interés o de la capacidad de disfrutar con actividades que anteriormente eran apetecibles y placenteras. Apatía y desesperanza.
- Falta de vitalidad para afrontar las tareas cotidianas y cansancio excesivo si se consiguen realizar. Pesimismo.

■ Además pueden aparecer otros síntomas adicionales, no siempre todos presentes, y que dan a cada cuadro depresivo su propia identidad. Los principales son:

- Sentimiento de inferioridad o pérdida de autoconfianza.
- Alteraciones del sueño, principalmente insomnio.
- Pérdida de apetito que suele llevar a disminución de peso.
- Dificultad de la capacidad de concentración y estudio. Sensación de vacío.
- Temores injustificados, sensación de muerte inminente o de catástrofes cercanas.
- Imposibilidad para tomar decisiones. Vacilación en decisiones sencillas.
- Sentimiento de culpa por lo sucedido, reproches y afectación de la autoestima.
- Pensamientos negativos, repetitivos u obsesivos, que pueden desembocar en ideas de muerte o incluso en suicidio.
- Irritabilidad excesiva o, por el contrario, indiferencia hacia todo lo que nos rodea.
- Ideas delirantes (ideas absurdas firmemente creídas por el sujeto).
- Pérdida del apetito sexual.
- Estreñimiento.

Todos estos síntomas estarán presentes de manera más o menos acusada según el tipo de depresión que se padezca. Según la intensidad de los mismos, el episodio depresivo será leve, moderado o grave.

¿POR QUÉ SE PRODUCE LA DEPRESIÓN?

Aunque todavía sea un mecanismo relativamente desconocido, parece demostrado que durante el episodio depresivo se produce en nuestro cerebro una alteración del funcionamiento de determinadas moléculas, llamadas neurotransmisores, que son responsables de la conexión de las neuronas entre sí. Como veremos posteriormente, la actuación sobre estos neurotransmisores es la base del tratamiento farmacológico.

■ Existen una serie de factores de riesgo, es decir, condiciones propias de cada individuo o acontecimientos de la vida que favorecen la aparición de la alteración cerebral anteriormente descrita, y que nos permite por tanto hablar de personas con predisposición a padecer depresión. Estos son:

- Antecedentes familiares de depresión.
- Antecedentes familiares de alcoholismo.
- Bajo nivel educativo.
- Antecedentes personales de depresión: tras el primer episodio depresivo, la posibilidad de que se repita es mayor del 50%.
- Desempleo o condiciones laborales precarias.
- Estado civil: más predisposición en los separados o viudos y menos en los solteros y casados.
- Infancia conflictiva o pérdida precoz de los padres.
- Sexo femenino: la depresión es dos veces más frecuente entre las mujeres.

No todos los cuadros depresivos requieren de la presencia de uno de estos factores de riesgo, si bien es frecuente que los encontremos en muchos de los casos.

Algunas personas, además, poseen un tipo de personalidad que favorece la aparición de esta enfermedad; hablamos de personas ordenadas en extremo, meticulosas, con muchos escrúpulos desde el punto de vista moral y con tendencia a culparse a sí mismos de lo que sucede a su alrededor.

CLASIFICACIÓN

■ De forma sencilla podemos dividirla, según su origen, en tres tipos:

● **Depresión endógena**: es decir, de origen interno, sin ninguna circunstancia externa que la justifique. Se denomina también melancolía (de nuevo otra palabra que utilizamos habitualmente con un significado ligeramente distinto) o depresión mayor. Se caracteriza por la presencia de al menos dos de los síntomas que anteriormente hemos denominado cardinales, junto con varios síntomas adicionales. Es propio de este tipo de depresión el insomnio de despertar precoz (el enfermo se despierta dos o tres horas antes de lo habitual, y es incapaz de volver a conciliar el sueño). Es un cuadro de aparición crónica, que alterna periodos de depresión de varios meses de duración, con otros libres de la misma y que responde bien al tratamiento. La edad de aparición de los primeros episodios suele ser entre los 20 y los 40 años. Dentro de este punto es importante hacer referencia a otros cuadros psiquiátricos que pueden asociar depresión:

– TRASTORNO BIPOLAR o maníaco-depresivo: se caracteriza por la alternancia entre periodos depresivos y periodos de manía, que podemos definir de forma sencilla como todo lo contrario de depresión (agitación, exaltación, euforia...).

– TRASTORNO DISTÍMICO: se puede definir como un tipo de depresión endógena pero con una sintomatología más leve y con menos sufrimiento para el individuo, aunque de tratamiento más difícil y con tendencia a ser crónico. Típicamente el paciente siempre está cansado y nada le satisface.

– TRASTORNO ANSIOSO-DEPRESIVO: se caracteriza por añadirse a los síntomas propios de la depresión un componente de ansiedad.

– TRASTORNO DE LA CONDUCTA ALIMENTARIA: anorexia y bulimia, que como se estudia en otro capítulo, pueden asociar síntomas de depresión.

● **Depresión exógena:** es decir, aquella que se produce por acontecimientos externos que generalmente podemos identificar como causantes del cuadro depresivo. Es por tanto una depresión que aparece como reacción o consecuencia de una «agresión» a nuestra afectividad, por lo que también se la denomina depresión reactiva. No es necesario que aparezcan, como en la forma endógena, un número determinado de síntomas cardinales o adicionales, sino que en cada caso pueden presentarse unos u otros indistintamente. Según su duración y la forma de reacción ante este tipo de depresión, podemos dividirla en varios tipos:

– DUELO COMPLICADO: se define como la tristeza lógica que aparece tras una desgracia familiar o personal, pero con una duración que va más allá de los seis meses, o bien el sentimiento es tan exagerado que llega a ser patológico, pudiendo llegar incluso a incapacitar al enfermo para cualquier actividad cotidiana.

– TRASTORNO ADAPTATIVO: aparece tras un cambio en el ámbito personal o laboral que provoca estrés. Normalmente remite el cuadro depresivo, que suele ser leve, al adaptarse el individuo a la nueva situación. Se podría definir como la depresión tras el cambio y aparece sobre todo en personas que miran al futuro con temor e incertidumbre.

● **Depresión secundaria:** incluimos dentro de este tipo aquellas depresiones que

se producen como consecuencia de enfermedades no psiquiátricas o por la toma de determinados fármacos. Entre las más frecuentes podemos distinguir:

– Tumores: principalmente cerebrales y del páncreas.
– Infecciones cerebrales, hepatitis, tuberculosis, sida.
– Déficit de vitaminas: B12, C o ácido fólico.
– Enfermedades neurológicas: Parkinson, esclerosis múltiple.
– Enfermedades del tiroides, especialmente hipotiroidismo en ancianos.
– Algunos tipos de demencias seniles.

Cómo detectar una depresión

■ La depresión lleva asociada la posibilidad de suicidio en hasta el 15% de los casos. Obviamente, no resulta necesario entonces recalcar la importancia que tiene la detección precoz de los primeros síntomas depresivos, no sólo para prevenir el riesgo de suicidio, sino también para comenzar el estudio y tratamiento lo antes posible.

■ Es sobre todo en el ámbito familiar donde se suele percibir el inicio de un episodio depresivo; aunque todavía no se hayan instaurado los síntomas en su plenitud, se pueden observar una serie de cambios, a veces tenues, en el comportamiento y la actividad del individuo que nos hagan sospechar que se está iniciando el proceso. Habitualmente las personas cercanas comienzan a notar «distinto» a su familiar o amigo, con mal humor frecuente, pesimismo, falta de apetito, abandono de aficiones o hábitos lúdicos, excesiva sensibilidad o desgana para planificar el futuro. De manera progresiva

el enfermo se va desconectando de su entorno, aunque todavía puede hacer el esfuerzo para disimularlo, llora a escondidas y pasa muchas horas con la mirada perdida y callado. A veces se alterna todo esto con momentos de agresividad verbal y física que no se corresponden con su carácter habitual.

■ Cuando esta situación se prolonga en el tiempo y aparece casi a diario, y pese a que en algunos momentos el paciente parezca el mismo de siempre, es necesaria la consulta a nuestro médico. Esto no es siempre fácil, dado que para ello el individuo debe reconocer que algo no va bien y además eliminar los prejuicios que le puedan impedir contar a un «extraño» los síntomas que padece.

■ A través de la entrevista, la exploración y algunas pruebas complementarias, nuestro médico (general o psiquiatra) podrá diagnosticar en segundo término la enfermedad y clasificarla correctamente.

– Determinados fármacos: anticonceptivos orales principalmente.
– Abstinencia de cocaína y anfetaminas.
– Depresión posparto: aparece durante el primer año y habitualmente desaparece transcurrido un tiempo. Puede en ocasiones presentarse de forma muy intensa.

Conviene hacer referencia de forma breve a un tipo especial de depresiones llamadas **depresiones enmascaradas** o **equivalentes depresivos**. Se definen así a una serie de trastornos que, teniendo una depresión escondida en el fondo, se manifiestan únicamente con síntomas físicos. Así es típico que el paciente consulte a su médico de manera repetida por dolores de todo tipo (sobre todo de cabeza), cansancio, náuseas, molestias abdominales sin localización exacta o flatulencia, entre otros. Tras descartar una enfermedad no psiquiátrica, se puede llegar a detectar la depresión que origina el cuadro.

TRATAMIENTO

■ Vamos a dividir las medidas que podemos tomar frente a la depresión según el ámbito de actuación:

1. Entorno familiar: es fundamental el apoyo de todos los seres queridos durante el episodio depresivo, y por ello hay que conocer y comprender la enfermedad, para que nuestra actitud prevenga su aparición, o en su defecto aplaque la intensidad de los síntomas. La familia debe comprender que en ningún caso el paciente tiene la culpa de lo que le sucede, y que si le cuesta realizar una actividad o simplemente sonreír es porque no puede. Se debe evitar gritar al enfermo o tratar de estimularle de manera agresiva, aunque sea con buena intención, para no aumentar el sentimiento de culpabilidad. Olvidar frases como «si tu quisieras» o «depende de ti» y en general cualquiera que parezca dejar la responsabilidad de lo que sucede en sus manos. Las vacaciones o viajes para «cambiar de aires y olvidar» no suponen en general ninguna ventaja, y si aparece será transitoria en la mayoría de los casos. Es importante hablar al enfermo de forma tranquila, con razonamientos sencillos, tratando de liberarle de responsabilidades y con optimismo. Durante las fases más agudas se debe acompañar al enfermo, tratar de distraerle o pasear; cuando llega la mejoría del ánimo hay que aprovechar para tratar de estimularle con el fin de que poco a poco vuelva a su vida habitual.

2. Tratamiento médico: según la gravedad del cuadro será el médico general o el psiquiatra el encargado de proponerlo y controlarlo. En muchos casos es necesario la baja laboral del paciente. Normalmente el tratamiento se encamina en tres direcciones:

– Farmacológico: hoy en día los fármacos empleados para la depresión son en general eficaces y muy seguros. Es importante saber que su efecto curativo no aparece hasta las dos semanas de comenzar con los mismos, y además es posible que nuestro médico varíe la dosis diaria con frecuencia, según el curso de la enfermedad. El paciente debe hacer un esfuerzo para no abandonar el tratamiento en los primeros días, ya que es frecuente que aparezcan efectos secundarios desagradables como náuseas y angustia que normalmente ceden a partir de una semana seguida tomando el fármaco.

– Psicoterapia: a través del psicólogo o psiquiatra y mediante distintas técnicas.

– Electroshock: su uso inadecuado durante muchos años provocó su descrédito y su abandono. Hoy en día es una técnica segura, que ha sido rehabilitada, y que puede ser indicada por el psiquiatra en determinados casos de depresiones graves que no responden a otros tratamientos.

COMPLICACIONES

La depresión, como otras enfermedades psiquiátricas, puede ir rompiendo de manera progresiva la vida laboral y familiar del paciente. Si no recibe la ayuda adecuada, se puede entrar en un túnel sin salida que dañe considerablemente sus condiciones de vida. Es importante hacer finalmente una mención especial al suicidio.

El suicidio se presenta como el acto final del individuo que, sumido en una profunda depresión y desesperación, considera que no debe seguir viviendo y adquiere la suficiente fuerza como para quitarse la vida. El mayor riesgo de suicidio en el paciente depresivo aparece paradójicamente durante los periodos de mejoría, que son cuando se siente con más fuerza para realizarlo al recordar el sufrimiento por el que ha pasado. En la población general por cada suicidio consumado se realizan diez intentos sin éxito; en algunas ocasiones es difícil distinguir entre un intento de suicidio real y un intento de reclamar la atención de los demás.

■ El entorno familiar del paciente con depresión debe conocer los signos de alarma que nos pueden avisar de la gestación de una conducta suicida para tomar las medidas oportunas. Las principales son:

• Detectar comentarios del paciente acerca de la desesperanza y la falta de ilusión por vivir. No considerar un «farol» una insinuación sobre un posible suicidio o sobre diferentes técnicas para quitarse la vida. Debemos saber que tras un primer intento de suicidio aumenta la probabilidad de que se repita.

• La presencia de dolor intenso por otra enfermedad en pacientes deprimidos puede provocar el suicidio si no se toman medidas para calmarlo.

• Se debe desconfiar, asimismo, de aparentes momentos de mejoría que el enfermo puede tratar de simular para quedarse solo e intentar suicidarse.

• Hay que tener especial cuidado en casos de consumo de drogas o alcohol, que pueden proporcionar la fuerza necesaria para intentarlo.

• Es importante tener presente que en las fechas especiales (Navidades) o aniversarios aumenta el riesgo.

• La soledad o el aislamiento de personas con depresión favorece también la aparición de este tipo de pensamientos autodestructivos y finalistas.

• Debemos asegurarnos de que tome realmente la medicación y de manera correcta.

• En general, podemos decir que el suicidio consumado es más frecuente en varones, generalmente desempleados, mayores de 50 años y sin apoyo familiar.

Cuando sospechemos que puede desencadenarse una conducta suicida debemos retirar del alcance del enfermo objetos con los cuales sea fácil autolesionarse, vigilar ventanas y esconder cualquier medicación (no sólo la del enfermo). Además debemos ponernos en contacto con los servicios médicos lo antes posible, para que el enfermo reciba la atención psiquiátrica necesaria.

Depresión

DEFINICIÓN DE LOS TRASTORNOS AFECTIVOS DE LA PERSONALIDAD

Alteración del humor, afectividad y estado de ánimo.

FACTORES PREDISPONENTES A LA DEPRESIÓN

- Antecedentes familiares.
- Nivel educativo bajo.
- Bajo nivel socioeconómico.
- Soledad, infancia conflictiva, etc.

DIAGNÓSTICO

Se detecta en el ámbito familiar al ver un cambio de ánimo continuado.

CONCEPTO DE DEPRESIÓN O CUADRO DEPRESIVO

Normalidad y anormalidad del estado de ánimo: la depresión producida ante un episodio doloroso o traumático es normal, la patología existe cuando no hay causa aparente.

Síntomas cardinales de la depresión:
- Presencia de ánimo deprimido de forma continuada.
- Incapacidad para disfrutar con las actividades de la vida.
- Falta de vitalidad y pesimismo.

Síntomas adicionales de la depresión:
- Sentimiento de inferioridad y pérdida de autoconfianza.
- Alteraciones del sueño.
- Pérdida de apetito.
- Dificultad para la concentración y el estudio.
- Sensación de culpa.

CLASIFICACIÓN

- Depresión endógena: sin circunstancias externas que la justifiquen.
- Depresión exógena: producida por acontecimientos externos traumáticos.
- Depresión secundaria: como consecuencia de enfermedades no psiquiátricas o por la toma de fármacos.

TRATAMIENTO

- Entorno familiar: apoyo y estímulo por parte de los seres queridos.
- Tratamiento médico: farmacológico, psicoterapia, electroshock.

COMPLICACIONES

Suicidio, consumo de drogas y alcohol.

Esquizofrenia

A diferencia de los trastornos neuróticos o los que afectan al estado del humor como la depresión, los trastornos psicóticos o psicosis son alteraciones graves y globales de la personalidad que deterioran por completo la capacidad de relación del individuo y le aíslan dentro de una realidad que sólo él percibe; el enfermo psicótico no es consciente de su enfermedad, es decir, se haya alterado su juicio de la realidad.

Los síntomas psicóticos pueden presentarse en varias enfermedades psiquiátricas y los más característicos son:

• Las ideas delirantes: son pensamientos erróneos que el individuo siente como verdades absolutas pese a que la propia experiencia o los argumentos traten de convencer de lo contrario. Por ejemplo, el sujeto cree firmemente que es capaz de leer el pensamiento en los demás aunque objetivamente nunca acierte o se le diga que eso es imposible.

• Las alucinaciones: se trata de percepciones de los órganos de los sentidos que no responden a un estímulo verdadero, es decir, que el individuo ve, oye o siente cosas que no se han producido.

¿QUÉ ES LA ESQUIZOFRENIA?

■ La esquizofrenia es una enfermedad crónica de naturaleza psicótica, de inicio habitual en la adolescencia y la juventud, que afecta a un 1% aproximadamente de la población general y algo más frecuente entre los varones; produce una deformación fundamental de la personalidad, caracterizándose por lo siguiente:

• Alteraciones del pensamiento: ideas delirantes, pensamiento disgregado, etc.
• Alteraciones de la percepción: alucinaciones.
• Déficit del conocimiento: alteración de la capacidad de raciocinio o del procesamiento de la información.
• Alteración de la afectividad: incapacidad para mantener una relación afectiva normal o adecuada a la situación.

Es por tanto una enfermedad que produce una ruptura con la realidad y que desorganiza y empobrece la capacidad psíquica del individuo, aunque comúnmente mantiene un estado de conciencia claro y una capacidad intelectual intacta.

¿POR QUÉ SE PRODUCE LA ESQUIZOFRENIA?

■ La esquizofrenia es una enfermedad psiquiátrica que tiene una base física en un mal funcionamiento cerebral concreto, que aún hoy en día es motivo de estudio e investigación. Posiblemente no sea apropiado considerar la esquizofrenia únicamente como una alteración cerebral, sino que también tendrá que explicarse su origen desde el trastorno de la propia personalidad del individuo y desde su entorno. Por tanto, la esquizofrenia es una enfermedad que debe ser abordada desde un triple punto de vista:

- Como una enfermedad biológica, con sus trastornos en la transmisión neuronal del cerebro; esto explica que determinadas familias puedan tener una predisposición genética hacia la enfermedad, o que ciertas alteraciones metabólicas también se relacionen con la misma.
- Como una enfermedad mental, fruto de una alteración en el pensamiento y en general en la función intelectual, que podría tener su origen en experiencias traumáticas de la infancia, sobre todo en la relación del niño con sus progenitores.
- Como una enfermedad de origen social, influida por factores como el nivel económico bajo, la ausencia de escolarización, la vida en los suburbios, etc.

Existe un prototipo de individuo, llamado leptosómico, que corresponde de forma general con el perfil del esquizofrénico, y que se caracteriza por aspecto delgado y estirado, bajo desarrollo muscular, tendencia a la introversión y el aislamiento, hipersensibilidad no expresada y frialdad afectiva. Con frecuencia el esquizofrénico está etiquetado como «loco» por la sociedad que le rodea, sobre todo en el medio rural, y en ocasiones habita en el domicilio familiar como un extraño que se lleva su propia vida; afortunadamente hoy en día esto tiende a cambiar.

Síntomas de la esquizofrenia

■ La esquizofrenia, como otras muchas enfermedades psiquiátricas, tiene un curso crónico más o menos estable que se ve alterado en ocasiones por brotes o agudizaciones. Desde el punto de vista de la práctica clínica se dividen los síntomas de la esquizofrenia en dos grupos:

- Síntomas positivos o clásicos que aparecen durante la fase aguda de la enfermedad o fase más activa y que consisten en alucinaciones, especialmente auditivas (como una voz interna que da órdenes), delirios complejos (el enfermo argumenta su nueva personalidad o sus creencias con gran cantidad de datos), pérdida de las asociaciones mentales e incapacidad para el aprendizaje. En ocasiones el enfermo refiere que se habla de él a sus espaldas o por la televisión y se le difama, o que su pensamiento es leído u oído por los demás; otras veces dice que le roban pensamientos de la cabeza o que es controlado por fuerzas extrañas que manejan su vida.

- Síntomas negativos, propios de la fases previas o posteriores a los brotes esquizofrénicos, y que se caracterizan por el trastorno de la función social, las creencias extravagantes, el aislamiento, la anhedonia o incapacidad para disfrutar, el lenguaje empobrecido, la pérdida acusada del interés o la iniciativa y, en general, un «aplanamiento» afectivo del individuo. Su imagen típica es la de permanecer inmóvil mirando la televisión sin verla, fumando sin parar o metido en la cama todo el tiempo.

■ Antes de la aparición de un brote suele encontrarse en ocasiones una fase previa al mismo caracterizada por un mayor retraimiento social, casi imperceptible al inicio, con un descenso de la actividad en general y en particular con un deterioro de la higiene y la vestimenta; es el entorno familiar el que detecta en primer lugar estos cambios.

¿QUÉ TIPOS DE ESQUIZOFRENIA EXISTEN?

■ El término esquizofrenia engloba a un grupo de enfermedades psicóticas con algunos síntomas en común pero con otros que las diferencian entre sí; podemos distinguir:

- Esquizofrenia paranoide: es aquella en la que predominan las ideas delirantes de persecución o falsas creencias y en las que aparecen alucinaciones con frecuencia.
- Esquizofrenia hebefrénica: se caracteriza por un desorden importante en la afectividad del individuo junto con una conducta desorganizada.
- Esquizofrenia catatónica: que se acompaña de alteraciones en la movilidad del individuo, siendo muy típica la inhibición absoluta o aspecto de «estatua» durante todo el día.
- Esquizofrenia indiferenciada: no hay un claro predominio de una sintomatología sobre otra que permita clasificarla más concretamente.
- Esquizofrenia residual: es una forma avanzada, en pacientes con esquizofrenia de larga evolución, en la cual el déficit intelectual es muy grande.

¿CÓMO SE DIAGNOSTICA LA ESQUIZOFRENIA?

■ El enfermo esquizofrénico puede llegar a la consulta del médico de tres maneras diferentes:

- Por iniciativa propia: ocurre en pocas ocasiones y si acude es por otros problemas orgánicos que pueden ser secundarios a su enfermedad mental.
- Por iniciativa familiar: en la mayoría de los casos alguien del entorno del enfermo será el que comunique que de forma progresiva uno de sus congéneres está cada vez más «raro» o más desconectado de la realidad.
- Por vía legal: en aquellos casos en los que se presenta un brote agudo de la enfermedad, normalmente por un mal control de la misma, es necesario el traslado forzoso del sujeto al medio hospitalario.

El diagnóstico de la esquizofrenia compete en cualquier caso al psiquiatra, que valorando la sintomatología, los antecedentes personales y familiares, y explorando la mente del enfermo puede llegar a confirmarla. Como en otras muchas enfermedades de este tipo, debe descartarse previamente la presencia de otras enfermedades cerebrales, o no, que puedan ser causa del cuadro descrito, como tumores, intoxicaciones por drogas u otras.

¿CÓMO SE TRATA LA ESQUIZOFRENIA?

El abordaje terapéutico de estos enfermos se realiza de tres maneras diferentes:

■ Tratamiento farmacológico:

Se realiza fundamentalmente mediante el uso de neurolépticos, que son un tipo especial de fármacos antipsicóticos que han supuesto un gran avance en el tratamiento de estos enfermos. Tienen una acción sedativa acompañante y producen otros efectos secundarios típicos como temblores, inquietud, aumento de peso, sequedad de boca, visión borrosa, estreñimiento y retención urinaria entre muchos otros.

Deben emplearse tanto en el episodio agudo como en el mantenimiento del enfermo y en cada caso el tratamiento debe estar individualizado a éste, según sus propias características y su respuesta al mismo. Es obvio resaltar que el cumplimiento de la pauta establecida es básico para asegurar un buen control. Existen formas de administración de fármacos neurolépticos que producen una liberación retardada y sostenida de los mismos en la sangre y que permiten un mejor control al necesitar sólo una dosis cada mucho tiempo.

Tras el primer o segundo brote el tratamiento farmacológico puede ser limitado durante unos meses o años; si se reproducen estos episodios, el tratamiento será definitivo.

■ Psicoterapia:

Bien de forma individual, en alguna de sus diversas orientaciones a través de conversaciones prolongadas en el tiempo, o de forma colectiva o terapia de grupo. También es necesario incluir a la familia en el tratamiento psicológico de la enfermedad.

■ Recomendaciones:

● No suspender el tratamiento en ninguna circunstancia salvo que así lo indique el psiquiatra al enfermo o a la familia siempre por escrito.
● Ayudar desde la familia al enfermo a mantener sus relaciones sociales lo mejor posible; para ello es importante informarse en los centros de salud acerca de la enfermedad y de su participación en ella.
● Consultar lo antes posible a nuestro médico cuando se detecten los primeros síntomas de la enfermedad.

En la mayoría de los casos el enfermo requiere un ingreso hospitalario o en una unidad especializada para su diagnóstico y tratamiento, aunque sea de forma forzosa por orden judicial. En los últimos años han cambiado las políticas sanitarias en cuanto a la permanencia casi de por vida de estos enfermos en los psiquiátricos; hoy en día se intenta mantener el mayor tiempo posible en su domicilio al enfermo mental tratado correctamente para evitar la aparición de nuevos brotes, aunque esto no es siempre posible.

¿CUÁL ES EL PRONÓSTICO DE LA ESQUIZOFRENIA?

■ La esquizofrenia es una enfermedad crónica e incurable, que puede ser tratada con el fin de mitigar los síntomas que produce y de mantener al individuo libre de episodios agudos y de sufrimiento. Son signos de mal pronóstico:

● La aparición precoz de los síntomas: peor evolucionan cuanto antes empiecen.
● El inicio lento y progresivo de los síntomas, en general cuando se extiende más allá de seis meses. El diagnóstico tardío de la enfermedad empeora también la evolución.
● Los antecedentes familiares de la enfermedad.
● Ciertos tipos de personalidad introvertida.
● Entornos familiares desestructurados o que presten poco apoyo al enfermo.
● Ausencia de factores precipitantes en el brote.

Por desgracia en la esquizofrenia progresa en muchos casos un fenómeno de «tobogán» con entradas y salidas constantes del hospital, por el descontrol de la enfermedad, bien por la agresividad del cuadro o bien por el mal cumplimiento del tratamiento. En los casos de mal pronóstico, la respuesta a las terapias es decepcionante y se desemboca en la mayoría de los casos en un proceso crónico cada vez más incapacitante.

Esquizofrenia

DEFINICIÓN Y CARACTERÍSTICAS DE LAS PSICOSIS

Alteraciones de la personalidad caracterizadas por las ideas delirantes y las alucinaciones.

CONCEPTO DE ESQUIZOFRENIA

Enfermedad psiquiátrica crónica, de naturaleza psicótica, que produce una deformación fundamental de la personalidad con las siguientes características:

- Alteraciones del pensamiento: ideas delirantes.
- Alteraciones de la percepción: alucinaciones.
- Déficit del conocimiento.
- Alteración de la afectividad.

TIPOS DE ESQUIZOFRENIA

- Esquizofrenia paranoide.
- Esquizofrenia hebefrénica.
- Esquizofrenia catatónica.
- Esquizofrenia indiferenciada.
- Esquizofrenia residual.

SÍNTOMAS DE LA ESQUIZOFRENIA

- Síntomas positivos o clásicos como alucinaciones, delirios y deterioro de la función intelectual, que aparecen durante la fase aguda de la enfermedad.
- Síntomas negativos, propios de los periodos que rodean a los brotes agudos.

DIAGNÓSTICO

Formas de acudir el enfermo a la consulta del médico o del psiquiatra: por propia iniciativa, por iniciativa familiar o por vía legal.

TRATAMIENTO

- Farmacológico: neurolépticos.
- Psicoterapia.

PRONÓSTICO

Es una enfermedad crónica e incurable.

Trastornos obsesivos-compulsivos

Este tipo de trastornos se caracteriza por una necesidad imperiosa e irrefrenable de realizar determinados actos para satisfacer un pensamiento reiterativo que domina la mente del individuo. Las dos características fundamentales de este trastorno son las ideas obsesivas o pensamientos reiterativos que se presentan de forma persistente en el individuo, que no puede evitarlos pese a reconocer el carácter absurdo de los mismos, y las conductas compulsivas, en respuesta a una idea obsesiva, tan impropios o absurdos como ésta.

DEFINICIÓN

■ Dentro de las neurosis o trastornos mentales sin una base orgánica demostrable, destaca un cuadro caracterizado por la presencia de dos características fundamentales en la conducta del individuo:

- Por un lado las ideas obsesivas u **obsesiones**, definidas como pensamientos reiterativos en forma de ideas, imágenes o sonidos que se presentan de forma persistente en la mente del individuo. Estos pensamientos, aunque producidos por el propio individuo, son reconocidos por el mismo como extraños y absurdos, tratando de luchar frente a ellos, generalmente sin éxito. En algunas ocasiones pueden ser desagradables o provocar temor, mientras que en otros casos consisten en «rumiaciones» constantes alrededor de una misma idea central.
- Por otro las **compulsiones** o conductas que sigue el individuo en respuesta a una idea obsesiva. Estas conductas, tan absurdas o impropias como las ideas de las que parten, tienen la finalidad de reducir

el malestar que el individuo siente como consecuencia de sus pensamientos obsesivos. Al igual que las obsesiones, las conductas compulsivas carecen de sentido para el enfermo aunque no pueda evitarlas.

Por lo tanto se define el trastorno obsesivo-compulsivo como la alteración neurótica de la conducta caracterizada por la necesidad imperiosa e irrefrenable de realizar determinados actos o tomar ciertas actitudes para satisfacer un pensamiento reiterativo que domina o llena la mente del individuo.

Frente a estas imposiciones se trata de presentar resistencia porque se reconocen como faltas de sentido o absurdos, lo que diferencia esta patología de otras más graves en las que el individuo no tiene ningún freno mental para realizar lo que le pide su mente. Es decir, que la lucha interna del individuo por adecuar su actitud a la norma o a la lógica es una de las características fundamentales de este trastorno.

Este trastorno afecta a un 2-3% de las personas a lo largo de su vida, aunque suele manifestarse ya desde la adolescencia o pocos años después, siendo raro su diagnóstico en individuos de edades avanzadas. No se puede hablar de una única causa de los fenómenos obsesivos, sino más bien de una serie de antecedentes psicológicos y biológicos que podrían estar implicados en mayor o menor medida en la aparición del cuadro, como ocurre probablemente en la gran mayoría de las enfermedades psiquiátricas.

FORMAS DE PRESENTACIÓN

Todos tenemos ideas obsesivas en algún momento de nuestra vida, incluso a diario, aunque hemos reconocido su importancia y no necesitamos de actitudes compulsivas para «tranquilizar» nuestra mente, o al menos somos capaces de evitarlas cuando éstas podrían ponernos en ridículo ante los demás. Por ejemplo, una persona puede tener una cierta obsesión por la higiene, lo que le lleva a lavarse las manos de forma constante a lo largo del día, aunque si se encuentra en casa de un amigo limitará esta práctica por temor a llamar la atención. Algunos individuos suelen volver al coche una vez aparcado porque les corroe la duda de si lo han cerrado o no, o van dando saltos por la calle para evitar pisar sobre las líneas que separan las baldosas. Otro ejemplo sería la tendencia a rehacer una y otra vez las cuentas para comprobar que los resultados son correctos. Por decirlo de alguna manera, son costumbres exageradas o manías que no afectan a la vida social del individuo ni a su integración y que se denominan en ocasiones fenómenos obsesivos.

El siguiente paso serían los trastornos obsesivos de la personalidad en los que el individuo no trata de disimular alguna de sus actitudes compulsivas, generalmente estereotipadas (casi rituales), lo que se traduce en ciertas peculiaridades de su conducta que le hacen singular. Siguiendo los ejemplos anteriores, una personalidad obsesiva (en este caso de la limpieza) se lava las manos cada vez que toca algo, porque aunque

Tratamiento

■ Siempre indicado y supervisado por un psiquiatra, el tratamiento de esta enfermedad incluye alguno de los siguientes aspectos y las combinaciones entre los mismos:

● **Psicoterapia conductual:** pretende romper la relación entre obsesión y compulsión, aunque con un porcentaje de éxitos menor que en los trastornos fóbicos simples.

● **Psicofármacos:** antidepresivos, asociados muy a menudo con tranquilizantes, sedantes e incluso neurolépticos, normalmente empleados para el tratamiento de las psicosis.

● **Técnicas psicoquirúrgicas:** abandonadas durante muchos años, pueden proporcionar en el futuro alguna alternativa a los casos más graves.

■ El tratamiento conjunto de psicofármacos y técnicas de conducta ha demostrado ser una estrategia eficaz con más de un 75% de mejorías a corto y medio plazo. Salvo en aquellas formas graves que rozan la psicosis, como la llamada enfermedad obsesiva maligna, los enfermos con este trastorno suelen llevar una vida normal y adaptada a la sociedad.

esté dispuesto razonablemente a admitir que no pasa nada si no lo hace, calma una necesidad obsesiva de su mente, manteniendo así un cierto equilibrio con el entorno vital sin que se deteriore su adaptación al mismo. Sin embargo, en algunas ocasiones, las impulsiones del individuo pueden ser corregidas o compensadas de manera casi continua, deteriorando de forma apreciable su expresividad emocional y su capacidad de relación.

Como consecuencia de esto aparecen con el tiempo cuadros de angustia y depresión, provocados por la represión de actitudes durante toda la vida. Cuanto más restrictivos son los ambientes sociales en los que se desenvuelve el individuo, más angustia puede acumular. La mayoría de los estudios concluyen que una personalidad obsesiva precede en el tiempo al desarrollo de un trastorno obsesivo-compulsivo.

Finalmente, se diagnostica este trastorno cuando las obsesiones y compulsiones son lo suficientemente graves como para interferir de manera notable en las actividades del individuo, incapacitándolo para el desarrollo de una vida normal.

Uno de los síntomas principales que acompañan a este cuadro es la ansiedad, que aumenta de manera paralela a la represión de los rituales compulsivos, y en la cual reside el mayor grado de sufrimiento del individuo.

En resumen, el grado de intensidad del trastorno obsesivo-compulsivo es muy variable, produciendo desde una mínima interferencia en la vida del individuo hasta la incapacidad más completa. Los síntomas suelen fluctuar según determinadas épocas de la vida, con periodos de mejoría y empeoramiento.

Las fobias, algunos tipos de esquizofrenia y la depresión pueden cursar con síntomas parecidos a los de este trastorno en ciertas ocasiones, siendo necesaria una correcta exploración psiquiátrica para diferenciarlos. La fobia se define realmente como el temor desproporcionado y persistente hacia un objeto o situación que provoca que el individuo evite su encuentro, pero que no se acompaña de una conducta impulsiva asociada.

Conviene también señalar que ciertas enfermedades psiquiátricas y neurológicas pueden cursar con síntomas obsesivos secundariamente y de forma temporal sin que pueda diagnosticarse realmente este trastorno. Se habla entonces de comportamientos pseudoobsesivos.

Trastornos obsesivos-compulsivos

Se denomina así a un tipo de trastorno neurótico caracterizado por la necesidad imperiosa e irrefrenable de realizar determinados actos para satisfacer un pensamiento reiterativo que domina la mente del individuo.

Afecta a un 2-3% de las personas a lo largo de su vida, manifestándose generalmente desde la adolescencia.

Las dos características fundamentales de este trastorno son:

- Ideas obsesivas o pensamientos reiterativos que se presentan de forma persistente en el individuo, que no puede evitarlos pese a reconocer el carácter absurdo de los mismos.
- Conductas compulsivas en respuesta a una idea obsesiva, tan impropias o absurdas como esta.

Existen personalidades obsesivas que favorecen la aparición de esta patología.

Este trastorno se presenta desde formas leves que pasan prácticamente desapercibidas hasta formas muy invalidantes que deterioran por completo las relaciones del individuo.

Las fobias, algunos tipos de esquizofrenia y la depresión pueden cursar con síntomas parecidos a estos en determinadas ocasiones.

El tratamiento de los trastornos obsesivos-compulsivos debe ser realizado siempre por un psiquiatra, que puede emplear alguna de las siguientes técnicas:

- Psicoterapia conductual.
- Psicofármacos.
- Psicocirugía.

El buen cumplimiento del tratamiento, las visitas periódicas al especialista y la colaboración del entorno del enfermo pueden conseguir un amplio porcentaje de curación, con más de un 75% de mejorías a corto y medio plazo, permitiendo la integración completa del individuo en la sociedad.

Alcoholismo

El problema del alcoholismo se ha convertido en uno de los trastornos de la salud más importantes en el mundo actual. Se trata de un fenómeno social más o menos aceptado que no puede ser entendido de otra manera más que como una drogodependencia y que tiene una repercusión enorme sobre los sistemas sanitarios y la esperanza de vida de sus consumidores.

Desde los años 70 se ha producido un incremento notable de la incidencia de esta enfermedad prácticamente por igual en todo el mundo, aunque en los últimos años las diferentes campañas preventivas parecen haber frenado y estabilizado este aumento. No obstante, la cifra de jóvenes que se incorporan en edades tempranas al consumo habitual de alcohol se ha disparado en las últimas fechas, siendo éste el principal problema de salud colectiva que se plantea en el futuro de las sociedades desarrolladas.

¿QUÉ ES EL ALCOHOL?

El alcohol que habitualmente se consume en forma de cerveza, vino o licores destilados se llama alcohol etílico o etanol; el metanol, muy peligroso, se emplea en determinadas bebidas llamadas metiladas, aunque su empleo es poco frecuente.

El alcohol es tolerado por el organismo humano en condiciones normales, ya que el hígado se encarga de metabolizarlo y descomponerlo en otras sustancias que posteriormente son eliminadas; de esta manera, a través del hígado, se consigue desactivar hasta el 90% del alcohol consumido, mientras que el 10% restante se realiza básicamente a través de la vía respiratoria, en cada espiración. Cuando la ingesta de alcohol supera los límites razonables la capacidad del hígado queda desbordada y aquél comienza a acumularse en la sangre hasta que pueda ser depurado; esto supone un sobreesfuerzo hepático ya que son horas de trabajo constante por parte de este órgano.

Tomado con moderación, el alcohol tiene un efecto vasodilatador positivo, abre el apetito, reduce la ansiedad y proporciona calor corporal que puede resultar útil en ciertos momentos. Por otra parte, en los individuos que ya padezcan afecciones hepáticas, el alcohol es desaconsejable aunque sea en pequeñas cantidades, del mismo modo que durante el embarazo o mientras se toman ciertas medicaciones.

El alcohol es una droga legal en la mayoría de los países, con restricciones según la edad del individuo en la mayoría de los casos, e incluso estando monopolizada su distribución por el estado en otros. Por tanto, el acceso al alcohol es relativamente sencillo en la mayoría de las sociedades avanzadas y ni siquiera las medidas más restrictivas (como por ejemplo la prohibición) consiguen disminuir las cifras globales de alcoholismo. El vino y la cerveza son los medios más habituales de consumo alcohólico en los países occidentales.

¿CÓMO SE CALCULA EL CONSUMO DE ALCOHOL?

Se denomina Unidad de Bebida Estándar (UBE) a la unidad empleada como medida del grado de alcohol que se consume, y se corresponde con 10 g de alcohol puro. Una cerveza de 200 ml, un vaso de vino o una copa corta de cualquier tipo de licor tienen aproximadamente una UBE. Esta unidad de medida tiene utilidad en el ámbito sanitario para medir la cantidad exacta de alcohol que se ingiere por semana.

Para calcular en gramos la cantidad de alcohol consumido se extrae el porcentaje de alcohol puro que tiene cada bebida o graduación (que viene expresado en su etiqueta en forma de volumen) y se aplica sobre los mililitros que se han tomado, considerando de forma aproximada que la densidad del alcohol es uno. Así por ejemplo, en una copa de whisky con refresco se vierten aproximadamente 60 ml de licor con un volumen del 40%, lo que equivale a unos 24 g de alcohol puro por copa; en un tercio de cerveza o en una jarra grande de la misma la cantidad sería de unos 16 g.

¿QUÉ ES EL ALCOHOLISMO?

La línea que separa el consumo controlado de alcohol y la dependencia alcohólica es muy estrecha. En los últimos años se ha creado el concepto de bebedor de riesgo, que se define como aquel individuo que consume semanalmente más de 280 g de alcohol si es varón o más de 168 g si es mujer. Un bebedor de riesgo es un alcohólico en potencia mientras siga manteniendo estos consumos; en esta fase, mientras no surjan síntomas de dependencia, es relativamente sencillo dar marcha atrás y frenar la progresión hacia la enfermedad crónica.

Otro concepto sería el de bebedor social, que es aquel individuo que no bebe alcohol de forma diaria, o en todo caso de forma leve, pero que consume el mismo de forma exagerada durante los fines de sema-

na o en acontecimientos sociales, hasta el punto de llegar en algunos casos a cumplir los criterios para ser encuadrado como bebedor de riesgo, aunque no haya una dependencia clara hacia el alcohol.

■ Se denomina alcohólico al individuo que tiene una dependencia hacia el consumo de alcohol que puede ser definida desde varios puntos de vista:

- Dependencia física, como la producida por cualquier otro tipo de droga, que se basa en la creación de una necesidad orgánica del alcohol mediada por cambios progresivos en el metabolismo humano que trata de adaptarse a su presencia habitual. Es decir, que en cierta medida el organismo «se acostumbra» al alcohol y luego lo necesita de forma casi permanente.
- Dependencia psicológica, debida fundamentalmente a la sensación de placer que produce en el bebedor en cuanto a la disminución de la ansiedad y el estrés, así como por la desinhibición que se experimenta. Es la primera en aparecer.
- Dependencia conductual o social, basada en el aprendizaje y desarrollo de costumbres o hábitos que utilizan el alcohol como excusa para interrelacionarse con otras personas de nuestro entorno.

El grado de dependencia alcohólica se mide tanto de forma cuantitativa, es decir, por la cantidad de alcohol consumida semanalmente, como de forma cualitativa o según la forma de beber de cada individuo. En general podemos decir que el enfermo alcohólico bebe mucho alcohol y lo hace de forma compulsiva e incontrolada, lo que desemboca en una serie de complicaciones que a continuación veremos.

¿A QUIÉN AFECTA EL ALCOHOLISMO?

El consumo actual de alcohol en los países occidentales ronda los 10 l de alcohol puro por habitante y año, con unas cifras de enfermos alcohólicos que rondan el 8% de toda la población. La incidencia de esta enfermedad es diferente según la región geográfica analizada, ya que las costumbres sociales y las tradiciones influyen decisivamente en la creación del hábito alcohólico; algo similar ocurre con las creencias religiosas. Los hijos de padres alcohólicos tienen una mayor posibilidad de desarrollar un alcoholismo, así como los adolescentes que contactan en edades tempranas con el consumo habitual. Además de entre los varones, determinadas profesiones como los trabajadores de la construcción, los directivos de empresas y, en general, los empleados que viajan habitualmente tienen un mayor riesgo. También es destacable la incidencia del alcoholismo entre las amas de casa, que normalmente pasa desapercibido hasta sus fases más avanzadas.

¿CUÁLES SON LAS CONSECUENCIAS DEL ALCOHOLISMO?

■ Se denomina trastorno relacionado con el alcohol a cualquier deterioro físico, mental o social producido como consecuencia directa o indirecta del consumo de esta sustancia, independientemente de que el individuo pueda ser catalogado como alcohólico o se haya bebido de forma puntual. Se sospecha que estos trastornos son responsables de un número elevadísimo de incidencias y enfermedades, aunque sólo se demuestra su efecto en un porcentaje más pequeño de los casos:

- El 33% de los accidentes de circulación están en relación con el consumo de al-

cohol, tanto por la disminución de los reflejos y la coordinación como por la dificultad para valorar las distancias. La toma de 1 l de cerveza en menos de dos horas multiplica por 25 el riesgo de sufrir un accidente de tráfico.

- Hasta un 25% de los accidentes laborales están relacionados con el alcohol.

- Se calcula que en casi la mitad de los delitos graves está implicado también el alcohol, en muchos casos mezclado con otras sustancias.

A nivel médico ocurre algo similar en cuanto a que muchas patologías que requieren consulta en el centro de salud o en los servicios de urgencias hospitalarias ocultan un problema relacionado con el alcohol, aunque la mayoría de ellas son enfocadas hacia otro lado, hasta el punto de que sólo un 30% de los alcohólicos son diagnosticados como tales.

■ Las principales enfermedades relacionadas con el abuso del alcohol son:

- ENFERMEDADES HEPÁTICAS

  - **Esteatosis hepática**: también llamado hígado graso, que consiste en la acumulación de grasa alrededor del órgano que aumenta el tamaño total del mismo. Normalmente es la primera manifestación en el hígado del abuso continuado del alcohol y puede pasar desapercibida hasta que se detecta en una analítica un aumento de la GGT (transaminasa) o aparecen signos como ictericia o malas digestiones por obstrucción de la bilis.

  - **Hepatopatía alcohólica crónica**: es una enfermedad hepática producida por la muerte repetida de los hepatocitos o células que forman el hígado. Este órgano es capaz de soportar largos periodos de consumo alcohólico hasta que poco a poco comienza su destrucción. En primer lugar se produce una **fibrosis** del órgano que se traduce en una pérdida parcial de su función y de su estructura por la aparición de tejidos fibrosos en su interior; posteriormente el tejido empieza a destruirse de manera irreversible, en lo que se llama **necrosis**; finalmente se empiezan a producir cicatrices en las zonas muertas que provocan que el órgano se retraiga y se altere su forma, lo que se denomina **cirrosis**. La cirrosis es una enfermedad grave y representa el estadio final de la enfermedad hepática alcohólica; su presencia se complica siempre con hemorragias digestivas por la formación de varices en el esófago, ascitis (líquido libre en la cavidad abdominal), disminución de las plaquetas y finalmente graves afectaciones cerebrales cuando el hígado ya no es capaz de depurar los tóxicos provenientes del metabolismo que dañan al sistema nervioso. Aunque las cifras pueden variar según cada individuo, se necesitan aproximadamente unos 20-25 años de consumo excesivo de alcohol para desarrollar cirrosis hepática

- **ENFERMEDADES GASTROINTESTINALES**

– **Gastritis** y **úlcera péptica**: producidas por la agresión constante del alcohol sobre la mucosa del aparato digestivo, especialmente si se bebe en ayunas o en casos de malnutrición.
– **Reflujo gastroesofágico**: o dificultad para mantener el contenido del estómago sin que éste retorne hacia el esófago durante la digestión, debido al mal funcionamiento del esfínter encargado de impedirlo.

– **Diarrea** en forma de brotes agudos y que puede hacerse crónica.

- **ENFERMEDADES CARDIOVASCULARES**

– **Hipertensión**: el consumo de alcohol eleva las cifras de tensión arterial, incluso aunque éste sea moderado. Por el contrario, se conoce que posee un efecto beneficioso en las personas con antecedentes de enfermedad cardíaca y mayores de 50 años.
– **Miocardiopatía alcohólica**: consiste en la dilatación y aumento del tamaño del corazón que provoca insuficiencia cardíaca.
– **Arritmias**: como taquicardias transitorias, fibrilación auricular y bloqueos de la conducción eléctrica en el músculo cardíaco.

- **ENFERMEDADES HEMATOLÓGICAS**

– **Anemia**: por falta de vitamina B12 y ácido fólico, que se manifiesta por la presencia de glóbulos rojos más grandes de lo normal.
– **Alteraciones de la coagulación**.

- **ENFERMEDADES NEUROLÓGICAS**

– **Polineuropatía alcohólica**: o afectación de los nervios periféricos que provoca sensación de adormecimiento y dolor en los miembros, debilidad muscular y atrofia.
– **Descontrol de los esfínteres** e **impotencia**.
– **Ambliopatía tóxica**: visión borrosa con zonas oscuras y dificultad para distinguir algunos colores.

- AFECTACIONES EMOCIONALES
Y SOCIALES

- Ansiedad, depresión y fobias; obsesión por la bebida, que pasa a ser el objetivo primordial de cada día.
- Ruptura o desestructuración de la unidad familiar.
- Pérdida de la memoria y, en general, menoscabo de la función intelectual.
- Descuido del aseo personal.
- Cambio de entorno social; nuevos amigos o nuevas compañías.
- Alteración del rendimiento laboral; aislamiento; pérdida del puesto de trabajo.

¿CÓMO SE DETECTA EL ALCOHOLISMO?

■ El organismo humano desarrolla una tolerancia progresiva al consumo de alcohol que provoca dos situaciones:

- Disimula sus efectos llegando incluso a encubrirse un consumo excesivo al acostumbrarse el individuo a disimular sus efectos.
- Obliga a aumentar la cantidad total de alcohol ya que es necesaria que ésta sea cada vez mayor para obtener los mismos efectos iniciales de relajación y bienestar.

■ El diagnóstico precoz del síndrome de dependencia alcohólica es uno de los factores más importantes para mejorar su pronóstico. Se basa en los siguientes puntos:

- Detección del problema por el entorno: en raras ocasiones es el propio individuo afectado el que solicita ayuda para su problema, sino que suele ser la familia la que lo advierte. Los signos que pueden percibirse durante el inicio de la dependencia alcohólica son la incapacidad para restringir la cantidad de bebida dentro de unos límites

¿Qué es el síndrome de abstinencia?

■ Se denomina síndrome de abstinencia alcohólica al conjunto de signos y síntomas que se presentan en los individuos con una dependencia al alcohol cuando interrumpen su ingesta. Se presenta a las ocho o diez horas de abstinencia y suele durar una semana aproximadamente, hasta que comienza a desaparecer el cuadro. Se caracteriza por:

- Ansiedad muy intensa, que se acompaña de insomnio y malestar general.
- Temblor, que puede llegar a ser invalidante para las actividades normales.
- Taquicardia, sudoración excesiva, náuseas y vómitos.
- Diarrea.

■ En un pequeño porcentaje de los casos de abstinencia alcohólica se puede desarrollar un cuadro llamado *delirium tremens*, que alcanza su máxima expresión a los dos o tres días del abandono del hábito. En este caso los síntomas consisten en obnubilación, agitación, desorientación y presencia de alucinaciones visuales que pueden llegar a ser muy graves e incluso provocar la muerte. En estos casos el tratamiento es siempre hospitalario.

razonables, la necesidad de tener bebidas alcohólicas en el domicilio y los cambios repentinos de humor, dentro todo esto de un marco de estrés laboral o dificultades familiares o económicas.

- Entrevista médica: encaminada a la búsqueda de signos que puedan llevar a pensar que está empezando una dependencia alcohólica, como la existencia de temblores o náuseas matutinas, falta de apetito, irritabilidad, insomnio, lagunas de la memoria o ingesta de alcohol en ayunas.

- Cuestionarios: el empleo de determinados test puede ser útil para detectar el alcoholismo incipiente; se basan en preguntas de fácil respuesta acerca del hábito alcohólico particular de cada individuo así como de su opinión acerca del mismo y de la repercusión social que tiene.

- Pruebas biológicas: tradicionalmente se ha empleado la analítica de sangre para detectar diversas alteraciones de la misma que son indicativas de alcoholismo crónico. La gamma GT es una transaminasa o enzima hepática que está elevada normalmente en estos individuos, así como el volumen de los glóbulos rojos o hematíes (VCM).

¿CÓMO SE PUEDE TRATAR EL ALCOHOLISMO?

El tratamiento del alcoholismo se basa en una serie de medidas globales, tanto biológicas como sociales, que logren el objetivo de deshabituar al enfermo alcohólico. Puede ser dividido en varias fases que el enfermo debe alcanzar progresivamente para lograr la curación:

1. Reconocimiento y comprensión de la enfermedad por el propio individuo, que es el pilar fundamental sobre el que se asienta una terapéutica exitosa. Además debe ser consciente del peligro que representa para su salud y de las futuras complicaciones que se sucederán en caso de no hacer desaparecer el hábito. Es importante reforzar la voluntad firme por conseguirlo y resaltar los beneficios que se obtendrán al completar la curación.

2. Desintoxicación: una vez que se instaura la abstinencia rigurosa de alcohol es fundamental disminuir la ansiedad que ésta va a generar en el enfermo. Para ello se emplean normalmente fármacos de la familia de los ansiolíticos de forma pautada y controlada. Este tratamiento puede completarse con complejos vitamínicos en alcoholismos de larga evolución en los que se sospeche que puedan existir carencias. Es importante estar alerta durante esta fase ante la posible aparición de un síndrome de abstinencia que requerirá ingreso hospitalario.

3. Deshabituación: consiste en la eliminación de la dependencia psicológica al consumo de alcohol una vez que se ha superado la dependencia física. Para ello se establece un calendario de visitas al psicólogo o psiquiatra que permitan al individuo encontrar apoyo para hacer desaparecer el hábito del alcoholismo. En ocasiones se emplean determinadas sustancias aversivas al alcohol que disminuyen el deseo compulsivo de beber o simplemente provocan una reacción desagradable en el organismo tras su consumo.

Alcoholismo

CARACTERÍSTICAS DEL ALCOHOL

Alcohol etílico y metílico. Efectos iniciales del alcohol sobre el organismo. Cálculo del consumo de alcohol de las diferentes bebidas.

DEFINICIÓN DE ALCOHOLISMO

Dependencia física, psíquica y conductual hacia el consumo continuo y desproporcionado de bebidas alcohólicas. Afecta a un 8% de la población aproximadamente.

DIAGNÓSTICO

- Detección por el entorno familiar o por el propio individuo: incapacidad para moderar el consumo de alcohol, problemas familiares o laborales.
- Entrevista médica: búsqueda de signos físicos y mentales que puedan orientar hacia una cierta dependencia alcohólica.
- Cuestionarios: métodos utilizados para tratar de objetivar el consumo diario de alcohol y su repercusión.
- Pruebas biológicas: analíticas de sangre para detectar alteraciones crónicas propias del abuso continuado del alcohol.

CONSECUENCIAS

Se denomina trastorno relacionado con el alcohol a cualquier deterioro físico, mental o social que se produzca en directa relación con el alcoholismo. Las principales enfermedades relacionadas son:

- Enfermedades hepáticas: esteatosis hepática, hepatopatía alcohólica crónica.
- Enfermedades gastrointestinales: gastritis y úlcera péptica, reflujo gastroesofágico, diarrea.
- Enfermedades cardiovasculares: hipertensión arterial, miocardiopatía alcohólica, arritmias.
- Enfermedades hematológicas: anemias, alteraciones de la coagulación.
- Enfermedades neurológicas: polineuropatía alcohólica, descontrol de esfínteres, impotencia, ambliopatía tóxica.
- Afectación emocional y social: ansiedad, depresión, pérdida de memoria, desestructuración familiar, descenso del rendimiento laboral e intelectual.
- Síndrome de abstinencia alcohólica.

TRATAMIENTO

- Reconocimiento del problema: voluntad firme del individuo para obtener éxito en el tratamiento, junto con el conocimiento de su enfermedad.
- Desintoxicación: abandono del consumo de forma definitiva con apoyo farmacológico.
- Deshabituación: eliminación de la dependencia psicológica una vez superada la dependencia física. En ocasiones pueden utilizarse sustancias aversivas al alcohol.

Enfermedades dermatológicas

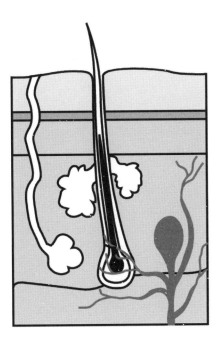

✓ Psoriasis

✓ Dermatitis seborreica

✓ Alopecia
Calvicie común masculina • alopecia androgénica femenina • defluvio telogénico • alopecia secundaria a fármacos • alopecia por determinadas enfermedades • alopecias cicatriciales • alopecia areata • alopecia traumática

✓ Acné

✓ Melanoma

■ Sección de la piel ■

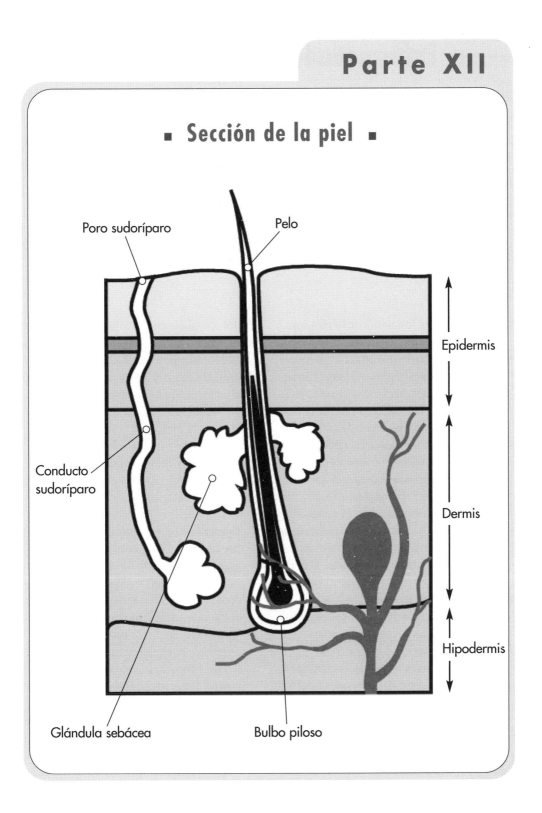

Poro sudoríparo

Pelo

Epidermis

Conducto
sudoríparo

Dermis

Hipodermis

Glándula sebácea

Bulbo piloso

Enfermedades dermatológicas

La piel no es simplemente el envoltorio que recubre el cuerpo del ser humano sino que, por la permanente actividad de las células que la componen y las múltiples funciones que desempeña, puede ser considerada como un órgano más de la estructura corporal. Sería por tanto el órgano más extenso, más pesado y en general más grande.

■ Las principales funciones de la piel son:

- **Protección:** actuando como escudo frente a las agresiones externas, tanto físicas, como químicas o biológicas, manteniendo la suficiente elasticidad como para permitir el movimiento normal del cuerpo.
- **Sensibilidad:** a través del sentido del tacto y de otros muchos receptores distribuidos a lo largo de su espesor, la piel permite detectar el contacto físico, los cambios de temperatura o la pérdida de su integridad en un momento determinado. Es también, por tanto, un órgano de relación con el entorno que rodea al hombre.
- **Regulación de la temperatura:** gracias a su enorme extensión corporal, la piel es capaz de enfriar o calentar la sangre mediante la dilatación o constricción de los vasos y capilares que la atraviesan, además de protegerse del frío con el pelo y del calor con la producción de sudor que refresca su superficie.
- **Regulación hidroelectrolítica:** a través de la piel se expulsan una pequeña parte de las sustancias nocivas sobrantes

del metabolismo celular, transportadas en agua, formando lo que se denomina sudor. La regulación de la concentración de agua y sales minerales en el mismo, según las necesidades concretas de cada situación, es tambien una función de la piel.

■ Se puede dividir en tres capas la estructura normal de la piel, todas ellas íntimamente relacionadas entre sí:

- **Epidermis** o capa más externa, formada por capas de células estratificadas que siguen un proceso de formación, reproducción, maduración, aplanamiento y muerte desde el interior hacia el exterior de la piel, desprendiéndose continuamente las células muertas del borde externo por exfoliación. Una célula formada en el interior de la epidermis tarda aproximadamente un mes en cumplir todas estas fases hasta que alcanza la superficie cutánea.
- **Dermis** o capa intermedia, formada por tejido colágeno y fibras elásticas junto con los vasos sanguíneos y las terminaciones nerviosas de la piel. En esta capa

se sitúan las diferentes glándulas de éste órgano, además de los folículos pilosos que atraviesan la epidermis y llegan hasta el exterior.

- **Hipodermis** o capa interna, también llamada tejido subcutáneo, está formada por tejido conjuntivo y adiposo (grasa) y toma contacto con las estructuras internas del organismo.

La coloración de la piel varía según las diferentes etnias debido a un pigmento llamado melanina, que se produce por unas células llamadas pigmentarias que se encuentran en la parte más interna de la epidermis. La mayor coloración de la piel no es más que un sistema defensivo frente al exceso de radiación solar en determinadas regiones de la tierra, aunque sólo sea de forma puntual como ocurre en el bronceado. Determinadas regiones cutáneas del organismo, como los genitales, las areolas mamarias y en general las áreas descubiertas, tienen de forma permanente una mayor pigmentación protectora frente a la radiación solar, que en el caso de los genitales se explica por la importancia de preservar a las células reproductoras de la posible acción mutágena de los rayos ultravioleta.

El grosor de la piel tampoco es uniforme, siendo más fina en las zonas de pliegues y de flexión de las articulaciones y más gruesa en las zonas de contacto, como las palmas de las manos y las plantas de los pies. El mayor grosor de la piel se obtiene principalmente con el aumento de la capa de queratina o capa externa de células muertas, formándose callosidades cuando el contacto en dichas zonas es reiterativo.

■ En la piel encontramos diferentes estructuras asociadas de gran importancia para diferentes funciones de la misma, que se denominan anejos de la piel; los principales son:

- **Glándulas sudoríparas**: consisten en una especie de red tubular que extrae agua y sales minerales de la sangre y la expulsa al exterior a través de su propio conducto de drenaje. Están controladas por el sistema nervioso, que estimula su vaciamiento ante la necesidad de enfriar la piel para disipar el calor o en determinadas situaciones emocionales de tensión o angustia.

- **Pelo**: formado a partir de los folículos pilosos de la dermis mediante depósito en su matriz de queratina pigmentada que se apila progresivamente empujando la estructura hacia el exterior. El vello es un tipo de pelo corto de crecimiento controlado que recubre la mayoría de la superficie corporal.

- **Glándulas sebáceas**: formadas por células especializadas que fabrican grasa o sebo, que es vertido en el tallo del folículo piloso para lubrificarle. Son especialmente abundantes en ciertas regiones de la piel como el cuero cabelludo, la cara o el pecho y en su control desempeñan un papel primordial las hormonas sexuales.

- **Glándulas apocrinas**: son glándulas sexuales desarrolladas en la pubertad en el área genital y en las axilas que segregan hormonas especiales llamadas feromonas, en relación posiblemente con rasgos atávicos de la conducta sexual humana primitiva.

- **Uñas**: tejido muerto que recubre la cara dorsal de las últimas falanges de los dedos, formado a partir de una raíz implantada en una hendidura de la piel. A medida que las células ascienden desde esta matriz, van madurando hasta morir y pasan a formar parte de la uña propiamente dicha. En los seres humanos estas estructuras han perdido por completo su función primitiva de defensa.

■ Las principales enfermedades que pueden afectar a la piel son:

- **Máculas:** lesiones planas y pequeñas, de origen interno o como consecuencia de agresiones externas, que se manifiestan como una alteración en la coloración de la piel, pudiendo ser eritematosas (por dilatación de los capilares sanguíneos), purpúricas (por sangrados internos), pigmentadas (por acúmulo de diferentes pigmentos) o acrómicas (por falta de pigmentación como en el vitíligo).
- **Pápulas:** elevaciones sólidas de la piel, circunscritas a una pequeña zona, cuya superficie puede adoptar diferentes formas; se incluyen en este apartado las verrugas, los xantomas y el liquen. Cuando por confluencia forman lesiones más grandes se denominan placas, como por ejemplo en la psoriasis.
- **Ronchas o habones:** lesiones elevadas de aspecto edematoso que aparecen con frecuencia como reacciones alérgicas o por el rascado.
- **Nódulos:** lesiones palpables, sólidas y redondeadas, que pueden situarse en la parte externa de la piel, en sus capas medias o en su interior (como los lipomas), siendo en este caso únicamente palpables.
- **Tumores:** lesiones sólidas de la estructura de la piel, benignas o malignas, que tienden a crecer de forma irregular e indefinida y que pueden adoptar multitud de formas diferentes.
- **Vesículas y ampollas:** lesiones elevadas sobre la piel que contienen líquido en su interior y que pueden desembocar en escamas, erosiones y costras.
- **Pústulas:** especie de vesículas rellenas de material purulento que suelen ser secundarias a infecciones por bacterias u hongos.
- **Úlceras:** pérdida de parte de la sustancia que forma la piel que origina una lesión más o menos profunda, que se infecta con facilidad y que pueden deberse a traumatismos, enfermedades de la sangre, mala circulación por encamamiento (escaras) y otras causas.
- **Enfermedades del pelo y las uñas:** principalmente el exceso de su caída o alopecia o su debilidad por déficits nutricionales.

Psoriasis

La psoriasis se manifiesta como lesiones escamosas en forma de brotes con picor abundante. Aunque no existe un tratamiento curativo definitivo, se pueden usar medidas preventivas como la protección de la piel, la hidratación o la relajación. Existe un tratamiento tópico en forma de cremas, pomadas, lociones o geles que asocian diversos fármacos, o un tratamiento oral, con sustancias quimioterápicas.

¿QUÉ ES LA PSORIASIS?

La psoriasis es una enfermedad crónica de la piel que se caracteriza por la formación esporádica de un tipo de lesiones rojizas en forma de pápulas o placas, de forma oval y cubiertas de escamas de color plateado. Estas lesiones, que producen abundante picor, se localizan sobre todo en el cuero cabelludo, en los miembros y en la región ano-genital; de forma típica aparecen en la zona de pliegues de los miembros, es decir, en la parte blanda de los codos y las rodillas.

La distribución puede ser en cualquier caso localizada o restringida a un área concreta o por el contrario brotar en diferentes puntos del cuerpo humano al mismo tiempo, lo que se denomina distribución universal. La forma habitual de cursar esta enfermedad es en brotes o episodios agudos en los que surgen una o varias lesiones que se mantienen activas un cierto tiempo hasta que comienzan a remitir, quedando el individuo libre de lesiones durante un periodo de tiempo más o menos largo.

¿A QUIÉN AFECTA LA PSORIASIS?

Aproximadamente un 2% de la población sufre esta enfermedad en alguna de sus formas de manifestación, con una mayor incidencia en el norte de Europa o en Norteamérica respecto a otras regiones mundiales. Aunque puede aparecer a cualquier edad, lo más habitual es que se detecten las lesiones a partir de los 20 años; una aparición anterior indica una mayor gravedad del cuadro y un peor pronóstico.

Si bien no existe una diferencia significativa entre ambos sexos en cuanto a las cifras de incidencia, sí parece que la enfermedad tiende a afectar a las mujeres en edades más tempranas y de una forma más agresiva.

¿POR QUÉ SE PRODUCE LA PSORIASIS?

■ Pese a que no se conoce con exactitud el origen de esta enfermedad, se han establecido diferentes explicaciones a lo largo de los años. Hoy en día se habla de predisposición a padecer la enfermedad y de factores desencadenantes de la misma:

● Predisposición: es un hecho comprobado que los factores genéticos influyen decisivamente en la aparición de esta enfermedad, como lo demuestra el dato de que más de un 40% de los afectados tengan familiares directos con el mismo padecimiento.

- Factores desencadenantes: algunas circunstancias podrían «despertar» la enfermedad en aquellos individuos predispuestos genéticamente a ellas; estos factores serían:

  – Traumatismos: un golpe directo sobre la piel puede producir la aparición de una lesión de tipo psoriásico en un plazo aproximado de una o dos semanas. Paradójicamente, en ocasiones un golpe sobre una lesión ya establecida puede mejorar su aspecto e incluso inducir su curación. La explicación de estos fenómenos se encuentra en el componente inmunológico de la enfermedad, que podría activarse o desactivarse con estos traumatismos.
  – Infecciones: el contagio de ciertos tipos de bacterias como los estreptococos o incluso virus como la gripe podrían desencadenar la aparición de un brote psoriásico varias semanas después.
  – Fármacos: del tipo de los corticoides, los antiinflamatorios y los empleados para combatir el paludismo o malaria.
  – Factores hormonales: los cambios producidos durante la pubertad y la menopausia parecen afectar también al curso de la enfermedad, así como el embarazo, durante el cual suelen remitir las lesiones para después brotar de nuevo al acabar el mismo.
  – Estrés: las tensiones emocionales fuertes y mantenidas, especialmente en la población más joven, se han sugerido como precipitante de la psoriasis.
  – Factores climáticos: el exceso de radiación solar y las quemaduras por la misma parecen ser también un detonante de la enfermedad.

¿QUÉ TIPOS DE PSORIASIS EXISTEN?

Podemos clasificar la psoriasis desde dos puntos de vista:

- Según la extensión de las lesiones se habla de psoriasis leve cuando afecta a menos del 10% de la superficie corporal, y de psoriasis moderada o grave cuando la afectación es mayor.
- Según la forma de las lesiones se distinguen los siguientes tipos:

  – Psoriasis vulgar o en placas: es la forma más frecuente y consiste en la aparición de zonas aisladas, sobreelevadas respecto al resto de la piel y bien delimitadas de placas rojizas con zonas más blanquecinas y escamosas. Es la forma típica en los pliegues de las extremidades, en la región del sacro (parte inferior de la columna vertebral) y el cuero cabelludo.
  – Psoriasis en gotas: llamada así por el aspecto de las lesiones, que son más o menos redondeadas y de un diámetro que varía de 5 a 10 mm. Es más habitual en niños y jóvenes y se localiza en la parte superior del tronco y en la cabeza.
  – Psoriasis invertida: es la que aparece como lesión única y duradera en las zonas de pliegue como las axilas, las ingles y genitales, entre los glúteos, debajo de las mamas o incluso entre los dedos.
  – Psoriasis ungueal: consiste en la formación de pequeñas lesiones en las uñas, sobre todo las de las manos, que debilitan su estructura y hacen que pierdan su transparencia. Esta forma de afectación aparece en el 30% de los enfermos psoriásicos en algún momento de su vida.
  – Psoriasis del cuero cabelludo: en ocasiones puede ser la única región afectada y consiste en la formación de placas

redondeadas aisladas que con el tiempo confluyen hasta formar un caparazón escamoso que recubre parte o todo el cuero cabelludo.

¿CUÁLES SON LOS SIGNOS DE LA PSORIASIS?

Una vez que se forman las lesiones, éstas tienden a persistir durante largo tiempo, incluso a crecer aún más y juntarse entre sí. La piel se va haciendo progresivamente más gruesa, mientras se van formando escamas que después se desprenden. No se produce dolor, aunque sí un intenso picor que obliga a rascarse al individuo hasta producir sangrados limitados en la zona.

Además de las molestias locales que producen las lesiones, un 20% de los individuos con psoriasis desarrollan una complicación llamada artropatía psoriásica, que consiste en

---

Cómo se detecta la psoriasis

■ En la mayoría de los casos la observación de las lesiones típicas de esta enfermedad, su localización y la forma de evolucionar son signos más que suficientes para llegar a su diagnóstico, sin necesidad de recurrir a ningún método diagnóstico. No obstante, cuando existan dudas acerca del mismo se puede realizar un raspado de la lesión con el fin de observar sus escamas y el aspecto de la piel debajo de ellas. La biopsia de la lesión confirma definitivamente el diagnóstico.

■ En casi la mitad de los casos, el ácido úrico está elevado en estos pacientes, así como no es raro observar una anemia leve por pérdida de hierro y folatos a través de las escamas que diariamente se pierden. La velocidad de la sangre está aumentada durante los episodios agudos o brotes.

---

una artritis muy agresiva que afecta normalmente a varias articulaciones y que empeora o mejora en relación directa con la evolución de la lesión dérmica. Por otra parte, los enfermos de psoriasis tienen un riesgo mayor de padecer colitis ulcerosa y enfermedad de Crohn que el resto de la población.

¿CUÁL ES EL TRATAMIENTO DE LA PSORIASIS?

Como ya hemos comentado, la psoriasis es una enfermedad crónica que evoluciona en forma de brotes que se alternan con remisiones más o menos largos. En la actualidad no existe un tratamiento curativo, pero sí múltiples terapias que alivian las molestias y prolongan los periodos sin lesiones hasta el punto de hacer que el individuo afectado lleve una vida completamente normal. Es importante, como en otras muchas enfermedades, el conocimiento de la enfermedad, tanto de sus manifestaciones como de las alternativas terapéuticas de las que se dispone hoy en día.

■ En cualquier caso, cada enfermo presenta unas características diferentes que exigen una personalización del tratamiento; éste puede dividirse en varios apartados:

- Medidas preventivas: encaminadas a prevenir los factores desencadenantes del brote psoriásico, como son el cuidado de no recibir golpes, evitar el rascado excesivo de la piel o protegerse de las quemaduras. Entre estas medidas se incluyen también la abstinencia alcohólica y la de los fármacos que han demostrado que perjudican su evolución. Es recomendable mantener la piel bien hidratada, tomar baños de sol (la luz solar mejora las lesiones de forma importante) y utilizar técnicas de relajación cuando se sospeche que el estrés está desencadenando la aparición de los brotes.

- Tratamiento tópico: consiste en la utilización de cremas (en la cara y los pliegues), pomadas (en las palmas y plantas) y lociones o geles (en el pelo), con el fin de eliminar parte de la coraza escamosa que recubre la lesión y de disminuir la inflamación de la piel. Estos tratamientos asocian y combinan:
- Corticoides: los más utilizados por su fácil aplicación y efectividad, aunque deben ser empleados en pautas intermitentes para evitar sus efectos secundarios como la atrofia o el crecimiento del pelo.
- Alquitranes: mezcla de hidrocarburos que se emplea en pautas cortas y en lesiones poco extensas.
- Antralina: derivado del polvo de Goa que se emplea normalmente por la noche a diario para seguir después con una pauta de mantenimiento.
- Derivados de la vitamina D: reducen el grosor de las lesiones con pocos efectos secundarios.

- Retinoides tópicos: especialmente útil en cara y cuero cabelludo como mantenimiento a largo plazo.
- Tratamiento oral: se basa en el empleo de sustancias quimioterápicas como el metrotexate, la ciclosporina o los retinoides por vía oral. Requieren de un control analítico constante por el peligro que representan sus efectos secundarios.
- Fototerapia: consiste en el uso de radiaciones electromagnéticas no ionizantes, concretamente de radiación ultravioleta B varios días por semana, que consigue en pocas semanas el blanqueamiento de la piel con pocos efectos secundarios.
- Fotoquimioterapia: es la exposición a radiación ultravioleta A unas horas después de haber tomado ciertos fármacos. Se emplea en los casos de lesiones muy extendidas por toda la superficie corporal. Es también una terapia muy efectiva con riesgo únicamente de producir quemaduras leves.

Psoriasis

DEFINICIÓN Y CAUSAS

Enfermedad crónica de la piel que produce lesiones rojizas en forma de pádulas o placas con escamas de color plateado.

Afecta al 2% de la población, generalmente a partir de los 20 años.

Se produce por una serie de factores desencadenantes como golpes, infecciones o fármacos que actúan sobre una predisposición genética.

CLASIFICACIÓN

- Psoriasis vulgar o en placas: la más frecuente.
- Psoriasis en gotas: más habitual en niños y jóvenes.
- Psoriasis invertida.
- Psoriasis ungueal o de las uñas.
- Psoriasis del cuero cabelludo.

DIAGNÓSTICO

Aparición de lesiones escamosas en forma de brotes, con picor abundante.

En caso de duda se confirma el diagnóstico mediante biopsia.

TRATAMIENTO

No existe tratamiento curativo definitivo.

- Medidas preventivas: protección de la piel, hidratación, relajación.
- Tratamiento tópico: cremas, pomadas, lociones o geles que asocian diversos fármácos.
- Tratamiento oral: sustancias quimioterápicas.
- Fototerapia.
- Fotoquimioterapia.

Dermatitis seborreica

La dermatitis seborreica es una enfermedad de origen desconocido, aunque parece deberse a la aparición de unos factores desencadenantes que actúan sobre individuos predispuestos genéticamente. Su forma de caracterizarse es a través de la aparición de brotes agudos de lesiones en la piel, escamosas o costrosas, sobre todo en el cuero cabelludo.

La dermatitis seborreica es una enfermedad crónica de la piel que se produce por la inflamación de la misma en determinadas regiones, especialmente ricas en glándulas sebáceas. Esta inflamación se traduce en la formación de lesiones rojizas bien delimitadas y cubiertas por escamas amarillentas de aspecto grasiento que se desprenden espontáneamente. El recambio de las células y el pelo en estas zonas se acelera notablemente respecto al resto de la piel.

Las zonas afectadas con más frecuencia son el cuero cabelludo, las caras laterales de la nariz, los párpados, la región posterior de los pabellones auditivos, las cejas y el espacio entre las mismas, los genitales y la zona media del tórax, a la altura del esternón.

■ Aunque puede presentarse a cualquier edad, la mayor incidencia de la enfermedad se centra en tres periodos de la vida:

- En las primeras semanas después del nacimiento, normalmente hasta los tres meses de vida, manifestándose como una capa blanquecina que recubre el crá-

neo y otras zonas y que se denomina costra láctea.
- En la edad media de la vida, entre los 30 y 60 años, sobre todo en los varones.
- En la senectud.

¿POR QUÉ SE PRODUCE LA DERMATITIS SEBORREICA?

■ Se trata de una enfermedad de origen desconocido, aunque se sabe que existe una predisposición hereditaria a padecerla, esto es, una base genética, sobre la cual actúan una serie de desencadenantes no muy bien conocidos que provocan la aparición de los brotes que caracterizan a esta dermatitis. Algunos de los desencadenantes propuestos son:

- Estrés o tensión emocional, fatiga, depresión.
- Exceso de calor o por el contrario la llegada del primer frío en otoño y durante todo el invierno.
- Alimentos como los lácteos, el chocolate, los frutos secos y otros, han sido relacionados con esta enfermedad aunque no existen estudios concluyentes al respecto. Trastornos digestivos.

Todos estos factores desembocan en un aumento de la producción de grasa por las glándulas sebáceas de la piel, lo que favorece la colonización de la misma por un hongo llamado *Pityrosporum ovale*, que es el responsable final de la aparición de todos los síntomas de esta enfermedad.

Algunas enfermedades tan dispares como el acné, la enfermedad de Parkinson, la obesidad o el alcoholismo se han relacionado con la dermatitis seborreica, aunque no se ha establecido el nexo de unión entre las mismas. Los individuos infectados por el virus del sida también desarrollan con más facilidad este tipo de dermatitis.

Síntomas de la dermatitis seborreica

■ Se manifiesta como la aparición intermitente de lesiones con las características antes referidas, en forma de brotes agudos que se instauran en pocos días y que se prolongan semanas. La aparición de escamas que se desprenden da el aspecto característico a estas lesiones, sobre todo en el pelo, donde imitan a una especie de caspa que no es más que el desprendimiento espontáneo o por el rascado de costras de escamas que recubren las lesiones.

En cualquier caso, el picor suele acompañar a estas lesiones, lo que se traduce en rascado permanente que puede empeorar las lesiones y provocar pequeños sangrados. Además existe el riesgo de que se produzca una sobreinfección por bacterias, sobre todo en las zonas de los pliegues como en las axilas y debajo de las mamas. En el pubis y la región inguinal puede extenderse hacia los genitales y el ano.

¿CÓMO SE DETECTA LA DERMATITIS SEBORREICA?

En la mayoría de los casos la forma y la evolución de las lesiones es más que suficiente para diagnosticar la enfermedad, sobre todo si existen antecedentes familiares o personales durante el periodo posterior al nacimiento. No obstante puede estar indicada la prueba del sida si éste se sospecha por otras circunstancias independientemente de la dermatitis. En los casos más graves o cuando persista la duda diagnóstica se puede realizar una biopsia de la lesión.

¿CÓMO SE TRATA LA DERMATITIS SEBORREICA?

■ El individuo que sufre esta afección debe saber que es un proceso crónico e incurable hoy en día, que producirá brotes de forma repetida a lo largo de su vida pero que puede ser perfectamente prevenida y controlada en la mayoría de los casos. La enfermedad manifiesta una cierta tendencia a mejorar con el paso de los años, sobre todo cuando se cumple de manera estricta con las recomendaciones preventivas y terapéuticas; las principales son:

- Medidas higiénicas: el lavado corriente de las zonas afectadas con agua y jabón puede ser suficiente para prevenir la aparición de los brotes en la zona de la cara, en el tórax o en los pliegues. La utilización de jabones especiales con pH neutro u otros preparados similares sólo está indicada en aquellos casos de irritabilidad demostrada hacia los jabones normales. Se debe evitar el exceso de maquillaje o de cualquier cosmético excesivamente graso o con un alto contenido en alcohol.

- Alimentación y fármacos: no es necesario aplicar restricciones especiales en la dieta, aunque parece demostrado que el consumo de alcohol favorece la formación de brotes o el agravamiento de éstos. Ciertos picantes u otras especias podrían estar también relacionados; contrariamente a lo que se podría esperar, no se han establecido conexiones con los alimentos grasos. Los complejos vitamínicos no parecen tener ningún efecto positivo sobre la evolución de la enfermedad. Algunos vasodilatadores periféricos pueden contribuir a la formación de este tipo de lesiones.

- Exposición solar: la radiación solar tiene efectos beneficiosos sobre esta enfermedad, lo que explicaría la mejoría del cuadro en la temporada estival.
- Tratamiento farmacológico tópico o local: se basa en el empleo de lociones, cremas y champús directamente sobre las zonas afectas, tanto en el pelo como en el resto de la piel, que contienen diferentes sustancias como:

  – Antifúngicos: fármacos contra los hongos como el ketoconazol o el miconazol que tratan de eliminar la presencia del *Pityrosporum ovale* en la zona lesionada y mejorar así la sinto-

matología. Se emplean en forma de champú habitualmente para la dermatitis del cuero cabelludo, a un ritmo de dos lavados semanales; es muy importante dejar actuar el producto durante cinco o diez minutos antes de aclararlo.

  –Corticoides: en forma de loción o solución que contienen hidrocortisona o betametasona u otros corticoides de baja potencia que se administran dos veces al día durante periodos limitados.

  – Queratolíticos: fármacos del tipo del ácido salicílico o derivados de las breas que se emplean en las formas más graves.

■ Fuera del cuero cabelludo se emplean los mismos compuestos, bien como geles y lociones o como cremas.

- Tratamiento oral: en situaciones excepcionales como la dermatitis generalizada rebelde al tratamiento tópico o que se infecta con gran facilidad, puede estar indicada la toma controlada de fármacos por vía oral, que incluye los corticoides y antifúngicos anteriormente mencionados.

Dermatitis seborreica

CONCEPTO E INCIDENCIA

Enfermedad crónica de la piel producida por la inflamación de determinadas regiones de la misma especialmente ricas en glándulas sebáceas. Su aparición se centra en tres periodos de la vida:

- En las primeras semanas, tras el nacimiento.
- En la edad media de la vida.
- En la senectud.

CAUSAS DE LA DERMATITIS SEBORREICA

Es una enfermedad de origen desconocido aunque parece deberse a la aparición de unos factores desencadenantes que actúan sobre individuos predispuestos genéticamente. Estos factores pueden ser:

- El estrés o la tensión emocional.
- Los cambios de temperatura.
- Ciertos alimentos como los lácteos, el chocolate y los frutos secos.

En cualquier caso, todo esto desemboca en la colonización de la piel por un hongo llamado Pityrosporum ovale, que es el responsable de los síntomas de la enfermedad.

SÍNTOMAS

Se caracteriza por la aparición de brotes agudos de lesiones en la piel, escamosas o costrosas, especialmente en el cuero cabelludo, que pueden sobreinfectarse.

TRATAMIENTO

- Medidas higiénicas.
- Alimentación y fármacos relacionados.
- Exposición solar beneficiosa.
- Tratamiento farmacológico local: antifúngicos, corticoides, queratolíticos.
- Tratamiento farmacológico oral.

Alopecia

La mayor parte de la piel del cuerpo de los seres humanos se encuentra normalmente recubierta de pelo en alguna de sus formas, salvo las palmas de las manos y las plantas de los pies. En la mayoría de las ocasiones se trata únicamente de un vello fino y corto, casi inapreciable en muchas mujeres o en ciertas etnias, que cuando alcanza una determinada longitud permanece estable durante toda la vida. En otros casos se trata de un pelo más largo y grueso, que crece de manera más o menos constante y que se sitúa en el cráneo y en la cara de los varones de forma más característica; en ciertas regiones como las cejas también aparece este tipo de pelo más grueso que se mantiene estable una vez que alcanza su pleno desarrollo.

■ El pelo está formado por dos partes:

- El tallo del pelo es la parte visible del mismo y consiste en una estructura muerta formada por una proteína llamada queratina; cuando el tallo es cilíndrico el pelo es liso mientras que en el pelo rizado éste tiene forma ovalada.
- El folículo piloso es una especie de tubo que profundiza en la piel y que contiene todos los elementos vitales del pelo, como la papila dérmica o raíz del pelo que está irrigada por vasos sanguíneos y que es la responsable del crecimiento, las glándulas sebáceas que lo lubrifican y los músculos piloerectores que tensan el pelo en determinadas situaciones.

Los adultos poseen aproximadamente unos 120.000 pelos en el cuero cabelludo, siendo este número algo mayor en los individuos rubios (en los que el pelo es más fino) y algo menor en los pelirrojos.

¿CÓMO CRECE EL PELO?

El pelo crece a partir de una matriz situada en la base del mismo, donde existen un tipo de células especializadas en la producción de la queratina, que van acumulando esta sustancia que «empuja» hacia el exterior a toda la estructura. La producción de queratina es muy rápida, hasta el punto de producir un crecimiento de cada pelo del cuero cabelludo de 1 cm aproximadamente cada mes. Antes de su salida al exterior, la queratina se recubre de una sustancia llamada melanina (también presente en el resto de la piel) que la colorean y le dan un aspecto característico en cada individuo dependiendo directamente de factores hereditarios.

El crecimiento del pelo no es constante, sino que se divide en varias fases que incluyen un crecimiento más rápido o más lento, incluso periodos de reposo. En el cuero cabelludo por ejemplo, no todos los pelos están en la misma fase de crecimiento en cada momento, sino que se solapan las diferentes fases entre sí.

¿POR QUÉ SE CAE EL PELO?

Como cualquier otra estructura del cuerpo humano el pelo tiene un periodo de vida que termina cuando ha alcanzado su máximo desarrollo (está en la fase de reposo) y la papila dérmica comienza a fabricar un nuevo pelo que desplaza a éste. La caída del pelo por tanto es un proceso fisiológico que se produce en todos los individuos y que es necesario para la renovación del mismo; en cualquier caso, el folículo piloso se mantiene intacto en estos casos de caída normal.

Cada día se pierden aproximadamente unos 100 cabellos (aunque no sea perceptible en ocasiones) que se reponen rápidamente según el ciclo vital del folículo. En determinadas épocas del año, como el otoño, el pelo se cae con más facilidad.

¿QUÉ ES LA ALOPECIA?

La alopecia o calvicie es la caída excesiva de pelo así como la reducción de su densidad; se trata entonces de una pérdida de masa pilosa mayor de lo normal que no puede ser regenerada al mismo ritmo.

¿POR QUÉ SE PRODUCE LA ALOPECIA?

■ Las causas de alopecia son muy variadas y dependen de factores como la herencia genética, el estrés, la nutrición, la higiene y la propia inmunidad del individuo. Todo esto nos permite definir diferentes tipos de alopecias como después veremos, aunque de forma general podemos dividirlas en:

● Transitorias: cuando aparecen de forma puntual en un determinado momento de la vida, de forma secundaria a otros procesos reversibles.

● Definitiva: cuando responde a ciertos factores no modificables que impiden el crecimiento del pelo o cuando se afecta y destruye el folículo piloso por determinadas enfermedades.

CLASIFICACIÓN

■ Según la forma de distribuirse la caída del pelo podemos dividir las alopecias en:

● **Alopecias difusas**: son aquellas en las que el pelo se cae de forma uniforme en todo el cuero cabelludo aunque unas zonas puedan verse más afectadas que otras; es el tipo más frecuente de alopecia. Las principales son:

CALVICIE COMÚN MASCULINA

Consiste en la reducción progresiva de la densidad del cabello en el varón por la actuación de las hormonas masculinas o andrógenos presentes en la sangre, sobre una base genética hereditaria. Aparece en torno a los 20 años de edad principalmente en la región frontal y parietal de la cabeza, así como en el vertex o coronilla, hasta que con el tiempo ambas calvicies se juntan y sólo queda pelo en la región temporal (laterales) y occipital (nuca); en raras ocasiones se produce una calvicie total.

Normalmente es progresiva aunque en cada individuo puede avanzar a un ritmo diferente y tardar más o menos años en extenderse. No tiene un tratamiento farmacológico realmente efectivo pese a los numerosos milagros anticalvicie surgidos en los últimos años; el finasteride a dosis bajas (a dosis altas se emplea para el tratamiento del adenoma de próstata) ha obtenido buenos resultados, aunque aún falta experiencia en su uso, mientras que el minoxidil (vasodilatador periférico) a nivel tópico produce una baja respuesta en este tipo de alopecias.

Aunque resulte demasiado sencillo decirlo, el primer paso que el individuo debe tomar es el de admitir su calvicie y no obsesionarse con ella; tampoco se trata de resignarse, pero si decide emplear cualquier medida frente a la misma debe hacerlo con moderado optimismo. El autotrasplante de pelo puede ser una solución satisfactoria (dependiendo claro, del dinero que uno se quiera gastar).

ALOPECIA ANDROGÉNICA FEMENINA

Es la reducción progresiva de la densidad del pelo en la mujer, que al igual que en los varones aparece normalmente al final de la adolescencia. Se manifiesta de forma más difusa, con zonas más o menos «clareadas» repartidas de forma uniforme por todo el cuero cabelludo. También parece estar producida por factores hormonales que actúan sobre una base genética, en particular por un aumento de las hormonas masculinas o andrógenos por diferentes causas. En ocasiones se presenta asociada a otras patologías como el hirsutismo, el acné o cualquier proceso de virilización en la mujer.

Normalmente no llega a producirse una calvicie extensa y puede ser disimulable en parte con el peinado o mediante productos cosméticos. El tratamiento con antiandrógenos como el acetato de ciproterona asociado a anticonceptivos produce resultados aceptables.

DEFLUVIO TELOGÉNICO

Se denomina así a un aumento de la caída del cabello que se detecta al peinarse o al tirar de él pero que no se traduce en zonas de menor densidad y puede pasar desapercibido. Es decir, es una pérdida diaria de cabellos, que no tiene repercusión en ese momento, pero que agobia al individuo porque piensa que se va a quedar calvo.

Es difícil saber concretamente su origen aunque se piensa que puede deberse a un periodo concreto de estrés médico (por una enfermedad grave o una intervención quirúrgica importante) que provoca, a los tres o cuatro meses de haberse producido, una caída del pelo limitada y en general leve o moderada. El déficit de hierro podría influir también en este cuadro y en general en cualquier tipo de alopecia.

Otro proceso similar es la alopecia, que aparece a veces en los niños pequeños o en las mujeres tras el parto, que podría deberse a una extraña sincronización de todos los pelos entre sí de tal manera que alcanzan la fase de reposo al mismo tiempo la gran mayoría de ellos (en vez del 10% habitual).

En ambos casos se trata de alopecias con un buen pronóstico, en las que se recupera la mayoría del cabello perdido en un periodo de tiempo que no va más allá de 12 meses.

ALOPECIA SECUNDARIA A FÁRMACOS

A veces la pérdida de cabello se debe a la utilización de determinados compuestos como los anticoagulantes, los antitiroideos, la vitamina A, los antiepilépticos o los empleados en las sesiones de quimioterapia, entre otros. Normalmente la alopecia cede cuando se suspenden los mismos, aunque esto es imposible en muchos casos.

ALOPECIA POR DETERMINADAS ENFERMEDADES

Las alteraciones de la glándula tiroides, tanto el hipotiroidismo como el hipertiroidismo, pueden ser también causa de este proceso, siendo a veces una de las primeras manifestaciones que el individuo aprecia. Los déficits nutricionales severos o la falta de cisteína, un aminoácido azufrado esencial para la formación del pelo y las uñas, pueden ser también responsables, así como la sífilis o el lupus eritematoso sistémico.

● **Localizadas**: son las que afectan de forma específica a una zona concreta del cuero cabelludo u otras regiones pilosas como las cejas o la barba; pueden ser únicas o múltiples al mismo tiempo en diferentes estadios de evolución.

ALOPECIAS CICATRICIALES

Consiste en la aparición de calvas en el cuero cabelludo en forma de placas más o menos extensas, en las cuales no sólo se ha desprendido el pelo sino que el folículo piloso se ha destruido y ha cicatrizado. Por lo tanto, se trata de un tipo de alopecia absolutamente irreversible ya que la matriz del pelo está muerta o desvitalizada.

Las causas más frecuentes de este proceso son debidas a la presencia de tumores o de ciertas infecciones que afectan al folículo piloso como el querion, el liquen plano o el lupus eritematoso. En ocasiones no es posible encontrar la causa real del proceso.

ALOPECIA AREATA

Se trata de un tipo frecuente de alopecia que puede aparecer a cualquier edad, especialmente en individuos con antecedentes familiares para la misma. Se caracteriza por la aparición de zonas completamente despobladas en el cuero cabelludo o incluso en todo el vello corporal, de forma ovalada o circular.

Aunque lo más frecuente es que aparezcan de forma brusca, en ocasiones la caída es más lenta y puede pasar desapercibida algún tiempo: cuando esta alopecia progresa, las zonas sin pelo empiezan a confluir entre sí, llegando a dar un aspecto en ocasiones ligeramente grotesco que obliga al individuo a cortarse todo el pelo casi al ras. Con frecuencia aparece un vello corto (de unos 2 mm) en las zonas afectadas.

No se conoce bien la causa de este tipo de alopecia, aunque se piensa que está producida por un mecanismo autoinmune del propio sistema defensivo del individuo, para el que se tiene una predisposición genética, posiblemente estimulado por infecciones (¿hongos?) o por situaciones prolongadas de estrés.

El tratamiento más habitual se basa en el empleo de corticoides de forma tópica o directamente en el interior de la lesión folicular. El corte radical del pelo restante no favorece el crecimiento en las zonas afectadas pero sí libera de tensión al sujeto y disminuye el estrés.

El pronóstico depende en gran medida de la afectación del folículo piloso: en los casos benignos, éstos se mantienen prácticamente intactos y el pelo vuelve a crecer a los pocos meses de haberse formado las placas de calvicie; en otras ocasiones puede quedar una alopecia residual definitiva, sobre todo en la zona de los bordes del cuero cabelludo. En un 25% de los casos siguen apareciendo placas durante un largo periodo de tiempo, alternándose periodos normales con otros de mayor actividad.

ALOPECIA TRAUMÁTICA

Es un tipo de alopecia que afecta a las regiones temporales o laterales del cuero cabelludo producida por la continua tracción del pelo de esta región al peinarlo o estirarlo con excesiva fuerza de forma casi diaria (por ejemplo al hacer una coleta).

Una alopecia similar se puede producir en algunos niños (rara vez en adultos) que tienen la manía incontrolable de retorcerse el pelo de esta región o incluso tirar con fuerza de él hasta arrancarlo o debilitarlo: esto se denomina tricotilomanía y se corresponde con un trastorno psicológico subyacente, generalmente poco importante.

El abuso de cosméticos o de ciertas técnicas de peluquería también puede provocar la caída del pelo.

En todos estos casos generalmente no se afecta el folículo piloso, por lo que el crecimiento del cabello continúa sin problemas.

DIAGNÓSTICO

En la mayoría de los casos el propio individuo es el primero en comprobar la caída excesiva de pelo al peinarse o al lavarse el mismo; por el contrario, el clareamiento del cuero cabelludo es percibido mejor por los demás, sobre todo cuando se ve al individuo de forma esporádica. El test del «tirón» consiste en traccionar con fuerza una pequeña región del cuero cabelludo para comprobar la cantidad de pelo arrancado; se considera positivo cuando se caen más de ocho o diez cabellos.

En cuaiquier caso de alopecia el diagnóstico debe completarse con un análisis que descarte factores nutricionales o ciertas enfermedades generales como causa de la misma, así como una valoración de los antecedentes familiares y del estado psicológico del individuo.

Alopecia

CLASIFICACIÓN

Según su desarrollo en el tiempo:

Transitorias: puntualmente de forma secundaria a un proceso, generalmente reversibles.
Definitivas: progresivas, prolongadas en el tiempo.

Según su distribución:

Difusas: caída de pelo generalizada
- Calvicie común masculina: por acción de las hormonas masculinas sobre una base hereditaria sin posibilidad de detener el proceso.
- Alopecia androgénica femenina: por un mecanismo similar a la anterior aunque generalmente menos extensa, asociada a veces a otros procesos como hirsutismo o acné.
- Defluvio telogénico: caída aguda y transitoria del cabello sin repercusión en el aspecto general.
- Alopecia secundaria a fármacos: anticoagulantes, antiepilépticos, antitiroideos, quimioterápicos y otros.
- Alopecia por determinadas enfermedades: enfermedades del tiroides, sífilis, lupus, déficits nutricionales.

Localizadas: calvicie concentrada en una región
- Alopecia cicatricial: irreversible por la destrucción de la matriz pilosa secundariamente a tumores o infecciones de la piel.
- Alopecia areata: alopecia aislada y reversible de posible origen autoinmune tras la aparición de factores desencadenantes en personas genéticamente predispuestas.
- Alopecia traumática: producida por tracciones continuas del cuero cabelludo o por abuso de cosméticos sobre el mismo.

CARACTERÍSTICAS DEL PELO

Estructura: tallo del pelo y folículo piloso, función protectora, formación, destrucción, ciclo vital.

DIAGNÓSTICO

- Observación de la caída por el individuo.
- Test del tirón.
- Pruebas complementarias como analítica, antecedentes familiares, etc.

Acné

El término acné engloba a una serie de alteraciones de la piel que aparecen fundamentalmente durante la adolescencia en la cara, el cuello, el pecho, la espalda, los hombros e incluso las nalgas. Se trata de la dermatosis más frecuente, afectando al 80% de todos los individuos en algún momento de su vida, pese a lo cual no es simplemente un problema cosmético sino una enfermedad de la piel propiamente dicha.

El acné afecta a los jóvenes de ambos sexos si bien resulta más frecuente entre los varones; sin embargo no es extraño que siga manifestándose entre los adultos jóvenes e incluso por encima de los 40 años de edad. Parece existir una cierta predisposición familiar para desarrollar esta enfermedad.

¿CÓMO SE FORMA EL ACNÉ?

Durante el periodo de adolescencia o pubertad, los andrógenos u hormonas sexuales masculinas (presentes tanto en el hombre como en la mujer) estimulan el crecimiento y la producción de las glándulas sebáceas de la piel. Estas glándulas, que están en relación con un folículo piloso, secretan a través de los poros de la piel una grasa o sebo necesaria para mantenerla lubricada. Las hormonas sexuales femeninas, especialmente los estrógenos, tienen un efecto contrario sobre la piel.

La grasa producida por las glándulas sebáceas junto con cúmulos celulares provenientes del folículo piloso pueden taponar los poros o los conductos de salida hacia la piel, produciéndose una obstrucción o taponamiento sobre la que crecen bacterias (especialmente el tipo llamado *Propionibacterium acnes*). Como consecuencia de esto, se produce una reacción inflamatoria local que puede destruir la unidad pilosebácea, que recordemos que está formada por la glándula sebácea y el folículo piloso o pelo.

El sebo, las bacterias y los restos celulares del folículo piloso que se acumulan en torno a esta obstrucción acaban por derramarse en la piel, junto con el pus formado por el sistema defensivo para hacer frente a la presencia de bacterias.

¿CÓMO SE MANIFIESTA EL ACNÉ?

■ El acné puede manifestarse de las siguientes formas, de menor a mayor gravedad:

- Comedones: consisten en estructuras formadas por grasa seca y células de la piel que ocupan y taponan el canal excretor de la glándula sebácea, denominándose también espinillas. En ocasiones la parte externa de estas estructuras puede pigmentarse de melanina y formar los llamados «puntos negros». Los comedones o espinillas se localizan generalmente en la frente, las mejillas, el pecho y la espalda y son la lesión esencial y típica del acné.
- Pápulas y pústulas: como consecuencia de la reacción inflamatoria producida

en torno a un comedón, puede romperse el taponamiento y producir en la piel una lesión rojiza, ligeramente dolorosa, inflamada (es decir, un grano) llamada pápula. Las pápulas se forman como brotes de diez o 20 días de duración que pueden desaparecer espontáneamente o evolucionar hacia lesiones complicadas. En la mayoría de los casos aparece en la cúspide de la pápula o grano un punto blanquecino o pústula purulenta (cabeza del grano) que puede secarse y romperse, drenando así el contenido de la lesión.

- Nódulos: consisten en lesiones semejantes a grandes pápulas pero mucho más profundas que éstas, adquiriendo un aspecto duro y doloroso a la palpación o incluso al roce. Se manifiestan exteriormente como granos grandes de meses de evolución que pueden disminuir su tamaño y convertirse en pápulas o complicarse hacia quistes de la piel.
- Quistes: son grandes acúmulos de grasa en el interior de un folículo que no llega a romperse, sino que se agranda (hasta incluso varios centímetros de diámetro). Estas lesiones, típicas de la cara y los hombros, no suelen ser dolorosas salvo que se infecten y se inflamen más de lo normal formando flemones.
- Cicatrices residuales: todas las lesiones inflamatorias profundas de la piel como los nódulos, los quistes y las pústulas profundas, pueden dar lugar a cicatrices de diferente tamaño que permanecerán para siempre, incluso una vez superada la adolescencia. Las cicatrices pueden ser atróficas o leves, de pocos milímetros de longitud, o hipertróficas con tendencia a formar queloides o acúmulos de piel sobreelevada y muy llamativa para toda la vida.

¿QUÉ FACTORES INFLUYEN EN EL DESARROLLO DEL ACNÉ?

■ Aunque como ya hemos mencionado el acné es una enfermedad secundaria a la actuación de ciertas hormonas sobre la unidad que forman la glándula sebácea y el folículo piloso, existen una serie de factores relacionados con su aparición:

- Dieta: el acné no se produce de forma directa por los alimentos consumidos, ya que la grasa que forma la piel no depende directamente de la grasa ingerida, aunque se piense lo contrario, pero una dieta hipocalórica puede disminuir la síntesis de andrógenos y por tanto la actividad secretora de las glándulas sebáceas. No obstante, en cada caso individual pueden existir alimentos que puedan relacionarse con el empeoramiento de un acné ya existente. El chocolate, las nueces, algunos lácteos, la cerveza o las pizzas han sido implicados en el desarrollo o el mantenimiento de esta enfermedad. La fruta, los vegetales y la abundante hidratación pueden ser útiles como medidas preventivas, aunque no existe hoy en día una dieta concreta que se haya demostrado como plenamente eficaz.
- Luz solar: el acné tiende a mejorar con la exposición a la luz del sol, lo que explica la mejoría de sus síntomas durante el verano; esto puede deberse a las propiedades antibacterianas y antiinflamatorias que poseen las radiaciones ultravioletas. Por el contrario, la exposición de la piel a altas temperaturas durante periodos prolongados parece ser un factor predisponente a la aparición de este tipo de lesiones.
- Medicamentos: determinados fármacos como algunos corticoides y las hormonas sexuales masculinas favorecen la forma-

ción de espinillas y pápulas en la piel, reservándose su uso sólo en aquellos casos en los que sea estrictamente necesario.

- Cosméticos: los maquillajes, los fotoprotectores y las cremas hidratantes aportan a la piel una ración extra de grasa que empeora esta enfermedad. Los individuos con acné deben emplear cosméticos especiales libres de grasa (*oil free*). Si se emplean maquillajes, éstos deben retirarse con agua y jabón tan pronto como sea posible.
- Otros factores: el estrés y la falta de sueño podrían estar relacionados también con el

acné, aunque de forma aún desconocida. De forma absurda las relaciones sexuales y la masturbación han sido asociadas a esta enfermedad, así como la idea de que el acné pudiera ser contagioso.

¿CÓMO SE TRATA EL ACNÉ?

El control del acné es un proceso constante que requiere fundamentalmente de voluntad firme por parte del individuo. Se basa en el empleo de medidas que eviten la formación de nuevas lesiones y ayuden a sanar las ya existentes. Es un tratamiento personalizado, que debe ser indicado por el especialista según las características de cada individuo, por lo que se recomienda evitar terapias aconsejadas aunque hayan funcionado en otros casos. No suelen existir tratamientos milagrosos en medicina, y mucho menos en una patología tan arraigada como el acné.

■ Podemos dividir el tratamiento del acné en:

- Medidas generales:

– Limpieza de la piel con jabón sin esencias de forma diaria durante tres o cinco minutos, con suavidad y sin presionar las zonas doloridas. No se deben utilizar sustancias abrasivas sobre la piel.
– Prevenir y combatir la caspa del cuero cabelludo y mantener el cabello fuera de la cara, para evitar el paso de la grasa hacia ésta. Se recomiendan lavados de cabeza dos veces por semana.
– Evitar la manipulación de espinillas o granos, salvo por el especialista, ya que puede aumentar la inflamación o diseminar la infección a través de la vía nerviosa.
– Exposición al sol o rayos ultravioletas aunque con las debidas precauciones.

Pronóstico del acné

■ En la gran mayoría de los casos, las lesiones del acné remiten o desaparecen al superar la pubertad. Con el tratamiento adecuado éstas pueden ser controladas de tal manera que no supongan un deterioro estético importante. El acné en general no es una patología peligrosa salvo que no se traten las formas más graves.

No obstante en los últimos años se ha tomado conciencia de la repercusión psicológica de esta enfermedad sobre los jóvenes, quizá influenciada por el aumento del culto a la imagen y, en general, al cuerpo que predomina en nuestra sociedad. Algunos estudios demuestran incluso que hasta el 5% de los jóvenes con acné han pensado alguna vez en el suicidio como consecuencia del aspecto de su piel y la pérdida de la autoestima ocasionada.

Por tanto es necesario un apoyo del entorno familiar del individuo y un conocimiento apropiado de la enfermedad que ayude a la persistencia en el tratamiento pero con una preocupación adecuada por la misma.

– Utilizar una toalla limpia cada día para impedir el retorno de la grasa y las bacterias de nuevo a la cara.

● Farmacológico:

– Medicamentos tópicos o locales que secan la grasa y favorecen la desobstrucción de los poros, como el peróxido benzoico, algunos sulfuros (jabones de azufre), cremas salicílicas o ácido retinoico y sus derivados.
– Antibióticos como la clindamicina o la eritromicina pueden ser útiles en forma de loción o «toallitas» para detener el avance de la infección bacteriana sobre la lesión.
– Antihistamínicos para tratar el prurito o picor de las lesiones.
– Corticoides en los casos graves con presencia de nódulos y quistes que no responden al tratamiento habitual.
– Complejos multivitamínicos con zinc que parecen disminuir la inflamación que puede asociarse al acné.

– Tratamientos hormonales por vía oral (estrógenos) que inhiben la producción de la glándula sebácea; requieren el mismo control periódico que cuando se emplean como anticonceptivos.
– Retinoides sistémicos o por vía oral como la isotretinoina (derivado de la vitamina A), indicados para los casos de acné severo que no responde a ningún tratamiento. Requiere un control analítico periódico por su gran cantidad de efectos secundarios sobre el hígado, el colesterol y los triglicéridos, la coagulación, la visión y la masa ósea. Además es fuertemente teratógeno o causante de malformaciones fetales, por lo que debe evitarse el embarazo hasta dos años después de la supresión del tratamiento.

● Tratamiento quirúrgico: consiste en la corrección de las cicatrices residuales mediante abrasión de la piel e inyecciones de colágeno. También pueden eliminarse los comedones profundos o cerrados.

Acné

ACNÉ

Se denominan así a una serie de alteraciones de la piel que aparecen generalmente durante la adolescencia en la cara, cuello, pecho, espalda, hombros y nalgas, sobre todo en los varones.

Su origen se encuentra en la reacción inflamatoria de la piel como consecuencia de la obstrucción de las glándulas sebáceas del folículo piloso y el acúmulo de bacterias a su alrededor.

SÍNTOMAS

El acné puede manifestarse de las siguientes maneras:

- Comedones o espinillas, típicas de la frente, las mejillas y la espalda. Están formados por grasa seca y células de la piel que taponan la salida de una glándula sebácea, que cuando se pigmentan producen los llamados puntos negros.
- Pápulas y pústulas: lesiones rojizas e inflamadas (granos) que pueden secarse y romperse drenando su contenido al exterior.
- Nódulos: pápulas profundas, de aspecto duro y doloroso que aparecen en algunas formas de acné de larga evolución.
- Quistes: acúmulos de grasa en el interior de un folículo que no llega a romperse. Si se infectan o se inflaman pueden complicarse formando flemones.
- Cicatrices residuales: de mayor o menor tamaño según la agresividad de las lesiones y las particularidades de cada individuo en el proceso de cicatrización.

FACTORES RELACIONADOS CON EL ACNÉ

- Dieta: algunos alimentos como el chocolate, las nueces, ciertos lácteos o la cerveza han sido implicados en la aparición de brotes de esta enfermedad o en el empeoramiento de las lesiones ya existentes. En cualquier caso, cada individuo debe reconocer los alimentos que más le perjudican.
- Luz solar: las propiedades antiinflamatorias y antibacterianas de la radiación solar mejoran la evolución de las lesiones del acné.
- Medicamentos, cosméticos, estrés y falta de sueño.

TRATAMIENTO

- Medidas generales: limpieza de la piel, prevención de la caspa, exposición al sol y cuidado de no manipular las lesiones.
- Medidas farmacológicas: antibióticos de forma local o tópica, antiestamínicos, sulfuros, cremas salicílicas, corticoides, complejos multivitamínicos y tratamientos hormonales. Los retinoides por vía oral son muy efectivos aunque requieren un riguroso control analítico.
- Tratamiento quirúrgico o correctivo de las posibles cicatrices residuales.

Melanoma

Se denomina melanoma a un tumor producido por la transformación maligna de la estructura y de la reproducción de los melanocitos de la epidermis, o células productoras del pigmento natural de la piel llamado melanina. La mayoría de los melanomas se localizan en la piel, aunque también pueden presentarse en cualquier localización donde los melanocitos hayan emigrado, como por ejemplo, las mucosas y la retina; es un tumor que aparece generalmente en adultos jóvenes aunque, en ocasiones, puede encontrarse en niños, adolescentes y ancianos.

En los últimos años se ha incrementado de forma alarmante el número de casos de melanoma, y en general de cáncer de piel, detectados en los países desarrollados. Representa en torno al 3% de todos los tumores diagnosticados cada año, siendo la causa más frecuente de muerte por enfermedades desarrolladas a partir de la piel.

Los individuos con piel clara y cabello rubio se afectan de manera predominante frente al resto de la población, siendo diez veces menos frecuente en la raza negra.

¿POR QUÉ SE PRODUCE EL MELANOMA?

■ Existen una serie de factores que aumentan el riesgo de que se produzca una malignización localizada de los melanocitos que desemboque en la formación de un melanoma; los principales son:

- Radiación solar ultravioleta: aunque los beneficios de la luz solar son conocidos (necesaria para la síntesis de vitaminas A y D), la exposición excesiva al sol, independientemente de que produzca o no quemaduras, es el factor de riesgo más importante en el desarrollo de este tipo de cáncer. Este efecto se debe a la capacidad mutágena de los rayos ultravioleta sobre las células de la piel. El uso de lámparas de bronceado artificial también está asociado al incremento del melanoma. Se sospecha que las alteraciones medioambientales, y en particular, el adelgazamiento de la capa de ozono que parece haberse producido en los últimos años, son responsables en parte del mayor número de casos detectados; la función de dicha capa es precisamente la de filtrar los rayos ultravioleta que acompañan a la luz solar.

- Características físicas: las poblaciones blancas de Europa, Norteamérica o Australia alcanzan los índices más altos en número de casos de melanomas al año, por las características de su piel y por la tendencia social hacia el bronceado. La facilidad para tener quemaduras solares o, simplemente, eritema (enrojecimiento) y dificultad para broncearse incrementan el riesgo de padecer esta enfermedad.

- La existencia de nevus melanocíticos o pequeñas manchas pigmentadas de la piel en forma de lunares, es el factor de riesgo mejor establecido para el melanoma, especialmente cuando son atípicos o displásicos (mayores de 6 mm, asimétricos con márgenes indefinidos e irregulares).

- Predisposición familiar: especialmente intensa entre los individuos con antecedentes directos de dos o más melanomas y en los grupos familiares con facilidad para desarrollar nevus atípicos o displásicos.
- La exposición a radiaciones ionizantes o a determinados productos químicos como disolventes e incluso la luz fluorescente han sido considerados en algunos estudios como factores de riesgo para el desarrollo del melanoma cutáneo. Los individuos con linfomas, enfermedades renales crónicas o que han recibido tratamiento radioterápico y quimioterápico parecen tener también un mayor riesgo.

CLASIFICACIÓN

■ Según las características de las células que lo forman, su forma de crecimiento, su evolución y su distribución, podemos clasificar los melanomas en los siguientes tipos:

- **Melanoma extensivo superficial**: es la forma más frecuente de presentarse este tumor, sobre todo en los adultos jóvenes; se localiza especialmente en el tronco, brazos y piernas.
- **Melanoma modular**: menos frecuente que el anterior aunque de un crecimiento relativamente rápido.
- **Melanoma léntigo maligno**: lesión pigmentada que aparece sobre todo en cara y cuello en individuos mayores de 60 años.
- **Melanoma acral**: es la forma menos frecuente que se caracteriza por la aparición de placas negruzcas en las palmas de las manos, las plantas de los pies y en la región que rodea a las uñas, con un crecimiento muy rápido.
- **Melanomas inclasificables**.

¿CÓMO SE DETECTA EL MELANOMA?

El diagnóstico del melanoma se basa en el reconocimiento como tal de determinadas lesiones características de la piel, aunque no siempre es posible su detección por pasar desapercibidas durante largo tiempo o por no diferenciarse en exceso de pigmentaciones normales de la piel.

Los melanomas pueden aparecer en el cuerpo como una lesión nueva o sobre un nevus o lunar ya existente. En cualquiera de los casos debe consultarse al médico la aparición de síntomas como prurito o picor, cambios en la coloración y en la forma, dolor al tacto, abultamiento o sangrado sobre manchas en la piel antiguas o de reciente aparición. La formación de lunares durante la edad adulta debe ser investigada, así como la presencia de pequeñas lesiones «satélite» alrededor de otra más grande.

El diagnóstico definitivo del melanoma se realiza mediante biopsia/extirpación de toda la lesión incluida, dejando márgenes de piel sana a su alrededor. El análisis de las células que forman la lesión permiten clasifi-

---

Detección del melanoma

■ Para su detección se emplea la regla ABCD:
- **A**, asimetría: se consideran sospechosas las lesiones que adquieren una forma diferente a las habituales pecas o lunares de la piel.
- **B**, bordes irregulares: en vez de lisos, que es lo más frecuente.
- **C**, coloración: que suele ser heterogénea, alternando zonas más pigmentadas con zonas más claras.
- **D**, diámetro: debe investigarse cualquier lesión mayor de 6 mm.

carlo como melanoma e incluirlo dentro de alguno de los tipos histológicos antes mencionados. Las técnicas de imagen convencionales son útiles para la detección de las metástasis de estos tumores.

¿CUÁL ES LA EVOLUCIÓN DEL MELANOMA?

Las células anormales que forman parte del tumor se encuentran solamente en la capa externa de la piel en los primeros momentos de su evolución. Posteriormente estas células se extienden hacia la dermis inferior, hasta alcanzar al tejido graso subcutáneo y los ganglios linfáticos regionales. Finalmente, el tumor se disemina a través de la vía linfática hacia otros órganos alejados de su origen, como son otras regiones dérmicas, los pulmones, el hígado, el sistema nervioso central y el intestino principalmente.

La presentación y el curso clínico de los melanomas son, en cualquier caso, muy variables según cada individuo y cada tipo de tumor, siendo los más heterogéneos de todos los que pueden presentarse en el organismo.

¿CÓMO SE TRATA EL MELANOMA?

■ Se emplean diferentes tipos de tratamiento:

● Cirugía o extirpación quirúrgica amplia dejando márgenes de piel normal con el objetivo de eliminar todas las células malignas de su ubicación primaria. En ocasiones se acompaña de la extirpación de los ganglios linfáticos vecinos. Según el grado de evolución y del tamaño que posea el tumor en el momento del diagnóstico las posibilidades de recurrencia o reaparición espontánea de la lesión tras su extirpación quirúrgica son mayores o menores.

● Quimioterapia: empleo de fármacos destructores de células malignas que, en el caso del melanoma, no se ha demostrado como una terapia especialmente eficaz hasta el día de hoy.

● Radioterapia: utilización de radiación de alta energía para destruir y reducir el tamaño tumoral.

● Inmunoterapia: empleo de sustancias que pretenden impulsar o dirigir las defensas naturales del cuerpo frente a la enfermedad.

El tratamiento preventivo pasa por la utilización de filtros solares, especialmente en niños y adolescentes y la revisión periódica de los lunares o cualquier otra mancha pigmentaria de la piel. La conservación de la capa de ozono parece ser tan deseable como improbable en los próximos años.

¿CUÁL ES EL PRONÓSTICO DE LA ENFERMEDAD?

La supervivencia de un individuo tras el diagnóstico de un melanoma depende de forma directa del grado de evolución del mismo en dicho instante, así como de otros parámetros como el espesor del tumor, el tipo concreto y la respuesta del individuo frente a él. La aparición de metástasis o la regresión de la lesión tras su extirpación quirúrgica, ensombrecen notablemente el pronóstico, así como la formación de úlceras sobre el tumor. Los tumores localizados en tronco, brazos y cuello tienen un peor pronóstico que los de las manos, antebrazos y cara. Cuando se ha producido la metástasis, la supervivencia media a los cinco años del diagnóstico es inferior al 50%; por el contrario si se detecta de forma precoz la curación es prácticamente total en la mayoría de los casos.

Melanoma

DEFINICIÓN

Tumor de naturaleza maligna formado a partir de la transformación de los melanocitos de la piel, que son las células encargadas de producir el pigmento protector de la misma o melanina. En su fase avanzada es capaz de producir metástasis en otros órganos. En los últimos años se ha producido un notable incremento en la incidencia de esta enfermedad.

FACTORES DE RIESGO

Existen una serie de circunstancias que favorecen la aparición de este tipo de cáncer de piel como son el exceso de radiación ultravioleta solar y ciertas sustancias químicas, especialmente sobre individuos con piel blanca que se queman con facilidad, con antecedentes familiares de melanoma o con predisposición hereditaria hacia la formación de nevus o lunares.

CLASIFICACIÓN

Se pueden distinguir 5 tipos principales de melanoma:

- Melanoma extensivo superficial.
- Melanoma nodular.
- Melanoma léntigo maligno.
- Melanoma acral.
- Formas inclasificables.

DIAGNÓSTICO

Las manchas nuevas en la piel y el crecimiento o modificación de las preexistentes deben ser siempre evaluadas por el especialista, sobre todo si se acompañan de signos como bordes irregulares, picor o dolor al tacto, crecimiento asimétrico o pigmentación desigual entre otros.
El diagnóstico definitivo se realiza mediante análisis al microscopio de la biopsia o extirpación de la lesión.

TRATAMIENTO

Se basa fundamentalmente en la extirpación quirúrgica de la lesión y de sus márgenes, junto con los ganglios de su vecindad si se sospecha extensión.

La quimioterapia, la radioterapia y la inmunoterapia pueden ser utilizadas como complemento al tratamiento quirúrgico.

PRONÓSTICO

La detección y tratamiento precoz del melanoma asegura un buen pronóstico del mismo, mientras que cuando alcanza fases avanzadas, produce metástasis o reaparece tras su extirpación, éste se ensombrece notablemente.

Enfermedades ginecológicas

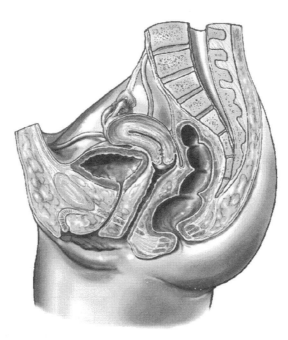

✓ Trastornos del ciclo menstrual
Dismenorrea, amenorrea, sangrados irregulares o abundantes.

✓ Síndrome premenstrual

✓ Hirsutismo

✓ Menopausia

✓ Embarazo
Diabetes, hipertensión arterial o gestosis, anemia, alteraciones cardíacas, estreñimiento, rubéola, toxoplasmosis, alteraciones de la piel y sus anejos, varices.

· Genitales femeninos ·

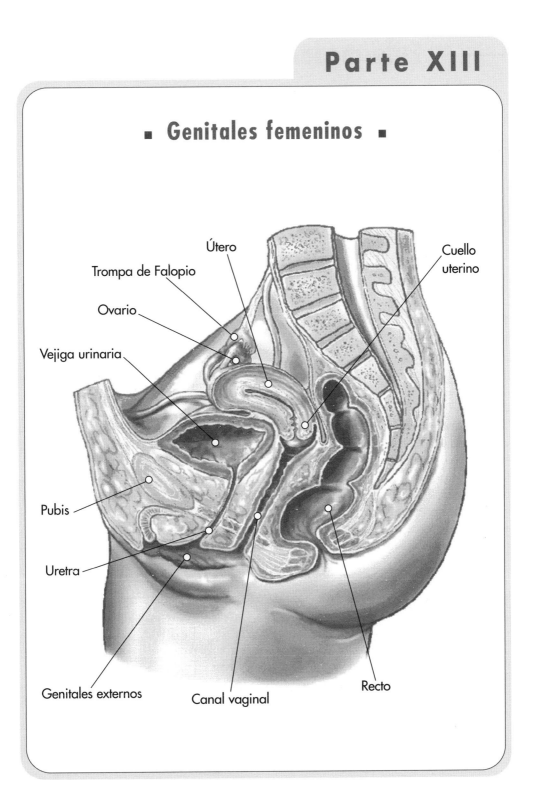

Útero

Trompa de Falopio

Ovario

Vejiga urinaria

Cuello uterino

Pubis

Uretra

Genitales externos

Canal vaginal

Recto

Enfermedades ginecológicas

El aparato reproductor es el encargado de crear nuevas vidas humanas. El huevo maduro que se genera cada mes en los ovarios femeninos es liberado hacia las trompas de Falopio, desembocando en el útero (matriz). El hombre, a su vez, produce miles de espermatozoides que pasan por el semen a la vagina. Los espermatozoides atraviesan la vagina y el útero y uno de ellos entra en el huevo y lo fertiliza.

La Ginecología es la rama de la Medicina que estudia la fisiología y la patología de los órganos reproductores de la mujer. El papel de la mujer en el acto de la reproducción, aunque a efectos generales tiene la misma importancia que el del hombre, posee una especial preponderancia por el hecho de ser quien alberga el feto durante el periodo de gestación o embarazo. Por ello la mujer, y en general las hembras de los seres vivos superiores, disponen de un aparato reproductor mucho más complejo, controlado por un mayor número de hormonas que actúan de forma cíclica.

■ Los órganos que forman parte de este sistema son:

- **Ovarios**: son dos estructuras con forma de almendra, de unos 3 cm de longitud en su diámetro más largo, que están situados en la pelvis por encima y a cada lado del útero. Una serie de ligamentos elásticos los fijan en su posición correcta. La función de los ovarios es la de liberar óvulos maduros hacia las trompas de Falopio para que puedan ser fecundados por los espermatozoides. Para ello poseen miles de ovocitos preformados en el interior de su estructura desde el nacimiento de la mujer que, uno a uno, son promocionados a óvulos durante cada menstruación desde la menarquia o primera regla hasta la menopausia, quedando una gran parte de éstos sin llegar a madurar nunca.

- **Trompas de Falopio**: conductos que comunican los ovarios con el útero y que son atravesados normalmente por los óvulos maduros, donde permanecen esperando la llegada del espermatozoide. Si no se produce la fecundación, el óvulo degenera y se destruye junto con la mucosa interna del útero, produciéndose la menstruación. Si la fecundación tiene éxito, el óvulo desciende el resto de la trompa para anidar sobre la superficie interna uterina.

- **Útero**: es un órgano cóncavo con forma de pera invertida que se sitúa en la línea media del cuerpo a la altura de la pelvis, con un diámetro normal de unos 7,5 cm. Puede ser dividido en dos partes, una la principal o superior llamada cuerpo del útero, que será la encargada de albergar al feto durante el embarazo, y otra más pequeña e inferior llamada cuello del útero o cérvix, que conecta al anterior con la vagina. El útero recibe el óvulo fecundado a través de las trompas de Falopio y le ofrece un «nido» para su desarrollo en el endometrio o capa que lo tapiza interiormente. Durante el periodo gestacional, el útero aumenta de tamaño de forma espectacular a costa de la dilatación y crecimiento de su potente capa muscular o miometrio, que será la encargada de producir las contracciones en el periodo expulsivo que pondrá fin al embarazo.

- **Vagina**: canal interno de unos 8-10 cm de longitud que se extiende desde el cuello uterino hasta el exterior a través de la vulva, y que está rodeado de varias capas de tejido fibroso y muscular. Las paredes internas del canal vaginal, formadas por un tipo especial de epitelio escamoso, están plegadas entre sí en su estado normal, aunque durante el coito y especialmente durante el parto, se separan y ensanchan el conducto como respuesta a la actuación hormonal. La vagina se relaciona con la uretra en su parte anterior y con el recto en la posterior; entre el ano y la vulva existe un tejido de separación que forma el periné. En el interior de la vagina y hacia su porción externa, drenan unas glándulas especiales llamadas de Bartolino.

- **Vulva**: región externa del aparato reproductor femenino, formada por unos pliegues gruesos de la piel llamados labios mayores y menores, que rodean el orificio vaginal y se continúan a su alrededor con la piel normal. La unión en la parte superior de los labios menores cubre el clítoris u órgano principal de la excitación sexual en las mujeres; estos labios

protegen también la apertura de la uretra hacia el exterior.

■ Las enfermedades ginecológicas más frecuentes son:

- Infecciones de cualquiera de sus estructuras, especialmente de la vulva y de la vagina, que pueden ser recurrentes, sobre todo cuando se producen por hongos. La salpingitis es una infección de las trompas de Falopio que puede ser potencialmente grave. Endometriosis.

- Alteraciones del ciclo hormonal femenino, que van desde la ausencia de regla o amenorrea hasta la irregularidad de la misma. Ciclos anovulatorios o periodos menstruales aparentemente normales pero sin expulsión de óvulos por parte del ovario.

- Dolor durante la menstruación o dismenorrea; síndrome premenstrual. Cambios físicos y emocionales durante la menopausia.

- Formación de abscesos o forúnculos en la vagina por obturación de la salida de las glándulas de Bartolino o bartolinitis.

- Dispareunia o dolor durante el acto sexual. Dificultad o imposibilidad para las relaciones sexuales por causas físicas o psicológicas.

- Prolapso uterino o desplazamiento del útero hacia la vagina, lo que se denomina vulgarmente «útero caído».

- Aparición de tumores de tejido muscular y fibroso en el espesor de la pared uterina que se denominan miomas, que pese a su carácter benigno, pueden crecer de forma exagerada y producir sangrados anormales.

- Tumores malignos en el cuello del útero o en el endometrio interno de este órgano.

- Hemorragias uterinas tras la menopausia o climaterio, que responden en un buen número de casos a tumores del endometrio.
- Formación de pólipos benignos en el cuello uterino o de cánceres malignos.
- Crecimiento de quistes ováricos que pueden llegar a ser muy voluminosos o incluso de tumores malignos.
- Esterilidad, y en general, dificultades para la gestación.
- Patología asociada al embarazo y al parto.

■ El método diagnóstico fundamental en las enfermedades ginecológicas es la exploración de los órganos externos e internos de forma manual por el ginecólogo, tanto a través de la vagina como mediante la palpación abdominal. Esta exploración se complementa con otra serie de pruebas como:

- Frotis cervical o citología: consiste en el raspado de una pequeña cantidad de células de la superficie del cérvix, que son posteriormente analizadas junto con el moco cervical.
- Colposcopia: visualización aumentada del canal vaginal y la superficie del cuello uterino mediante un instrumento apropiado.
- Ecografía ginecológica: método ideal para el estudio de la morfología ovárica y uterina, empleado también para el seguimiento del embarazo.
- Análisis sanguíneo: eficaz para la determinación de las concentraciones hormonales o para descartar enfermedades que puedan originar alteraciones ginecológicas de forma secundaria.

Trastornos del ciclo menstrual

Como hemos comentado en otros capítulos, el ciclo menstrual es el periodo de tiempo más o menos regular durante el cual se produce la preparación del aparato reproductor femenino para la gestación, incluyendo las fases de maduración del óvulo, expulsión del mismo fuera de los ovarios, preparación del útero para recibir al óvulo fecundado y expulsión del mismo en caso de que el recibimiento no se produzca, junto con la mucosa uterina creada que ya no es necesaria.

La menstruación, conocida también como regla o periodo, es precisamente la última parte de este ciclo y en la que se produce la eliminación del endometrio, junto con el óvulo no fecundado, acompañándose de una hemorragia considerable. La cantidad de flujo menstrual que se elimina en cada periodo varía mucho en cada mujer, aunque la media se sitúa en torno a los 80-90 g de sangre y mucosa desprendida. Las prostaglandinas son las hormonas encargadas de producir esta eliminación, al provocar la contracción del útero para que se libere su capa interna.

Durante los primeros días de sangrado se elimina la mayor parte del flujo menstrual, quedando a veces durante unos días más una pequeña hemorragia residual. El uso de anticonceptivos, tanto orales como dispositivos intrauterinos, pueden acortar o alargar el periodo de sangrado.

Las tres principales alteraciones del ciclo menstrual son la dismenorrea, la amenorrea y los periodos o hemorragias irregulares, que vamos a exponer por separado.

DISMENORREA

Se denomina así a la aparición de dolor durante la menstruación y supone el motivo más frecuente de consulta ginecológica en las mujeres jóvenes, ya que afecta en mayor o menor medida hasta el 50% de las mismas. Este dolor se manifiesta normalmente como un retortijón o espasmo más o menos intenso que se extiende desde la parte inferior del abdomen hacia la región lumbar, los genitales y los muslos. En ocasiones precede a la aparición del sangrado y cesa notablemente con éste, mientras que otras veces se prolonga durante los dos o tres días primeros de la menstruación. No es raro que se acompañe de malestar general, cansancio, mareo, náuseas y vómitos.

■ Según la causa que provoque este dolor, podemos dividir la dismenorrea en dos tipos:

- **Dismenorrea primaria**: es aquella que no responde a una enfermedad orgánica concreta, sino que es el resultado de una producción excesiva de prostaglandinas (que recordemos que son las encargadas de contraer el útero) de forma secundaria a un exceso de progesterona durante la fase lútea del ciclo ovárico. Es la forma más frecuente de dismenorrea y su origen, por tanto, no es en sí mismo patológico, sino producido por una especial sensibilidad hacia este aumento de hormonas en ciertas mujeres. Este tipo de dismenorrea aparece poco después de la menarquia o primera regla y con el paso del tiempo y los partos tiende a mejorar e incluso a desaparecer. El tratamiento se puede realizar mediante anticonceptivos orales o ciertos antiinflamatorios que inhiben la actuación de las mencionadas prostaglandinas, como el ketoprofeno, el ketorolaco o el ibuprofeno.

- **Dismenorrea secundaria**: es la producida como consecuencia de diferentes enfermedades ginecológicas como la endometriosis, la adenomiosis, la enfermedad inflamatoria pélvica o en las portadoras de dispositivo intrauterino (DIU). Se puede sospechar un origen secundario al dolor menstrual en aquellas mujeres que no mejoran de forma perceptible con el tratamiento habitual para la dismenorrea, así como en las que tienen ciclos muy irregulares o comienzan con este tipo de dolores después de los 25 años de edad aproximadamente. El diagnóstico de la enfermedad subyacente y su tratamiento son lógicamente la clave para que se produzca la mejoría o la curación.

Además del tratamiento farmacológico existen una serie de medidas que pueden ayudar a aliviar los dolores de la menstruación, como las técnicas de relajación, los baños con agua caliente o el masaje en la zona dolorida.

AMENORREA

Es la ausencia de menstruación en una mujer que ha alcanzado o se encuentra dentro de la edad fértil y que, obviamente, no se encuentra embarazada. Son un motivo de consulta muy frecuente, aunque en la mayoría de los casos la causa final es precisamente el inicio de un periodo de gestación o bien la llegada de la menopausia, sobre todo en este caso cuando se acompañan de síntomas como sequedad vaginal, pérdida de turgencia mamaria o sofocos.

■ Las principales causas de amenorrea son:

- Alteraciones anatómicas del aparato genital: ausencia congénita de la vagina o con septo transverso, himen imperforado o estenosis (estrechez) del cuello uterino.
- Tras un legrado o limpieza interna del útero que se realiza después de un aborto o una hemorragia postparto.
- En el síndrome del ovario poliquístico.
- En determinados trastornos endocrinológicos como ciertas disfunciones tiroideas o enfermedades de las glándulas suprarrenales como el síndrome de Cushing.
- Tras el cese del empleo de la píldora anticonceptiva, siendo justificable por este motivo la amenorrea hasta seis meses después de suspender la misma.
- Presencia de tumores ováricos.
- Malformaciones o agenesias (ausencias) ováricas.
- Pérdida de peso importante en los últimos meses; anorexia nerviosa.
- Estrés y ejercicio físico muy intenso.
- Retraso en la aparición de la pubertad, ambigüedad sexual o trastornos de virilización naturales o por consumo de andrógenos.

- Trastornos hipofisiarios, que incluyen tumores de esta glándula cerebral como los prolactinomas y, en general, la producción excesiva de la hormona prolactina.

El estudio avanzado del origen de esta enfermedad así como su tratamiento requiere, en cualquier caso, una labor especializada tanto a nivel ginecológico como endocrinológico.

SANGRADOS IRREGULARES O ABUNDANTES

Se clasifica como hemorragia uterina anormal a toda la que se presenta de forma diferente en cuanto al patrón normal de periodicidad, duración y volumen de sangrado habitual. Se incluyen también las hemorragias que aparecen fuera del periodo normal de la vida de la mujer, como por ejemplo antes de la menarquia o después de la menopausia.

■ Las principales alteraciones de este tipo son:

- Ciclos menstruales irregulares: típico de mujeres jóvenes que se corrige moderadamente con el paso de los años, aunque en muchos casos permanece una cierta variabilidad en el inicio de la menstruación durante toda la edad fértil. Ciertas formas de amenorrea o los periodos previos a la menopausia pueden alargar de forma significativa el tiempo que transcurre entre ciclo y ciclo menstrual.
- Hipermenorrea o sangrado abundante: se denomina así a la hemorragia uterina excesiva tanto por su duración, más de siete días, como por su cantidad, en torno a 75 ml por día, y que se presenta de forma cíclica como un periodo normal. Un sangrado abundante no es necesariamente indicativo de patología ginecológica, sino que puede ser habitual en muchas mujeres, especialmente en las que portan un dispositivo intrauterino o han dejado de tomar anticonceptivos orales hace poco tiempo. Las reglas abundantes pueden ser también normales durante el año que sigue al parto o en las mujeres que están próximas a la menopausia o climaterio.
- Sangrado durante la gestación: se produce con frecuencia en los primeros meses de la misma como consecuencia de la especial sensibilidad del canal vaginal, sobre todo tras las relaciones sexuales o el esfuerzo físico. En la mayoría de los casos no responde a ninguna patología grave que ponga en peligro la gestación.
- Hemorragias uterinas secundarias a miomas o tumores benignos de la capa muscular del útero, que pueden crecer considerablemente hasta manifestarse como alteraciones del ciclo menstrual o sangrados excesivos.
- Hemorragias tras la menopausia: cualquier sangrado que aparezca en una mujer tras la menopausia, con al menos más de un año de ausencia de reglas, debe ser estudiada de forma inmediata para descartar la presencia de tumores ginecológicos.

Trastornos del ciclo menstrual

TRASTORNOS DEL CICLO MENSTRUAL

Cualquier tipo de alteración en el ciclo menstrual en cuanto a su regularidad, su duración o los síntomas asociados. Se denomina hemorragia uterina anormal a la que se produce fuera del patrón habitual cíclico o en periodos de la vida inapropiados.

DISMENORREA

Aparición de dolor acompañado de otros síntomas durante la fase de menstruación del ciclo ovárico. Afecta a la mitad de las mujeres en edad fértil y puede ser debida a causas fisiológicas o de forma secundaria a diferentes patologías como:

- Enfermedad inflamatoria pélvica.
- Endometriosis.
- Empleo de dispositivos intrauterinos.

Puede tratarse con anticonceptivos orales y antiinflamatorios, junto con técnicas de relajación, masaje y calor local.

SANGRADOS IRREGULARES

Hemorragias uterinas excesivas o fuera de su periodo natural, que pueden ser normales o secundarias a diversas patologías como:

- Empleo de ciertos sistemas anticonceptivos.
- Gestación.
- Tumores benignos y malignos ginecológicos.

AMENORREA

Ausencia de menstruación dentro del periodo fértil en mujeres que no estén embarazadas. Puede deberse a múltiples circunstancias como:

- Alteraciones congénitas genitales.
- Pérdidas bruscas de peso.
- Tumores ginecológicos o del resto del organismo.
- Enfermedades hormonales.
- Estrés.
- Ejercicio físico intenso.

Síndrome premenstrual

El síndrome premenstrual es una patología que más de la mitad de las mujeres en edad fértil ha sufrido en algún momento de su vida, aunque sea de forma leve, o grave en el 70% de los casos. Lo caracterizan un conjunto de factores tanto físicos (tensión mamaria, cambios en el apetito y el sueño, dolores musculares, cefaleas, hinchazón y malestar general) como psicológicos (depresión, ansiedad, irritabilidad, torpeza y dificultad para la concentración y el rendimiento intelectual), y cambios en la conducta.

■ El ciclo ovulatorio de las mujeres está controlado por la acción de una serie de hormonas que se fabrican y se vierten a la sangre de manera precisa. Estas hormonas, producidas por los ovarios o por el cerebro, actúan de manera programada provocando una cascada de acontecimientos que tiene como fin la formación de células reproductoras maduras y la preparación del aparato reproductor frente a un posible embarazo. Las hormonas que intervienen en este proceso son:

- Hormona folículoestimulante o FSH: segregada por la hipófisis cerebral, se encarga de la estimulación del óvulo en el ovario para su maduración.
- Estrógenos: grupo de hormonas femeninas producidas básicamente en el ovario y cuya función primordial es la de preparar el útero para la gestación mientras el óvulo madura.
- Hormona luteinizante: responsable de la ruptura del folículo que envuelve al óvulo maduro para que éste sea liberado hacia las trompas de Falopio donde esperará la llegada del espermatozoide; este proceso se denomina ovulación y determina el momento exacto del inicio del periodo fértil femenino.
- Progesterona: segregada tras la ovulación, es responsable del mantenimiento de las condiciones necesarias para la concepción. Si ésta no se produce, el descenso de sus niveles provoca la menstruación.

El ciclo menstrual tiene una duración habitual de unos 28 días, aunque se considera normal que pueda variar entre 21 y 35 días dependiendo de cada mujer. Este ciclo comienza con el primer día de sangrado o menstruación, que suele durar entre tres y siete días, y termina el día anterior a la siguiente regla.

La menstruación es el periodo más significativo de este ciclo, tanto por el sangrado que se produce como consecuencia de la eliminación de la capa interna del útero que ha proliferado durante la ovulación, como por los dolores y molestias que le acompañan. El flujo y el dolor varían de forma significativa en cada mujer, por causas estrictamente constitucionales, por el número de hijos, por la edad y por el empleo de anticonceptivos entre otras causas.

¿QUÉ ES EL SÍNDROME PREMENSTRUAL?

Consiste en una serie de síntomas físicos y psíquicos que aparecen entre uno y 14 días antes de producirse la menstruación (fase lútea) y que desaparecen una vez que llega ésta. Entre el 50 y el 90% de las mujeres refieren experimentar este síndrome de manera más o menos intensa, llegando a ser muy severo en una décima parte de ellas. Aunque se ha postulado una cierta incidencia hereditaria de este síndrome, no parece estar relacionado de forma directa con la raza, la actividad sexual o las condiciones socioeconómicas y sanitarias.

■ Se han descrito más de 100 síntomas y signos relacionados con este síndrome; los principales son:

- Cambios del estado de ánimo, tristeza, melancolía, sensación de soledad y una mayor labilidad emocional o sensibilidad. Pérdida de la sensación de autocontrol.
- Alteraciones del ritmo del sueño, tanto insomnio de conciliación como somnolencia excesiva.
- Alteraciones en el ritmo intestinal.
- Dificultad para la concentración y en general para el rendimiento intelectual; disminución de la actividad social.
- Tensión mamaria.
- Cefalea y migrañas junto con malestar general y sensación general de debilidad o cansancio.
- Cambio del apetito, aumento o disminución, y antojos alimentarios (especialmente de dulces).

Diagnóstico del síndrome premenstrual

No existe un tratamiento definitivo o especialmente eficaz frente a esta sintomatología en el momento actual. La información de la mujer acerca de las características de este síndrome, de su naturaleza y de su inocuidad pueden tranquilizarla hasta el punto de sobrellevarlo de manera satisfactoria.
■ Las principales medidas terapéuticas empleadas son:

- **Normas dietéticas:** consumo de poca sal para evitar en general los edemas; reducción de la cafeína, el té y el alcohol; ingesta abundante de frutas y vegetales. El empleo de ciertos suplementos vitamínicos o minerales, como el calcio y el magnesio, parece mejorar los síntomas, aunque no haya evidencia científica acerca de su utilización.
- **Ejercicio físico:** la práctica de ejercicio regular durante los días previos a la menstruación puede ayudar a suavizar los síntomas y a proporcionar una sensación de bienestar.
- **Relajación:** el aprendizaje y desarrollo de actividades placenteras dentro del periodo de ocio pueden disminuir el estrés y mejorar de forma secundaria la sintomatología.
- **Fármacos:** indicados sólo en aquellos casos en los que las pacientes no respondan a las medidas anteriormente expuestas. Se han empleado con diferentes resultados tratamientos con progesterona y vitamina B6, aunque el riesgo de toxicidad por el empleo continuado de estas sustancias no es desdeñable. Para cada síntoma concreto de este síndrome pueden emplearse las sustancias apropiadas que se utilizan cuando se presentan de forma aislada, como antidepresivos, ansiolíticos, diuréticos y fármacos, como la bromocriptina, para la mastodinia o tensión mamaria excesiva.

- Dolores musculares y articulares, sobre todo en la espalda; distensión abdominal y sensación de hinchazón generalizada.
- Cambios en el interés sexual.
- Empeoramiento del acné y aparición de urticaria.

Todos estos acontecimientos pueden estar relacionados con el síndrome premenstrual, aunque conviene recalcar que deben desaparecer una vez que llega la menstruación, ya que si no estaríamos hablando de enfermedades independientes que se agravan o mejoran con la misma. La aparición periódica es lo que distingue a este síndrome, que puede ser desde leve o casi desapercibido hasta invalidante para cualquier actividad.

Ninguno de los síntomas anteriormente expuestos son específicos del síndrome premenstrual, de lo que se deduce que el primer paso para su diagnóstico es descartar otras enfermedades subyacentes antes de atribuirlos erróneamente a esta patología. Existen una serie de cuestionarios y calendarios empleados para recoger con bastante exactitud las fechas en que aparecen los principales síntomas para tratar así de correlacionarlos con el periodo ovárico y tratar de establecer el diagnóstico definitivo del síndrome.

¿POR QUÉ SE PRODUCE ESTE SÍNDROME?

El origen del síndrome premenstrual es hoy en día aún desconocido, aunque parece lógico pensar que se debe fundamentalmente a una mala adaptación del organismo a los cambios hormonales que acompañan al ciclo ovárico. Algunos neurotransmisores como la serotonina o la betaendorfina han sido también implicados en la génesis de este grupo de síntomas y en general la actividad del sistema nervioso autónomo. Otras teorías incluyen factores culturales, psicológicos y sociales, así como determinadas carencias nutricionales de vitaminas, calcio, magnesio y ciertos ácidos grasos esenciales, que son aquellos que no pueden ser formados por el propio organismo.

Probablemente este síndrome sea el resultado de la combinación de parte o de todos estos desencadenantes en mayor o menor medida.

Síndrome premenstrual

DEFINICIÓN

Conjunto de signos y síntomas que preceden a la aparición de la menstruación en un porcentaje elevado de las mujeres y que se repite de forma periódica y con características similares.

Estos síntomas pueden ser clasificados en:

- Físicos: tensión mamaria, cambios en el apetito y el sueño, dolores musculares, cefalea, hinchazón y malestar general.
- Psicológicos: depresión, ansiedad, irritabilidad, torpeza y dificultad para la concentración y el rendimiento intelectual.
- Cambios en la conducta.

INCIDENCIA

Más de la mitad de las mujeres en edad fértil han sufrido esta patología en algún momento de su vida, aunque sea de forma leve, con un porcentaje de formas graves que ronda el 10% del total de casos.

DIAGNÓSTICO

Se basa en el empleo de cuestionarios y calendarios que tratan de relacionar la aparición de los síntomas con el periodo concreto que precede a la menstruación.

Es importante descartar la presencia de otras patologías que compartan los mismos síntomas y signos de este cuadro.

CAUSAS

Aunque el origen de este síndrome es todavía desconocido, parece estar en relación con la adaptación del organismo a los cambios hormonales, la actividad de ciertos neurotransmisores, las carencias nutricionales y ciertos factores psicológicos.

En general se asume que la conjunción de todos estos factores es la responsable de la aparición de este cuadro.

TRATAMIENTO

Aunque no existe un tratamiento curativo de esta enfermedad, el seguimiento de ciertas normas dietéticas, la práctica de ejercicio físico de forma regular, el empleo de suplementos dietéticos y las técnicas de relajación parecen ayudar en la mejoría general de los síntomas.

Algunos fármacos como la progesterona y la vitamina B6 han sido empleados con diferente éxito en este síndrome. Además, cada síntoma puede ser tratado con su fármaco correspondiente como si se presentara de forma aislada.

Hirsutismo

La piel del ser humano está recubierta casi en toda su totalidad por dos tipos de pelo diferente. Una es el llamado pelo terminal, más grueso y pigmentado, con características diferentes en cuanto a color y forma según la raza del individuo y que se distribuye de forma típica por determinadas regiones corporales. El otro tipo es el vello o pelo fino y corto, de escasa coloración, que se extiende por el resto del cuerpo salvo en escasas localizaciones.

Tanto las mujeres como los hombres poseen la misma distribución y número de folículos pilosos en su piel, que se desarrollan durante las primeras etapas del crecimiento del embrión y ya no vuelven a formarse más después del nacimiento.

Las hormonas sexuales masculinas, los andrógenos, son las encargadas de estimular el crecimiento del pelo terminal, especialmente a partir de la pubertad, momento en el que comienzan a aparecer los llamados caracteres sexuales secundarios que diferencian físicamente aún más a hombres y mujeres.

¿QUÉ ES EL HIRSUTISMO?

Se denomina así al aumento del crecimiento del vello terminal en las mujeres en una proporción, longitud y distribución propia de los varones como consecuencia de un aumento cuantitativo de las hormonas sexuales masculinas circulantes o por una mayor sensibilidad de los tejidos a las mismas. El hirsutismo se manifiesta por tanto en mujeres que han superado la pubertad y presentan un crecimiento de pelo inapropiado en cuanto a su longitud y en regiones donde normalmente sólo existe un vello casi inapreciable.

Entre las diferentes etnias de la tierra existen diferencias en cuanto al desarrollo del pelo corporal, así como la herencia genética de cada mujer que también influye en el mismo. Por tanto, no debe confundirse la tendencia racial o familiar a poseer un vello más prominente con el hirsutismo, que como hemos comentado, depende directamente de un exceso de actividad hormonal masculina. También cabe diferenciar el hirsutismo de la hipertricosis o aumento difuso de todo el pelo corporal como consecuencia de la toma de determinados fármacos o secundariamente a la aparición de desnutrición, hipotiroidismo o anorexia nerviosa, aunque en ocasiones se empleen ambos términos por igual. Se calcula que el hirsutismo afecta hasta a un 20% de las mujeres.

CLASIFICACIÓN

■ La clave por tanto de esta enfermedad es el aumento de los andrógenos (generalmente testosterona) circulantes en la sangre de las mujeres. Según el origen de estos andrógenos podemos distinguir tres tipos de hirsutismo:

● **Hirsutismo simple o idiopático**: es aquel en el que no existe una causa concreta o enfermedad subyacente que justifique el aumento de estas hormonas, es decir, que la mujer por su propia constitución posee una sensibilidad especial hacia ellas sin necesidad de que estén aumentadas. Se ha relacionado también a la hiperactividad de una enzima llamada 5 reductasa en el origen de este cuadro. Es, junto con el ovario poliquístico, la forma más común de presentarse el hirsutismo.

- **Hirsutismo secundario**: debido al exceso de producción de andrógenos por el organismo en dos puntos concretos, ovario y glándulas suprarrenales:

  – En el ovario: con mucha frecuencia acompañando al síndrome del ovario poliquístico o ciertos tumores virilizantes productores de andrógenos.
  – En las glándulas suprarrenales: como consecuencia de enfermedades como la hiperplasia adrenal congénita, el síndrome de Cushing y también algunos tumores virilizantes.

- **Hirsutismo exógeno**: debido a la actuación de fármacos con actividad androgénica como los anabolizantes, empleados en ocasiones para obtener una mayor fortaleza física.

¿CUÁLES SON LAS MANIFESTACIONES DEL HIRSUTISMO?

En la mayoría de las ocasiones el hirsutismo produce únicamente un aumento del tamaño del vello en determinadas zonas como el labio superior, las patillas, las mejillas, la barbilla, el cuello, las areolas mamarias, el tórax, las ingles, los muslos y alrededor del ombligo. Es decir, en zonas más propias del varón y no de las mujeres, que en condiciones normales sólo desarrollan este tipo de vello en el pubis y las axilas.

Sin embargo, en otros casos, el aumento de la actividad de los andrógenos se manifiesta también con otros signos y síntomas como acné, seborrea, caída de cabello con regresión del mismo a partir de la frente hacia atrás (calvicie masculina), obesidad, voz más grave, engrosamiento de la piel y aumento de la masa muscular.

Desde el punto de vista ginecológico, el hirsutismo puede ser sólo un síntoma acompañante a un proceso de virilización más grave que se manifieste también en forma de irregularidades menstruales, infertilidad, atrofia de las glándulas mamarias, hipertrofia o crecimiento excesivo del clítoris e incluso cambios en la conducta sexual.

TRATAMIENTO

Cuando se identifica una causa concreta de esta enfermedad, es decir, se trata de un hirsutismo secundario, la solución consistirá en el tratamiento de dicha causa. Esto puede requerir cirugía en caso de tumores o, en general, cualquier terapia indicada en estos procesos independientemente del grado de hirsutismo que produzcan. Una vez tratada la patología de base, tanto el aumento de vello como el resto de síntomas deben remitir de forma paulatina.

En el caso del hirsutismo simple o idiopático existen diversos tratamientos farmacológicos que buscan como objetivos la supresión de la secreción de andrógenos y el bloqueo de su actuación sobre la piel. Cada caso de hirsutismo requiere un tratamiento individualizado, con un seguimiento riguroso de sus resultados y de sus posibles efectos secundarios.

■ Los principales agentes farmacológicos empleados son:

- Anticonceptivos orales o estrógenos, especialmente indicados si se asocian trastornos menstruales y en pacientes menores de 35 años de edad. A los estrógenos se asocia progesterona que tiene un cierto efecto antiandrogénico sobre la piel. Tienen los inconvenientes propios de este tratamiento, principalmente el riesgo de enfermedad tromboembólica.
- Corticoides en aquellos casos en los que se demuestre el origen suprarrenal del

cuadro con el fin de frenar la producción excesiva de andrógenos a este nivel.

- Antiandrógenos o sustancias como la espironolactona o el acetato de ciproterona que bloquean la unión de los andrógenos a sus receptores en los tejidos.

El tratamiento habitual combina varios de estos fármacos durante un tiempo prolongado y a dosis bajas en su inicio hasta comprobar el grado de respuesta que se produce en cada mujer. En algunos casos, como en la hiperplasia adrenal tardía, es necesario el tratamiento de por vida.

Las medidas farmacológicas se complementan con diversas técnicas cosméticas de depilación como la fotodepilación, la depilación termogalvánica o la depilación normal y la coloración. Obviamente se trata de una medida temporal que no soluciona de forma definitiva el hirsutismo.

Diagnóstico

■ Toda sospecha de hirsutismo requiere de una evaluación individual en la que se recojan datos acerca de los antecedentes personales y familiares de la mujer, la forma de presentación del cuadro, los síntomas acompañantes y los tratamientos farmacológicos realizados.

■ El estudio hormonal comprende la determinación de las cifras de andrógenos en la sangre en momentos puntuales del ciclo menstrual, así como pruebas relacionadas con la actividad del ovario y las glándulas suprarrenales para tratar de determinar el origen del cuadro.

■ La ecografía abdominal y el escáner pueden aportar información suplementaria útil para descartar tumores u otras alteraciones responsables de la aparición de hirsutismo.

PRONÓSTICO

Aunque los tratamientos farmacológicos obtienen una rápida respuesta en cuanto a los descensos de los niveles hormonales, la mejoría clínica no se suele obtener hasta los seis meses aproximadamente, cuando el vello se hace más fino y corto y comienza a desaparecer de forma progresiva. En ocasiones son necesarios varios ciclos de seis meses para obtener una curación definitiva.

En general aquellos hirsutismos que se tratan de forma precoz evolucionan mejor que aquellos que se han prolongado más en el tiempo sin tratamiento.

Hirsutismo

Se denomina así al crecimiento excesivo del vello en las mujeres, en una proporción y distribución propia de los varones, como consecuencia del aumento cuantitativo de las hormonas sexuales masculinas circulantes o por una mayor sensibilidad hacia ellas.

Se manifiesta tras la pubertad y afecta aproximadamente hasta a un 20% de las mujeres, aunque en la mayoría de los casos, de forma tan leve que puede pasar casi desapercibida.

Se distinguen tres tipos de hirsutismo:
- Hirsutismo simple o idiopático.
- Hirsutismo secundario a patologías ováricas o de las glándulas suprarrenales.
- Hirsutismo exógeno o producido por ciertos fármacos.

En la mayoría de los casos el crecimiento del vello se produce en determinadas zonas como el labio superior, las patillas, las mejillas, la barbilla, las areolas mamarias, el tórax, las ingles y alrededor del ombligo. No es raro que se acompañe de otros signos como:

- Obesidad.
- Acné y seborrea.
- Alopecia.
- Engrosamiento de la piel.
- Irregularidades menstruales.
- Infertilidad.
- Atrofia de las glándulas mamarias.

El diagnóstico del hirsutismo se confirma mediante la detección de las cifras de andrógenos en la sangre durante momentos puntuales del ciclo menstrual. Las técnicas de imagen como la ecografía y el escáner (TAC) pueden aportar información acerca del origen concreto de la patología.

Según el origen concreto de esta enfermedad se puede proceder a un tratamiento diferente o individualizado. Este, en líneas generales, se basa en:

- Anticonceptivos orales o estrógenos.
- Corticoides.
- Antiandrógenos.

Las medidas farmacológicas se completan con diversas técnicas cosméticas de depilación para paliar los efectos de la enfermedad.

Menopausia

El aparato reproductor femenino comienza a madurar sus células sexuales u óvulos a partir de la llamada menarquia o primera menstruación. Aunque desde el nacimiento los ovarios poseen ya miles de estas células, no es hasta la adolescencia cuando se dan las condiciones apropiadas para poner en marcha este mecanismo cíclico que es la menstruación.

A lo largo de su vida fértil los ovarios maduran y expulsan óvulos capaces de ser fecundados a un ritmo aproximado de 15-16 al año. En cualquier caso el número de células precursoras de óvulos presentes en los ovarios es mucho mayor que el de los óvulos que finalmente serán expulsados a las trompas de Eustaquio para encontrarse con los espermatozoides. Este exceso de ovocitos pretende asegurar la fertilidad femenina por encima de cualquier situación patológica.

El incremento de la esperanza de vida acaecido en el último siglo ha provocado que la retirada de la menstruación pase a ser un periodo más dentro de la vida de las mujeres, ya que hoy en día se supera con creces esta edad. Mientras que antiguamente menopausia y muerte estaban muy próximas entre sí, en la actualidad las mujeres viven una media de 25 años después de la aparición de ésta. El mayor interés hacia la misma que existe en la actualidad se explica por esta circunstancia y por el deseo lógico de paliar sus efectos negativos.

¿QUÉ ES LA MENOPAUSIA?

Se denomina menopausia al momento en el que se produce la última menstruación, debido a la desaparición de la función ovárica que se traduce en el cese de producción de óvulos y de la secreción de hormonas femeninas. La menopausia debe entenderse como una situación fisiológica o natural, que aparece entre los 45 y 55 años, y que se diferencia de una simple falta de regla o amenorrea transitoria. Se denomina menopausia precoz a la que aparece antes de los 40 años y tardía a la que se produce después de los 56; muchos factores como la herencia genética, el clima, la raza, la alimentación y el número de partos influyen en la edad definitiva de su aparición.

Se denomina climaterio al periodo de tiempo que precede, engloba y prosigue al momento puntual de la menopausia, es decir, la etapa de transición de la vida sexual fértil hacia la estéril.

La menopausia normalmente es un proceso gradual en el que los ovarios comienzan a atrofiarse y a disminuir su producción hormonal (estrógenos y progestágenos), lo que se traduce en periodos irregulares durante un cierto tiempo junto con el inicio de los síntomas característicos de esta fase de la vida. En ocasiones no es fácil determinar el momento exacto del inicio del climaterio ni prever su duración; habitualmente se considera que se ha producido la menopausia cuando el periodo sin menstruación supera los seis o 12 meses sin que exista embarazo.

La menopausia puede ser yatrogénica o secundaria a la extirpación quirúrgica del aparato reproductor femenino y presentarse por tanto antes de la edad correspondiente. En aquellos casos en los que se mantienen íntegros los ovarios tras la cirugía, la producción hormonal de los mismos se mantiene firme hasta su atrofia natural aunque ya no se produzca menstruación.

¿CUÁLES SON LOS SÍNTOMAS DE LA MENOPAUSIA?

En la práctica casi todas las mujeres que llegan a esta etapa de su vida padecen alguno de los síntomas característicos de la misma y en un 75% de todos los casos de forma claramente manifiesta. Según las características de cada mujer, la velocidad de instauración del proceso y los déficits hormonales asociados, la repercusión sintomática puede variar considerablemente.

■ Los principales signos y síntomas que aparecen en un primer momento son:

- Síntomas vasomotores: se denominan así a los sofocos que aparecen hasta en el 85% de las mujeres menopáusicas y cuyo origen es desconocido. Consisten en periodos de corta duración con sensación de calor intenso en la parte superior del cuerpo, precedidos a veces de palpitaciones, que se acompañan con frecuencia de mareo, vértigo y sensación de opresión en la cabeza. No es extraño que despierten a la mujer por la noche, junto con abundante sudoración, o incluso que sean causa de insomnio prolongado.
- Irritabilidad e inestabilidad emocional. Sensación de inseguridad por los cambios que se avecinan.

- Dificultad para la concentración, pérdida de memoria y descenso, en general, del rendimiento intelectual.
- Calambres, cansancio físico, debilidad, adormecimiento de las extremidades.
- Alteraciones psiquiátricas: el periodo que rodea a la menopausia se ha considerado durante muchos años como una etapa especialmente vulnerable hacia los cuadros de ansiedad y depresión. Hoy en día, sin embargo, se rechaza esta asociación, atribuyéndose la mayor incidencia de estos cuadros a otros factores como el propio envejecimiento o el entorno particular de cada mujer.
- Cambios en la conducta sexual: aun pudiendo estar en parte influenciados por los cambios en los órganos sexuales que provoca la menopausia, parece que existe un componente cultural o psicológico muy importante que puede afectar a la actividad sexual de las mujeres o más concretamente a la líbido. El principal problema sexual referido por la mujer menopáusica es la dispareunia o dolor al mantener relaciones sexuales.

■ Con el tiempo comienzan a aparecer nuevas manifestaciones como:

- Pérdida del vello púbico y disminución del monte de Venus.
- Sequedad de la vagina y de los órganos genitales externos.
- Atrofia vaginal en directa relación con la depravación de las hormonas estrogénicas.
- Dificultad en ocasiones para la retención de la orina o incontinencia urinaria.
- Aumento de la sequedad en general de la piel y de la mucosa oral.
- Mayor facilidad para las infecciones urinarias como consecuencia de la pérdida

parcial de los lactobacilos propios de la uretra que protegen a ésta de la invasión por bacterias patógenas.

■ La menopausia comporta a largo plazo un mayor riesgo en dos aspectos fundamentales, como son el metabolismo de los huesos y el aparato cardiovascular:

1. La osteoporosis es una de las consecuencias más importantes del descenso en la producción de estrógenos por parte del ovario. Así, durante los primeros diez años tras la menopausia, se produce una pérdida de masa ósea total en el esqueleto de las mujeres. Cuando ésta es baja de por sí, la menopausia agrava la situación hasta el límite de la llamada fractura patológica o secundaria a traumatismos mínimos. La pérdida de masa ósea se produce principalmente a la altura de la columna vertebral y en los extremos de los huesos largos, siendo más frecuentes las fracturas de cadera, antebrazo y por compresión vertebral. La mala alimentación, el tabaco, el alcohol y la ausencia de ejercicio físico

agravan el fenómeno de la osteoporosis y aumentan el riesgo de fracturas.

2. El riesgo de enfermedad cardiovascular aumenta de forma considerable tras la menopausia debido a la pérdida de los estrógenos, concretamente el 17-estradiol, que parece tener un efecto protector a este nivel. Así, tras la menopausia, las mujeres se igualan progresivamente con los hombres en cuanto a la incidencia de enfermedades coronarias y cerebrovasculares. Además de la pérdida de la protección estrogénica existen otros factores que pueden influir en el aumento del riesgo cardiovascular y que se potencian durante la menopausia como son el incremento de los niveles de grasa en la sangre, el trastorno en el metabolismo de los hidratos de carbono y la subida de la presión arterial.

¿CUÁL ES EL TRATAMIENTO DE LA MENOPAUSIA?

■ En principio todas las mujeres deberían recibir tratamiento a partir de la menopausia, salvo contraindicaciones, especialmente si

Cómo se detecta la menopausia

■ La ausencia de periodos menstruales durante más de un año en mujeres mayores de 40 años suele ser más que suficiente para comprender que se ha llegado a esta etapa, sobre todo si se precede de menstruaciones irregulares, escasas y breves. Las pruebas de laboratorio confirman el descenso de la producción hormonal por el ovario y sirven también para establecer el riesgo cardiovascular y de osteoporosis que tiene la mujer al comienzo de este periodo.

La densitometría ósea es la prueba ideal para valorar la cantidad de masa

ósea total en los huesos del organismo, a partir del estudio de la misma en los huesos del antebrazo.

El creciente interés en el conocimiento y manejo de este momento de la vida, así como la prevención de sus complicaciones comporta la necesidad de un diagnóstico precoz que permita un tratamiento igualmente rápido que mejore la calidad de vida de la mujer postmenopáusica. Por tanto es importante recalcar que se debe consultar al médico esta circunstancia tan pronto como se sospeche su presencia.

ésta se acompaña de alguna de las siguientes circunstancias:

- Importante sintomatología vasomotora.
- Alto riesgo de enfermedad cardiovascular.
- Presencia de osteoporosis incluso antes de este periodo.
- Menopausia precoz (antes de los 40 años) bien natural o secundaria a una extirpación quirúrgica.

■ No obstante, existe hoy en día controversia acerca de la indicación de tratamiento masivo e indiscriminado de la menopausia. Aunque se trate de una situación normal o fisiológica de la vida de las mujeres, las diferentes complicaciones que acarrea pueden ser prevenidas mediante diferentes medidas terapéuticas:

- Tratamiento hormonal sustitutivo: consiste en la administración de estrógenos naturales que suplen la carencia funcional del ovario, empleándose dosis menores que la de los anticonceptivos orales. Sus objetivos son:

  1. Tratamiento de los síntomas de la menopausia, principalmente los sofocos, la atrofia y sequedad vaginal y los trastornos urinarios.
  2. Reducción del riesgo de osteoporosis.
  3. Prevención de las enfermedades cardiovasculares.

Los estrógenos se administran en forma de comprimidos, preparados vaginales, cremas o en parches cutáneos que liberan de forma lenta los mismos para que sean absorbidos hacia la sangre. Los efectos secundarios más habituales son náuseas y vómitos,

mareo y aumento de peso o edema generalizado. El cáncer de mama o endometrio, la enfermedad hepática y los trastornos de la coagulación sanguínea son algunas de las principales contraindicaciones para el empleo de este tratamiento.

Algunos estudios han demostrado la mayor incidencia del cáncer de mama en las mujeres que prolongan este tratamiento por encima de los cinco años; asimismo es conocida su relación con el cáncer de endometrio, por lo que se deben administrar progestágenos de forma concomitante al tratamiento estrogénico. En cualquier caso son necesarias las revisiones periódicas (incluyendo mamografía y citología) en todas las mujeres que estén recibiendo este tratamiento.

- Otros tratamientos: se han empleado diferentes sustancias para el tratamiento de los síntomas vasomotores, así como cremas hidratantes vaginales que lubrifican y restablecen el pH ácido vaginal necesario para el equilibrio de su flora normal. Para la prevención de la osteoporosis se emplean de forma alternativa a los estrógenos ciertas sustancias como los bifosfonatos (etinodrato y alendronato), la calcitonina y el calcio, aunque en ningún caso igualan la eficacia del tratamiento hormonal sustitutivo.

- Estilo de vida: es necesario disminuir el consumo de café, té, alcohol y tabaco durante este periodo de la vida, así como potenciar el ejercicio al aire libre. La dieta, como en todos los individuos, debe ser sana y equilibrada, rica en calcio y pobre en grasas, picantes, chocolate y bebidas carbonatadas.

Menopausia

DEFINICIÓN

Se denomina menopausia al último período menstrual de la mujer, que acaece entre los 45 y 55 años, como consecuencia de la desaparición de la función ovárica. Puede ser precedida de periodos irregulares, cortos o con pocos sangrados.

El climaterio es el periodo de tiempo que precede, engloba y prosigue al momento puntual de la menopausia.

SÍNTOMAS

- Síntomas vasomotores: sofocos, palpitaciones, mareo, vértigo, sudoración.
- Irritabilidad e inestabilidad emocional.
- Disminución del rendimiento intelectual.
- Cansancio físico, debilidad, calambres.
- Alteraciones psiquiátricas como depresión y ansiedad.
- Cambios en la conducta sexual como dispareunia (dolor durante el coito) y pérdida de la líbido.
- Sequedad vaginal y en general de la piel y las mucosas.
- Pérdida de vello púbico.
- Mayor facilidad para las infecciones urinarias y la incontinencia.

COMPLICACIONES

- Osteoporosis: como consecuencia de la pérdida de los estrógenos ováricos con mayor riesgo de aparición de fracturas.
- Aumento del riesgo cardiovascular por la misma causa.

DIAGNÓSTICO

La ausencia de periodos menstruales durante más de un año en mujeres mayores de 40 años suele ser lo suficientemente significativo. Las pruebas de laboratorio y la medida de la masa ósea complementan el estudio de la menopausia.

TRATAMIENTO

Es recomendable en aquellos casos de importante sintomatología, alto riesgo de enfermedad cardiovascular, osteoporosis previa y en las menopausias de aparición precoz.

El más empleado es el tratamiento hormonal sustitutivo, mediante estrógenos naturales que suplen la carencia funcional del ovario. También pueden emplearse lubrificantes vaginales y tratamientos específicos para la osteoporosis.

Las medidas dietéticas y, en general, la modificación del estilo de vida colaboran con el resto de tratamientos.

Embarazo

El embarazo por sí mismo no constituye ninguna enfermedad, sino un proceso de transformación que se produce en el organismo de la mujer para concebir, alimentar y hacer nacer un embrión hasta el momento del alumbramiento. Pero existen unos factores de riesgo previos a la concepción y que pueden complicar el curso del embarazo, como son la edad (mujeres menores de 16 años o mayores de 35), la obesidad o un peso inferior a 45 kg, anomalías pélvicas de la mujer y en el parto, anemia, antecedentes de embarazos ectópicos o abortos espontáneos o el consumo de droga y prostitución.

El embarazo es un proceso complejo que permite a los seres humanos la reproducción de su especie mediante la formación y la maduración de un ser vivo en el interior de la matriz femenina. Esta simple definición no recoge el componente emocional tan importante que supone el hecho de tener un hijo, así como la serie de cambios físicos y psicológicos de los que se acompaña el proceso de la gestación. Así, el llamado milagro de la vida se produce gracias a la increíble transformación del organismo de las mujeres para concebir, alimentar y hacer crecer un embrión primero y un feto después hasta el momento del parto. Es, sin duda alguna, el periodo de tiempo más importante en la vida de las mujeres desde el punto de vista corporal y probablemente también el que despierta sentimientos más arraigados y permanentes.

■ El embarazo y el parto deben ser experiencias agradables tanto para la mujer como para su pareja, lo que justifica el conocimiento tanto de su origen como de sus características. En los países desarrollados se han implantado protocolos para el seguimiento de este periodo cuyos objetivos son:

- Educar a la población acerca de la reproducción sexual y los métodos anticonceptivos.
- Detectar de forma precoz a las mujeres gestantes para comenzar cuanto antes con el control de las mismas.
- Disminuir la mortalidad que rodea al embarazo (abortos) y al parto.
- Reducir la incidencia de malformaciones fetales.
- Preparar para el parto.
- Promover la lactancia materna.

En este capítulo nos referiremos tanto a las características del embarazo normal como a las principales patologías que pueden ser detectadas durante el mismo.

¿CÓMO SE PRODUCE EL EMBARAZO?

Cuando un primer espermatozoide alcanza el óvulo procedente del ovario femenino en la trompa de Falopio, se produce la llamada fecundación del mismo, mezclándose así el material genético del hombre y la mujer en una misma célula. El óvulo fecundado migra hacia el útero, en cuya pared anida y promueve la formación de la placenta, que será el nexo de unión con el organismo de la madre hasta el final del embarazo. Se denomina embarazo ectópico o extrauterino a aquel en el que el óvulo fecundado no alcanza su sitio natural por diversas razones, siendo así imposible su progresión.

El embarazo tiene una duración aproximada de 38 semanas, 40 si contamos desde el primer día del último periodo menstrual.

¿CÓMO SE DETECTA EL EMBARAZO?

Hoy en día existen métodos fiables para la detección de este proceso, lo que permite que a las pocas semanas de gestación ya exista suficiente evidencia positiva sobre el mismo y se inicien los protocolos de seguimiento apropiados.

■ En la mayoría de los casos, el diagnóstico del embarazo se realiza de la siguiente manera:

1. Ausencia de menstruación lo suficientemente prolongada según cada caso como para sospechar el embarazo. Recordemos que el embarazo es la causa más frecuente de amenorrea.

2. Realización de test de orina para detectar una hormona llamada gonadotropina coriónica humana producida por el embrión en desarrollo. Estos test son poco sensibles aunque muy específicos, es decir, pueden ser negativos aunque el embarazo exista, pero sin embargo cuando son positivos rara vez se equivocan.

3. Confirmación mediante ecografía de la presencia de una vesícula en la pared uterina que corresponde a las primeras fases del desarrollo embrionario, al mismo tiempo que muestra la correcta migración del óvulo fecundado.

Junto con este proceder habitual suelen aparecer una serie de signos y síntomas que acompañan al inicio de la gestación como por ejemplo:

- Aumento del volumen de las mamas junto con sensación de plenitud, hormigueo y dolor en las mismas. Estos síntomas son similares a los de la segunda mitad de cada periodo menstrual, aunque de forma más exagerada, por el estímulo de la progesterona.

- Necesidad de orinar con mayor frecuencia, ya que a medida que se distiende el útero presiona a la vejiga urinaria que se encuentra cerca de él. Hacia el tercer mes suele desaparecer este síntoma, con el ascenso del útero fuera de la cavidad pélvica.

- Somnolencia y cansancio.

- Náuseas, vómitos y mareos, típicos de las primeras 12 o 16 semanas de gestación, en relación con la presencia de una hormona llamada gonadotropina coriónica producida por la placenta.

- Modificaciones en el aparato genital y en el útero, apreciables mediante la exploración ginecológica. Aumento del flujo vaginal normal.

- Cambios en el gusto y preferencia por ciertas comidas; sabor metálico en la boca. Antojos.

- Inestabilidad emocional, en relación directa con los cambios hormonales que acompañan a este periodo. Suele manifestarse en forma de variaciones bruscas del carácter, mayor susceptibilidad, tendencia al llanto o al pánico e incluso cierto grado de depresión y temor.

ETAPAS DEL EMBARAZO

■ Los principales cambios que se producen en el embrión mes a mes son:

- Primer mes: desde una simple célula fecundada se forma un embrión propiamente dicho de unos 5 mm de diámetro gracias a una extraordinaria proliferación celular que empieza a diferenciar ya las principales regiones del organismo, incluyendo un aparato circulatorio primitivo con un corazón que ya late.
- Segundo mes: se produce la modelación de los primeros rasgos en la cara así como el desarrollo de los miembros. La cabeza se endereza y en su interior el cerebro comienza a crecer y a formar sus hemisferios. Los órganos internos ya se han situado en su posición definitiva y empiezan a desarrollarse.
- Tercer mes: el feto mide ya unos 12 cm al final del mismo, realiza movimientos ligeros y comienza la pigmentación de su piel. La mayoría de los órganos internos ya están en funcionamiento y pueden apreciarse ya los genitales externos.
- Cuarto mes: el feto está ya completamente formado y el crecimiento a partir de ahora será más en tamaño que en complejidad. Aparecen las huellas digitales y un fino vello llamado lanugo recubre todo el cuerpo, además de formarse ya las uñas junto con un engrosamiento general de la piel.
- Quinto mes: alcanza entre 25 y 28 cm de longitud y la madre comienza a sentir sus movimientos. En la boca del feto aparecen los primeros gérmenes de los futuros dientes y el sistema nervioso empieza a realizar algunas conexiones neuronales definitivas.
- Sexto mes: el feto percibe luces y sonidos, bosteza y comienza a establecer ciclos de sueño aunque bastante irregulares. Se forman los pliegues de las manos y los pies y el diámetro de la cabeza alcanza ya los 7,5 cm.
- Séptimo mes: comienza la acumulación de la grasa en el organismo del feto que impide que éste se empape del líquido amniótico, al mismo tiempo que percibe las emociones de la madre y, en general, del entorno.
- Octavo mes: se acelera la ganancia de peso hasta el parto, el lanugo empieza a desaparecer y los pulmones están prácticamente maduros. En la mayoría de los casos el feto se ha girado para adoptar la llamada posición cefálica (boca abajo).
- Noveno mes: se alcanzan el tamaño y el peso definitivos mientras se «encaja» la cabeza entre la pelvis de la madre. Desde ahora el feto está preparado para el momento del parto.

■ La placenta es un órgano constituido por tejidos maternos y embrionarios y formado por dos membranas:

- Una externa, llamada corion, que entra en contacto con la pared del útero para conectar con los vasos sanguíneos de la madre y garantizar así la nutrición y oxigenación del feto.
- Una interna, llamada amnios, que está en contacto con el líquido amniótico que rellena el útero y protege al feto.

Las principales funciones de la placenta son nutricionales, como ya hemos mencionado, actuando como una importante barrera de protección del feto. Además, contribuye a la formación del líquido amniótico y desarrolla una serie de hormonas imprescindibles. Los deshechos del metabolismo del feto pasan a través de la placenta a la madre para que ésta los elimine.

PATOLOGÍA DEL EMBARAZO

■ Antes de referirnos de forma separada a las principales enfermedades que pueden acontecer durante este periodo, es importante recordar los principales factores de riesgo previos a la concepción que pueden predecir dificultades a lo largo del mismo. Estos factores son:

- Edad: mujeres menores de 16 años o mayores de 35.
- Obesidad y peso menor de 45 kg. Baja estatura.
- Anomalías en la estructura ósea de la mujer, especialmente de la pelvis.
- Anemia grave.
- Antecedentes de embarazos ectópicos o de dos o más abortos espontáneos.
- Malformaciones uterinas o cirugías previas de este órgano.
- Antecedentes de dificultades en el parto.
- Consumo de drogas y prostitución. Infección por VIH.

Durante el embarazo pueden aparecer otros factores de riesgo que pongan en peligro su curso normal o perjudiquen al desarrollo fetal. Entre estos destacan el tabaquismo de más de diez cigarrillos al día, el consumo de alcohol, ciertos fármacos, algunas infecciones maternas, el exceso o falta de líquido amniótico, las hemorragias vaginales y la aparición de enfermedades como diabetes, hipertensión, anemia o tumores.

DIABETES

El embarazo es un periodo de grandes cambios en el metabolismo del organismo de las mujeres, incluyendo el de los hidratos de carbono o azúcares. La placenta produce, entre otras sustancias, el llamado lactógeno placentario que favorece la aparición de elevaciones de glucosa por encima de los límites razonables en algunos casos. La diabetes durante el embarazo es un factor de riesgo tanto para la madre como para el feto, con una mortalidad en este último que ronda entre el 2 y el 4%, además de otros riesgos como las malformaciones congénitas, dificultad respiratoria del recién nacido, hipoglucemias en las primeras horas de vida y crecimiento exagerado del feto dentro del útero por excesivo acúmulo de grasa. Una hiperglucemia descontrolada estimula en exceso el crecimiento del páncreas en el feto, lo que puede resultar peligroso tras el parto al mantenerse cifras elevadas de insulina en el recién nacido que ya no está recibiendo la glucosa materna.

■ La diabetes puede afectar a la mujer gestante de dos maneras diferentes:

- Mujeres diabéticas que se quedan embarazadas: aunque en estos casos nunca esté contraindicado el embarazo, sí que resulta de gran importancia su planificación de acuerdo con el médico, ya que el control de la enfermedad en los meses previos al inicio del mismo y durante el primer trimestre es fundamental para evitar complicaciones. Se deben ajustar las dosis de insulina según las necesidades y practicar autocontroles de glucemia con mucha frecuencia. Los antidiabéticos orales están contraindicados en el embarazo y deben ser sustituidos por insulina o por dieta rigurosa.
- Diabetes gestacional: se denomina así al cuadro de elevación de la glucosa que aparece en el 2-5% de los embarazos. Para su detección se recomienda la realización hacia la semana 26-28 de gestación del llamado test de O'Sullivan, que consiste en la ingesta de 50 g de glucosa en ayunas y la posterior determinación de glucemia (azúcar en la sangre) una hora después; se considera positiva la prueba si esta cifra supera los 140 mg/dl. Aunque se tiende a realizar este test de forma universal, la in-

dicación del mismo es mayor en mujeres obesas, con historia familiar de diabetes o mayores de 35 años. La dieta suele ser suficiente para evitar elevaciones descontroladas de la glucemia, evitando todos aquellos alimentos ricos en azúcares de absorción rápida como los dulces, el chocolate, las bebidas carbonatadas, los helados, los zumos y la bollería. En algunos casos es necesaria la utilización de insulina en el último trimestre del embarazo.

HIPERTENSIÓN ARTERIAL O GESTOSIS

Parece ser que la vasoconstricción o disminución del calibre de las arterias durante la segunda mitad del embarazo es la responsable de la aparición de hipertensión arterial. Ésta se detecta como una elevación significativa de los valores tensionales respecto al comienzo de la gestación o, de forma general, como una tensión superior a 140/85 mm de Hg durante el mismo. Suele presentarse a partir del segundo trimestre, ya que paradójicamente, la tensión arterial disminuye casi siempre en el primero.

La hipertensión es una de las principales causas de mortalidad materna en los países desarrollados y se relaciona con complicaciones fetales como parto prematuro y retraso del crecimiento fetal por afectación de la unión úteroplacentaria. La pérdida de proteínas a través de la orina o proteinuria es un signo de complicación de este cuadro, así como la aparición de edemas por excesiva retención de líquidos. Otra complicación es la aparición de crisis hipertensivas con convulsiones, lo que se denomina eclampsia.

El tratamiento con dieta baja en sal puede ayudar al control de las cifras de tensión en caso de existir edemas muy importantes, aunque, por lo general, no es muy recomendable por la disminución de sodio en la sangre que acompaña siempre al embarazo.

Normalmente es necesario el empleo de fármacos de forma pautada que mantengan las cifras dentro de los límites correctos. El mayor riesgo de hipertensión en el embarazo se da en mujeres con antecedentes de hipertensión previa, obesidad, embarazo múltiple, enfermedad renal y estrés.

ANEMIA

Durante el embarazo el volumen sanguíneo total aumenta casi en 1,5 l por encima de lo normal, especialmente a partir de la décima semana de gestación, gracias al incremento de la retención en los riñones de agua y sales. Este aumento de volumen se justifica por los mayores requerimientos del útero y los senos en la mujer, tanto para ralentizar el desarrollo del feto como su posterior lactancia. La médula ósea no es capaz de producir glóbulos rojos al mismo ritmo al que aumenta el volumen plasmático, por lo que éstos se diluyen apareciendo la llamada anemia dilucional o fisiológica normal en cualquier embarazo.

El tratamiento con hierro se realiza no por una falta real de éste sino para estimular la producción de glóbulos rojos o hematíes que «rellenen» el aumento del volumen sanguíneo. Un caso aparte son las anemias secundarias a malnutrición o hemorragias crónicas presentes antes del embarazo y/o durante el mismo, que requerirán un seguimiento y tratamiento específico.

ALTERACIONES CARDÍACAS

El aumento de volumen sanguíneo durante el embarazo supone una carga adicional para el corazón, cuyo esfuerzo aumenta hasta un 50% hacia el final de la gestación. Las mujeres que padecen afectaciones de las válvulas cardíacas (principalmente estenosis mitral) desapercibidas pueden comenzar a manifestar signos o síntomas de las mismas como consecuencia de esta carga adicional. Esto puede manifestarse en forma de congestión venosa pulmonar y en los tejidos periféricos.

Con frecuencia aparece en algunas mujeres un soplo cardíaco sin significación patológica como consecuencia del referido aumento del gasto cardíaco que no requiere tratamiento específico aunque sí debe ser estudiado.

ESTREÑIMIENTO

La acción de la progesterona durante el embarazo favorece la relajación de las fibras de la musculatura lisa con el fin de permitir el crecimiento del útero a medida que el feto se desarrolla. Este aumento de la relajación muscular afecta también a la capa muscular del paquete intestinal, lo que se traduce en una cierta disminución de su motilidad y una mayor tendencia a retener las heces.

Esto se manifiesta como deposiciones dificultosas y dolorosas más espaciadas en el tiempo, y aparecen en un buen porcentaje de embarazos. El tratamiento consiste en una dieta rica en fibra y agua, junto con otras medidas como el ejercicio moderado que favorece el movimiento del intestino. Los laxantes están contraindicados durante el embarazo.

La aparición de hemorroides, derivada del defecto circulatorio en las piernas y la pelvis por la presión del útero sobre los vasos sanguíneos circundantes, se agrava notablemente con el estreñimiento.

RUBÉOLA

El virus de la rubéola es responsable de una enfermedad benigna que cursa con la producción de exantemas o lesiones rojizas en la piel que no se acompaña en general de grandes complicaciones. Sin embargo, durante el embarazo, especialmente antes de la semana 20 de gestación, este virus se asocia con una alta incidencia de abortos, malformaciones congénitas y retrasos en el desarrollo fetal como cataratas, ceguera, sordera y afectaciones cardíacas.

La vacunación masiva de las mujeres al inicio de la adolescencia ha erradicado prácticamente por completo los efectos indeseables de esta enfermedad durante la gestación. Aún así es recomendable la detección mediante analítica de los anticuerpos frente a la enfermedad para confirmar la inmunidad permanente hacia la misma. En caso de no estar vacunada o no haber sufrido la enfermedad con antelación al embarazo las posibilidades de adquirirla durante el mismo son, al igual que en el resto de la población, del 15-20%. Este hecho justifica el seguimiento durante el embarazo, para descartar la aparición de la infección, que si fuera así podría ser indicación de interrupción voluntaria del mismo.

TOXOPLASMOSIS

La infección por un parásito llamado *Toxoplasma gondii* cursa en la mayoría de los casos de forma asintomática en los seres humanos, aunque en la mujer embarazada puede provocar graves lesiones en el feto. Este protozoo se encuentra en la naturaleza en forma de quistes que contaminan las frutas y las verduras y pueden proceder de las heces de algunos animales como los gatos; la carne de los animales infectados puede poseer también dichos quistes entre las fibras de su musculatura.

La mayoría de la población ha entrado en contacto con este parásito a lo largo de su vida sin desarrollar ninguna sintomatología aparente pero produciendo una reacción inmune que protege frente a nuevas infecciones.

En aquellos casos en los que no se demuestre la protección frente a esta infección en las primeras semanas de embarazo, es necesario realizar durante el resto del mismo una serie de medidas preventivas para su contagio como son el lavado de las frutas y las verduras, la ingesta de carne muy hecha o muy cocida y evitar el contacto con gatos. Aún así es necesario repetir la analítica con posterioridad para detectar que se haya producido la infección durante la gestación, lo que puede manifestarse con posterioridad en forma de alteraciones neurológicas graves en el recién nacido, especialmente si se produce antes de la semana 26.

ALTERACIONES DE LA PIEL Y SUS ANEJOS

De forma característica se produce un oscurecimiento en la piel de las mujeres embarazadas, especialmente en aquellas de tez morena. Los pezones y las areolas se pigmentan a medida que avanza la gestación y aparece una línea negra más o menos ancha desde el vello púbico hasta el ombligo. Todos estos cambios son normales y no representan patología ninguna en sí mismos.

Sin embargo, en algunos casos se producen una especie de cicatrices rosadas en el abdomen, muslos, glúteos y mamas llamadas estrías. Se deben a la rotura de las fibras de colágeno por la falta de elasticidad en la piel de algunas mujeres, que de por sí es más débil y frágil durante el embarazo. La hidratación de la piel de forma abundante y diaria es el mejor remedio para prevenir su aparición o cuando menos controlar su extensión.

En general el cabello se torna más graso, sobre todo al final del embarazo, además de más grueso y abundante. Este exceso de pelo se pierde tras el parto dando la impresión de que se produce una verdadera alopecia, lo que ocurre únicamente en pocos casos. La

debilidad y fragilidad de las uñas son también típicas de la gestación.

Las grandes cantidades de progesterona producidas durante el embarazo pueden favorecer la inflamación y el ablandamiento de los márgenes de la encía que rodea a los dientes, lo que se traduce en ocasiones en sangrado de la misma durante el cepillado. Es imprescindible una buena higiene oral durante la gestación para evitar complicaciones derivadas de esta mayor sensibilidad oral; puede resultar de utilidad el empleo de cepillos de dientes y dentífricos especiales para encías sensibles.

VARICES

El embarazo puede empeorar la evolución de las varices venosas de los miembros inferiores y la región que rodea la vulva vaginal o incluso provocar su aparición por primera vez. Su aparición se debe a la acción relajante de las hormonas sobre la pared de las venas y a la congestión de las mismas por la dificultad para el retorno venoso de la sangre, por la compresión de los vasos principales en la región pélvica y abdominal.

■ Su tratamiento es básicamente preventivo y consiste en:

- Evitar permanecer mucho tiempo de pie sin moverse o sentada con las piernas cruzadas. El mecanismo de retorno sanguíneo de los miembros inferiores depende, en gran medida, de la acción de la musculatura sobre las venas.
- Empleo de medias elásticas de compresión, especialmente cuando se va a caminar durante mucho tiempo.
- Apoyar las piernas sobre un taburete o silla cuando se vaya a permanecer sentado durante mucho tiempo. También se reco-

mienda dormir con una almohada debajo de los pies o las nalgas según la localización de las varices.

- Realizar ejercicios específicos para mejorar la circulación sanguínea.

NUTRICIÓN DURANTE EL EMBARAZO

La alimentación antes y durante el embarazo es un factor primordial que influye en la salud de la madre y su futuro hijo. No existe una dieta ideal única para la mujer embarazada, sino que la clave está en el equilibrio de todas las sustancias nutritivas necesarias para el organismo. El embarazo supone un aumento de las necesidades calóricas diarias en torno a 300 o 400 kcal, cifra aún mayor durante la lactancia.

Las proteínas deben ser al menos en un 50% de origen animal o de alto valor biológico, como las provenientes de los huevos, la leche, el pescado y la carne, completándose el resto de necesidades proteicas con cereales y legumbres.

Los hidratos de carbono deben consumirse en forma de pan, pasta, fruta y legumbres, preferiblemente en forma de compuestos integrales, evitando los azúcares como la sacarosa o cualquier otro que se absorba de forma rápida.

Las grasas son también necesarias en el embarazo como fuente de energía y como origen de múltiples sustancias esenciales para el embarazo. El aceite de oliva puede alternarse con los de origen vegetal.

■ Las principales sales minerales sobre las que se presta mayor atención en este periodo son:

- Calcio: las necesidades suplementarias de este mineral pueden cubrirse con un suplemento diario de dos vasos de leche o su equivalente en otros derivados lácteos. Si

esto no fuera posible se recomienda la toma de calcio oral a dosis similares.

- Hierro: a medida que avanza la gestación las necesidades de hierro se hacen cada vez mayores, fundamentalmente para incrementar la producción de glóbulos rojos en la médula ósea. Aunque desaparece la menstruación y se absorbe más hierro a nivel digestivo, es necesario un suplemento de 30-60 mg de hierro elemental en cualquiera de sus formas.
- Fósforo, magnesio, cobre, yodo, zinc y flúor son también primordiales durante la gestación.

■ El papel de las vitaminas durante este periodo es fundamental para la formación correcta del embrión. Entre las más importantes destacan:

- Ácido fólico: su defecto puede ocasionar malformaciones en la futura columna vertebral del embrión, así como bajo peso al nacer y hemorragias. Se recomienda la toma de esta sustancia antes y durante el primer trimestre del embarazo, sobre todo en los países occidentales donde la dieta es deficitaria en este aspecto.
- Vitamina B6: su necesidad es mayor desde la mitad de la gestación cuando comienza el desarrollo más rápido del sistema nervioso central del feto. Una dieta rica en cereales integrales, legumbres, carne y pescado suele ser suficiente para obtener las cantidades necesarias.
- Vitamina B12: junto con el ácido fólico contribuye a la reproducción celular, que como es obvio, es un proceso fundamental en la formación del feto. Se halla básicamente en los alimentos de origen animal.
- Vitamina D: indispensable para el metabolismo del calcio; en aquellas regiones con deficiente radiación solar, en mujeres

adolescentes y en dietas con restricción de grasas puede estar indicado el empleo de suplementos de esta sustancia.

FÁRMACOS EN EL EMBARAZO

La recomendación general en cualquier mujer embarazada es la de evitar por completo la toma de fármacos desde el mismo instante en que es consciente de su estado. Esto se debe a que los fármacos atraviesan en su gran mayoría la barrera placentaria y circulan por la sangre fetal, pudiendo producir secundariamente efectos indeseables sobre el feto. Se denomina capacidad teratógena farmacológica a las malformaciones, deformaciones, retrasos del crecimiento y, en general, alteraciones del desarrollo (incluyendo la muerte intrauterina) que pueden aparecer como consecuencia de la toma de un medicamento, especialmente durante el primer trimestre de gestación.

Consejos sobre el embarazo

■ Acudir al médico tan pronto como se sospeche del mismo, suspendiendo cualquier tratamiento farmacológico que no sea imprescindible, así como las dietas adelgazantes.

■ Cumplir de forma estricta con las visitas periódicas al especialista y la matrona, incluyendo las analíticas, las ecografías y las monitorizaciones.

■ Eliminar los hábitos tóxicos como el tabaco, el alcohol y las drogas; limitar el consumo de té, café y bebidas con cafeína.

■ Evitar deportes violentos y actividades peligrosas; realizar ejercicio físico en forma de gimnasia y paseos.

■ Beber abundante agua para impedir la aparición de infecciones urinarias, evitar los picores de la piel e impedir la formación de hemorroides.

■ Utilizar ropas cómodas y holgadas, preferentemente de algodón, no porque se pueda producir daño al feto, sino para mejorar las condiciones físicas de la madre durante el embarazo.

■ Mantener una dieta equilibrada con el fin de evitar un aumento de peso durante el embarazo superior a 12 kg; cumplimiento estricto de los suplementos vitamínicos que hayan sido prescritos.

■ Evitar las comidas copiosas; es aconsejable para evitar los ardores de estómago realizar comidas moderadas o pequeñas cada poco tiempo.

■ Higiene corporal diaria, más aconsejable en forma de ducha que de baño; hidratación de la piel del abdomen y las mamas junto con masajes periódicos de éstas.

■ Procurar dormir entre ocho y nueve horas diarias como mínimo.

■ No realizar viajes durante los dos últimos meses de gestación, especialmente aquellos que excedan de más de dos horas seguidas. De igual manera no se debe permanecer sentado durante mucho tiempo.

■ Utilizar protectores solares aunque el tiempo de exposición no vaya a ser muy prolongado; evitar en la medida de lo posible los tintes y cualquier cosmético de forma abusiva.

■ Evitar el contacto con gatos u otros animales susceptibles de transmitir alguna enfermedad así como las visitas a enfermos infecciosos.

■ Mantener con normalidad las relaciones sexuales, que en ningún caso están contraindicadas salvo en el caso de hemorragias, infecciones vaginales o contracciones uterinas.

No obstante, en determinadas ocasiones y bajo supervisión médica, puede resultar imprescindible el empleo de ciertos fármacos como algunos antibióticos, broncodilatadores, antitérmicos y otros cuya abstinencia podría poner en peligro de forma seria la salud de la mujer gestante. Las mujeres sometidas a tratamientos crónicos deben consultar siempre sobre la posibilidad de quedarse embarazadas sin suspender previamente su medicación.

Embarazo

EMBARAZO

Los factores de riesgo previos a la concepción y que pueden complicar el curso de un embarazo son:

- Edad: mujeres menores de 16 años o mayores de 35.
- Obesidad o peso menor de 45 kilos.
- Anomalías pélvicas de la mujer y antecedentes de dificultades en el parto.
- Anemia grave.
- Antecedentes de embarazos ectópicos o abortos espontáneos.
- Consumo de drogas y prostitución.

ALTERACIONES CARDÍACAS

Por la carga adicional que el embarazo supone para el corazón.

HIPERTENSIÓN ARTERIAL O GESTOSIS

En ocasiones puede detectarse una elevación significativa de los valores tensionales a partir del segundo trimestre de embarazo, como consecuencia de la vasoconstricción o disminución del calibre de las arterias.

Es una de las principales causas de mortalidad materna y complicaciones fetales en los países desarrollados, pudiendo desembocar en un cuadro grave de crisis hipertensivas con convulsiones denominado eclampsia.

ANEMIA

Durante el embarazo se produce un aumento del volumen sanguíneo total gracias a una mayor retención de líquidos y sales en los riñones. Esto se traduce en una disminución del número de glóbulos rojos por mililitro de sangre, dado que la médula ósea no es capaz de incrementar su producción de forma tan rápida.

El tratamiento con hierro pretende estimular la producción de glóbulos rojos en este caso, que no es una enfermedad en sí misma sino una consecuencia fisiológica del embarazo.

DIABETES

Puede afectar a las mujeres de dos maneras diferentes:

- Mujeres diabéticas que se quedan embarazadas y que deberán ajustar sus dosis de insulina a la nueva situación.
- Diabetes gestacional o elevación de la glucosa que aparece en el 2-5% de los embarazos como consecuencia de la acción hormonal de la placenta. La dieta suele ser suficiente para controlar dicha elevación aunque en ocasiones es necesario el empleo de insulina.

ESTREÑIMIENTO

Debido a la relajación muscular intestinal producida por la progesterona.

RUBÉOLA

Virus asociado a malformaciones del feto que debe evitarse con vacunación.

TOXOPLASMOSIS

Protozoo que provoca malformaciones en el feto.

ALTERACIONES DE LA PIEL

Pigmentación, estrías, cabello graso, uñas débiles, etc.

VARICES

En la región pélvica y abdominal.

NUTRICIÓN EN EL EMBARAZO

Se deben mantener los niveles de calcio, hierro, vitaminas y minerales.

FÁRMACOS EN EL EMBARAZO

Recomendación general de no consumirlos excepto por prescripción médica.

CONSEJOS EN EL EMBARAZO

Dieta equilibrada, visitas médicas, etc.

Parte XIV

Cáncer

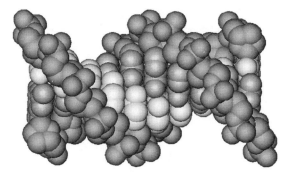

✓ Tumores cerebrales
Gliobastoma multiforme • Astrocitoma • Meningioma • Oligodendroglioma • Ependimoma • Craneofaringioma • Meduloblastoma • Adenomas hipofisiarios • Metástasis cerebrales

✓ Cáncer de pulmón
Carcinomas broncogénicos

✓ Tumores del tiroides
Carcinoma papilar de tiroides • Carcinoma folicular de tiroides • Carcinoma anaplástico o indiferenciado • Carcinoma medular de tiroides • Linfoma maligno de tiroides

✓ Cáncer de cuello del útero y endometrio

✓ Tumores de mama

✓ Cáncer de hígado y páncreas
Carcinoma hepatocelular • Adenocarcinoma de páncreas

✓ Tumores de colon y recto

Cáncer

No todas las células que forman el cuerpo humano son iguales ni tienen las mismas funciones, aunque procedan todas del mismo par de células germinales que se fecundaron para originar un ser vivo. Durante la gestación se produce una multiplicación y una diferenciación de las células que permite al organismo primitivo crecer y organizarse en múltiples estructuras especializadas en una función concreta.

Así, los órganos del cuerpo humano o más propiamente los tejidos que los forman, están compuestos por células con características particulares tanto en su forma como en su función, es decir, adaptadas al papel biológico que tienen que desempeñar. No obstante, todas las células de un mismo organismo poseen en su interior un núcleo que contiene el mismo material genético hereditario, a excepción de aquellas que, por exigencias de su función, han perdido dicho núcleo durante su formación, como, por ejemplo, los hematíes o las neuronas.

Las células tienen su propio periodo vital que incluye su nacimiento, desarrollo, multiplicación y muerte, lo que se traduce en que el cuerpo humano se renueva de forma constante, casi imperceptiblemente, con un orden pautado. La reproducción celular se basa en la capacidad del ADN para formar réplicas más o menos exactas de sí mismo; así, cuando llega el momento adecuado, el núcleo celular se fragmenta y origina dos nuevas células idénticas que se incorporan al tejido concreto al que pertenecen tras un periodo de maduración en algunos casos. Las células poseen una especie de reloj biológico interno que señala el momento adecuado para comenzar la reproducción, dependiendo siempre de las necesidades del organismo, como el crecimiento general del individuo, la reparación de lesiones concretas, la lucha contra una infección, etc.

El cáncer es el resultado de un crecimiento desorganizado de las células en un punto concreto del organismo. Las células cancerosas, en vez de mantener el orden establecido y necesario para su reproducción, comienzan a dividirse de forma inapropiada escapándose del control de los mecanismos que regulan esta función. Además, estas células son incapaces de organizarse de una forma congruente en el tejido en el que crecen y tampoco realizan correctamente la función que, por su origen y su localización, deberían desempeñar.

■ El origen del cáncer se sitúa en la modificación del ADN de las células por diferentes circunstancias, que se traduce en la aparición de estirpes clonales que se reproducen a gran velocidad a partir de una célula adulterada en su código genético. Se conocen algunas de las causas que provocan la aparición de células cancerosas en el organismo, que de forma general se pueden resumir en:

• Factores químicos, o sustancias que actúan de forma directa o indirecta en la gé nesis de un proceso canceroso tras el contacto reiterado con las mismas, como por ejemplo el humo del tabaco, el asbesto (un mineral que produce un polvo venenoso y provoca enfermedades pulmonares), el alcohol, el benceno y los ácidos grasos insaturados entre otros.

- Factores físicos, o radiaciones electromagnéticas que actúan sobre el núcleo celular, como los rayos X, la radiación gamma, los isótopos radiactivos, los rayos ultravioleta y otros.

- Factores virales, que actúan como coadyuvantes en la producción de algunos tipos de cáncer, como el virus de la hepatitis, el virus del papiloma o el virus de Epstein-Barr. Estos virus introducen su material genético en la célula con el fin de reproducirse a costa de ella, convirtiéndola en maligna de forma secundaria.

- Factores genéticos o hereditarios que predisponen al individuo a padecer un tipo concreto de cáncer cuando se le expone a ciertos desencadenantes.

La oncología actual se basa en las aportaciones de la biología molecular para hablar directamente de oncogenes o células precursoras de cáncer que se activan en un momento determinado por la acción de diversas circunstancias.

■ Podemos dividir el proceso de formación y evolución del cáncer en varias etapas:

1. Aparición de una célula modificada por una alteración en su carga genética que la hace diferente a las que la rodean: en la mayoría de los casos esta alteración es incompatible con la vida y la célula no progresa.
2. Aparición de una célula modificada que sí es capaz de sobrevivir pese a su diferencia, pero que es neutralizada y destruida por el sistema inmune defensivo del propio organismo, que la reconoce como extraña.
3. Proliferación de toda una serie o clon celular a partir de una célula cancerosa que ha sobrevivido al sistema defensivo y se ha adaptado mediante selección natural a las condiciones que le rodean. Según cada tipo de cáncer este proceso puede ser muy rápido o prolongarse durante años.
4. Formación de una masa tumoral desorganizada y deforme que desplaza al tejido sano circundante por su rápido crecimiento, actuando como parásito del mismo y formando sus propios vasos sanguíneos.
5. Migración de las células tumorales a través de la vía sanguínea y/o linfática hacia otros tejidos corporales donde asienta y comienza de nuevo a proliferar, formando tumores llamados secundarios; esto es lo que se denomina metástasis.

No todos los tumores son iguales sino que, dependiendo del tipo de célula a partir de la cual se originaron, tendrán unas características especiales. La malignidad de un tumor vendrá dada por su capacidad de infiltración y destrucción de los órganos que le rodean y por la posibilidad de producir metástasis.

El cáncer constituye una de las mayores causas de mortalidad en la actualidad, siendo la primera entre los individuos de mediana edad. El número de casos diagnosticados de cáncer en los últimos años ha ido en aumento de forma progresiva, lo que se explica de forma parcial por los avances de la medicina en cuanto a técnicas diagnósticas y protocolos de detección precoz y también por el aumento de la esperanza de vida de la población.

■ Los métodos habitualmente empleados para el diagnóstico del cáncer son:

- Historia clínica: existen una serie de datos en la biografía del enfermo que pueden orientar hacia la presencia de una patología de este tipo, como son los antecedentes familiares, la exposición a factores de riesgo cancerígeno y la presencia de un cuadro llamado síndrome constitucional, que se caracteriza por pérdida de peso considerable, cansancio y malestar general en los últimos meses. Cada tipo de tumor puede tener sus signos precoces, como, por ejemplo, la producción de esputos sanguinolentos en los de pulmón, el estreñimiento súbito en los de colon y la afonía en los de laringe entre otros ejemplos. Lógicamente, la aparición de estos síntomas no significa necesariamente el desarrollo de un tumor, sino que más bien al contrario, el cáncer es la causa más infrecuente de que aparezcan.
- Exploración física: detección cuando sea posible de los abultamientos que produzca el crecimiento tumoral en el abdomen, en las mamas, en el cuello, en la próstata, etc.

- Analítica sanguínea: aumento o disminución de algunos valores bioquímicos como consecuencia del crecimiento tumoral. La detección de ciertos marcadores tumorales permite descubrir de forma bastante fiable la presencia de algunos tipos de cáncer.
- Técnicas de imagen: permiten visualizar en muchos casos la masa tumoral o la reacción inflamatoria que los rodea; las principales son la radiografía normal o con contrastes, la resonancia magnética y el escáner.
- Biopsia: el estudio de una parte del tumor a través del microscopio proporciona el diagnóstico definitivo del mismo.
- Otras técnicas: prácticamente cualquier método diagnóstico empleado en la actualidad puede detectar una formación tumoral en un momento dado, como por ejemplo con la endoscopia y la broncoscopia. La cirugía detecta también los tumores bien de forma casual o utilizada como técnica exploratoria.

Tumores cerebrales

Existen multitud de tumores cerebrales en función de su origen, localización y sintomatología, con un grado de malignidad y una progresión diferente en cada caso. Su porcentaje de aparición no es muy frecuente salvo en la etapa infantil.

Se denominan tumores cerebrales, o más concretamente intracraneales, a todas aquellas formas cancerosas que afectan a las estructuras, nerviosas o no, del interior de la cabeza. No se trata de un tipo de tumor relativamente frecuente, aunque en la infancia representa la segunda causa más frecuente de cáncer después de la leucemia. A partir de los 40 años de edad su incidencia aumenta de forma progresiva. El origen de este tipo de tumores es desconocido, aunque en algunos casos podrían tener una base congénita o hereditaria.

■ Los síntomas asociados a los tumores intracraneales varían dependiendo de la localización del tumor y de sus características biológicas completas. Algunos tumores pueden tener un crecimiento rápido que se manifieste expresivamente en poco tiempo mientras que otros pueden progresar tan lentamente que pasen desapercibidos durante años hasta su diagnóstico. En general, se pueden dividir los signos y síntomas que acompañan a estos tumores en:

- Focales: producidos por la masa tumoral creciente, incluyendo convulsiones, pérdida de fuerza, dificultad para el lenguaje y otros defectos neurológicos.
- Generales: secundarios al aumento de presión intracraneal del líquido cefalorraquídeo y consisten en cefalea, trastornos mentales, náuseas y vómitos, mareos y alteraciones de la personalidad.

Como ya hemos mencionado, existen diferentes tipos de tumores intracraneales según su origen y su localización, que poseen sus propias características en cuanto a la sintomatología y la evolución de los mismos. Además existen diferencias en cuanto a velocidad de progresión, capacidad invasiva y respuesta al tratamiento, que hacen que el pronóstico de estos tumores varíe considerablemente dependiendo de muchas circunstancias, no siendo posible establecer un pronóstico común a todos ellos.

A continuación describiremos los principales tipos.

GLIOBLASTOMA MULTIFORME

Es un tumor derivado del astrocito maduro (célula estrellada con funciones defensivas cerebrales) que representa hasta el 20% de todos los tumores intracraneales. Aparece con más frecuencia en edades avanzadas de la vida y con ligera predominancia en el sexo masculino.

Se localiza principalmente en uno de los hemisferios cerebrales aunque suele extenderse al otro a lo largo de su evolución. Al tratarse de un tumor muy vascularizado puede manifestarse de forma aguda con hemorragias cerebrales, aunque su modo normal de presentación es como convulsiones junto con cefalea, trastornos del comportamiento y mareo. La aparición de estos síntomas precede unos cuantos meses antes al diagnóstico definitivo de la enfermedad.

Se trata de un tumor muy maligno, cuyo tratamiento combinado de cirugía, radioterapia y quimioterapia es poco satisfactorio. El pronóstico empeora con la edad del individuo, siendo en cualquier caso la supervivencia media desde su diagnóstico de un año.

ASTROCITOMA

Consiste en un tumor sólido, y a menudo mal delimitado, compuesto por astrocitos similares a los normales pero de características cancerosas que crecen y se reproducen de forma más o menos lenta. En la mayoría de los casos son de baja malignidad y se localizan en la parte inferior del sistema nervioso central, especialmente en el tronco cerebral y en el cerebelo.

Los astrocitomas son más frecuentes en la infancia y entre los 40-50 años de edad, localizándose en este último caso con más frecuencia en los hemisferios cerebrales. Se manifiestan normalmente como convulsiones o crisis epilépticas junto con déficits localizados de alguna función neurológica, como pérdida de fuerza o del habla entre otras.

El tratamiento quirúrgico de estos tumores ofrece buenos resultados, siempre y cuando la región intracraneal que ocupan sea accesible al cirujano, de tal forma que pueda extirparse radicalmente; las localizaciones cerebelosas favorecen esta circunstancia. Cuando no se produce la extirpación completa del tumor pueden indicarse tratamientos coadyuvantes como la radioterapia, aunque el pronóstico empeora notablemente.

MENINGIOMA

Es un tumor benigno originado a partir de las células de la aracnoides, que es una de las tres meninges o envolturas del sistema nervioso. Representa el 15% de todos los tumores cerebrales, siendo más frecuente en los adultos que en los niños, así como en general en las mujeres.

El meningioma suele crecer de forma lenta y bien delimitada, con una cápsula que lo envuelve, desplazando al tejido nervioso que le rodea sin llegar a invadirlo; en ocasiones puede llegar a alcanzar dimensiones enormes. Puede localizarse en muchos puntos diferentes dentro del cráneo e incluso afectar al hueso que lo recubre.

Los síntomas, generalmente convulsiones, preceden al diagnóstico durante muchos años dado su lento crecimiento. Es un tumor extirpable en la mayoría de los casos ya que no invade la estructura cerebral, produciéndose la curación completa cuando se elimina toda su extensión. Cuando la extirpación es incompleta, el tumor suele recidivar o reaparecer.

OLIGODENDROGLIOMA

Se denomina así al tumor derivado de la oligodendroglía o sustancia de sostén y de defensa que se extiende entre las estructuras neurológicas, especialmente en la llamada sustancia blanca cerebral. Es un tumor de crecimiento lento que aparece en los hemisferios cerebrales, principalmente en el nódulo frontal, con abundante vascularización y con calcificaciones en su interior.

Se manifiesta también en forma de convulsiones, además de cefalea, alteraciones del comportamiento y síntomas secundarios al aumento de la presión intracraneal. Al igual que los astrocitomas, la mayor dificultad en su tratamiento reside en la imposibilidad de acceder a los mismos mediante cirugía.

El pronóstico varía notablemente según la malignidad concreta de cada tipo de oligodendroglioma, con una supervivencia que puede ser desde 15 meses hasta más de diez años en las formas benignas.

EPENDIMOMA

Se denomina así al tumor derivado de las células del epéndimo o membrana que tapiza el conducto central de la médula espinal y el interior de los ventrículos cerebrales. Representa en torno al 5% de todos los tumores intracraneales.

Se trata de tumores muy vascularizados que pueden manifestarse a cualquier edad e invadir algunas regiones cerebrales, principalmente en la región parietal y occipital. Los síntomas acompañantes son similares a otros tumores, es decir, crisis convulsivas, cefaleas, náuseas y vómitos.

El tratamiento quirúrgico de este tipo de tumores se suele completar con radioterapia sobre la región cerebral donde se asentaba, con un porcentaje de supervivencia media a los cuatro o cinco años de su diagnóstico cercano al 50%.

CRANEOFARINGIOMA

Es un tumor congénito, en forma de quiste, derivado de algunas células que permanecen en torno al tallo de la hipófisis tras el periodo embriológico o de formación del feto. Se manifiesta clínicamente antes de los 15 años de edad como consecuencia de su crecimiento, que puede comprimir el lóbulo frontal, el hipotálamo o incluso el quiasma óptico (punto de cruce de las fibras nerviosas provenientes de ambos ojos).

Sus manifestaciones son las correspondientes al aumento de la presión intracraneal como náuseas, apatía, incontinencia urinaria, desequilibrio de la marcha y otras. En los niños el cuadro se caracteriza por retraso del desarrollo físico e intelectual, defectos visuales (por la mencionada afectación del quiasma óptico) y cefalea. En los adultos las manifestaciones más frecuentes son disminución de la líbido, amenorrea, somnolencia y confusión mental.

El tratamiento, de tipo quirúrgico, consiste en la aspiración del contenido del quiste y la extracción completa de su cápsula; el pronóstico depende en gran medida del éxito obtenido con este procedimiento, de la precocidad del mismo y de su capacidad de recuperación de los daños producidos.

MEDULOBLASTOMA

Es un tumor típico de la infancia que se origina en uno de los ventrículos cerebrales o espacios huecos del interior del cerebro bañados por el líquido cefalorraquídeo. Es un tumor maligno de crecimiento rápido que se extiende hacia el cerebelo y produce metástasis con frecuencia.

Sus principales síntomas son el vértigo y la alteración de la marcha, la cefalea y el edema de la papila óptica. El tratamiento combina cirugía, radioterapia y quimioterapia con un mal pronóstico a medio y largo plazo.

ADENOMAS HIPOFISIARIOS

Son tumores de crecimiento lento, con características benignas, que comprimen la hipófisis a medida que crecen en torno a ella, pudiendo extenderse incluso hasta el quiasma óptico o los lóbulos temporal y occipital.

Junto con las posibles alteraciones visuales que produce si se afecta el quiasma óptico, aparecen una serie de síntomas en relación directa con la afectación de la glándula hipofisiaria, encargada de producir una serie de hormonas estimulantes a su vez de otros órganos del cuerpo. Así, pueden aparecer alteraciones del crecimiento como la acromegalia (por afectación de la hormona del crecimiento producida en la hipófisis), sexuales (por afectación de las hormonas gonadotrópicas hipofisiarias), tiroideas y suprarrenales por las mismas causas. La galactorrea (flujo excesivo y espontáneo de la leche durante el periodo de lactancia o fuera de él) puede ser secundaria también a la presencia de adenomas hipofisiarios productores de prolactina, también llamados prolactinomas.

El tratamiento de los adenomas de hipófisis puede ser quirúrgico, bien a través de la vía nasal o directamente por vía craneal, o radioterápico. Mediante determinados fármacos pueden disminuirse las concentraciones excesivas de hormonas producidas por el tumor, aunque no suele variar el tamaño del mismo.

METÁSTASIS CEREBRALES

El cerebro es objeto con frecuencia de metástasis provenientes de otros tumores, especialmente de los pulmonares y del cáncer de mama y, con menos de frecuencia, de los tumores digestivos y renales. Suelen tratarse de metástasis múltiples esparcidas a lo largo de la masa cerebral que pueden pasar desapercibidas hasta que su crecimiento comprime alguna región concreta y aparecen síntomas similares a los de cualquier tumor intracraneal. En ocasiones puede existir una metástasis ósea en los huesos del cráneo que comprimen con su crecimiento el propio cerebro.

Las metástasis solitarias o únicas pueden tratarse quirúrgicamente con un buen resultado en cuanto a desaparición de síntomas durante largo tiempo, mientras que si son múltiples, y por tanto inoperables, el pronóstico es grave.

Tumores cerebrales

TUMORES CEREBRALES

Se denominan así a todas aquellas formas cancerosas que afectan a las estructuras del interior del cráneo, sean o no de tipo nervioso. Son tumores poco frecuentes salvo en la infancia.

Según su origen, su localización y su sintomatología podemos distinguir diferentes tipos de tumores, con un grado de malignidad y una progresión diferente en cada caso.

GLIOBLASTOMA MULTIFORME

Tumor derivado del astrocito o célula defensiva cerebral, que aparece con más frecuencia en edades avanzadas y en los varones. Suele manifestarse en forma de hemorragias cerebrales, convulsiones y cefalea.

Se trata de un tumor muy agresivo con muy baja supervivencia tras su diagnóstico pese al tratamiento combinado con cirugía, radioterapia y quimioterapia.

ASTROCITOMA

Tumor sólido, de crecimiento lento y baja malignidad, que se localiza normalmente en el tronco cerebral y el cerebelo. Se acompaña de convulsiones, crisis epilép-

ticas o determinados déficits neurológicos.

El tratamiento quirúrgico suele ser efectivo aunque puede ser necesaria la radioterapia de forma complementaria.

MENINGIOMA

Tumor benigno originado a partir de una de las meninges (aracnoides), más frecuente entre los adultos y las mujeres, que puede alcanzar enormes dimensiones.

Tiene un crecimiento lento y origina en muchos casos convulsiones y otros signos neurológicos incluso antes de su diagnóstico. La cirugía suele ser curativa de forma definitiva aunque si permanecen restos sin extirpar suele reaparecer.

OLIGODENDROGLIOMA

Tumor derivado de las estructuras de sostén y defensa que envuelven al tejido nervioso. Tiene un crecimiento lento y un grado de malignidad variable según su tipo concreto.

EPENDIMOMA

Tumor derivado de la membrana que tapiza el conducto central de la médula espinal y el interior de los ventrículos cerebrales.

CRANEOFARINGIOMA

En torno al tallo de la hipófisis, se desarrolla durante la gestación.

MÉDULOBLASTOMA

Tumor infantil originado en los ventrículos cerebrales.

ADENOMA HIPOFISIARIO

Tumor lento y generalmente benigno en la hipófisis que puede producir trastornos oculares.

METÁSTASIS CEREBRALES

Provenientes de otros tumores.

Cáncer de pulmón

Los tumores pulmonares abarcan un amplio abanico de procesos benignos y malignos originados en el territorio broncopulmonar y metástasis procedentes de otros tumores del organismo. A principios del siglo XX constituían entidades muy poco frecuentes y prácticamente desconocidas, pero durante la segunda mitad del mismo comenzó a dispararse su incidencia hasta convertirse en el tumor más frecuente de todos los que afectan a los varones, con un aumento similar entre las mujeres.

Existen varios factores predisponentes hacia el desarrollo de cáncer de pulmón, aunque sin duda alguna el más importante es el del humo del tabaco, que por sí solo explica el incremento del número de diagnósticos de esta enfermedad en las últimas décadas, siendo paradójicamente el más evitable de todos. Los fumadores de cigarrillos tienen al menos un riesgo diez veces mayor de desarrollar esta enfermedad que los no fumadores, y sólo tras diez años de abandono del tabaco su riesgo se iguala con el del resto de la población. La evidencia estadística acerca de esta relación se ha completado mediante numerosos estudios que asocian los productos de la combustión de esta sustancia con la génesis de células malignas en el interior del pulmón. Otros factores asociados a este tipo de cáncer son la exposición al asbesto o al amianto, al uranio, y en general a cualquier polución profesional o incluso urbana. Finalmente, cabe destacar la predisposición de cada individuo al desarrollo de estos tumores, incluyendo algunos déficits congénitos de ciertas enzimas pulmonares.

¿QUÉ ES UN NÓDULO PULMONAR SOLITARIO?

■ Se denomina así a una opacidad o «mancha» de aspecto circular y bien delimitada, observada en el espesor de los pulmones en una radiografía de tórax, de un tamaño igual o inferior a 3 cm. Ante su presencia se hace obligado un estudio más profundo para determinar el verdadero origen del nódulo, como por ejemplo:

● Neumonías, infartos pulmonares, hematomas secundarios a contusiones torácicas y, en general, procesos agudos que cursan con la aparición de una mancha pulmonar transitoria que desaparece tempranamente con la curación del proceso causante.

● Tuberculosis, granulomatosis infecciosas, aspergilomas y otros procesos infecciosos que pueden crear cavidades o lesiones en el órgano, pudiendo quedar una imagen de las mismas, calcificadas o no, durante muchos años o incluso toda la vida.

● Tumores benignos como hamartomas, adenomas o quistes broncogénicos.

● Tumores malignos.

● Metástasis pulmonares solitarias procedentes de otros tumores como el hipernefroma, el cáncer de próstata, el seminoma, el cáncer de mama, el melanoma y los tumores de útero, colon y tiroides.

- Falsos nódulos que aparecen (en más ocasiones de lo que se piensa) como consecuencia de la superposición de imágenes en la radiografía como, por ejemplo, por lesiones cutáneas, los pezones, parches cutáneos o incluso botones de la ropa.

La presencia de un nódulo pulmonar solitario exige de inmediato descartar la presencia de un tumor maligno pulmonar, mediante pruebas de imagen avanzadas y, si es posible, mediante comparativa con radiografías anteriores.

A continuación vamos a referirnos a los tumores malignos de pulmón, concretamente al carcinoma broncogénico, que agrupa a la mayoría de las formas de presentación de estos tumores.

CARCINOMAS BRONCOGÉNICOS

Representan el 90% de todos los tumores del sistema broncopulmonar que, aunque se denominen vulgarmente tumores de pulmón, tienen su origen en los bronquios, a partir de los cuales invaden el parénquima o estructura pulmonar. Aproximadamente el 95% de estos tumores están relacionados con el consumo de tabaco; si a esto unimos su mal pronóstico podemos hablar del tumor más prevalente, más letal y más evitable de todos cuantos existen.

■ Podemos dividir las manifestaciones clínicas de estos tumores en tres apartados:

1. Manifestaciones pulmonares: según la localización de la lesión maligna pueden aparecer signos o síntomas diferentes de la enfermedad, de forma precoz o tardía,

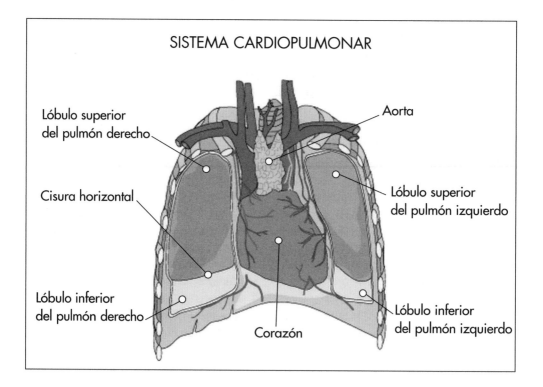

SISTEMA CARDIOPULMONAR

Lóbulo superior del pulmón derecho

Aorta

Cisura horizontal

Lóbulo superior del pulmón izquierdo

Lóbulo inferior del pulmón derecho

Lóbulo inferior del pulmón izquierdo

Corazón

como tos persistente o crónica, expectoración hemoptoica o sanguinolenta en más de una ocasión, disnea o fatiga respiratoria de inicio reciente o de empeoramiento súbito, dolor torácico, afonía o dificultad para tragar.

2. Manifestaciones generales: en el momento del diagnóstico la sintomatología más frecuente es la presencia de anorexia, cansancio, malestar general y pérdida de peso durante los últimos meses. Junto a ellos pueden aparecer otros signos como anemia, tromboflebitis, fiebre y manifestaciones en la piel. No es raro observar alteraciones metabólicas o endocrinas asociadas a estos tumores, como por ejemplo:

   – Ginecomastia o desarrollo excesivo de las mamas.
   – Síndrome de Cushing o hiperactividad de las glándulas suprarrenales.
   – Hipertiroidismo.
   – Galactorrea.
   – Aumento o descenso de las cifras de glucosa y de algunos iones como el sodio y calcio.

3. Manifestaciones secundarias a las metástasis: un tercio de los enfermos que comienzan con algún tipo de sintomatología relacionada con este tumor, presentan ya metástasis en algún otro órgano. El sistema nervioso central es el más afectado, pudiendo aparecer cefaleas, hemiplejía y paraplejía, trastornos de la marcha y cambios bruscos en el comportamiento. Otros órganos afectados son el hígado y las glándulas suprarrenales, junto con los ganglios linfáticos cercanos y los situados por encima de las clavículas.

■ El carcinoma broncogénico engloba a una gran variedad de formas de presentación diferentes según las características de las células malignas, lo que se traduce a su vez en diferentes formas de presentación, evolución y pronóstico. Los principales tipos de carcinoma broncogénico son:

● **Carcinoma escamoso**: suele crecer en el interior de los grandes bronquios hasta obstruirlos, lo que permite su diagnóstico relativamente precoz, lo que unido a su menor agresividad lo convierte en la forma menos maligna de todos los tumores pulmonares.

● **Carcinoma de células pequeñas** o **microcítico**: a su vez se divide en diferentes tipos según la forma concreta de estas células (en grano de avena o intermedias), y también diferentes pronósticos.

● **Adenocarcinoma**: relativamente raro y lento en su evolución, sin implicación del humo del tabaco en su origen. Sus células tumorales producen un tipo de moco característico.

● **Carcinoma de células grandes**: constituye un «cajón de sastre» donde se recogen los tumores pulmonares no encuadrables en los tipos anteriores.

■ El diagnóstico definitivo del carcinoma broncogénico requiere, en cualquier caso, la demostración de la presencia de células malignas de cualquiera de los tipos anteriormente expuestos en el interior de una lesión broncopulmonar. Por tanto, ante la sospecha de este tipo de neoplasias en un individuo de mediana edad, con antecedentes de tabaquismo o enfermedad pulmonar crónica, que presenta tos crónica o con sangre o algún otro síntoma sugestivo, se debe realizar una exploración radiológica del pulmón y, si ésta es positiva, completar el estudio con:

- Análisis del esputo, con el fin de localizar células tumorales y concretar el tipo de tumor. La fiabilidad de la prueba depende directamente de la calidad de la muestra y de la colaboración del paciente.
- Broncoscopia o exploración endoscópica del árbol bronquial mediante una fina cámara que permite visualizar, con gran porcentaje de éxitos, las lesiones pulmonares o nódulos. Permite además obtener muestras de las lesiones observadas o biopsias.
- Punción transtorácica, que pretende obtener células de un nódulo localizado a través de una aguja fina, mientras se realiza un escáner.
- Cirugía, necesaria en ocasiones para alcanzar el diagnóstico de tumores cuya presencia se sospecha aunque el resto de pruebas hayan resultado negativas.
- La tomografía axial computerizada (TAC) o escáner permite valorar o descubrir estas lesiones pulmonares, su grado de extensión, la afectación ganglionar y la presencia de metástasis en otros órganos.

■ El tratamiento de los tumores broncopulmonares tiene dos orientaciones diferentes según las expectativas de curación que ofrece en el momento de su diagnóstico. Así, hablamos de tratamiento paliativo al que pretende controlar el crecimiento y la extensión del tumor con el fin de mejorar la calidad de vida del individuo y prolongar la supervivencia, aunque en ningún caso se produzca la curación. Por otro lado, se habla de tratamiento radical cuando se pretende obtener la curación completa del mismo cuando su forma y su evolución permiten dicha expectativa. En ambos casos se emplean las siguientes medidas terapéuticas:

- Tratamiento quirúrgico: reservado para aquellos casos en los que el estado general del individuo sea lo suficientemente bueno como para tolerar este tipo de intervenciones y en los que, además, existan posibilidades reales de extirpar todo el tejido tumoral y esto pueda suponer la curación definitiva.
- Quimioterapia: sobre todo en los tumores pulmonares microcíticos o de células pequeñas o en aquellos casos de metástasis a distancia.
- Radioterapia: generalmente combinada con quimioterapia y en muchos casos sobre el cráneo para tratar las metástasis cerebrales.

La prevención de este tipo de tumores, principalmente el tabaco, supone la más eficaz medida preventiva para esta enfermedad. Dado que el pronóstico depende en gran medida del grado de extensión del tumor en el momento del diagnóstico, no deben demorarse ni la consulta al médico ni las pruebas diagnósticas de confirmación.

Pese a los avances de la técnica quirúrgica, la radioterapia y la quimioterapia, y también pese a la aparición de nuevos métodos diagnósticos, el pronóstico de los tumores de pulmón es malo, con una tasa de supervivencia muy baja (10%) a los cinco años del diagnóstico. La mayor parte de los tumores son inoperables en el momento en que se detectan; la respuesta y tolerancia a los primeros ciclos de quimioterapia marcan el éxito de la misma. Algunos signos como la presencia de derrame pleural maligno, la extensión local del tumor y la presencia de metástasis ensombrece aún más el pronóstico.

Cáncer de pulmón

Se trata de un tipo de tumores cuya incidencia se ha multiplicado en las últimas décadas de forma muy significativa, posiblemente en relación con el aumento del consumo de tabaco, que es su mayor factor predisponente. Otros factores implicados en este tipo de cáncer son la exposición al asbesto, al amianto, al uranio y, en general, a cualquier tipo de polución.

El diagnóstico de cáncer de pulmón se sospecha en muchos casos a partir de la aparición de una «mancha» u opacidad en la radiografía de tórax, lo que se denomina nódulo pulmonar solitario, que puede corresponder no sólo a tumores sino a otros procesos más benignos.

El carcinoma broncogénico es el tumor maligno más frecuente del pulmón aunque, como su propio nombre indica, se origina siempre en el trayecto de los bronquios. Las manifestaciones clínicas más importantes de este tumor se dividen en tres apartados:

1) Manifestaciones pulmonares: tos, expectoración sanguinolenta, dolor torácico, fatiga.
2) Manifestaciones generales: anorexia, cansancio, pérdida de peso.
3) Manifestaciones secundarias a las metástasis.

El diagnóstico definitivo de estos tumores requiere la detección de células malignas en cualquiera de sus tipos, lo que se realiza mediante diferentes técnicas como: análisis del esputo, broncoscopia, punción transtorácica, cirugía.

El escáner permite valorar o descubrir estas lesiones pulmonares, su extensión y la presencia de metástasis en otros órganos.

El tratamiento puede ser curativo cuando existen expectativas favorables hacia el mismo o simplemente paliativo con el fin de mejorar la calidad de vida del individuo y prolongar, en la medida de lo posible, la supervivencia. Para ello se emplean:

• Técnicas quirúrgicas.
• Quimioterapia.
• Radioterapia.

La medida preventiva más eficaz para estos tumores es el abandono del tabaco. Pese a los avances de la terapéutica, el pronóstico de los tumores de pulmón es malo, con una supervivencia media del 10% a los 5 años del diagnóstico, aunque en cada caso las expectativas pueden ser diferentes según las características del tumor, su extensión y el estado general del individuo.

Tumores del tiroides

Se trata del cáncer más común del sistema endocrino. Existe una serie de factores que favorecen su aparición, como son: la exposición a radiaciones ionizantes, como la energía nuclear, la presencia previa de enfermedades del tiroides o de la hipófisis, el bocio endémico por baja fluoración de las aguas, o factores genéticos que predisponen su aparición.

Los tumores o carcinomas de la glándula tiroides son un tipo de cáncer poco común aunque la incidencia de la enfermedad ha aumentado en los últimos años. Se trata de la neoplasia más común de las que afectan al sistema endocrino y presentan distintos grados de agresividad según su tipo concreto.

Afectan con más frecuencia a la mujer que al hombre y, generalmente, en la edad media de la vida, con un mayor número de casos según aumenta ésta. Debido a las múltiples formas de presentación que tienen estos tumores y al hecho de que pueden pasar desapercibidos durante mucho tiempo, o incluso toda la vida, sin apenas expresión clínica, se diagnostican muchos menos casos de los existentes.

No se conocen con exactitud las causas concretas que provocan la aparición de este tipo de tumores, salvo la exposición a radiaciones ionizantes de forma continuada o en grandes dosis durante un corto periodo de tiempo, como por ejemplo tras un escape de energía nuclear. El periodo de latencia tras la irradiación hasta que aparecen los tumores varía de 10 a 40 años. La enfermedad es directamente proporcional a la dosis radioactiva recibida, aunque paradójicamente cuando ésta es muy alta la tendencia a desarrollar tumores disminuye, ya que actúa al mismo tiempo como «tratamiento» radioterápico del propio tumor que crea.

■ Otros factores que podrían estar implicados son:

- Presencia previa de otras enfermedades del tiroides o de la hipófisis, como por ejemplo la tiroiditis de Hashimoto.
- Regiones del planeta con bocio endémico por baja fluoración de las aguas. Este aspecto resulta aún hoy en día controvertido puesto que el tratamiento preventivo con flúor en dichas regiones parece que no ha disminuido la incidencia de los tumores de tiroides.
- Factores genéticos predisponentes, que explicarían la tendencia de algunos tumores a agregarse en torno a ciertos grupos familiares.

El yodo es fundamental para el desarrollo y funcionamiento del tiroides y está presente en el agua corriente y embotellada, así como en ciertos alimentos como los mariscos, el pescado, la soja y algunas verduras. La sal yodada se emplea habitualmente como condimento culinario.

■ Típicamente el cáncer de tiroides se manifiesta como un nódulo dentro de la estructura de la glándula, más o menos evolucionado, que puede ser benigno o maligno. Las pruebas diagnósticas empleadas para la detección de estos tumores son:

- Gammagrafía tiroidea, que detecta la presencia de nódulos en la glándula y los divide en «fríos» o no captantes de contraste y «calientes» o hipercaptantes. Para ello se ingiere una cápsula o líquido que contiene una sustancia radioactiva a bajas dosis, que, tras ser captada por el tiroides, permite la visualización de la anatomía de la glándula mediante radiografía.
- Ecografía del tiroides, que permite observar la forma, tamaño y localización del nódulo, así como características generales de la glándula tiroidea como su textura y su silueta.
- Biopsia tras punción del nódulo para el estudio de las células que lo forman y la identificación de su naturaleza. Realizada bajo anestesia local mediante una aguja fina.

El diagnóstico de certeza del cáncer del tiroides sólo puede establecerse mediante el estudio de las células que lo forman, lo que debe realizarse tan pronto como sea posible desde la palpación del nódulo cervical. Así, es conveniente consultar al médico la aparición de abultamientos en el cuello, sobre todo cuando permanecen durante largo tiempo y no se corresponden con cuadros típicos de faringoamigdalitis u otras infecciones de dicha zona que pudieran justificar un aumento transitorio del tamaño de los ganglios linfáticos.

Veremos a continuación las principales formas de tumores malignos que pueden aparecer en esta glándula.

CARCINOMA PAPILAR DE TIROIDES

Es el tumor tiroideo más frecuente (70% del total) con especial incidencia en la infancia, la adolescencia y entre los adultos jóvenes. Con frecuencia existe un antecedente de radioterapia en la zona del cuello como tratamiento de enfermedades amigdalares o del timo.

Se trata de un tumor de crecimiento lento que, de forma característica, afecta a los ganglios adyacentes en el cuello, siendo raras las metástasis en zonas más apartadas. Normalmente se detecta como un nódulo indoloro en el cuello, frío o poco captante desde el punto de vista de la gammagrafía, acompañado de adenopatías o aumento de los ganglios en dicha región, sin ningún otro síntoma apreciable e indistinguible de cualquier lesión benigna del tiroides. Tras muchos años o incluso décadas de evolución puede invadir los tejidos vecinos (tráquea, esófago) o diseminarse a través de la sangre a otras regiones.

El tratamiento más habitual consiste en la resección de la región tiroidea que contiene el nódulo, llegando a extirparse completamente la glándula si este es lo suficientemente voluminoso. De forma complementaria se administra yodo radioactivo que, al ser captado por el tiroides, destruye los restos de la glándula y las posibles células tiroideas diseminadas por el organismo imposibles de extirpar. Esta terapia produce un hipotiroidismo secundario que requiere tratamiento hormonal sustitutivo de por vida.

■ El pronóstico de este tumor es relativamente bueno con un alto índice de supervivencia a los diez años de su diagnóstico (85%). Las circunstancias que pueden ensombrecer su diagnóstico son:

- Edad avanzada.
- Nódulos mayores de 4 cm en el momento del diagnóstico.
- Diseminación del tumor tanto a nivel local como a distancia.

CARCINOMA FOLICULAR DE TIROIDES

Supone la segunda forma más frecuente de tumores que afectan a esta glándula y representa aproximadamente entre el 10% y el 15% de todos los casos. Suele aparecer en adultos en torno a los 50 años de edad y de forma típica en aquellas zonas geográficas de bocio endémico con ingesta baja de yodo durante la juventud.

Se manifiesta como un nódulo o masa en el tiroides, dura e indolora, que crece lentamente y que es muy difícil de diferenciar de los adenomas benignos del tiroides. El nódulo es también frío o hipocaptante del isótopo empleado como contraste en la gammagrafía.

A diferencia del carcinoma papilar tiene mayor facilidad para diseminarse a distancia a través de la sangre, sobre todo a los pulmones, a los huesos y al hígado, lo que constituye en ocasiones la primera manifestación sintomática del tumor.

■ El tratamiento consiste en la extirpación completa de la glándula junto con el empleo posterior de yodo radioactivo. Los factores de mal pronóstico son:

- Edades superiores a 50 años.
- Tumores mayores de 6 cm.
- Presencia de metástasis.
- Variantes agresivas de estos tumores que invaden con facilidad los vasos sanguíneos del cuello.

Aunque peor que el carcinoma folicular, el pronóstico de estos tumores es relativamente bueno, sobre todo si se detecta en las primeras fases de su evolución.

CARCINOMA ANAPLÁSICO O INDIFERENCIADO

Constituye alrededor del 10% de los tumores malignos del tiroides y afecta habitualmente a individuos mayores de 65 años. Se trata de neoplasias extraordinariamente malignas, que crecen de forma muy rápida y se diseminan hacia los ganglios más próximos, el pulmón y los vasos sanguíneos del cuello.

Se presentan normalmente como masas duras, mal diferenciadas y frías con la gammagrafía, que sobrepasan el límite del tiroides y que produce dolor en dicha región, especialmente con la palpación. Otros síntomas acompañantes son la ronquera, la tos, la dificultad para tragar y para respirar como consecuencia de la compresión de las estructuras vecinas.

El tratamiento con radioterapia y quimioterapia puede obtener una mejoría transitoria aunque no cura la enfermedad. El pronóstico es desgraciado, con menos del 20% de supervivencia al año de su diagnóstico.

CARCINOMA MEDULAR DE TIROIDES

Consiste en una tumoración tiroidea dependiente de la malignización de unas células concretas de la glándula llamadas parafoliculares o de tipo C, que producen una hormona llamada calcitonina entre otras sustancias. La producción elevada de calcitonina, implicada en el metabolismo del calcio en los huesos, caracteriza a este tumor, que supone entre el 5 y el 10% de las neoplasias tiroideas.

■ Se presenta con incidencia similar en los varones y en las mujeres de dos maneras diferentes:

1. De forma esporádica o sin antecedentes familiares en la mayoría de los casos y típicamente en adultos mayores.
2. De forma familiar, con determinación genética o predisposición hacia el tumor, que se manifiesta entonces entre individuos jóvenes.

Se manifiesta como un nódulo tiroideo, firme e indoloro, junto con síntomas acompañantes derivados de la producción excesiva de sustancias en el tiroides a cargo de las células tumorales como por ejemplo diarreas intensas, sofocos o enrojecimiento cutáneo. Un nódulo tiroideo que se acompaña de cifras elevadas de calcitonina en la sangre indica, de forma casi segura, la presencia de carcinoma medular.

La única medida terapéutica eficaz es la tiroidectomía total o extirpación completa del tiroides que puede completarse con radioterapia en fases posteriores. El pronóstico de este tumor depende decisivamente de la precocidad en su diagnóstico, debido a la tendencia a invadir los ganglios cervicales que le rodean. La supervivencia a los diez años de su diagnóstico se sitúa en torno al 60% de todos los casos.

LINFOMA MALIGNO DE TIROIDES

Se trata de una patología tumoral de esta glándula poco frecuente, que puede presentarse a cualquier edad aunque es más típico entre los ancianos y las mujeres. Se manifiesta como un bocio que crece de forma rápida e invade las estructuras cercanas en pocas semanas o meses. El tiroides adquiere un aspecto duro y doloroso, similar al carcinoma anaplásico aunque de crecimiento más lento.

Se acompaña con frecuencia de otras lesiones típicas del linfoma maligno como por ejemplo hemorragias digestivas secundarias a lesiones gastrointestinales. En la mayoría de los casos se diagnostica tras un intento infructuoso de extirpación quirúrgica de la masa tumoral en el tiroides, lo que obliga a administrar ciclos de quimioterapia y radioterapia con posterioridad.

El pronóstico, generalmente malo, depende de la fase evolutiva en la que se diagnostica y del tipo concreto de células que forman el tumor.

Tumores del tiroides

Se trata de la neoplasia o cáncer más común del sistema endocrino, que afecta con más frecuencia a las mujeres en la edad media de la vida. Entre los factores predisponentes destacan:

- Exposición a radiaciones ionizantes, como por ejemplo, la energía nuclear.
- Presencia previa de enfermedades del tiroides o de la hipófisis.
- Bocio endémico por baja fluoración de las aguas.
- Factores genéticos predisponentes.

Las pruebas diagnósticas empleadas para la detección de estos tumores son:

- Gammagrafía tiroidea.
- Ecografía del tiroides.
- Biopsia tras punción con aguja fina.

Las principales formas de presentación de estos tumores son:

- Carcinoma papilar del tiroides: tumor tiroideo más frecuente, que aparece sobre todo en la infancia y la adolescencia, con un pronóstico muy favorable. Con frecuencia existe un antecedente de radioterapia cervical previa como tratamiento de enfermedades amigdalares o del timo.

- Carcinoma folicular del tiroides: segundo en frecuencia, suele aparecer en torno a los 50 años de edad, típicamente en regiones geográficas con bocio endémico. La presencia de metástasis, los tumores mayores de 6 cm y las variantes agresivas que invaden los vasos sanguíneos del cuello, empeoran su pronóstico.
- Carcinoma anaplásico o indiferenciado: se trata de neoplasias extraordinariamente malignas, de crecimiento rápido, que afectan habitualmente a individuos mayores de 65 años. El pronóstico de este tumor es pésimo con un porcentaje de supervivencia menor del 20% al año de su diagnóstico.
- Carcinoma medular del tiroides: tumoración dependiente de la malignización de las células parafoliculares del tiroides, que puede presentarse de forma aislada o asociada en familias por una determinada predisposición genética.
- Linfoma maligno del tiroides: tumor poco frecuente, que se manifiesta como un bocio de rápido crecimiento que invade las estructuras cercanas y que tiene un pronóstico malo cuando se diagnostica en fases avanzadas.

Cáncer del cuello de útero y endometrio

Se denomina cuello del útero o cérvix a la porción de este órgano hueco que se estrecha en su parte inferior para conectarse con la vagina. Por aquí pasa el feto durante el parto eutócico o vaginal.

CÁNCER DE CUELLO UTERINO

El cáncer de cérvix es una de las neoplasias que afectan con más frecuencia a las mujeres, con una mayor incidencia a medida que aumenta su edad hasta los 35 años, momento en el que se estabiliza para incrementarse después tras la menopausia. Es un problema muy importante desde el punto de vista sanitario, especialmente en ciertas áreas como Sudamérica, Centroamérica y algunas regiones asiáticas, ligado directamente con el bajo nivel socioeconómico. Representa aproximadamente el 15% de todos los tumores originados en el aparato genital de la mujer.

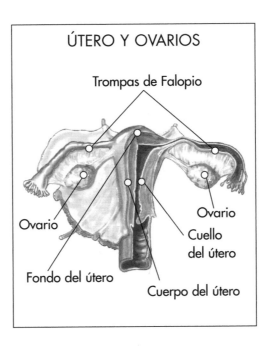

ÚTERO Y OVARIOS

Trompas de Falopio

Ovario

Ovario

Cuello del útero

Fondo del útero

Cuerpo del útero

Se trata de un cáncer que empieza creciendo lentamente y que viene precedido por el desarrollo de una serie de cambios precancerosos en las células de la superficie del cuello uterino. Estos cambios forman un proceso como displasia, durante el cual comienzan a aparecer células anormales potencialmente transformables en células cancerosas.

■ Una vez desarrollada la enfermedad, se pueden distinguir dos tipos principales de cáncer de cérvix:

• Cáncer de células escamosas o epidermoide, que supone hasta el 85% de todos ellos y que puede ser causado por ciertas enfermedades de transmisión sexual, como la transmisión venérea del virus del papiloma humano.

- Adenocarcinoma o tumor menos frecuente que se desarrolla en las glándulas del cuello del útero en torno al canal vaginal.

¿QUÉ FACTORES DE RIESGO EXISTEN PARA ESTE TUMOR?

■ Entre otras circunstancias, y aun reconociendo que las causas precisas de este tipo de cáncer se desconocen hoy en día, existen una serie de factores estadísticamente asociados al mismo, como por ejemplo:

- Conducta sexual: el inicio precoz de las relaciones sexuales, la promiscuidad o el contacto de la pareja con mujeres con esta enfermedad favorecen la aparición de la misma. Esto se debe a la relación entre algunos virus, como el del papiloma, y la aparición de células malignas. Las mujeres portadoras de esta infección poseen un riesgo 50 veces mayor para desarrollar la enfermedad.
- Anticonceptivos orales: podría existir una predisposición entre las mujeres que utilizan estos fármacos, aunque hoy en día es objeto de controversia.
- Tabaquismo: el consumo de cigarrillos también ha sido cuestionado como factor predisponente.
- La toma de una sustancia llamada dietilstilbestrol durante el embarazo puede predisponer al feto, si es mujer, al padecimiento de este cáncer durante su vida adulta.
- La depresión del sistema inmune o defensivo, tanto congénita como adquirida por enfermedades como el sida o, por

ejemplo, provocada por el tratamiento necesario para un trasplante, también se ha asociado a este proceso.

¿CUÁLES SON LOS SÍNTOMAS DE ESTE CÁNCER?

Desgraciadamente el cáncer de cérvix puede crecer durante mucho tiempo sin producir ningún signo o síntoma detectable por la mujer si ésta no se somete a controles periódicos. Esta es la razón por la cual las mujeres deberían empezar a hacerse este tipo de pruebas tan pronto como inicien su actividad sexual o, en cualquier caso, a los 18 años de edad.

En ocasiones pueden observarse hemorragias vaginales anormales excesivas o fuera del ciclo, después del acto sexual, tras el esfuerzo o incluso después de la menopausia. También pueden presentarse otros síntomas como pérdida de peso, dolor abdominal, sensación de peso o masa en la parte inferior del abdomen, entre otros signos.

¿CÓMO SE DIAGNOSTICA EL CÁNCER DE CÉRVIX?

El procedimiento habitual para la detección precoz de este cáncer se basa en la realización de una citología cérvicovaginal durante la cual se extraen algunas células del cuello uterino para su estudio posterior. Esta prueba, llamada test de Papanicolau, se realiza de forma sistemática desde hace décadas en los países desarrollados, lo que ha supuesto un avance muy importante en la detección y tratamiento de este cáncer en sus fases iniciales.

El test de Papanicolau puede mostrar células normales, levemente anormales, precancerosas (displasia) o cancerosas y, en este último caso, informa acerca del estado

Tratamiento del cáncer de cuello de útero

El tratamiento se ajusta al grado de malignidad de la lesión y a la extensión de la misma, empleando cuatro recursos fundamentales:

■ Cirugía de extirpación de la zona afectada en el cuello del útero, lo que se denomina conización. En algunos casos es necesario extirpar todo el útero y hablamos entonces de histerectomía. La cirugía láser ha sido también empleada de manera exitosa en la destrucción de estas lesiones.

■ Criocirugía o eliminación del tumor mediante congelación de la lesión durante varias sesiones. Útil en tumores pequeños y bien localizados.

■ Radioterapia: exclusiva para los estadios del tumor en los que éste ha sobrepasado el cuello uterino pero no se ha extendido por fuera de la cavidad pélvica.

■ Quimioterapia: limitada a aquellos tumores muy avanzados en los que no son posibles otras terapias.

■ La detección precoz de este tumor y su tratamiento conducen hacia un alto porcentaje de curas completas. A medida que el tumor crece o se expande más allá del útero, el pronóstico va empeorando, sobre todo cuando se afectan los ganglios linfáticos regionales y los tejidos cercanos de la pelvis. Se calcula que el crecimiento tumoral hacia los órganos de su vecindad como la vejiga y el recto es muy lento, tardando cerca de diez años en transformarse un cáncer limitado al cuello del útero en un cáncer invasivo. En cualquier caso, el tratamiento combinado de radioterapia y quimioterapia puede prolongar de forma significativa la esperanza de vida en mujeres con tumores inoperables. Las metástasis se producen por vía sanguínea hacia los pulmones, los huesos y el hígado.

de la lesión. El riesgo de cáncer de cérvix disminuye a medida que se obtienen resultados negativos, es decir sin células anormales o malignas, a lo largo de los tests sucesivos en la vida de una mujer. Se recomienda su realización con un intervalo de tres a cinco años como mínimo, aunque según los antecedentes personales y el área geográfica pueden realizarse con mayor frecuencia. Se excluyen de estos controles las mujeres que nunca han mantenido relaciones sexuales o aquellas cuyo útero ha sido extirpado.

Cuando esta prueba revela anomalías celulares, el siguiente paso es la realización de una colposcopia, generalmente acompañada de la toma de una pequeña porción de cérvix o biopsia del mismo, que permite identificar directamente la presencia de células malignas en dicha región.

La radiografía de tórax, el escáner y la resonancia magnética permiten detectar la presencia de metástasis hacia otros órganos o ganglios de la vecindad, así como la invasión tumoral de la vejiga y el recto.

CÁNCER DE ENDOMETRIO

El endometrio es la capa interna, mucosa que recubre el útero, que se engruesa y vasculariza durante el ciclo menstrual para acoger al óvulo fecundado. La incidencia de cáncer en esta localización ha ido en aumento en los últimos años hasta convertirse en uno de los más frecuentes tras el de mama. Este aumento está en relación con diversas circunstancias como el aumento de la esperanza de vida y los tratamientos con estrógenos para la menopausia. La mayoría de los casos se diagnostican entre los 60 y los 70 años de edad, siendo excepcional encontrarlo antes de la menopausia.

¿CUÁLES SON LOS FACTORES DE RIESGO PARA ESTE TIPO DE CÁNCER?

■ Se considera factor de riesgo o predisponente para esta enfermedad cualquier circunstancia que altere el equilibrio hormonal entre los estrógenos y los progestágenos femeninos, concretamente el predominio de los primeros sobre la acción contraria de los segundos. Estas circunstancias pueden ser:

● Obesidad, que favorece la formación de estrógenos en la grasa periférica.
● Ciclos anovuladores o periodos menstruales aparentemente normales en los que no se producen óvulos a partir de los ovarios, como por ejemplo en el ovario poliquístico.
● Tumores previos de ovario y mama.
● Tratamientos con estrógenos sin asociar progestágenos.
● Tratamientos para el cáncer de mama, como el tamoxifeno, a dosis altas y durante largos periodos.

Se denomina hiperplasia a un crecimiento anormal de la mucosa del endometrio, producida por un estímulo continuado por los estrógenos circulantes. Un buen porcentaje de los tumores malignos del endometrio tienen como antecedente la presencia de esta hiperplasia.

¿CÓMO SE MANIFIESTA ESTA FORMA DE CÁNCER?

El síntoma fundamental que permite sospechar la presencia de este proceso es la hemorragia vaginal en mujeres que ya han superado la menopausia (más de un año), en las que no es esperable ningún tipo de sangrado. Se trata de una hemorragia espontánea, escasa y de corta duración, que se puede acompañar de la expulsión de otras sustancias y que puede repetirse intermitentemente. Ante cualquier pérdida de este tipo debe sospecharse siempre la presencia de un adenocarcinoma de endometrio, que supone el 90% de todos los tumores malignos uterinos.

Tratamiento del cáncer de endometrio

Dependiendo del estado general de la mujer y del momento concreto de su progresión cuando se diagnostica, se pueden emplear diversas terapias combinadas entre sí. Estas serían:

■ Cirugía consistente en la extirpación parcial o total del útero (histerectomía) junto con los ovarios (anexectomía) y parte de la vagina si se sospecha extensión tumoral.
■ Radioterapia asociada a la cirugía, con fines curativos o simplemente paliativos.
■ Quimioterapia en tumores diagnosticados en la fase inicial de su crecimiento.

■ Hormonoterapia o empleo de hormonas femeninas (progesterona y derivados) para lograr la destrucción de las células tumorales y de sus metástasis.

Cuando se detecta la enfermedad en sus fases iniciales, el pronóstico es bastante bueno, sobre todo si la respuesta inicial al tratamiento es satisfactoria. A medida que el tumor invade la pared y el cuello del útero, produce metástasis en los ganglios de su vecindad o se extiende a otros órganos abdominales, empeorando notablemente la supervivencia de la enferma.

Otras manifestaciones como el dolor son más infrecuentes, salvo en aquellos estadios avanzados de la enfermedad en los que se puedan afectar otras estructuras.

¿CÓMO SE DIAGNOSTICA EL CÁNCER DE ENDOMETRIO?

Se trata también de un tumor de crecimiento lento, que no deforma la morfología uterina y que suele localizarse en una región concreta del órgano. Cuando se propaga suele invadir el cuello uterino y la pared muscular del útero, así como manifestar una cierta tendencia hacia la afectación de los ganglios cercanos.

No existen procedimientos diagnósticos útiles para prevenir su aparición de forma sistemática, es decir, hasta la aparición de una hemorragia posmenopáusica no suele comenzar la realización de pruebas que confirmen su presencia. Estas pruebas serían la citología endometrial, la biopsia y la ecografía vaginal.

Dado que la hemorragia aparece en los primeros momentos del desarrollo del cáncer en la mayoría de los casos, no conviene diferir la consulta médica ni el comienzo de las pruebas de confirmación para no empeorar el pronóstico con una progresión innecesaria de la enfermedad.

Cáncer de cuello del útero y endometrio

CÁNCER DE CUELLO UTERINO

Se denomina cuello del útero o cérvix a la porción de este órgano que se conecta inferiormente a la vagina. El cáncer de cérvix es uno de los más frecuentes en las mujeres, especialmente en ciertas áreas geográficas y en los niveles socioeconómicos bajos.

Pueden distinguirse dos tipos principales:

- Cáncer epidermoide o de células escamosas: 85% del total.
- Adenocarcinoma de las glándulas del cuello uterino: 15% del total.

Se han establecido una serie de factores de riesgo para el desarrollo de estos tumores:

- Conducta sexual: inicio precoz de las relaciones y promiscuidad.
- Anticonceptivos orales.
- Tabaquismo.

Se trata de un tumor que puede crecer durante mucho tiempo sin producir ningún signo o síntoma detectable. En ocasiones pueden aparecer hemorragias vaginales, pérdida de peso o sensación de masa en la parte inferior del abdomen.

La clave de su diagnóstico se halla en la realización periódica de citologías (test de Papanicolau), lo que permite un tratamiento precoz del mismo, basado en:

- Cirugía de extirpación y criocirugía.
- Radioterapia.
- Quimioterapia.

CÁNCER DE ENDOMETRIO

El endometrio es la capa interna mucosa que recubre el útero y en la cual ha aumentado la incidencia de tumores en los últimos años. Se diagnostica con mayor frecuencia entre los 60 y 70 años de vida.

Existen una serie de factores de riesgo para su padecimiento, como son:

- Obesidad.
- Ciclos anovuladores o periodos menstruales sin ovulación.
- Tratamientos con estrógenos.
- Antecedentes de tumores de ovario y mama.

El signo fundamental para sospechar este tumor es la aparición de hemorragias vaginales fuera de periodo o en mujeres que ya han superado la menopausia hace más de un año. La citología endometrial, la biopsia y la ecografía vaginal completan el diagnóstico.

El tratamiento combina la extirpación total o parcial del útero y los ovarios junto con radioterapia, quimioterapia y terapia hormonal.

Tumores de mama

Las mamas son unos órganos glandulares de forma más o menos hemisférica que se sitúan en la parte superior del tórax, por delante del músculo pectoral mayor, a ambos lados de la línea media y que se extienden hacia ambas axilas. Están formadas por varios miles de pequeños sacos llamados lóbulos mamarios encargados de la producción de la leche; estos lóbulos desembocan en unos conductos llamados galactóforos que transportan su producción hacia el pezón. El pezón está rodeado de la areola mamaria y contiene unas 15 o 20 pequeñas aberturas para la salida de los conductos galactóforos más importantes, que recogen la producción de todos los lóbulos mamarios. La mayor parte de la mama está formada por un estroma o tejido graso que protege y rodea las estructuras encargadas de la producción láctea. Asimismo, existen fibras de tejido conectivo que proporcionan a la mama su forma y su firmeza.

Las mamas están presentes de forma rudimentaria desde antes del nacimiento en ambos sexos. Con la llegada del desarrollo sexual en la pubertad y gracias a la liberación de estrógenos por el ovario, se produce el crecimiento de la glándula y el pezón así como el depósito de grasa en la misma.

¿QUÉ ES EL CÁNCER DE MAMA?

El cáncer de mama es la neoplasia maligna más frecuente en la mujer, con una incidencia entre el 7 y el 10% de la población femenina; se calcula que una de cada 12 mujeres padecerá la enfermedad a lo largo de su vida, aunque en algunas regiones del planeta se habla ya de una de cada ocho. Este tipo de cáncer es la primera causa de muerte entre mujeres de 35 a 55 años en los países occidentales. La frecuencia de aparición de la enfermedad asciende a partir de los 30 años, con dos etapas de mayor incidencia entre los 40-50 años y los 60-70.

Este tipo de cáncer es sin duda alguna el más estudiado, publicado y temido de todos los tumores, asociando el mayor número de pruebas diagnósticas e intervenciones quirúrgicas de todos ellos.

Aunque se desconoce aún la asociación exacta entre muchos supuestos factores de riesgo y el desarrollo del cáncer, parece demostrado que la presencia de éstos puede predecir una mayor posibilidad de padecerlo, permitiendo además un mayor control preventivo de ciertos grupos de población.

■ Los principales factores son:

● Antecedentes familiares de parientes cercanos (abuela, madre, hermana, hija) con cáncer de mama, presentes en un 25% de las mujeres diagnosticadas de esta enfermedad. Se han descrito ciertas mutaciones genéticas que parecen predisponer de forma evidente hacia el cáncer de mama.

● Menarquia (primera regla) precoz o antes de los 12 años y menopausia tardía o después de los 50.

- Nuliparidad (no haber tenido hijos) o primer embarazo después de los 30 años de edad.
- Obesidad y dietas ricas en grasas, así como la hipercolesterolemia.
- Exposición a radiaciones ionizantes.
- Cifras de estrógenos y prolactina elevadas, bien de forma natural o bien por toma de estrógenos de sustitución como tratamiento de la menopausia.
- Enfermedad fibroquística de la mama.
- Tabaco y alcoholismo.

¿CÓMO SE PRESENTA EL CÁNCER DE MAMA?

■ Existen muchos tipos diferentes de tumores malignos en la mama, aunque teniendo en cuenta su frecuencia podemos distinguir las siguientes formas:

- **Carcinoma ductal infiltrante**: representa el 75% de todos los tumores malignos de la mama y se produce a partir de la malignización de las células de los conductos secretores de la misma. Posteriormente se disemina a través de las paredes de cada conducto e invade el tejido adiposo del seno.
- **Carcinoma lobulillar infiltrante**: se presenta en el 10% de los casos a partir de los lóbulos productores de leche. Igualmente se extiende hacia el resto de la glándula.

- Resto de formas: con menos frecuencia aparecen tumores dependientes de otras localizaciones mamarias como tumores medulares, mucinosos o papilares.

Independientemente de su localización, se denomina carcinoma in situ al que se encuentra localizado en el momento de su diagnóstico sin haber producido invasión de los tejidos circundantes, lo que optimiza notablemente su pronóstico. Cuando las células cancerosas salen de la mama suelen estacionarse en un primer momento en los ganglios linfáticos de la axila, como paso previo hacia otros ganglios o hacia la producción de metástasis en otros órganos, principalmente los huesos, el hígado y los pulmones.

La localización más frecuente de los tumores es el cuadrante superoexterno de la mama (cerca de la axila), seguido por el pezón y el cuadrante superointerno. Aproximadamente el 2% de los tumores de mama son bilaterales, esto es, afectan a los dos senos de forma simultánea. El cáncer de mama es más frecuente en el seno izquierdo que en el derecho.

¿CÓMO SE MANIFIESTA EL CÁNCER DE MAMA?

■ Los principales síntomas y signos que acompañan a este tipo de tumores son:

- Detección de un bulto en el seno: es la forma más habitual de sospechar la en-

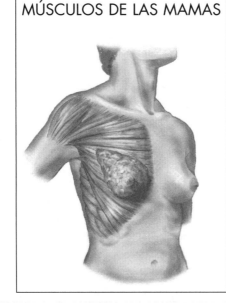

MÚSCULOS DE LAS MAMAS

fermedad, generalmente por la propia mujer.

- Dolor mamario: no asociado a traumatismos, embarazo, menstruación ni a patologías benignas de la mama. Suele ser un dolor sordo o mal localizado, más o menos continuo, que puede aumentar con la palpación de ciertas regiones de la mama.
- Producción de secreciones por el pezón, así como cambios en su aspecto o inflamación del mismo.
- Alteraciones en la piel que recubre la glándula mamaria, en forma de edemas localizados o retracción de la misma, especialmente cuando la enfermedad está bastante avanzada a nivel local.
- Presencia de adenopatías (aumento del tamaño de los ganglios) en las axilas y/o en las cadenas ganglionares situadas por encima de la clavícula.

El nódulo mamario de un carcinoma suele ser único, de forma irregular y duro, difícil de delimitar y habitualmente no doloroso. En la exploración se encuentra en ocasiones adherido a la grasa subcutánea o a planos más profundos. En carcinomas evolucionados se pue-

den observar nódulos secundarios o satélites a la lesión primitiva así como úlceras en la piel de origen maligno. En ocasiones el cáncer puede adquirir un aspecto inflamatorio sobre la piel de la mama en forma de manchas rojizas y calientes que confluyen finalmente entre sí, empeorando el pronóstico del mismo.

¿CÓMO SE DETECTA EL CÁNCER DE MAMA?

El aprendizaje de la técnica autoexploratoria de la mama podría considerarse como imprescindible en todas las mujeres mayores de 20 años con una periodicidad mensual mínima. Se recomienda realizarla tras el periodo menstrual cuando las mamas poseen un menor tamaño. Debe realizarse de forma cuidadosa y exhaustiva, tomándose el suficiente tiempo para completarla correctamente.

■ La exploración puede dividirse en tres fases:

1. Visualización del tamaño, la forma y el aspecto de las mamas, situándose sentada y con los brazos caídos frente a un espejo. Sirve para detectar posibles asimetrías o deformaciones; la elevación de los brazos por encima de la cabeza puede acentuar dichas asimetrías. A continuación se palpan las axilas y la región superior de las

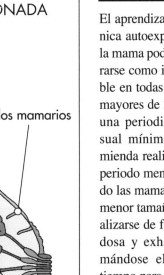

MAMA SECCIONADA

Alveolos mamarios

Músculo pectoral mayor

Tejido graso

Lóbulos mamarios

Costillas

clavículas en busca de ganglios aumentados de tamaño.

2. Palpación de la mama, en decúbito supino (tumbada boca arriba) con el hombro del lado que se va a explorar ligeramente elevado con una almohada y el antebrazo debajo de la cabeza. La palpación se realiza de forma suave con las yemas de los dedos unidos formando un mismo plano, incidiendo en la mama de forma tangencial o inclinada y desplazando ésta de forma suave desde el exterior hacia el centro del pecho.

3. Exploración del pezón en la misma postura que la anterior, describiendo círculos alrededor del mismo desde el exterior hacia el interior.

En caso de que se localice una tumoración se debe intentar determinar con calma su situación, su tamaño aproximado, su forma, su consistencia, su movilidad y la presencia o no de dolor con su palpación. Es también importante observar el aspecto de la piel que cubre la región donde se detecta este nódulo.

■ Los principales métodos de diagnóstico del cáncer de mama, bien como confirmación de un nódulo detectado o bien de aquellos casos en los que la tumoración pasa desapercibida son:

• Mamografía: consiste en el examen con rayos X de la mama para detectar alguna de las imágenes típicas de los tumores de la misma, como son el aumento de densidad en determinadas zonas de su espesor y la presencia de microcalcificaciones.

• Ecografía mamaria: especialmente útil para distinguir entre tumores sólidos y quistes, sobre todo cuando se trata de mamas densas y fibrosas, secundarias a otras patologías.

• Aspiración de células del tumor: consiste en la obtención mediante una aguja fina de muestras celulares de un nódulo para su estudio a microscopio. Aunque no descarta nunca la malignidad, sí que sirve para confirmar ésta, es decir, que el resultado puede ser dudoso o de aspecto benigno y sin embargo existir un tumor maligno.

• Biopsia: es el método definitivo para establecer el tipo y el carácter de la tumoración. Puede obtenerse mediante punción percutánea antes de la cirugía o durante ésta, para orientar hacia la extirpación de tejido glandular que va a ser necesario.

Como en el resto de tumores, el cáncer de mama recibe un estadiaje una vez completadas todas las pruebas diagnósticas, que incluye el grado de extensión tumoral a nivel local, la afectación o no de ganglios linfáticos y la presencia de metástasis. Estas últimas requieren de pruebas específicas como la resonancia magnética nuclear, la radiografía de tórax, la gammagrafía ósea y la ecografía hepática.

¿CUÁL ES EL PRONÓSTICO DEL CÁNCER DE MAMA?

La detección precoz del cáncer de mama ha demostrado ser el mejor método para reducir su mortalidad, especialmente en mujeres mayores de 50 años. Esta se realiza mediante la combinación de la autoexploración mamaria, el examen médico de la mama y las mamografías cada uno o dos años. Se recomienda el examen clínico mamario anual de todas las mujeres mayores de 40 años, con mamografía a partir de los 50; en aquellos casos de antecedentes familiares se recomienda comenzar con ambas pruebas a partir de los 35 años.

Una vez diagnosticado y tratado el cáncer de mama, el seguimiento de la paciente debe ser de por vida, especialmente frecuente en los primeros cinco o seis años. En estas revisiones se realizan mamografía de la mama sana, radiografía de tórax, gammagrafía ósea y otras pruebas encaminadas a detectar la presencia de metástasis.

El pronóstico exacto del cáncer de mama depende básicamente de la existencia o no de afectación en los ganglios axilares y, en su caso, del número afectado de éstos. La presencia de metástasis es un signo de mal pronóstico.

Finalmente conviene hacer referencia a un cuadro extraordinariamente infrecuente y desconocido como es el cáncer de mama en varones. Aunque el desarrollo completo de la glándula mamaria se produce sólo en las mujeres, los varones poseen el tejido embriológico de la misma, y por tanto, la posibilidad de desarrollar tumores de esta naturaleza. La mayoría de los casos aislados descritos son tremendamente agresivos y mortales casi en su totalidad por el grado de extensión que presentan en el momento de su diagnóstico.

Tratamiento del cáncer de mama

Una vez que la enfermedad ha sido clasificada en su estadio correspondiente, y teniendo en cuenta las características individuales y el estado general de la mujer, se procede a plantear el tratamiento oportuno. Este puede constar de los siguientes métodos:

■ **Cirugía:** es el método más común de tratar el cáncer de mama independientemente del grado de progresión del mismo que se sospeche, aunque en los casos muy avanzados o diseminados sea precedida de quimio, radio u hormonoterapia. Hoy en día se tiende hacia procedimientos quirúrgicos más conservadores en vez de la mastectomía radical o extirpación completa de la mama. Así, habitualmente se extirpan los tumores con amplios márgenes de seguridad junto con los ganglios axilares imprescindibles para la valoración pronóstica del tumor y la necesidad o no de aplicar otros tratamientos.

■ **Quimioterapia:** consiste en la combinación de fármacos anticancerosos empleados normalmente por vía intravenosa, en forma de sesiones o ciclos generalmente después de la intervención quirúrgica. En ocasiones se emplea como complemento de «seguridad» pese a que la cirugía haya podido extirpar radicalmente el tumor y los ganglios axilares no se encuentran afectados. Sus habituales efectos secundarios son la alopecia, dolores musculares generalizados, náuseas y vómitos y una mayor facilidad para el contagio de infecciones por la afectación de los leucocitos sanguíneos.

■ **Radioterapia:** consiste en el uso de rayos X de alta energía para destruir las células cancerosas de forma selectiva aunque afecta irremediablemente a las células sanas circundantes. Según las características del tumor se emplean unas dosis y una duración de los ciclos determinada, bien tras la cirugía o antes de ésta. Sus principales efectos secundarios, como la sequedad de la piel, dolores musculares en la región irradiada o afectación pulmonar suelen ser temporales.

■ **Terapia hormonal:** consiste en el empleo de determinados fármacos que impiden la llegada de los estrógenos a las células cancerosas, deteniendo así su crecimiento y reproducción. Aunque se trata de una terapia bastante segura, el bloqueo estrogénico se acompaña de síntomas similares a la menopausia como los sofocos, la irritación vaginal y las menstruaciones irregulares. Se emplean hoy en día sustancias como el tamoxifeno de forma diaria durante varios años después del diagnóstico, especialmente en mujeres posmenopáusicas.

■ La principal complicación derivada del tratamiento del cáncer de mama es el linfedema o aparición de una serie de síntomas en el brazo del mismo lado del tumor como hinchazón, dolor o pesadez, cambio de coloración y falta de energía. Se debe a la obstrucción de los conductos linfáticos tras la cirugía y el consiguiente acúmulo de líquido en los tejidos donde ya no puede ser recogido. Puede presentarse de forma aguda con signos infecciosos e inflamatorios que requieren tratamiento o permanecer de forma crónica y estable sin un modo efectivo de curar.

Tumores de mama

El cáncer de mama es la neoplasia maligna más frecuente en la mujer, con una incidencia aproximada entre el 7 y el 10% de la población femenina. Es la primera causa de muerte entre mujeres de 35 a 55 años en los países occidentales.

Aunque se desconoce aún la asociación entre diversas circunstancias y la aparición de los tumores, parece demostrado que puede hablarse de factores de riesgo como:

- Antecedentes familiares.
- Menarquia (primera regla) precoz o antes de los 12 años.
- Menopausia tardía o después de los 50 años.
- Nuliparidad.
- Primer embarazo después de los 30 años.
- Obesidad.
- Enfermedad fibroquística de la mama.
- Tabaco.
- Alcoholismo.

Existen diferentes tipos de tumores malignos de mama, aunque destacan el llamado carcinoma ductal infiltrante y el carcinoma lobulillar infiltrante. La localización más frecuente de los tumores es el cuadrante superoexterno de la mama o más cercano a la axila, seguido por el pezón y el cuadrante superointerno.

Los principales signos y síntomas que acompañan a estos tumores son:

- Detección de un bulto en el seno.
- Dolor mamario, mal localizado y no asociado a traumatismos.
- Producción de secreciones por el pezón.
- Alteraciones de la piel de la mama y picor.
- Presencia de ganglios aumentados de tamaño en las axilas o por encima de la clavícula.

Los principales métodos diagnósticos del cáncer de mama son:

- Mamografía.
- Ecografía mamaria.
- Aspiración de células del tumor con aguja fina para su estudio.
- Biopsia.

Una vez clasificada la enfermedad se plantea el tratamiento oportuno mediante cirugía, quimioterapia, radioterapia y terapia hormonal.

La detección precoz del cáncer de mama en mujeres mayores de 40 años, incluyendo mamografía a partir de los 50 es la mejor medida preventiva para esta enfermedad. El pronóstico de este tumor depende básicamente de la afectación o no de los ganglios axilares y de la presencia de metástasis.

Cáncer de hígado y páncreas

El hígado y el páncreas son unos órganos digestivos situados en la cavidad abdominal, imprescindibles para la vida, que pueden verse afectados por tumores de estirpe benigna o maligna. Aunque poco frecuente, el cáncer en estas localizaciones se asocia con una elevada mortalidad hoy en día por la dificultad de su tratamiento en el momento del diagnóstico.
Comentaremos a continuación los dos tipos principales de tumores malignos que pueden afectar a estos órganos.

CARCINOMA HEPATOCELULAR

Se trata del tumor hepático maligno más frecuente, que afecta a la población general de diferente manera según la región geográfica donde viva, en directa relación con la mayor o menor incidencia de los distintos factores de riesgo para el mismo. Tiene un cierto predominio entre los varones, sobre todo entre los adultos mayores.

■ Como en cualquier otro tipo de cáncer, se origina a partir de unas células con características similares a los hepatocitos o células hepáticas normales pero con una capacidad de reproducción descontrolada, que provoca la formación de masas tumorales que desplazan al tejido sano. Existen diversos factores relacionados con el origen de este tumor:

- Virus de la hepatitis B: aunque se desconoce el mecanismo exacto por el que este virus favorece la formación de tumores en el hígado, parece un hecho comprobado la asociación entre ambas patologías.
- Virus de la hepatitis C: al igual que el anterior, se ha encontrado un alto porcentaje de casos de cáncer hepático en los que coexistía una hepatitis C. Posiblemente el virus promueve la malignización de las células hepáticas al introducir su código genético en las mismas para tratar de reproducirse.
- Cirrosis: en general cualquier hepatopatía crónica parece favorecer la progresión de este tumor, independientemente de que su origen sea por el abuso de alcohol o no.

El hecho de que la gran mayoría de tumores hepáticos asienten sobre hígados cirróticos hace muy difícil encontrar síntomas específicos que puedan hacer sospechar la enfermedad en estos pacientes. Así, la ictericia o color amarillento de la piel, la ascitis o retención de líquido en el abdomen, las hemorragias digestivas, los dolores abdominales o la afectación neurológica, pueden verse agravados por la presencia de un tumor, aunque lo normal es que su desarrollo pase desapercibido.

Dado que los enfermos cirróticos o, en general, afectados por cualquier enfermedad hepática crónica reciben normalmente un control periódico de su patología, la detección de los tumores depende más del resultado de sus pruebas rutinarias que de un cambio significativo en su estado de salud. En ocasiones, pueden aparecer signos específicos del tumor como dolor en alguna región del esqueleto como consecuencia de la implantación de metástasis o, raras veces, cuadros agudos abdominales por rotura hepática a causa del crecimiento de la masa tumoral.

■ El diagnóstico de la enfermedad depende por tanto de una serie de pruebas que se realizan de forma periódica en los enfermos de riesgo. Estas pruebas son:

- Ecografía: permite detectar lesiones en puntos concretos del hígado, aunque no es capaz de discriminar si son benignas o malignas. Para ello se completa el estudio con la punción de dicha lesión bajo control ecográfico para analizar las células que la componen.
- Escáner y arteriografía: permiten establecer la extensión del tumor y su localización exacta.
- Marcadores tumorales: consiste en una serie de sustancias como la alfafetoproteína, cuya elevación se relaciona con la presencia de tumores en el hígado, aunque nunca suponen un método fiable de diagnóstico por sí solas.

El tratamiento de estos tumores es fundamentalmente quirúrgico cuando cumplen ciertas condiciones como un tamaño pequeño y la ausencia de metástasis. Cuando el tumor es inextirpable puede estar indicado el trasplante hepático. La quimioterapia también es empleada como tratamiento complementario.

En función del tamaño del tumor y de la presencia de complicaciones, el pronóstico de la enfermedad puede variar, aunque en cualquier caso éste es pésimo, con una supervivencia media menor a un año; aquellos tumores pequeños detectados precozmente que pueden ser operados obtienen un mejor pronóstico o incluso la curación, al igual que los trasplantados con éxito cuando el tumor aún no ha avanzado.

ADENOCARCINOMA DE PÁNCREAS

La frecuencia del cáncer de páncreas va en aumento en todo el mundo durante los últimos años, especialmente en los países desarrollados. Es el cuarto o quinto tumor que causa más muertes por cáncer en general y el segundo más frecuente en el aparato digestivo tras el de colon.

Se trata de un tumor muy agresivo que se desarrolla por la degeneración maligna de las células pancreáticas. Predomina en los varones de entre 50 y 60 años de edad, aunque su

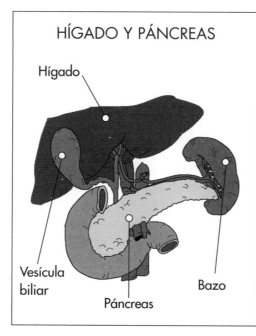

HÍGADO Y PÁNCREAS

Hígado

Vesícula biliar

Páncreas

Bazo

incidencia entre las mujeres también se está incrementando.

■ Se han propuesto diversos factores predisponentes o desencadenantes de este tipo de tumor, si bien la relación de éstos no es muy clara en ocasiones o incluso es controvertida. Estos factores son:

- Tabaco, café y alcohol.
- Pancreatitis crónica y diabetes mellitus de larga evolución.
- Raza negra.
- Exposición industrial al petróleo y sus derivados.
- Dietas ricas en grasas y carne.
- Predisposición genética o hereditaria.

■ El cuadro clínico del cáncer de páncreas es muy inespecífico, lo que implica que la mayoría de los pacientes son diagnosticados cuando la enfermedad está muy avanzada. De hecho, los síntomas que aparecen son como consecuencia de la afectación de otros órganos vecinos y no tanto por la suya propia. Según la localización del tumor podemos dividirlos en:

- Cáncer de cabeza de páncreas: 75% del total.
- Cáncer del cuerpo del páncreas: 10% del total.
- Cáncer de cola de páncreas: 5% del total.

El resto corresponde a tumores extendidos por toda la glándula o alrededor de la misma. Se denominan tumores periampulares a los que se sitúan alrededor de la cabeza del páncreas con una sintomatología similar, aunque no procedan de la propia glándula sino de estructuras cercanas como el duodeno, el colédoco y otras.

■ Los síntomas principales del cáncer de páncreas son:

- Dolor abdominal, normalmente localizado en la franja superior del mismo, irradiado desde el epigastrio central hacia los flancos y, en ocasiones, hacia la espalda. Es un dolor similar al de la pancreatitis crónica, a veces intermitente y muy angustiante, que puede empeorar con las comidas y mejorar con determinadas posturas como la flexión del tronco.
- Ictericia, picor, orina oscura y heces blanquecinas, todo ello en relación con la obstrucción de la vía biliar por la masa tumoral invasiva. Todos estos síntomas avanzan a medida que progresa la enfermedad.
- Pérdida de peso, cansancio, náuseas y vómitos, anorexia (falta de apetito), saciedad precoz, flatulencia y diarrea con expulsión de grasa como consecuencia de la obstrucción del conducto de salida de las enzimas hepáticas. En ocasiones aparece un verdadero pánico a la comida por el dolor y la dificultad que provoca su digestión.
- Diabetes de instauración repentina sin antecedentes previos de la enfermedad.
- Tromboflebitis sin causa explicable que puede preceder en ocasiones al resto de los síntomas.
- Depresión y cambios de conducta y personalidad, presentes hasta en el 75% de los casos, como consecuencia del deterioro físico tan rápido que se manifiesta en el individuo.

La aparición brusca de algunos síntomas como la ictericia acompañada de elevaciones de bilirrubina en pocos días es un signo altamente sospechoso de tumor de cabeza de páncreas. En otros casos, como anteriormente hemos mencionado, los signos pueden ser inespecíficos o de instauración tan lenta que cuando se asocian a la enfermedad ya es demasiado tarde.

Las metástasis del cáncer de páncreas pueden encontrarse en el pulmón, el hígado, el esqueleto y en los ganglios linfáticos abdominales que rodean a esta glándula. En los tumores más desarrollados pueden afectarse regiones ganglionares más lejanas como la pelvis, el cuello y la región supraclavicular.

■ El diagnóstico del cáncer de páncreas se basa en la exploración física y la realización de una serie de pruebas complementarias en aquellos individuos que presentan alguno de los signos o síntomas de sospecha anteriores:

- La exploración física puede detectar una masa abdominal palpable, una vesícula distendida o edemas en los miembros inferiores, aunque en la mayoría de los casos suele ser anodina o poco específica hacia ningún proceso en concreto. La fiebre sin ningún foco infeccioso conocido también puede estar presente.
- Pruebas complementarias: algunos marcadores tumorales pueden hacer sospechar la enfermedad aunque el diagnóstico definitivo requiere de otras pruebas como la ecografía, el escáner y la toma de biopsias de la lesión para confirmar la presencia de células malignas.

El único tratamiento posible de los tumores pancreáticos es la extirpación quirúrgica de los mismos, siempre y cuando esto sea posible por el estado general del paciente y el grado de extensión de la enfermedad, lo que ocurre sólo en un 25% de los casos aproximadamente. En principio, sólo son curables aquellos tumores limitados al páncreas y alrededores, salvo que afecten a las grandes arterias y venas que rodean a la glándula. Tanto la quimioterapia como la radioterapia pueden ser utilizadas como técnicas paliativas, complementarias a la cirugía o para prolongar la supervivencia.

En la realidad, los resultados de la cirugía y de cualquier terapia coadyuvante son francamente desalentadores, sobre todo por el hecho de que el adenocarcinoma de páncreas es multicéntrico, es decir, que se desarrolla en diversos puntos de la glándula al mismo tiempo. Se ha intentado extirpar por completo el páncreas, lo que por sí mismo asocia una mortalidad elevadísima, sin obtener aún así resultados esperanzadores.

El pronóstico del carcinoma de páncreas es absolutamente negativo, con una supervivencia media desde el momento de su diagnóstico de unos seis meses, que puede incrementarse hasta el año de vida en las formas de cabeza de páncreas que asocian cirugía, quimioterapia y radioterapia. A largo plazo el pronóstico es aún peor, no existiendo en la actualidad, que sepamos, ningún caso publicado de verdadero adenocarcinoma pancreático que se haya curado.

Cáncer de hígado y páncreas

ADENOCARCINOMA DE PÁNCREAS

Tumor maligno de la glándula pancreática cuya incidencia ha aumentado notablemente en los últimos años.

Se trata de un tumor muy agresivo que predomina en los varones y que, pese a que su origen es aún controvertido, se relaciona con ciertos factores como:

• Tabaco, café y alcohol.
• Pancreatitis crónica y diabetes mellitus de larga evolución.
• Factores genéticos.
• Factores ambientales.

La localización más frecuente del tumor es en la cabeza del páncreas, seguido del cuerpo y, finalmente, de la cola.
Los síntomas principales que pueden observarse son dolor abdominal, ictericia, prurito, pérdida de peso, náuseas y vómitos, anorexia, flatulencia, diarrea, tromboflebitis, depresión y diabetes de instauración repentina sin antecedentes previos de la enfermedad.
Junto con estos síntomas y la exploración física, el diagnóstico se complementa con técnicas de imagen y marcadores tumorales.

El tratamiento es quirúrgico, aunque sólo se pueden intervenir el 25% de los casos, con una tasa nula de curación definitiva por la tendencia del tumor a crecer en diversos puntos, de lo que se deduce un pronóstico muy malo.

La quimioterapia puede ser utilizada, al igual que la radioterapia, como técnica paliativa o para prolongar la supervivencia.

CARCINOMA HEPATOCELULAR

Tumor hepático maligno más frecuente, que predomina en los varones entre la 5ª y 6ª década de la vida. Su origen está relacionado con diversos factores:

• Virus de la hepatitis B.
• Virus de la hepatitis C.
• Cirrosis.

Los síntomas de este tumor son indistinguibles de cualquier hepatopatía crónica o cirrosis sobre las cuales asienta. Por ello normalmente se diagnostica durante las revisiones rutinarias de esta patología, gracias a pruebas como la ecografía, el escáner y ciertos marcadores tumorales específicos.

El tratamiento es fundamentalmente quirúrgico cuando el tamaño del tumor y la ausencia de metástasis lo permiten. El pronóstico es malo.

Tumores de colon y recto

El tumor de colon es aquel que se sitúa en el recorrido del intestino grueso. Su aparición más frecuente es en el colon izquierdo, y con menor incidencia en el ciego y el colon transverso.

■ Se denomina intestino grueso a la porción final del tubo digestivo que se comprende desde la válvula ileocecal, que lo separa del intestino delgado, y el ano. En los seres humanos mide aproximadamente 1,5 m de longitud con un espesor o diámetro de unos 7 cm. A su vez se divide en:

- Ciego o primera porción del mismo tras la válvula, cerrado en su parte inferior (donde se encuentra el apéndice) y abierto por la parte superior hacia el colon.
- Colon o intestino grueso propiamente dicho, dividido en ascendente, transverso y descendente, que se dirige hacia el recto.
- Sigma o tramo del colon descendente que cambia de dirección para unirse al recto.
- Recto o porción final del intestino, de unos 12 cm de longitud y alojado en la pelvis, que transporta los restos finales de la digestión hacia el exterior.
- Ano o estructura de salida del tubo digestivo hacia el periné que controla mediante esfínteres el proceso fisiológico de la defecación.

La función principal del intestino grueso es la de reabsorber agua de los alimentos antes de su expulsión, para formar heces compactas, así como completar la digestión de los alimentos gracias a la flora bacteriana que posee en su interior.

¿QUÉ ES EL CÁNCER COLORRECTAL?

Se define así a cualquier tumor maligno que afecte al recorrido del intestino grueso y concretamente al localizado en el ciego, colon y recto. Se trata del cáncer gastrointestinal más frecuente en los países occidentales o más desarrollados y, tras el de pulmón y el de próstata, el tercero en frecuencia de todos los tumores en los varones, mientras que en las mujeres es el segundo, tras el cáncer de mama.

La mayor parte se produce en el colon izquierdo, que incluye la porción descendente del mismo, el sigma y el recto. Después le siguen en orden de frecuencia el ciego, el colon transverso y, finalmente, el colon ascendente.

■ Se han realizado numerosos estudios que demuestran la relación de este tumor con diversos factores predisponentes entre los que destacan:

- Edad: el riesgo aumenta especialmente a partir de los 50 años, cuando se producen el 90% de todos los casos.
- Dieta: en los países más desarrollados se ha sustituido la fibra vegetal por alimentos como carne, grasa animal e hidratos de carbono refinados que parecen estar relacionados con la mayor incidencia de esta enfermedad. La acción protectora de ciertas vitaminas es aún controvertida.
- Estreñimiento: el aumento del tiempo de contacto de ciertas sustancias carcinógenas con la luz intestinal, facilita la aparición de procesos malignos. Al igual que en el punto anterior, la ausencia de fibra vegetal se ve implicada en el origen de estos tumores.
- Pólipos: la presencia de estas formaciones en el colon puede preceder a la formación de tumores colorrectales. En un tercio de los casos de cáncer de colon existen antecedentes de pólipos, aunque por sí mismos son benignos en un 90% de los casos.
- Enfermedades inflamatorias: los individuos con colitis ulcerosa tienen un riesgo entre cinco y 20 veces superior al resto de la población, sobre todo cuando la enfermedad se prolonga durante más de diez años. La enfermedad de Crohn y otros tipos de colitis tienen una influencia parecida.
- Antecedentes familiares: el hecho de tener familiares de primer grado con pólipos intestinales o cáncer colorrectal multiplica por tres el riesgo de padecerlos, especialmente si aquél apareció en edades tempranas o hay más de un familiar con este diagnóstico.
- Antecedentes tumorales: haber padecido tumores ginecológicos o incluso del propio colon con anterioridad multiplica el riesgo de nuevos episodios.

La mayor parte de los cánceres colorrectales son de un tipo concreto llamado adenocarcinoma mucosecretor. Estos tumores se extienden a través de la pared intestinal hacia los órganos vecinos como asas del intestino delgado, vejiga urinaria y vagina, formando en ocasiones fístulas. A medida que progresan pueden diseminarse a través de la vía linfática hacia los ganglios de la región o a través de la sangre hacia el hígado, que es el órgano que con más frecuencia presenta metástasis del cáncer de colon, además del pulmón, los huesos y el cerebro.

¿CÓMO SE MANIFIESTA EL CÁNCER COLORRECTAL?

■ Se trata de un tumor que no suele dar síntomas hasta las fases más avanzadas de su desarrollo, en las que invade de forma patente la luz del tubo intestinal. Los síntomas que habitualmente se detectan son:

- Cambios inexplicables en el ritmo intestinal, como por ejemplo aumento del número de deposiciones al día, de aparición más o menos brusca y que no responde al tratamiento o, por el contrario, estreñimiento en individuos que nunca han padecido dificultad para la defecación.
- Aparición de heces de aspecto anormal, blancuzcas, llenas de moco, sanguinolentas o excesivamente blandas.
- Dolor abdominal vago o difícil de localizar en un punto concreto del abdomen y tenesmo o deseo continuo, doloroso e ineficaz de defecar.
- Rectorragia o sangrado a través del ano que puede confundirse fácilmente con hemorroides, por otra parte habitualmente presentes en estos enfermos como consecuencia de su estreñimiento crónico.

* Pérdida de peso, cansancio, anorexia y anemia como consecuencia del avance del tumor, como ocurre en la mayoría de los casos de cáncer. La presencia de metástasis puede determinar la aparición de dolor en otras localizaciones, como en los huesos, o dificultad respiratoria y trastornos neurológicos.
* Perforación intestinal y formación de abscesos purulentos, secundariamente a la invasión de la pared intestinal. Aunque se trata de complicaciones poco frecuentes, pueden conducir rápidamente hacia la muerte cuando se presentan de forma rápida o aguda.
* Obstrucción intestinal o paralización total del ritmo defecatorio por la obstrucción completa del intestino.

En cualquier caso, los síntomas del cáncer colorrectal dependen en gran medida de la ubicación concreta del mismo en el intestino grueso y de su extensión.

¿CÓMO SE DIAGNOSTICAN ESTOS TUMORES?

■ Ante la presencia de los síntomas anteriormente descritos está indicada la realización de una serie de pruebas que, junto con la exploración física (incluyendo el tacto rectal) permitan detectar precozmente la enfermedad. Estas pruebas son:

* Determinación de sangre oculta en heces para descartar hemorragias procedentes de un tumor, que aún no son claramente visibles en la deposición.

Tratamiento del cáncer de colon

■ El tratamiento de este tipo de tumores depende de diversos factores como el grado de extensión y localización de los mismos, el estado general del enfermo y la respuesta inicial a la terapia empleada.

■ La cirugía es el único tratamiento con capacidad curativa definitiva en este cáncer y por tanto el más empleado aunque sólo sea como terapia paliativa en los casos más avanzados. Su finalidad es la resección o eliminación del tumor y la extirpación de los ganglios linfáticos adyacentes o regionales, lo cual no siempre es posible debido a la infiltración del tumor en torno a las estructuras vecinas y vasos sanguíneos. Tras la extirpación de la porción de colon afecta pueden unirse ambos extremos o realizar una colostomía o salida del intestino hacia un ano artificial en la piel para mantener la

defecación, de forma temporal o permanente. Cuando la cirugía no es curativa, proporciona al menos alivio de la obstrucción intestinal, el sangrado y el dolor.

La quimioterapia se puede prescribir como tratamiento complementario a la cirugía con el fin de eliminar las células tumorales que no han podido ser resecadas o las que han podido emigrar hacia otras localizaciones en forma de metástasis. Aunque por sí sola no es curativa, sí al menos consigue aportar cierta mejoría sintomática y prolongar la esperanza de vida, aun a costa de sus desagradables efectos secundarios.

La radioterapia en forma de ciclos durante varias semanas puede estar indicada en aquellos casos en los que la cirugía sea imposible, combinada con quimioterapia.

- Enema opaco o radiografía del colon tras la inyección de un contraste (bario) a través del ano, lo que permite visualizar la anatomía del tubo digestivo inferior y sus posibles anomalías.

- Rectosigmoidoscopia o introducción de un tubo flexible dotado de una cámara que permite la exploración directa del recto y la porción final del colon. Dado que la mayor parte de los tumores asientan en esta región, esta técnica es capaz de diagnosticar hasta el 60% de todos ellos.

- Colonoscopia o endoscopia inferior, similar a la anterior pero que explora prácticamente la totalidad del colon y no sólo su porción inferior. Se emplea ante la sospecha de un tumor de las primeras porciones del colon.

- Analítica de sangre para detectar parámetros más o menos específicos de estos tumores como el antígeno carcino-embrionario (CEA) o signos de avance de esta enfermedad como la anemia, la elevación de las transaminasas hepáticas u otros.

- Ecografía y escáner para establecer la localización exacta del tumor, su extensión y la presencia de metástasis. En ocasiones pueden resultar normales hasta que la masa tumoral no adquiere el suficiente tamaño, por lo que no tienen tanto valor diagnóstico como la colonoscopia o la rectosigmoidoscopia.

¿CUÁL ES EL PRONÓSTICO DEL CÁNCER COLORRECTAL?

Según el grado de extensión del tumor en el momento del diagnóstico, se puede prever una mayor o menor supervivencia. Así, las formas poco avanzadas que se limitan a invadir las capas más internas del tubo intestinal tienen un buen pronóstico tras la cirugía radical. Por el contrario, cuando el tumor se ha extendido a todo el espesor de la pared o invade estructuras vecinas o a distancia (metástasis), la supervivencia a los cinco años del diagnóstico es muy baja. Al tratarse de un tipo de cáncer que puede pasar inadvertido durante mucho tiempo, desgraciadamente ya no se encuentra en las fases iniciales en el momento de su diagnóstico en la mayoría de los casos.

¿CÓMO SE PREVIENE EL CÁNCER DE COLON?

Dado que se trata de un tumor cuyo pronóstico depende fundamentalmente de la precocidad en su detección, resulta apropiado comenzar con las pruebas diagnósticas tan pronto como se presenten sus signos de sospecha, especialmente en individuos con factores de riesgo.

Como normas generales se recomienda reducir la ingesta de grasas de origen animal frente a las vegetales, disminuir el consumo de carnes, aumentar el aporte de fibra y evitar el estreñimiento.

Tumores de colon y recto

Se denomina tumor colorrectal a aquel que se sitúa en el recorrido del intestino grueso, concretamente al localizado en el ciego, colon, sigma y recto. Se trata del cáncer gastrointestinal más frecuente en los países occidentales o más desarrollados.

Se localiza principalmente en el colon izquierdo, siguiendo después en orden de frecuencia el ciego y el colon transverso. Se han establecido numerosos factores de riesgo para el desarrollo de estos tumores; los principales son:

- Edad: especialmente a partir de los 50 años.
- Dieta: sustitución de la fibra vegetal por carnes, grasas e hidratos de carbono refinados.
- Estreñimiento.
- Pólipos en el colon.
- Enfermedad inflamatoria intestinal.
- Antecedentes familiares.

Las principales manifestaciones de este tumor, que no se presentan hasta las fases más avanzadas de su desarrollo son:

- Cambios inexplicables en el ritmo intestinal.

- Heces blancuzcas con presencia de moco o sangre.
- Dolor abdominal.
- Rectorragia o sangrado a través del ano.
- Pérdida de peso, cansancio y anorexia.
- Obstrucción intestinal.

El diagnóstico de estos tumores se confirma mediante una serie de pruebas como el enema opaco, la rectosigmoidoscopia, la colonoscopia, la determinación de sangre oculta en heces y la ecografía y otras técnicas de imagen.

El tratamiento depende de diversos factores como el grado de extensión y localización del tumor, así como el estado general del enfermo. La cirugía es el único tratamiento con capacidad curativa definitiva, aunque puede completarse con quimioterapia y radioterapia.

El pronóstico del tumor es bastante pesimista, sobre todo si en el momento del diagnóstico existen metástasis en órganos como el hígado o el cerebro, lo que desgraciadamente ocurre en muchos casos. La detección precoz de este tumor, por tanto, es fundamental tan pronto como se presentan algunos de los signos de sospecha.

Parte XV

Apéndices

✓ Apéndice I: Intoxicaciones

Intoxicación etílica • Intoxicación por psicofármacos • Intoxicación por analgésicos • Intoxicación por diferentes drogas • Intoxicaciones domésticas • Intoxicaciones industriales • Intoxicación por plantas • Intoxicación por setas

✓ Apéndice II: Primeros auxilios

Actuación urgente • Maniobras ventilatorias y de resucitación • Lesiones accidentales • Quemaduras • Hipotermia y congelación • Hipertermia o golpe de calor • Insolación • Electrocución • Ahogamiento • Obstrucción respiratoria • Hemorragias agudas y heridas • Mordeduras y picaduras

✓ Apéndice III: Alergias

Alergias respiratorias • Rinitis alérgica • Alergias alimentarias • Alergias a medicamentos • Alergias a insectos • Alergia por contacto en la piel

Intoxicaciones

Se denomina intoxicación al conjunto de signos y síntomas que se producen en el organismo como respuesta a la actuación sobre el mismo de una o varias sustancias perjudiciales, llamadas tóxicos, que actúan a través de un mecanismo químico. Los tóxicos pueden adquirirse por vía inhalatoria o respiratoria, por vía digestiva o a través de la piel.

Los cuadros de intoxicación representan un motivo habitual de consulta y asistencia médica a nivel hospitalario, hasta un 2% del total de las mismas, con una gran mayoría de casos leves y un pequeño porcentaje de complicaciones que llevan a la muerte. En cualquier caso no es sencillo cuantificar la incidencia exacta de este tipo de cuadros debido a la dificultad de reconocerlos cuando la sintomatología es leve o anodina o cuando se oculta por el propio individuo o sus familiares.

Hoy en día la mayor parte de los casos de intoxicación que se registran forman parte de una tentativa de suicidio y en menos ocasiones se produce de forma accidental. Una tercera forma de producirse las intoxicaciones es como un arma empleada con fines bélicos o terroristas. Los fármacos, sobre todo los empleados para tratar la depresión y la ansiedad y los analgésicos, son las sustancias implicadas con más frecuencia en las formas autoprovocadas, mientras que la lejía u otros productos de limpieza domésticos son más frecuentes en las formas accidentales. En el ámbito industrial o laboral cada vez es menos frecuente por la implantación progresiva de la medicina preventiva en los países desarrollados. Finalmente los alimentos y el agua potable también pueden ser responsables de ciertos casos de intoxicación.

INTOXICACIÓN ETÍLICA

Es la intoxicación más frecuente en los países occidentales y se manifiesta de manera diferente según la cantidad y características de la bebida ingerida y de las condiciones físicas de cada individuo. No nos referimos en este apartado al alcoholismo como enfermedad crónica sino al consumo abusivo agudo del etanol contenido en las formas habituales de licores y bebidas espirituosas.

Los primeros síntomas son la excitación, la pérdida de las inhibiciones, la descoordinación motora, la rubicundez facial y las alteraciones del lenguaje; posteriormente el cuadro puede progresar de forma grave hacia alteraciones de la conducta, crisis convulsivas, somnolencia y relajación de esfínteres. A partir de 250 mg/dL de etanol en la sangre existe un riesgo elevado de entrar en estado de coma, que pasa a ser profundo y prolongado según aumenta esta concentración. Las alcoholemias superiores a 600 mg/dL pueden ser consideradas incompatibles con la vida.

El tratamiento consiste en la vigilancia de las constantes vitales cardiovasculares y respiratorias; el vómito provocado puede ser útil cuando han transcurrido menos de dos horas desde que se ha terminado de ingerir alcohol. En el medio hospitalario se emplean habitualmente el suero glucosado y los complejos de vitamina B. Las medidas caseras que se utilizan en ocasiones consiguen simplemente despabilar al individuo, pero no interfieren en absoluto con las concentraciones de alcohol en la sangre, por lo que ante la sospecha de una intoxicación de este tipo está indicado acudir a un centro hospitalario para valorar la gravedad de la misma y sus posibles complicaciones. El frío puede actuar en ocasiones como coadyuvante en el establecimiento del coma etílico, por lo que debe abrigarse al individuo o evitar que permanezca aletargado a la intemperie.

INTOXICACIÓN POR PSICOFÁRMACOS

■ Se incluyen en este grupo los cuadros producidos por la toma abusiva de medicamentos destinados al tratamiento de cualquier enfermedad psiquiátrica, tanto la ansiedad como la depresión o psicosis graves, y suponen la forma más habitual de tentativa suicida entre este tipo de enfermos. Según el fármaco empleado se producen unos síntomas diferentes:

- Las benzodiacepinas, empleadas como sedantes o reductores de la ansiedad, producen depresión respiratoria y del estado de conciencia, llegándose a la muerte por parada respiratoria si la cantidad ingerida es suficiente (20 veces la dosis normal) o si se potencia con el consumo de alcohol. Además del lógico control de las constantes vitales, el tratamiento se basa en el empleo de un antídoto llamado flumacenilo.
- Los barbitúricos, empleados como tranquilizantes y anestésicos, producen un cuadro de shock por descenso de la tensión arterial y una depresión respiratoria cuando se ingieren en grandes cantidades. Son fármacos cada vez más en desuso hoy en día y su intoxicación se trata mediante lavado gástrico, lo más precoz posible, y la administración de sustancias como el carbón activado por vía oral que neutralizan la sustancia antes de que pueda ser completamente absorbida por el organismo.
- Los antidepresivos o fármacos para el tratamiento de la depresión provocan, cuando se toman de forma excesiva, un cuadro de taquicardia, temblor, dificultad respiratoria, sequedad de las mucosas y rigidez que puede desembocar en coma. El tratamiento es similar al de la intoxicación por barbitúricos, con especial control de la actividad eléctrica del corazón por el riesgo de aparición de arritmias fatales durante las primeras horas tras la ingesta.

INTOXICACIÓN POR ANALGÉSICOS

■ Los analgésicos menores o fármacos empleados para el tratamiento del dolor de tipo leve o moderado tienen un amplio margen de seguridad que impide la intoxicación accidental o involuntaria por lo mismos. No obstante, tomados en grandes dosis en un corto espacio de tiempo pueden producir cuadros

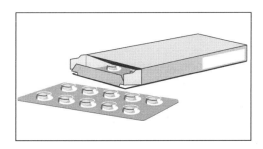

potencialmente graves. Los principales analgésicos utilizados hoy en día son:

- Los salicilatos o derivados del ácido acetil salicílico pueden producir un cuadro de náuseas, vómitos, dolor epigástrico, visión borrosa, respiración jadeante, aumento de la temperatura y somnolencia que pueden desembocar en una depresión grave de la función respiratoria, dependiendo de la cantidad ingerida En cualquier caso se considera grave una toma conjunta de más de 20 comprimidos de 500 mg, que es la cantidad habitual que suelen tener este tipo de medicamentos, aunque siempre dependiendo del peso del individuo. El tratamiento consiste en el lavado gástrico y el control de las funciones vitales en el hospital.
- El paracetamol es una molécula derivada de la fenacetina que se emplea de forma masiva hoy en día en todo el mundo por su efecto analgésico y antitérmico que asocia escasos efectos secundarios. Es destruido mayoritariamente por el hígado, donde se presentan los daños en caso de sobredosificación (una toma conjunta de más de 10 o 12 g de la sustancia); este daño hepático, que puede aparecer hasta incluso tres días después de la ingesta, puede desembocar en un fallo fulminante y va precedido de síntomas gastrointestinales como náuseas y vómitos, dolor abdominal y malestar general. El tratamiento con vaciado gástrico (vómito o lavado precoz) se completa con el empleo de un antídoto llamado n-acetilcisteína.

INTOXICACIÓN POR DIFERENTES DROGAS

■ Aunque en general se puede considerar perjudicial el consumo de cualquier tipo de droga, el abuso agudo de las mismas produce una serie de cuadros clínicos característicos independientes de la adicción o la abstinencia a ellas. En ocasiones las intoxicaciones agudas aparecen como resultado del consumo de estupefacientes especialmente puros, lo que lleva a la sobredosificación involuntaria, mientras que en otros casos se deben a la mezcla con otras sustancias potencialmente tóxicas. Las principales drogas utilizadas son:

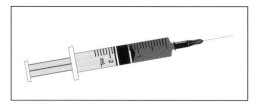

- Derivados del opio u opiáceos, de forma típica la heroína, cuyo consumo ha descendido notablemente desde los años 80. La sobredosis de estos derivados se manifiesta como un cuadro de euforia momentánea que se sigue de un aletargamiento paulatino que puede desembocar en pérdida de la capacidad respiratoria, coma y finalmente la muerte; de forma característica se produce miosis o disminución del diámetro de la pupila, que se observa como un punto pequeño en el centro del ojo. Si se deriva a tiempo a un centro hospitalario para su tratamiento, las posibilidades de éxito son casi totales. Este tratamiento consiste en las medidas habituales de soporte vital junto con el empleo reiterado de un antídoto llamado naloxona que recupera de forma espectacular la conciencia del individuo.
- La cocaína es un psicoestimulante producido a partir de la hoja de la coca cuyo consumo, conocido entre los indios americanos desde hace siglos, se ha disparado en las últimas décadas. A diferencia de otras drogas, no son necesarias cantidades espe-

cialmente grandes de cocaína para que se produzcan cuadros agudos de infarto de miocardio o edema pulmonar, que incluso aparecen en individuos aparentemente sanos que la consumen de forma habitual aunque sea en pequeñas cantidades y por vía nasal. La intoxicación por cocaína se presenta normalmente como alucinaciones y delirios que posteriormente se continúa con alteraciones cardiorespiratorias graves como las anteriormente mencionadas. El tratamiento consiste en el establecimiento de medidas generales para preservar la función respiratoria y el control de las arritmias cardíacas, siempre dentro del ámbito hospitalario.

● Las anfetaminas son los componentes mayoritarios del éxtasis y de todas las drogas llamadas «de diseño» que se consumen hoy en día entre un buen número de jóvenes. Su intoxicación aguda es muy variable según el diseño concreto de la sustancia, aunque generalmente consiste en arritmias cardíacas graves, aumento de la temperatura, letargia, convulsiones y depresión respiratoria. El tratamiento consiste en las habituales medidas de control de las funciones básicas del organismo.

● El cannabis, utilizado normalmente en forma de marihuana y hachís, no produce normalmente ningún tipo de reacción tóxica a pesar de la elevada incidencia de su consumo. En algunos casos de abuso continuado se han descrito reacciones de pánico o ansiedad extrema, hipocondría por malestar general o dolores en el pecho así como alteraciones del ritmo intestinal; su consumo por vía digestiva es más peligroso.

● Los alucinógenos del tipo LSD o ácido lisérgico, las mescalina y otras sustancias similares tienen una actividad psicoestimulante que se asemeja a los síntomas de la psicosis esquizofrénica en forma de «viajes» alucinatorios prolongados. En caso de intoxicación, además de síntomas físicos como hipertensión, fiebre, taquicardia y convulsiones, el individuo experimenta una alucinación desagradable con incluso pánico. Para el tratamiento se emplean sustancias relajantes en un medio aislado y tranquilo para el individuo.

INTOXICACIONES DOMÉSTICAS

■ Se incluyen en este grupo todas aquellas sustancias líquidas o gaseosas empleadas para la limpieza del hogar o para el mantenimiento de sus habitantes, incluyendo las emanaciones que puedan surgir de las mismas. Las principales sustancias son:

● Detergentes empleados para ropa o vajillas que producen sólo molestias digestivas transitorias como náuseas y diarrea, salvo que se ingieran cantidades exageradas.

● Los quitamanchas, suavizantes, ceras para suelo y similares producen además efectos sobre el sistema nervioso o sobre el respiratorio como agitación.

● Los cáusticos como la lejía, el salfuman, los abrillantadores o los desatascadores son mucho más agresivos, ya que están formados a partir de ácidos y bases muy fuertes que afectan a toda la mucosa digestiva cuando se beben, pudiendo llegar incluso a perforar el tubo digestivo y extenderse al resto del tórax. Además su mezcla o su calentamiento puede desprender gases tóxicos que irriten la vía respiratoria e incluso produzcan asfixia.

En cualquiera de los casos, la gravedad y la extensión de las lesiones producidas por estas sustancias es directamente proporcional a la cantidad ingerida, así como a la concentración del producto. Normalmente su ingesta accidental no supone un riesgo importante para la salud y suele responder bien al tratamiento básico inicial, que consiste en la toma de abundante agua, leche o agua mezclada con las claras de cinco o seis huevos para diluir el producto; en ningún caso debe producirse el vómito, ya que sólo serviría para hacer pasar de nuevo la sustancia por un esófago y una boca ya dañados. Debe consultarse al médico de manera rápida o en su defecto a los institutos de toxicología, y dirigirse a un hospital si la cantidad ingerida es muy grande o aparecen síntomas de complicación.

En el caso de los gases, la inhalación de monóxido de carbono proveniente de braseros o de una mala combustión del gas ciudad es cada vez menos frecuente por la implantación del gas natural. No obstante siguen estando presentes este tipo de intoxicaciones en domicilios o como resultado de incendios en lugares poco ventilados. La inhalación de monóxido de carbono produce asfixia, ya que esta sustancia se une a la hemoglobina de forma irreversible y no permite que el oxígeno sea transportado en la sangre. Una vez se ha retirado al intoxicado del lugar de riesgo, debe suministrársele oxígeno al 100% lo antes posible.

INTOXICACIONES INDUSTRIALES

■ Son aquellas producidas directamente por el empleo de determinadas sustancias de uso industrial o como consecuencia de la exposición de la población a las mismas.

- El metanol es empleado como anticongelante y su ingestión puede producir un cuadro tóxico de tipo neurológico que desemboca en coma. Su tratamiento consiste en lavado gástrico y la administración de etanol.

- Los derivados del petróleo, como la gasolina y el queroseno, son especialmente peligrosos en caso de inhalación repetida de sus vapores o si se beben, y tienen una acción irritativa sobre la piel. No necesitan un tratamiento especial salvo casos de gravedad.

- Los hidrocarburos halogenados se emplean como propelentes de extintores o disolventes por su baja combustibilidad, pero se absorben con facilidad por el organismo y pueden actuar en el sistema nervioso central.

- Los organofosforados son empleados como insecticidas y pueden producir intoxicaciones crónicas que se manifiestan de forma insidiosa como cansancio, debilidad y dificultad respiratoria o de forma aguda con afectación nerviosa y signos de asfixia.

INTOXICACIÓN POR PLANTAS

Son cuadros generalmente leves y poco frecuentes que se producen por ingestión directa de las mismas, sobre todo entre los niños, o por su utilización con fines culinarios o alucinógenos. Entre las plantas comúnmente implicadas en estos casos de intoxicación se encuentran la belladona, la nueza, el ricino, la adelfa o el laurel rosa. En raras ocasiones se ingieren cantidades suficientes como para causar la muerte, aunque está indicado el lavado gástrico si se sospecha ésta o si aparecen síntomas graves de tipo neurológico, hepático o renal.

INTOXICACIÓN POR SETAS

■ Las setas son un tipo de hongo de hojas carnosas que se emplea como alimento por el hombre y que pueden producir intoxicaciones graves en el mismo, cuando se confunden especies comestibles con las venenosas. Las formas de actuar estas últimas son dos:

- Rápidamente, con síntomas a los 30 minutos de su ingesta
- Lentamente, con un periodo de incubación largo y que tardan en provocar síntomas hasta seis horas o más. Son las más graves.

■ Las especies más peligrosas son:

- *Amanita phalloides*: posee varias toxinas diferentes, entre las que destaca la amanitina, que es capaz de impedir la reproducción de las células y provocar su necrosis o destrucción. A las seis u ocho horas de su ingesta, que no tiene por qué ser excesiva, aparece un cuadro diarreico agudo junto con náuseas y vómitos que provoca deshidratación. Tras una aparente mejoría, un par de días después comienza la fase más agresiva, con afectación hepática grave y alteración de la coagulación, produciéndose la muerte por intoxicación cerebral debida al fallo fulminante del funcionamiento del hígado. El tratamiento debe producirse en el ámbito hospitalario tan pronto como se asocie el cuadro al consumo de setas, aunque el vómito provocado puede salvar la vida si se reconoce el error a tiempo. Aunque tratada a tiempo el pronóstico es favorable, esta intoxicación puede dejar secuelas en forma de hepatitis crónica.
- *Amanita verna*: similar a la anterior pero menos venenosa.
- Otras setas venenosas son algunas de las pertenecientes a la familia de *Lepiotas*.

Intoxicaciones

DEFINICIÓN DE INTOXICACIÓN

Conjunto de signos y síntomas que se producen en el organismo como respuesta a la actuación sobre el mismo de una o varias sustancias perjudiciales a través de un mecanismo químico.

INTOXICACIÓN ETÍLICA

Síntomas iniciales del abuso del alcohol: excitación, desinhibición, descoordinación motora.
Síntomas avanzados: alteraciones de la conducta, somnolencia, relajación de esfínteres, crisis convulsivas.
Complicaciones graves: estado de coma.
Tratamiento con vómito provocado, suero con vitamina B, etc.

INTOXICACIÓN POR PSICOFÁRMACOS

Benzodiacepinas o ansiolíticos.
Barbitúricos.
Antidepresivos.

INTOXICACIÓN POR ANALGÉSICOS

Derivados del ácido acetil salicílico.
Paracetamol.

INTOXICACIÓN POR DIFERENTES DROGAS

Derivados del opio u opiáceos: heroína.
Cocaína.
Anfetaminas.
Cannabis.
Ácido lisérgico (LSD), mescalina.

INTOXICACIONES DOMÉSTICAS

Detergentes, suavizantes, quitamanchas, ceras.
Cáusticos: lejía, salfumán, abrillantadores.
Inhalación de monóxido de carbono.

INTOXICACIONES INDUSTRIALES

Metanol.
Derivados del petróleo.

INTOXICACIÓN POR PLANTAS Y SETAS

Belladona, nueza, ricino, amanitas, etc.

Primeros auxilios

La intención de este capítulo no es otra que la de exponer de forma sencilla el modo de proceder en algunas de las situaciones de emergencia en las que todos podemos vernos envueltos en algún momento. No sustituyen a la acción médica especializada pero sí que proporcionan una primera atención o ayuda hasta que aquella se produce, sirviendo en muchos casos para salvar la vida del individuo o cuando menos para aumentar sus posibilidades de supervivencia o mejorar el pronóstico de sus lesiones.

En un primer apartado nos referiremos a las normas generales de actuación ante una situación de este tipo junto con la descripción básica de las maniobras de resucitación cardiopulmonar para posteriormente comentar de forma separada los principales tipos de lesiones accidentales.

ACTUACIÓN URGENTE

■ Ante una situación de emergencia en la que una o más personas necesiten ayuda de forma inmediata deben observarse los siguientes enunciados:

- Lo primero de todo, separar a la víctima de la situación causante de su lesión o de un riesgo inminente que pueda empeorar su estado; por ejemplo, extinguir el fuego de sus ropas, cortar la corriente eléctrica o separarle de la misma, sacarle de un coche ardiendo o del agua, parar el tráfico, llevarle a un sitio abrigado en caso de congelación, o en general, protegerle de cualquier circunstancia que entendamos como un peligro evidente para su salud. Antes de acercarse a la víctima es fundamental asegurarse de que no corremos peligro nosotros mismos.
- Buscar ayuda, a ser posible médica y mientras ésta llega, la de cualquier persona cercana que podamos encontrar.
- No perder la calma; tratar de evaluar cuál de los heridos necesita nuestra ayuda con

más rapidez si es que hay varios. Separar a las personas cercanas al individuo no gravemente heridas si se cree que no van a poder colaborar con la atención o son presa de un ataque de histeria.
- Comprobar el grado de preparación de las personas que han acudido a prestar ayuda (no se trata de hacerles un examen, sino de tratar de que lleve la iniciativa siempre la persona que parezca estar más cualificada).
- Comenzar el auxilio:

1. Comprobar si el individuo está consciente, preguntándole en voz alta si se encuentra bien y qué zonas de su cuerpo son las que más le duelen. Si responde, se le debe colocar en posición lateral sobre el suelo, de forma lenta y sujetando la cabeza, para posteriormente buscar puntos de sangrado y fracturas; esta posición trata de impedir que se desplace la lengua o que se trague su vómito; esta posición se consigue tumbando primero boca arriba al sujeto (decúbito supino), levantando el brazo del lado sobre el que se va a apoyar unos 90° (en posición de juramento) y tirando lenta-

mente de la rodilla contralateral (que luego se deja flexionada) mientras se sujeta el brazo que hemos levantado. Si sangra, comprimir con fuerza dicha zona con un trozo de tela lo más limpio posible y levantar la extremidad afectada (sólo deben realizarse torniquetes sobre amputaciones totales que sangran profusamente). Hay que comprobar cada pocos minutos que el individuo sigue consciente (tratar de mantener una conversación tranquilizadora con él para impedir que se duerma), que respira y que tiene pulso, además de abrigarlo.

2. Si el individuo no está consciente o no responde a nuestras preguntas hay que examinar inmediatamente si respira (escuchar ruidos en la boca, sentir el aire respirado en la mejilla, ver movimientos de la caja torácica) y si tiene pulso (palpar con el dedo índice y corazón en la unión del brazo y la muñeca de la víctima, hacia su borde externo, o en el cuello buscando las carótidas). Si existen tanto respiración como pulso pero el individuo sigue inconsciente hay que asegurarse que la vía aérea no se va a obstruir, para lo cual se debe aflojar la ropa ajustada del cuello, retirar los cuerpos extraños de la boca (como la dentadura postiza) y desplazar ligeramente la cabeza hacia atrás poniendo una mano sobre la frente y los dedos de la otra debajo del mentón o simplemente traccionando hacia arriba la mandí-

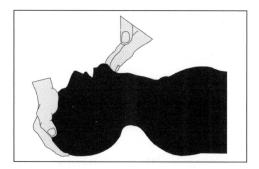

bula mientras se sujeta la cabeza; posteriormente se le debe colocar en la posición lateral de seguridad ya mencionada, salvo cuando esto pueda agravar una lesión medular. Hay que vigilar repetidamente que sigue respirando y con pulso.

3. Si la víctima no respira pero tiene pulso hay que colocarla tumbada boca arriba, comprobar que la vía aérea no está obstruida (inspeccionando la boca) y comenzar las maniobras ventilatorias o respiración boca a boca, que debe prolongarse hasta que llegue ayuda especializada o bien hasta que el individuo comience a respirar espontáneamente.

4. Si no se observa ventilación ni pulso y el individuo está lógicamente inconsciente se ha producido una parada cardiorrespiratoria y hay que comenzar de forma inmediata con las maniobras de resucitación. Previamente se debe colocar a la víctima boca arriba y bien extendida sobre una superficie dura y lisa (¿asfalto?) y abrir la vía aérea con la maniobra frente-mentón antes explicada. En cualquier caso siempre debe investigarse la presencia de hemorragias.

Las situaciones de respiración sin pulso son improbables, puesto que la primera se detiene a los pocos segundos de ceder éste; lo que suele suceder generalmente es que no se puede detectar el latido por inexperiencia o por dificultades añadidas como pulso débil, o ritmos cardíacos especiales. En ningún caso debe darse de beber a un accidentado salvo que esté perfectamente consciente y sufra una hemorragia importante. Del mismo modo no debe quitarse el casco a un motorista salvo que sea necesario comenzar a realizar maniobras ventilatorias o de resucitación. Cuando sea necesario trasladar a una víctima por cualquier circunstancia, es importante contar con toda la ayuda posible para que la misma sea firmemente sujetada, como un bloque recto, sin que se desplace ningún miembro ni se mueva el cuello.

MANIOBRAS VENTILATORIAS Y DE RESUCITACIÓN

■ **Respiración boca a boca**; los puntos clave de este procedimiento son:

- Colocarse de rodillas junto a la cabeza de la víctima, perpendicularmente a ésta.
- Ocluir las fosas nasales con el dedo pulgar e índice apoyando el resto de la mano en la frente.
- Inspirar profundamente y apoyar los labios sobre la boca del individuo de forma decidida de tal manera que la unión quede sellada y no se escape el aire.
- Insuflar el aire de forma continuada y lenta durante unos dos o tres segundos mientras se comprueba con la otra mano que el tórax se expande.
- Retirar la boca y comprobar que el tórax desciende de forma pasiva, es decir, que el aire sale de las vías respiratorias.
- Repetir el proceso a un ritmo aproximado de diez ventilaciones por minuto.

En los niños pequeños, la boca del reanimador debe cubrir tanto su boca como su nariz y deben realizarse más insuflaciones por minuto cuanto más pequeño es, aunque con menos volumen de aire introducido en cada una de ellas.

■ **Masaje cardíaco**; se realiza de la siguiente manera:

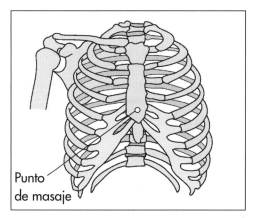

Punto de masaje

- Situarse al lado de la víctima, a la altura del pecho y también de forma perpendicular.
- Colocar los brazos extendidos sobre la mitad inferior del esternón; despejar de ropa esta zona para asegurarse de la región concreta donde nos estamos situando.
- Apoyar el talón de una mano en el punto elegido y el talón de la otra sobre la primera, entrelazándolas después.
- Comenzar con las compresiones tratando de aplicar una fuerza intermedia capaz de deprimir el tórax unos pocos centímetros pero sin romper el esternón.
- Mantener el ritmo del masaje a unas 80-100 compresiones por minuto.

En los niños se realiza con una sola mano y transmitiendo menos fuerza; en los bebés sólo con dos o tres dedos y también deprimiendo poco el tórax.

■ **Reanimación cardiopulmonar**; consiste en la combinación de las dos técnicas anteriormente descritas. En ningún caso puede realizarse ventilación al mismo tiempo que se realiza masaje cardíaco, sino que se alternan de la siguiente manera:

- Dos ventilaciones y después 15 compresiones cuando sólo hay un reanimador.
- Una ventilación seguida de cinco compresiones cuando hay más de uno.

LESIONES ACCIDENTALES

QUEMADURAS

Son las lesiones producidas por el exceso de calor sobre una región determinada de la piel del cuerpo humano y de las estructuras que se encuentran inmediatamente debajo de ella. Aunque generalmente la causa principal es el fuego, las quemaduras también pueden producirse por escaldadura, por roce continuo contra una superficie áspera, por descarga eléctrica, por agentes corrosivos o simplemente por el contacto con objetos que tienen una elevada temperatura.

Toda quemadura produce dolor en quien la padece, pero no es este el problema principal que debe afrontarse; las quemaduras graves (a partir de tercer grado) presentan complicaciones que pueden llegar a poner en riesgo la vida del individuo. La primera es la pérdida de plasma o parte líquida de la sangre, que se evapora en parte por la zona de la lesión y se acumula por otro lado dentro de ampollas que recubren la lesión; esto desemboca en un cuadro de deshidratación con una caída brusca del volumen sanguí-

Clasificación de las quemaduras

■ **Quemaduras de primer grado:** son quemaduras superficiales que afectan a la piel, principalmente a la epidermis o capa más externa de la misma, mientras que sus anejos (folículos pilosos, glándulas sebáceas, etc.) se mantienen intactos. Se produce un enrojecimiento de la piel llamado *eritema*, bajo el cual puede aparecer con el tiempo una ampolla que tiende a romperse posteriormente. Se trata de una lesión leve en la que el dolor se prolonga unos pocos días y la piel se recupera sin dejar rastro de la misma.

■ **Quemaduras de segundo grado:** son aquellas en las que se afecta todo el espesor de la piel hasta el tejido celular subcutáneo de tipo graso; en ellas se produce una pérdida evidente de tejido que se repone de forma lenta y que puede dejar secuelas en la zona afecta en forma de pe-

queñas cicatrices, manchas o piel de aspecto rugoso. El tipo de lesión producida en la piel en estas quemaduras se denomina *flictena*.

■ **Quemaduras de tercer grado:** se trata de aquellas quemaduras que destruyen por completo la piel y alcanzan parte del tejido graso sobre el que asienta, hasta el punto de eliminar por completo la matriz que reproduce las células que la forman y dejar expuestas las capas inferiores. Pueden afectarse incluso las terminaciones nerviosas y los capilares sanguíneos, produciéndose *escaras* profundas en la región afectada.

■ **Quemaduras de cuarto y quinto grado:** se han empleado en algunas ocasiones estos grupos para definir quemaduras muy graves que afectan al tejido subcutáneo, al tejido muscular e incluso a los huesos.

neo y el consiguiente shock. La segunda complicación es la aparición de infecciones por la pérdida de la capacidad natural defensiva de la piel que facilita la colonización por bacterias próximas y que retrasa la curación de la misma o incluso se disemina por la sangre, con resultados funestos, si no se trata a tiempo.

Tratamiento de las quemaduras

■ En los casos de quemaduras de primer grado se debe comenzar por enfriar la zona afectada mediante agua fría a poder ser sumergiendo la lesión, o mediante paños empapados, durante al menos 10 o 15 minutos desde que se produjo; posteriormente pueden emplearse cremas tapadas por apósitos estériles que se retiran y renuevan hasta la curación. El empleo de aceite u otras sustancias caseras no es recomendable por el riesgo de infección que lleva asociado.

■ En las quemaduras más graves es necesario el control médico de las mismas; en caso de gravedad y hasta que la ayuda especializada llegue es importante tomar una serie de medidas urgentes como proteger al individuo de la inhalación de gases en caso de incendio, tumbarle en el suelo, no tocar el material carbonizado que esté pegado a la piel aunque sí enfriarlo con agua fría si aún está incandescente y darle de beber en pequeños sorbos si aún mantiene la consciencia.

■ Una vez superada la fase crítica comienza la cicatrización de las lesiones, que en las quemaduras profundas se realiza si es posible a costa de la aproximación de las zonas circundantes no quemadas o mediante injerto de piel del propio individuo.

En general, la extensión de una quemadura es más grave que su profundidad, es decir, es más peligroso que se queme un área grande de la piel aunque no sea más que de segundo grado que una pequeña quemadura de cuarto o quinto; esto se debe a que a mayor extensión mayor cantidad de plasma «secuestrado». Se considera como grave aquella quemadura que afecta a más del 25% de la superficie corporal independientemente de lo profunda que sea; esta cifra es algo menor en los niños. No obstante una quemadura poco extensa puede resultar mortal por síncope doloroso si se afectan determinadas zonas muy sensibles como la testicular o la situada en la zona anterior del cuello.

HIPOTERMIA Y CONGELACIÓN

El cuerpo humano tiene unos límites de resistencia al frío ambiental, y cuando éste se prolonga cierto tiempo aparece un cuadro grave llamado hipotermia. En un primer momento la reacción del organismo frente al frío intenso es la de aumentar la producción de calor por el propio metabolismo al mismo tiempo que disminuye el calibre de los vasos sanguíneos que circulan por la periferia para evitar que la sangre se enfríe demasiado. Mientras estas condiciones ambientales hostiles se mantengan, el organismo lucha contra el frío con estas medidas y consigue mantener la temperatura corporal por encima de 34 °C. Con el tiempo se agota este mecanismo defensivo y la temperatura disminuye de forma paulatina apareciendo apatía, rigidez muscular, hipoglucemia y un ritmo cardíaco cada vez más lento. En el momento en el que la temperatura corporal es inferior a 27 °C las lesiones pueden ser irreversibles con la aparición de un coma profundo unido a arritmias graves que provocan la muerte.

Este proceso es más acusado cuando el frío es transmitido directamente por el agua, ya que hace inútiles las ropas de abrigo si no son específicas para este tipo de aguas; mientras que se pueden tolerar temperaturas inferiores a –20 ºC si se lleva ropa de abrigo y se realiza ejercicio físico, bastan unas pocas horas sumergido en agua a 10 ºC para producirse la muerte.

En general una hipotermia es una urgencia grave que obliga a un seguimiento médico intensivo con vigilancia de los parámetros vitales principales.

Se denomina congelación a la lesión producida en determinadas áreas del cuerpo que han sido expuestas a un intenso frío ambiental pero que no han llegado a afectar al estado general del individuo y por tanto no se ha producido hipotermia. Estas áreas suelen ser los pies y las manos, la nariz y las orejas; en ocasiones se produce la muerte de las células de estas regiones de forma secundaria a la falta de riego en las mismas, ya que el organismo restringe de forma drástica su riego sanguíneo para evitar un enfriamiento excesivo de la sangre que pudiera repercutir en órganos vitales. En la mayoría de los casos es necesaria la amputación de las zonas congeladas para evitar complicaciones infecciosas en forma de gangrena.

En cualquier caso, como es obvio, el tratamiento de la hipotermia y la congelación pasa por la eliminación del frío ambiental tan pronto como sea posible, aplicando calor en las zonas afectadas salvo que exista lesión en la piel y pueda infectarse. En caso de que se mantenga la conciencia deben administrarse líquidos ricos en sales minerales que repongan las pérdidas producidas.

HIPERTERMIA O GOLPE DE CALOR

Se denomina así a la elevación térmica del organismo producida por la permanencia en un ambiente caluroso con una humedad relativa mayor del 70% y con falta de ventilación, que desemboca en el aumento de la temperatura corporal. A diferencia de la fiebre, que es un aumento de la temperatura controlado por el organismo con fines defensivos, la hipertermia puede desbordar dicha capacidad de control y conducir a graves complicaciones. A partir de los 41 ºC de temperatura corporal puede sobrevenir la pérdida de conocimiento con muchas posibilidades de producirse la muerte o de aparecer secuelas neurológicas en el caso de que se sobreviva.

El sistema defensivo que emplea el organismo frente al exceso de calor ambiental es la evaporación de líquido a través de la piel con el fin de conseguir enfriarla; por tanto la deshidratación es la mayor complicación que puede producirse en este cuadro.

El tratamiento se basa en el empleo de paños o compresas frías en la nuca y en la frente, en habitaciones correctamente ventiladas y con la toma de líquidos de forma paulatina; en los casos más graves puede ser necesario rehidratar por vía intravenosa, así como puede ser necesario el empleo de antitérmicos y anticonvulsionantes.

INSOLACIÓN

Es una forma de hipertermia producida por la acción directa de la radiación solar de forma continuada sobre la cabeza, que afecta directamente al cerebro, produciéndose un cuadro típico de delirio y convulsiones. Su tratamiento no difiere al resto de formas de hipertermia, aunque debe incidirse en la necesidad de protegerse de la radiación solar y asegurarse una buena hidratación cuando se prevea que puede producirse una situación de este tipo.

ELECTROCUCIÓN

■ La corriente eléctrica o flujo de electrones a través de un conductor natural o artificial puede afectar a los seres humanos de tres formas diferentes:

- En forma de rayo, producido por la descarga súbita de corrientes estáticas atmosféricas sobre la superficie de la tierra. Su impacto directo sobre el ser humano resulta mortal en la mayoría de los casos, con casos de supervivencia cuando se recibe sólo la descarga de una rama lateral del rayo principal.
- Como corriente industrial, similar a la del rayo aunque con menor voltaje y amperaje y transmitida por el contacto sobre una parte del circuito o por la formación de un arco voltaico entre dos puntos a través del aire. Aunque la potencia global de la corriente sea menos intensa que en el rayo, los efectos de la misma son más prolongados puesto que no se corta espontáneamente como éste, lo que se traduce en lesiones incluso más graves.
- La corriente doméstica es la más leve en potencia de las tres, aunque es la responsable de la mayoría de las electrocuciones que ocurren habitualmente. Si bien no es grave como norma general, su combinación con humedad en el suelo o en el propio individuo puede ser fatal.

El efecto de la corriente eléctrica sobre el organismo es doble: por una parte se produce una liberación de calor que destruye los tejidos y produce quemaduras intensas, tanto en la superficie de entrada y salida de la corriente como en la profundidad corporal; por otra parte el flujo de electrones altera de forma drástica el funcionamiento de las estructuras que utilizan flujo eléctrico, como el sistema nervioso y el muscular. De todo esto se deduce que las consecuencias más graves de estos accidentes son el paro cardíaco o las arritmias graves que se producen de inmediato a la descarga, o incluso horas después de ésta; si se sobrevive a esta situación, las quemaduras representan entonces el mayor riesgo vital. Durante el primer mes tras el accidente pueden producirse cataratas como consecuencia de la lesión por electricidad.

El tratamiento de urgencia ante una electrocución es la reanimación en caso de parada cardiorrespiratoria, mediante masaje cardíaco y respiración boca a boca, hasta que se produzca el traslado al medio hospitalario. En caso de corriente industrial o doméstica es fundamental asegurarse de que el sujeto se ha separado por completo del circuito eléctrico e incluso cerrar éste si es posible.

AHOGAMIENTO

El organismo humano es incapaz de utilizar el oxígeno disuelto del agua, por lo que obligatoriamente necesita mantener un intercambio de aire con la atmósfera para poder respirar. Cuando un individuo se sumerge en un medio líquido, puede tolerar un espacio de tiempo más o menos prolongado sin respirar gracias a la reserva vital pulmonar, que estará desarrollada de manera diferente en cada caso. En el momento en que esta reserva se agota, de forma instintiva se abre la vía respiratoria y el agua penetra en la misma encharcando completamente los pulmones; en otros casos, la glotis puede cerrarse de forma brusca al contactar con el líquido y desviarlo hacia el sistema digestivo. En ambos casos la muerte se produce por asfixia, que será más lenta si las aguas son muy frías. Se denomina preahogamiento a la situación grave que precede a la muerte definitiva por ahogamiento pero en la que aún es reversible, al menos parcialmente, el proceso.

El hecho de que la asfixia por ahogamiento sea lenta, es decir, que el agua fría conserve al individuo en una especie de estado letárgico antes de la muerte, hace que sea absolutamente necesario realizar la resucitación cardiopulmonar en todo ahogado, por si sólo se encuentra en situación de preahogamiento, donde existen enormes posibilidades de recuperación.

OBSTRUCCIÓN RESPIRATORIA

Se producen en general por el estancamiento de material alimenticio en la vía respiratoria, bien por dificultades en la técnica de deglución debido a diversas enfermedades o bien por falta de experiencia en la misma, como en los niños pequeños que comienzan a comer sólidos. La falta de masticación o el hecho de comer deprisa favorecen que se produzcan estos cuadros, así como el hecho de que los más pequeños tengan objetos de forma roma al alcance de la mano y se los puedan tragar.

Si la obstrucción es parcial y el individuo sigue respirando, se puede intentar expulsar el cuerpo extraño mediante la tos forzada o colocándose boca abajo mientras se dan unos golpes suaves en la espalda; estos golpes no deben darse estando en posición normal porque pueden favorecer que el objeto caiga más abajo en la vía respiratoria y se produzca una obstrucción total. En el caso de que no se pueda expulsar completamente la materia atrapada se debe acudir a un centro médico.

Cuando la obstrucción es total se producen de forma inmediata signos de asfixia que comprometen seriamente la vida del individuo. Se trata por tanto de una urgencia vital que requiere actuación inmediata puesto que no hay tiempo para el traslado. Esta actuación consiste en la realización de la maniobra de Heimlich, que consiste en percutir con el puño cerrado sobre una zona situada entre el final del esternón y el ombligo, situándose detrás del individuo, abrazándolo, de pie o sentado si está consciente y de rodillas a su lado si está en el suelo inconsciente. Hay que dar un golpe seco y vigoroso, tirando del individuo hacia nosotros y hacia arriba hasta conseguir que espontáneamente expulse el objeto que obstruye la vía aérea.

En cualquier tipo de obstrucción es peligroso tratar de extraer el objeto causante cuando se ve a través de la boca; sólo debe hacerse cuando fracasan el resto de medidas y a poder ser en un centro médico. La traqueotomía y la cricotiroidotomía son medidas extremas que tratan de abrir una vía respiratoria salvatoria cuando la progresión fatal del cuadro es evidente.

HEMORRAGIAS AGUDAS Y HERIDAS

Las hemorragias agudas o pérdidas bruscas de sangre pueden representar una complicación grave del curso de una enfermedad o ser consecuencia de un traumatismo directo o indirecto sobre el cuerpo del individuo.

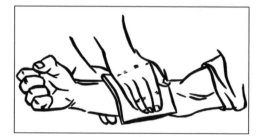

■ Según su origen podemos dividirlas en:

• Hemorragias arteriales o por rotura de una arteria; en estos casos la sangre es de color rojo intenso o más vivo (rica en oxígeno) y sale con fuerza, como a borbotones, que coinciden con el impulso cardíaco de la misma, lo que provoca una mayor pérdida de volumen circulatorio en menos tiempo.

- Hemorragias venosas o por rotura de una vena; la sangre expulsada es de color rojo opaco o más oscura (rica en dióxido de carbono) y emana con menos fuerza.
- Hemorragias capilares o por rotura de los pequeños vasos que unen las arterias y las venas; la sangre es de color rojo normal y sale con poca fuerza, como si «rezumara».

■ Según su localización las hemorragias pueden ser:

- Hemorragias externas: cuando la sangre es expulsada al exterior de forma visible.
- Hemorragias internas: cuando es una estructura interior la que sangra y no es visible la hemorragia en un primer momento (hasta que vomita por ejemplo) o no se llega a evidenciar nunca desde el exterior.

■ Los signos que indican la gravedad de una hemorragia de cualquier tipo son:

- Enfriamiento de la piel y palidez de la misma, especialmente en la cara.
- Pulso acelerado pero débil; respiración rápida y jadeante.
- Debilidad, malestar general, ruidos en los oídos, sensación de ansiedad.
- Desfallecimiento con caída al suelo y pérdida de conciencia.
- Las hemorragias internas se acompañan de diferentes síntomas según su localización sea abdominal, cerebral, torácica, etc.

■ Ante una hemorragia externa leve o moderada que sea limpia, es decir que no sospechamos que esté infectada, debemos proceder a su tratamiento, con el fin de ayudar a los propios mecanismos defensivos del organismo en la tarea de obturar el vaso sangrante. Las normas generales son:

- Aplicar un trozo de gasa o de cualquier tela lo más limpia posible sobre la zona sangrante, presionándola con firmeza durante un espacio de tiempo no inferior a cinco minutos.
- Elevar el miembro afectado si es posible hacerlo; en el caso de hemorragia nasal o epístaxis se debe flexionar la cabeza hacia atrás.
- No retirar el apósito manchado de sangre sino recubrirlo con un vendaje compresivo hasta que pueda ser tratado por un sanitario.
- Si se produce un corte en la lengua puede ser útil aplicar hielo sobre el punto sangrante para contraer los vasos sanguíneos y detener la hemorragia; de igual manera, el hielo también puede colaborar en el tratamiento de un sangrado nasal si se aplica en la raíz del tabique de la nariz.
- Una hemorragia que no cede a los pocos minutos pese a la toma de estas medidas o cualquier hemorragia profusa deben ser valoradas en un centro médico.

Ante una herida sucia, bien porque en la zona afectada se haya acumulado polvo, tierra o cualquier otro material o bien porque se haya producido un corte con una superficie sospechosa de estar contaminada, se debe proceder a la limpieza de la misma con agua oxigenada, alcohol o desinfectantes yodados antes de cubrirla. Lógicamente esto será posible si la hemorragia no es importante, en cuyo caso se debe concentrar el esfuerzo en detenerla, ya que la pérdida brusca de volumen sanguíneo representa un riesgo más inmediato para el individuo que una posible infección. Las heridas contaminadas requieren curas diarias pautadas, además de tratamiento antibiótico adicional en algunos casos. Si el individuo no está vacunado frente al tétanos o no completó la misma correctamente es necesario vacunarle.

■ Cuando existe la sospecha de que puede haber una hemorragia interna porque se presenta alguno de los signos de gravedad antes mencionados o porque se ha producido un fuerte traumatismo sin signos de sangrado externo, como por ejemplo tras una caída, se deben tomar las siguientes medidas:

- Solicitar ayuda lo más rápidamente posible.
- Tumbar al sujeto en el suelo en la posición lateral de seguridad procurando que las piernas queden más elevadas que la cabeza para permitir un mejor riego de ésta.
- Liberarle de la ropa más ajustada y cubrirle con una manta sin acumular demasiado peso sobre él.
- No darle de beber aunque refiera una sed muy intensa. Tratar de mantenerle despierto.
- Vigilar de forma permanente el pulso y la respiración, comenzando con las maniobras de resucitación tan pronto como sea necesario.

MORDEDURAS Y PICADURAS

Podemos incluir de forma general en este apartado a cualquier agresión sobre el ser humano producida por otro ser vivo, desde los vertebrados mayores hasta los insectos. Las lesiones producidas como consecuencia de una mordedura o de una picadura suelen ser leves y de buen pronóstico; no obstante su tratamiento es siempre necesario puesto que la aparición de complicaciones si éste no se produce sí que es muy habitual. Las mordeduras producidas por otro ser humano son extremadamente infecciosas y requieren también de tratamiento.

■ Se distinguen tres formas de evolucionar una lesión de este tipo, que pueden aparecer aisladamente o juntas durante el curso de la misma:

- Acción directa del veneno cuando se produce una picadura por alguno de los seres vivos que lo poseen, como algunas serpientes, arañas y escorpiones, y que actúan a nivel general en el organismo produciendo la muerte por bloqueo respiratorio en muchos casos. Otros venenos más débiles, como los de las avispas o abejas, actúan únicamente a nivel local produciendo una reacción inflamatoria en la región que rodea al punto de entrada de los mismos.
- Lesiones secundarias a la propia mordedura o picadura, es decir, provocadas como consecuencia de la propia agresión sobre la piel o las mucosas, que se traducen en heridas más o menos extensas con gran probabilidad de infección asociada.
- Cuadros de tipo alérgico producidos como consecuencia de una especial sensibilidad del individuo frente al veneno introducido, independientemente de que éste tenga una mayor o menor potencia tóxica.

■ La actitud a seguir ante una situación de este tipo se puede resumir en:

- Solicitar ayuda médica si se sospecha que la lesión puede ser venenosa o se acompaña de complicaciones graves como fuerte hemorragia o shock.

- Limpiar y desinfectar la herida, que en ningún caso debe ser suturada. Tras la mordedura de una serpiente o cualquier animal venenoso debe intentarse abrir la herida con una superficie cortante limpia y succionar el veneno con la boca, protegiendo ésta con un trozo de tela o plástico. La aplicación de amoniaco o de cualquier sustancia de pH básico puede ayudar a neutralizar el veneno, que generalmente es de naturaleza ácida. Si se observa el aguijón se debe extraer.
- Desprenderse de objetos o ropas que puedan comprimir la zona afectada o su cercanía, como anillos, relojes, cinturones, etc.
- Protección antibiótica tras el tratamiento de limpieza; vacuna antitetánica en los casos de mordedura y antirrábica si se sospecha que el animal causante de la misma tiene la enfermedad.

- Los antihistamínicos y corticoides mejoran la reacción alérgica asociada y disminuyen los signos inflamatorios posteriores. Si existen antecedentes de alergia al veneno de las abejas o avispas debe establecerse una vigilancia durante varios días del individuo puesto que en ocasiones aparecen reacciones graves de forma retardada.

El empleo de torniquetes debe reservarse para aquellos casos en los que se produzca una mordedura de serpiente o una picadura de araña venenosa y sólo durante los primeros instantes que siguen a las mismas, puesto que después el veneno se extiende por toda la sangre y ya no tiene ningún efecto. En el caso de que no se vaya a producir un traslado rápido a un centro sanitario tampoco deben realizarse, ya que el riesgo de gangrena en la región afectada es alto si se prolonga la compresión.

Primeros auxilios

ACTUACIÓN URGENTE

- Comprobar si el individuo está consciente.
- Si el individuo no está consciente o no responde a nuestras preguntas hay que examinar inmediatamente si respira.
- Si la víctima no respira pero tiene pulso hay que colocarla tumbada boca arriba, comprobar que la vía aérea no está obstruida (inspeccionando la boca) y comenzar las maniobras ventilatorias o respiración boca a boca, que debe prolongarse hasta que llegue ayuda especializada o bien hasta que el individuo comience a respirar espontáneamente.
- Si no se observa ventilación ni pulso y el individuo está lógicamente inconsciente se ha producido una parada cardiorrespiratoria y hay que comenzar de forma inmediata con las maniobras de resucitación.

MANIOBRAS VENTILATORIAS Y DE RESURRECCIÓN

- Respiración boca a boca
- Masaje cardíaco
- Reanimación cardiopulmonar

LESIONES ACCIDENTALES

- Quemaduras.
- Hipotermia y congelación.
- Hipertermia o golpe de calor.
- Insolación.
- Electrocución.
- Ahogamiento.
- Obstrucción respiratoria.
- Hemorragias agudas y heridas.
- Mordeduras y picaduras.

Alergias

Las alergias se producen por la sensibilización especial del sistema inmune de algunos individuos frente a sustancias físicas, químicas o biológicas, denominadas alérgenos, que no producen ningún tipo de reacción a la población general.

■ El sistema inmunológico o inmune es el responsable de la defensa de nuestro organismo frente a la agresión externa en forma de microorganismos o sustancias químicas y físicas. Esta función se realiza básicamente mediante dos vías:

• Vía celular: que es el sistema defensivo que proporcionan los glóbulos blancos o leucocitos, y dentro de éstos, especialmente, los linfocitos. Estas células se fabrican en la médula ósea que se encuentra en el interior de los huesos.
• Vía humoral: es aquella que se basa en la producción de un tipo especial de proteínas por nuestro cuerpo denominadas inmunoglobulinas.

Diariamente contactamos a través de la piel o de la vía respiratoria con innumerables agentes que intentan utilizar alguna zona de nuestro cuerpo como «hogar» para crecer y reproducirse. En otros casos, únicamente son sustancias sin vida que se encuentran en el medio ambiente que nos rodea. El sistema inmune reacciona frente a todos ellos de manera proporcionada a la intensidad de la agresión, tratando de expulsar del organismo todo aquello que no reconozca como propio.

¿QUÉ ES LA ALERGIA?

La alergia se define como la sensibilidad especial que tienen determinados individuos frente a sustancias que no provocan reacción alguna en la mayoría de la población. Se produce, por tanto, por un «exceso de celo» del sistema inmune, que desarrolla una respuesta defensiva exagerada frente a un estímulo que realmente no supone un peligro para la persona.

Esta respuesta defensiva se manifiesta de diferentes formas, generalmente como manifestaciones cutáneas, respiratorias y oculares. En la mayoría de los casos, las reacciones alérgicas no revisten gravedad, aunque en algunas ocasiones puede llegar a peligrar la vida del individuo.

¿POR QUÉ SE PRODUCE LA ALERGIA?

Pese a que las vías de actuación del sistema inmune son bien conocidas, se desconoce la causa por la cual determinados individuos poseen esa sensibilidad tan elevada frente a ciertas sustancias. La reacción alérgica no se suele producir tras el primer contacto con la sustancia extraña (que llamaremos alérgeno), sino que es necesario un periodo de sensibilización, durante el cual se producen varios contactos sin reacción alérgica, mientras el sistema inmune prepara las defensas frente a él.

¿CÓMO SE MANIFIESTA LA ALERGIA?

Los síntomas de la alergia dependen en gran medida del punto en concreto por el cual hayan contactado con la persona.

En la piel es frecuente que provoque la aparición de eczemas (que son zonas enrojecidas, sobreelevadas frente al resto de la piel, a veces con vesículas y costras), dermatitis de contacto (inflamación de la piel con picor), y urticaria (múltliples habones pequeños con mucho picor).

La afectación ocular habitualmente se manifiesta en forma de conjuntivitis, hinchazón o edema de los párpados, escozor y lagrimeo. En los oídos puede acumularse un líquido claro cerca del tímpano que afecte a la audición. La mucosa de las fosas nasales también puede inflamarse y elevarse la producción de moco que desemboque en taponamiento nasal.

En el tubo digestivo pueden aparecer molestias en el estómago, náuseas y vómitos y, con mucha frecuencia, diarrea. También es frecuente el edema de labios y lengua.

A escala respiratoria, los síntomas más habituales son los relacionados con la dificultad para la entrada y salida del aire, bien por afectación bronquial o bien por inflamación a nivel de la laringe en los casos más graves.

Todas estas manifestaciones se pueden presentar en cada individuo, independientemente del tipo de alergia que se padezca; cuan-

do el alérgeno llega a contactar con la sangre, los síntomas pueden aparecer en cualquier parte del cuerpo.

¿QUÉ ES EL SHOCK ANAFILÁCTICO?

El shock anafiláctico o anafilaxia es la situación más grave en la que puede desembocar una reacción alérgica. Es una reacción brusca del organismo que provoca el cierre de las vías respiratorias y la caída de la tensión arterial. Si no se recibe tratamiento de forma urgente, provoca la muerte en poco espacio de tiempo.

CLASIFICACIÓN

■ Según la forma de contactar con el alérgeno, dividiremos los tipos de alergia en:

ALERGIAS RESPIRATORIAS

Donde se incluyen el asma (que comentamos en un capítulo aparte) y la rinitis alérgica. En cualquier caso, cualquier tipo de alergia, sea de origen respiratorio o no, puede provocar dificultad al flujo del aire hasta los pulmones, en mayor o menor medida.

RINITIS ALÉRGICA

Se define como la inflamación de las membranas que tapizan el interior de la nariz junto con la congestión nasal secundaria a la excesiva producción de moco. Ambos procesos son una reacción defensiva para tratar de frenar y atrapar los alérgenos, e impedir su avance por la vía respiratoria. El moco producido se diferencia del que aparece habitualmente con las infecciones, en que es mucho más líquido y claro, y cae tanto por los orificios nasales como por la parte posterior de la nariz con mucha facilidad. Se acompaña de forma habitual de conjuntivitis, lagrimeo, y sensación de cuerpo extraño en los ojos.

Su incidencia varía según países y regiones diferentes; se calcula que entre un 10 y un 20% de la población padece esta enfermedad, y en algunos países es la enfermedad crónica más frecuente.

■ Podemos distinguir varios tipos:

● Rinitis alérgica estacional: es aquella que se produce en determinadas estaciones del año, especialmente en las épocas de polinización floral. Los alérgenos responsables son, por tanto, los pólenes, por lo que la enfermedad es también conocida como polinosis o fiebre del heno. En la zona mediterránea los pólenes más habituales son los de gramíneas, árboles como el olivo y el plátano de sombra, y malas hierbas como la *Parietaria*. Los síntomas fundamentales son el picor e irritación nasal con estornudos y caída de mucosidad por las fosas nasales (rinorrea); esto empeora por el día, sobre todo si hace mucho viento.

● Rinitis alérgica perenne: son producidas por alérgenos presentes durante todo el año, que generalmente se encuentran en el interior de las casas. Los más importantes son los ácaros parásitos del polvo doméstico, la piel de ciertos animales domésticos como el gato, perro y hámster, y los presentes en zonas con cucarachas. Los síntomas son similares al tipo estacional, pero con mayor obstrucción nasal y menos síntomas oculares

● Rinitis idiopática o de causa desconocida: es la que aparece como consecuencia de la irritación de la mucosa nasal por olores intensos, humo de tabaco, contaminación ambiental o por cambios de temperatura y humedad.

● Rinitis ocupacional: se desencadena por la inhalación de agentes alérgenos en el puesto de trabajo; suele ir asociado al asma ocupacional (*véase* el capítulo).

ALERGIAS ALIMENTARIAS

Consisten en la reacción anormal secundaria a la ingesta de un alimento o de un aditivo contenido en él; no deben confundirse con intoxicaciones alimentarias. Afectan al 5% de la población general, siendo mucho más frecuentes entre los niños.

Se producen por el contacto a nivel gastrointestinal de ciertas proteínas de estos alimentos con las células defensivas que el sistema inmune posee a este nivel, y que aún no están perfectamente compenetradas en los recién nacidos, lo que justifica la mayor incidencia en los mismos.

■ Los alimentos más frecuentemente implicados son:

● La leche de vaca: que posee 25 proteínas diferentes que pueden ser potencialmente alergénicas, sobre todo la caseína.

● El huevo: más la clara que la yema, que contiene ovoalbúmina, y sobre todo si se consume crudo o poco cocinado.

● Los frutos secos: básicamente cacahuetes, almendra, avellana, nuez y pipas de girasol; pueden producir síntomas graves.

● El marisco: que es la causa más frecuente en adultos, sobre todo la gamba, el calamar, el langostino y el cangrejo de mar.

● El pescado: preferentemente el bacalao, el salmón y el gallo; en general hay mayor sensibilización a los pescados blancos frente a los azules. Recientemente están en aumento las reacciones alérgicas frente al Anisakis simplex, presente en pescados que se comen crudos (boquerones o pescados servidos por la cocina japonesa).

- La fruta: no tanto por su consumo como por el contacto de su piel, sobre todo, melocotones, albaricoques, nectarinas y paraguayas.

ALERGIAS A MEDICAMENTOS

Los fármacos, en muchas ocasiones, pueden actuar como alérgenos responsables de reacciones alérgicas muy graves. Es importante distinguir entre los efectos secundarios que puede provocar el fármaco, y que normalmente son conocidos para cada uno de ellos, y las reacciones que pueden dar en un individuo en concreto por excesiva sensibilidad a los mismos o a alguno de sus componentes.

■ Representan aproximadamente el 10% de todos los casos de cuadros alérgicos agudos que requieren atención médica. Según el tiempo transcurrido desde la toma del fármaco hasta la aparición de los síntomas, podemos distinguir tres tipos de reacciones:

- Reacciones inmediatas: que aparecen minutos después de la entrada del fármaco (más rápido por vía intravenosa o intramuscular que por vía oral) y que suelen ser habitualmente graves con urticaria, edema en la vía respiratoria, que puede provocar asfixia y, en casos más graves, reacción anafiláctica.
- Reacciones aceleradas: que aparecen horas después de la exposición al fármaco, con un cuadro similar al anterior pero, generalmente, más leve.

- Reacciones retardadas: a partir de las 24 horas de la toma o contacto con el medicamento que suelen dar síntomas cutáneos.

■ Los grupos farmacológicos que provocan este tipo de reacciones habitualmente son, ordenados de mayor a menor frecuencia:

- Analgésicos y antiinflamatorios: normalmente reacciones inmediatas y, en algunos casos, retardadas. Aunque normalmente el individuo suele ser alérgico a todos los fármacos de este grupo, algunos de ellos provocan las reacciones con más facilidad, como por ejemplo el ácido acetil salicílico y el metamizol.
- Antibióticos derivados de la penicilina: además de la penicilina, se incluyen la amoxicilina, ampicilina y todos los pertenecientes al grupo de las cefalosporinas. Suelen provocar reacciones aceleradas; los individuos con esta sensibilidad deben recordarla antes de cualquier prescripción médica para utilizar grupos de antibióticos alternativos.
- Otros antibióticos: como las sulfamidas que provocan reacciones de tipo inmediato o algunos antibióticos utilizados de forma tópica como la neomicina y la nitrofurantoina, que provocan dermatitis en la zona de aplicación. Otros grupos terapéuticos como las tetraciplinas y las quinolonas (ciprofloxacino y derivados) pueden provocar la aparición de manchas en la piel durante el periodo en el que se toman por vía oral.
- Anestésicos locales: especialmente los derivados del ácido paraaminobenzóico como la benzocaína, procaína y tetracaína, que provocan reacciones de tipo retardado.
- Reacciones por contrastes radiológicos: utilizados para determinados métodos

diagnósticos de imagen como escáner, flebografías, urografías etc.

ALERGIAS A INSECTOS

■ Las picaduras de insectos provocan en el ser humano dos tipos de reacciones diferentes entre sí:

● Reacciones tóxicas no alérgicas: que son los típicos habones que se producen tras la picadura de un mosquito o una avispa.
● Reacciones alérgicas: en pacientes sensibilizados el veneno de la picadura provoca, además, una reacción alérgica inmediata o acelerada que puede acabar en anafilaxia.

Los insectos que pueden provocar reacción alérgica con más frecuencia son las avispas, abejas, mosquitos, tábanos y chinches.

Diagnóstico

■ Se realiza de forma definitiva mediante pruebas especiales que consisten en la introducción de mínimas cantidades de diferentes alérgenos en múltiples puntos del antebrazo del sujeto. Transcurridos unos minutos se observa si en algún punto en concreto se ha producido reacción (la zona está inflamada y con pequeñas ampollitas), y se identifica así a cuáles de dichos alérgenos es sensible.

■ En el caso de las alergias alimentarias, la mejor forma de diagnosticarlas es la aplicación de diferentes dietas durante cortos periodos de tiempo mientras se observa la aparición de reacciones o no en cada una de ellas.

■ Para el estudio de las alergias respiratorias, estas pruebas se complementan con otras como la radiografía de tórax y la espirometría que valoran el estado de la función respiratoria global.

ALERGIA POR CONTACTO EN LA PIEL

También denominada dermatitis de contacto, que es secundaria a la exposición de la piel, de un grupo de individuos sensibilizados, frente a una sustancia presente en cualquier objeto o material que puedan manipular.

Es muy frecuente la aparición de este cuadro en individuos que manipulan materiales como el caucho y metales; es también conocida la alergia al látex, que provoca reacciones que pueden llegar a ser muy graves tanto en el medio laboral, como en pacientes que reciben tratamiento médico o quirúrgico.

Otro caso especial es la reacción crónica producida por el contacto directo de las manos con agua y detergentes que provoca irritación en la piel de las mismas y descamación. También algunas fibras sintéticas empleadas en la fabricacion de la ropa, objetos de bisutería (especialmente con níquel) y algunos desodorantes, pueden producir casos de urticaria con aparición de eczemas.

Finalmente, se han descrito alergias «al sol», bien por la toma de fármacos que la favorecen, o bien por una especial sensibilidad a los rayos solares.

TRATAMIENTO

■ Está enfocado en tres aspectos:

● Evitar el alérgeno responsable: el paciente alérgico debe aprender a reconocer las sustancias que provocan las reacciones que sufre. Pese a los avances en cuanto a la efectividad del tratamiento de las crisis alérgicas, éstas pueden llegar a ser mortales si la exposición a dicho alérgeno es muy intensa. No siempre es fácil identificar la causa, para ello son necesarias las pruebas alérgicas antes mencionadas.

- Como norma general, se debe evitar acudir al campo en periodos de polinización, hacer uso de fármacos sin prescripción médica, y manipular materiales sin protección (lo ideal son los guantes de plástico revestidos de algodón).
- Vacunación: consiste en administrar cantidades gradualmente crecientes de un extracto del alérgeno a un sujeto alérgico al mismo con el fin de habituar al sistema inmune a su presencia. Es el único tratamiento que puede llegar a ser curativo y requiere de un estudio previo del paciente.

■ Con frecuencia la administración de este tipo de vacunas, que suele ser por vía subcutánea, desencadena dos tipos de reacciones adversas:

- Reacciones locales: inmediatas o retardadas en la zona de inyección que consisten en inflamación y enrojecimiento de la misma, y en algunos casos, la aparición de nódulos subcutáneos y malestar general del paciente.
- Reacciones generales: lejos de la zona de inyección, que aparecen a los pocos minutos de la misma y que pueden llegar a ser severas. El cuadro de síntomas va desde malestar, cefaleas, dolores articulares y asma, hasta reacciones anafilácticas.

Tratamiento de la reacción anafiláctica: hasta que se produzca el traslado del enfermo al medio hospitalario, es importante administrar fármacos de forma precoz para evitar el avance de las complicaciones. Todo individuo con antecedentes de reacciones alérgicas moderadas o graves debe tener a su alcance antihistamínicos y corticoides, que deben ser utilizados tan pronto como aparezcan los síntomas.

Alergias

DEFINICIÓN

Sensibilidad especial del sistema inmune de algunos individuos frente a sustancias físicas, químicas o biológicas, denominadas alérgenos, que no producen ningún tipo de reacción normalmente en la población general.

DIAGNÓSTICO

Pruebas de estimulación con alérgenos conocidos.
Analítica de sangre.
Pruebas respiratorias.

CLASIFICACIÓN

Alergias respiratorias: asma (en un capítulo aparte), rinitis alérgica.
Alergias alimentarias.
Alergias medicamentosas.
Alergias a insectos.
Alergias de la piel.

MANIFESTACIONES

En el aparato respiratorio: dificultad respiratoria, asma, taponamiento nasal.

En la piel: eczemas, urticaria, prurito.
En los ojos: conjuntivitis, lagrimeo, fotofobia.
En el aparato digestivo: náuseas, vómitos, diarrea.
En general en todo el organismo de forma más o menos grave llegando incluso a poner en peligro la vida de la persona.
El shock anafiláctico es una reacción brusca del organismo frente a un alérgeno que compromete la respiración y la circulación del mismo.

TRATAMIENTO

Prevención: ser cuidadoso con las sustancias productoras de reacciones alérgicas como ciertos fármacos o alimentos, protección frente al polvo industrial, conocimiento de los periodos de polinización.
Vacunación: administración programada de alérgenos purificados para crear tolerancia en el sistema inmune, reacciones adversas.
Tratamiento de la reacción anafiláctica.

Diccionario

Absceso
Formación de una cavidad rellena de material infeccioso sobre un órgano o debajo de la piel.

Acmé
Punto máximo de dolor o sintomatología de un proceso fisiológico o una enfermedad.

Acolia
Ausencia de pigmentos biliares en las heces de forma secundaria a una enfermedad hepática que provoca que éstas sean anormalmente blanquecinas.

Acropaquia
Deformidad de los extremos de los dedos que típicamente adquieren forma de palillos de tambor en algunas enfermedades respiratorias.

Acúfenos
Sonidos, normalmente en forma de pitidos, que percibe el individuo por alguna alteración en el sentido del oído.

Adenoma
Tumor habitualmente benigno de estructura semejante a la de las glándulas que afecta.

Adenopatía
Aumento de tamaño aislado de uno o varios ganglios linfáticos producido por una infección o un proceso canceroso.

Anexitis
Inflamación de uno o de ambos ovarios.

Acalasia
Enfermedad de origen desconocido que se caracteriza por la dificultad para ingerir cualquier tipo de alimentos tanto sólidos como líquidos.

Afasia
Pérdida de la capacidad del habla secundariamente a un desorden cerebral.

Afta
Pérdida de sustancia de la mucosa oral que se presenta de forma brusca y dolorosa por causas desconocidas en la mayoría de los casos.

Agenesia
Ausencia congénita de un órgano o cualquier otro territorio corporal.

Agorafobia

Miedo a los espacios abiertos o a cualquier situación en la que sea difícil o embarazoso recibir ayuda si fuera necesario.

Alalia

Pérdida de la capacidad del habla secundariamente a una afectación de los órganos vocales, especialmente la parálisis de sus nervios.

Albuminuria

Pérdida a través de la orina de la proteína albúmina por alguna enfermedad renal.

Alérgeno

Cualquier agente que puede ser identificado como extraño por el sistema defensivo y provocar una reacción alérgica.

Alopecia

Caída inapropiada del cuero cabelludo por diferentes causas.

Amaurosis

Pérdida de la visión con inmovilidad permanente del iris.

Ambliopía

Oscurecimiento de la visión por afectación de la retina.

Amígdalas

Órganos de tejido linfoide que rodean el paso de entrada del aire y de los alimentos en la garganta y que forman parte del sistema inmune o defensivo.

Amnesia

Fallo en el mecanismo de la memoria que puede ser global o parcial y referido únicamente a un episodio concreto o a grandes áreas de la personalidad.

Amniocentesis

Técnica de extracción de líquido amniótico durante el embarazo utilizada principalmente para el estudio de células del feto que informe sobre la existencia de malformaciones genéticas en el mismo.

Anabolismo

Parte del metabolismo que contiene el conjunto de procesos formativos o de síntesis.

Anacusia

Pérdida total de la audición o sordera.

Anafilaxia

Reacción exagerada de tipo alérgico frente a una sustancia que puede poner en peligro la vida del individuo.

Analgésico

Dícese de cualquier fármaco o sustancia empleada para mitigar el dolor físico.

Anamnesis

Memoria detallada de los antecedentes del enfermo y de las manifestaciones subjetivas de la enfermedad que se obtiene mediante interrogatorio.

Anastomosis

Unión mediante cirugía de los extremos de un conducto entre sí, de un conducto a un órgano o de un conducto natural a uno artificial.

Andropausia

Estado psicológico que afecta a algunos varones a partir de cierta edad, como consecuencia de una mala adaptación al envejecimiento.

Anestesia

Privación general o parcial de la sensibilidad por afectación nerviosa de una región o de forma artificial.

Aneurisma
Dilatación anormal en forma de saco de una zona de la pared vascular que puede estallar y provocar una hemorragia interna.

Anexectomía
Extirpación quirúrgica de los ovarios.

Angioma
Tumor formado por aglomeración de vasos sanguíneos generalmente congénito y benigno.

Anorexia
Ausencia de apetito mayor de lo normal. Enfermedad psiquiátrica caracterizada por un deseo obsesivo por adelgazar.

Anovulatorios
Dícese de los fármacos que tienen la capacidad para impedir la ovulación femenina. También llamados anticonceptivos.

Anoxia
Déficit total de oxígeno en la sangre y en los órganos corporales.

Ansiolítico
Dícese de aquella sustancia que calma o hace desaparecer la ansiedad.

Antibiótico
Dícese del medicamento empleado para destruir las bacterias o impedir su reproducción.

Anticuerpo
Moléculas defensivas creadas por el sistema inmune con el fin de interceptar, bloquear y destruir una estructura extraña detectada.

Antígeno
Cualquier sustancia, célula u objeto microscópico que estimula al sistema defensivo para la producción de anticuerpos frente a ellos.

Antitérmico
Fármaco que desciende la temperatura corporal mientras dura su efecto.

Anuria
Cese total de la secreción de orina.

Apnea
Parada momentánea de la respiración que puede ser más o menos prolongada.

Aponeurosis
Membrana que envuelve a los músculos.

Apoplejía
Pérdida brusca de la función cerebral por una hemorragia en el mismo.

Aracnoides
Una de las tres meninges que envuelven al sistema nervioso central, concretamente la situada en el medio.

Arritmia
Irregularidad en el ritmo de contracción de las cavidades cardíacas.

Artralgia
Dolor de una o varias articulaciones.

Artritis
Inflamación aguda o crónica de las articulaciones.

Artrosis
Proceso degenerativo de los cartílagos que protegen las articulaciones.

Ascitis
Acumulación de líquido en el peritoneo de la cavidad abdominal, generalmente secundaria a enfermedades hepáticas o insuficiencia cardíaca.

Asepsia
Conjunto de medidas encaminadas a mantener libre de gérmenes un espacio o un material concreto.

Astenia
Cansancio o pérdida de fuerza sin motivo aparente para ello.

Astigmatismo
Irregularidad congénita de la superficie anterior de la córnea que produce distorsión de la imagen y que puede tener un componente hereditario.

Astringente
Dícese de aquello que provoca estreñimiento.

Ataxia
Alteración a nivel del cerebelo que provoca inestabilidad e incapacidad para coordinar los movimientos corporales.

Ateroma
Placa de contenido graso que se forma sobre las lesiones de la pared arterial.

Atetosis
Incapacidad para permanecer quieto debido a trastornos nerviosos que provocan continuos movimientos involuntarios.

Atlas
Primera vértebra cervical, así llamada por sostener directamente el peso del cráneo.

Atrofia
Vuelta atrás en el desarrollo de un tejido u órgano por falta de utilización del mismo o malnutrición.

Audiograma
Método diagnóstico de la agudeza auditiva del individuo.

Aura
Sensación visual, cutánea o de cualquier otro tipo que precede a la aparición de una crisis epiléptica o a una migraña.

Autopsia
Estudio detallado del cadáver con el fin de investigar la causa de la muerte. Necropsia.

Axis
Del griego eje, nombre que recibe la segunda vértebra cervical sobre la que gira la cabeza.

Balanitis
Inflamación de la mucosa que recubre el bálano o glande.

Biopsia
Examen biológico de un trozo de tejido vivo para confirmar un diagnóstico.

Blefaritis
Inflamación aguda o crónica de los párpados.

Bocio
Crecimiento de la glándula tiroides que se observa como una protusión de la misma en el cuello del individuo.

Bradicardia
Ritmo cardíaco inferior a lo normal en cada individuo, y en general por debajo de 50 latidos por minuto.

Bradipsiquia
Pensamiento lento y costoso, con dificultad para reaccionar rápido mentalmente.

Bronquiectasia
Dilatación crónica del árbol bronquial respiratorio.

Bulimia
Ansia de comer desmesuradamente. Enfermedad psiquiátrica que normalmente acompaña a la anorexia caracterizada por episodios bruscos de «atracones» de comida.

Caquexia
Estado terminal por desnutrición extrema debida a condiciones sociales o por enfermedades graves.

Carcinógeno
Dícese del agente químico, físico o biológico que favorece directamente la aparición de algún tipo de cáncer.

Cardias
Orificio de separación entre el esófago y el estómago.

Cariotipo
Estudio de la dotación genética de un individuo mediante la obtención y análisis de una de sus células.

Casmodia
Bostezos repetidos e incontrolables de tipo espasmódico.

Catabolismo
Parte del metabolismo que contiene el conjunto de procesos destructivos o de eliminación.

Catarata
Enfermedad degenerativa del cristalino o lente intraocular que pierde su transparencia y desemboca en ceguera.

Cateterismo
Introducción en un quirófano de una sonda que es guiada hasta el conducto o cavidad que se desea estudiar.

Celotipia
Delirio de tipo paranoide caracterizado por un sentimiento de celos injustificados.

Cesárea
Extracción del feto a través de una incisión quirúrgica en la pared abdominal y el útero de la madre que se realiza cuando el parto eutócico o normal se complica o bien cuando éste es arriesgado por alguna circunstancia.

Cianosis
Coloración azulada o lívida de la piel producida por la mala oxigenación de la sangre.

Ciática
Afectación del nervio ciático normalmente a su salida de la columna vertebral por una contractura muscular o una hernia discal.

Cirrosis
Enfermedad crónica producida como consecuencia de una enfermedad hepática que se caracteriza por la aparición de cicatrices en el interior del hígado, que disminuyen la capacidad funcional del mismo.

Citología
Método diagnóstico que consiste en la toma de una muestra del moco cervical uterino y de las células del mismo mediante un ligero raspado.

Climaterio
Periodo de la vida de las mujeres que rodea a la desaparición de la menstruación o menopausia.

Colecistectomía
Extirpación quirúrgica de la vesícula biliar.

Colesterol
Alcohol esteroídico que forma parte de la membrana celular y es precursor de ciertas hormonas esteroideas. Participa en la génesis de la ateroesclerosis.

Colonoscopia
Endoscopia del tubo digestivo inferior.

Colostomía
Comunicación artificial del colon con la piel del abdomen realizada mediante intervención quirúrgica cuando el tránsito normal de las heces se encuentra obstruido por cualquier motivo. Puede ser reversible o definitiva.

Coluria
Orina especialmente oscura debida a una excesiva expulsión a través de la misma de pigmentos biliares.

Coma
Disminución grave del estado de conciencia, la sensibilidad y los reflejos.

Coronariografía
Se trata de una técnica diagnóstica que informa sobre la posible obstrucción total o parcial del flujo de las arterias coronarias, que se realiza mediante la introducción de contraste radiológico en las mismas.

Congénito
Que se posee desde el nacimiento.

Contractura
Contracción espasmódica prolongada de un grupo muscular que provoca dolor y compresión de los nervios y vasos sanguíneos que lo atraviesan.

Corea
Enfermedad del sistema nervioso que se manifiesta por movimientos bruscos e involuntarios de las extremidades o de todo el cuerpo.

Coxartrosis
Afectación artrósica de la articulación de la cadera con la cabeza del fémur.

Creatinina
Sustancia producida por el metabolismo muscular cuya medición en sangre es utilizada para valorar el funcionamiento de los riñones.

Cromosoma
Cada uno de los corpúsculos del interior del núcleo celular que contienen el material genético del individuo. El ser humano posee 23 pares.

Dacriocistitis
Inflamación del saco lagrimal del ojo.

Daltonismo
Incapacidad congénita para distinguir entre diferentes colores, generalmente entre el rojo y el verde.

Decúbito lateral
Posición tumbada con el cuerpo girado completamente hacia un lado.

Decúbito prono
Posición tumbada con los miembros estirados y mirando hacia abajo.

Decúbito supino
Posición tumbada con los miembros estirados y mirando hacia arriba.

Desmopatía
Cualquier afectación de los ligamentos.

Diafragma
Músculo que separa la cavidad torácica de la abdominal y que contribuye decisivamente al proceso de la respiración.

Dextrocardia
Desubicación congénita del corazón que se sitúa en el lado derecho del tórax.

Diástole
Relajación y expansión del corazón tras su contracción para permitir la entrada de sangre.

Diplopia
Visión doble de los objetos, generalmente por afectación de la musculatura ocular.

Disartria
Dificultad para articular las palabras por alguna enfermedad del sistema nervioso.

Disco
Estructura fibrosa en forma de anillo con un núcleo central pulposo que separa y articula entre sí cada vértebra de la columna.

Disfagia
Dificultad o imposibilidad de tragar sólidos o líquidos.

Dislexia
Dificultad para comprender lo que se lee o para escribir frases con sentido completo.

Dismenorrea
Menstruación dolorosa o en general irregular.

Disnea
Dificultad para respirar.

Dispepsia
Trastorno de la digestión que provoca que ésta sea más laboriosa y molesta.

Distimia
Exageración del estado afectivo o del humor del individuo, bien por exceso o por defecto.

Disuria
Micción dolorosa, dificultosa o incompleta.

Diuresis
Acto fisiológico de producir y excretar la orina.

Eclampsia
Enfermedad convulsiva que puede aparecer como complicación del embarazo.

Ecografía
Método diagnóstico inocuo que emplea ultrasonidos que rebotan en el interior del organismo de diferentes maneras según la composición y estructura de sus órganos y cuya detección permite obtener una imagen.

Ectópico
Dícese de cualquier componente del organismo que se encuentra situado fuera de su ubicación natural.

Edema
Hinchazón blanda de una parte del cuerpo producida por la acumulación de líquidos en su interior o debajo de ella.

Electrocardiograma
Registro de la actividad eléctrica del corazón.

Electrochoque
O electroshock, consiste en la descarga de una corriente eléctrica en el sistema nervioso con fines terapéuticos psiquiátricos.

Electroencefalograma

Registro de la actividad eléctrica del cerebro mediante unos electrodos colocados sobre el cuero cabelludo.

Embolia

Obstrucción de un vaso sanguíneo por cualquier circunstancia que deja sin riego a una región concreta del organismo.

Emético

Dícese de cualquier sustancia que provoca la náusea y el vómito.

Endemia

Enfermedad que afecta mayoritariamente a la población de un área geográfica con carácter permanente.

Endocardio

Capa interna del corazón que tapiza sus cavidades.

Endometrio

Capa mucosa que recubre el útero en su interior.

Endoscopia

Técnica exploratoria que consiste en la introducción de una cámara y una fuente de luz en el interior del tubo digestivo.

Enema

Dícese del fármaco utilizado para limpiar y vaciar el contenido del intestino mediante su introducción por vía anal.

Enfisema

Atrapamiento crónico de aire en una región pulmonar.

Enuresis

Enfermedad generalmente de origen psicológico caracterizada por la dificultad o imposibilidad de retener la orina.

Enzima

Cualquier sustancia utilizada por el metabolismo como catalizador (favorecedor) de sus diferentes reacciones químicas.

Epidemia

Enfermedad que afecta a un limitado número de individuos de una población durante un periodo de tiempo relativamente corto.

Epileptógeno

Punto cerebral concreto que origina las descargas eléctricas de la epilepsia.

Episiotomía

Incisión del borde de la vagina durante el periodo expulsivo del parto con el fin de agrandar la parte inferior del canal y evitar el desgarro del mismo, que podría extenderse hacia el ano y que, en general, cicatriza peor.

Epístaxis

Hemorragia nasal.

Ergometría

También llamada prueba de esfuerzo; consiste en la valoración del sufrimiento cardíaco a determinados niveles de esfuerzo físico.

Eritrocito

Glóbulo rojo o hematíe; célula sanguínea que transporta el oxígeno en la sangre.

Eritropoyetina

Hormona producida en el riñón cuya función es la de estimular la producción de glóbulos rojos en la médula ósea.

Escalofrío

Agitación espasmódica e incontrolable de todo el cuerpo que tiene por finalidad mantener la temperatura corporal en condiciones de frío ambiental.

Escáner

Técnica de registro de imágenes corporales en forma de cortes o planos mediante un sistema informático. También llamado TAC o tomografía axial computerizada.

Escara

Lesión de una parte de la piel que se desvitaliza por falta de riego sanguíneo o por una agresión de la misma como una quemadura.

Esclerosis

En general, cualquier endurecimiento y pérdida de elasticidad de un órgano.

Escoliosis

Desviación lateral de la columna vertebral.

Escotoma

Zona oscura del campo visual normal producida por una lesión en la retina.

Esfingomanómetro

Aparato utilizado para la medición de la tensión arterial.

Esfínter

Cualquier músculo de forma anular del organismo que se abre o se cierra de forma voluntaria o involuntaria para permitir salir o retener una sustancia.

Esguince

Lesión de los tejidos y ligamentos que rodean a una articulación producida por una extensión excesiva de la misma.

Esperma

Secreción de los testículos que sirve de vehículo a los espermatozoides.

Esplénico

Relativo al bazo.

Espondilitis

Enfermedad inflamatoria de las articulaciones y los ligamentos situados entre las vértebras.

Espora

Estructura defensiva que pueden adquirir algunas bacterias para sobrevivir largo tiempo en un medio ambiente desfavorable.

Esteatoma

Quiste de grasa benigno.

Esteatorrea

Exceso de grasa en las heces.

Estrés

Conjunto de reacciones psicológicas y físicas que se producen cuando el organismo se enfrenta a una situación agresiva para su integridad o cuando trata de adaptarse a un medio hostil.

Etiología

Causa de una enfermedad.

Eutanasia

Literalmente, muerte sin sufrimiento físico.

Expectorante

Dícese del fármaco que tiene la propiedad de colaborar con la expulsión de las flemas de la vía respiratoria.

Falange

Cada uno de los huesos que forman los dedos de las manos y los pies; comienzan a contarse desde el nacimiento del dedo.

Fecaloma

Formación de heces duras en la ampolla rectal que imposibilitan la defecación.

Fenotipo
Manifestación real del genotipo de un individuo influida por factores externos durante su desarrollo.

Fibroma
Tumor benigno sólido formado por tejido muscular y fibroso que aparece sobre todo en la capa muscular del útero, donde se denomina mioma.

Fiebre
Aumento controlado de la temperatura corporal como mecanismo defensivo frente a la infección por gérmenes.

Fimosis
Estrechez del prepucio que impide la salida correcta del glande.

Fisiológico
Cualquier proceso normal del funcionamiento del cuerpo humano.

Fisioterapia
Técnica complementaria en el tratamiento de enfermedades que provocan alteraciones de la movilidad, que utiliza la manipulación, el masaje, el calor y otros métodos para aliviar el dolor y restaurar la funcionalidad.

Fístula
Formación de un canal de comunicación anormal entre el interior y el exterior del cuerpo o entre dos órganos huecos entre sí.

Flato
Especie de calambre doloroso que se produce en los músculos intercostales durante un esfuerzo físico prolongado.

Flebitis
Inflamación de una vena como consecuencia de una infección o un traumatismo.

Flema
Conjunto de mucosidad bronquial que se adhiere a las paredes de las vías respiratorias y que tiene una función defensiva.

Fotofobia
Alergia a la luz normal o excesiva.

Fotosensibilidad
Reacción anormal de la piel frente a la luz que provoca una erupción pruriginosa en la misma y que puede ser hereditaria o aparecer aisladamente durante la juventud.

Frenuloplastia
Intervención quirúrgica que consiste en cortar el frenillo del prepucio cuando este impide la posición correcta del glande en la erección.

Galactorrea
Expulsión anormal de leche en las mujeres bien por excesiva o por inapropiada.

Gangrena
Afectación maligna de una región corporal por un defecto sostenido de la circulación sanguínea en la misma.

Gástrico
Relacionado con el estómago.

Genoma
Conjunto total de genes que contienen los cromosomas de una especie.

Genotipo
Carga genética de un individuo que predetermina sus características físicas y mentales.

Ginecomastia
Aumento del tamaño de las mamas en los varones de forma secundaria a un trastorno hormonal o a un tratamiento farmacológico.

Gingivitis
Inflamación de las encías por diferentes causas que produce dolor y sangrado de las mismas.

Glaucoma
Aumento crónico de la presión del líquido interno ocular.

Gónada
Órgano sexual masculino o femenino.

Gonalgia
Dolor en la rodilla.

Gonartrosis
Artrosis de la rodilla.

Habón
Lesión sobreelevada en forma de placa rodeada de una zona más enrojecida que produce picor y que aparece típicamente en las reacciones alérgicas. También llamada roncha.

Halitosis
Mal olor del aliento de forma casi permanente, secundario a mala higiene bucal o a trastornos digestivos.

Heliosis
Insolación.

Hematemesis
Vómito de contenido hemorrágico.

Hematocrito
Proporción entre la parte sólida o celular de la sangre y la parte líquida.

Hematoma
Tumoración producida por el acúmulo de sangre extravasada sobre un órgano o sobre la piel.

Hematuria
Presencia de sangre en la orina.

Hemiplejía
Parálisis absoluta de un lado del cuerpo.

Hemodiálisis
Depuración de la sangre de forma artificial en individuos con grave afectación renal.

Hemofilia
Enfermedad hereditaria que se caracteriza por un defecto en la coagulación de la sangre por ausencia congénita de ciertos factores indispensables para la misma.

Hemograma
Estudio analítico de las diferentes células presentes en la sangre.

Hemoptisis
Expectoración de sangre proveniente del sistema respiratorio inferior.

Hemorroides
Varices formadas en las venas hemorroidales que rodean el ano.

Hemostasia
Conjunto de medidas físicas y químicas tomadas para la detención de una hemorragia.

Hidrocefalia
Aumento del volumen de líquido en el interior de la cavidad craneal.

Himen
Membrana que tapa parcialmente el orificio vaginal externo hasta que se perfora, normalmente con el acto sexual.

Hiperplasia
Crecimiento excesivo de un tejido u órgano por aumento de la reproducción de las células que lo forman.

Hipertermia
Aumento descontrolado de la temperatura corporal, normalmente grave, que aparece en respuesta a la exposición a una fuente de calor externa durante cierto tiempo.

Hipertonía
Tono del músculo en reposo excesivo e inadecuado.

Hipnóticos
Dícese de las sustancias empleadas como inductores del sueño.

Hipo
Desequilibrio entre la expansión torácica y el movimiento del diafragma durante la inspiración, que normalmente siguen un movimiento acompasado.

Hipoacusia
Disminución de la capacidad auditiva en uno o ambos oídos.

Hipocondría
Estado de ansiedad causado por una excesiva preocupación por la salud que con frecuencia acompaña a otros desórdenes psiquiátricos.

Hipófisis
Glándula situada en la base del cráneo, en la zona llamada silla turca, que secre-

ta ciertos factores precursores de hormonas.

Hipotálamo
Área cerebral que controla y estimula la hipófisis a través de un tallo nervioso que los une.

Hipotermia
Descenso de la temperatura por debajo de los límites normales por circunstancias ambientales adversas.

Hipotonía
Tono del músculo en reposo muy débil. Flacidez.

Hipoxia
Déficit parcial de oxígeno en la sangre y en los órganos corporales.

Hirsutismo
Crecimiento anormal del vello de forma secundaria a una afectación hormonal.

Histerectomía
Extirpación total o parcial del útero.

Hormona
Mensajero químico producido por diversas glándulas corporales que actúan a distancia en otros órganos llamados órganos diana.

Ictericia
Tinte amarillento de la piel y de las mucosas producido por el acúmulo de bilirrubina en la sangre.

Ictus
Trastorno cerebral brusco producido por la falta de riego sanguíneo que puede ser leve, grave con secuelas o incluso mortal. Tam-

bién denominado accidente isquémico transitorio o AIT.

Idiopático
Dícese de cualquier proceso de origen desconocido o que se produce sin causa aparente.

Impétigo
Infección cutánea muy contagiosa producida por estafilococos que aparece como manchas rojas en la piel que forman posteriormente ampollas y finalmente escaras.

Incubación
Periodo de tiempo que necesita un microorganismo para asentar y multiplicarse en el cuerpo antes de comenzar a producir los signos y síntomas de la infección.

Infiltración
Introducción mediante una aguja de corticoides y/o anestésicos en una articulación para tratar la inflamación y el dolor.

Infrarrojo
Segmento del espectro electromagnético que acompaña a la luz visible y que calienta la superficie corporal al contactar con ella.

Isotónico
Dícese de cualquier líquido o solución que posee el mismo pH de la sangre.

Isquemia
Déficit de riego sanguíneo de un área corporal determinada por cualquier alteración de los vasos que la irrigan y que puede ser reversible o provocar la muerte celular.

Laparoscopia
Técnica quirúrgica que no requiere de la apertura total de la cavidad abdominal sino que sólo son necesarios pequeños cortes para introducir la cámara y el instrumental.

Laparotomía
Técnica quirúrgica convencional con incisión amplia de la región a tratar.

Legrado
Vaciamiento del contenido uterino de los tejidos retenidos tras un aborto o tras un parto incompleto.

Leucocito
Célula de aspecto esferoidal de color claro que llega a la sangre producida por el sistema defensivo.

Leucopenia
Disminución del número de leucocitos en la sangre.

Leucorrea
Flujo de aspecto lechoso producido por los genitales femeninos en caso de infección.

Líbido
Apetito sexual.

Linfa
Líquido proveniente del plasma sanguíneo que sale de los vasos al llegar a los tejidos y que limpia a éstos de desechos para después ser recogido en los vasos linfáticos.

Linfocito
Tipo de leucocito.

Lipoma
Tumor benigno formado por tejido graso.

Líquido sinovial
Sustancia viscosa que forma una membrana que lubrica y protege las articulaciones.

Litiasis
Formación de cálculos o piedras en la vía urinaria o biliar.

Litotricia
Destrucción de cálculos mediante ultrasonidos.

Loquios
Hemorragias o pérdidas vaginales que se producen durante las primeras semanas tras el parto como consecuencia de la descamación progresiva del endometrio.

Luxación
Desplazamiento de las superficies articulares por un traumatismo o por la debilidad de los ligamentos que protegen la articulación.

Macrófago
Célula defensiva del sistema inmune que fagocita o engulle agentes extraños y trata de destruirlos.

Mácula
Alteración de la coloración de la piel, de pequeño tamaño, debida a diferentes causas como alteraciones de la melanina, defectos de la circulación o intoxicaciones.

Mamografía
Radiografía especial de los tejidos que forman la mama.

Mastectomía
Extirpación parcial o total de la mama.

Mastitis
Inflamación del tejido mamario, en la mayoría de los casos por una infección.

Matriz
Útero.

Meconio
Excremento del feto en el interior del líquido amniótico antes del parto.

Melanina
Pigmento en forma de gránulos que colorea la piel y sus anejos.

Melenas
Heces negras y brillantes (como carbón) y especialmente malolientes que contienen sangre procedente del tubo digestivo superior.

Menarquia
Comienzo de la menstruación en las mujeres.

Meningocele
Hernia del líquido cefalorraquídeo sobre las meninges que envuelven el sistema nervioso.

Menopausia
Interrupción de la menstruación por la edad de manera natural o de manera artificial por cirugías ginecológicas.

Menorrea
Ausencia de la menstruación durante la fase de madurez sexual que se prolonga más de 3 meses sin estar embarazada.

Metabolismo
Conjunto de reacciones tanto de síntesis como de degradación que se producen en el organismo humano. Incluye el anabolismo y el catabolismo.

Metadona
Derivado de la morfina comúnmente utilizado como tratamiento de la deshabituación a determinadas drogas.

Metástasis
Extensión o desplazamiento de las células cancerosas a una localización diferente a la del tumor primitivo, donde comienzan a replicarse.

Metrorragia
Hemorragia ginecológica no relacionable con la menstruación.

Mialgia
Dolor o pesadez de la musculatura.

Miastenia
Cansancio muscular no justificable por el esfuerzo previo.

Micosis
Cualquier tipo de infección producida por hongos.

Midriasis
Aumento anormal del diámetro de las pupilas que no responde al estímulo luminoso.

Miocardio
Capa muscular del corazón.

Mioma
Tumor benigno de la pared muscular de un órgano.

Miosis
Disminución anormal del diámetro de las pupilas que no responde a la oscuridad.

Misoginia
Odio hacia el sexo femenino.

Necrosis
Muerte de las células que forman un tejido.

Nefrectomía
Extirpación quirúrgica del riñón.

Nefrítico
Relacionado con el riñón.

Neoplasia
Formación de un tejido nuevo a partir de una estirpe celular cancerosa que crece descontroladamente en torno a un órgano hasta desplazarlo. Tumor.

Neumoconiosis
Enfermedad pulmonar producida por la inhalación de aire contaminado por polvo proveniente de sustancias minerales.

Neumotórax
Acumulación aguda de aire entre el pulmón y la pleura que dificulta la respiración.

Neuralgia
Dolor producido por la afectación directa de un nervio principal o de sus ramas.

Neuroma
Tumor que aparece en un nervio.

Nistagmo
Oscilación espasmódica del globo ocular en alguno de sus ejes de movimiento cuando se fuerza la mirada hacia los diferentes ángulos.

Nosocomial
Relacionado con el hospital.

Obnubilación
Trastorno del estado de conciencia.

Ocena
Infección de la pituitaria nasal que provoca una secreción fétida.

Odinofagia
Dolor en la garganta al tragar.

Oligofrenia
Retraso o deficiencia mental.

Onicofagia
Hábito exagerado de comerse las uñas.

Orgasmo
Clímax placentero de la estimulación sexual.

Orquitis
Proceso inflamatorio del testículo.

Ortopnea
Dificultad para respirar en posición de decúbito o tumbado.

Orzuelo
Inflamación de las glándulas sebáceas del párpado por infección de las mismas u obstrucción de los conductos por los que expulsan la grasa.

Osteomalacia
Reblandecimiento de los huesos por afectación de su estructura mineral.

Otitis
Inflamación de alguna de las porciones del oído normalmente debida a un proceso infeccioso.

Palpitación
Apercibimiento del latido cardíaco, normalmente acelerado, por parte del individuo.

Paludismo
Enfermedad infecciosa muy extendida en todo el planeta, transmitida por el mosquito Anópheles, que puede ser grave en individuos no inmunizados o que no tomen la quinina para prevenirlo. También llamado malaria.

Panadizo
Infección sobre la matriz de la uña que forma un absceso purulento.

Pancitopenia
Disminución de todos los grupos celulares que se encuentran en la sangre.

Pandemia
Epidemia masiva que se extiende a muchas áreas geográficas.

Papila
Zona en la retina por donde el nervio óptico llega hasta la misma.

Pápula
Lesión de la piel, elevada sobre el resto de la misma.

Paracentesis
Punción de la cavidad abdominal con fines diagnósticos o para evacuar una gran cantidad de líquido acumulado y aliviar la sintomatología.

Paranoia
Desarrollo de un delirio psicótico.

Paraplejia
Parálisis absoluta de la mitad inferior del cuerpo.

Parenteral
A través del sistema circulatorio.

Parestesia
Adormecimiento u hormigueo de la piel generalmente en los miembros.

Patológico
Cualquier proceso orgánico no fisiológico o fuera de la normalidad.

Pediculosis
Infección por pequeños insectos llamados piojos o ladillas.

Pelagra
Enfermedad causada por el déficit de una vitamina llamada ácido nicotínico o niacina.

Pepsina
Enzima producida en el estómago que destruye y digiere las proteínas.

Pericardio
Membrana doble que recubre el corazón.

Periné
Región del cuerpo comprendida entre el ano y los órganos sexuales.

Periostio
Membrana que recubre los huesos y colabora en el mantenimiento de sus funciones vitales.

Peritonitis
Inflamación grave, generalmente de origen infeccioso, del peritoneo o membrana que reviste la cavidad abdominal y rodea a los órganos que se encuentran en su interior.

Petequia
Pequeña lesión de la piel producida por un sangrado capilar localizado.

pH
Relación entre la acidez o la alcalinidad de una solución.

Píloro
Orificio de separación entre el estómago y el duodeno.

Piorrea
Producción de secreciones purulentas en las encías que retrae a éstas y deja sin protección la base de los dientes de forma progresiva.

Pirosis
Sensación de ardor o quemazón detrás o debajo del esternón debida normalmente al reflujo del contenido gástrico.

Pitiriasis
Lesión cutánea de color rosado típica de los niños y jóvenes que puede ser múltiple y que tiene un origen infeccioso por virus.

Placebo
Dícese de cualquier actuación terapéutica que puede producir la mejoría de una enfermedad sin que exista justificación científica para ello.

Placenta
Órgano formado en el interior del útero durante el embarazo que realiza el intercambio de sustancias vitales entre la madre y el feto. Su expulsión durante el parto se denomina alumbramiento.

Plaqueta
Célula sanguínea que interviene en la coagulación al adherirse a los extremos de la herida vascular para tratar de taponar la hemorragia. También llamada trombocito.

Plasma
Parte líquida de la sangre que arrastra a las células que se vierten a ella.

Pleura
Membrana doble de tipo fibroso que recubre los pulmones (pleura visceral) y tapiza

interiormente a la cavidad torácica (pleura parietal).

Podagra
Enfermedad de la gota que aparece en los pies, que es su localización más habitual.

Polidipsia
Necesidad constante de beber que aparece con frecuencia en el inicio de la diabetes.

Pólipo
Tumor generalmente benigno que crece en el interior de ciertas vísceras huecas.

Posología
Dosis a las que deben administrarse los medicamentos según las características del paciente y de la enfermedad producida.

Pródromos
Síntomas iniciales o que preceden al comienzo de una enfermedad.

Profilaxis
Prevención del desarrollo de una enfermedad.

Prótesis
Dícese de cualquier tipo de artilugio utilizado sobre el cuerpo humano para sustituir una estructura del mismo.

Pruriginoso
Que produce prurito o picor.

Prurito
Picor de la piel y de las mucosas.

Punción lumbar
Extracción mediante una aguja fina de líquido cefalorraquídeo a través del canal medular entre dos vértebras lumbares.

Púrpura
Conjunto de pequeñas lesiones de aspecto rojizo en la piel producidas por hemorragias en los capilares de la misma.

Pus
Humor o sustancia blanquecina secretada por los tejidos infectados que contiene células defensivas junto con los restos del agente infeccioso neutralizado.

Pústula
Lesión elevada y circunscrita de la piel con contenido purulento.

Queloide
Exceso de tejido fibroso durante el proceso de cicatrización que deja como secuela una cicatriz grande y sobreelevada. Existe una predisposición individual para producir este tipo de cicatrices.

Queratina
Sustancia proteica rica en azufre que forma las estructuras duras de los anejos de la piel como el pelo y las uñas.

Quimioterapia
Empleo con fines terapéuticos de un tipo especial de fármacos que destruyen de forma directa las células cancerosas y, en mayor o menor medida, las sanas.

Quiste
Tumor benigno de contenido líquido.

Radioterapia
Técnica que utiliza diferentes formas de radiación electromagnética para el control del crecimiento y la extensión de las células cancerosas.

Rectorragia
Sangrado rojo intenso a través del ano, generalmente con la defecación por pro-

blemas hemorroidales o por tumores del colon.

Rechazo

Interrupción del proceso de adaptación a un órgano trasplantado por una reacción incontrolable del sistema inmune contra las células del mismo.

Resonancia

Técnica computerizada de registro de imágenes en diferentes planos.

Retina

Membrana fotosensible que recubre el interior de la parte posterior del ojo y que transforma el estímulo luminoso en corriente eléctrica hasta el nervio óptico.

Reuma

Nombre vulgar con el que se define el dolor articular o muscular que se produce como consecuencia de una enfermedad reumática.

Rinitis

Inflamación de la mucosa que tapiza el interior de las fosas nasales.

Rinoplastia

Corrección quirúrgica de la estructura ósea de la nariz.

Rinorrea

Secreción nasal excesiva que desemboca en la acumulación de mucosidad en las fosas nasales y su goteo molesto hacia el exterior.

Sabañones

Áreas de la piel rojas y tumefactas que incluso llegan a ulcerarse como consecuencia del frío y la humedad severa durante cierto tiempo y que producen dolor y picor.

Salpingitis

Inflamación de las trompas de Falopio de origen infeccioso habitualmente.

Sarcoma

Tumor maligno que afecta al tejido conectivo del cuerpo humano que incluye los músculos, los huesos y el tejido fibroso.

Sarna

Infección de la piel producida por un tipo concreto de ácaros que producen una erupción con abundante picor y que se contagia con cierta facilidad.

Seborrea

Aumento de la secreción de las glándulas sebáceas de la piel.

Sedación

Adormecimiento inducido por sustancias administradas con ese fin o como efecto secundario.

Semen

Sustancia reproductora expulsada por el hombre durante el orgasmo formada por el esperma y el líquido prostático.

Sepsis

Complicación grave de un proceso infeccioso caracterizado por el paso a la sangre de los agentes infecciosos o gérmenes.

Shock

También denominado choque en castellano. Ordinariamente se utiliza para referirse a un evento súbito que produce una pérdida de conciencia aunque también se refiere a la complicación del transcurso de una enfermedad que compromete la vida del enfermo.

Sialorrea
Aumento de la formación de saliva en la boca.

Sibilancias
Sonidos similares a silbidos que se producen cuando la respiración se obstruye parcialmente por un estrechamiento de las vías aéreas o una acumulación de mucosidad en las mismas.

Signo
Fenómeno objetivo detectado por el individuo que lo padece o por cualquier otro mediante la exploración física o con ayuda instrumental, como por ejemplo la fiebre.

Silicona
Material de composición parecida a la materia orgánica pero basado en el sílice en vez del carbono y que es utilizado para rellenar o endurecer ciertas partes del cuerpo.

Silicosis
Enfermedad pulmonar crónica producida por la aspiración de polvo de carbón durante tiempo prolongado. Es un tipo de neumoconiosis.

Síncope
Pérdida brusca de la conciencia por diferentes causas.

Síndrome
Conjunto de signos y síntomas que forma parte de una enfermedad. A su vez, una enfermedad puede estar formada por uno o varios síndromes.

Sínfisis
Unión ligamentosa que acomoda dos estructuras óseas.

Sinovitis
Inflamación de la membrana sinovial articular.

Síntoma
Fenómeno subjetivo referido por el individuo que delata la presencia de una enfermedad, como por ejemplo el dolor o el mareo.

Sistema inmune
Conjunto de órganos y células del cuerpo humano que tienen la función de defender a éste de las agresiones externas por agentes que son reconocidos como extraños.

Sístole
Contracción acompasada de las cavidades cardíacas que desplazan la sangre a través de ellas y hacia el exterior.

Sofocos
Sensación súbita de calor que se extiende por la parte superior del cuerpo y que aparece normalmente como manifestación de la menopausia.

Solución
Cualquier líquido que posee ciertas sustancias disueltas de forma homogénea en su interior.

Soplo
Sonido producido por la turbulencia de la sangre a su paso por las cavidades cardíacas que pueden indicar una lesión estructural del corazón y que se detecta mediante la auscultación.

Sudor
Líquido formado por agua y sales minerales producido por unas glándulas especiales de la piel (sudoríparas) con el fin de enfriar ésta tras el esfuerzo o el exceso de calor.

Suero
Parte de la sangre que permanece líquida cuando se ha coagulado ésta al ser extraída del sistema circulatorio.

Talasemia
Anemia de origen hereditario producida por una malformación genética de la hemoglobina que puede tener formas leves o más graves.

Taquicardia
Ritmo cardíaco superior a 100 latidos por minuto.

Taquipnea
Aumento del ritmo de respiraciones.

Tendón
Banda de tejido fibroso que sirve de inserción para los músculos en los huesos que posee una envoltura protectora llamada vaina tendinosa.

Terapia
Conjunto de medidas tomadas para el tratamiento de una enfermedad.

Tetraplejia
Parálisis total del cuerpo humano por debajo del cuello.

Timo
Glándula endocrina situada en la región cervical que forma parte del sistema inmune.

Tímpano
Membrana tensa que separa el oído externo del medio y que vibra de forma acorde con los sonidos.

Tiroxina
Hormona producida por la glándula tiroides.

Tópico
Dícese de cualquier medicamento que se administra directamente sobre el lugar afectado, como por ejemplo la piel, los ojos o el conducto auditivo.

Toracotomía
Apertura quirúrgica de las costillas de la cavidad torácica para intervenir en su interior.

Toxicomanía
Hábito enfermizo de introducirse sustancias tóxicas de manera prolongada con el fin de obtener placer o evadirse de las circunstancias.

Toxina
Sustancia venenosa producida por los seres vivos como sistema defensivo que actúa negativamente en el organismo.

Transaminasas
Enzimas producidas por el hígado cuya elevación se traduce en afectación del mismo.

Traqueotomía
Incisión en la tráquea para permitir la ventilación del individuo que puede ser reversible o permanente.

Trombo
Coágulo o formación del interior vascular que puede desprenderse y obturar un vaso.

Trombocitopenia
Descenso del número de plaquetas o trombocitos por diferentes causas.

Tromboflebitis
Inflamación de una vena como consecuencia de un trombo que obstruye la circulación normal de la misma.

Trombopenia
Disminución del número de plaquetas en la sangre.

Trombosis
Oclusión de un vaso sanguíneo por el enclavamiento de un trombo que provoca un daño mayor o menor dependiendo del tiempo de oclusión y de la naturaleza del órgano afectado.

Ultrasonido
Vibración de alta frecuencia inaudible por el ser humano utilizada en medicina como método diagnóstico o terapéutico.

Ultravioleta
Segmento del espectro electromagnético que acompaña a la luz visible producida por el sol y que actúa sobre la piel bronceándola y transformando la vitamina D en su forma activa. Su exceso es potencialmente cancerígeno.

Umbral
Valor mínimo que debe tener un estímulo para que se produzca un determinado efecto secundario a aquél.

Uremia
Síndrome que afecta a diversos aparatos del organismo producido por el acúmulo de sustancias nocivas nitrogenadas que debían haber sido expulsadas por el riñón.

Urticaria
Aparición de lesiones pruriginosas en la piel de cualquier parte del cuerpo que tiene aspecto de sarpullido y que generalmente es de naturaleza alérgica.

Varicocele
Tumoración producida por la dilatación de las venas del aparato genital masculino que crece de forma progresiva, a veces sin producción de dolor.

Vasectomía
Técnica quirúrgica mediante la cual se liga el conducto deferente por el que el esperma llega desde los testículos hasta la uretra, con el fin de esterilizar al varón.

Viriasis
Infección producida por algún tipo de virus.

Viruela
Infección vírica letal hasta hace pocos años que se encuentra erradicada en la actualidad, aunque aún se conservan cepas del virus en algunos laboratorios por si reapareciera de nuevo y fuera necesaria una vacuna.

Vitamina
Sustancia obtenida de los alimentos que no puede ser sintetizada por el organismo y que resulta vital para el funcionamiento correcto del metabolismo.

Vitíligo
Pérdida de melanina en forma de placas que se extienden por ciertas áreas de la piel, a veces como consecuencia de una exposición excesiva al sol, que no supone una amenaza para la salud aunque sí un deterioro estético.

Xerodermia
Afección cutánea que produce sequedad de la piel.

Xeroftalmia
Sequedad de la mucosa ocular.

Xerostomía
Sequedad de la cavidad bucal.

Yatrogénico

Cualquier estado patológico producido por una actuación médica o farmacológica de forma negligente o no.

Zoonosis

Cualquier enfermedad o infección que puede ser transmitida al hombre por los animales.